Utiliser une calculatrice TI en physique et chimie

Saisir un nombre avec une puissance de dix

Exemple de saisie : Pour écrire $2{,}6 \times 10^{-6}$, on tape :

2 • 6 2nde   6

Attention à ne pas confondre la touche du signe moins (nombre négatif) (–) avec la touche de soustraction – .

Exemple d'affichage : 2.6E-6

Calculer avec les puissances de dix

Par exemple, le calcul $\frac{2{,}898 \times 10^{-3}}{5\,500 + 273}$ correspond à l'affichage ci-contre.

```
2.898E-3/(5500+2
73)
  5.019920319E-7
```

Le résultat affiché s'écrit $5{,}019920319 \times 10^{-7}$.

Dans ce type de calcul, il ne faut pas oublier les parenthèses au dénominateur.

Calculer un logarithme ou une puissance de dix

Exemple de saisie : Pour calculer $\log(4{,}3 \times 10^{-5})$, on tape :

log 4 • 3 2nde EE , (–) 5) entrer

```
log(4.3E-5)
     -4.366531544
```

Pour calculer $10^{-2{,}8}$, on tape :

2nde 10^x log (–) 2 • 8) entrer

```
10^(-2.8)
   1.584893192E-3
```

Activer l'affichage en mode scientifique avec trois chiffres significatifs

– Entrer dans les réglages par la touche mode.

– Avec les flèches du clavier, sélectionner **Sci** (pour scientifique),

puis **Float 2** (pour 2 décimales) et valider chaque étape par la touche entrer.

– Pour sortir : 2nde quitter mode.

```
NORMAL SCI ING
FLOTT 0 1 2 3 4 5 6 7 8 9
RADIAN DEGRE
FONC PAR POL SUITE
RELIE NONRELIE
SEQUENTIEL SIMUL
REEL a+bi re^θi
PLEIN HORIZ G-T
```

Rappeler le dernier résultat numérique affiché

– Appuyer sur les touches 2nde et ans (–) , puis sur entrer.

– Le dernier résultat numérique s'affiche ; il peut être utilisé dans un calcul.

```
Ans
          6.29E-4
```

Mettre une valeur numérique en mémoire, puis la rappeler

Pour stocker une valeur dans la mémoire :

– Entrer la valeur à stocker (ici, la vitesse de la lumière dans le vide c = 299 792 458 $m \cdot s^{-1}$).

– Appuyer sur les touches sto→ , puis sur alpha draw C prgm entrer.

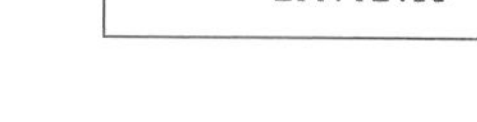
```
299792458→C
        299792458
```

On peut choisir d'autres lettres comme étiquettes de mémoire. Cela permet de stocker par exemple les valeurs des constantes souvent utilisées.

– Pour rappeler la valeur en mémoire, il suffit de taper la lettre correspondante : alp

La valeur s'affiche ; elle peut être utilisée dans un calcul.

```
C
        299792458
```

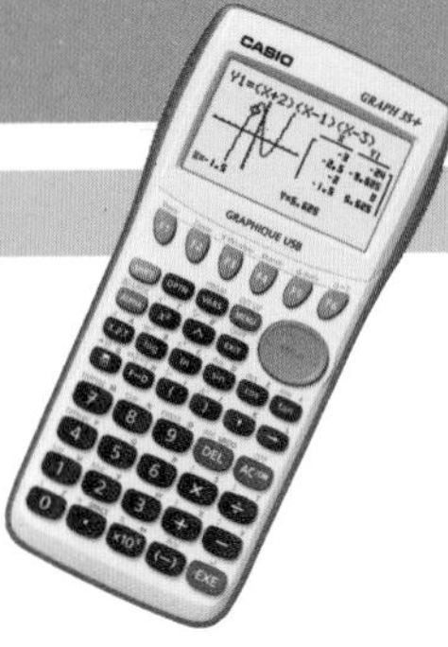

Utiliser une calculatrice CASIO en physique et chimie

Saisir un nombre avec une puissance de dix

__Exemple de saisie :__ Pour écrire **2,6 × 10^{-6}**, on tape :

Attention à ne pas confondre la touche du signe moins (nombre négatif) (−)

avec la touche de soustraction −.

__Exemple d'affichage :__ 2.6E-6

Calculer avec les puissances de dix

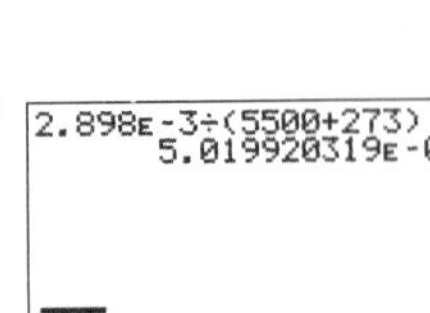

Par exemple, le calcul $\frac{2,898 \times 10^{-3}}{5\,500 + 273}$ correspond à l'affichage ci-contre.

Le résultat affiché s'écrit 5,019920319 × 10^{-7}.

Dans ce type de calcul, il ne faut pas oublier les parenthèses au dénominateur.

Calculer un logarithme ou une puissance de dix

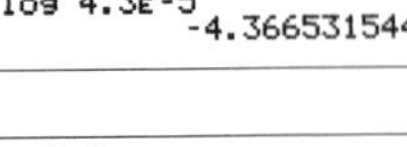

__Exemple de saisie :__ Pour calculer log(4,3 × 10^{-5}), on tape :

Pour calculer 10$^{-2,8}$, on tape :

```
10^-2.8
        1.584893192E-03
```

Activer l'affichage en mode scientifique avec trois chiffres significatifs

– Entrer dans les réglages par les touches SHIFT MENU (SET UP).

– Avec les flèches du clavier, sélectionner **Display** puis **Sci** [touche F2]

(pour scientifique), puis 3 (pour 3 chiffres significatifs) et valider par la touche EXE.

– Pour sortir : SHIFT EXIT (QUIT) ou EXE.

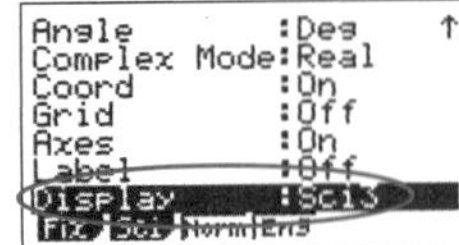

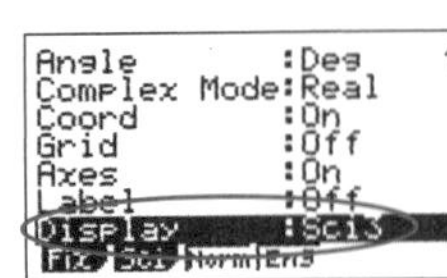

Rappeler le dernier résultat numérique affiché

– Appuyer sur les touches SHIFT et (−) (Ans), puis sur EXE.

– Le dernier résultat numérique s'affiche ; il peut être utilisé dans un calcul.

```
Ans
        6.29E-04
```

Mettre une valeur numérique en mémoire, puis la rappeler

__Pour stocker une valeur dans la mémoire :__

– Entrer la valeur à stocker (ici, la vitesse de la lumière dans le vide c = 299 792 458 m·s^{-1}).

```
299792458→C
        299792458
```

– Appuyer sur les touches →, puis sur ALPHA ln (C) EXE.

On peut choisir d'autres lettres comme étiquettes de mémoire. Cela permet de stocker par exemple les valeurs des constantes souvent utilisées.

– Pour rappeler la valeur en mémoire, il suffit de taper la lettre correspondante : .

La valeur s'affiche ; elle peut être utilisée dans un calcul.

```
C
        299792458
```

Physique Chimie

TS

Enseignement spécifique

Sous la direction de

Thierry DULAURANS
Lycée Fernand-Daguin à Mérignac

André DURUPTHY
Lycée Paul-Cézanne à Aix-en-Provence

Michel BARDE
Lycée Marcel-Pagnol à Marseille

Nathalie BARDE
Lycée Saint-Charles à Marseille

Jean-Philippe BELLIER
Lycée Michel-Montaigne à Bordeaux

Vincent BESNARD
Lycée Montesquieu à Bordeaux

Marc BIGORRE
Lycée des Graves à Gradignan

Julien CALAFELL
Lycée Bellevue à Toulouse

Éric DAINI
Lycée Paul-Cézanne à Aix-en-Provence

Maryline DAINI-D'INCAN
Lycée Maurice-Janetti
à Saint-Maximin-la-Sainte-Baume

Marie des Neiges DE FLAUGERGUES
Lycée du Grésivaudan à Meylan

Magali GIACINO
Lycée Paul-Cézanne à Aix-en-Provence

Nicolas LESCURE
Lycée Michel-Montaigne à Bordeaux

Vanina MONNET
Lycée Michel-Montaigne à Bordeaux

Bruno POUDENS
Lycée des Graves à Gradignan

Isabelle TARRIDE
Lycée Val de Durance à Pertuis

hachette
ÉDUCATION

Remerciements

◗ Nous remercions vivement les enseignants qui ont accepté de participer à la **relecture critique** du manuscrit : Aline Chaillou, Alexandra Chauvin, Philippe Chevallier, Katia Giton, Sébastien Gomes, Hervé Lauret, Laurent Le Floch et Caroline Luc.

◗ Nous remercions Nathalie Brouillet et Caroline Soubiran de l'observatoire d'astrophysique de Bordeaux 1, ainsi que Jean-Marc Jancovici, Arnaud Gautier et Christophe Salomon de l'École normale supérieure Paris, Michel Hontarrède de Météo-France, pour leurs conseils. Nous remercions également Larry Rome, Serge Bertorello, Paul Smigielski, Andrew Cox d'Oceanweather Inc., l'UFR de physique de Grenoble, la direction de la communication du CEA et Claude Cohen-Tannoudji, pour leurs aimables autorisations.

◗ Nous remercions l'administration du **lycée des Graves à Gradignan** et du **lycée Paul-Cézanne à Aix-en-Provence** de nous avoir accueillis pour la réalisation des photographies d'expériences, et le personnel de laboratoire de tous nos lycées pour nous avoir aidés dans la mise au point des expériences.

◗ Nous remercions l'Institut Lasers et Plasmas de nous avoir accueillis pour la réalisation de photographies.

◗ Nous remercions également les sociétés Jeulin, Pierron, Sciencéthic, JCL électronique, Galilab et Ovio-instruments, pour leurs prêts de matériel.

Couverture : Pierre-Antoine Rambaud / Parbleu!
Maquette intérieure : Frédéric Jély
Composition : CMB Graphic et Nicolas Piroux (p. 14-15, 124-125 et 412-413)
Suivi éditorial : Annie Herschlikowitz et Annick Piet-Gonçalves
Schémas : Patrick Hanequand (chapitres 4, 9, 10, 11, 12, 13, 17, 18 et 19) et Jean-Luc Maniouloux (chapitres 1, 2, 3, 5, 6, 7, 8, 14, 15, 16, 20, 21)
Infographies :
Christian Couvert (p. 29, 30, 31, 33, 45, 56, 58, 161, 175, 212, 214, 372, 417, 422, 429, 432, 443 (b), 447, 502, 517, 548, 556, 558, 564, 569, 574)
Antoine Dagan (p. 420-421, 438-439, 524, 540, rabat VI)
Agence Idé (p. 354-355)
Christophe Martin (p. 427, 431)
Fabrice Mathé (p. 381)
Pascal Thomas, cartographie Hachette (p. 434)
Yuvanoe (p. 428, 430)
Photographies d'expériences : Alain Béguerie (chapitres 1, 2, 3, 5, 6, 7, 8, 14, 15, 16, 20, 21) et Philippe Burlot (chapitres 4, 9, 10, 11, 12, 13, 17, 18 et 19)
Recherche iconographique : Katia Davidoff/Booklage (chapitres 4, 9, 10, 11, 12, 13, 17, 18, 19 et 22) et Michèle Kerneïs (chapitres 1, 2, 3, 5, 6, 7, 8, 14, 15, 16, 20, 21)
Illustrations : Lison Bernet (p. 65, 81, 135, 209, 220, 225, 516, 529, 532, 567) et Jean-Louis Goussé (p. 148, 184, 199, 220, 224, 351, 352, 365, 369, 585)
Photogravure : Nord Compo

www.hachette-education.com

ISBN : 978-2-01-135574-4

PAPIER À BASE DE FIBRES CERTIFIÉES

hachette s'engage pour l'environnement en réduisant l'empreinte carbone de ses livres. Celle de cet exemplaire est de :
2850 g éq. CO_2
Rendez-vous sur www.hachette-durable.fr

Sommaire

OBSERVER
Ondes et matière

COMPRENDRE
Lois et modèles

Sommaire

Sommaire

21 Transmission et stockage de l'information

22 Science et société

Rabats

Lecture transversale

Programme

Extrait du Bulletin officiel spécial n° 8 du 13 octobre 2011

Mesures et incertitudes

Notions et contenus	Compétences exigibles	Chapitres du manuel
Erreurs et notions associées.	Identifier les différentes sources d'erreur (de limites à la précision) lors d'une mesure : variabilités du phénomène et de l'acte de mesure (facteurs liés à l'opérateur, aux instruments, etc.).	**Fiches 1 à 4, p. 580 à 587.**
Incertitudes et notions associées.	Évaluer et comparer les incertitudes associées à chaque source d'erreur. Évaluer l'incertitude de répétabilité à l'aide d'une formule d'évaluation fournie. Évaluer l'incertitude d'une mesure unique obtenue à l'aide d'un instrument de mesure. Évaluer, à l'aide d'une formule fournie, l'incertitude d'une mesure obtenue lors de la réalisation d'un protocole dans lequel interviennent plusieurs sources d'erreurs.	
Expression et acceptabilité du résultat.	Maîtriser l'usage des chiffres significatifs et l'écriture scientifique. Associer l'incertitude à cette écriture. Exprimer le résultat d'une opération de mesure par une valeur issue éventuellement d'une moyenne et une incertitude de mesure associée à un niveau de confiance. Évaluer la précision relative. Déterminer les mesures à conserver en fonction d'un critère donné. Commenter le résultat d'une opération de mesure en le comparant à une valeur de référence. Faire des propositions pour améliorer la démarche.	**Traité de manière transversale dans tous les chapitres.**

Notions et contenus	Compétences exigibles	Chapitres du manuel
Observer **Ondes et matière** **Les ondes et les particules sont supports d'informations. Comment les détecte-t-on ? Quelles sont les caractéristiques et les propriétés des ondes ? Comment réaliser et exploiter des spectres pour identifier des atomes et des molécules ?**		
Ondes et particules		
Rayonnements dans l'Univers Absorption de rayonnements par l'atmosphère terrestre.	Extraire et exploiter des informations sur l'absorption de rayonnements par l'atmosphère terrestre et ses conséquences sur l'observation des sources de rayonnements dans l'Univers. Connaître des sources de rayonnement radio, infrarouge etultraviolet.	Chapitre 1
Les ondes dans la matière Houle, ondes sismiques, ondes sonores. Magnitude d'un séisme sur l'échelle de Richter. Niveau d'intensité sonore.	Extraire et exploiter des informations sur les manifestations des ondes mécaniques dans la matière. Connaître et exploiter la relation liant le niveau d'intensité sonore à l'intensité sonore.	Chapitre 2
Détecteurs d'ondes (mécaniques et électromagnétiques) **et de particules** (photons, particules élémentaires ou non).	Extraire et exploiter des informations sur : – des sources d'ondes et de particules et leurs utilisations ; – un dispositif de détection. *Pratiquer une démarche expérimentale mettant en œuvre un capteur ou un dispositif de détection.*	Chapitre 1
Caractéristiques et propriétés des ondes		
Caractéristiques des ondes Ondes progressives. Grandeurs physiques associées. Retard. Ondes progressives périodiques, ondes sinusoïdales. Ondes sonores et ultrasonores. Analyse spectrale. Hauteur et timbre.	Définir une onde progressive à une dimension. Connaître et exploiter la relation entre retard, distance et vitesse de propagation (célérité). *Pratiquer une démarche expérimentale visant à étudier qualitativement et quantitativement un phénomène de propagation d'une onde.* Définir, pour une onde progressive sinusoïdale, la période, la fréquence et la longueur d'onde. Connaître et exploiter la relation entre la période ou la fréquence, la longueur d'onde et la célérité. *Pratiquer une démarche expérimentale pour déterminer la période, la fréquence, la longueur d'onde et la célérité d'une onde progressive sinusoïdale.* *Réaliser l'analyse spectrale d'un son musical et l'exploiter pour en caractériser la hauteur et le timbre.*	Chapitre 2

Propriétés des ondes Diffraction. Influence relative de la taille de l'ouverture ou de l'obstacle et de la longueur d'onde sur le phénomène de diffraction.	Savoir que l'importance du phénomène de diffraction est liée au rapport de la longueur d'onde aux dimensions de l'ouverture ou de l'obstacle. Connaître et exploiter la relation $\theta = \lambda/a$. Identifier les situations physiques où il est pertinent de prendre en compte le phénomène de diffraction.	Chapitre 3
Cas des ondes lumineuses monochromatiques, cas de la lumière blanche.	*Pratiquer une démarche expérimentale visant à étudier ou utiliser le phénomène de diffraction dans le cas des ondes lumineuses.*	
Interférences.	Connaître et exploiter les conditions d'interférences constructives et destructives pour des ondes monochromatiques.	
Cas des ondes lumineuses monochromatiques, cas de la lumière blanche. Couleurs interférentielles.	*Pratiquer une démarche expérimentale visant à étudier quantitativement le phénomène d'interférence dans le cas des ondes lumineuses.*	
Effet Doppler.	*Mettre en œuvre une démarche expérimentale pour mesurer une vitesse en utilisant l'effet Doppler.* Exploiter l'expression du décalage Doppler de la fréquence dans le cas des faibles vitesses. Utiliser des données spectrales et un logiciel de traitement d'images pour illustrer l'utilisation de l'effet Doppler comme moyen d'investigation en astrophysique.	
Analyse spectrale		
Spectres UV-visible Lien entre couleur et longueur d'onde au maximum d'absorption de substances organiques ou inorganiques.	*Mettre en œuvre un protocole expérimental pour caractériser une espèce colorée.* Exploiter des spectres UV-visible.	Chapitre 4
Spectres IR Identification de liaisons à l'aide du nombre d'onde correspondant; détermination de groupes caractéristiques. Mise en évidence de la liaison hydrogène.	Exploiter un spectre IR pour déterminer des groupes caractéristiques à l'aide de tables de données ou de logiciels. Associer un groupe caractéristique à une fonction dans le cas des alcool, aldéhyde, cétone, acide carboxylique, ester, amine, amide. Connaître les règles de nomenclature de ces composés ainsi que celles des alcanes et des alcènes.	
Spectres RMN du proton Identification de molécules organiques à l'aide : – du déplacement chimique; – de l'intégration; – de la multiplicité du signal : règle des $(n + 1)$-uplets.	Relier un spectre RMN simple à une molécule organique donnée, à l'aide de tables de données ou de logiciels. Identifier les protons équivalents. Relier la multiplicité du signal au nombre de voisins. Extraire et exploiter des informations sur différents types de spectres et sur leurs utilisations.	

Notions et contenus	Compétences exigibles	Chapitres du manuel
Comprendre Lois et modèles ***Comment exploite-t-on des phénomènes périodiques pour accéder à la mesure du temps ? En quoi le concept de temps joue-t-il un rôle essentiel dans la relativité ? Quels paramètres influencent l'évolution chimique ? Comment la structure des molécules permet-elle d'interpréter leurs propriétés ? Comment les réactions en chimie organique et celles par échange de proton participent-elles à la transformation de la matière ? Comment s'effectuent les transferts d'énergie à différentes échelles ? Comment se manifeste la réalité quantique, notamment pour la lumière ?***		
Temps, mouvement et évolution		
	Extraire et exploiter des informations relatives à la mesure du temps pour justifier l'évolution de la définition de la seconde.	Chapitre 7
Temps, cinématique et dynamique newtoniennes Description du mouvement d'un point au cours du temps : vecteurs position, vitesse et accélération.	Choisir un référentiel d'étude. Définir et reconnaître des mouvements (rectiligne uniforme, rectiligne uniformément varié, circulaire uniforme, circulaire non uniforme) et donner dans chaque cas les caractéristiques du vecteur accélération.	Chapitres 5 et 6
Référentiel galiléen. Lois de Newton : principe d'inertie, $\Sigma\vec{F} = \frac{d\vec{p}}{dt}$ et principe des actions réciproques.	Définir la quantité de mouvement $\vec{p}$ d'un point matériel. Connaître et exploiter les trois lois de Newton; les mettre en œuvre pour étudier des mouvements dans des champs de pesanteur et électrostatique uniformes. *Mettre en œuvre un protocole expérimental pour étudier un mouvement.*	
Conservation de la quantité de mouvement d'un système isolé.	*Mettre en œuvre une démarche d'investigation pour interpréter un mode de propulsion par réaction à l'aide d'un bilan qualitatif de quantité de mouvement.*	

Programme

Notions	Compétences	Chapitres
Mouvement d'un satellite. Révolution de la Terre autour du Soleil.	Démontrer que, dans l'approximation des trajectoires circulaires, le mouvement d'un satellite, d'une planète, est uniforme. Établir l'expression de sa vitesse et de sa période.	Chapitres 5 et 6
Lois de Kepler	Connaître les trois lois de Kepler; exploiter la troisième dans le cas d'un mouvement circulaire.	
Mesure du temps et oscillateur, amortissement	*Pratiquer une démarche expérimentale pour mettre en évidence :* *– les différents paramètres influençant la période d'un oscillateur mécanique ;* *– son amortissement.*	Chapitre 7
Travail d'une force. Force conservative ; énergie potentielle.	Établir et exploiter les expressions du travail d'une force constante (force de pesanteur, force électrique dans le cas d'un champ uniforme).	
Forces non conservatives : exemple des frottements.	Établir l'expression du travail d'une force de frottement d'intensité constante dans le cas d'une trajectoire rectiligne.	
Énergie mécanique.	Analyser les transferts énergétiques au cours d'un mouvement d'un point matériel.	
Étude énergétique des oscillations libres d'un système mécanique. Dissipation d'énergie.	*Pratiquer une démarche expérimentale pour étudier l'évolution des énergies cinétique, potentielle et mécanique d'un oscillateur.* Extraire et exploiter des informations sur l'influence des phénomènes dissipatifs sur la problématique de la mesure du temps et la définition de la seconde.	
Définition du temps atomique.	Extraire et exploiter des informations pour justifier l'utilisation des horloges atomiques dans la mesure du temps.	
Temps et relativité restreinte Invariance de la vitesse de la lumière et caractère relatif du temps.		Chapitre 8
Postulat d'Einstein. Tests expérimentaux de l'invariance de la vitesse de la lumière.	Savoir que la vitesse de la lumière dans le vide est la même dans tous les référentiels galiléens.	
Notion d'événement. Temps propre. Dilatation des durées. Preuves expérimentales.	Définir la notion de temps propre. Exploiter la relation entre durée propre et durée mesurée. Extraire et exploiter des informations relatives à une situation concrète où le caractère relatif du temps est à prendre en compte.	
Temps et évolution chimique : cinétique et catalyse Réactions lentes, rapides ; durée d'une réaction chimique.	*Mettre en œuvre une démarche expérimentale pour suivre dans le temps une synthèse organique par CCM et en estimer la durée.*	Chapitre 9
Facteurs cinétiques. Évolution d'une quantité de matière au cours du temps. Temps de demi-réaction.	*Mettre en œuvre une démarche expérimentale pour mettre en évidence quelques paramètres influençant l'évolution temporelle d'une réaction chimique : concentration, température, solvant.* Déterminer un temps de demi-réaction.	
Catalyse homogène, hétérogène et enzymatique.	*Mettre en œuvre une démarche expérimentale pour mettre en évidence le rôle d'un catalyseur.* Extraire et exploiter des informations sur la catalyse, notamment en milieu biologique et dans le domaine industriel, pour en dégager l'intérêt.	
Structure et transformation de la matière		
Représentation spatiale des molécules Chiralité : définition, approche historique.	Reconnaître des espèces chirales à partir de leur représentation.	Chapitre 10
Représentation de Cram.	Utiliser la représentation de Cram.	
Carbone asymétrique. Chiralité des acides α-aminés.	Identifier les atomes de carbone asymétrique d'une molécule donnée.	
Énantiomérie, mélange racémique, diastéréoisomérie (*Z/E*, deux atomes de carbone asymétriques).	À partir d'un modèle moléculaire ou d'une représentation, reconnaître si des molécules sont identiques, énantiomères ou diastéréoisomères. *Pratiquer une démarche expérimentale pour mettre en évidence des propriétés différentes de diastéréoisomères.*	
Conformation : rotation autour d'une liaison simple ; conformation la plus stable.	*Visualiser, à partir d'un modèle moléculaire ou d'un logiciel de simulation, les différentes conformations d'une molécule.*	
Formule topologique des molécules organiques.	Utiliser la représentation topologique des molécules organiques.	
Propriétés biologiques et stéréoisomérie.	Extraire et exploiter des informations sur : – les propriétés biologiques de stéréoisomères ; – les conformations de molécules biologiques, pour mettre en évidence l'importance de la stéréoisomérie dans la nature.	

Transformation en chimie organique Aspect macroscopique : – Modification de chaîne, modification de groupe caractéristique. – Grandes catégories de réactions en chimie organique : substitution, addition, élimination.	Reconnaître les groupes caractéristiques des alcool, aldéhyde, cétone, acide carboxylique, ester, amine, amide. Utiliser le nom systématique d'une espèce chimique organique pour en déterminer les groupes caractéristiques et la chaîne carbonée. Distinguer une modification de chaîne d'une modification de groupe caractéristique. Déterminer la catégorie d'une réaction (substitution, addition, élimination) à partir de l'examen de la nature des réactifs et des produits.	Chapitre 11
Aspect microscopique : – Liaison polarisée, site donneur et site accepteur de doublet d'électrons. – Interaction entre des sites donneurs et accepteurs de doublet d'électrons ; représentation du mouvement d'un doublet d'électrons à l'aide d'une flèche courbe lors d'une étape d'un mécanisme réactionnel.	Déterminer la polarisation des liaisons en lien avec l'électronégativité (table fournie). Identifier un site donneur, un site accepteur de doublet d'électrons. Pour une ou plusieurs étapes d'un mécanisme réactionnel donné, relier par une flèche courbe les sites donneur et accepteur en vue d'expliquer la formation ou la rupture de liaisons.	Chapitre 12
Réaction chimique par échange de proton		Chapitre 13
Le pH : définition, mesure.	*Mesurer le pH d'une solution aqueuse.*	
Théorie de Brönsted : acides faibles, bases faibles ; notion d'équilibre ; couple acide-base ; constante d'acidité K_A. Échelle des pK_A dans l'eau, produit ionique de l'eau ; domaines de prédominance (cas des acides carboxyliques, des amines, des acides α-aminés).	Reconnaître un acide, une base dans la théorie de Brönsted. Utiliser les symbolismes $\longrightarrow$, $\longleftarrow$ et $\rightleftharpoons$ dans l'écriture des réactions chimiques pour rendre compte des situations observées. Identifier l'espèce prédominante d'un couple acide-base connaissant le pH du milieu et le pK_A du couple. *Mettre en œuvre une démarche expérimentale pour déterminer une constante d'acidité.*	
Réactions quasi-totales en faveur des produits : – acide fort, base forte dans l'eau ; – mélange d'un acide fort et d'une base forte dans l'eau.	Calculer le pH d'une solution aqueuse d'acide fort ou de base forte de concentration usuelle.	
Réaction entre un acide fort et une base forte : aspect thermique de la transformation. Sécurité.	*Mettre en évidence l'influence des quantités de matière mises en jeu sur l'élévation de température observée.*	
Contrôle du pH : solution tampon ; importance en milieu biologique.	Extraire et exploiter des informations pour montrer l'importance du contrôle du pH dans un milieu biologique.	
Énergie, matière et rayonnement		
Du macroscopique au microscopique	Extraire et exploiter des informations sur un dispositif expérimental permettant de visualiser les atomes et les molécules.	Chapitre 15
Constante d'Avogadro.	Évaluer des ordres de grandeurs relatifs aux domaines microscopique et macroscopique.	
Transferts d'énergie entre systèmes macroscopiques Notions de système et d'énergie interne. Interprétation microscopique.	Savoir que l'énergie interne d'un système macroscopique résulte de contributions microscopiques.	Chapitre 14
Capacité thermique.	Connaître et exploiter la relation entre la variation d'énergie interne et la variation de température pour un corps dans un état condensé.	
Transferts thermiques : conduction, convection, rayonnement. Flux thermique. Résistance thermique. Notion d'irréversibilité.	Interpréter les transferts thermiques dans la matière à l'échelle microscopique. Exploiter la relation entre le flux thermique à travers une paroi plane et l'écart de température entre ses deux faces.	
Bilans d'énergie.	Établir un bilan énergétique faisant intervenir transfert thermique et travail.	
Transferts quantiques d'énergie Émission et absorption quantiques. Émission stimulée et amplification d'une onde lumineuse. Oscillateur optique : principe du laser.	Connaître le principe de l'émission stimulée et les principales propriétés du laser (directivité, monochromaticité, concentration spatiale et temporelle de l'énergie). *Mettre en œuvre un protocole expérimental utilisant un laser comme outil d'investigation ou pour transmettre de l'information.*	Chapitre 15
Transitions d'énergie : électroniques, vibratoires.	Associer un domaine spectral à la nature de la transition mise en jeu.	
Dualité onde-particule Photon et onde lumineuse.	Savoir que la lumière présente des aspects ondulatoire et particulaire.	

Particule matérielle et onde de matière ; relation de de Broglie. Interférences photon par photon, particule de matière par particule de matière.	Extraire et exploiter des informations sur les ondes de matière et sur la dualité onde-particule. Connaître et utiliser la relation $p = h/\lambda$. Identifier des situations physiques où le caractère ondulatoire de la matière est significatif. Extraire et exploiter des informations sur les phénomènes quantiques pour mettre en évidence leur aspect probabiliste.	Chapitre 15

Notions et contenus	Compétences exigibles	Chapitres du manuel
Agir **Défis du XXIe siècle** ***En quoi la science permet-elle de répondre aux défis rencontrés par l'Homme dans sa volonté de développement tout en préservant la planète ?***		
Économiser les ressources et respecter l'environnement		
Enjeux énergétiques Nouvelles chaînes énergétiques. Économies d'énergie.	Extraire et exploiter des informations sur des réalisations ou des projets scientifiques répondant à des problématiques énergétiques contemporaines. Faire un bilan énergétique dans les domaines de l'habitat ou du transport. Argumenter sur des solutions permettant de réaliser des économies d'énergie.	Chapitre 16
Apport de la chimie au respect de l'environnement Chimie durable : – économie d'atomes ; – limitation des déchets ; – agro ressources ; – chimie douce ; – choix des solvants ; – recyclage. Valorisation du dioxyde de carbone.	Extraire et exploiter des informations en lien avec : – la chimie durable ; – la valorisation du dioxyde de carbone pour comparer les avantages et les inconvénients de procédés de synthèse du point de vue du respect de l'environnement.	Chapitre 17
Contrôle de la qualité par dosage Dosages par étalonnage : – spectrophotométrie : loi de Beer-Lambert ; – conductimétrie ; explication qualitative de la loi de Kohlrausch, par analogie avec la loi de Beer-Lambert. Dosages par titrage direct. Réaction support de titrage ; caractère quantitatif. Équivalence dans un titrage ; repérage de l'équivalence pour un titrage pH-métrique, conductimétrique et par utilisation d'un indicateur de fin de réaction.	*Pratiquer une démarche expérimentale pour déterminer la concentration d'une espèce à l'aide de courbes d'étalonnage en utilisant la spectrophotométrie et la conductimétrie, dans le domaine de la santé, de l'environnement ou du contrôle de la qualité.* Établir l'équation de la réaction support de titrage à partir d'un protocole expérimental. *Pratiquer une démarche expérimentale pour déterminer la concentration d'une espèce chimique par titrage par le suivi d'une grandeur physique et par la visualisation d'un changement de couleur, dans le domaine de la santé, de l'environnement ou du contrôle de la qualité.* Interpréter qualitativement un changement de pente dans un titrage conductimétrique.	Chapitre 18
Synthétiser des molécules, fabriquer de nouveaux matériaux		
Stratégie de la synthèse organique Protocole de synthèse organique : – identification des réactifs, du solvant, du catalyseur, des produits ; – détermination des quantités des espèces mises en jeu, du réactif limitant ; – choix des paramètres expérimentaux : température, solvant, durée de la réaction, pH ; – choix du montage, de la technique de purification, de l'analyse du produit ; – calcul d'un rendement ; – aspects liés à la sécurité ; – coûts.	Effectuer une analyse critique de protocoles expérimentaux pour identifier les espèces mises en jeu, les quantités et les paramètres expérimentaux. Justifier le choix des techniques de synthèse et d'analyse utilisées. Comparer les avantages et les inconvénients de deux protocoles.	Chapitre 19

Sélectivité en chimie organique Composé polyfonctionnel : réactif chimiosélectif, protection de fonctions.	Extraire et exploiter des informations : – sur l'utilisation de réactifs chimiosélectifs ; – sur la protection d'une fonction dans le cas de la synthèse peptidique, pour mettre en évidence le caractère sélectif ou non d'une réaction. *Pratiquer une démarche expérimentale pour synthétiser une molécule organique d'intérêt biologique à partir d'un protocole.* *Identifier des réactifs et des produits à l'aide de spectres et de tables fournis.*	Chapitre 19
Transmettre et stocker de l'information		
Chaîne de transmission d'informations	Identifier les éléments d'une chaîne de transmission d'informations. Recueillir et exploiter des informations concernant des éléments de chaînes de transmission d'informations et leur évolution récente.	Chapitre 20
Images numériques Caractéristiques d'une image numérique : pixellisation, codage RVB et niveaux de gris.	Associer un tableau de nombres à une image numérique. *Mettre en œuvre un protocole expérimental utilisant un capteur (caméra ou appareil photo numériques par exemple) pour étudier un phénomène optique.*	
Signal analogique et signal numérique Conversion d'un signal analogique en signal numérique. Échantillonnage ; quantification ; numérisation.	Reconnaître des signaux de nature analogique et des signaux de nature numérique. *Mettre en œuvre un protocole expérimental utilisant un échantillonneur-bloqueur et/ou un convertisseur analogique numérique (CAN) pour étudier l'influence des différents paramètres sur la numérisation d'un signal (d'origine sonore par exemple).*	
Procédés physiques de transmission Propagation libre et propagation guidée. Transmission : – par câble ; – par fibre optique : notion de mode ; – transmission hertzienne. Débit binaire. Atténuations.	Exploiter des informations pour comparer les différents types de transmission. Caractériser une transmission numérique par son débit binaire. Évaluer l'affaiblissement d'un signal à l'aide du coefficient d'atténuation. *Mettre en œuvre un dispositif de transmission de données (câble, fibre optique).*	Chapitre 21
Stockage optique Écriture et lecture des données sur un disque optique. Capacités de stockage.	Expliquer le principe de la lecture par une approche interférentielle. Relier la capacité de stockage et son évolution au phénomène de diffraction.	

Créer et innover

Notions et contenus	Compétences exigibles	Chapitres du manuel
Culture scientifique et technique ; relation science-société. Métiers de l'activité scientifique (partenariat avec une institution de recherche, une entreprise, etc.).	Rédiger une synthèse de documents pouvant porter sur : – l'actualité scientifique et technologique ; – des métiers ou des formations scientifiques et techniques ; – les interactions entre la science et la société.	Chapitre 22

À la découverte

La page d'ouverture

Elle présente la problématique et les objectifs du chapitre. Une couleur par thème : vert pour **Observer**, bordeaux pour **Comprendre** et bleu pour **Agir**.

Les pictogrammes du manuel

 Histoire des sciences

 Question nécessitant une recherche documentaire.

 Exercice en anglais

 Exercice à résoudre sans calculatrice.

 Problème type Bac.

 Problème mettant en jeu une démonstration.

Les activités

Elles peuvent être documentaires ou expérimentales.
Elles peuvent parfois être réalisées en autonomie, au CDI ou à la maison.

Certaines mettent en œuvre une démarche d'investigation.

Une question de synthèse termine la réflexion et fait le lien avec le cours.

Un pas vers le cours...

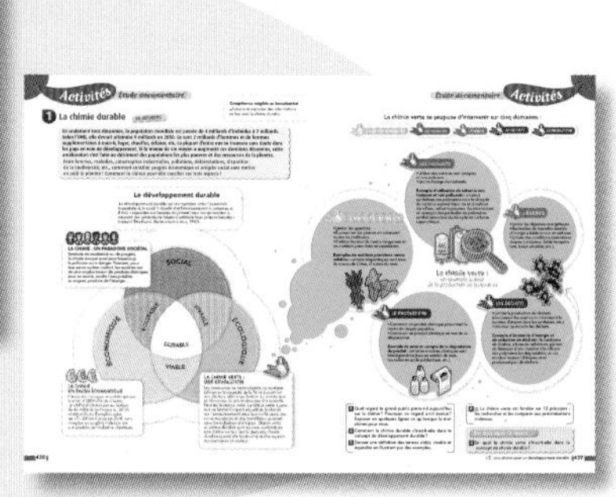

Les pages de synthèse

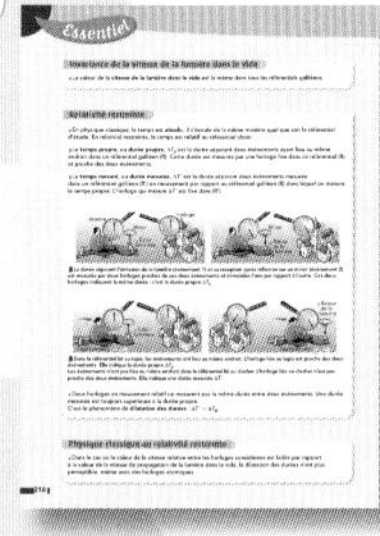

Un essentiel regroupe les connaissances à maîtriser, exigibles d'après le programme.

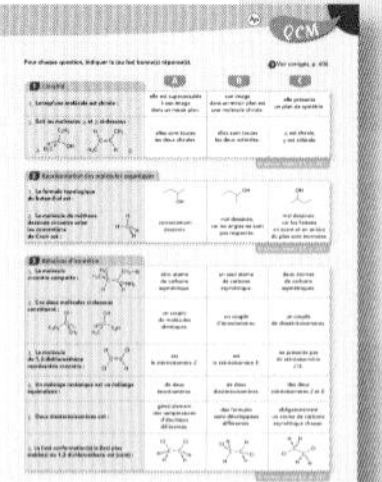

Un QCM permet de s'auto-évaluer, en reprenant les grandes parties du cours.

Le cours

Clair et concis, il est construit à partir des activités.
Il propose des renvois aux QCM et aux exercices de la catégorie « Pour commencer ».

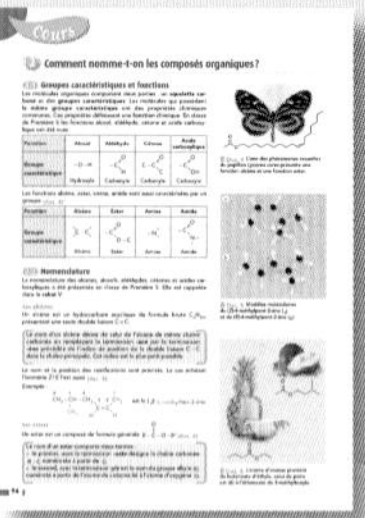

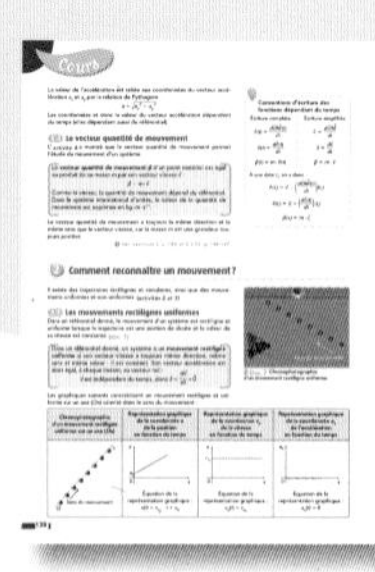

Des exercices résolus suivis d'une application immédiate (corrigée en fin de manuel) entraînent l'élève à analyser, résoudre et rédiger.

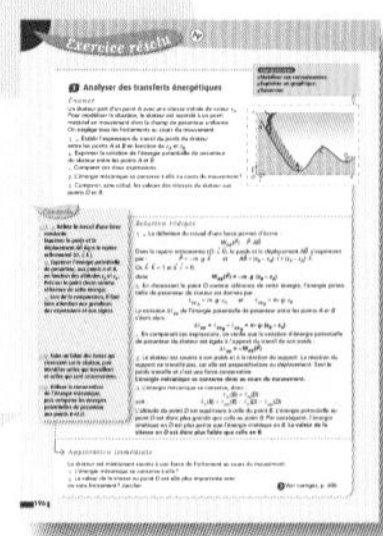

de votre manuel

Les exercices

Les **compétences exigibles au baccalauréat**, reprises du programme, sont indiquées au début des exercices. Pour chaque compétence, un renvoi vers au moins une activité ou un exercice la mettant en œuvre permet un travail efficace.

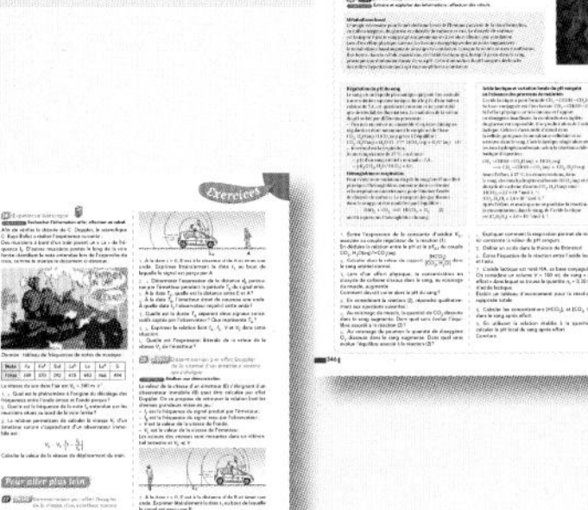

Trois rubriques progressives :
Pour commencer, Pour s'entraîner
et **Pour aller plus loin.**

Les puces rouges indiquent les exercices corrigés en fin d'ouvrage.

Les exercices sont très variés : exercice à deux niveaux, exercice en anglais, exercice type Bac, exercice « Démonstration », exercice « Un pas vers l'enseignement supérieur », etc. Le dernier exercice permet de revenir sur la problématique du chapitre.

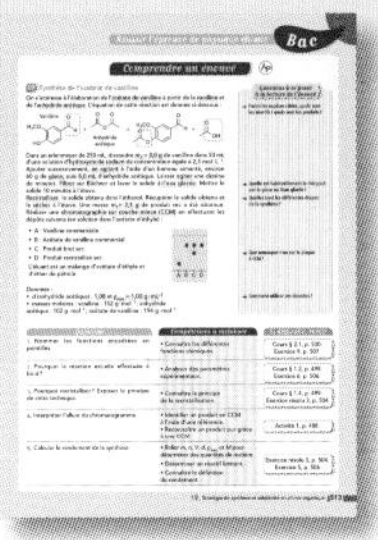

Deux pages de préparation au bac :
Comprendre un énoncé décortique un énoncé et permet d'acquérir une bonne méthodologie ;
Avoir les bons réflexes indique une stratégie à adopter face à une question et permet de se préparer à l'épreuve à l'aide d'un parcours de révision.

À la fin de chaque thème

Des sujets Bac, correspondant à l'épreuve écrite (**Exercices Bac**) et l'évaluation des compétences expérimentales (**TP Bac**), sont proposés.

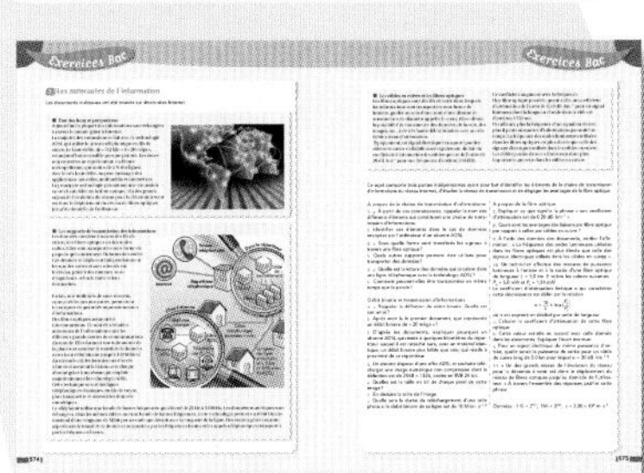

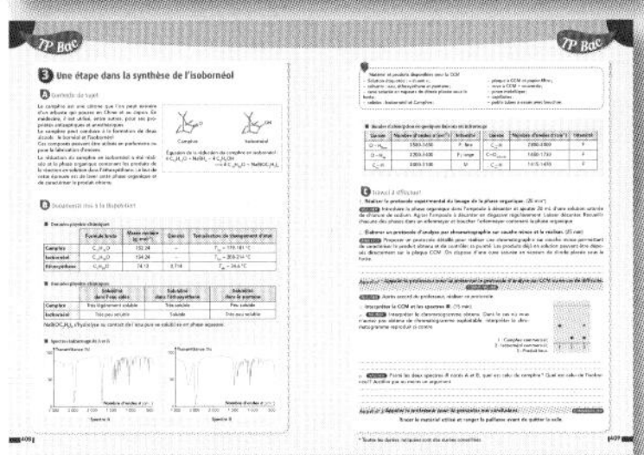

À la fin de l'ouvrage

Un 22e chapitre permet de s'interroger sur la place de la science dans la société et sur l'actualité scientifique. En outre, il donne de précieux conseils pour l'admission post-bac et informe sur des métiers scientifiques.

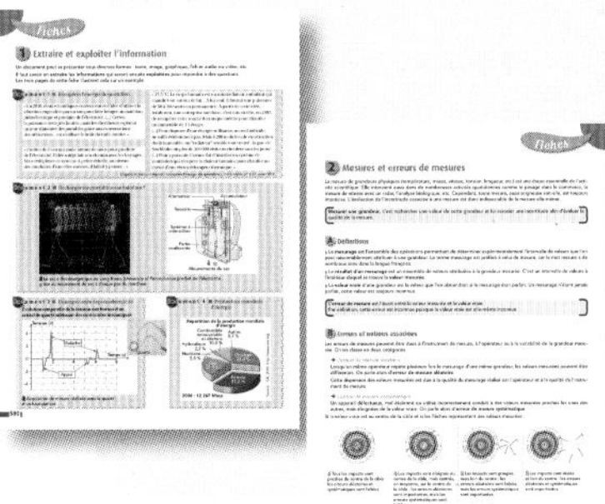

Dix-sept fiches exposent les principales méthodes à acquérir, en particulier **Extraire et exploiter l'information** et **Incertitudes de mesures.**

Les réponses aux exercices corrigés permettent de travailler en autonomie.

Observer : ondes

Les instruments d'observation modernes peuvent capter les rayonnements émis par l'Univers dans différents domaines du spectre électromagnétique, visible et invisible (radio, infrarouge, ultraviolet, etc.).
La connaissance des propriétés des ondes, comme la diffraction, les interférences et l'effet Doppler, permet d'interpréter les observations effectuées.
Au-delà de l'observation, la spectroscopie est un moyen d'étudier les propriétés physico-chimiques des sources de rayonnement, allant des objets astronomiques aux sources colorées artificielles. Elle est également un instrument irremplaçable d'analyse des espèces chimiques d'origines variées.

→ ***Comment détecte-t-on les ondes ?***
→ ***Quelles sont leurs caractéristiques et leurs propriétés ?***
→ ***Comment réaliser et exploiter des spectres pour identifier des atomes et des molécules ?***

et matière

Sommaire

Les notions vues au Collège, en Seconde et en Première S

Phénomène périodique, période et fréquence

- Un **phénomène périodique** se reproduit identique à lui-même à intervalles de temps égaux.
- La **période** T est la plus petite durée au bout de laquelle un phénomène périodique se répète.
- La **fréquence** f est le nombre de répétitions d'un phénomène périodique par unité de temps.

La fréquence et la période sont liées par la relation $f = \frac{1}{T}$, avec T en seconde (s) et f en hertz (Hz).

- La **tension maximale** U_{max} d'un signal est l'écart entre la valeur maximale de ce signal et la valeur référence.

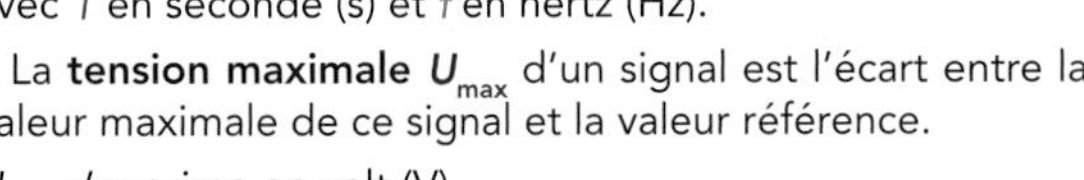

U_{max} s'exprime en volt (V).

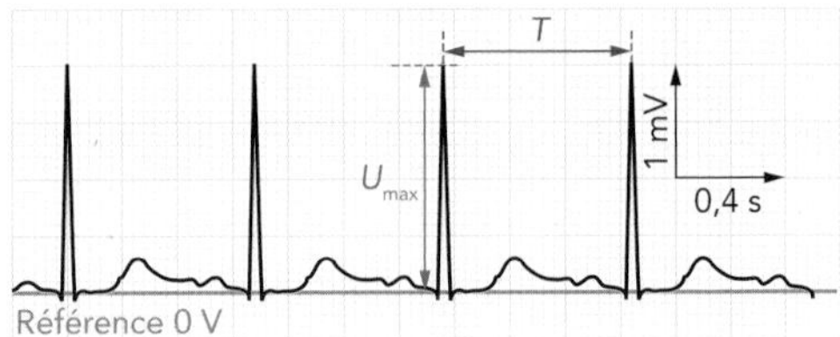

Sur l'exemple ci-dessus :
$U_{max} = 2,0$ div × 1 mV/div = 2,0 mV
et $T = 1,7$ div × 0,40 s/div = 0,68 s,
soit $f = \frac{1}{0,68} = 1,5$ Hz.

- Un oscilloscope ou un système d'acquisition permet de visualiser l'évolution d'une tension au cours du temps.

Ondes sonores et ultrasonores

- Les ondes sonores et ultrasonores ont besoin d'un **milieu matériel** pour se propager.

Dans l'air, elles se propagent à une vitesse dont la valeur est de l'ordre de 340 $m \cdot s^{-1}$.

- Les sons audibles ont des fréquences comprises entre 20 Hz et 20 kHz environ. Ils sont limités par les **infrasons** ($f < 20$ Hz) et par les **ultrasons** ($f > 20$ kHz).

Lumière et ondes électromagnétiques

- Le **spectre des ondes électromagnétiques** est découpé en divers domaines.
- Une **radiation lumineuse** est caractérisée par sa fréquence ou par sa longueur d'onde dans le vide.

La fréquence d'une onde électromagnétique est souvent notée ν (nu).

- La longueur d'onde dans le vide λ et la fréquence ν d'une onde électromagnétique sont liées par la relation $\lambda = \frac{c}{\nu}$.

λ s'exprime en mètre (m) et ν en hertz (Hz) ; c est la vitesse de la lumière dans le vide : $c \approx 3,00 \times 10^8$ $m \cdot s^{-1}$.

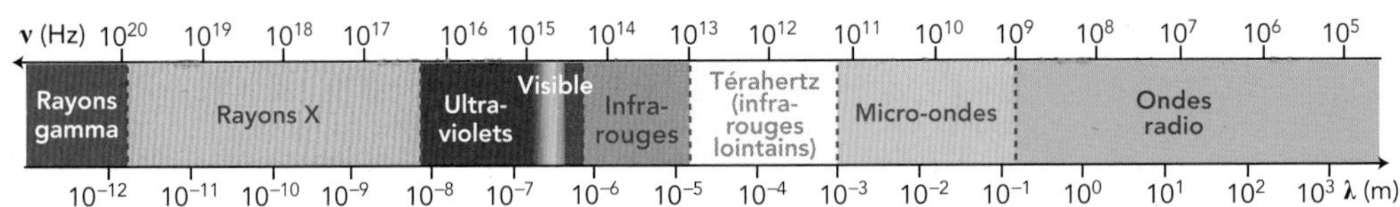

Longueurs d'onde dans le vide et fréquences des radiations visibles ou invisibles.

- La lumière émise par un laser est **monochromatique**, elle ne contient qu'une radiation.

La lumière émise par une source chaude comme une lampe à incandescence est **polychromatique**, elle contient plusieurs radiations.

- Dans le vide ou dans l'air, les radiations visibles ont des longueurs d'onde comprises entre 400 nm et 800 nm environ. Elles sont limitées par les **ultraviolets** (λ < 400 nm) et par les **infrarouges** (λ > 800 nm).

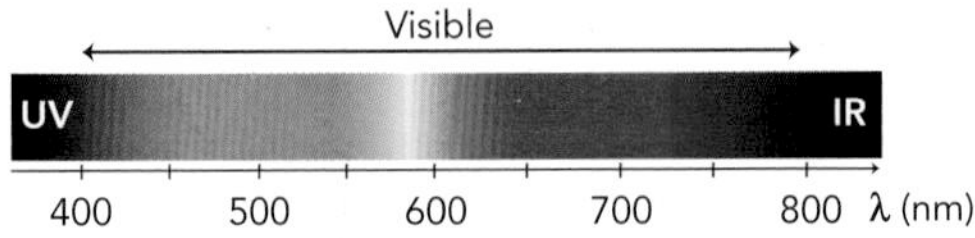

Longueurs d'onde dans le vide et dans l'air des radiations visibles.

- L'énergie de la lumière est transportée par des **photons**. Dans une radiation de longueur d'onde dans le vide λ, chaque photon transporte un **quantum d'énergie** $\mathcal{E} = h \cdot \nu = \frac{h \cdot c}{\lambda}$.

$\mathcal{E}$ s'exprime en joule (J), λ en mètre (m) et ν en hertz (Hz) ; h est la constante de Planck : $h = 6,63 \times 10^{-34}$ $J \cdot s$.

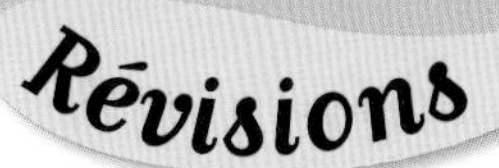

Particules élémentaires

Tout édifice est constitué d'atomes, de molécules ou d'ions.
Ces entités sont elles-mêmes formées à partir de particules plus petites, dites élémentaires.

Particule	Localisation dans l'atome	Charge	Masse
Proton	**Dans le noyau** des atomes.	**+e** = +1,60 × 10^{-19} C	1,673 × 10^{-27} kg, soit environ 10^{-27} kg
Neutron	**Dans le noyau** des atomes.	0	1,675 × 10^{-27} kg, soit environ 10^{-27} kg
Électron	Dans l'atome, **autour du noyau**.	**–e** = –1,60 × 10^{-19} C	9,11 × 10^{-31} kg, soit environ 10^{-30} kg négligeable par rapport à celle d'un nucléon.

La **charge élémentaire** est notée e et vaut **e = 1,60 × 10^{-19} C.**
La **charge électrique** q d'un noyau atomique, d'un ion ou d'un objet chargé peut s'exprimer en fonction de la charge élémentaire e : $q = n \cdot e$, avec n un nombre entier.

Radioactivité et réactions nucléaires

Lors d'une **désintégration radioactive**, un noyau père se désintègre spontanément en émettant un noyau fils, une particule et des rayonnements gamma (γ).

L'activité d'un échantillon radioactif est le nombre de noyaux qui se désintègrent par seconde.
Elle s'exprime en becquerel (Bq) : **1 Bq = 1 désintégration·s^{-1}.**

Transformations physiques

Un corps pur peut exister sous trois états physiques : **solide, liquide et gazeux.**

Le passage d'un état physique à un autre, ou **changement d'état**, est une **transformation physique.**

Solide
FUSION
SOLIDIFICATION
Liquide
SUBLIMATION
VAPORISATION
CONDENSATION
LIQUÉFACTION
Gaz

Spectre et profil spectral de la lumière venant d'une étoile

Le spectre de la lumière venant d'une étoile comporte des raies noires qui correspondent à des **minima d'intensité lumineuse** sur le profil spectral de cette étoile. Les radiations correspondantes sont absorbées lors de leur parcours entre l'étoile et la Terre.

L'étude du spectre ou du profil spectral de la lumière d'une étoile permet d'identifier des entités chimiques de son atmosphère à partir des longueurs d'onde dans le vide des radiations absorbées qui sont caractéristiques de chaque entité.

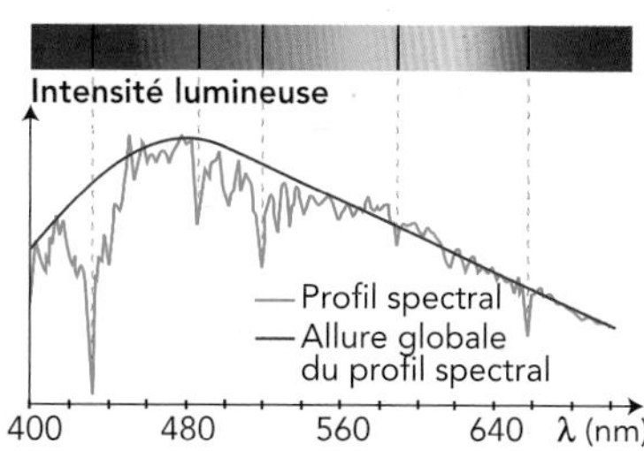

Spectre et profil spectral de la lumière venant d'une étoile.

Réflexion et réfraction

La lumière peut être réfléchie lorsqu'elle rencontre un obstacle : c'est le **phénomène de réflexion.**
Le rayon incident et le rayon réfléchi appartiennent au **plan d'incidence.**
Les directions des rayons sont telles que $i_1 = i_r$.

La lumière peut être déviée lorsqu'elle change de milieu de propagation : c'est le **phénomène de réfraction.**
Le rayon incident et le rayon réfracté appartiennent au **plan d'incidence.**
Les directions des rayons sont telles que $n_1 \cdot \sin i_1 = n_2 \cdot \sin i_2$.
n_1 et n_2 sont respectivement les indices de réfraction des milieux ① et ②.

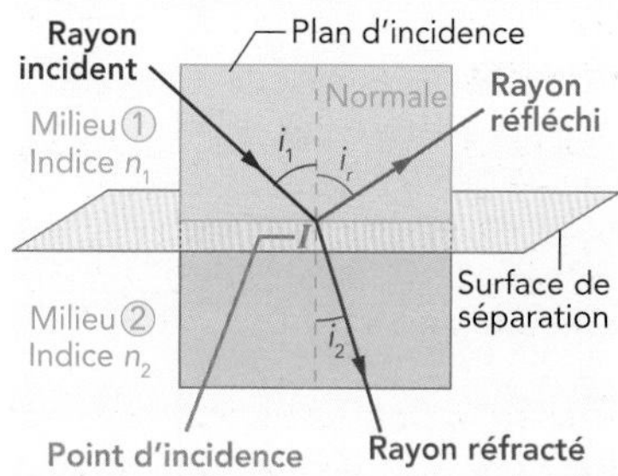

Carbone, oxygène, azote et hydrogène

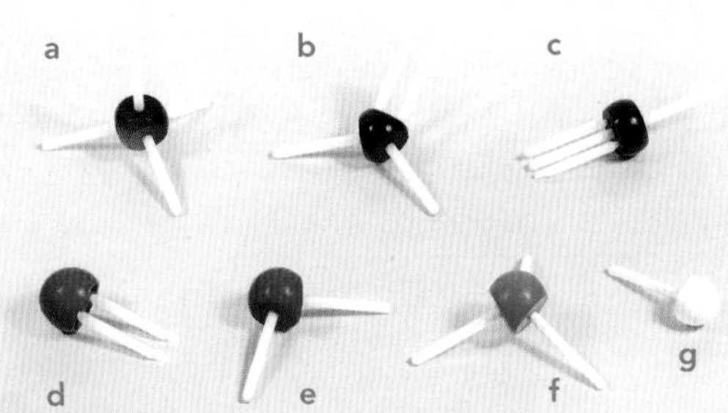

- Dans les composés organiques, pour satisfaire la **règle de l'octet :**
  – chaque atome de **carbone** participe à quatre liaisons covalentes ; il peut être **tétragonal** (a), **trigonal** (b) ou **digonal** (c) ;
  – chaque atome d'**oxygène** participe à deux liaisons covalentes en s'engageant dans **une liaison double** (d) ou **deux liaisons simples** (e) ;
  – chaque atome d'**azote** participe à trois liaisons covalentes (f).
- Pour satisfaire la **règle du duet**, un atome d'**hydrogène** participe à une liaison covalente (g).

Écriture topologique des molécules

- La **chaîne carbonée** disposée en zig-zag est représentée par une ligne brisée portant éventuellement des ramifications.
- Par convention, un atome de carbone se trouve à chaque sommet de cette ligne brisée et porte autant d'atomes d'hydrogène que nécessaire pour respecter la règle de l'octet.
- Les atomes, autres que C et H, sont figurés par leur symbole, ainsi que les atomes d'hydrogène qu'ils portent.

2-méthylbutane — but-1-ène — OH butan-2-ol

O Propanal — O Propanone — O OH Acide benzoïque

Isomérie *Z*/*E*, liaisons conjuguées, couleur

- Un composé de formule HAC=CBH, où A et B ne sont pas des atomes d'hydrogène, présente **deux isomères** notés ***Z*** et ***E***.
- Des **doubles liaisons** séparées par une seule liaison simple sont dites **conjuguées.** Les molécules d'espèces organiques colorées présente souvent de nombreuses liaisons conjuguées.

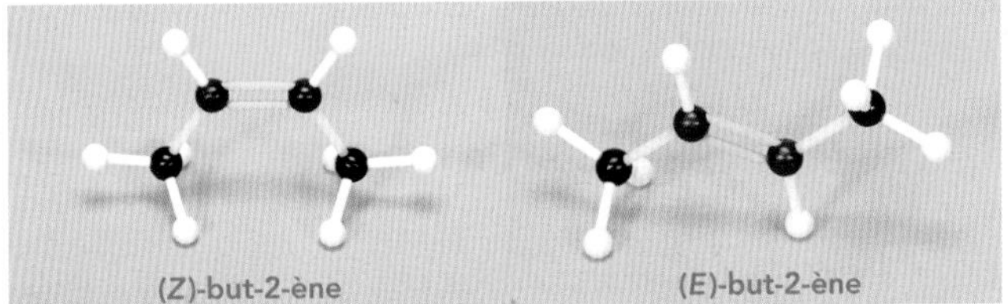

(*Z*)-but-2-ène — (*E*)-but-2-ène

- La couleur d'une solution résulte de la superposition des radiations non absorbées de la lumière blanche.

Alcools, aldéhydes, cétones et acides carboxyliques, liaison hydrogène

- Un **alcool** est un composé oxygéné qui contient un **groupe hydroxyle** **–OH** lié à un atome de carbone tétragonal.
- Les **aldéhydes** et les **cétones** sont des composés oxygénés qui contiennent le **groupe carbonyle C=O** directement lié à des atomes de carbone ou d'hydrogène. C'est un aldéhyde, si l'atome de carbone est lié à au moins un atome d'hydrogène ; c'est une cétone dans le cas contraire.
- Un **acide carboxylique** est un composé oxygéné qui contient le **groupe carboxyle** $-\overset{\overset{\displaystyle \mathrm{O}}{\|}}{\mathrm{C}}-\mathrm{OH}$

La **nomenclature** des alcanes, des alcools, des aldéhydes, des cétones et des acides carboxyliques est rappelée dans le **rabat V**.
- Une **liaison hydrogène** se forme lorsqu'un atome d'hydrogène lié à un atome A, très électronégatif, interagit avec un atome B, lui aussi très électronégatif et porteur d'un doublet non liant. A et B peuvent être le fluor F, l'oxygène O, l'azote N ou le chlore Cl. Les molécules d'alcools et d'acides carboxyliques peuvent participer à des liaisons hydrogène.

Rendement d'une synthèse

- Le **rendement** d'une synthèse, noté ρ, est égal au quotient de la quantité de produit obtenu, n_{exp}, par la quantité maximale de produit attendu, n_{max} : $\rho = \dfrac{n_{exp}}{n_{max}}$.

Ondes et particules

Chapitre 1

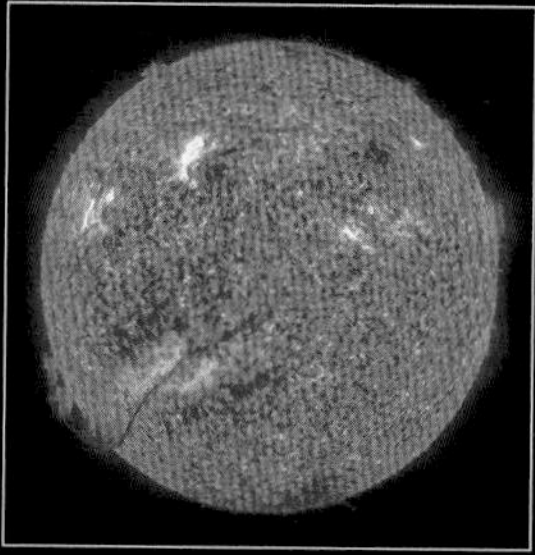

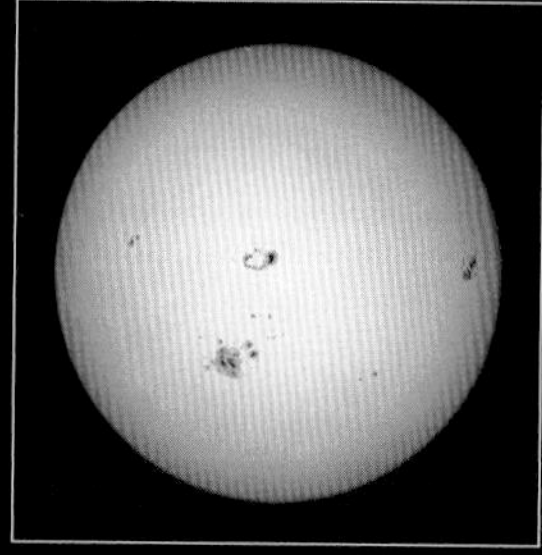

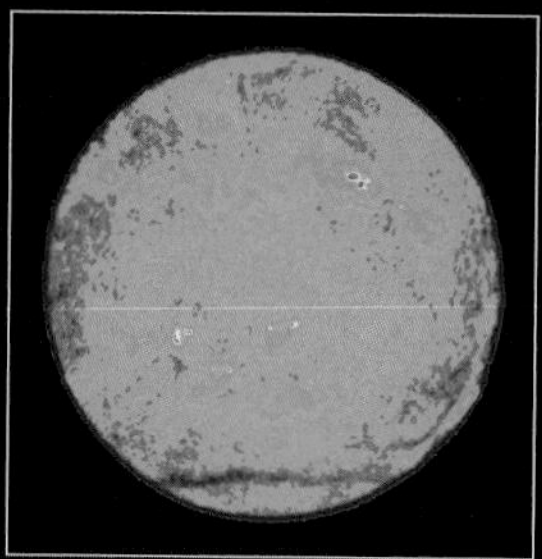

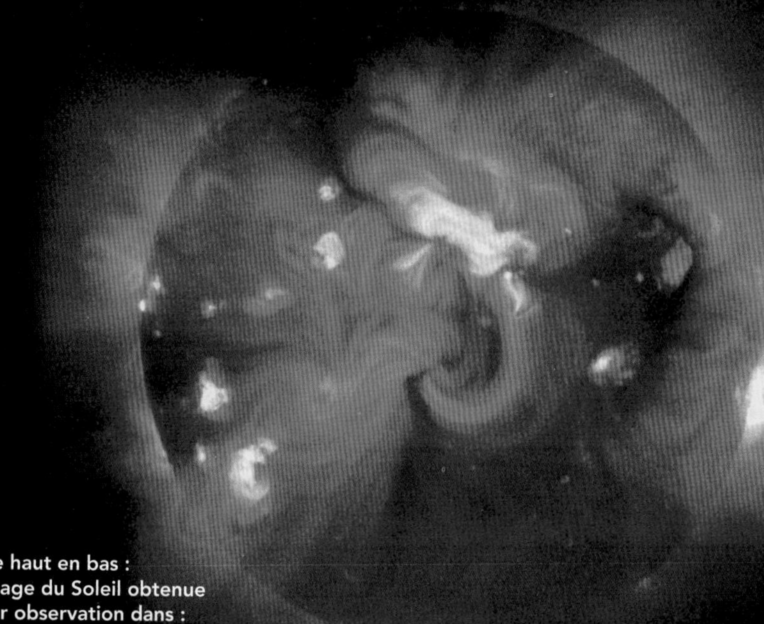

De haut en bas :
Image du Soleil obtenue par observation dans :
– le domaine des ultraviolets ;
– le domaine du visible ;
– le domaine des ondes radios.

Image du Soleil obtenue par observation dans le domaine des rayons X.

Depuis plus d'un siècle, l'étude de rayonnements invisibles venant du Soleil ou d'autres objets célestes nous permet de mieux comprendre l'Univers. **Quelles informations obtient-on de l'observation de l'Univers dans différents domaines du spectre électromagnétique ? (Voir exercice 5, p. 34.)**

Comment détecte-t-on les ondes et les particules ?

OBJECTIFS

→ Connaître des sources de rayonnement, savoir que ces rayonnements peuvent être absorbés par l'atmosphère et analyser des documents sur ces sujets.

→ Décrire des manifestations des ondes mécaniques dans la matière.

→ Analyser des documents sur des dispositifs de détection.

Activités Étude documentaire

1 Ces rayonnements dans l'Univers

EN AUTONOMIE

Le Soleil est la principale source de rayonnements électromagnétiques de notre système solaire.
Pourquoi a-t-il fallu attendre l'émergence des télescopes spatiaux pour nous révéler la diversité de ces rayonnements ?

Compétence exigible au baccalauréat

- Extraire et exploiter des informations sur l'absorption de rayonnements par l'atmosphère terrestre et ses conséquences sur l'observation des sources de rayonnements dans l'Univers.

Le rayonnement électromagnétique

Le Soleil, comme tous les corps célestes, émet des rayonnements électromagnétiques (appelés aussi ondes électromagnétiques) dans un large domaine de longueurs d'onde. Ces rayonnements se propagent à la vitesse de la lumière, mais diffèrent par leurs fréquences.
L'ensemble des rayonnements, qui s'étend des rayons gamma aux ondes radio, constitue le spectre électromagnétique. La lumière visible n'en représente qu'une infime partie (voir **spectre 1**, page suivante).

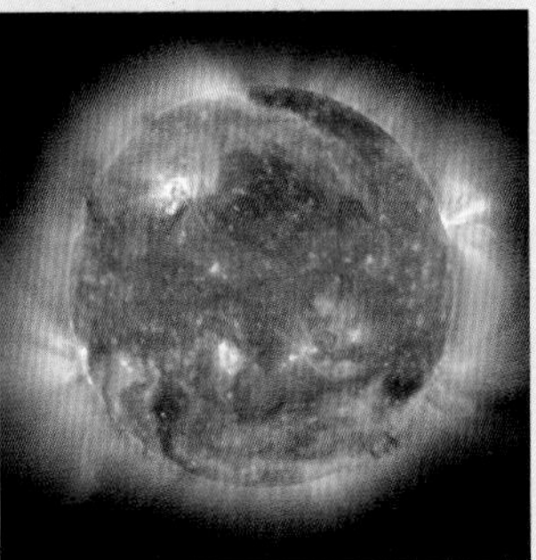

Cette image du Soleil a été créée à partir d'observations dans l'ultraviolet par le Satellite SOHO en 1998.

Des rayonnements invisibles

Les objets célestes « chauds » (comme les quasars[1], les naines blanches[2], les étoiles dites chaudes) émettent une grande part de leur rayonnement dans le domaine de l'ultraviolet.
Les objets « froids » (comme les planètes, les étoiles jeunes, les nuages de poussières) émettent principalement dans le domaine de l'infrarouge.
Pendant de nombreuses années, les astronomes ont été dans l'ignorance de ces rayonnements invisibles pour deux raisons :
– la technologie ne permettait pas de les détecter ;
– certains d'entre eux ne parviennent pas jusqu'à la surface de la Terre, car ils sont absorbés par l'atmosphère (voir **spectres 2 et 3**, page suivante).

Une observation difficile

Les rayonnements qui traversent l'atmosphère ont leur intensité qui diminue, car ils sont diffusés, essentiellement par des molécules de gaz.
Les phénomènes d'absorption et de diffusion se cumulent ; leur résultante est appelée « extinction atmosphérique ». Elle est d'autant plus marquée que l'épaisseur de la couche atmosphérique traversée est importante.
De plus, des turbulences atmosphériques limitent la résolution des télescopes situés à la surface de la Terre : au cours de l'observation, les images obtenues paraissent tremblotantes.
Pour limiter l'impact de ces deux facteurs, on construit des observatoires en altitude, où la couche atmosphérique traversée est moins épaisse et où l'air est plus stable.

Le VLT (Very Large Telescope), situé sur le Mont Paranal (Chili), à 2 600 m d'altitude, bénéficie de conditions optimales pour l'observation céleste.

On dispose également de télescopes spatiaux – comme Hubble, lancé en 1990 – qui ont l'avantage de pouvoir étudier des objets beaucoup moins lumineux que ceux étudiés au sol. Leur position permet d'observer des rayonnements qui auraient été absorbés par l'atmosphère. Ainsi le télescope Herschel, lancé en 2009, doit permettre de détecter des rayonnements infrarouges.

1. QUASAR : objet céleste très lumineux et très éloigné de la Terre, émettant des ondes radio (*quasi stellar radio source*).
2. NAINE BLANCHE : objet céleste très dense et très lumineux correspondant à l'un des stades de la fin de vie de certaines étoiles.

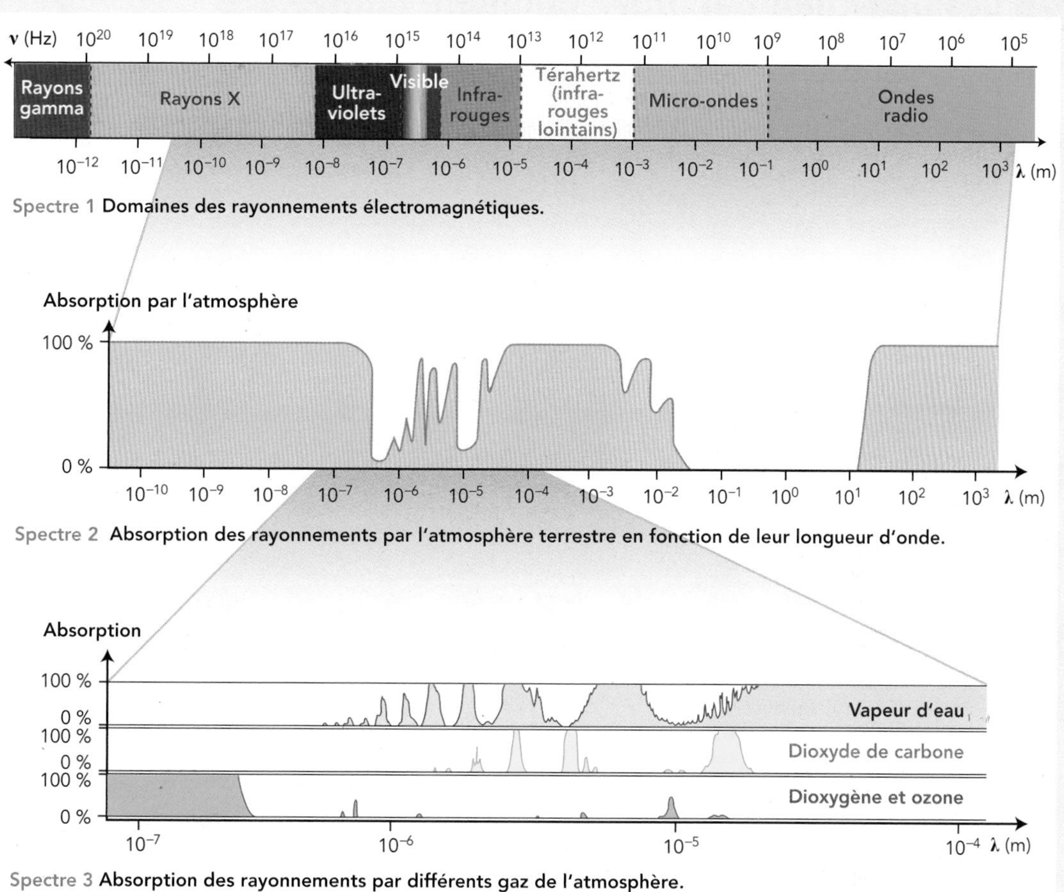

Spectre 1 **Domaines des rayonnements électromagnétiques.**

Spectre 2 **Absorption des rayonnements par l'atmosphère terrestre en fonction de leur longueur d'onde.**

Spectre 3 **Absorption des rayonnements par différents gaz de l'atmosphère.**

Remarque
Les longueurs d'onde indiquées dans ces documents sont les longueurs d'onde dans le vide.

1 Réaliser une carte mentale représentative des informations contenues dans ces différents documents. On pourra par exemple utiliser le logiciel Freemind® portable.

2 À partir de la carte construite, résumer le texte en 100 mots environ.

3 Quels sont les domaines de rayonnement difficilement observables depuis la surface de la Terre ?

4 D'après le spectre 3, quels sont les domaines de rayonnements absorbés :
a. par la vapeur d'eau ?
b. par le dioxygène et l'ozone ?

5 Quelles sont les longueurs d'onde des radiations observées par un radiotélescope ? Pourquoi peut-on installer des radiotélescopes au niveau de la mer ?

6 Pourquoi certaines observations ont-elles été améliorées par l'utilisation de télescopes spatiaux ?

Conseils méthodologiques pour réaliser une carte mentale

- Lire le texte en repérant les idées-clés (les reformuler éventuellement pour les rendre plus concises).
- Faire une liste des mots-clés dans un traitement de texte en plaçant une idée par ligne.
- Pour créer la carte mentale, copier la liste ainsi établie. Dans Freemind®, sélectionner le centre de la nouvelle carte et coller la liste de mots. Chaque idée devient une bulle répartie autour du centre.
- L'organisation des idées de la carte se fait par copier-glisser des bulles. On place généralement la première idée en haut à droite et la carte se lit dans le sens des aiguilles d'une montre.

2 Des particules qui proviennent de l'Univers

La Terre est constamment bombardée de particules cosmiques. Leur étude apporte des informations précieuses sur la structure de l'Univers.
Comment peut-on détecter ces particules invisibles ?

Compétences exigibles au baccalauréat
- Extraire et exploiter des informations sur :
  – des sources d'ondes et de particules et leurs utilisations ;
  – un dispositif de détection.
- *Pratiquer une démarche expérimentale mettant en œuvre un capteur ou un dispositif de détection.*

A La provenance des muons

Les muons sont des particules élémentaires de même charge électrique que les électrons, mais avec une masse 207 fois plus grande. C'est pour cela qu'ils sont parfois appelés « électrons lourds ».
Les muons sont produits par interaction entre les particules cosmiques et des particules de la haute atmosphère.
On peut les observer à la surface de la Terre grâce à des détecteurs tels que la chambre à brouillard (mise au point par le Britannique Charles Thomson Rees WILSON en 1912), la chambre à bulles (mise au point par l'Américain Donald Arthur GLASER en 1952) ou la chambre à fils (mise au point par le Français Georges CHARPACK en 1968).

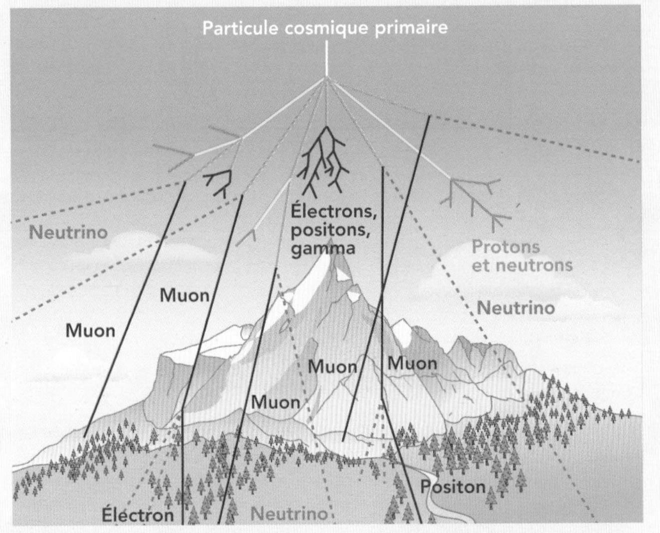

Lorsque des particules cosmiques traversent l'atmosphère, elles peuvent produire une très grande variété de particules.

Doc. 1 Les muons : caractéristiques, provenance, détection.

B Observation de la trace de muons

On se propose de détecter des muons en utilisant une chambre à brouillard (doc. 2).

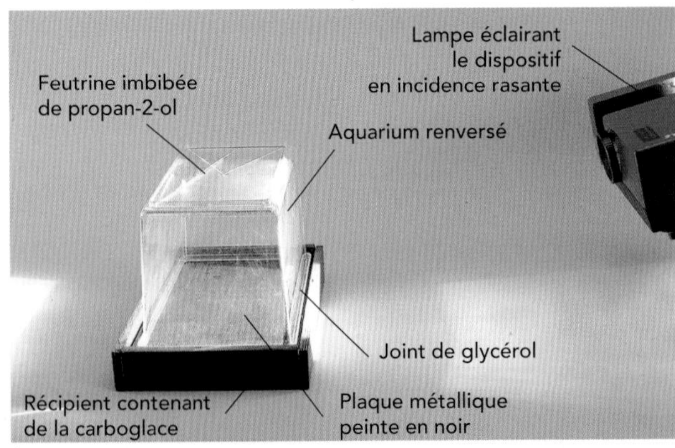

Doc. 2 Présentation du dispositif expérimental.

Protocole

- Fixer un morceau de feutrine au fond d'un aquarium.
- Imbiber légèrement la feutrine de propan-2-ol.
- Retourner l'aquarium, puis le déposer sur une plaque métallique peinte en noir, elle-même reposant sur de la glace carbonique (carboglace) à –80 °C environ. L'étanchéité entre l'aquarium et la plaque est assurée par un joint de glycérol.
- Placer le dispositif dans l'obscurité, puis éclairer sa base, au-dessus de la plaque métallique, en incidence rasante.

Propan-2-ol

Alcool isopropylique, isopropanol.

M = 60,095 g·mol^{-1} ; d = 0,885.

Point de fusion : – 88 °C.

Point d'ébullition : +83 °C.

DANGER

H225 : Liquides et vapeurs très inflammables.
H319 : Provoque une sévère irritation des yeux.
H336 : Peut provoquer somnolence ou vertiges.

P210 : Tenir à l'écart de la chaleur / des étincelles / des flammes nues / des surfaces chaudes. Ne pas fumer.
P261 : Éviter de respirer les brouillards / vapeurs / aérosols.
P280 : Porter des gants de protection / des vêtements de protection / un équipement de protection des yeux / du visage.
P 304+P340 : EN CAS D'INHALATION : transporter la victime à l'extérieur et la maintenir au repos dans une position où elle peut confortablement respirer.
P305+P351+P338 : EN CAS DE CONTACT AVEC LES YEUX : rincer avec précaution à l'eau pendant plusieurs minutes. Enlever les lentilles de contact si la victime en porte et si elles peuvent être facilement enlevées. Continuer à rincer.

Doc. 3 Extrait d'une fiche technique du propan-2-ol.

Observation

- Observer le bas de l'aquarium, à proximité de la plaque métallique.

Interprétation

L'aquarium contient un mélange gazeux, composé d'air et de vapeur de propan-2-ol.

À proximité de la plaque métallique, ce mélange gazeux est très froid et riche en vapeur de propan-2-ol. Il est instable : la moindre perturbation suffit pour que la vapeur d'alcool se condense.

Lorsqu'un muon traverse le détecteur ainsi constitué, les rencontres successives entre ce muon et les molécules qui constituent la vapeur provoquent la condensation du propan-2-ol en de minuscules gouttelettes d'alcool, formant des traces blanches sur le fond noir (doc. 4).

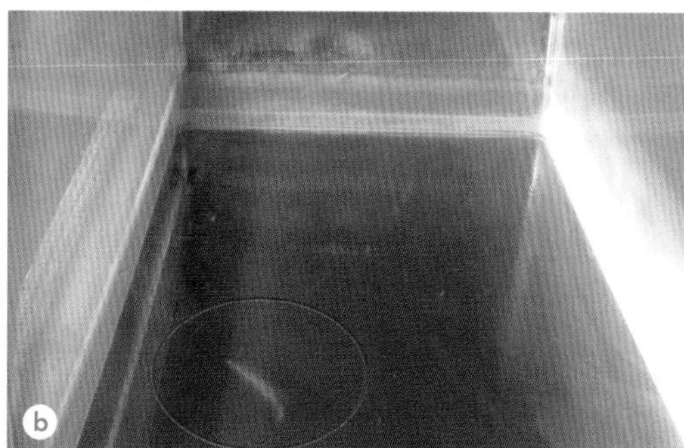

Doc. 4 Exemple de résultat obtenu. En comparant les deux photographies, on aperçoit une trace de muon en bas à gauche de la photographie b.

1 D'où proviennent les muons observés à la surface de la Terre ?

2 Quelle est la composition de la vapeur dans l'aquarium ?

3 a. Rappeler les noms des trois états sous lesquels peut se trouver un corps pur. Les représenter sur un schéma, en indiquant les noms des changements d'états.
b. Dans quel état physique devrait se trouver le propan-2-ol dans l'aquarium ?

4 a. Quelle est la nature des traces obtenues ?
b. Justifier le nom de « chambre à brouillard » pour ce dispositif.

Un pas vers le cours...

5 En quoi ce dispositif est-il un détecteur de particules ?

3 Des ondes sismiques

Des millions de petits séismes se produisent chaque année dans le monde. Heureusement, les séismes très intenses, qui provoquent de graves dommages, sont beaucoup plus rares : on en recense environ un par an.
Quels sont les moyens d'investigation des séismes ?

Compétence exigible au baccalauréat
- *Pratiquer une démarche expérimentale mettant en œuvre un capteur ou un dispositif de détection.*

A Détection des ondes sismiques

Un sismographe permet d'enregistrer les mouvements du sol lors d'un séisme (doc. 5).
De tels enregistrements ont été exploités en SVT en classe de Première S.
On souhaite modéliser un sismographe en construisant un détecteur capable de convertir un petit mouvement en une tension électrique. Pour cela, on réalise le montage du document 6, dans lequel la pointe C d'une tige métallique fixée à un ressort peut osciller entre les plaques A et B d'un condensateur chargé.

- Réaliser le montage.
- Enregistrer la tension U_{CB} entre B et C pendant quelques secondes, en maintenant le dispositif immobile, puis en le faisant vibrer.

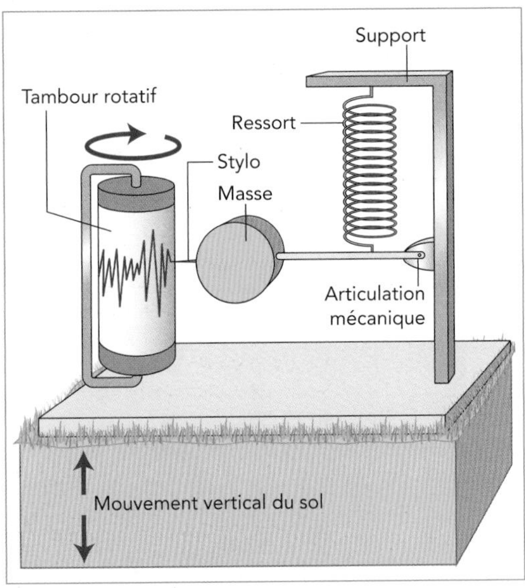

Doc. 5 Schématisation d'un sismographe vertical.

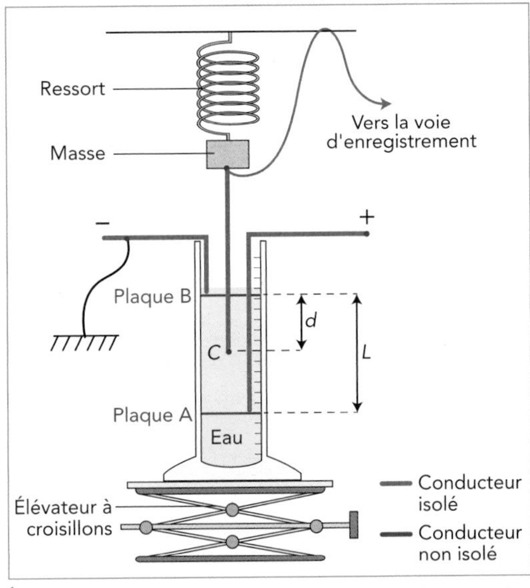

Doc. 6 Montage modélisant un sismographe vertical.

1 a. Qu'est-ce qu'une onde sismique ? Citer deux types d'ondes sismiques (vues en SVT en 1re).
b. Qu'appelle-t-on épicentre d'un séisme ?

2 Que captent les sismographes des documents 5 et 6 ?
Quels types de signaux délivrent-ils ?

3 On considère que les plaques conductrices A et B, séparées par une distance L, peuvent être assimilées à un condensateur plan. Le champ électrostatique $\vec{E}$ entre A et B est uniforme et sa valeur est donnée par :

$$E = \frac{U_{AB}}{L}$$

La position de la pointe C est repérée par la distance d.
a. Établir un protocole permettant de connaître la relation entre la tension mesurée U_{CB}, la distance d et la valeur du champ électrostatique E.
b. Le mettre en œuvre après accord du professeur et établir cette relation.

Un pas vers le cours...

4 Expliquer en quoi le montage du document 6 permet de détecter des ondes.

B Exploitation d'enregistrements d'ondes sismiques EN AUTONOMIE

On utilise le site http://www.edusismo.org pour localiser de façon simplifiée l'épicentre du séisme qui a eu le lieu le 11 mai 2011 en Espagne.

▶ Choisir l'onglet « Données sismiques », puis cliquer sur « Sismogrammes sélectionnés par le réseau ». Dans la fenêtre qui s'ouvre, choisir l'année « 2011 » dans le menu déroulant, puis cliquer sur « Valider ». La liste des séismes correspondants aux critères de recherche s'affiche.

▶ Repérer la ligne du séisme à étudier (11/05/2011 ; 16:47:26 ; SPAIN), puis cliquer sur l'icône (à droite de l'écran).

▶ Repérer les stations PAUF, BLMF et CORT. Pour chacune d'entre elles, cocher la case de la colonne Z. Cliquer ensuite sur « Valider » afin d'afficher les enregistrements correspondant à ces trois stations.

▶ Dans la fenêtre contenant les trois sismogrammes :
– synchroniser les tracés (« Affichage », « Aligner a.. », puis « Synchroniser ») ;
– verrouiller la synchronisation (« Affichage », puis « Verrouiller Alignement ») ;
– effectuer un zoom en traçant, avec la souris, un rectangle sur la zone correspondant à l'arrivée des ondes les plus rapides (ondes P).

▶ Pour chaque enregistrement :
– filtrer les ondes en fonction de leurs fréquences pour éliminer le bruit de fond (« Filtrer » de 0,05 Hz à 2 Hz, puis « Appliquer ») ;
– pointer l'arrivée des ondes P en cliquant sur « Pointer », puis en cliquant sur le début du séisme (un trait vertical vert apparaît) et en cliquant sur « P » ;
– relever la valeur $T_P - T_0$ qui s'affiche.

5 Décrire brièvement l'allure des courbes obtenues en distinguant les différentes parties.

6 a. Que représente chaque durée $\Delta t = T_P - T_0$?
b. Avec quelle précision peut-on évaluer Δt ?

7 En prenant pour les ondes P une vitesse d'environ 7,5 $km \cdot s^{-1}$, déterminer la distance séparant l'épicentre du séisme de chacune des stations.

▶ Cliquer sur l'icône « EduCarte » (en haut de la fenêtre contenant les sismogrammes).

Changer l'échelle de la carte qui apparaît dans le navigateur afin de visualiser les trois stations et toute l'Espagne (doc. 7).

▶ À l'aide d'une construction géométrique sur la carte, déterminer la position de l'épicentre du séisme. Pour cela, utiliser le menu « Localisation par cercles » (onglet figurant sous la carte). Pour chaque station :

– cliquer sur la position de la station et déplacer la souris en maintenant le clic enfoncé afin de tracer un cercle ;

– le rayon du cercle s'inscrit en bas de l'écran (« Distance = »).

▶ Contrôler que la position trouvée est proche de celle de l'épicentre. Pour cela, dans l'onglet « Localisation séisme », cliquer sur « Séisme sélectionné ».

8 a. Mesurer la distance entre la position réelle et la position déterminée géométriquement (grâce au menu « Calcul d'une distance »). À quoi peut être due la différence de position ?
b. Pour chaque station, déterminer l'erreur relative sur la détermination de la distance la séparant de l'épicentre.

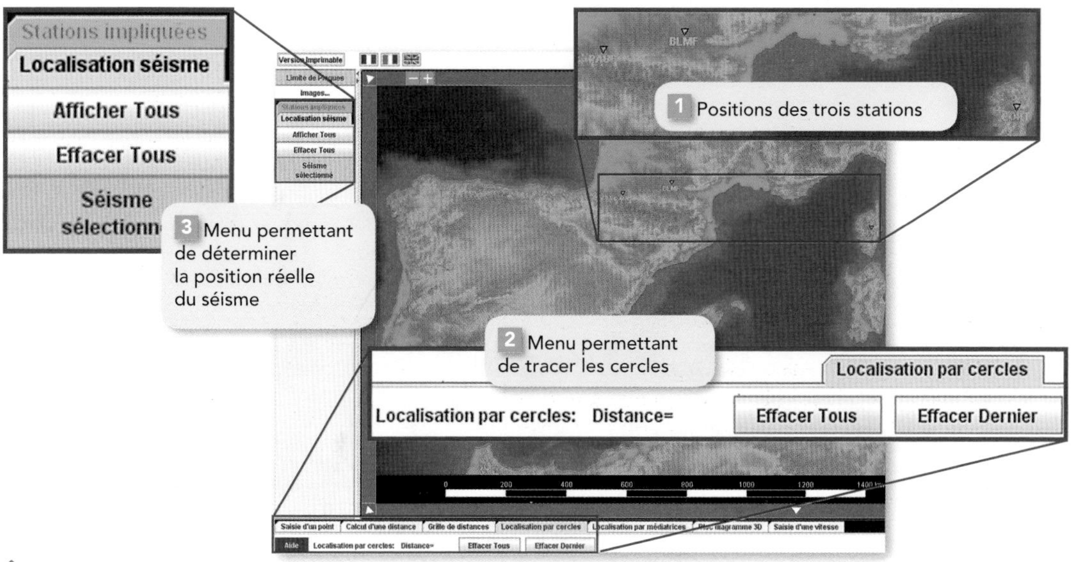

Doc. 7 Détermination de la position du séisme à l'aide d'EduCarte®.

1 Quels sont les rayonnements dans l'Univers ?

1.1 Présentation et rappels

Le rayonnement a été présenté en classe de Première comme une forme de transfert d'énergie. Ainsi, c'est par rayonnement que l'énergie solaire parvient jusqu'à nous (doc. 1).

Le rayonnement est un phénomène physique qui peut être décrit de manière **particulaire** par la propagation de **photons** (vu en Première S). Il peut aussi être décrit de manière **ondulatoire** par la propagation d'une **onde électromagnétique**. Les termes « rayonnement » et « ondes électromagnétiques » sont parfois considérés comme des synonymes.

Le spectre des ondes électromagnétiques est composé d'une infinité de radiations. Chaque radiation est caractérisée par sa longueur d'onde dans le vide, λ (lambda) ou par sa fréquence, ν (nu).

Dans le vide, ces ondes se propageant à la vitesse c, ces grandeurs sont liées par la relation $\nu = \frac{c}{\lambda}$ avec ν en hertz (Hz), λ en mètre (m) et c en mètre par seconde ($m \cdot s^{-1}$).

Doc. 1 De l'énergie solaire est transférée à la Terre par rayonnement.

1.2 Les divers rayonnements

- Le spectre des ondes électromagnétiques est découpé arbitrairement en divers domaines, des rayons gamma aux ondes radio (doc. 3).
Dans le vide ou dans l'air, les radiations visibles ont des longueurs d'onde comprises entre 400 nm et 800 nm environ. Elles sont limitées par les ultraviolets et par les infrarouges (doc. 2). Le rayonnement visible n'est donc qu'un rayonnement parmi d'autres.
- De nombreuses particules, principalement des protons et des noyaux d'hélium, circulent dans le vide interstellaire. On parle d'**astroparticules**. Elles constituent le « **rayonnement cosmique** ».

Dans le vide la lumière se propage avec une vitesse de valeur :

$c = 299\,792\,458\ m \cdot s^{-1}$.

En général, on retient :

$c = 3{,}00 \times 10^{8}\ m \cdot s^{-1}$.

1.3 Les sources de rayonnements

Tous les objets célestes émettent des rayonnements dans divers domaines. Il est possible d'associer à certains rayonnements des sources caractéristiques (doc. 3).

L'homme sait aujourd'hui construire des **émetteurs** et des **détecteurs** pour les rayonnements de chacun de ces domaines.

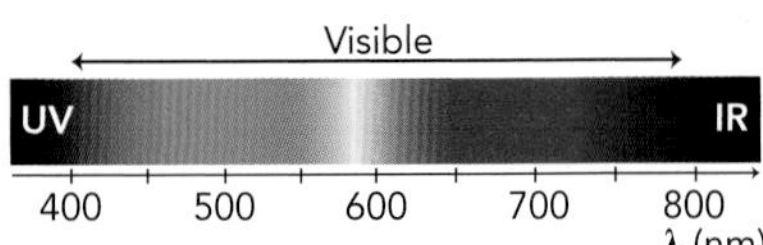

Doc. 2 Longueurs d'onde dans le vide des radiations visibles et proches du visible.

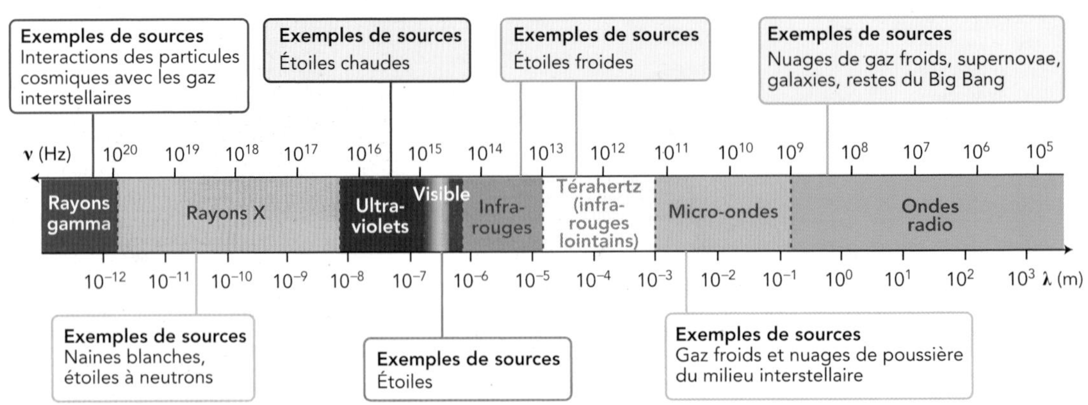

Doc. 3 Exemples de sources de rayonnements dans divers domaines du spectre électromagnétique.

1.4 Absorption par l'atmosphère terrestre

Les divers rayonnements se propagent dans le vide et dans des milieux matériels. La plupart interagissent avec la matière, notamment avec l'atmosphère. Les constituants de l'atmosphère :
– absorbent certaines radiations, ce qui peut gêner les observations astronomiques (**activité 1**). L'utilisation de télescopes spatiaux (doc. 4) permet de détecter les rayonnements qui ne parviennent pas jusqu'au sol;
– interagissent avec les astroparticules. Des particules secondaires sont alors créées. Les plus abondantes au niveau de la mer sont les muons (**activité 2**).

Voir exercice 5, p. 34.

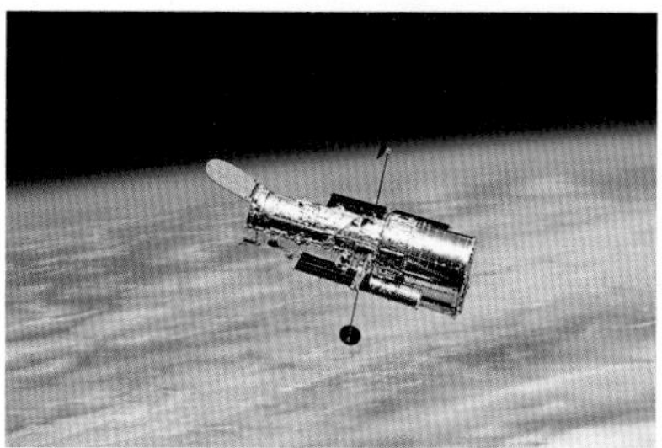

Doc. 4 Le télescope spatial Hubble a été mis en orbite en 1990.

2 Quelles sont les manifestations des ondes dans la matière ?

Contrairement aux ondes électromagnétiques, qui peuvent se propager dans le vide, certaines ondes se propagent uniquement dans la matière. Ce sont des **ondes mécaniques**. Elles seront étudiées plus précisément dans les chapitres suivants. Une onde mécanique transporte de l'**énergie**. Lors de sa propagation, elle peut avoir des effets importants :
– La **houle** est un mouvement ondulatoire qui se propage à la surface de la mer (doc. 5). Lors de tempêtes, la houle peut être forte et ses effets peuvent être importants : inondations, digues et bâtiments détruits, etc.

– Les **ondes sismiques** ont été étudiées en SVT (Première S). Il existe différents types d'ondes sismiques (ondes P et S notamment) dont les vitesses de propagation ne sont pas les mêmes. Les effets des ondes sismiques peuvent être importants : glissements de terrains, bâtiments détruits, etc. (doc. 6). La magnitude mesure l'énergie dégagée par un séisme. Les médias citent souvent l'**échelle de Richter** pour indiquer la valeur de la magnitude. Les magnitudes utilisées actuellement sont fondées sur une autre échelle : ce sont des magnitudes de moment.

– Les **ondes sonores** sont des ondes de compression et de dilatation. Lorsqu'une telle onde se propage dans un gaz, les atomes et molécules de ce gaz sont plus proches les uns des autres dans certaines zones de l'espace; la pression est alors plus élevée que la pression moyenne de ce gaz. Dans d'autres zones ils sont espacés; la pression est plus faible. Lorsque la variation de la pression est très rapide et de grande amplitude, l'onde sonore devient une **onde de choc**. Une telle onde peut être produite par un avion en vol supersonique (franchissement du mur du son) ou par une explosion. Ses effets peuvent être importants : vitres brisées, murs fissurés, etc. (doc. 7).

Voir exercices 1 à 3, p. 29 à 32.

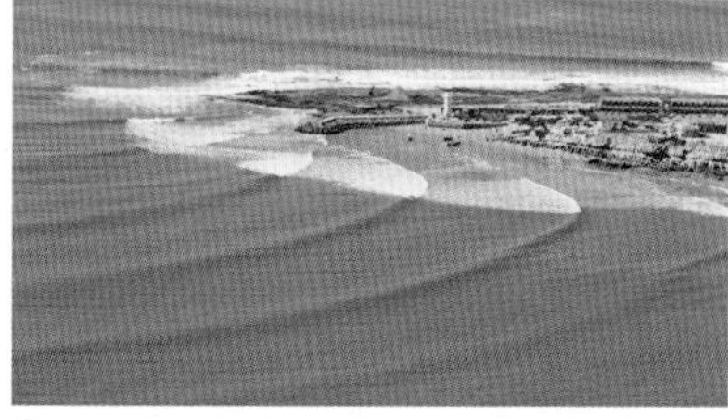

Doc. 5 Houle à la surface de la mer.

Doc. 6 Dégâts occasionnés par une onde sismique (Japon, 19/01/1995).

3 Comment détecter des ondes et des particules ?

Il existe de nombreux détecteurs d'ondes et de particules. Par exemple :
– l'enregistrement des ondes sismiques par des sismographes permet de localiser l'épicentre d'un séisme (**activité 3**);
– la chambre à brouillard détecte des particules chargées comme les muons (**activité 2**);
– le compteur Geiger détecte les particules émises lors de désintégrations radioactives (Première S).

Voir exercices 1 et 4, p. 29 et 33.

Doc. 7 Dégâts occasionnés par une onde de choc créée par une explosion (usine AZF à Toulouse en 2001).

Essentiel

Rayonnements dans l'Univers

- Les rayonnements peuvent être décrits par la propagation de photons ou par la propagation d'ondes électromagnétiques.
- Tous les objets célestes émettent des rayonnements dans un très large domaine de longueurs d'onde, s'étendant des ondes radio aux rayons gamma.
- Ces rayonnements se propagent dans le vide et dans des milieux matériels. La plupart d'entre eux interagissent avec la matière, notamment avec l'atmosphère. L'absorption de certaines radiations par les constituants de l'atmosphère peut gêner les observations astronomiques.

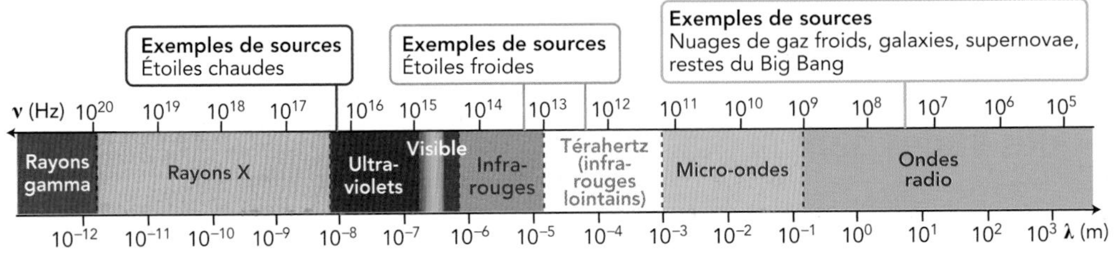

Ondes mécaniques

- Une onde mécanique transporte de l'**énergie**.
- La houle, les ondes sismiques ou les sondes sonores sont des ondes mécaniques.
- Lors de sa propagation, une onde mécanique peut avoir des effets importants.

La houle est une onde mécanique.

Détecteurs d'ondes et de particules

- Il existe de nombreux détecteurs d'ondes et de particules :
  - le sismographe détecte les séismes ;
  - la chambre à brouillard détecte des particules chargées comme les muons ;
  - le compteur Geiger détecte les particules alpha, béta et gamma...

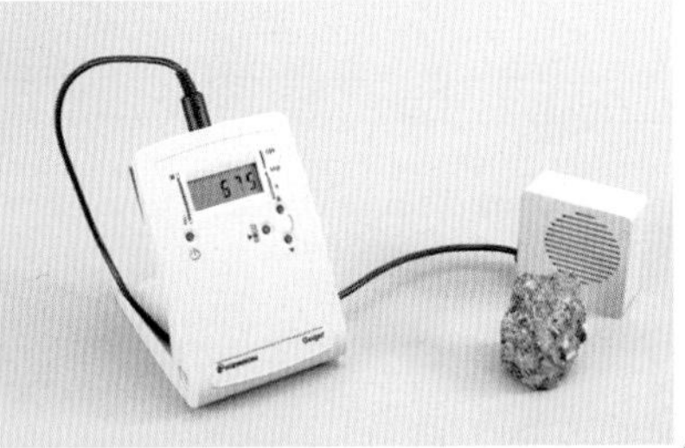

Compteur Geiger.

Compétences exigibles au baccalauréat

- ✔ Extraire et exploiter des informations sur l'absorption de rayonnements par l'atmosphère terrestre et ses conséquences sur l'observation des sources de rayonnements dans l'Univers. ➲ **activité 1**
- ✔ Connaître des sources de rayonnement radio, infrarouge et ultraviolet. ➲ exercice 5
- ✔ Extraire et exploiter des informations sur les manifestations des ondes mécaniques dans la matière. ➲ exercices 2 et 3
- ✔ Extraire et exploiter des informations sur :
  - des sources d'ondes et de particules et leurs utilisations ; ➲ exercice 6
  - un dispositif de détection. ➲ **activité 2**
- ✔ *Pratiquer une démarche expérimentale mettant en œuvre un capteur ou un dispositif de détection.* ➲ **activités 2 et 3**

1 La mer sous haute surveillance

COMPÉTENCES **Extraire des informations ; exploiter un graphique.**

Chaque année, entre trois et quinze ouragans, ou cyclones violents, (7,4 en moyenne) se forment au-dessus des eaux tropicales atlantiques. Ils provoquent des dégâts considérables dus aux vents, aux pluies, à la grande houle et à l'amplification de la marée engendrée par la tempête.

Pour suivre l'évolution des ouragans, il est nécessaire de connaître avec précision les conditions météorologiques. Pour cette raison, des bouées comme Antilles 1 et Antilles 2 sont installées dans l'Atlantique.

Elles permettent aux services de Météo France de réaliser différentes mesures à partir desquelles ils peuvent notamment suivre les évolutions de la pression de l'air, du vent (force et direction), de la température de l'air ou de la surface de la mer et de la houle (amplitude, direction et période).

L'exploitation de ces mesures, couplées avec celles données par d'autres bouées, des navires, des stations à terre et des satellites, permet de prévoir la trajectoire et l'intensité des phénomènes cycloniques.

D'après le site meteofrance.fr

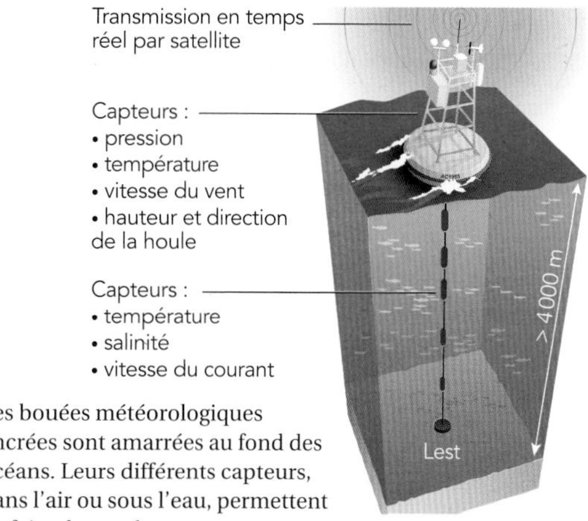

Les bouées météorologiques ancrées sont amarrées au fond des océans. Leurs différents capteurs, dans l'air ou sous l'eau, permettent de faire de nombreuses mesures.

Qu'est-ce que la houle ?
La houle est un mouvement ondulatoire de la surface de la mer provoqué par un champ de vent éloigné de la zone d'observation.
La houle est caractérisée par sa hauteur H, sa période temporelle T et sa longueur d'onde λ.

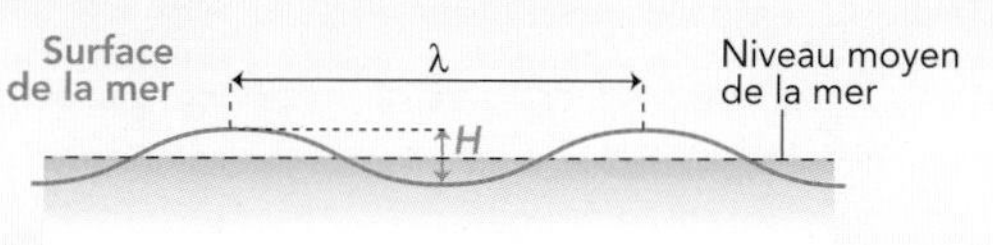

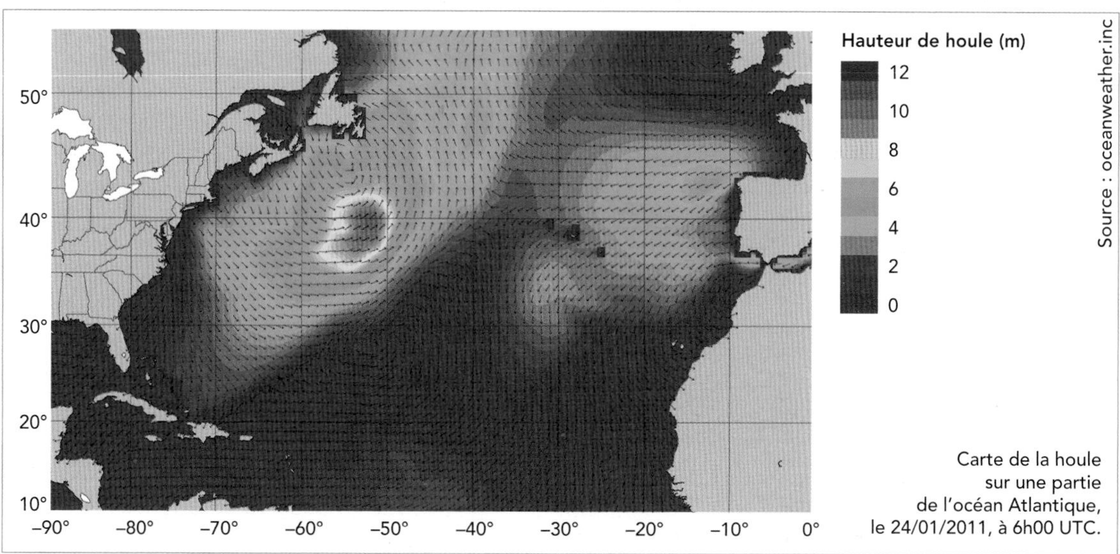

Carte de la houle sur une partie de l'océan Atlantique, le 24/01/2011, à 6h00 UTC.

1. Pourquoi la houle cyclonique peut-elle, en arrivant près des côtes, provoquer des dégâts ?
2. Quel est le rôle des bouées comme Antilles 1 et 2 ?
3. Citer les grandeurs physiques mesurées par les capteurs de ces bouées, indiquer leurs unités dans le système international et, si possible, le nom d'un capteur permettant de mesurer chacune d'elles.
4. Quelles données peuvent être obtenues à partir de la carte de la houle ? Déterminer ces données pour le point de coordonnées (20° W ; 40° N).

Exercices

2 Les séismes

COMPÉTENCES **Extraire des informations; faire preuve d'esprit critique.**

Le vendredi 11 mars 2011 un très violent séisme s'est produit au large du Japon. Des vagues de 10 m de hauteur ont ravagé Sendaï, la ville la plus proche de l'épicentre, et ses environs. Les jours suivants, de nombreuses répliques se sont succédé.

Qu'est-ce qu'un séisme?
Les séismes sont, avec le volcanisme, l'une des manifestations de la tectonique des plaques. L'activité sismique est concentrée le long de failles (zones de rupture dans la roche), en général à proximité de frontières entre deux plaques tectoniques. Lorsque les frottements au niveau d'une faille deviennent importants, le mouvement entre les deux blocs de roche est bloqué. De l'énergie est alors accumulée le long de la faille. Quand la limite de résistance des roches est atteinte, il y a rupture et déplacement brutal de part et d'autre de cette faille; l'énergie accumulée parfois pendant des milliers d'années se trouve ainsi libérée. Après une secousse principale, il y a des répliques, qui correspondent à des réajustements des blocs au voisinage de la faille.

Comment mesurer l'importance d'un séisme?
Il ne faut pas confondre magnitude et intensité.

La **magnitude** traduit l'énergie libérée par le séisme. La magnitude de Richter est l'échelle la plus connue, mais, aujourd'hui, d'autres échelles de magnitude, comme la magnitude de moment, sont davantage utilisées. Augmenter la magnitude d'une unité signifie que l'énergie libérée lors du séisme sera multipliée environ par 30. Par exemple, un séisme de magnitude 7,2 libère 30 fois plus d'énergie qu'un séisme de magnitude 6,2.

L'intensité mesure les effets et dommages du séisme en un lieu donné. Ce n'est pas une mesure par des instruments, mais une observation de la manière dont le séisme se traduit en surface et dont il est perçu. On utilise habituellement l'échelle EMS 98 ou MSK, qui comportent douze degrés (I à XII). L'intensité I correspond à un séisme non perceptible, le début de dégâts notables correspond à l'intensité VI, l'intensité XII correspond à un changement total du paysage. L'intensité n'est donc pas, contrairement à la magnitude, fonction uniquement du séisme,

Ruine d'une maison détruite par un séisme et un tsunami, Indonésie.

mais également des caractéristiques du lieu de l'observation (nature du sol et du sous-sol, bâtiments plus ou moins fragiles par exemple). En effet, les conditions topographiques (reliefs) ou géologiques locales (particulièrement des terrains mous reposant sur des roches plus dures) peuvent créer des effets de site qui amplifient l'intensité d'un séisme. Sans effet de site, l'intensité d'un séisme est en général maximale à l'épicentre et décroît avec la distance.

Extrait du site prim.net

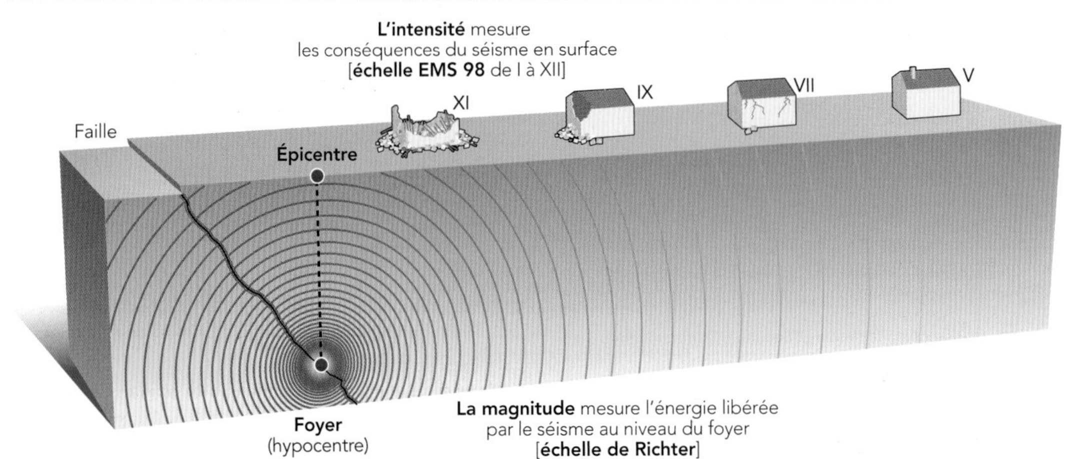

Doc. 1 Extrait du site Internet risquesmajeurs.fr, présentant la différence entre magnitude et intensité d'un séisme.

LES DIFFÉRENTS TYPES DE SÉISMES ET LEURS CARACTÉRISTIQUES (SELON L'ÉCHELLE DE RICHTER)			
MAGNITUDE	DESCRIPTION	EFFETS CONSTATÉS	FRÉQUENCE MOYENNE DANS LE MONDE
Moins de 2,0	Micro	Non ressenti	8000 par jour
2,0 à 2,9	Très mineur	Généralement non ressenti, mais détecté par les sismographes	1000 par jour
3,0 à 3,9	Mineur	Souvent ressenti, causant très peu de dommages	50000 par an
4,0 à 4,9	Léger	Objets secoués à l'intérieur des maisons, bruits de chocs, quelques dommages	6000 par an
5,0 à 5,9	Modéré	Dommages légers à majeurs selon les habitations	800 par an
6,0 à 6,9	Fort	Destructions jusqu'à environ 200 km de l'épicentre	120 par an
7,0 à 7,9	Majeur	Dommages sévères dans des zones plus vastes	18 par an
8,0 à 8,9	Important	Dommages sérieux jusqu'à des centaines de kilomètres de l'épicentre	1 par an
9,0 et plus	Exceptionnel	Dommages très sérieux jusqu'à des centaines de kilomètres de l'épicentre	1 à 5 par siècle

Doc. 2 Les différents types de séismes en fonction de leur magnitude.

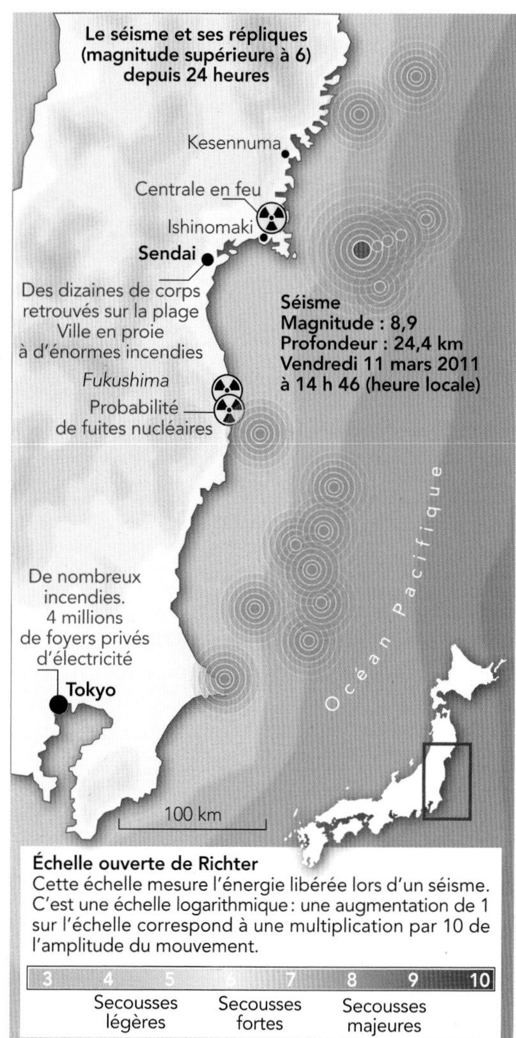

Doc. 3 Infographie parue sur lemonde.fr et présentant le séisme du 11 mars 2011.

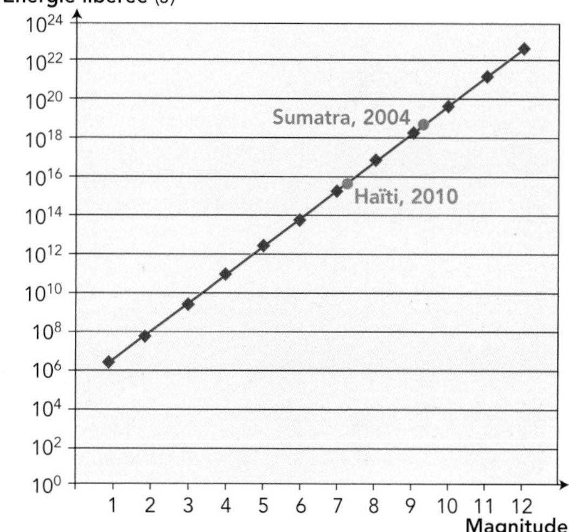

Doc. 4 Énergie libérée en fonction de la magnitude (échelle logarithmique des ordonnées).

1. Expliquer le terme « ouverte » dans l'expression du document 3 « Échelle ouverte de Richter ».

2. À partir des exemples de Sumatra 2004 (magnitude 9,2) et Haïti 2010 (magnitude 7,2) présentés dans le document 4, retrouver le lien entre l'augmentation de magnitude et l'augmentation de l'énergie libérée indiqué dans le texte du document 1.

3. Critiquer la définition de l'échelle de Richter donnée dans le document 3 : « C'est une échelle logarithmique : une augmentation de 1 sur l'échelle correspond à une multiplication par 10 de l'amplitude du mouvement. »

4. L'axe des ordonnées du document 4 est gradué suivant une échelle logarithmique. Comment une telle échelle est-elle construite ?

5. Expliquer les terribles ravages qui ont suivi le tremblement de terre du vendredi 11 mars 2011.

6. De quoi dépend l'intensité d'un séisme ?

Exercices

3 Ondes de choc et vitres brisées

COMPÉTENCES **Exploiter des informations ; rédiger.**

Le son se propage dans les solides, les liquides et les gaz.
À l'échelle microscopique, le son est la propagation d'une vibration des atomes ou des molécules autour de leur position d'équilibre.
Nos oreilles détectent les variations macroscopiques de pression de l'air créées par ces vibrations.

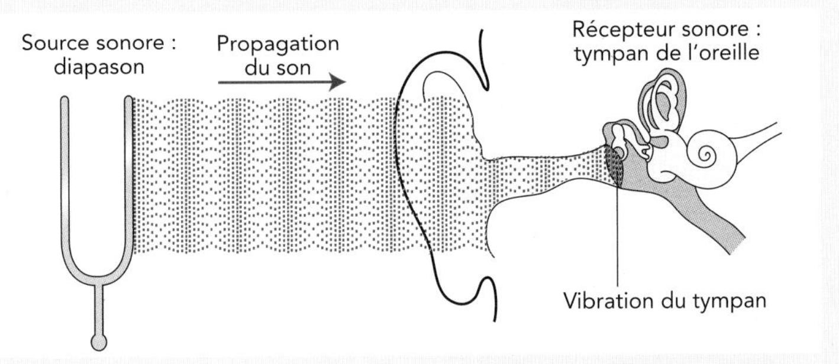

Schématisation de la propagation du son.

Une **onde de choc** mécanique correspond à une très importante variation locale de pression.
Un avion en vol émet des sons qui se propagent tout autour de lui. Comme l'avion se déplace, ces ondes sont plus proches les unes des autres devant l'avion et plus éloignées derrière lui. Quand cet avion atteint la vitesse du son, ces ondes sonores se concentrent à l'avant de l'avion.
Cette concentration est appelée le « mur du son ». Un avion « traverse le mur du son » lorsque sa vitesse devient supérieure à celle du son. On parle alors de vitesse supersonique.
Durant tout le vol supersonique, l'avion émet des ondes de choc qui correspondent au « bang » supersonique.
Lors de certaines explosions, la matière est projetée à une vitesse qui dépasse celle du son dans l'air, ce qui engendre également une « onde de choc ».

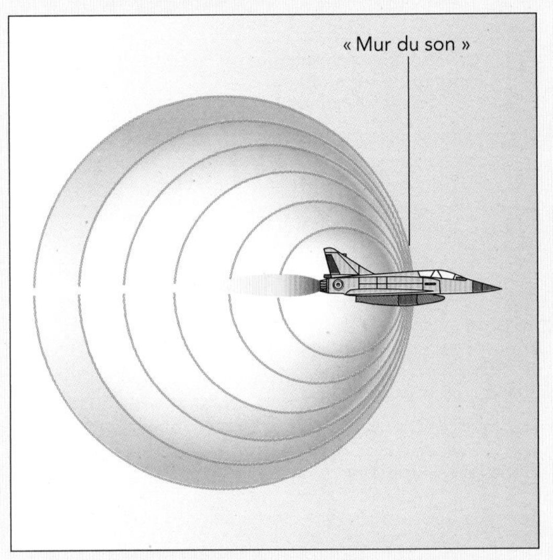

Au cours d'un vol supersonique, un avion franchit le « mur du son ».

Lors d'un vol supersonique, l'onde de choc a la forme d'un cône. Quand l'air est humide, cette onde provoque la condensation de l'eau atmosphérique : cela permet de visualiser ce cône.

Le 31 octobre 2007, de nombreuses vitres d'habitations ont volé en éclats dans le sud de Bruxelles. Simultanément, beaucoup d'habitants ont entendu une importante déflagration. Certains ont même senti leur maison trembler.

Il s'agissait, en fait, de deux avions F-16 ayant passé le mur du son.
Ce phénomène est très rare en France, car la règlementation interdit les vols supersoniques au-dessus des zones habitées.

Une puissante explosion s'est produite le vendredi 22 juillet 2011 en plein centre d'Oslo. L'onde de choc a brisé la plupart des vitres du siège du gouvernement, ainsi que des bâtiments situés à proximité.

1. a. Décrire la propagation du son dans l'air.
b. Critiquer la schématisation de la propagation du son réalisée ci-dessus.

2. La valeur de la vitesse de propagation d'un son sera-t-elle plus grande dans un solide ou dans un gaz ? Argumenter en s'appuyant sur la différence de structure entre les solides et les gaz.

3. Reformuler la définition d'une onde de choc. Comment une onde de choc peut-elle être produite ?

4. Quel peut être l'effet d'une onde de choc sur un solide, par exemple sur le verre ?
Comment peut-on l'expliquer ?

4 Les balises Criirad surveillent

COMPÉTENCES **Extraire des informations ; exploiter un graphique ; argumenter.**

La Criirad gère des balises de mesure en continu de la radioactivité atmosphérique et aquatique dans la vallée du Rhône. Ces balises donnent une information sur la qualité de l'air et de l'eau et permettent d'alerter rapidement les populations en cas de contamination radioactive.

Balises atmosphériques

En cas d'accident survenant dans une installation nucléaire, le risque principal est le rejet de substances radioactives dans l'atmosphère.

Une balise atmosphérique aspire de l'air extérieur et le filtre pour retenir les particules en suspension.

Un détecteur à scintillation mesure en continu l'activité des particules radioactives émettant des particules alpha ou bêta.

L'air est ensuite canalisé vers un détecteur spécifique qui mesure l'activité de l'iode 131. En effet, cet isotope constitue la première menace sanitaire en cas d'accident nucléaire, du fait de sa radioactivité et des quantités contenues dans le cœur des réacteurs des centrales nucléaires.

Balise aquatique

Dans le Rhône, une balise aquatique détecte en continu la radioactivité gamma du fleuve en aval des principales installations afin de déceler, en cas d'incident, une augmentation des rejets de substances radioactives.

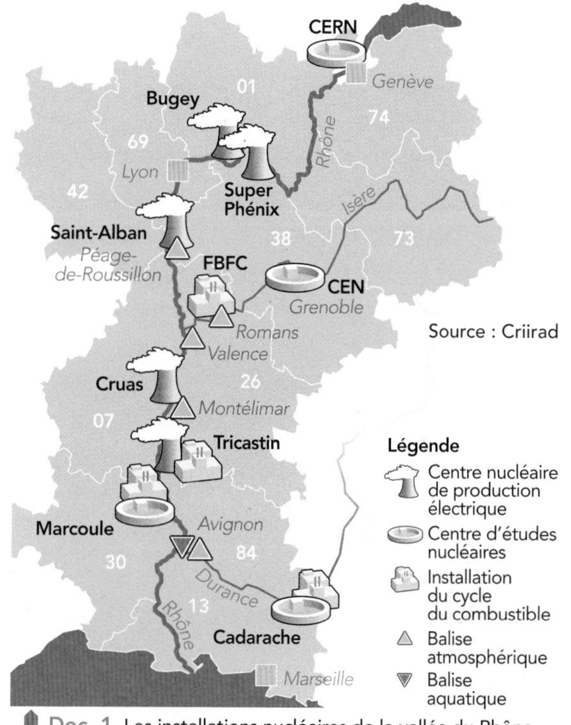

Doc. 1 Les installations nucléaires de la vallée du Rhône.

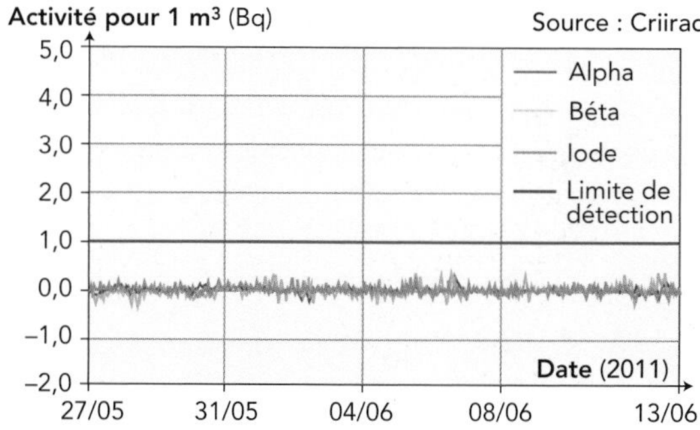

Doc. 2 Contrôle de la radioactivité de l'air par la balise du Péage-de-Roussillon (Isère).

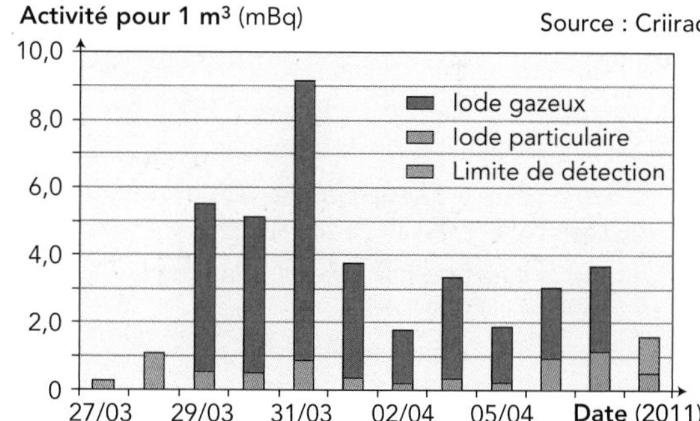

Doc. 3 Contrôle de l'activité de l'iode 131 dans l'air par la balise de Valence (Drôme).

1. a. Définir « particule béta », « particule alpha » et « rayonnement gamma ».
b. Quelle est la grandeur mesurée en becquerel (Bq) ? À quoi correspond 1 Bq ?

2. Que détectent une balise atmosphérique et une balise aquatique de la Criirad ?

3. Pourquoi sont-elles placées particulièrement dans la vallée du Rhône ?

4. Où est située la balise aquatique ? Justifier sa position.

5. Quel est le seuil de détection des balises atmosphériques ? Interpréter les résultats donnés par le graphique du document 2.

6. a. Pour quelles raisons l'activité de l'iode 131 est-elle mesurée ?
b. Expliquer le terme « particulaire » dans l'expression « Iode particulaire ».

7. Le 11 mars 2011, l'accident de la centrale nucléaire de Fukushima au Japon a été provoqué par un tsunami. Cet accident peut-il être à l'origine des résultats donnés par le graphique du document 3 ?

Retour sur l'ouverture du chapitre

5 Observations de la Voie lactée dans différents domaines

COMPÉTENCES **Extraire des informations ; raisonner ; argumenter.**

Source : Nasa

La Voie lactée se présente sous différents aspects suivant le domaine d'observation. Les cartes ci-dessus ont été obtenues pour des domaines spectraux différents.

- **Émission radio** (autour de 1 m dans le vide) : l'émission provient principalement d'électrons de haute énergie que l'on trouve dans l'environnement des supernovae (étoiles qui explosent en fin de vie).
- **Émission dans l'infrarouge lointain** (10 à 100 µm dans le vide) : l'émission provient principalement des poussières du milieu interstellaire réchauffées par les étoiles nouvellement formées.
- **Émission dans l'infrarouge moyen** (de 5 à 10 µm dans le vide) : l'émission provient principalement de molécules interstellaires complexes (cycles aromatiques) portées à haute température par le rayonnement des étoiles.
- **Émission dans le proche infrarouge** (800 nm à 5 µm dans le vide) : l'émission provient principalement des étoiles légèrement moins chaudes que le Soleil.
- **Émission dans le visible** (400 à 800 nm dans le vide) : l'émission provient principalement des étoiles dont la température est proche de celle du Soleil.
- **Émission dans le domaine des rayons X** (1 à 5 nm dans le vide) : l'émission provient principalement des nuages de gaz chauds.
- **Émission des rayonnements gamma** (inférieur à 12 fm dans le vide) : l'émission provient principalement des collisions entre les protons du gaz interstellaire et les rayons cosmiques produits par les pulsars (étoile à neutron tournant sur elle-même et émettant des ondes électromagnétiques).

1. Sur un diagramme associant les rayonnements électromagnétiques cités dans le texte et leurs longueurs d'onde dans le vide, indiquer les objets de la Voie lactée à l'origine des émissions dans chaque domaine.

2. a. Rappeler la relation entre et la longueur d'onde dans le vide λ d'une radiation lumineuse et sa fréquence ν.
b. Parmi les rayonnements électromagnétiques cités dans le texte, quel est celui qui correspond à la plus grande fréquence ?

3. a. Rappeler la relation entre l'énergie d'un photon associé à un rayonnement et sa longueur d'onde λ dans le vide.
b. Parmi les rayonnements électromagnétiques cités dans le texte, quel est celui qui correspond à la plus grande énergie ?

4. Quel est l'intérêt d'observer l'Univers dans d'autres domaines que le visible ? Illustrer la réponse à l'aide d'un exemple.

Comprendre un énoncé

6  La radiographie

La radiographie enregistre l'image d'un corps traversé par un faisceau de rayons X produit par un tube de Coolidge. Ces rayonnements électromagnétiques sont plus ou moins absorbés par les divers tissus du corps humain. Le film photographique ou le capteur électronique, placé derrière le corps radiographié, permet de détecter l'intensité du faisceau de rayons X l'ayant traversé.

Un tube de Coolidge est une enceinte sous vide. À l'intérieur, une cathode portée à haute température par un courant électrique libère des électrons. Sous l'action d'une très haute tension, de l'ordre de 100×10^3 V, ces électrons sont attirés vers une anode. Leur impact sur l'anode produit des rayons X. L'intensité du courant dans la cathode et le temps d'exposition influent sur la quantité de rayons X émis. La tension entre l'anode et la cathode influe sur l'énergie des rayons X émis.

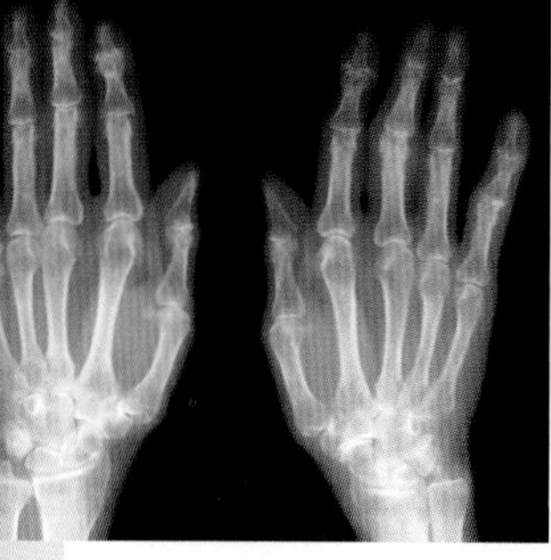

Sur une radiographie, les zones absorbant beaucoup les rayons X paraissent blanches, celles absorbant peu les rayons X paraissent noires. L'absorption des rayons X par la matière est d'autant plus grande que l'épaisseur du matériau traversé est grande et que les numéros atomiques des éléments chimiques constituants ce matériau sont grands.

Questions à se poser à la lecture de l'énoncé

- → De quel type de rayonnement parle-t-on ?
- → Quelle est la grandeur mesurée en radiographie ?
- → Quelles particules interviennent dans la production des rayons X à l'intérieur d'un tube ?
- → Quels paramètres influent sur la quantité de rayons X émis et sur leur énergie ?
- → Quelle information apporte le contraste de la radiographie ?
- → Quels facteurs ont une influence sur l'absorption des rayons X ?

Questions	Compétences à mobiliser	Si difficulté, revoir
1. a. Quelles particules élémentaires interviennent dans la production des rayons X à l'intérieur d'un tube de Coolidge ? **b.** Quelles particules élémentaires ont été étudiées en 1re S ? Donner les ordres de grandeur de leur charge et de leur masse.	• Extraire les informations de l'énoncé*. • Connaître les particules élémentaires et les ordres de grandeur caractéristiques.	Cours de 1re S, chapitre sur la cohésion de la matière.
2. a. Quels sont les organes qui apparaissent clairs et quels sont ceux qui apparaissent sombres ? **b.** Quelle conclusion peut-on tirer sur les compositions chimiques respectives de ces organes ? **c.** Pourquoi certains os paraissent plus blancs que d'autres ?	• Extraire et exploiter les informations de l'énoncé*. • Raisonner*. • Argumenter*.	Fiche n° 1, p. 580.
3. Sur quels paramètres le radiologue peut-il agir lors d'une radiographie ?	• Extraire et exploiter les informations de l'énoncé*.	Fiche n° 1, p. 580.
4. Les rayons X sont aussi produits par certaines étoiles. Citer deux autres rayonnements électromagnétiques venant de l'univers et indiquer leur origine.	• Connaître des sources de rayonnement.	Cours, p. 26.

* Compétence transversale.

Avoir les bons réflexes 

Si l'énoncé demande de...	il est nécessaire de...	Si difficulté	Pour réviser
Citer des sources de rayonnement.	● Mettre en relation les sources de rayonnement avec le type de rayonnement et l'ordre de grandeur de leurs longueurs d'onde.	Cours, p. 26.	Exercice 5 p. 34.
Extraire et exploiter les informations d'un texte.	● Repérer les mots-clés. ● Classer les informations. ● Extraire les idées directrices.	Fiche n° 1, p. 580.	Exercice 3 p. 32.
Extraire et exploiter les informations d'un graphique.	● Repérer les grandeurs sur les axes et leurs unités. ● Repérer l'évolution générale, les points singuliers, les valeurs particulières sur lesquelles portent les questions.	Fiche n° 1, p. 580.	Exercice 4 p. 33.
Extraire et exploiter les informations d'un tableau.	● Repérer les grandeurs dont traite le tableau et leurs unités. ● Repérer l'évolution générale des valeurs, les valeurs extrêmes, etc.	Fiche n° 1, p. 580.	Exercice 2 p. 30.
Extraire et exploiter les informations d'un schéma.	● Analyser son organisation d'ensemble. ● Repérer la légende, les annotations éventuelles, localiser les organes essentiels et leurs interactions.	Fiche n° 1, p. 580.	Exercice 1 p. 29.

Dans les conditions du baccalauréat

● **Avec aide :** Exercice 6 p. 35.

● **Sans aide :** Exercice 2 p. 30.

Caractéristiques des ondes

Chapitre 2

Lors d'un concert, des ondes sonores se propagent dans la salle. Des ingénieurs du son travaillent pour que le son soit le meilleur possible. **Quelles sont les caractéristiques des ondes sonores musicales auxquelles notre oreille est sensible?** **(Voir exercice 34, p. 58.)**

Quelles sont les caractéristiques des ondes progressives?

OBJECTIFS

- → Définir une onde progressive à une dimension.
- → Connaître et exploiter la relation entre la période ou la fréquence, la longueur d'onde et la célérité pour une onde progressive sinusoïdale.
- → Connaître les caractéristiques des ondes sonores et ultrasonores.

Activités Étude expérimentale

Compétence exigible au baccalauréat
- *Pratiquer une démarche expérimentale visant à étudier qualitativement et quantitativement un phénomène de propagation d'une onde.*

1 Ondes progressives à une dimension

Les ondes sonores se propagent dans l'air dans toutes les directions. Dans un solide, elles se propagent plus rapidement et dans une seule direction.
Comment déterminer la célérité (c'est-à-dire la valeur de la vitesse de propagation) d'une onde progressive à une dimension ?

A Analyse qualitative d'une onde

Avec une corde

▸ Tendre au sol une corde de plusieurs mètres.
Une règle posée près de la corde sert d'étalon de longueur.

▸ Donner une impulsion brève, verticale de bas en haut (doc. 1).

▸ Observer, puis filmer le phénomène.

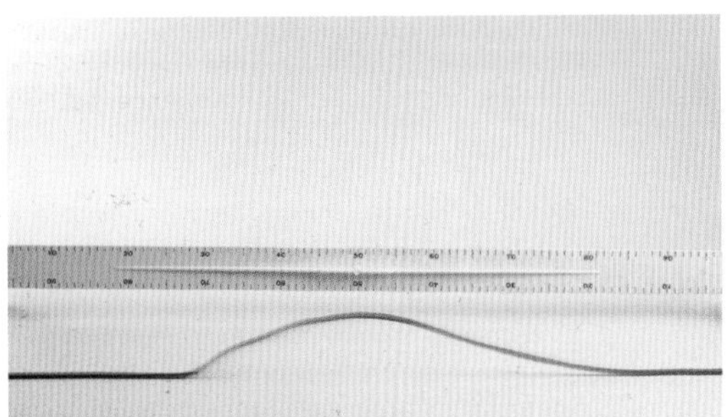

Doc. 1 Onde le long d'une corde. La règle sert d'étalon de longueur

Avec un ressort

▸ Fixer horizontalement un ressort légèrement tendu entre deux potences.

Une règle proche du ressort sert d'étalon de longueur.

▸ Comprimer quelques spires à une extrémité, puis relâcher (doc. 2).

▸ Observer, puis filmer le phénomène.

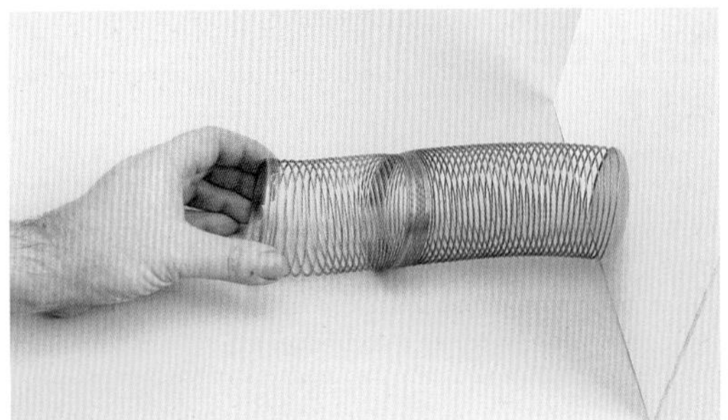

Doc. 2 Onde le long d'un ressort.

Info

La corde ou le ressort constitue le milieu de propagation de l'onde.
- On dit qu'une onde est **transversale** si la direction de propagation est perpendiculaire à la direction de déplacement des points du milieu.
- On dit qu'une onde est **longitudinale** si la direction de propagation est parallèle à la direction de déplacement des points du milieu.

1 On observe dans les deux cas une onde mécanique progressive à une dimension.
Proposer une définition des termes « progressive » et « une dimension ».

2 L'onde se propageant le long de la corde est-elle longitudinale ou transversale ?
L'onde se propageant le long du ressort est-elle longitudinale ou transversale ?

3 a. Sur deux schémas l'un au-dessus de l'autre, représenter l'allure de la corde à deux dates différentes t_1 et t_2.
Légender le schéma avec les termes suivants : *date t_1, date t_2, perturbation, début de la perturbation, fin de la perturbation, sens de propagation, distance parcourue par la perturbation entre t_1 et t_2.*
b. Faire de même pour le ressort.

B Analyse quantitative : mesure de la célérité de l'onde

La **célérité** de l'onde est la valeur de la vitesse avec laquelle l'onde se propage.

▸ Élaborer un protocole permettant de déterminer la célérité de chacune des ondes à partir des vidéos.

4 Le mettre en œuvre, puis déterminer la célérité de chaque onde.

Un pas vers le cours...

5 Donner la relation permettant de calculer la célérité d'une onde en explicitant les grandeurs physiques utilisées ainsi que leurs unités.

2 Caractéristiques d'une onde progressive périodique

Les ondes ultrasonores, comme les ondes électromagnétiques, peuvent être caractérisées par leur longueur d'onde, leur vitesse de propagation et leur fréquence.
Comment sont reliées ces grandeurs caractéristiques ?

Compétence exigible au baccalauréat
- *Pratiquer une démarche expérimentale pour déterminer la période, la fréquence, la longueur d'onde et la célérité d'une onde progressive sinusoïdale.*

A Mesure de la période d'une onde ultrasonore

▸ Réaliser le montage permettant de visualiser simultanément, avec un oscilloscope, le signal périodique émis en continu par l'émetteur et le signal reçu par le récepteur (doc. 3).

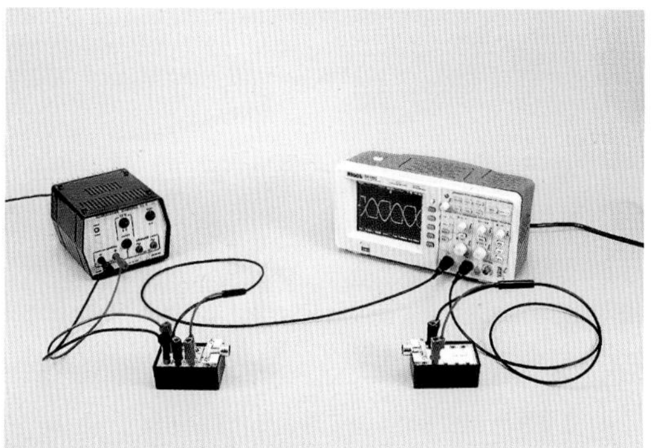

Doc. 3 Mesure de la période d'une onde ultrasonore.

1 Comparer qualitativement les deux signaux. Le signal reçu dépend-il de la position du récepteur ?

2 L'onde ultrasonore est dite progressive et périodique. Expliciter brièvement ces deux termes.

3 a. Déterminer la période des signaux émis et reçus sur l'écran de l'oscilloscope. Les comparer.
b. Déterminer l'incertitude $U(T)$ sur la mesure de la période (voir **fiche n° 3**, p. 584).

4 En déduire la fréquence des ondes ultrasonores et un encadrement de cette fréquence, sachant que l'incertitude sur la fréquence est donnée par :

$$U(f) = f \cdot \frac{U(T)}{T}$$

Cet encadrement est-il compatible avec la valeur indiquée par le constructeur ?

Info La **notation** $U(T)$ correspond à la norme Afnor depuis 1999. Auparavant, cette incertitude était notée ΔT.

B Mesure de la longueur d'onde d'une onde ultrasonore

▸ Placer deux récepteurs côte à côte, face à l'émetteur. Les relier à l'oscilloscope.

▸ Éloigner progressivement l'un des deux récepteurs. Observer l'évolution du signal de ce récepteur par rapport au signal de l'autre récepteur.

▸ Repérer les positions du récepteur pour lesquelles les abscisses de leurs maxima A et A' (et de leurs minima B et B') sont confondues. On dit alors que les ondes sont en phase (doc. 4).

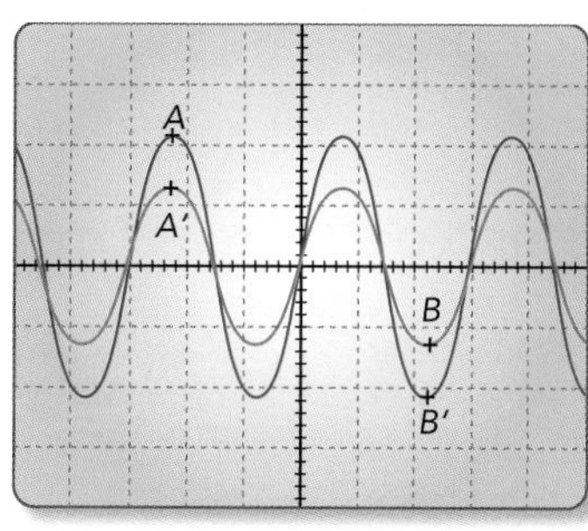

Doc. 4 Visualisation de deux signaux en phase.

5 La longueur d'onde λ est la distance séparant deux points consécutifs pour lesquels les ondes sont en phase.
a. Déterminer la longueur d'onde λ de l'onde ultrasonore dans l'air à la température de la salle.
b. Évaluer l'incertitude $U(\lambda)$ sur cette mesure (voir **fiche n° 3**, p. 584).
c. Écrire la longueur d'onde sous la forme d'un encadrement.
d. Pourquoi est-il préférable de mesurer dix longueurs d'onde plutôt qu'une seule ?

Un pas vers le cours...

6 a. La célérité des ondes ultrasonores dans l'air à 20 °C est 340 $m \cdot s^{-1}$. Calculer la distance parcourue par l'onde en une période. Comparer cette distance à la longueur d'onde mesurée dans l'air.
b. En déduire la relation entre la célérité v, la période T et la longueur d'onde λ des ondes ultrasonores dans l'air.

3 Acoustique musicale

« La musique est une science qui doit avoir des règles certaines; ces règles doivent être tirées d'un principe évident, et ce principe ne peut guère nous être connu sans le secours des mathématiques. » Jean-Philippe Rameau, *Traité de l'harmonie réduite à ses principes naturels* (1722).
La musique est-elle régie par des lois mathématiques ?

Compétence exigible au baccalauréat
- *Réaliser l'analyse spectrale d'un son musical et l'exploiter pour en caractériser la hauteur et le timbre.*

A Modélisation d'une onde sinusoïdale

▸ Produire un son avec un diapason. En réaliser l'acquisition informatisée (doc. 5) pendant 10 ms.

▸ Afficher dans le logiciel la représentation temporelle du signal enregistré, ainsi que le spectre en fréquences correspondant obtenu par analyse de Fourier.

1 a. Quelle est l'allure du signal observé sur la représentation temporelle ?
b. Déterminer l'amplitude (valeur maximale) U_{max} du signal. Déterminer la période T et en déduire la fréquence f du son émis par le diapason.
c. Quelle est l'allure de la représentation graphique du spectre en fréquences ? Quelles grandeurs caractéristiques du son y retrouve-t-on ?

2 a. Modéliser le signal enregistré par une fonction de la forme $u(t) = A \cdot \cos(B \cdot t + C)$.
Relever les valeurs des constantes A, B et C.
b. Comparer A et B à U_{max} et $\frac{2\pi}{T}$.

▸ Réaliser une autre acquisition du son émis par le même diapason en modifiant son amplitude.

3 Après avoir modélisé le second signal, comparer les paramètres A et B avec ceux obtenus lors de la modélisation précédente.

Doc. 5 Enregistrement du son d'un diapason.

▸ À l'aide d'un tableur construire une nouvelle fonction, $u_1(t) = U_{max} \cdot \cos(\frac{2\pi}{T} \cdot t + C_1)$ en choisissant $C_1 \neq C$. Faire apparaitre sur un même graphique les représentations de $u(t)$ et $u_1(t)$.

4 C est souvent noté Φ; c'est la « phase à l'origine ». Quelle est son influence sur la représentation graphique d'une fonction sinusoïdale ?

Un pas vers le cours...

5 Comment modélise-t-on mathématiquement une onde sinusoïdale ?

B Hauteur d'un son et fréquence

▸ Réaliser successivement l'acquisition de deux notes différentes jouées par un même instrument.

▸ Afficher la représentation temporelle de chacun des signaux enregistrés (doc. 6).

6 Déterminer la période puis la fréquence de chaque son.

7 Quel est, des deux sons, le son le plus aigu ?

Un pas vers le cours...

8 À quelle grandeur est liée la hauteur d'un son ? Comparer la valeur de cette grandeur pour un son aigu et pour un son grave.

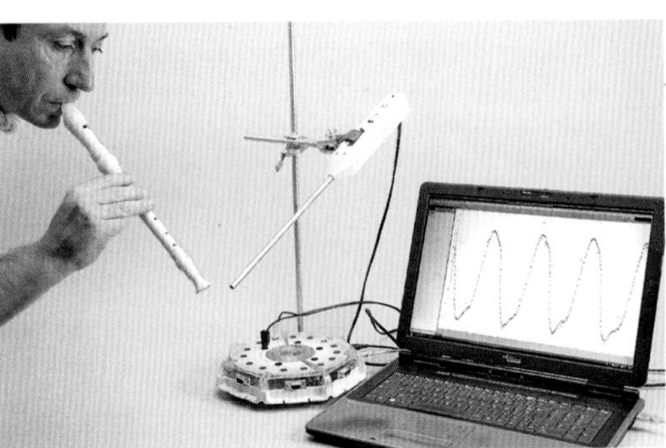

Doc. 6 Enregistrement du son d'une flûte.

Info La **hauteur d'un son** est la sensation physiologique qui permet de dire si un son est plus grave ou plus aigu qu'un autre son.

C Timbre d'un son et harmoniques

▸ Réaliser successivement l'acquisition informatisée de deux sons musicaux émis par des instruments différents jouant la même note (doc. 8 et 9).

▸ Afficher la représentation temporelle de chacun des signaux enregistrés, ainsi que le spectre en fréquences correspondant.

9 À partir des représentations temporelles, déterminer la période, puis la fréquence de chacun des sons.

10 a. À l'aide du spectre en fréquences, relever la fréquence du fondamental, puis la comparer à celle du son analysé.
b. Relever les fréquences associées aux autres pics. Quelle relation existe-t-il entre les fréquences de ces harmoniques ?

11 Qu'est-ce qui caractérise le timbre d'un son ?

Un pas vers le cours...

12 Relier les notions de hauteur et de timbre d'un son musical au fondamental et aux harmoniques.

13 **Pour aller plus loin...**
@ De nombreux musiciens utilisent des synthétiseurs afin de créer des sons (doc. 7).
Expliquer la démarche de synthèse électronique d'un son.

Info En 1822, le mathématicien français Joseph FOURIER a montré que tout signal périodique de fréquence f_1 peut être décomposé en une somme de signaux sinusoïdaux.
Ces signaux sinusoïdaux sont appelés **harmoniques**.
L'harmonique de plus basse fréquence est le **fondamental**, sa fréquence est notée f_1.

Info Le **timbre d'un son** est la sensation physiologique qui permet de distinguer deux sons de même hauteur joués par deux instruments différents.

Doc. 7 Des musiciens célèbres, comme le jazzman Herbie Hancock, utilisent le synthétiseur comme un véritable instrument de musique.

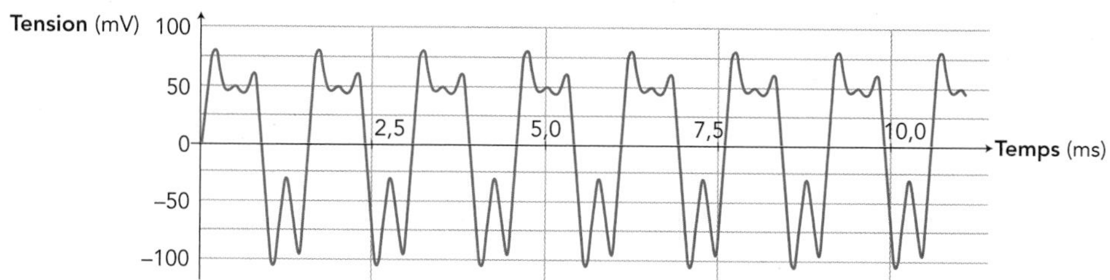

Doc. 8 Représentation temporelle d'un Mi_4 joué à la guitare.

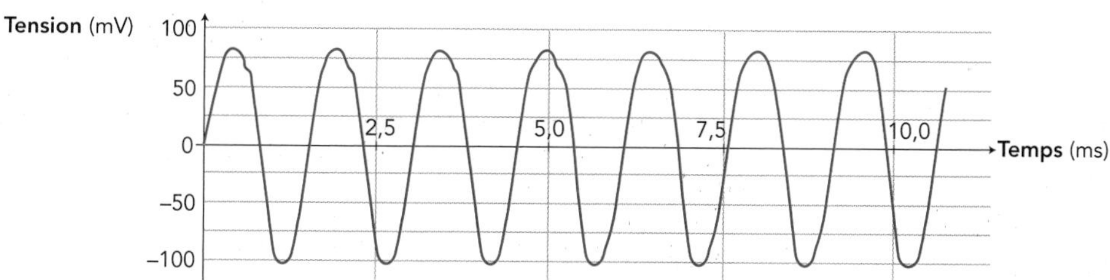

Doc. 9 Représentation temporelle d'un Mi_4 joué à la flûte.

1 Qu'est-ce qu'une onde progressive ?

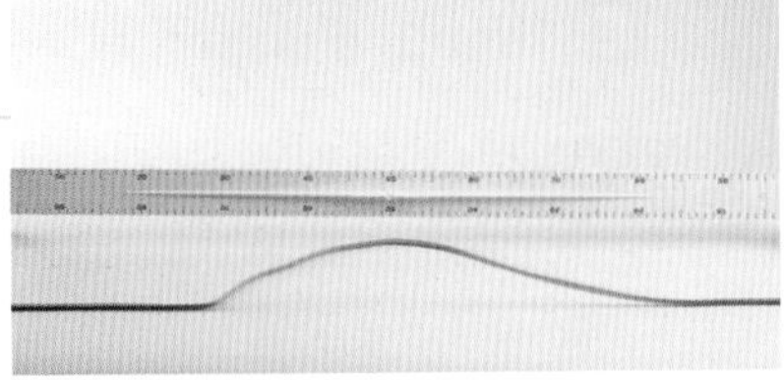

Doc. 1 Perturbation le long d'une corde.

1.1 Présentation

L'activité 1 a montré qu'une perturbation peut se déplacer le long d'une corde. Après le passage de la perturbation, la corde retrouve son état initial (doc. 1).

Le phénomène de propagation d'une perturbation dans un milieu est appelé **onde progressive**.

Certaines ondes ont besoin d'un milieu matériel pour se propager : ce sont les **ondes mécaniques**. Les ondes sismiques et les ondes sonores sont des exemples d'ondes mécaniques.

D'autres ondes se propagent également dans le vide : ce sont les **ondes électromagnétiques**. Les infrarouges et les rayons X sont des exemples d'ondes électromagnétiques.

La propagation d'une onde peut avoir lieu dans plusieurs directions.

Une onde progressive se propageant dans une seule direction est appelée **onde progressive à une dimension**.

Le long d'une corde (doc. 1), une seule direction de propagation est possible. Il s'agit de la direction matérialisée par la corde. La propagation le long d'une corde est à **une dimension**. Il en est de même pour l'onde de compression le long d'une tige ou encore du son le long d'un rail de chemin de fer.

Les vagues à la surface de l'eau peuvent se propager dans un plan : celui de la surface de l'eau. Cette propagation est à **deux dimensions**.

Le son dans l'air se propage dans les **trois dimensions** de l'espace.

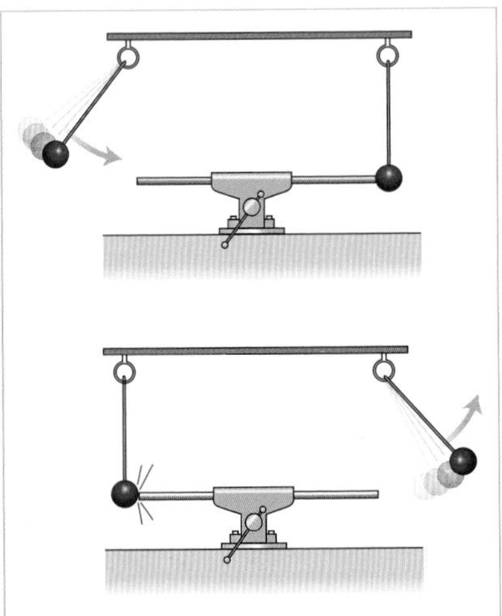

Doc. 2 Onde de compression.

Au cours de sa propagation, une onde transporte de l'énergie.

Par exemple, dans le document 2, une onde de compression se propage le long de la tige métallique. L'énergie de la boule de gauche est transférée à la boule de droite qui est alors mise en mouvement.

L'énergie nucléaire du Soleil est transférée dans l'espace sous la forme d'ondes électromagnétiques. Des panneaux photovoltaïques permettent de produire de l'électricité à partir de cette énergie (doc. 3).

Doc. 3 Panneaux photovoltaïques.

Les ondes ont des manifestations, des conséquences et des utilisations très variées (doc. 4).

Elles peuvent se manifester de façon visible, comme à la surface de l'eau (houle, rides) (doc. 4a). Les conséquences de la propagation des ondes peuvent être dramatiques, lors d'un séisme par exemple (doc. 4b). Les ondes sont utilisées dans le domaine médical (radiographie, échographie, fibroscopie) (doc. 4c).

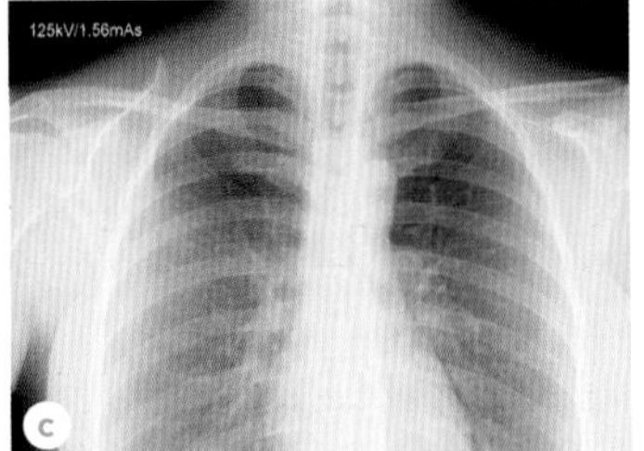

Doc. 4 a. Ondes à la surface de l'eau. b. Effets des ondes sismiques. c. Utilisation de rayons X en radiologie.

1.2 Vitesse de propagation d'une onde

Les **activités 1 et 2** ont permis de mesurer la valeur de la vitesse de propagation (ou célérité) d'une onde.

> La valeur de la **vitesse de propagation** v, ou **célérité**, d'une onde est le rapport de la distance d qu'elle parcourt par la durée Δt mise par l'onde pour parcourir cette distance, soit :
>
> $$v = \frac{d}{\Delta t}$$
>
> v s'exprime en mètre par seconde ($m \cdot s^{-1}$), d en mètre (m) et Δt en seconde (s).

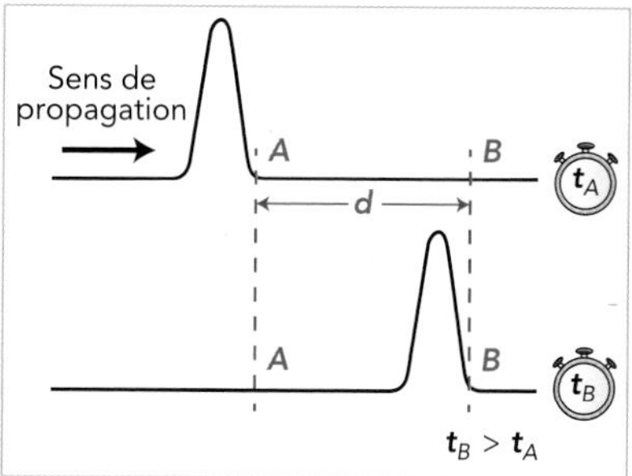

Doc. 5 Aspect de la corde à deux instants, t_A et t_B.
Entre ces deux instants, la perturbation a progressé d'une distance $d = AB$.

1.3 Notion de retard et d'élongation

Le document 5 montre l'aspect d'une corde lors de la propagation d'une perturbation avec une célérité v, à deux dates différentes.
Les points de la corde sont affectés à des instants différents par la perturbation, qui atteint d'abord le point A à la date t_A, puis le point B à la date $t_B = t_A + \tau$.

τ est le retard du passage de la perturbation au point B par rapport à son passage au point A.

> La perturbation observée au point A arrive au point B avec un retard τ.
> Le **retard** τ est la durée mise par l'onde pour se propager de A à B :
>
> $$\tau = \frac{AB}{v}$$
>
> τ est exprimé en seconde (s), AB en mètre (m) et v en $m \cdot s^{-1}$.

Dans le cas des ondes mécaniques, un point est repéré par son **élongation**, c'est-à-dire sa position par rapport à sa position de repos (doc. 6).

Voir exercices 1, p. 47, et 6 à 9, p. 50.

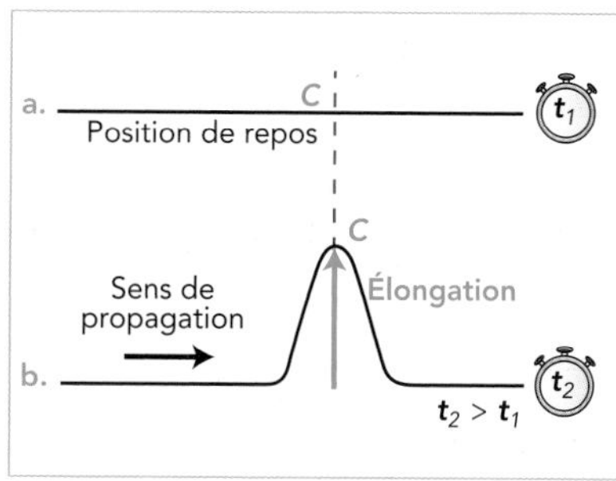

Doc. 6 Élongation du point C à deux instants :
a. l'élongation est nulle ;
b. l'élongation est non nulle.

2 Qu'est-ce qu'une onde progressive périodique ?

2.1 Définitions

Onde progressive périodique

L'onde sonore reçue par un capteur (microphone) est convertie en une information électrique visualisée sur l'oscillogramme (doc. 7). Cette information a les mêmes caractéristiques que l'onde dont elle est issue. Sur cet exemple, elle se reproduit à intervalles de temps égaux.

> Une onde progressive est **périodique** lorsque la perturbation se reproduit identique à elle-même à intervalles de temps égaux, appelés période temporelle T.

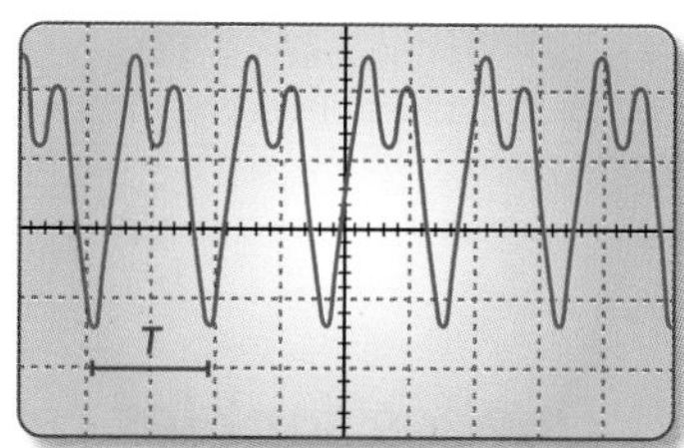

Doc. 7 Oscillogramme d'une tension périodique de période T.

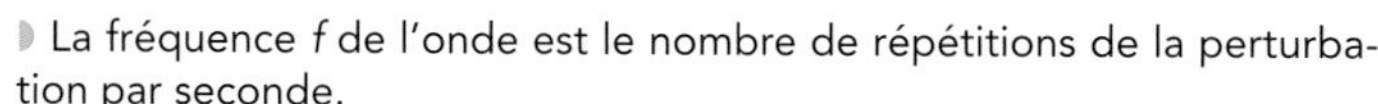

La fréquence f de l'onde est le nombre de répétitions de la perturbation par seconde.
La fréquence f et la période temporelle T sont liées par la relation :

$$f = \frac{1}{T}$$

où f s'exprime en hertz (Hz) et T en seconde (s).
Pour simplifier, on peut parler de période pour T.

Onde progressive sinusoïdale

L'oscillogramme du document 8 correspond à une fonction sinusoïdale. Il a été obtenu à partir d'une émission d'ondes ultrasonores (**activité 2**).

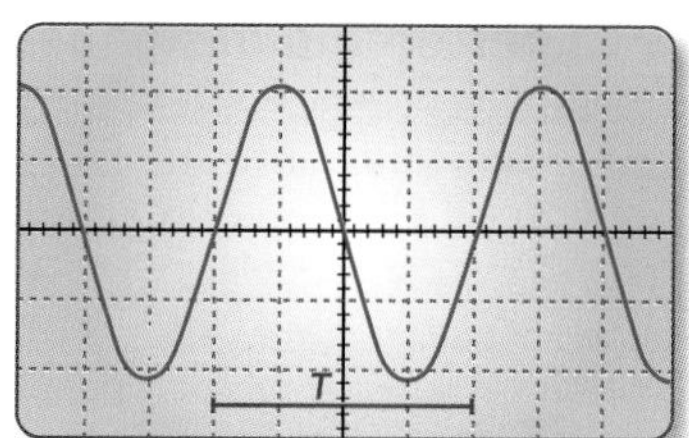

Doc. 8 Oscillogramme d'une tension périodique sinusoïdale de période T.

Dans le cas d'une onde mécanique sinusoïdale (doc. 9), l'évolution de l'élongation au cours du temps est donnée, par exemple, par une fonction de la forme :

$$x(t) = X_{max} \cdot \cos(\frac{2\pi}{T} \cdot t + \Phi)$$

X_{max} est l'amplitude, T est la période et Φ la phase à l'origine, positive par définition et donnée par les conditions initiales.

Par exemple, à $t = 0$, si l'élongation a pour valeur $x(0) = X_{max}$, alors $\Phi = 0$.

Une onde progressive est **sinusoïdale** lorsque l'élongation de tout point du milieu de propagation est une fonction sinusoïdale du temps. Une onde progressive sinusoïdale est périodique.

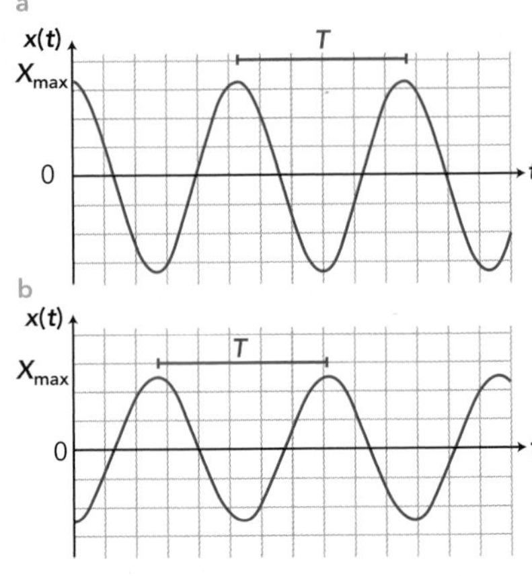

Doc. 9 Élongation au cours du temps pour une fonction de la forme :

$$x(t) = X_{max} \cdot \cos(\frac{2\pi}{T} \cdot t + \Phi)$$

a. la phase à l'origine est nulle ;
b. la phase à l'origine est non nulle.

2.2 Double périodicité

Lorsqu'une onde périodique se propage, en certains points du milieu de propagation, les élongations sont en phase : les passages par l'élongation maximale sont alors simultanés **(activité 2)**.

Une onde progressive sinusoïdale possède une **double périodicité** :
- une **période temporelle**, T, appelée **période** (doc. 10a) ;
- une **période spatiale**, λ, appelée **longueur d'onde** (doc. 10b).

L'**activité 2** a aussi permis d'établir la relation entre la période spatiale λ, la période temporelle T et la célérité v de l'onde.

La longueur d'onde λ est la plus petite distance séparant deux positions pour lesquelles les élongations sont en phase.
C'est aussi la distance parcourue par l'onde pendant la période temporelle T :

$$\lambda = v \cdot T$$

λ s'exprime en mètre, v en mètre par seconde ($m \cdot s^{-1}$), T en seconde (s).
On peut également écrire $\lambda = \frac{v}{f}$ avec f la fréquence exprimée en hertz (Hz), puisque $f = \frac{1}{T}$.

La fréquence d'une onde est caractéristique de cette onde. Elle ne change pas quand l'onde change de milieu de propagation. Ce n'est pas le cas de la longueur d'onde qui change quand la célérité change.

Voir exercices 2, p. 47, et 10 à 14, p. 51.

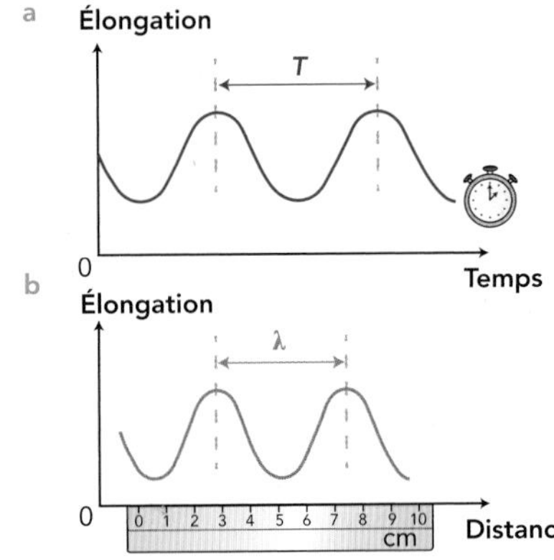

Doc. 10 a. Élongation en un point donné en fonction du temps. b. Élongation en plusieurs points à un instant donné.

3 Quelles sont les caractéristiques des ondes sonores et ultrasonores ?

3.1 La perception des ondes sonores

L'oreille humaine perçoit des ondes sonores dont les fréquences sont comprises entre 20 Hz et 20 kHz. Les ondes sonores de fréquences inférieures à 20 Hz sont appelées infrasons. Celles de fréquences supérieures à 20 kHz sont appelées ultrasons (doc. 11).

Certains animaux utilisent les ultrasons, d'autres les infrasons. Par exemple, les chauves-souris et les dauphins émettent et perçoivent des ultrasons dont la fréquence peut être supérieure à 100 kHz pour explorer leur environnement. Les éléphants et les baleines émettent et perçoivent des infrasons pour communiquer.

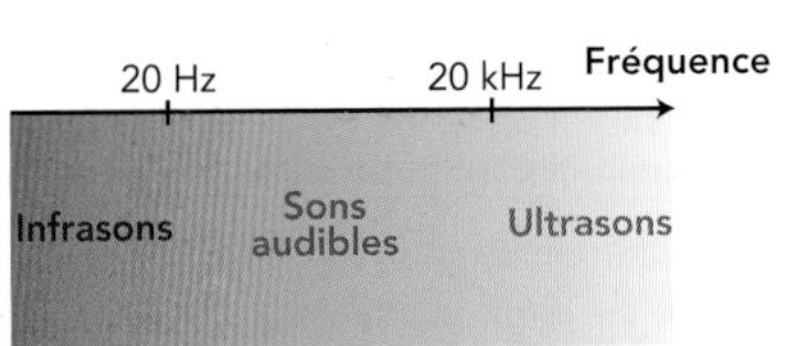

Doc. 11 Fréquences des ondes sonores.

3.2 Le spectre d'un son

Le son produit par un instrument de musique comme une guitare est périodique, mais pas sinusoïdal (doc. 12a).
En 1822, le mathématicien français Joseph FOURIER a montré que tout signal périodique de fréquence f_1 peut être décomposé en une somme de signaux sinusoïdaux de fréquences f_n multiples de f_1. Ces signaux sinusoïdaux sont appelés **harmoniques**. L'**analyse spectrale** d'un son permet d'en obtenir le spectre en fréquences.

> Le **spectre en fréquences** d'un son est la représentation graphique de l'amplitude de ses composantes sinusoïdales en fonction de la fréquence.

Le spectre en fréquences du son d'une guitare (doc. 12b) montre plusieurs pics de fréquences : 659 Hz, 1,32 kHz, 198 kHz et 2,64 kHz.
Ces fréquences sont celles des harmoniques. La fréquence la plus faible (f_1 = 659 Hz) est celle du **fondamental** ; c'est aussi la fréquence du son.
Toutes les fréquences du spectre f_n sont des multiples de la fréquence du fondamental : $f_n = n \cdot f_1$ ($n \in \mathbb{N}^*$).

La **hauteur** et le **timbre** sont deux caractéristiques importantes d'un son musical.
Plus la fréquence d'un son est faible, plus le son est grave (ou bas) ; plus elle est élevée, plus le son est aigu (ou haut). Si les fréquences de deux sons musicaux sont différentes, alors ils sont perçus à des hauteurs différentes.
Deux sons de même hauteur émis par deux instruments différents ne sont pas perçus de la même manière, car les harmoniques sont différents. Ces sons ont des timbres différents (doc. 12 et 13).

> L'analyse spectrale d'un son musical permet de caractériser :
> – la **hauteur** du son, liée à la fréquence f_1 du fondamental ;
> – le **timbre** du son, lié au nombre et à l'amplitude des harmoniques.

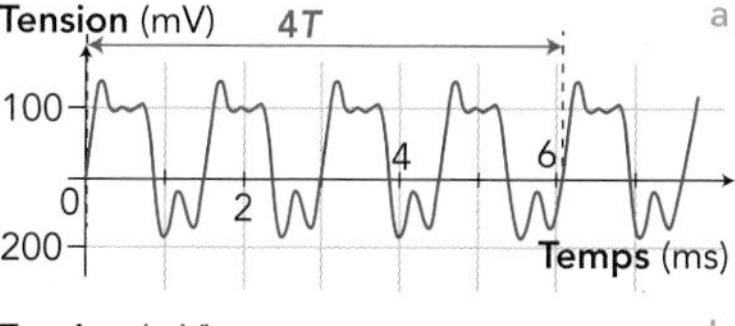

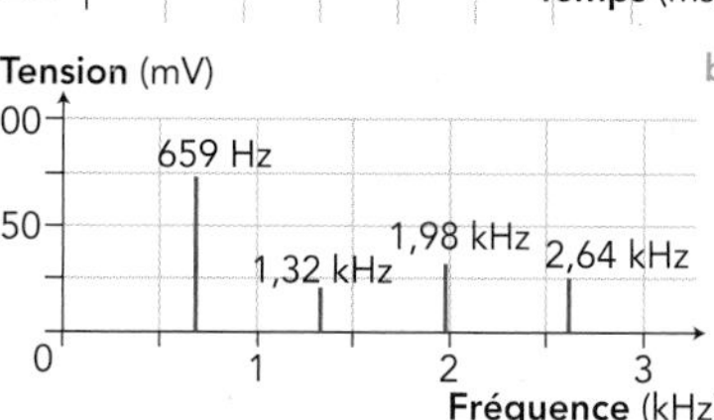

Doc. 12 a. Oscillogramme d'un Mi_4 joué à la guitare.
On a mesuré : $4T = 6{,}1 \times 10^{-3}$ s soit :
$T = 1{,}5 \times 10^{-3}$ s et donc $f = \frac{1}{T} = 6{,}6 \times 10^2$ Hz.
b. Spectre en fréquences correspondant.

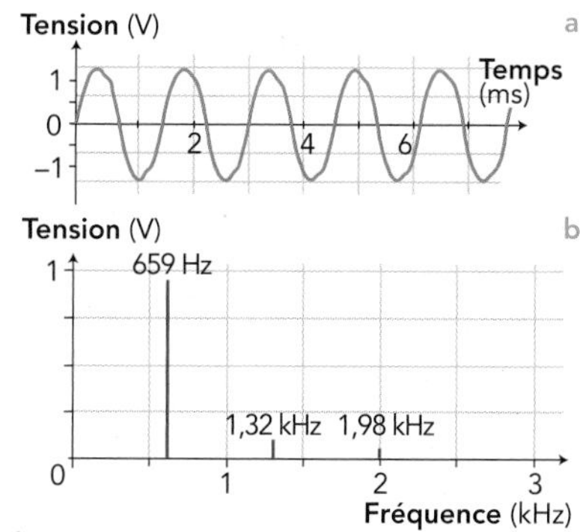

Doc. 13 a. Oscillogramme d'un Mi_4 joué à la flûte. La période et la fréquence sont les même que celles obtenues pour la même note jouée à la guitare (doc. 12a).
b. Spectre en fréquences correspondant. Les amplitudes des harmoniques ne sont pas les mêmes que celles obtenues pour le Mi_4 joué à la guitare (doc. 12b).

3.3 Le niveau d'intensité sonore

Nous percevons les sons de manière plus ou moins intense.
L'intensité sonore I caractérise l'intensité du signal reçue par l'oreille. Elle s'exprime en $W \cdot m^{-2}$.
L'oreille humaine perçoit des signaux sonores dont l'intensité est comprise entre une valeur minimale $I_0 = 1{,}0 \times 10^{-12}$ $W \cdot m^{-2}$ (seuil d'audibilité) et une valeur maximale égale à 25 $W \cdot m^{-2}$ (seuil de douleur).
On a créé une autre grandeur, le niveau d'intensité sonore, plus aisée à exploiter que l'intensité sonore. Il est noté L, comme *level*, qui signifie « niveau » en anglais.

> Le niveau d'intensité sonore L est défini par :
> $$L = 10 \cdot \log\left(\frac{I}{I_0}\right)$$
> avec I_0 correspondant au seuil d'audibilité.
> I et I_0 s'exprime en $W \cdot m^{-2}$. L s'exprime en décibel (dB).

La notation « log » fait référence à la fonction logarithme décimal.
L'échelle de L est graduée de 0 à 140 dB environ, alors que l'intensité sonore est graduée de 10^{-12} à 10^2 $W \cdot m^{-2}$ (doc. 14).

Lorsque plusieurs instruments de musique jouent ensemble, lors d'un concert par exemple, les intensités sonores I dues à chaque instrument s'ajoutent. Les niveaux d'intensité sonore L ne s'ajoutent pas.

Voir exercices 3, p. 47, et 15 à 17 p. 52.

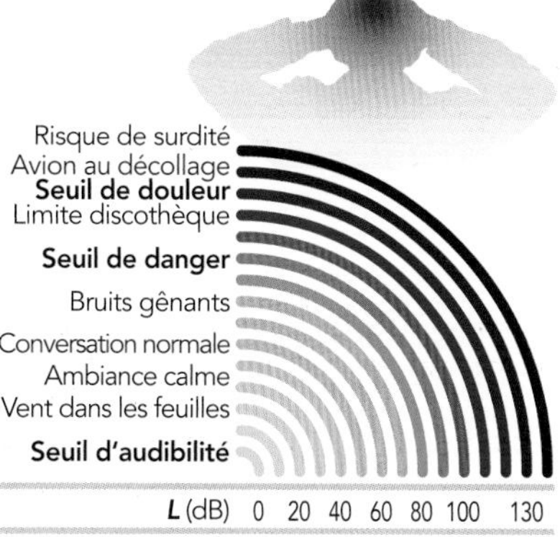

Doc. 14 Échelle des intensités sonores I et des niveaux d'intensité sonore L.

Onde progressive

▸ Le phénomène de propagation d'une perturbation dans un milieu est appelé **onde progressive**.
Une onde progressive se propageant dans une seule direction est appelée **onde progressive à une dimension**.

▸ La valeur de la **vitesse de propagation v**, ou célérité, d'une onde est le rapport de la distance d qu'elle parcourt par la durée Δt mise par l'onde pour parcourir cette distance soit :

$$v = \frac{d}{\Delta t}$$

(v en m · s⁻¹ ; d en m ; Δt en s)

▸ La perturbation observée au point A arrive au point B avec **un retard t.** Le retard τ est la durée mise par l'onde pour se propager de A à B :

$$\tau = \frac{AB}{v}$$

(τ en s ; AB en m ; v en m · s⁻¹)

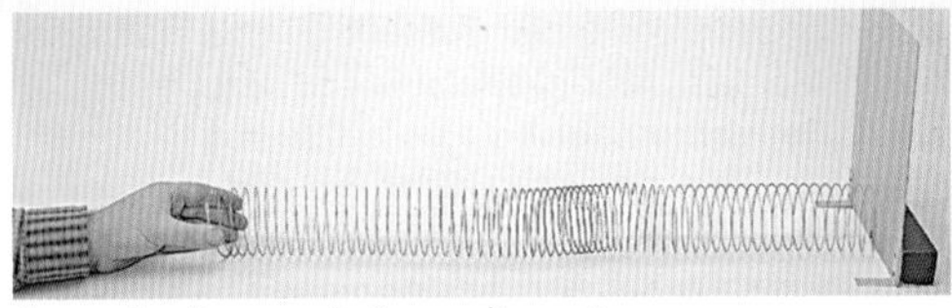

Exemple d'une onde à une dimension : onde de compression dans un ressort.

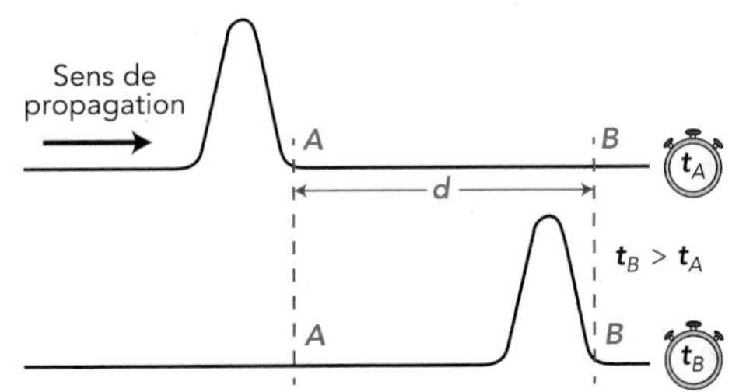

Exemple de la propagation d'une onde le long d'une corde : entre t_A et t_B, la perturbation a progressé d'une distance $d = AB$.

Onde progressive périodique

▸ Une onde progressive est **périodique** lorsque la perturbation se reproduit identique à elle-même à intervalles de temps égaux appelés **période temporelle** T.

▸ La **longueur d'onde** λ, ou période spatiale, est la distance parcourue par une onde progressive sinusoïdale pendant une période temporelle T.

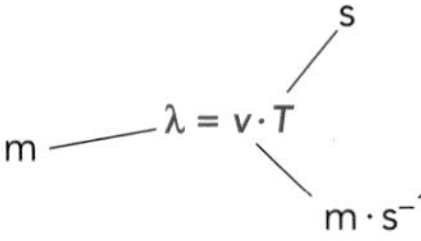

On peut également écrire :

$$\lambda = \frac{v}{f}$$

avec f la fréquence exprimée en hertz (Hz).

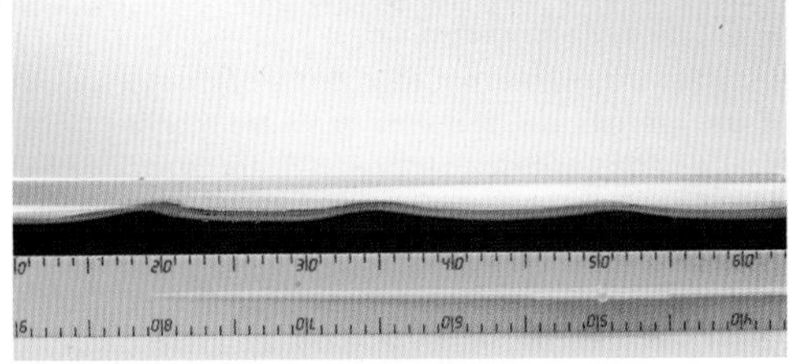

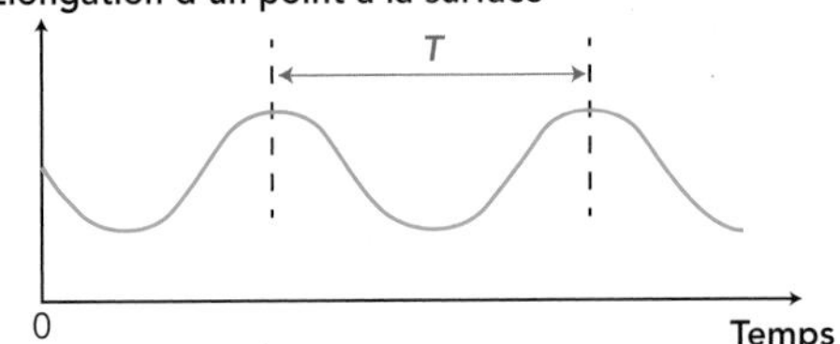

Caractéristiques des ondes sonores

▸ L'oreille capte des sons dont les fréquences sont comprises entre 20 Hz et 20 kHz.

▸ Le spectre en fréquences d'un son permet de connaître :
– la fréquence du fondamental, liée à la hauteur de ce son ;
– les fréquences et amplitudes de ses harmoniques, liées au timbre de ce son.

▸ Le niveau d'intensité sonore L s'exprime en dB (décibel) et est tel que :

$$L = 10 \cdot \log\left(\frac{I}{I_0}\right)$$

avec I_0 le seuil d'audibilité et I l'intensité du signal reçu par l'oreille. I et I_0 s'expriment en W · m⁻².

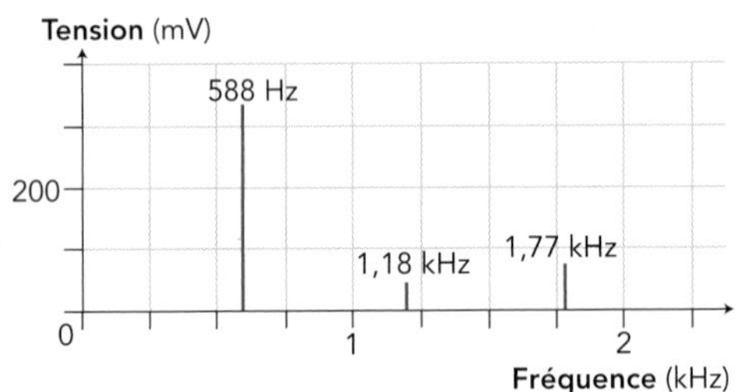

Spectre en fréquences d'un son dont le fondamental a une fréquence de 588 Hz.

Pour chaque question, indiquer la (ou les) bonne(s) réponse(s).

Voir corrigés, p. 606.

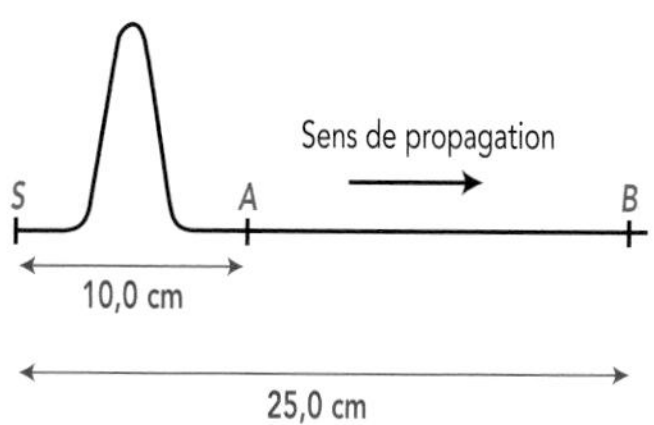

Doc. 1 Propagation d'une onde le long d'une corde.

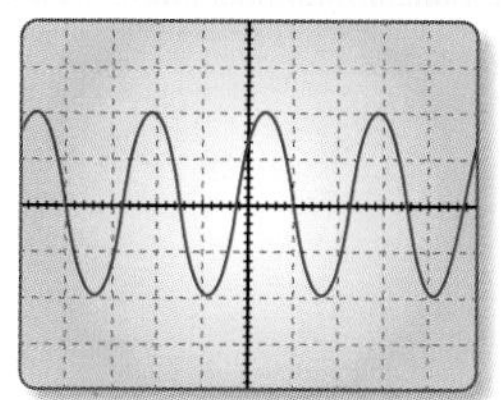

Sensibilités : verticale : 1 V/div
horizontale : 0,1 ms/div

Doc. 2 Oscillogramme d'une onde sonore.

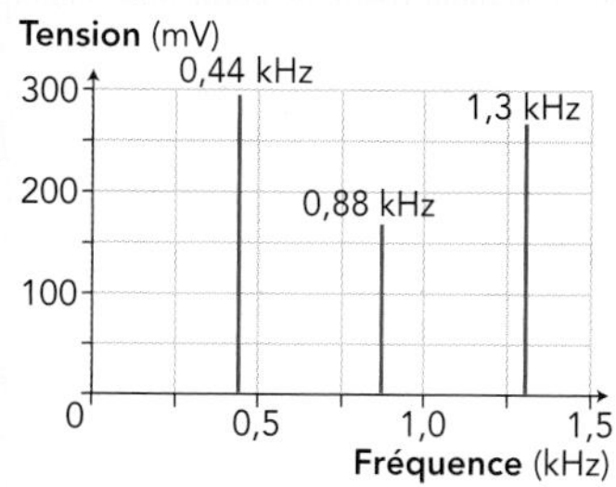

Doc. 3 Spectre en fréquences d'un son musical.

1 Onde progressive

	A	B	C
1. Une onde ne peut se propager que dans une seule dimension :	le long d'une corde.	le long d'un ressort.	à la surface de l'eau.
2. Une onde se propage à la vitesse $v = 20\ \text{cm}\cdot\text{s}^{-1}$ depuis une source S (doc. 1). Par rapport au point A, le point B est affecté par l'onde avec un retard τ de :	0,75 s.	0,030 s.	1,3 s.

Si erreur, revoir § 1, p. 42.

2 Onde progressive sinusoïdale

	A	B	C
1. La longueur d'onde est :	le nombre de périodes par seconde.	l'amplitude de l'onde.	la distance parcourue par l'onde durant une période.
2. La longueur d'onde λ, la fréquence f et la célérité v d'une onde sont liées par :	$\lambda = \frac{v}{f}$	$v = \lambda \cdot f$	$f = \frac{\lambda}{v}$
3. La fréquence f de l'onde sonore du document 2 vaut :	$4{,}0 \times 10^3$ Hz.	$8{,}0 \times 10^3$ Hz.	0,25 Hz.
4. L'onde sonore du document 2 se propage à $340\ \text{m}\cdot\text{s}^{-1}$. L'ordre de grandeur de sa longueur d'onde est :	10^3 m.	10 m.	10 cm.

Si erreur, revoir § 2, p. 43.

3 Caractéristiques des ondes sonores

	A	B	C
1. La fréquence du fondamental du son du document 3 est égale à :	$8{,}8 \times 10^2$ Hz.	$4{,}4 \times 10^2$ Hz.	environ 300 mV.
2. La fréquence f_3 du son dont le spectre est représenté sur le document 3 vaut :	$1{,}3 \times 10^3$ Hz.	$1{,}8 \times 10^3$ Hz.	on ne peut pas savoir.
3. La hauteur d'un son est liée :	à la fréquence du fondamental.	au nombre d'harmoniques.	à l'amplitude des harmoniques.
4. Le chant d'un choriste est perçu avec un niveau d'intensité sonore de 70 dB. Si son voisin se met à chanter de la même manière, le niveau d'intensité sonore sera de :	70 dB.	140 dB.	73 dB.

Si erreur, revoir § 3, p. 44.

Exercice résolu

COMPÉTENCES
- Exploiter un graphique.
- Élaborer un protocole.

4 Déterminer une longueur d'onde

Énoncé

James souhaite déterminer la longueur d'onde d'une onde sonore émise par un diapason par deux méthodes différentes.

Première méthode

À l'aide d'un seul microphone et d'un oscilloscope, il obtient la courbe ci-contre.

1. Quelle est la période temporelle du signal sonore ?

2. Déterminer sa longueur d'onde λ, sachant que la vitesse de propagation des ondes sonores dans l'air est 340 $m \cdot s^{-1}$.

Seconde méthode

James modifie le montage en utilisant deux microphones reliés à l'oscilloscope afin de déterminer cette longueur d'onde.

3. Proposer un protocole, ainsi qu'un schéma du montage.

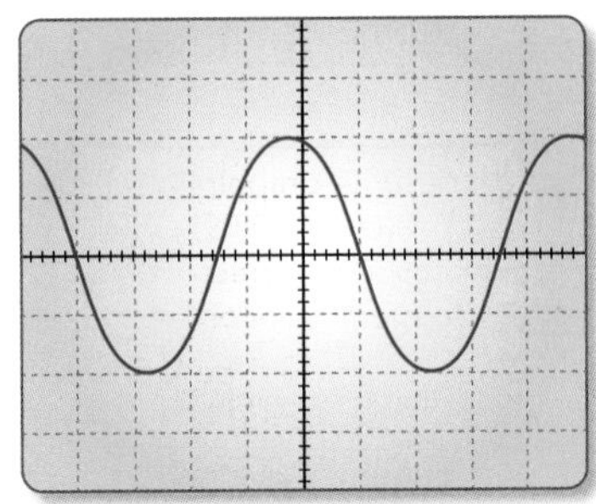

Oscillogramme de l'onde sonore.

Sensibilité verticale : 1,0 V/div.
Sensibilité horizontale : 0,10 ms/div.

Conseils

1. Il faut, dans un premier temps, repérer une période sur l'oscillogramme : c'est la durée entre deux situations semblables consécutives, par exemple les intersections de la courbe et de l'axe des abscisses lorsque la courbe est décroissante. Il faut ensuite compter le nombre de divisions correspondant et tenir compte du réglage de l'oscilloscope.

2. Pour calculer la longueur d'onde, il faut veiller à ce que les grandeurs soient exprimées avec les bonnes unités.

3. Il faut veiller à ce que le schéma illustre parfaitement le texte écrit. Il faut bien distinguer, dans le texte, ce qui concerne l'action effectuée de ce qui concerne le calcul de la longueur d'onde.

Solution rédigée

1. Le signal se reproduit identique à lui-même toutes les 5,0 divisions. On obtient donc T = 5,0 div × 0,10 ms/div, d'où T = 0,50 ms.

La période du signal sonore est égale à 0,50 ms.

2. La longueur est liée à la période par la relation $\lambda = v \cdot T$. Il vient donc $\lambda = 340 \times 0{,}50 \times 10^{-3}$, d'où λ = 0,17 m.

La longueur d'onde du signal sonore est égale à 17 cm.

3. Les deux microphones sont placés côte à côte, parallèlement à l'axe du haut-parleur représenté par des pointillés sur le schéma.
On vérifie que l'on observe les signaux en phase sur l'oscillogramme.
Les minima et les maxima de chacun des signaux se produisent en même temps sur l'oscillogramme.
On déplace ensuite l'un des microphones le long de l'axe, tout en maintenant fixe l'autre microphone. On marque la position du microphone mobile chaque fois que les signaux se retrouvent en phase.
La plus petite distance entre les deux microphones pour laquelle les signaux se retrouvent en phase est la longueur d'onde λ. Pour diminuer l'incertitude de mesure, on réalise la mesure de plusieurs longueurs d'onde.

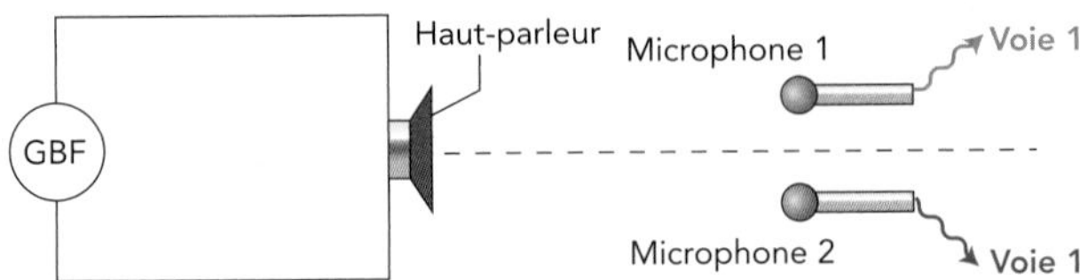

Application immédiate

Avec le montage de la seconde méthode et un autre son, on mesure 2,12 m pour dix longueurs d'onde. Quelle est la fréquence du fondamental de ce son ?

Donnée : célérité des ondes sonores dans l'air lors de l'expérience : v = 340 $m \cdot s^{-1}$.

Voir corrigés, p. 606.

COMPÉTENCES
- Estimer une incertitude.
- Exploiter un graphique.

5 Analyser un son

Énoncé

Un musicien émet un son avec un synthétiseur.
Il enregistre le signal correspondant au son à l'aide d'un microphone et il obtient l'enregistrement a ci-contre.
La mesure sur le graphique de la durée de trois périodes donne $3T = (6{,}75 \pm 0{,}09)$ ms.
Il réalise ensuite le spectre en fréquences de ce son (enregistrement b ci-contre).

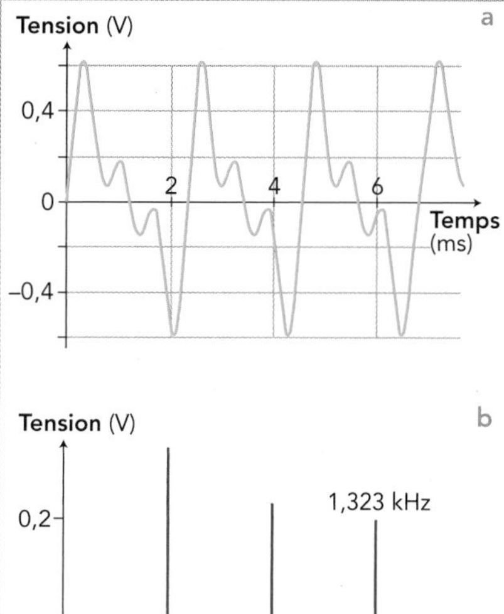

1. a. Donner la valeur de la période T du son musical en exprimant l'incertitude $U(T)$ sur la mesure (voir **fiche n° 3**, p. 584).
b. Calculer la fréquence correspondante et en donner un encadrement.

Dans ce cas, l'incertitude $U(f)$ sur la fréquence est donné par :

$$U(f) = f \cdot \frac{U(T)}{T}$$

2. À partir de la fréquence du troisième harmonique, déterminer la valeur de la fréquence du fondamental.
3. Ce résultat est-il en accord avec le calcul de la question 1b ?

Conseils

1. a. L'expression du résultat de la mesure de la période est de la forme :
mesure ± incertitude
b. Après avoir déterminé la fréquence pour donner l'encadrement de f, il faut calculer l'incertitude sur f.
Dans l'application numérique, $\frac{U(T)}{T}$ correspond à un rapport faisant apparaître deux fois la même grandeur ; on doit exprimer T et $U(T)$ dans la même unité.
2. En notant f_1 la fréquence du fondamental, la fréquence de l'harmonique de rang n est donnée par $f_n = n \cdot f_1$.
3. L'objectif est de déterminer si la fréquence du fondamental est bien comprise dans l'encadrement de la fréquence du son du 1b.

Solution rédigée

1. a. Le texte indique que 3 périodes correspondent à $(6{,}75 \pm 0{,}09)$ ms.
La valeur mesurée de la période et son incertitude sont donc trois fois plus petites :

$T = 2{,}25$ ms, avec une incertitude $U(T) = 0{,}03$ ms.

Donc $\mathbf{T = (2{,}25 \pm 0{,}03)}$ **ms**.

b. La fréquence est égale à l'inverse de la période.

$$f = \frac{1}{T} \quad \text{d'où } f = \frac{1}{2{,}25 \times 10^{-3}} = 4{,}44 \times 10^2 \text{ Hz.}$$

Son incertitude $U(f)$ est donnée par :

$$\frac{U(f)}{f} = \frac{U(T)}{T} \quad \text{d'où : } U(f) = f \cdot \frac{U(T)}{T}$$

$$U(f) = 4{,}44 \times 10^2 \times \frac{0{,}03}{2{,}25} = 7 \text{ Hz}$$

Donc $\mathbf{f = (444 \pm 7)}$ **Hz**. Cela s'écrit aussi **437 Hz** $\leqslant f \leqslant$ **451 Hz**.

2. La fréquence du troisième harmonique est :
$f_3 = 1{,}323 \times 10^3$ Hz $= 3f_1$. Donc $\mathbf{f_1 = 4{,}41 \times 10^2}$ **Hz**.
La fréquence du fondamental d'après le spectre en fréquences est 441 Hz.

3. $437 \leqslant 441 \leqslant 451$.
La fréquence du fondamental f_1 calculée au 2 est bien à l'intérieur de l'intervalle de confiance de la fréquence du son déterminé au 1b.

Application immédiate

Un son a une période $T = (1{,}24 \pm 0{,}03)$ ms.
Ce son peut-il posséder un troisième harmonique de fréquence $f_3 = 2{,}31 \times 10^3$ Hz ?

Voir corrigés, p. 606.

Exercices

Compétences exigibles au baccalauréat 

- ✔ Définir une onde progressive à une dimension. ➲ exercice 6
- ✔ Connaître et exploiter la relation entre retard, distance et vitesse de propagation (célérité). ➲ activité 1 ➲ exercice 7
- ✔ *Pratiquer une démarche expérimentale visant à étudier qualitativement et quantitativement un phénomène de propagation d'une onde.* ➲ activité 1
- ✔ Définir, pour une onde progressive sinusoïdale, la période, la fréquence et la longueur d'onde. ➲ activité 2 ➲ exercice 10
- ✔ Connaître et exploiter la relation entre la période ou la fréquence, la longueur d'onde et la célérité. ➲ exercice 12
- ✔ *Pratiquer une démarche expérimentale pour déterminer la période, la fréquence, la longueur d'onde et la célérité d'une onde progressive sinusoïdale.* ➲ activité 3
- ✔ *Réaliser l'analyse spectrale d'un son musical et l'exploiter pour en caractériser la hauteur et le timbre.* ➲ activité 3
- ✔ Connaître et exploiter la relation liant le niveau d'intensité sonore à l'intensité sonore. ➲ exercice 17

Pour commencer

Qu'est-ce qu'une onde progressive ?

6 Connaître les ondes progressives

1. Qu'est-ce qu'une onde progressive ?
2. Que transporte une onde ?
3. Une onde se propage d'un point *A* à un point *B*. Comment appelle-t-on la durée que met l'onde pour se propager de *A* à *B* ?

7 Déterminer une vitesse de propagation

On réalise l'enregistrement de l'élongation, notée *y*, du point *A* d'une corde lors de la propagation d'une perturbation. Le point *A* est situé à 1,50 m de la source *S* de la perturbation. On déclenche le chronomètre au début de la perturbation provoquée en *S*.

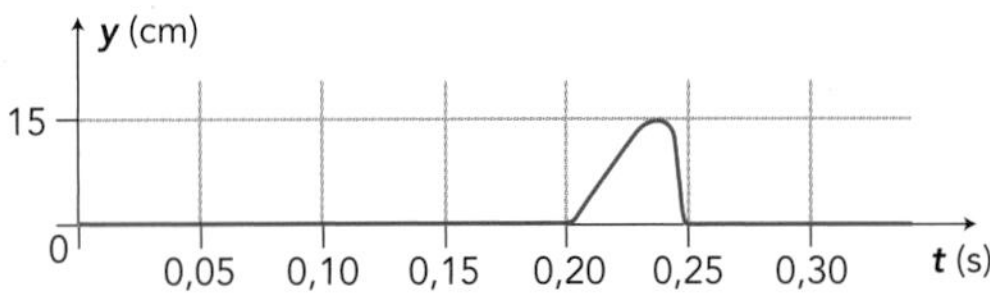

1. À quelle date t_A la perturbation atteint-elle le point *A* ?
2. Pendant quelle durée Δt le point *A* est-il en mouvement ?
3. Quelle est la célérité *v* de la perturbation ?

8 Reconnaître l'allure d'une onde

Quelle est l'allure de la corde à la date $t = 0{,}20$ s dans l'expérience de l'exercice 7 ?

a.

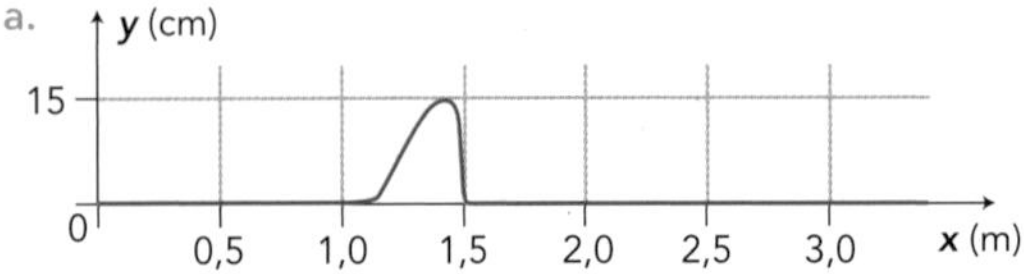

b.

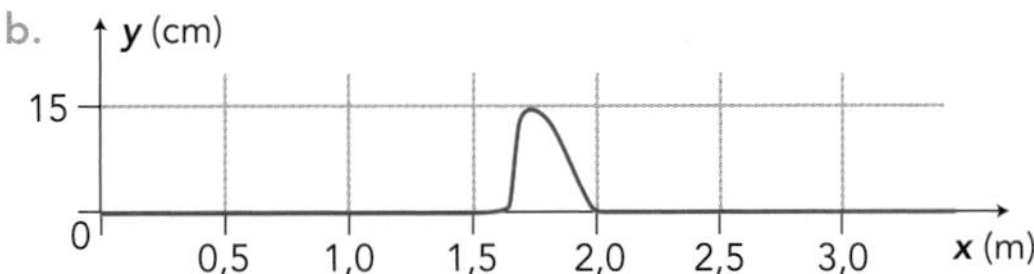

c.

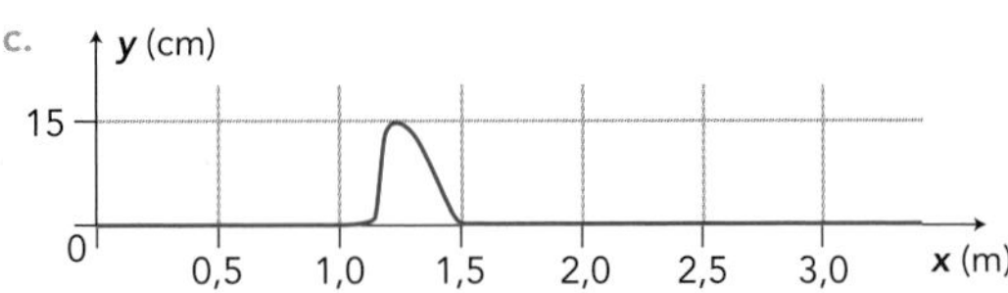

9 Calculer des durées de propagation

Dans cette bande dessinée, Averell Dalton place son oreille sur un rail en acier afin d'entendre le train.

Le train, situé à une distance $d = 1\,000$ m d'Averell, émet un bruit caractéristique en passant sur un aiguillage.

1. Au bout de quelle durée Δt_A ce bruit est-il perçu par Averell ?
2. Au bout de quelle durée Δt_J est-il perçu par Joe qui se tient debout à ses côtés ?
3. Avec quelle avance Averell perçoit-il ce bruit par rapport à Joe ?

Données :

Célérité du son dans cette situation :
– dans l'air : $340\ m \cdot s^{-1}$;
– dans l'acier : $5\,000\ m \cdot s^{-1}$.

Qu'est-ce qu'une onde progressive sinusoïdale périodique ?

10 Exploiter un oscillogramme

On a représenté l'oscillogramme correspondant à une onde ultrasonore :

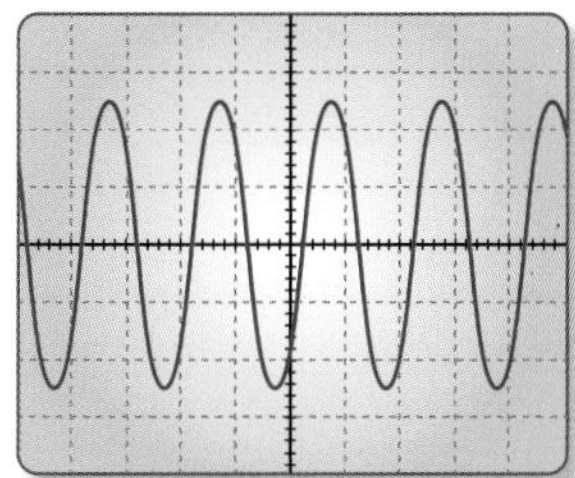

Sensibilité horizontale : 10 µs/div.

1. Déterminer la période T et la fréquence f de cette onde.

2. En déduire sa longueur d'onde λ sachant que la célérité v des ondes ultrasonores dans les conditions de cette expérience est égale à 333 $m \cdot s^{-1}$.

11 Exploiter une expérience

Un haut-parleur relié à un générateur basses fréquences émet un signal sonore. Ce signal est capté par deux microphones identiques M_1 et M_2 situés le long de l'axe du haut-parleur. Ces deux microphones sont reliés à un oscilloscope dont les deux voies ont la même sensibilité verticale et horizontale. On obtient l'oscillogramme suivant :

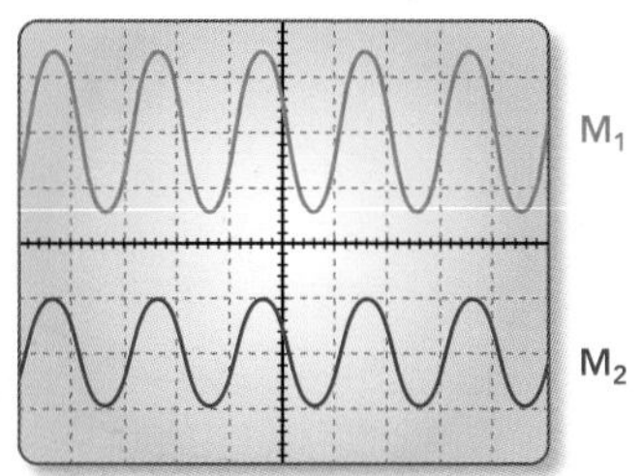

1. Schématiser l'expérience réalisée.

2. Quelles sont les différences et les similitudes entre les deux signaux ?

3. Les deux microphones sont-ils à la même distance de l'émetteur ? Justifier.

12 Connaître la double périodicité

1. a. Rappeler la relation liant la période spatiale et la période temporelle d'une onde.
b. A l'aide des unités de chacune des grandeurs physiques, vérifier la cohérence de cette relation.

2. Recopier et compléter le tableau suivant :

v	T	λ
335 $m \cdot s^{-1}$		1,2 cm
	1,14 ms	25,7 cm
1,48 $km \cdot s^{-1}$	25 µs	

13 Reconnaître une représentation graphique

On donne l'équation de la tension aux bornes d'un haut-parleur relié à un générateur basses fréquences (GBF) :

$$u(t) = 200 \times \cos\left(\frac{2 \times \pi}{4{,}0 \times 10^{-3}} \times t\right)$$

où $u(t)$ est exprimé en mV et t en s.

1. Déterminer, à partir de cette équation, les caractéristiques de la fonction correspondante :
a. la période T;
b. l'amplitude U_{max};
c. la phase à l'origine Φ.

2. Parmi les trois représentations graphiques ci-dessous, quelle est celle qui correspond à l'équation précédente ?

a.

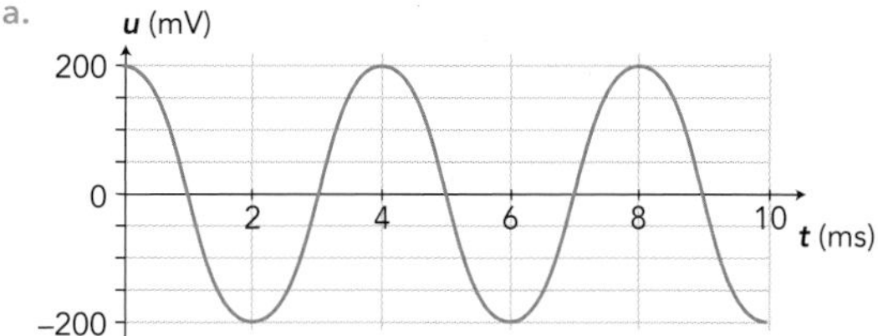

b.

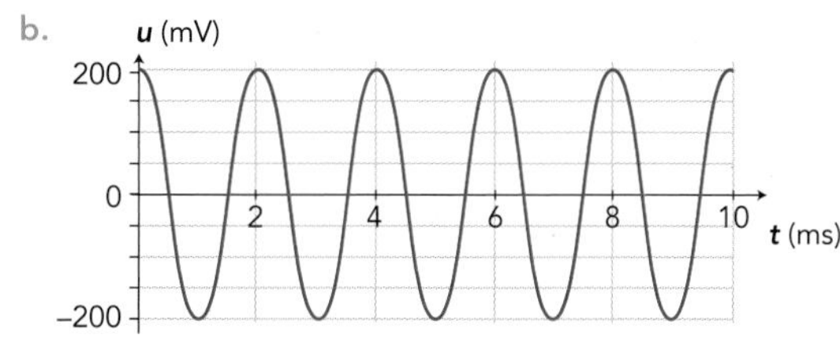

c.

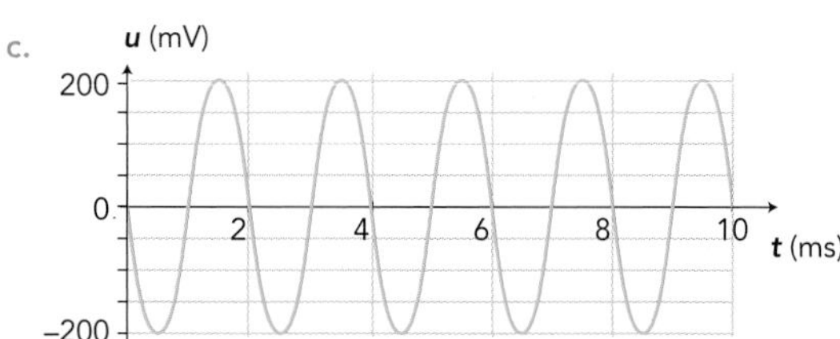

14 Reconnaître une équation

On étudie la représentation graphique c de l'exercice 13.

1. Déterminer, à partir de la représentation graphique, les caractéristiques de la tension représentée :
a. la période T;
b. l'amplitude U_{max}.

2. Parmi les trois équations ci-dessous quelle est celle qui correspond à la représentation graphique ?

Équation 1 : $u(t) = 200 \times \cos\left(\frac{2 \times \pi}{2{,}0 \times 10^{-3}} \times t + \pi\right)$;

équation 2 : $u(t) = 200 \times \cos\left(\frac{2 \times \pi}{2{,}0 \times 10^{-3}} \times t\right)$;

équation 3 : $u(t) = 200 \times \cos\left(\frac{2 \times \pi}{2{,}0 \times 10^{-3}} \times t + \frac{\pi}{2}\right)$;

où $u(t)$ est exprimé en mV et t en s.

Exercices

Quelles sont les caractéristiques des ondes sonores et ultrasonores ?

15 Différencier hauteur et timbre

1. À quelle grandeur est liée la hauteur d'un son ?
2. Quels paramètres caractérisent le timbre d'un son ?

16 Exploiter des spectres sonores

On a réalisé les spectres de deux notes de musique jouées par deux instruments.

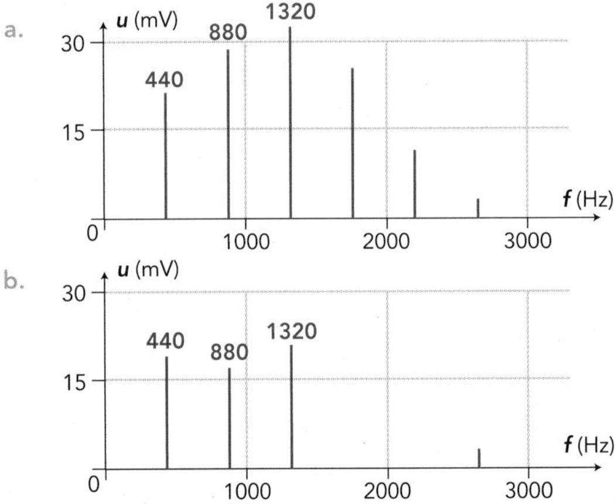

1. Les notes ont-elles la même hauteur ? Justifier.
2. Les timbres sont-ils identiques ? Justifier.

17 Calculer un niveau d'intensité sonore

Au bord d'une voie ferrée, on mesure un niveau d'intensité sonore égal à 100 dB au passage d'un train.

Donnée : $I_0 = 1{,}0 \times 10^{-12}\ \text{W} \cdot \text{m}^{-2}$.

1. Quelle est l'intensité sonore correspondante ?
2. Quel sera le niveau d'intensité sonore enregistré si deux trains se croisent en produisant le même son ?

Pour s'entraîner

18 Qui perçoit le son en premier ?

COMPÉTENCE **Calculer.**

Un haut-parleur est en partie immergé dans l'eau d'une piscine. Il émet un son reçu par une nageuse N sous l'eau et par un spectateur S dans les tribunes. Le spectateur et la nageuse sont à la même distance d du haut-parleur.

On donne la vitesse du son dans l'air et dans l'eau lors de l'expérience : $v_{air} = 340\ \text{m} \cdot \text{s}^{-1}$ et $v_{eau} = 1\,480\ \text{m} \cdot \text{s}^{-1}$.

1. Le son est-il perçu en premier par S ou par N ?
2. La durée séparant la détection du son par S et par N est notée Δt. Exprimer Δt en fonction de v_{air}, v_{eau} et d.
3. Calculer Δt lorsque $d = 10{,}0$ m.

19 Incertitudes sur la mesure

COMPÉTENCES **Exploiter un tableau ; estimer une incertitude.**

Un groupe d'élèves effectue la mesure de la célérité des ultrasons dans l'air dans une pièce à 20 °C.

Leurs résultats sont regroupés dans le tableau ci-dessous :

N° mesure	Valeur ($\text{m} \cdot \text{s}^{-1}$)
1	338
2	341
3	338
4	340
5	337
6	339
7	342
8	338
9	340
10	339

N° mesure	Valeur ($\text{m} \cdot \text{s}^{-1}$)
11	338
12	336
13	342
14	341
15	337
16	342
17	336
18	338
19	339
20	343

1. Proposer un montage et un protocole permettant de mesurer la célérité des ultrasons dans l'air avec une bonne précision.
2. À partir des mesures obtenues, évaluer la célérité des ultrasons dans l'air à 20 °C en calculant l'incertitude de répétabilité avec un niveau de confiance de 95 % (voir **fiche n° 3**, p. 584).
3. De quel(s) paramètre(s) dépend cette valeur ?

20 Où se trouve la baleine ?

COMPÉTENCES **Raisonner ; calculer.**

Une équipe d'océanologues à bord d'un navire enregistre en pleine mer le chant d'une baleine. Le son est détecté à la fois par deux capteurs, l'un situé dans l'air, l'autre situé dans l'eau.

Le son enregistré dans l'air est reçu avec un retard $\Delta t = 6{,}71$ s sur celui qui est détecté dans l'eau.

À quelle distance d des capteurs d'enregistrement se trouve la baleine ?

Données : vitesse du son lors de l'expérience :
dans l'eau $v_1 = 1\,480\ \text{m} \cdot \text{s}^{-1}$; dans l'air $v_2 = 340\ \text{m} \cdot \text{s}^{-1}$.

Aide au calcul : $\dfrac{3{,}40 \times 6{,}71}{11{,}4} = 2{,}00$; $\dfrac{1{,}48 \times 6{,}71}{1{,}14} = 8{,}71$; $\dfrac{1\,500}{340} = 4{,}41$; $6{,}71 \times 1\,140 = 7{,}65 \times 10^3$.

21 Le son du diapason

COMPÉTENCES Raisonner ; calculer.

Un son pur est un son qui n'a pas d'harmonique. Un diapason émet un son pur de fréquence 880 Hz.

1. Quelle est la longueur d'onde λ_{air} de ce son dans l'air ?

2. Au bout de quelle durée ce son est-il perçu par une personne située à 10 m du diapason ?

3. L'intensité sonore perçue par cette personne vaut $1,0 \times 10^{-10}$ W·m^{-2}.

Quel est le niveau d'intensité sonore L correspondant ?

4. Quel sera le niveau d'intensité sonore pour cette personne si trois diapasons émettent simultanément un son de même intensité ?

Données :
vitesse du son dans l'air à 20 °C : $v_{air} = 340$ m·s^{-1} ;
$I_0 = 1,0 \times 10^{-12}$ W·m^{-2}.

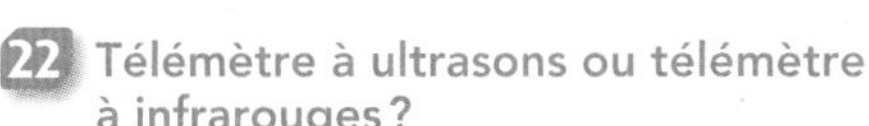

22 Télémètre à ultrasons ou télémètre à infrarouges ?

COMPÉTENCES Extraire des informations ; émettre une hypothèse.

La détermination de longueur est nécessaire dans des domaines aussi variés que l'habitation, l'industrie, la recherche.
Le télémètre est un système de mesure de longueur courant. Certains télémètres utilisent des ultrasons (US) ; d'autres utilisent uniquement des infrarouges (IR).
Alors que le télémètre à ultrasons mesure la durée de retour d'une onde ultrasonore, le télémètre à infrarouges mesure un angle de réflexion.

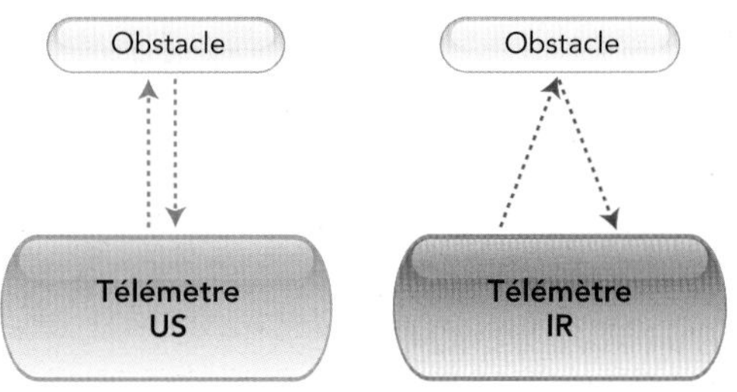

Outre cette différence de principe, il existe aussi des différences dans les longueurs mesurables :
– jusqu'à quelques mètres pour le télémètre à ultrasons ;
– jusqu'à quelques dizaines de centimètres pour le télémètre à infrarouges.
Il existe une autre différence : alors que les infrarouges sont très directifs, les ultrasons sont très évasifs.

1. Les ondes infrarouges et ultrasonores sont-elles de même nature ?

2. Les ondes utilisées dans ces télémètres ont des longueurs d'onde de 900 nm ou de 9,00 mm. Attribuer à chaque télémètre la longueur d'onde qui lui correspond.

3. Établir dans un tableau les différences entre ces deux types de télémètres.

4. Un objet se trouve à 3,00 m du télémètre.
a. Quelle est la durée entre l'émission et la réception des ultrasons ?
b. Quelle serait cette durée pour un télémètre à infrarouges ?

5. Pourquoi le télémètre à infrarouges n'utilise pas cette durée pour mesurer les distances ?

Données :
vitesse des ultrasons dans l'air à 20 °C : $v = 340$ m·s^{-1} ;
vitesse des ondes électromagnétiques dans le vide et dans l'air : $c = 3,00 \times 10^8$ m·s^{-1}.

Aide au calcul :
$\frac{3,00}{340} = 8,82 \times 10^{-3}$; $3,00 \times 340 = 1,02 \times 10^3$.

23 La propagation d'une onde

COMPÉTENCES Exploiter un graphique ; construire un graphique.

Un vibreur de fréquence 25 Hz provoque des ondes qui se propagent à la surface d'une cuve à eau. La distance d, entre neuf lignes de crête consécutives, est 8,1 cm.

1. Quel est l'intérêt de mesurer la distance entre le plus grand nombre possible de crêtes pour déterminer d ?

2. Quelle est la longueur d'onde de l'onde se propageant à la surface de l'eau ?

3. Calculer la célérité de cette onde.

4. À l'instant pris comme origine des temps, la surface de l'eau a l'allure suivante représentée en 3D :

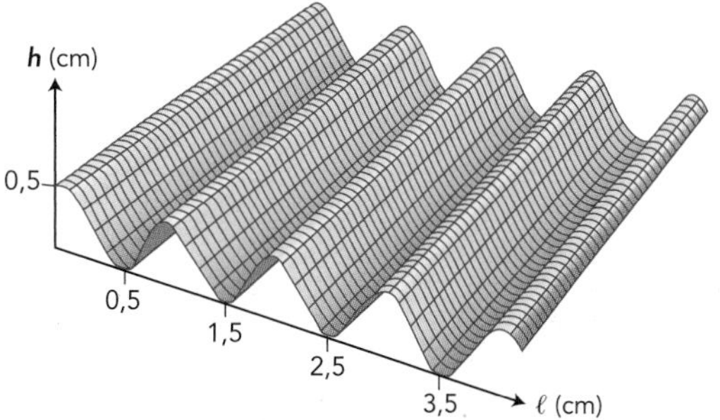

a. Retrouver sur ce graphique la valeur de la longueur d'onde.
b. Quelle est l'amplitude de l'onde ?

5. Représenter l'aspect de la surface de l'eau en coupe aux dates suivantes :
a. $t = 0,040$ s ; b. $t = 0,060$ s.

24 La ola au stade

COMPÉTENCES **Extraire des informations; rédiger.**

Dans un stade, la ola est un mouvement de foule, créé par des spectateurs qui se mettent debout, lèvent les bras, puis reprennent leur position assise une fois que leurs voisins ont imité le mouvement.
Si on observe une *ola* de loin, par exemple de la tribune située en face, on voit la vague des bras levés se déplacer **horizontalement**, de travée en travée.
Si on l'observe de plus près, on s'aperçoit que les spectateurs se déplacent **verticalement**.

1. Pourquoi dit-on d'une onde qu'elle se propage plutôt qu'elle se déplace?
2. La propagation d'une onde mécanique nécessite un milieu matériel. Expliquer.
3. Par analogie avec la *ola*, donner une interprétation simple du phénomène de houle à la surface de l'eau.
4. La houle est-elle une onde progressive à une dimension? Justifier.

25 Quel son?

COMPÉTENCES **Exploiter un graphique; raisonner.**

On cherche à caractériser le son émis par une guitare acoustique au cours d'un concert. L'enregistrement de ce son permet d'obtenir le spectre en fréquences ci-dessous.

1. Relever les différentes valeurs de fréquences des pics sur le spectre 1 ci-dessous.
2. Quelles sont les relations entre ces fréquences?
3. a. Comment est appelé le signal sinusoïdal associé à la fréquence la plus basse?
b. Comment nomme-t-on les signaux sinusoïdaux associés aux autres fréquences?
4. On compare la même note produite par une corde en nylon (spectre 1) et une corde en acier (spectre 2). Les sons produits ont-ils le même timbre?

Tension (mV)
200
100
0 200 400 600 800 f (Hz)

Spectre 1. Spectre en fréquences du sol_2 émis par la corde en nylon.

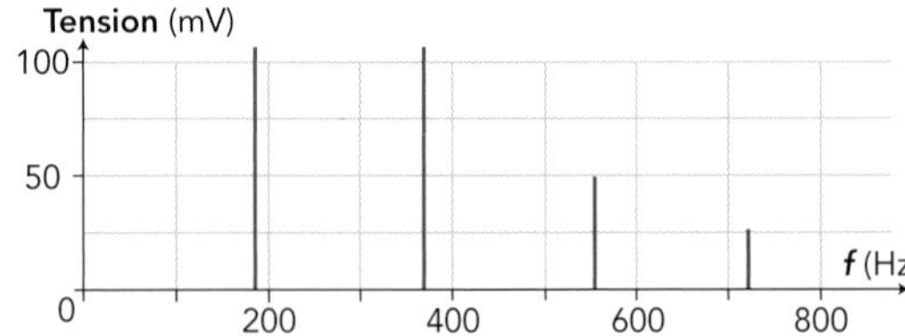

Spectre 2. Spectre en fréquences du sol_2 émis par la corde en acier.

➲ Voir, si nécessaire, l'exercice résolu 5, p. 49.

26 À chacun son rythme 

COMPÉTENCES **Exploiter un graphique ; estimer une incertitude.**

Cet exercice est proposé à deux niveaux de difficulté. Dans un premier temps, essayer de résoudre l'exercice de niveau 2. En cas de difficultés, passer au niveau 1.
On souhaite connaître la vitesse d'une onde ultrasonore.
On réalise le montage ci-dessous :

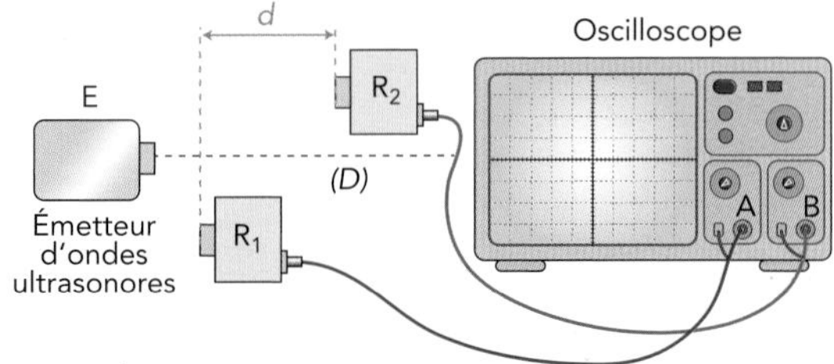

Lors d'une mesure, on obtient l'oscillogramme suivant :

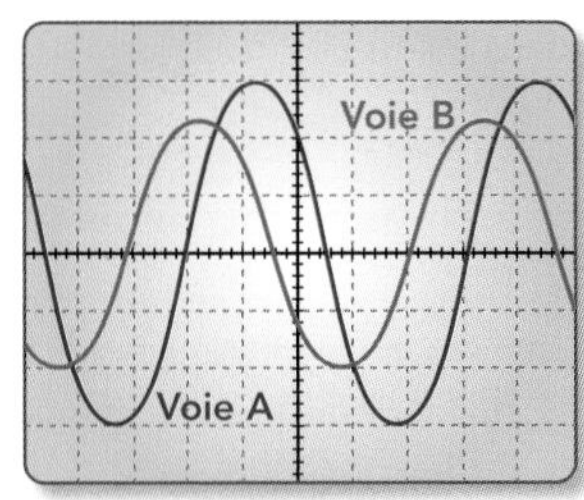

La base de temps est fixée à 5,0 µs/division; les sensibilités verticales sont identiques.
Lorsque les récepteurs sont à égale distance de l'émetteur, les signaux sont en phase.
Le récepteur R_1 restant fixe, on éloigne le récepteur R_2 le long de l'axe (*D*) en comptant le nombre de fois où les signaux se retrouvent en phase. Pour une distance *d* égale à (8,5 ± 0,1) cm, les signaux ont été dix fois en phase.

On considère que l'incertitude $U(T)$ dans la mesure de la période est de 0,2 division.

L'incertitude sur la vitesse *v* est donnée par :

$$U(v) = v \cdot \sqrt{\left(\frac{U(\lambda)}{\lambda}\right)^2 + \left(\frac{U(T)}{T}\right)^2}$$

Niveau 2 (énoncé compact)

Calculer la valeur de la vitesse *v* de l'onde ultrasonore et son incertitude $U(v)$.

Niveau 1 (énoncé détaillé)

1. a. Calculer la période *T* des ondes ultrasonores à partir de l'oscillogramme.
b. Calculer l'incertitude $U(T)$ sur la période.
2. a. Déterminer la longueur d'onde λ connaissant *d*.
b. Quelle est l'incertitude $U(\lambda)$ sur la longueur d'onde?
3. a. Quelle est la relation entre la longueur d'onde λ et la période *T* de l'onde ?
b. Calculer la valeur de la vitesse *v* de l'onde ultrasonore et son incertitude $U(v)$.

➲ Voir, si nécessaire, l'exercice résolu 4, p. 48.

Pour aller plus loin

27 Mesure d'une vitesse d'écoulement

COMPÉTENCES **Calculer; raisonner.**

Il est possible de mesurer la vitesse d'écoulement d'un fluide (liquide ou gaz) dans une canalisation en utilisant des ondes ultrasonores.

La vitesse de propagation de l'onde ultrasonore $\vec{v}$ dans un fluide en mouvement s'exprime en fonction de la vitesse du fluide $\vec{v_f}$ et de la vitesse de l'onde $\vec{v_0}$ dans ce même fluide lorsqu'il est à l'équilibre par :

$$\vec{v} = \vec{v_f} + \vec{v_0}$$

Un émetteur ultrasonore émet des ondes qui sont reçues au bout d'une durée Δt par un récepteur situé à une distance D de l'émetteur. L'émetteur E est soit en amont du récepteur R (a), soit en aval (b).

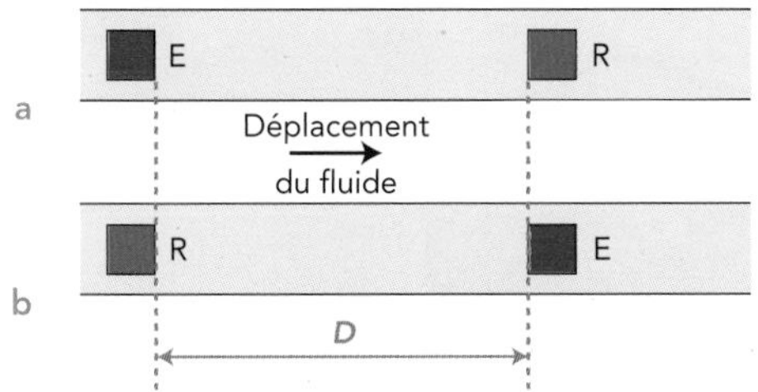

Lorsque l'émetteur est en amont, la durée de propagation est Δt_1 ; s'il est en aval, cette durée est Δt_2.

1. Exprimer la valeur de la vitesse v de l'onde ultrasonore en fonction de v_0 et de v_f dans les deux cas.
2. Exprimer Δt_1 et Δt_2 en fonction de v_0, v_f et D. Quelle est la plus petite durée ?
3. Montrer que l'écart entre ces durées $\Delta t = \Delta t_2 - \Delta t_1$ est :

$$\Delta t = \frac{2 \cdot D \cdot v_f}{v_0^2 - v_f^2}$$

4. Au cours d'une expérience dans l'eau, pour $D = 1{,}98$ m, on mesure $\Delta t = 2{,}32$ µs. Quelle est la valeur de v_f si $v_0 = 1\,480$ m·s^{-1} ?
5. Quelles peuvent être les sources d'incertitudes dans cette méthode de mesure de la vitesse du fluide ?

28 Accorder ses violons

COMPÉTENCES **Émettre une hypothèse.**

On peut accorder son violon avec un accordeur électronique. Cet appareil possède un microphone qui enregistre et détermine la fréquence de la note émise. Il se pince sur le manche du violon et fonctionne, selon son constructeur, grâce aux « vibrations ».

1. Pourquoi est-il impossible d'utiliser un accordeur à microphone s'il y a du bruit ?
2. Que sont les « vibrations » citées par le fabricant ?
3. Quelles caractéristiques communes doivent posséder les sons musicaux et les « vibrations » ?

29 Accorder une guitare avec un diapason

COMPÉTENCES **Exploiter un graphique; raisonner.**

Lorsque deux notes ont des fréquences proches, leur mélange produit un son dont l'intensité varie au cours du temps. Ce phénomène, appelé battement, peut être utilisé pour accorder la 5e corde d'une guitare à l'aide d'un diapason. Cette corde émet normalement un la dont la fréquence du fondamental est de 110 Hz.

Un diapason émet un son pur, c'est-à-dire un son dont le spectre en fréquences n'est composé que d'un fondamental.

Lya souhaite vérifier la rigueur de cette méthode. Elle enregistre les sons émis simultanément par sa guitare et un diapason et obtient l'oscillogramme ci-dessous à partir duquel elle trace le spectre correspondant :

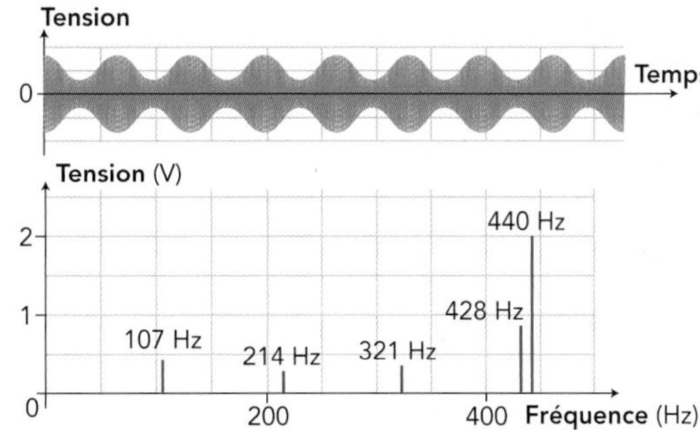

1. Repérer sur le spectre les fréquences du fondamental et des harmoniques de la note émise par la guitare.
2. Repérer de même la fréquence de la note émise par le diapason.
3. À l'aide de l'oscillogramme, expliquer la phrase en italique.
4. La corde est-elle accordée ?
5. Après avoir modifié la tension de la corde, Lya réalise une nouvelle acquisition et obtient le spectre suivant :

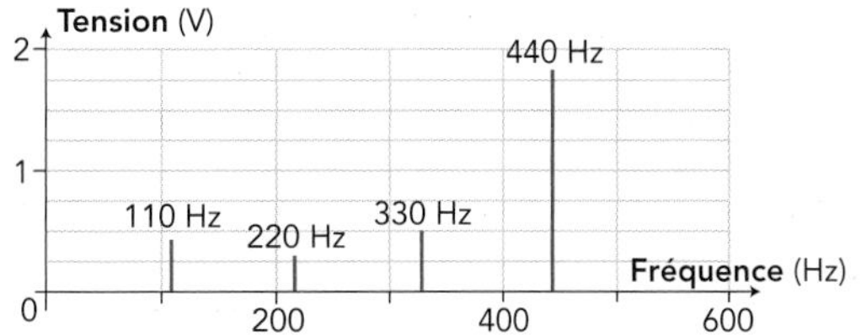

Quelles sont les fréquences du fondamental et des harmoniques de la note émise par la guitare ?

6. La corde est-elle accordée ?

30 Bac Les ondes sismiques

COMPÉTENCES **Extraire des informations ; calculer.**

« Les ondes sismiques naturelles produites par les tremblements de Terre sont des ondes élastiques se propageant dans la croûte terrestre. [...] On distingue deux types d'ondes : les ondes de volume qui traversent la Terre et les ondes de surface qui se propagent parallèlement à sa surface. Leur vitesse de propagation et leur amplitude sont différentes du fait des diverses structures géologiques traversées. C'est pourquoi les signaux enregistrés par les capteurs appelés sismographes sont la combinaison d'effets liés à la source, aux milieux traversés et aux instruments de mesure. »

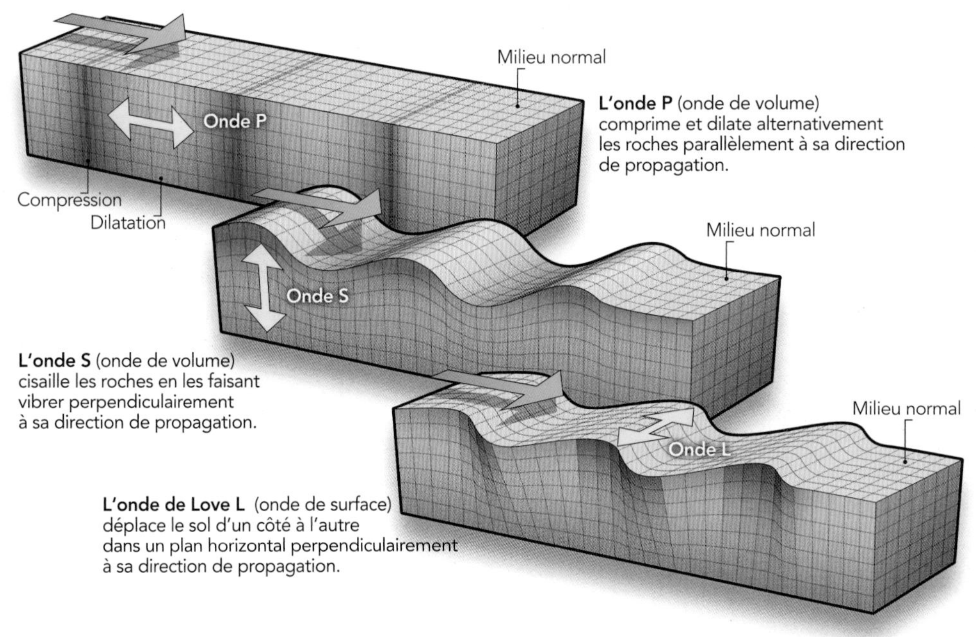

D'après *Les ondes sismiques*, documents pédagogiques de l'EOST.

Nature des ondes

1. Pour chacune des trois ondes citées dans le texte, préciser, en justifiant, s'il s'agit d'une onde transversale ou d'une onde longitudinale.

2. Citer un autre exemple d'onde mécanique transversale.

3. La Terre a tremblé en France le 24 août 2006 à 20 h 01 min 00 s TU (temps universel). L'épicentre du séisme était proche de la ville de Rouillac, en Charente. Un sismographe du Bureau central sismologique français, situé à Strasbourg, a enregistré le séisme. Les ondes P, les plus rapides, se sont propagées en surface avec la célérité moyenne $v_P = 6,0 \text{ km}\cdot\text{s}^{-1}$.
La distance Rouillac-Strasbourg est $d = 833$ km.
Calculer la durée Δt mise par les ondes les plus rapides pour parcourir cette distance d.

Enregistrement par un sismographe

Sur une courte durée, un sismographe enregistre un signal sinusoïdal correspondant aux ondes S dont la célérité est $v_S = 4,0 \text{ km}\cdot\text{s}^{-1}$.

L'élongation est de la forme :

$$x(t) = X_{max} \cdot \cos\left(\frac{2\pi}{T} \cdot t + \Phi\right)$$

4. À partir du graphique, déterminer l'amplitude X_{max}, la période T et la phase à l'origine Φ du signal mesuré.

5. En déduire l'expression de l'élongation $x(t)$ correspondant à l'enregistrement du signal sismique.
Préciser les unités des grandeurs utilisées.

6. Quelle est la relation liant la longueur d'onde et la fréquence ? En déduire la longueur d'onde des ondes S.

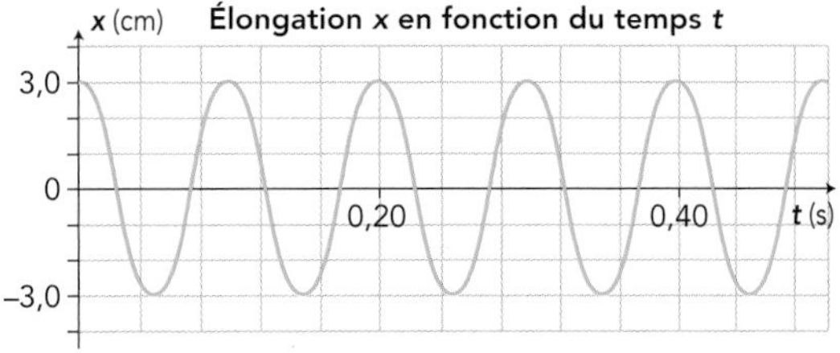

31 Three sounds  

COMPÉTENCE **Exploiter un graphique.**

A microphone is connected to an oscilloscope. Three sounds are made in turn into the microphone with the same setup. The traces **A**, **B** and **C** are produced during this experiment.

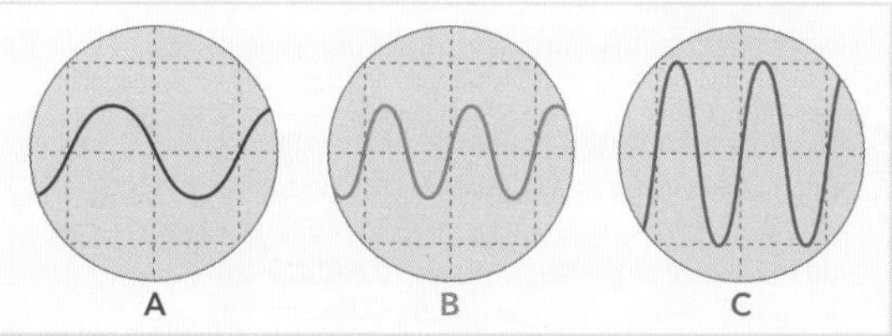

1. Which trace is due to the loudest sound? Explain your answer.

2. Which trace is due to the lowest sound? Explain your answer.

Un pas vers l'enseignement supérieur 

32 La piscine

COMPÉTENCES **Exploiter une relation; calculer.**

Assis au bord de sa piscine, Romy crée avec son pied, à la surface de l'eau, une onde considérée comme périodique pour la durée de l'étude.

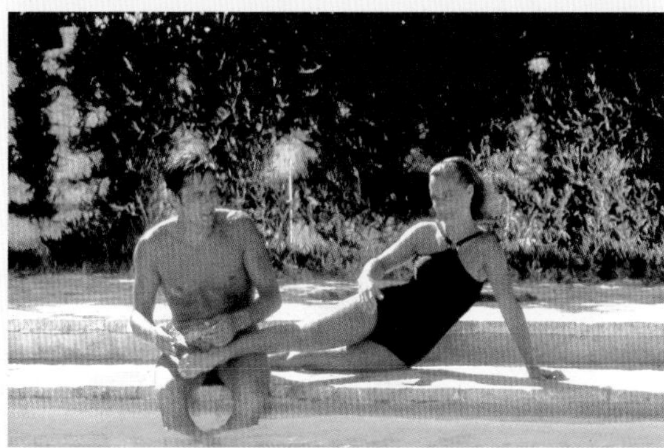

Cette onde a une fréquence de 2,5 Hz et une amplitude de 1,5 cm.

Elle se propage à la surface de l'eau avec une vitesse de propagation v de 2,9 $m \cdot s^{-1}$.

Sur l'eau, flotte un petit ballon. Il est situé à la distance x du pied de Romy. On considère qu'il ne peut se déplacer que verticalement.

Ce déplacement est repéré par la coordonnée verticale $z(t)$ et il est décrit par l'équation :

$$z(t) = A \cdot \cos\left(\frac{2\pi}{T_0} \cdot t + \Phi\right)$$

1. Que représentent A, T_0 et Φ pour l'onde progressive sinusoïdale qui se propage à la surface de l'eau? Quelle est la valeur de T_0?

2. On considère pour la suite que $\Phi = \frac{\pi}{2}$ rad. Le ballon se trouve à 5,8 m du pied. Quelle est la valeur de z à la date t = 10 s ?

3. À quelles dates le ballon est-il au niveau z = 0 ? On ne donnera que les dates inférieures à 1,5 s.

33 QCM sur les ondes sonores

COMPÉTENCES **Calculer; raisonner.**

Quelles sont les affirmations exactes?

1. La vitesse des ondes sonores dans l'air à 20 °C est de 340 $m \cdot s^{-1}$. Les ondes sonores audibles par l'oreille humaine sont caractérisées par :
   - A. des fréquences de 20 Hz à 20 kHz.
   - B. des longueurs d'onde de 2 mm à 2 m.
   - C. des périodes de 50 µs à 500 ms.

2. Plus la fréquence d'une onde acoustique de faible amplitude se propageant dans un milieu homogène est élevée :
   - A. plus sa hauteur est élevée.
   - B. plus sa période est grande.
   - C. plus sa longueur d'onde est grande.

3. L'intensité sonore correspondant au seuil d'audibilité est de $1{,}0 \times 10^{-12}$ $W \cdot m^{-2}$.
   Une trompette est située à une distance d d'un auditeur. Le son émis par cet instrument de musique est perçu par l'auditeur avec une intensité de 10^{-5} $W \cdot m^{-2}$.
   - A. Le niveau sonore du son émis est L = 70 dB.
   - B. Le son émis par deux trompettes identiques, placées à la distance d, est perçu par l'auditeur avec une intensité sonore de 2×10^{-5} $W \cdot m^{-2}$.
   - C. L'auditeur perçoit le son émis par les deux instruments avec un niveau d'intensité sonore de 76 dB.

4. Un sonomètre placé devant un haut-parleur mesure un niveau d'intensité sonore de 75 dB.
   L'intensité sonore au seuil d'audibilité est $I_0 = 1{,}0 \times 10^{-12}$ $W \cdot m^{-2}$.
   - A. L'intensité sonore au niveau du sonomètre est $3{,}2 \times 10^{-5}$ $W \cdot m^{-2}$.
   - B. L'intensité sonore au niveau du sonomètre est $1{,}0 \times 10^{63}$ $W \cdot m^{-2}$.
   - C. L'intensité sonore double si le niveau sonore augmente de 10 dB.

Retour sur l'ouverture du chapitre

34 Bac L'oreille humaine en concert

COMPÉTENCES **Exploiter un graphique, argumenter.**

Un ingénieur du son a un rôle primordial pour la sonorisation des salles, en particulier lors d'un concert de musique. À l'aide d'une table de mixage, il règle les sons qui arrivent depuis les microphones des musiciens et les renvoie vers les enceintes de façade et de retour.
L'ingénieur intervient sur quatre qualités des sons : la hauteur, l'intensité, le timbre et la durée.
Grâce à sa table de mixage, il convertit facilement un son en un autre. Il peut notamment modifier un son correspondant à l'enregistrement 1 en un son correspondant à l'enregistrement 2.
Les différentes représentations d'un son lui permettent de reconnaître ses caractéristiques (voir enregistrement 3).

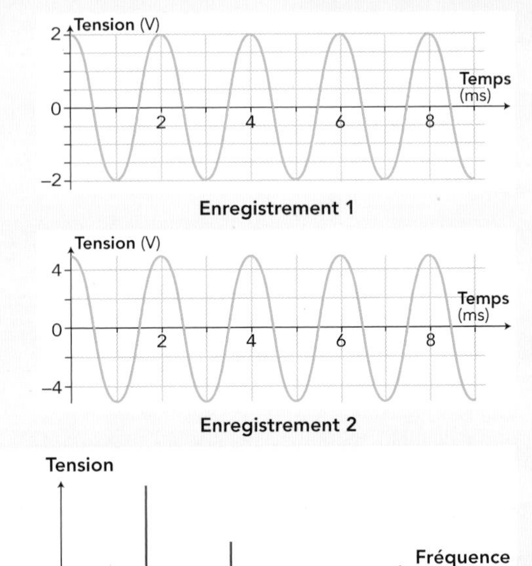

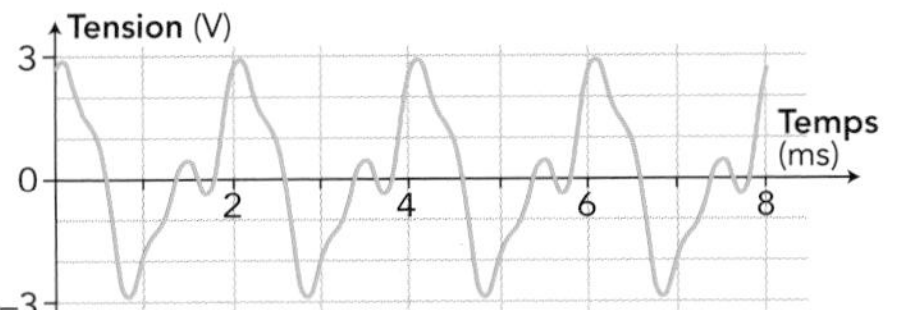

Tension

Fréquence (Hz)

0 500 1 000 1 500 2 000

Enregistrement 3

Pour régler le niveau sonore de la salle de concert, l'ingénieur connait certaines règles.
Par exemple, s'il fait ses réglages pour avoir un son de 98 dB pour des spectateurs situés à 16 m d'une enceinte, il sait que l'intensité sonore sera quatre fois plus grande pour les spectateurs situés à 8 m de l'enceinte. Il sait aussi que l'intensité sonore est doublée s'il place à côté de deux enceintes identiques.
Pour ces réglages l'ingénieur doit tenir compte des seuils de risque, de danger et de douleur.
En effet l'exposition à un niveau sonore trop élevé peut provoquer des acouphènes. L'acouphène est un bourdonnement ou sifflement parasite qu'une personne entend sans que ce bruit existe réellement.

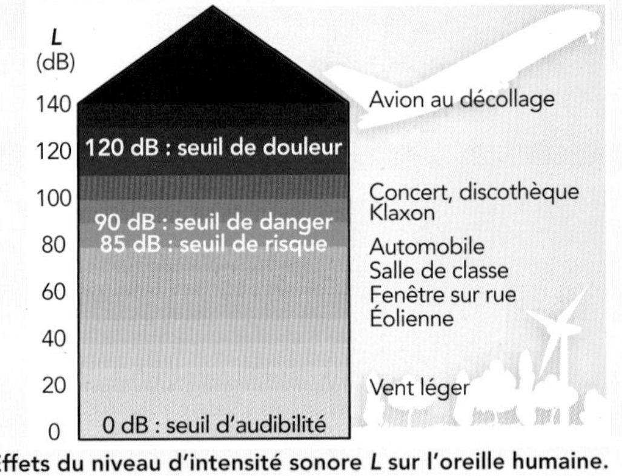

Effets du niveau d'intensité sonore L sur l'oreille humaine.

1. Donner la définition de la hauteur d'un son.

2. Déterminer la hauteur du son correspondant à l'enregistrement 1.

3. Quelle modification a effectuée l'ingénieur pour obtenir l'enregistrement 2? Quel paramètre du son a varié entre ces deux enregistrements? Justifier votre réponse.

4. En utilisant l'analyse spectrale, montrer que la hauteur du son émis lors de l'enregistrement 3 est identique à celle des enregistrements 1 et 2.

5. Quelle différence présente le son de l'enregistrement 3 par rapport aux enregistrements 1 et 2? Quel paramètre du son est ainsi mis en évidence?

6. Montrer que l'intensité I_1 du son à 16 mètres de l'enceinte vaut $I_1 = 6{,}3 \times 10^{-3}\ \text{W} \cdot \text{m}^{-2}$.

7. Si l'ingénieur place dix enceintes identiques côte à côte sur la scène, quel est le niveau d'intensité sonore L_2 à 16 m?

8. Montrer que le niveau d'intensité sonore augmente de 6 dB chaque fois que l'on divise la distance par deux. À partir de quelle distance des enceintes le son est-il douloureux à écouter?

9. Quels sont les risques auditifs encourus par les spectateurs qui se placent très près des enceintes?

Donnée : $I_0 = 1{,}0 \times 10^{-12}\ \text{W} \cdot \text{m}^{-2}$.

Comprendre un énoncé

35 Bac Propagation d'une onde le long d'une corde

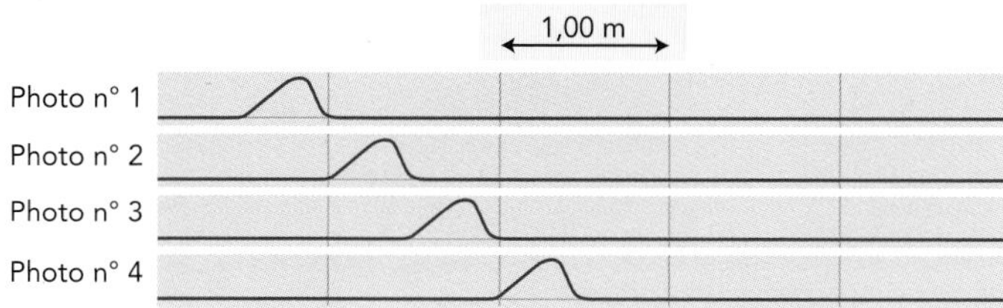

La propagation d'une onde le long de la corde est étudiée par chronophotographie. Quatre images consécutives sont reproduites ci-dessus.
L'intervalle de temps séparant deux photos consécutives est Δt = **0,25 s**.

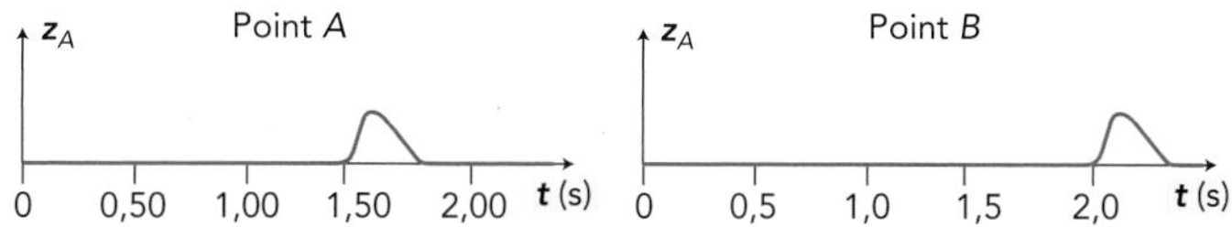

L'évolution au cours du temps des altitudes z_A et z_B de deux points A et B de la corde est représentée sur les schémas ci-dessus. On note S le point situé à l'extrémité gauche de la corde.
La date t_0 = 0 s correspond au début du mouvement de S.

Questions à se poser à la lecture de l'énoncé

- → Comment s'est déroulée cette expérience ?
- → Que représentent les divers graphiques ?
- → Quelles valeurs numériques peut-on obtenir à partir des représentations graphiques ?
- → Comprendre que, sur le premier schéma, ce sont des représentations spatiales, alors que, sur les deux suivants, ce sont des représentations temporelles.

Questions	Compétences à mobiliser	Si difficulté, revoir
1. Définir puis calculer la valeur de la vitesse de propagation d'une onde.	• Pratiquer une démarche expérimentale visant à étudier qualitativement et quantitativement la propagation d'une onde. • Exploiter un graphique*. • Calculer*.	Cours §1.2, p. 43.
2. Pendant quelle durée un point de la corde est-il en mouvement ? 3. Lequel des deux points A et B est atteint le premier par la perturbation ? 4. Lequel de ces deux points est situé le plus près du point S de la corde ? 5. Avec quel retard le point touché en second reproduit-il le mouvement du point touché en premier ? 6. Quelle est la distance séparant les points A et B ?	• Connaître et exploiter la relation entre retard, distance et vitesse de propagation (célérité). • Exploiter un graphique*. • Calculer*.	Cours §1.3, p. 43.
7. Expliquer pourquoi l'allure de la perturbation lors de l'évolution au cours du temps est inversée par rapport à l'allure de la perturbation lors de la chronophotographie.	• Argumenter*.	
8. Dessiner l'évolution au cours du temps d'un point C situé à 1,5 m de A.	• Construire un graphique.*	

* Compétence transversale.

Avoir les bons réflexes

Si l'énoncé demande de...	il est nécessaire de...	Si difficulté	Pour réviser
Calculer un retard, une distance ou une vitesse de propagation pour une onde progressive.	• Connaître et savoir exploiter la relation : $v = \frac{d}{\tau}$ • Rechercher dans l'énoncé les valeurs numériques des deux grandeurs connues. • Faire attention aux unités et au nombre de chiffres significatifs lors de l'application numérique.	Exercice 7, p. 50.	Exercice 18 p. 52.
Rechercher la période, l'amplitude ou la phase à l'origine d'une onde périodique sinusoïdale à partir de sa représentation graphique.	• Connaître les définitions d'amplitude, de période et de phase à l'origine. • Repérer les grandeurs physiques portées sur les axes et leurs unités. • Repérer la valeur de l'élongation initiale pour calculer la phase à l'origine.	Exercices 13 et 14, p. 51.	Exercice 32 p. 57.
Calculer la période, la fréquence, la longueur d'onde ou la célérité d'une onde progressive périodique.	• Connaître et savoir exploiter la relation : $v = \frac{\lambda}{T} = \lambda \cdot f$ • Rechercher dans l'énoncé les valeurs numériques des grandeurs connues. • Faire attention aux unités et au nombre de chiffres significatifs lors de l'application numérique.	Exercice résolu 4, p. 48, et exercice 12, p. 51.	Exercice 20 p. 52.
Travailler sur la hauteur ou le timbre du son à partir de sa représentation temporelle et de son spectre en fréquences.	• Déterminer la période du son sur sa représentation temporelle et en déduire sa fréquence. • Repérer, sur le spectre en fréquences la valeur de la fréquence associée au premier pic pour en déduire la hauteur du son. • Repérer le nombre de pics et leurs intensités sur le spectre en fréquences.	Exercice résolu 5, p. 49, et exercice 16, p. 52.	Exercices 25 et 28 p. 54 et 55.
Calculer un niveau d'intensité sonore ou une intensité sonore	• Connaître et savoir exploiter la relation : $L = 10 \cdot \log\left(\frac{I}{I_0}\right)$	Exercice 17, p. 52.	Exercice 21 p. 53.

Dans les conditions du baccalauréat

• **Avec aide :** Exercice 35 p. 59.

• **Sans aide :** Exercice 34 p. 58.

Propriétés des ondes

Chapitre 3

Les bulles de savon sont constituées d'une très fine pellicule d'eau. Éclairées en lumière blanche, elles font apparaître de nombreuses couleurs appelées « irisations ». Ces couleurs sont dues aux propriétés des ondes lumineuses, ainsi qu'aux caractéristiques de la pellicule d'eau.
Quelles propriétés des ondes permettent d'expliquer ces irisations? (Voir exercice 35, p. 84.)

Quelles sont les propriétés des ondes?

OBJECTIFS

- → Connaître le phénomène de diffraction et savoir identifier des situations dans lesquelles il intervient.
- → Connaître le phénomène d'interférences.
- → Connaître l'effet Doppler et des applications en astrophysique.

1 Approche historique du caractère ondulatoire de la lumière

EN AUTONOMIE

La science est faite d'observations, de questionnements et de réponses qui évoluent et s'enrichissent avec le temps. Ce mode de pensée s'attache à comprendre et décrire la réalité du monde.
Comment la nature ondulatoire de la lumière a-t-elle historiquement émergé ?

Isaac N**EWTON** (1643-1727)
Il étudie la dispersion de la lumière par un prisme et constate que la déviation dépend de la couleur de la lumière et du prisme.

Christian H**UYGHENS** (1629-1695)
Il interprète les observations de I. NEWTON dans son *Traité de la lumière*. Il avance l'hypothèse que celle-ci se propage sous forme d'ondes.

Thomas Y**OUNG** (1773-1829)
Il réalise l'expérience historique des « fentes d'Young ». Il met ainsi en évidence les phénomènes de diffraction et d'interférences lumineuses et les explique par le caractère ondulatoire de la lumière.

Joseph V**ON** F**RAUNHOFER** (1787-1826)
Il met au point le premier spectroscope et repère les raies d'absorption du spectre solaire.

Christian D**OPPLER** (1803-1853)
Après avoir étudié la propagation des ondes sonores, il prévoit la variation de fréquence d'une onde émise par une source en mouvement. Il donne son nom à l'effet Doppler, qui sera utilisé plus tard dans le domaine des ondes électromagnétiques.

Christoph B**UYS**-B**ALLOT** (1817-1890)
Il vérifie expérimentalement la théorie de C. DOPPLER sur le décalage des fréquences entre le son émis par une source en mouvement et le son perçu par un récepteur fixe.
Pour cela, il utilise des musiciens jouant une note de musique dans un train en marche et des auditeurs immobiles au bord de la voie ferrée.

Hippolyte F**IZEAU** (1819-1896)
Il étend les travaux de C. DOPPLER à l'astrophysique et prédit le décalage des raies dans les spectres des étoiles.

1 Les découvertes scientifiques résultent d'une alternance entre observations, interprétations et actions. Résumer la participation de chacun de ces scientifiques à cette démarche.

2 Établir la liste des phénomènes physiques étudiés par ces scientifiques.

3 Pourquoi H. FIZEAU n'a-t-il pas pu vérifier sa prédiction ?

2 Diffraction de la lumière

Pour décomposer la lumière blanche, on peut utiliser un réseau dit de diffraction. Qu'est-ce que la diffraction de la lumière ? Comment former une figure de diffraction ?

Compétence exigible au baccalauréat

- *Pratiquer une démarche expérimentale visant à étudier ou utiliser le phénomène de diffraction dans le cas des ondes lumineuses.*

A Étude qualitative

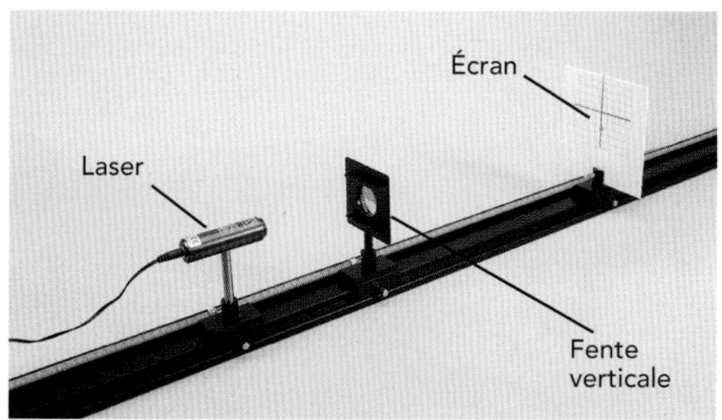

Doc. 1 Dispositif expérimental pour la diffraction de la lumière.

▸ Réaliser le montage du **document 1**, en plaçant l'écran à au moins 1 m de la fente.

1 Décrire la figure observée sur l'écran. Cette figure s'appelle « figure de diffraction ».

2 Qu'observe-t-on en l'absence de fente ?

▸ Recommencer l'expérience en remplaçant la fente verticale par une fente horizontale, un trou circulaire, puis un fil.

B Étude quantitative

▸ Placer l'écran à une distance D, maintenue fixe, d'au moins 1,50 m de la fente.

On note :
– a la largeur de la fente ;
– ℓ la distance séparant les milieux des deux premières extinctions ;
– θ l'écart angulaire entre le milieu de la tache centrale de diffraction et le milieu de la première extinction (doc. 2).

▸ Réaliser une série de mesures de la distance ℓ pour des fentes de largeurs a différentes.

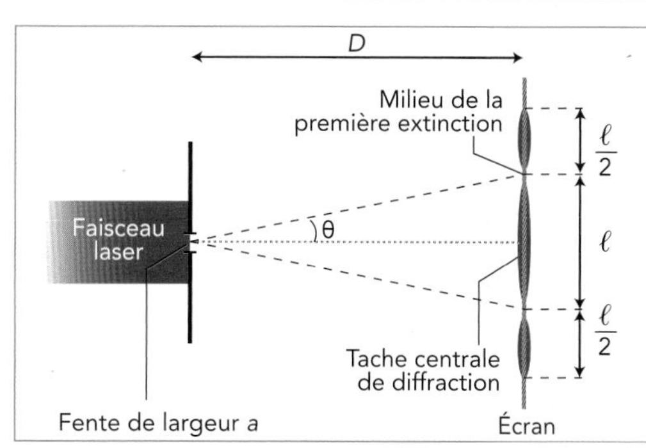

Doc. 2 Schématisation de la diffraction par une fente.

3 Exprimer l'angle θ en fonction des distances D et ℓ en s'aidant du **document 2**.
On rappelle que, pour de petits angles, $\tan\theta \approx \theta$, avec θ exprimé en radian.

4 a. Copier les valeurs de a (en m), de ℓ (en m) dans un tableur et faire calculer l'angle θ (en rad).
En traçant un graphique, montrer que les grandeurs $1/a$ et θ sont proportionnelles.

b. Quelle est la valeur et l'unité du coefficient de proportionnalité entre $1/a$ et θ ?
Comparer ce coefficient de proportionnalité à la longueur d'onde λ du laser utilisé.

Un pas vers le cours...

5 Exprimer l'angle θ en fonction de λ et a. Préciser la signification et l'unité de chaque grandeur.

6 Proposer un protocole afin de déterminer la longueur d'onde λ' d'un autre laser.
Après accord du professeur, réaliser les mesures et en déduire la longueur d'onde λ'.

7 Les incertitudes sur λ', a, ℓ et D sont respectivement notées $U(\lambda')$, $U(a)$, $U(\ell)$ et $U(D)$.

a. Quelles sont les valeurs de $U(a)$, $U(\ell)$ et $U(D)$ (voir **fiche n° 3**, p. 584) ?

b. L'incertitude sur la mesure de λ' peut être évaluée par :

$$U(\lambda') = \lambda' \cdot \sqrt{\left(\frac{U(a)}{a}\right)^2 + \left(\frac{U(\ell)}{\ell}\right)^2 + \left(\frac{U(D)}{D}\right)^2}$$

Calculer cette incertitude.

c. En déduire un encadrement de la valeur expérimentale de λ'. Est-il en accord avec la valeur indiquée par le fabriquant du laser ?

3 Interférences lumineuses

Au début du XIXe siècle, le physicien britannique Thomas Young réalise une expérience qui a marqué l'Histoire des sciences. En plaçant devant une source lumineuse un cache percé de deux fentes fines parallèles et proches, il observe, en projection sur un écran, une alternance de raies sombres et claires : les franges d'interférences.
Comment caractériser une figure d'interférences ?

Compétence exigible au baccalauréat
- *Pratiquer une démarche expérimentale visant à étudier quantitativement le phénomène d'interférences dans le cas des ondes lumineuses.*

A Étude quantitative

▸ Réaliser le dispositif expérimental du document 3. Les fentes d'Young sont deux fentes étroites et parallèles.

▸ Placer l'écran à une distance D maintenue fixe d'au moins 1,50 m des fentes.

On appelle « interfrange » la distance séparant les milieux de deux franges brillantes consécutives ou bien de deux franges sombres consécutives (doc. 3). L'interfrange est noté i.

Pour différentes distances b séparant les fentes, mesurer l'interfrange i.

1 Décrire la figure observée sur l'écran.

2 a. Copier les valeurs de b (en m) et de i (en m) dans un tableur.
En traçant un graphe, montrer que i est inversement proportionnel à b.
b. L'interfrange i est donné par l'une des expressions suivantes :
$i = D + \frac{\lambda}{b}$; $i = \frac{\lambda^2 \cdot D}{b^2}$; $i = \frac{\lambda \cdot D}{b}$; $i = \frac{\lambda^2 \cdot D}{b}$
Retrouver la bonne expression parmi celle proposées.
Dans ces relations, λ est la longueur d'onde de la lumière du laser utilisé.

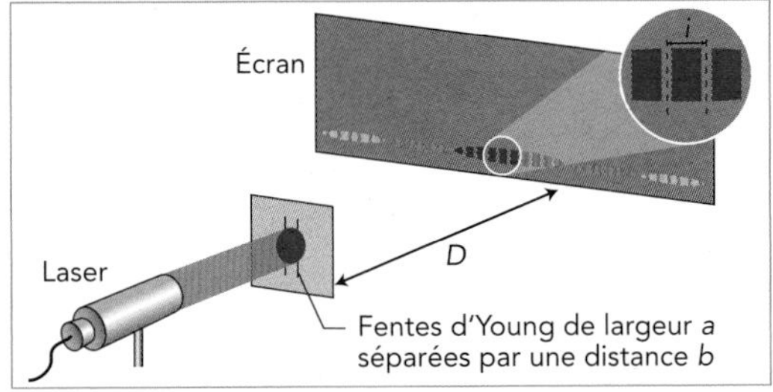

Doc. 3 Schématisation de l'expérience des fentes d'Young.

▸ Les fentes d'Young se comportent comme deux sources de lumière qui se superposent sur l'écran. Remplacer les fentes par deux lasers identiques.

3 Avec deux lasers éclairant l'écran, observe-t-on une figure d'interférences ?

Un pas vers le cours...

4 Quelle relation lie l'interfrange i à la longueur d'onde de la lumière monochromatique λ ? Préciser la signification et l'unité de chaque grandeur.

B Application à la détermination du pas d'un réseau

Un réseau est constitué d'un support transparent sur lequel ont été gravés des traits parallèles et équidistants. Le « pas » du réseau, noté b, est la distance entre deux traits consécutifs.

Ces traits parallèles se comportent comme des fentes. Éclairés avec un laser, ils donnent une figure d'interférences.

5 Proposer un protocole afin de déterminer le pas de ce réseau.
Après accord du professeur, le mettre en œuvre et en déduire la valeur de b.

6 Les incertitudes sur λ, b, i et D sont respectivement notées $U(\lambda)$, $U(b)$, $U(i)$ et $U(D)$.
a. Quelles sont les valeurs de $U(\lambda)$, $U(i)$ et $U(D)$ (voir **fiche n° 3**, p. 584) ?
b. L'incertitude sur la mesure de b peut être évaluée par :
$$U(b) = b \cdot \sqrt{\left(\frac{U(\lambda)}{\lambda}\right)^2 + \left(\frac{U(i)}{i}\right)^2 + \left(\frac{U(D)}{D}\right)^2}$$
Calculer cette incertitude.
c. En déduire un encadrement de la valeur expérimentale b du pas du réseau. Est-il en accord avec la valeur indiquée par le fabricant ?

4 Effet Doppler

EN AUTONOMIE

Lorsqu'une ambulance se rapproche puis s'éloigne, le son perçu est modifié, passant de l'aigu au grave. Ces modifications de la fréquence perçue, lorsque l'émetteur est en mouvement par rapport au récepteur, furent expliquées par Christian Doppler au XIXe siècle. Qu'est-ce que l'effet Doppler ?

EN 1842 À PRAGUE, LE PROFESSEUR CHRISTIAN DOPPLER PRÉSENTE À SON COLLÈGUE BERNARD BOLZANO SES IDÉES SUR LES ONDES.

EH ! OUI, MON CHER BOLZANO...

TOUT COMME LES VAGUES À LA SURFACE DE L'EAU...

... LE SON EST UNE ONDE QUI SE PROPAGE DANS L'AIR.

PLUS LA DISTANCE λ ENTRE 2 VAGUES EST PETITE, PLUS ELLES ARRIVENT AU BORD AVEC UNE GRANDE FRÉQUENCE.

λ

IL EN EST DE MÊME POUR LE SON... PLUS CETTE LONGUEUR λ EST PETITE, PLUS LE SON EST AIGU.

... ET PLUS ELLE EST GRANDE, PLUS LE SON EST GRAVE.

MAIS !

REGARDEZ, MON AMI !

CE CYGNE QUI VA À LA RENCONTRE DES VAGUES, CHAQUE SECONDE IL EN RENCONTRE PLUS QUE LA GRENOUILLE QUI EST IMMOBILE.

CROÂ ! CROÂ !

LE MÊME EFFET DOIT SE PRODUIRE AVEC LE SON,

CE QUI EXPLIQUE QU'EN M'APPROCHANT D'UNE SOURCE SONORE, J'ENTENDE UN SON PLUS AIGU !

1 À quelle grandeur spatiale C. Doppler fait-il référence lorsqu'il dit à propos des sons : « Plus cette longueur λ est petite plus le son est aigu. » ?

2 a. Quelle est la relation entre cette grandeur, la fréquence du son et la valeur de la vitesse du son dans l'air ?
b. Que peut-on dire de la fréquence d'un son aigu par rapport à celle d'un son grave ?
c. Montrer que si la « distance entre les ondulations » du son dans l'air diminue, alors le son devient plus aigu.

3 On considère que les ondes à la surface de l'eau sont périodiques et sinusoïdales.
Schématiser l'élongation du niveau de l'eau en fonction du temps pour :
a. la grenouille immobile ;
b. le cygne se déplaçant vers la source.

Un pas vers le cours...

4 Définir l'effet Doppler et l'illustrer par quelques exemples tirés de la vie courante.

5 Mesure de la valeur d'une vitesse par effet Doppler

L'effet Doppler, découvert par Christian Doppler au XIXe siècle, s'applique également aux ondes électromagnétiques émises par des objets célestes en mouvement. Comment l'effet Doppler permet-il de mesurer la valeur de la vitesse d'un objet ?

Compétence exigible au baccalauréat

- *Mettre en œuvre une démarche expérimentale pour mesurer une vitesse en utilisant l'effet Doppler.*

A Étude expérimentale

Lorsqu'un émetteur se déplace tout en produisant une onde de fréquence f_E, un observateur immobile perçoit une onde de fréquence f_R. Ce décalage de fréquence, appelé « effet Doppler », permet de déterminer la valeur v_E de la vitesse de déplacement de l'émetteur.

En notant v la valeur de la vitesse de propagation de l'onde, on a :

$$v_E = v \cdot \frac{|f_R - f_E|}{f_R}$$

Situation problème

Comment déterminer expérimentalement la valeur de la vitesse d'un véhicule en utilisant des ondes ultrasonores ?

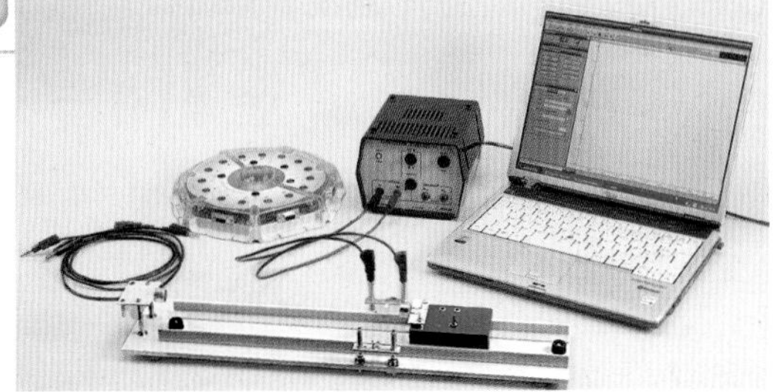

Doc. 4 Matériel disponible.

1 À l'aide du matériel disponible (doc. 4), proposer un protocole expérimental permettant de répondre à la situation problème.

2 Réaliser les mesures. Analyser les résultats obtenus pour déterminer la valeur de la vitesse v_E.

B Application à l'astrophysique

À cause de l'effet Doppler, les longueurs d'onde des raies des spectres des étoiles en mouvement par rapport à la Terre n'ont pas tout à fait la même valeur que celles mesurées sur Terre pour les mêmes éléments chimiques. Cela permet d'évaluer la valeur de la vitesse de déplacement d'une étoile selon l'axe observateur-étoile. Cette vitesse est nommée « vitesse radiale ».

▸ Sur le site Internet de la base Elodie (http://atlas.obs-hp.fr/elodie), afficher le profil spectral de l'étoile HD 2665 (doc. 5).

3 En effectuant des zooms progressifs (Replot), rechercher sur le profil spectral la longueur d'onde de la raie H_α, dont la valeur de référence est 6562,6 Å. Expliquer pourquoi la valeur trouvée est différente de la valeur de référence.

4 Pour cette longueur d'onde, déterminer la vitesse radiale v de l'étoile par rapport à la Terre à partir de la formule de Doppler-Fizeau :

$$v = c \cdot \frac{|\lambda_{spectre} - \lambda_{référence}|}{\lambda_{référence}}$$

avec c la vitesse de la lumière dans le vide, $\lambda_{spectre}$ la longueur d'onde d'une raie de l'hydrogène obtenue à partir du profil spectral de l'étoile et $\lambda_{référence}$ la longueur d' onde de la même raie de l'hydrogène dans un spectre de référence.

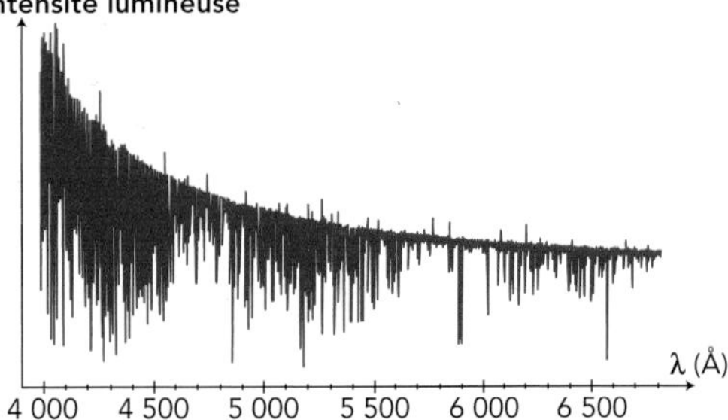

Doc. 5 Profil spectral de l'étoile HD 2665.

Info L'angström, de symbole Å, est une unité ancienne, encore couramment utilisée par les astrophysiciens : 1 Å = 1×10^{-10} m.

5 Les astrophysiciens analysent de nombreuses raies pour évaluer la vitesse radiale d'une étoile. Comment, à partir du spectre étudié, peut-on améliorer la précision de la détermination ?

Un pas vers le cours...

6 Citer une application de l'effet Doppler en astrophysique.

1 Qu'est-ce que la diffraction ?

1.1 Observation avec des ondes lumineuses

Lorsque l'on éclaire une fente avec une lumière monochromatique, une partie de cette lumière atteint une zone qui aurait dû être dans l'ombre (**activité 2**). C'est le phénomène de **diffraction**. L'alternance de zones lumineuses et de zones sombres est appelée « figure de diffraction ». Cette figure dépend de l'ouverture ou de l'obstacle (doc. 1).

L'angle θ, appelé « demi-angle de diffraction » ou « écart angulaire », est défini à partir de la tache centrale, la plus lumineuse, et de la première extinction (doc. 2).

> L'importance du phénomène de diffraction est liée au rapport de la longueur d'onde aux dimensions de l'ouverture ou de l'obstacle.
> Si on note λ la longueur d'onde et a la largeur de l'ouverture ou de l'obstacle, alors le demi-angle de diffraction est $\theta \approx \frac{\lambda}{a}$.
> λ et a s'expriment avec la même unité de longueur et θ en radian (rad).

En pratique, la distance D séparant la fente de l'écran est très grande par rapport à la largeur ℓ de la tache centrale. On a alors $\theta \approx \tan\theta = \frac{\ell}{2D}$.

En lumière polychromatique, chaque radiation de longueur d'onde λ donne sa propre figure de diffraction. La superposition de ces figures conduit à l'observation de zones colorées (doc. 3).

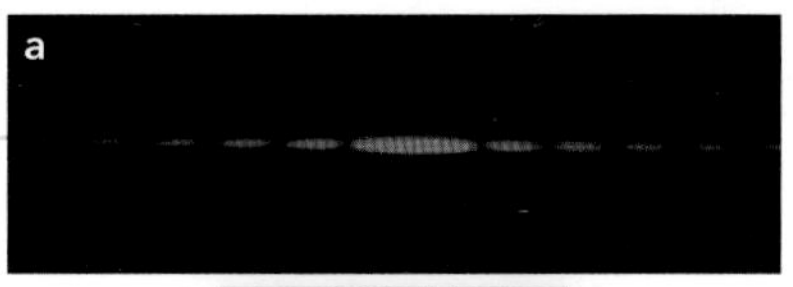

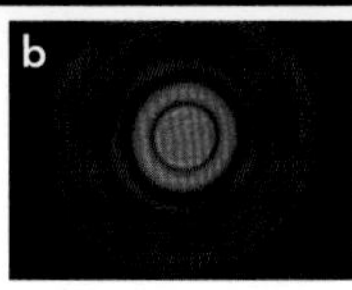

Doc. 1 Figure de diffraction obtenue avec :
a. une fente verticale ; b. un trou circulaire.

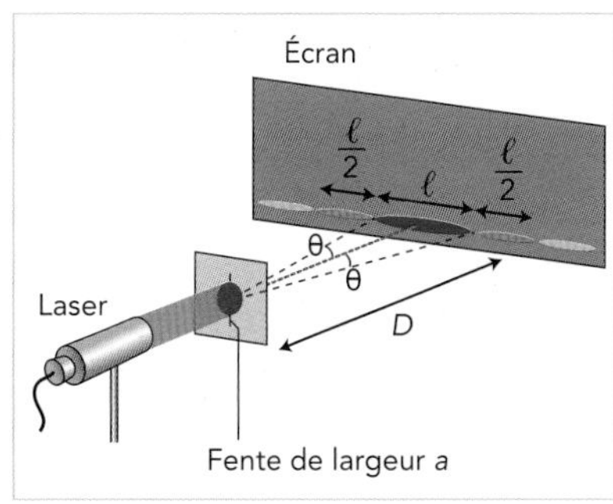

Doc. 2 Schéma de l'expérience de diffraction de la lumière par une fente.

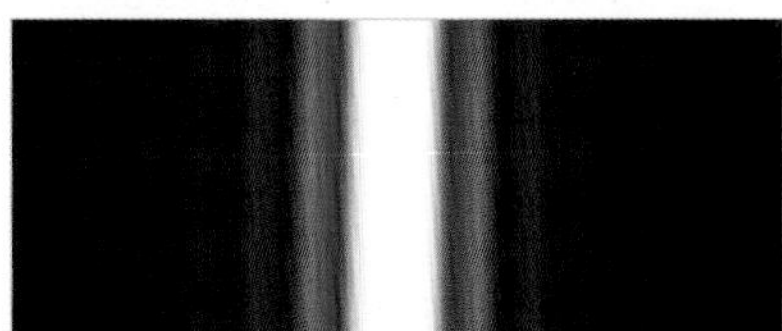

Doc. 3 Diffraction avec une fente éclairée en lumière blanche.

1.2 La diffraction dans diverses situations

Le phénomène de diffraction peut s'observer aussi bien avec des ondes électromagnétiques (lumière, ondes radio, etc.) (doc. 4) qu'avec des ondes mécaniques (vagues, sons, etc.) (doc. 5). L'observation de la diffraction de la lumière a contribué à la validation du modèle ondulatoire de la lumière (**activité 1**).

> La diffraction intervient dans de nombreuses situations physiques mettant en œuvre des ondes.

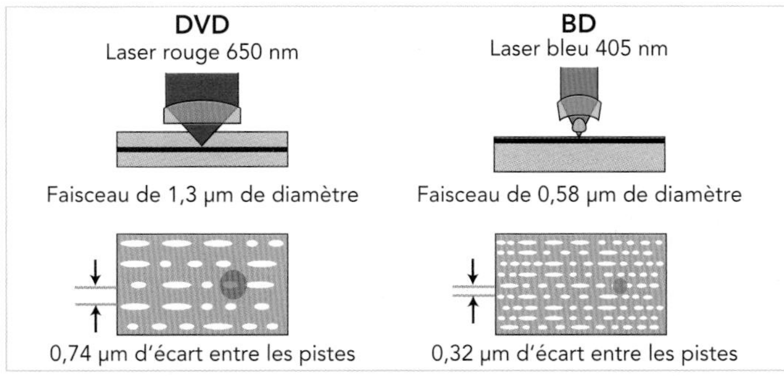

Doc. 4 Sur un support numérique à lecture optique, la capacité de stockage est limitée par le phénomène de diffraction : l'augmentation de cette capacité nécessite des pistes plus serrées (a diminue). Pour limiter la diffraction, il est nécessaire d'utiliser un rayonnement de plus petite longueur d'onde. On est ainsi passé d'un faisceau rouge (DVD) à un faisceau bleu (Blu-ray Disc, BD).

Voir exercices 1, p. 73, et 6 à 8, p. 76.

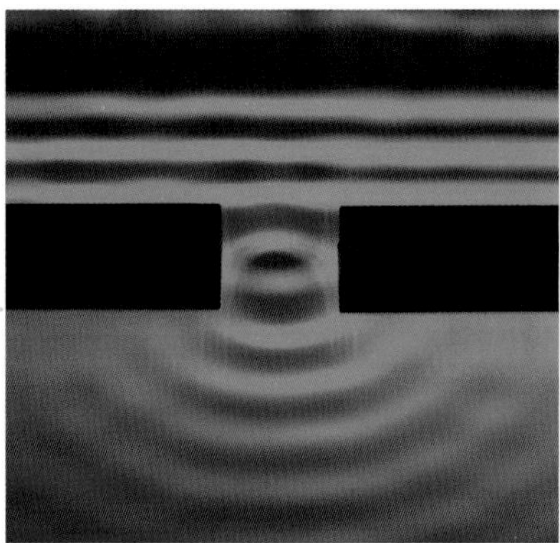

Doc. 5 Diffraction sur une cuve à ondes (ici les ondes se propagent du haut vers le bas).

2 Que sont les interférences ?

2.1 Observation d'interférences en lumière monochromatique

Une fente éclairée en lumière monochromatique permet d'obtenir une figure de diffraction (doc. 6a).

L'**activité 3** a montré que, lorsqu'on éclaire deux fentes proches et parallèles (fentes d'Young) avec de la lumière monochromatique, on observe une figure de diffraction striée d'une alternance de bandes noires et lumineuses appelées « franges d'interférences » (doc. 6b).

Chaque fente se comporte comme une source lumineuse ponctuelle. La superposition des ondes issues de ces fentes est à l'origine de ce phénomène.

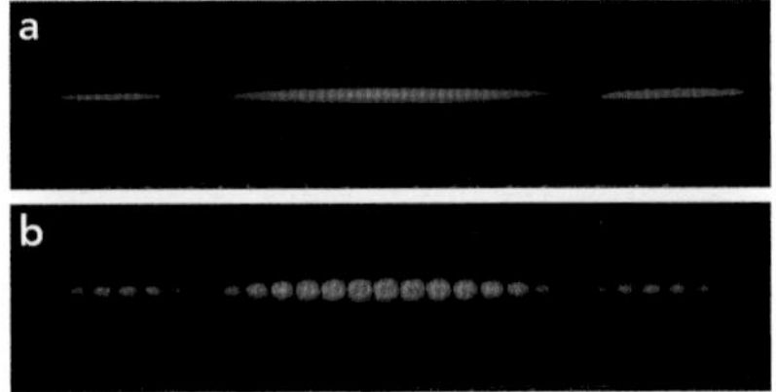

Doc. 6 Figure obtenue avec une fente (a) et avec deux fentes parallèles (b). Les fentes parallèles sont appelées des fentes d'Young.

Deux ondes de même fréquence qui se superposent peuvent **interférer**. On observe alors des **franges d'interférences.**

2.2 Interprétation avec des ondes à la surface de l'eau

Le document 7 illustre le croisement de deux ondes à la surface de l'eau. L'élongation d'un point *P* de la surface est égale à la somme des élongations de chacune des ondes incidentes en ce point.

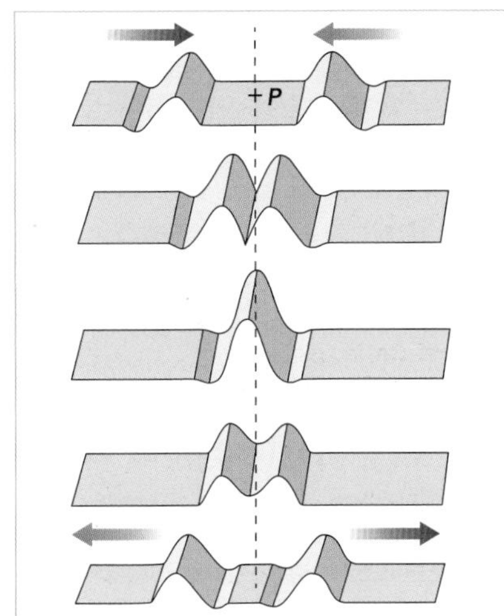

Doc. 7 Superposition d'ondes progressives à la surface de l'eau.

Lorsque deux ondes se superposent, leurs élongations s'ajoutent.

Le document 8 illustre la superposition des ondes circulaires créées à la surface de l'eau par deux sources périodiques de même fréquence.

- En un point *A*, ces ondes peuvent arriver en phase. La vibration résultante a alors une amplitude maximale. Les interférences sont dites constructives.

Les interférences sont **constructives** en tout point où les ondes qui interfèrent sont **en phase.**

- En un point *B*, ces ondes peuvent arriver en opposition de phase. La vibration résultante a alors une amplitude minimale. Les interférences sont dites destructives.

Les interférences sont **destructives** en tout point où les ondes qui interfèrent sont **en opposition de phase.**

- En tout autre point du milieu, on observe des vibrations d'amplitudes intermédiaires.

À la surface de l'eau (doc. 8), les interférences destructives correspondent à une absence de mouvement de la surface de l'eau. Les interférences constructives correspondent aux zones les plus agitées.

Un raisonnement analogue permet de comprendre les figures d'interférences lumineuses observées sur un écran avec la lumière d'un laser traversant les fentes d'Young (doc. 6b) :
– les interférences destructives correspondent à l'absence de lumière sur l'écran de projection (zones sombres du document 6b) ;
– les interférences constructives correspondent aux zones les plus lumineuses (zones rouges du document 6b).

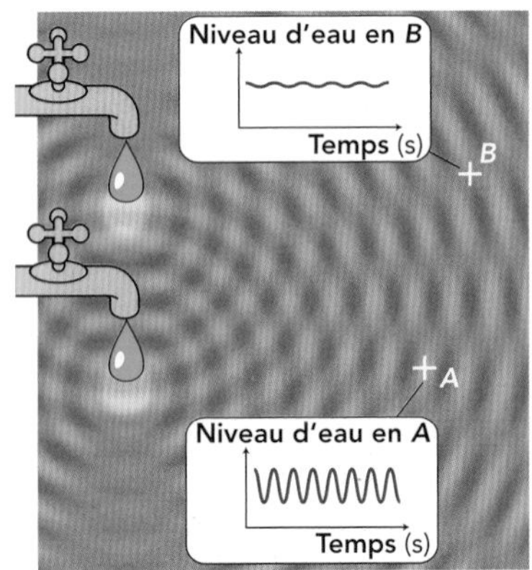

Doc. 8 Interférences constructives (point *A*) et destructives (point *B*) à la surface de l'eau. Les graphiques montrent l'évolution de l'élongation au cours du temps.

2.3 Nécessité de sources cohérentes

Une figure d'interférences est stable dans le temps si les interférences constructives et destructives se produisent respectivement aux mêmes points. Pour cela, il faut que les ondes qui se superposent aient la même fréquence.

L'expérience montre que des interférences lumineuses ne peuvent pas être observées si la lumière provient de sources indépendantes, même si ces sources émettent des ondes de même fréquence. En effet, la lumière étant émise par trains d'ondes de courtes durées (doc. 9), bien que de même fréquence, les ondes ne conservent pas le même déphasage en un point P donné. La figure d'interférences n'est alors pas stable.

Pour observer une figure d'interférences stable avec de la lumière, il faut éclairer deux **sources secondaires** avec de la lumière venant d'une source unique. Ces sources secondaires émettent alors des ondes de même fréquence et de déphasage constant ; elles sont **cohérentes**.

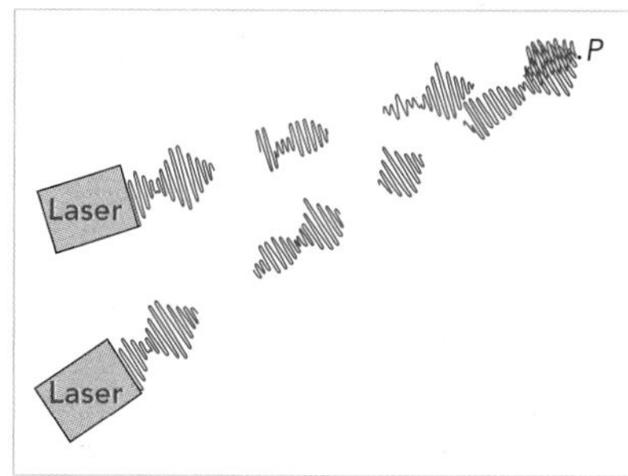

Doc. 9 Trains d'ondes émis de façon aléatoire par deux sources lumineuses. Même si les ondes sont de même fréquence, leur déphasage n'est pas constant.

Une **figure d'interférences** stable s'obtient avec des ondes de même fréquence et présentant un déphasage constant. Ce sont des **ondes cohérentes** ; elles sont émises par des **sources cohérentes**.

2.4 Différence de marche

Deux ondes émises par des sources cohérentes situées en S_1 et S_2 ont, en un point P du milieu de propagation, un déphasage constant qui dépend de la durée de leurs trajets respectifs et du déphasage entre les sources. Le déphasage observé au point P est lié à la **différence de marche** δ de ces ondes.

Dans le cas particulier des interférences obtenues par des fentes d'Young placées dans l'air, d'indice de réfraction $n = 1{,}00$, la **différence de marche** s'écrit $\delta = S_2P - S_1P$ (doc. 10).

Dans d'autres situations, l'expression de la différence de marche prend en compte d'autres paramètres (voir exercices 30 et 35, p. 82 et 84).

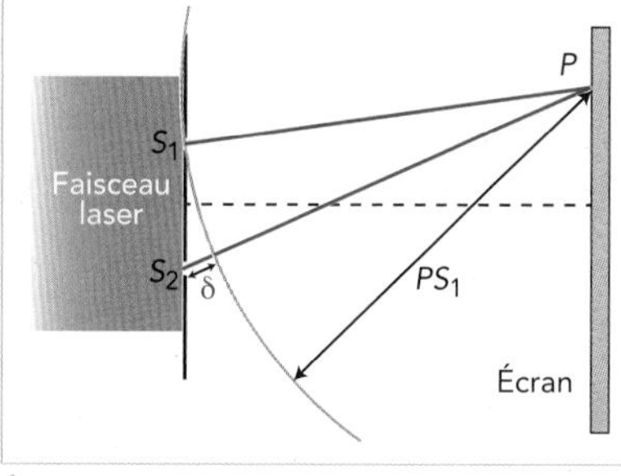

Doc. 10 Dans le cas de l'expérience des fentes d'Young dans l'air, la différence de marche des ondes qui interfèrent en P est $\delta = S_2P - S_1P$.

- On observe des **interférences constructives** quand $\delta = k \cdot \lambda$.
- On observe des **interférences destructives** quand $\delta = (k + \frac{1}{2}) \cdot \lambda$.

k est un nombre entier positif ou négatif appelé ordre d'interférences.

2.5 Interfrange

Lors d'interférences lumineuses, l'**interfrange**, noté i, est la distance séparant deux franges brillantes ou deux franges sombres consécutives.

Avec un dispositif de fentes d'Young éclairé en lumière monochromatique de longueur d'onde λ (doc. 11), l'interfrange i s'exprime par :

$$i = \frac{\lambda \cdot D}{b}$$

b étant la distance séparant les deux fentes et D la distance entre le système de fentes et l'écran (**activité 3**).

La mesure de l'interfrange permet de déterminer expérimentalement la longueur d'onde de la lumière monochromatique (voir exercice 24, p. 80).

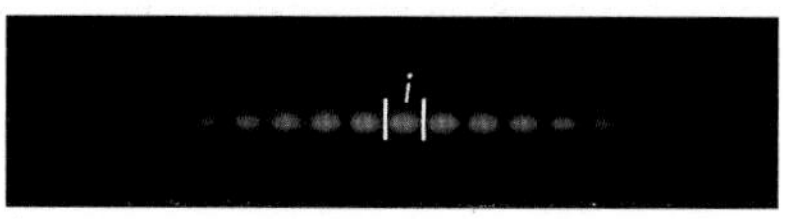

Doc. 11 L'interfrange se mesure entre les milieux de deux zones sombres consécutives.

2.6 Interférences en lumière blanche

Des taches d'huile, des CD ou des DVD, des ailes d'insectes ou des bulles de savon éclairées en lumière blanche font apparaître des irisations.

La couche d'huile, l'aile ou la paroi de la bulle sont des couches minces. Avec de telles couches, les ondes lumineuses réfléchies sur les parois interne et externe peuvent interférer. Chaque radiation de longueur d'onde λ donne sa propre figure d'interférences. La superposition de ces figures conduit à l'observation de zones colorées (doc. 12).

Éclairées en lumière blanche, les couches minces font apparaître des **couleurs interférentielles.**

Voir exercices 2, p. 73, et 9 à 11, p. 76.

Doc. 12 Les couleurs des bulles de savon ou des ailes d'insectes sont dues à des phénomènes d'interférences.

3 Qu'est-ce que l'effet Doppler ?

3.1 Présentation

Le son d'un moteur ou d'une sirène est perçu plus aigu quand le véhicule qui l'émet s'approche d'un observateur et plus grave quand il s'en éloigne. Ce phénomène a été prévu par C. DOPPLER en 1842 (**activité 4**), puis confirmé expérimentalement par C. BUYS-BALLOT en 1845.

Une onde électromagnétique ou mécanique émise avec une fréquence f_E est perçue avec une fréquence f_R différente lorsque l'émetteur et le récepteur sont en déplacement relatif : c'est **l'effet Doppler.**

3.2 Vitesse relative d'un émetteur par rapport à un récepteur

La comparaison entre la fréquence f_R de l'onde perçue et la fréquence f_E de l'onde émise permet, par exemple, de déterminer la valeur de la vitesse de l'émetteur par rapport au récepteur.

L'effet Doppler constitue une méthode de mesure de vitesses.

Dans les exemples suivants (doc. 13 et doc. 14), l'émetteur E produit des ondes sonores de fréquence f_E qui se propagent à la vitesse v. Les vitesses sont mesurées dans un référentiel terrestre.

Remarques :
- L'air est supposé immobile par rapport au sol.
- La vitesse de déplacement de l'émetteur par rapport au récepteur est faible et inférieure à la vitesse de l'onde dans le milieu de propagation :

$$v_E < v$$

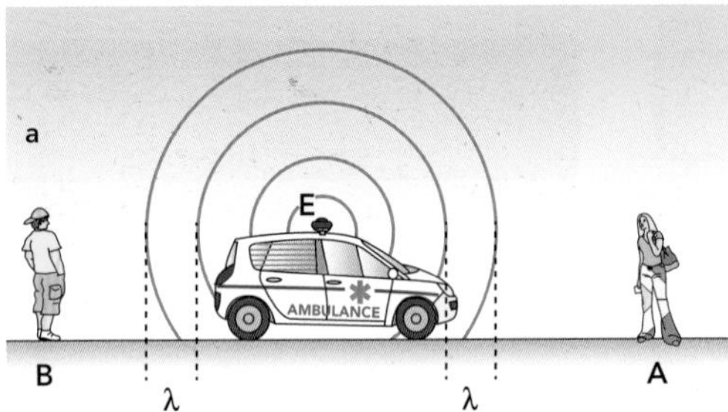

Doc. 13 Lorsque l'émetteur est immobile, les observateurs immobiles A et B perçoivent des ondes de même longueur d'onde : $\lambda = \frac{v}{f_E}$.

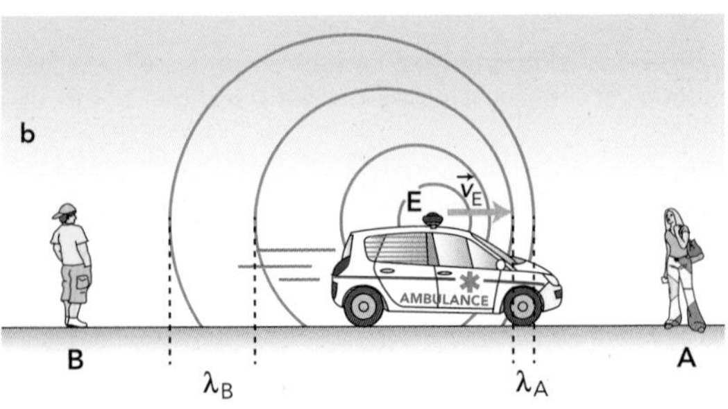

Doc. 14 Lorsque l'émetteur se déplace à la vitesse v_E en s'approchant de l'observateur A et en s'éloignant de l'observateur B, ceux-ci perçoivent des ondes de longueurs d'onde $\lambda_A < \lambda$ et $\lambda_B > \lambda$.

Pourquoi, lorsque l'émetteur s'approche de l'observateur, le son de la sirène est perçu plus aigu ?

L'**activité 4** et le document 14 montrent que, lorsque l'émetteur s'approche de l'observateur, la longueur d'onde perçue par l'observateur est plus petite que la longueur d'onde émise : $\lambda_A < \lambda$, soit $\frac{\lambda_A}{v} < \frac{\lambda}{v}$ d'où, en prenant l'inverse, $f_A > f_E$. La fréquence reçue est plus élevée que la fréquence émise, donc le son perçu est plus aigu.

D'une façon analogue, on peut montrer que, lorsque l'émetteur s'éloigne de l'observateur, le son de la sirène est perçu plus grave.

Dans les exercices 27 et 28, p. 81, on montre comment l'étude quantitative de l'effet Doppler permet d'aboutir aux relations suivantes :

– pour l'observateur A :

$$v_E = v \cdot \frac{f_A - f_E}{f_A}$$

– pour l'observateur B :

$$v_E = v \cdot \frac{f_E - f_B}{f_B}$$

Ces relations permettent de calculer la valeur de la vitesse v_E à partir de la mesure de la fréquence perçue par l'observateur.

Les radars routiers (cinémomètres) utilisent l'effet Doppler avec des ondes électromagnétiques pour mesurer la valeur de la vitesse des véhicules (doc. 15). Leur fonctionnement est différent de l'exemple de l'ambulance, car ils sont à la fois émetteurs et récepteurs.

De même, en imagerie médicale, la valeur de la vitesse de déplacement du sang peut être mesurée par effet Doppler.

Rappels des notations

Onde émise
- Fréquence : f_E
- Période : $T_E = \frac{1}{f_E}$

- Vitesse de propagation de l'onde : v
- Longueur d'onde lorsque l'émetteur est immobile : $\lambda = \frac{v}{f_E}$

- Vitesse de déplacement de l'émetteur : v_E

Onde perçue par A
- Fréquence : f_A
- Période : $T_A = \frac{1}{f_A}$

Onde perçue par B
- Fréquence : f_B
- Période : $T_B = \frac{1}{f_B}$

Doc. 15 Les radars automatiques se présentent sous forme d'une « armoire » contenant un ou plusieurs cinémomètre(s), une caméra et un flash.

3.3 L'effet Doppler-Fizeau en astronomie

Comme cela a été vu en Seconde et en Première, le spectre de la lumière émise par une étoile comporte des raies d'absorption caractéristiques des éléments de son atmosphère.

En appliquant les conséquences des travaux de C. DOPPLER à la lumière, H. FIZEAU (1819-1896) a postulé en 1848 que, si une étoile ou une galaxie s'éloigne ou s'approche de la Terre, on doit observer un décalage de ses raies d'absorption (doc. 16). La mesure de ce décalage permettrait ainsi de calculer la vitesse radiale* de l'étoile.

La précision des instruments de mesure de l'époque ne lui a cependant pas permis de vérifier son hypothèse (**activité 1**).

Les télescopes modernes et les outils informatiques permettent aujourd'hui de calculer les valeurs des vitesses radiales d'étoiles ou de galaxies en analysant de très nombreuses raies (**activité 5**).

* La **vitesse radiale** d'une étoile est la vitesse à laquelle elle s'éloigne ou se rapproche de la Terre.

L'**effet Doppler-Fizeau** permet de calculer la valeur de la vitesse radiale d'une étoile en comparant les longueurs d'onde de son spectre d'absorption à celles d'un spectre de référence.

Lorsqu'une étoile ou une galaxie s'éloigne de la Terre, on observe un décalage vers les grandes longueurs d'onde (vers le rouge pour les raies du visible) ; ce décalage vers le rouge est appelé « *redshift* ».

Inversement, lorsqu'une étoile ou une galaxie se rapproche de la Terre, on observe un décalage vers les petites longueurs d'onde ; ce décalage vers le bleu est appelé « *blueshift* ».

Voir exercices 3, p. 73, et 12 à 14, p. 76.

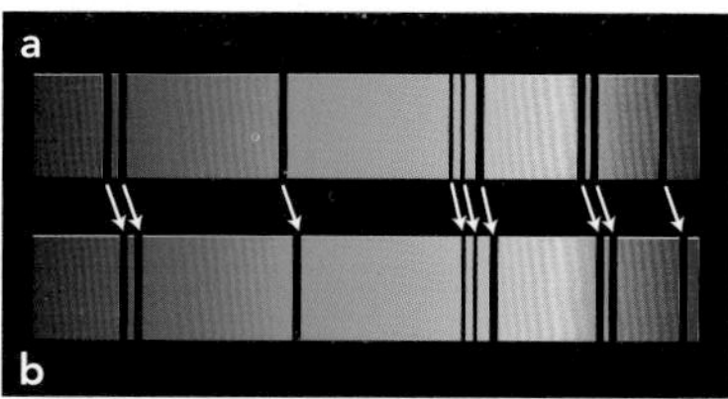

Doc. 16 a. Spectre de référence obtenu avec une source immobile par rapport à l'observateur ;
b. spectre obtenu avec une source s'éloignant de l'observateur.

Essentiel

La diffraction

▸ Toutes les ondes, électromagnétiques ou mécaniques, peuvent être diffractées.

Diffraction d'une lumière monochromatique par une fente.

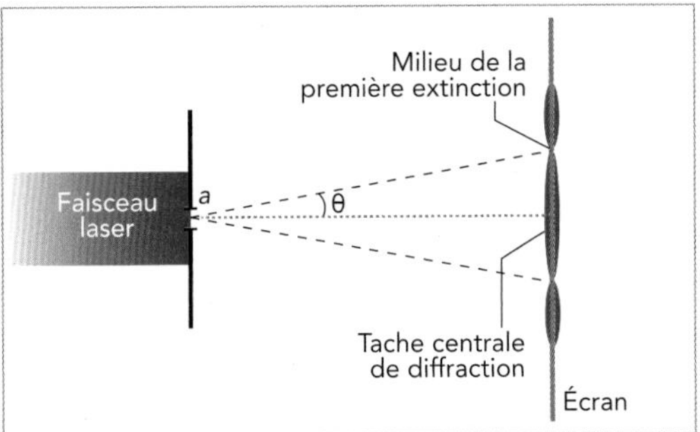

Schématisation de la diffraction d'une lumière monochromatique dans un plan perpendiculaire à la fente.

▸ Si on note λ la longueur d'onde et a la largeur de l'ouverture ou de l'obstacle, alors plus le rapport $\frac{\lambda}{a}$ est grand, plus le **phénomène de diffraction** est important.

Le demi-angle de diffraction est $\theta \approx \frac{\lambda}{a}$.

λ et a s'expriment avec la même unité de longueur et θ en radian (rad).

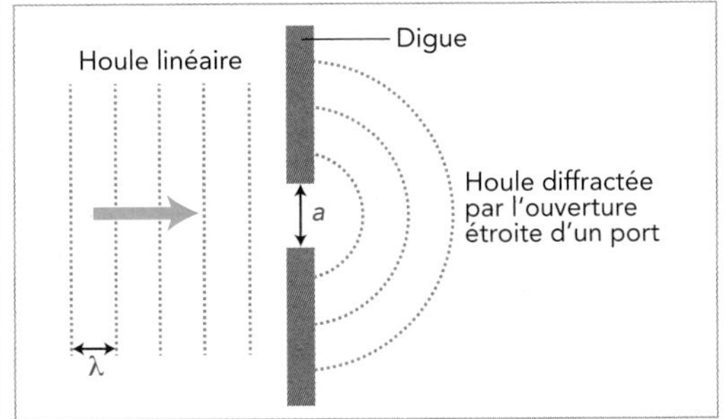

Schématisation de la diffraction d'une onde mécanique.

Les interférences

▸ Une figure d'interférences stable s'obtient lorsque des ondes de même fréquence et présentant un déphasage constant se superposent. Ces ondes sont émises par des sources cohérentes.

▸ On note δ la différence de marche et k un nombre entier négatif ou positif. Les interférences sont constructives en tout point où les ondes qui interfèrent sont en phase : $\boldsymbol{\delta = k \cdot \lambda}$.

Les interférences sont destructives en tout point où les ondes qui interfèrent sont en opposition de phase : $\boldsymbol{\delta = \left(k + \frac{1}{2}\right) \cdot \lambda}$.

▸ En lumière polychromatique, les interférences peuvent conduire à des couleurs interférentielles.

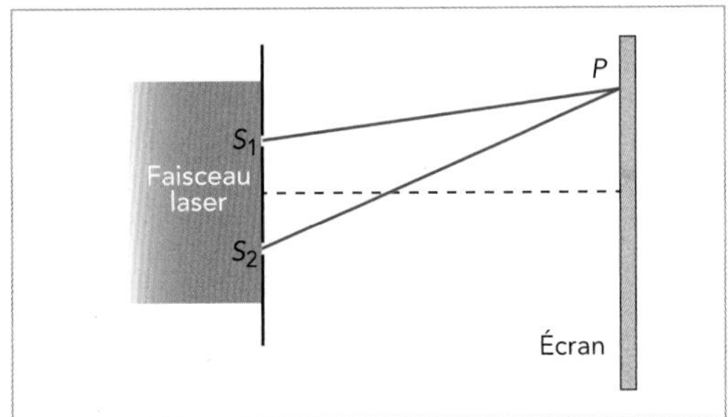

Dans le cas de l'expérience des fentes d'Young dans l'air, la différence de marche des ondes qui interfèrent en P est $\delta = S_2P - S_1P$.

L'effet Doppler

▸ Une onde émise avec une fréquence f_E est perçue avec une fréquence f_R différente de f_E lorsque l'émetteur et le récepteur sont en déplacement relatif.

▸ L'effet Doppler constitue une méthode de mesure de vitesses utilisée dans de nombreux domaines (médecine, sécurité routière, astrophysique, etc.).

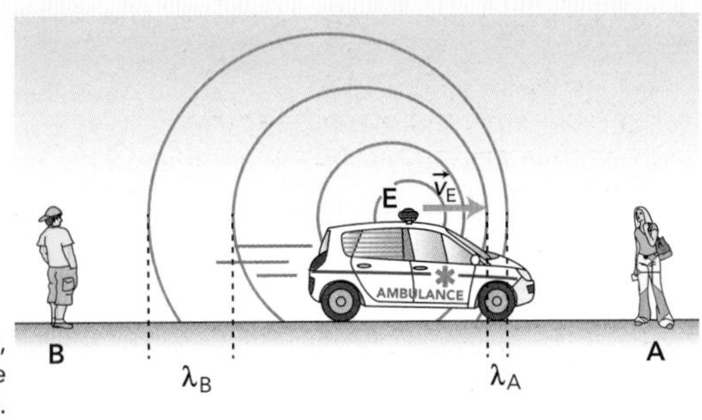

Lorsqu'une source est en mouvement, la fréquence perçue par un observateur immobile est différente de la fréquence émise.

Pour chaque question, indiquer la (ou les) bonne(s) réponse(s).

Voir corrigés, p. 606.

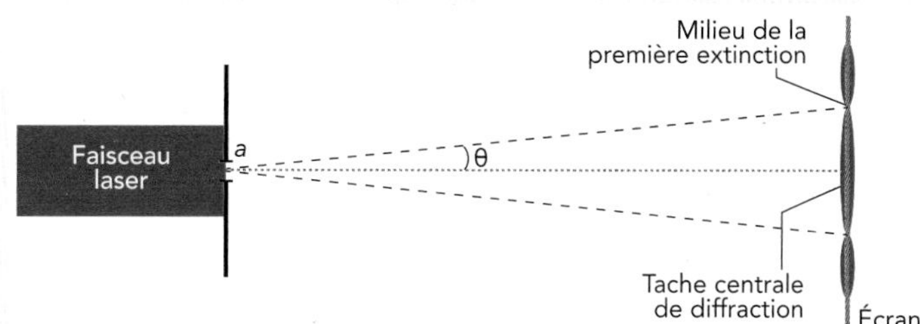

Schématisation de la diffraction de la lumière par une fente.

1 Diffraction

	A	B	C
1. Le phénomène de diffraction est observable avec :	des ondes sonores.	des ondes lumineuses.	des ondes à la surface de l'eau.
2. L'angle θ du schéma ci-dessus dépend :	de la taille *a* de l'ouverture.	de la couleur de la lumière émise par le laser.	de la largeur du faisceau laser.
3. On réalise l'expérience schématisée ci-dessus avec de la lumière monochromatique de longueur d'onde λ.	Pour une fente de largeur *a* fixée, la tache centrale obtenue avec un laser vert est plus large que celle obtenue avec un laser rouge.	Pour une longueur d'onde λ fixée, si la largeur *a* de la fente diminue, la tache centrale grossit.	Pour une longueur d'onde λ fixée, l'angle θ défini sur la figure est proportionnel à la largeur de la fente *a*.

Si erreur, revoir § 1, p. 67.

2 Interférences

	A	B	C
1. Des interférences stables se produisent lorsque deux ondes :	se superposent.	de même fréquence se superposent.	cohérentes se superposent.
2. Des interférences constructives s'observent en tout point de l'espace où deux ondes cohérentes :	se superposent.	sont en phase.	sont en opposition de phase.
3. Des interférences destructives s'observent si les ondes cohérentes qui interfèrent :	sont en opposition de phase.	sont décalées d'un nombre entier de longueurs d'onde.	sont décalées d'un nombre impair de demi-longueurs d'onde.

Si erreur, revoir § 2, p. 68.

3 Effet Doppler

	A	B	C
1. Lorsqu'une source d'ondes est en mouvement et qu'un récepteur est immobile par rapport au milieu de propagation :	l'onde émise est modifiée au cours du temps.	l'onde perçue est modifiée par rapport à l'onde émise.	la vitesse de propagation de l'onde dans le milieu est modifiée.
2. Un émetteur d'ondes se rapproche d'un récepteur fixe. On note f_E la fréquence de l'onde émise et f_R celle de l'onde perçue.	$f_R < f_E$	$f_R > f_E$	$f_R = f_E$

Si erreur, revoir § 3, p. 70.

Exercice résolu 

COMPÉTENCES
- Rechercher et exploiter l'information.
- Calculer.

4 Déterminer une longueur d'onde par interférence

Énoncé

On réalise une figure d'interférences à l'aide de fentes d'Young placées devant un faisceau laser, séparées par une distance $b = (0{,}500 \pm 0{,}005)$ mm.

La figure est observée sur un écran à une distance $D = 1{,}15$ m du plan des fentes, cette distance étant mesurée avec une incertitude $U(D) = 1$ cm.

Pour déterminer la longueur d'onde du laser, on mesure la distance séparant deux franges brillantes consécutives, appelée « interfrange » et notée i.

On obtient un interfrange $i = 1{,}36$ mm avec une incertitude $U(i) = \frac{1}{100}$ mm.

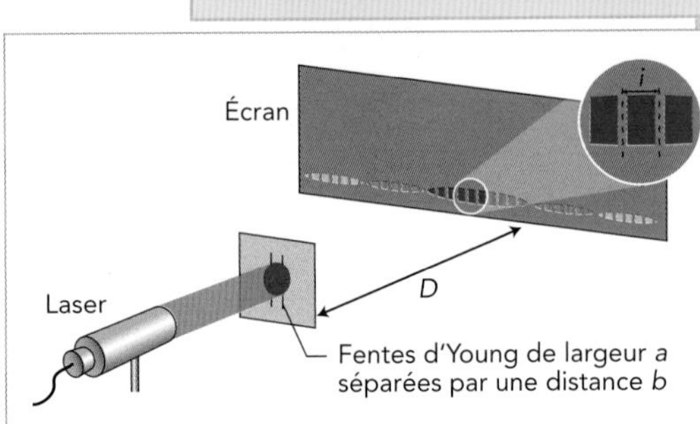

Schématisation du montage expérimental.

1. L'interfrange i est donné par la relation $i = \frac{\lambda \cdot D}{b}$.

Déduire des résultats expérimentaux la longueur d'onde λ du laser.

2. L'incertitude sur la mesure de λ peut être évaluée par $U(\lambda) = \lambda \cdot \sqrt{\left(\frac{U(b)}{b}\right)^2 + \left(\frac{U(i)}{i}\right)^2 + \left(\frac{U(D)}{D}\right)^2}$

a. Calculer l'incertitude $U(\lambda)$ sur la longueur d'onde du laser.

b. En déduire un encadrement de la valeur expérimentale de λ.

c. Cet encadrement est-il compatible avec la valeur 589,3 mm fournie par le constructeur du laser ?

Conseils

1. Il faut exprimer λ en fonction des autres grandeurs à partir de l'expression de l'interfrange. Pour l'application numérique, il faut faire attention aux unités.

2. a. Pour déterminer l'incertitude sur la longueur d'onde, il faut utiliser la formule donnée. Les incertitudes sur les valeurs mesurées doivent être relevées dans l'énoncé.

b. L'encadrement de λ est donné par :
$$\lambda - U(\lambda) \leqslant \lambda \leqslant \lambda + U(\lambda)$$

c. L'encadrement doit contenir la valeur du constructeur.

Solution rédigée

1. La longueur d'onde est donnée par $\lambda = \frac{b \cdot i}{D}$

d'où : $\lambda = \frac{0{,}500 \times 10^{-3} \times 1{,}36 \times 10^{-3}}{1{,}15}$

$\lambda = 5{,}91 \times 10^{-7}$ m, soit **591 nm.**

2. a. Avec $U(b) = 0{,}005$ mm, $U(i) = 0{,}01$ mm et $U(D) = 1$ cm, il vient :

$$U(\lambda) = 591 \times \sqrt{\left(\frac{0{,}005}{0{,}500}\right)^2 + \left(\frac{0{,}01}{1{,}36}\right)^2 + \left(\frac{1}{115}\right)^2} = \mathbf{9\ nm.}$$

b. $591 - 9$ nm $\leqslant \lambda \leqslant 591 + 9$ nm,
d'où : **582 nm** $\leqslant \boldsymbol{\lambda} \leqslant$ **600 nm.**

c. Cet encadrement contient la valeur du constructeur : 589,3 nm ; cet encadrement est donc **compatible** avec la valeur du constructeur.

Application immédiate

On utilise le montage précédent en changeant de laser. On obtient un interfrange $i = (1{,}46 \pm 0{,}01)$ mm.

1. Quelle est la longueur d'onde λ du laser ?

2. Déterminer un encadrement de la valeur expérimentale de λ.

3. Cet encadrement est-il compatible avec la valeur 632,8 mm fournie par le constructeur du laser ?

Voir corrigés, p. 606.

COMPÉTENCES
- Rechercher et exploiter l'information.
- Calculer.
- Modéliser, utiliser un modèle.

5 Étudier expérimentalement le phénomène de diffraction

On réalise la figure de diffraction de la lumière d'un laser de longueur d'onde $\lambda = 512$ nm, passant par une fente fine verticale de largeur a, sur un écran placé à la distance $D = 2{,}50$ m de la fente. On note $\frac{\ell}{2}$ la distance séparant le milieu de la tache centrale et celui de la première extinction.

1. Expliquer comment réaliser indirectement la mesure du demi-angle de diffraction θ en mesurant ℓ.
2. Des mesures expérimentales réalisées avec différentes fentes calibrées conduisent aux résultats ci-contre. À l'aide d'un tableur ou d'une calculatrice, représenter graphiquement les évolutions de θ en fonction de $\frac{1}{a}$. En utilisant la modélisation, écrire la relation qui lie les grandeurs θ et a, en précisant leurs unités.
3. Montrer que le coefficient de proportionnalité correspond à la longueur d'onde du laser.

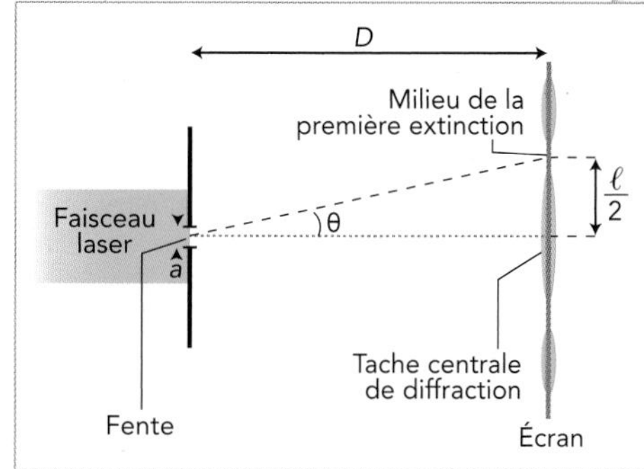

a (µm)	20	40	100	130	180	220
$\frac{\ell}{2}$ (mm)	64	32	13	10	7	6

Conseils

1. tan θ peut s'exprimer en fonction de ℓ et D. L'angle θ peut donc être évalué en mesurant ℓ et en utilisant la valeur de D.

2. Pour représenter θ en fonction de $\frac{1}{a}$, il faut obtenir leurs valeurs avec le tableur. (Attention aux unités.)

θ (rad)	2,6E-02	1,3E-02	5,2E-03	4,0E-03	2,8E-03	2,4E-03
1/a (m^{-1})	5,0E+04	2,5E+04	1,0E+04	7,7E+03	5,6E+03	4,5E+03

Obtenir la représentation graphique en prenant soin d'avoir $\frac{1}{a}$ en abscisse (axe des x).
Ajouter une courbe de tendance à la représentation θ en fonction de $\frac{1}{a}$ et faire afficher l'équation sur le graphique. Tous les tableurs ne prolongent pas la courbe ; il faut bien observer son allure et l'équation obtenue.
Sur certains affichages, y représente θ et x représente $\frac{1}{a}$.

3. Remarquer que le coefficient de proportionnalité est une longueur. Comparer sa valeur à celle de la longueur d'onde donnée.

Solution rédigée

1. $\tan\theta = \frac{\ell}{2D}$ et, comme $D \gg \ell$, on a $\theta \approx \frac{\ell}{2D}$
(θ en radian si ℓ et D sont dans la même unité).

2.

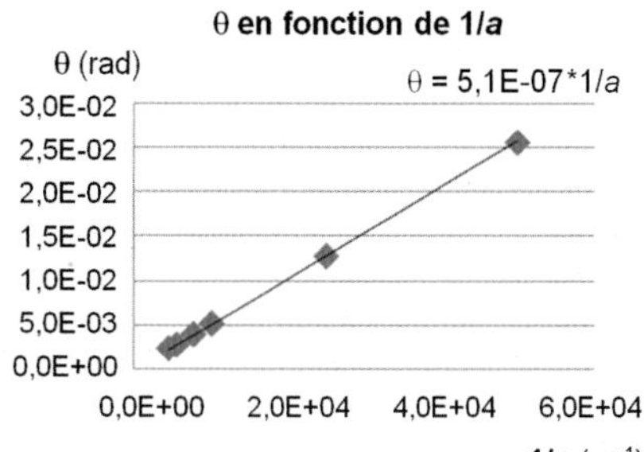

La relation linéaire est $\theta = 5{,}1 \times 10^{-7} \times \left(\frac{1}{a}\right)$.
θ est en radian, a est en m.

3. La valeur du coefficient de proportionnalité est $5{,}1 \times 10^{-7}$ m. Il correspond bien à λ, qui vaut 512 nm, soit $5{,}12 \times 10^{-7}$ m.

Application immédiate

On réalise la même expérience avec un autre laser. Les mesures sont consignées dans le tableau ci-contre.

1. Représenter les évolutions de θ en fonction de $\frac{1}{a}$.
2. Quelle est la longueur d'onde du laser ?

a (µm)	20	40	100	130	180	220
$\frac{\ell}{2}$ (mm)	75,0	38,8	15,5	11,9	8,61	7,05

Voir corrigés, p. 606.

Exercices

Compétences exigibles au baccalauréat

- Savoir que l'importance du phénomène de diffraction est liée au rapport de la longueur d'onde aux dimensions de l'ouverture ou de l'obstacle. exercice 19
- Connaître et exploiter la relation $\theta = \lambda/a$. exercice 15
- Identifier les situations physiques où il est pertinent de prendre en compte le phénomène de diffraction. exercice 19
- *Pratiquer une démarche expérimentale visant à étudier ou utiliser le phénomène de diffraction dans le cas des ondes lumineuses.* activité 2
- Connaître et exploiter les conditions d'interférences constructives et destructives pour des ondes monochromatiques. exercices 10 et 23
- *Pratiquer une démarche expérimentale visant à étudier quantitativement le phénomène d'interférences dans le cas des ondes lumineuses.* activité 3
- *Mettre en œuvre une démarche expérimentale pour mesurer une vitesse en utilisant l'effet Doppler.* activité 5
- Exploiter l'expression du décalage Doppler de la fréquence dans le cas des faibles vitesses. exercices 13 et 26
- *Utiliser des données spectrales et un logiciel de traitement d'images pour illustrer l'utilisation de l'effet Doppler comme moyen d'investigation en astrophysique.* activités 5

Pour commencer

Qu'est-ce que la diffraction ?

6 Connaître le phénomène de diffraction

On intercale un trou circulaire de petite dimension devant un faisceau laser. Décrire la figure obtenue sur un écran placé à quelques mètres de l'ouverture.

7 Associer figure de diffraction et objet diffractant

Préciser la forme de l'obstacle ou de l'ouverture donnant les figures de diffraction suivantes :

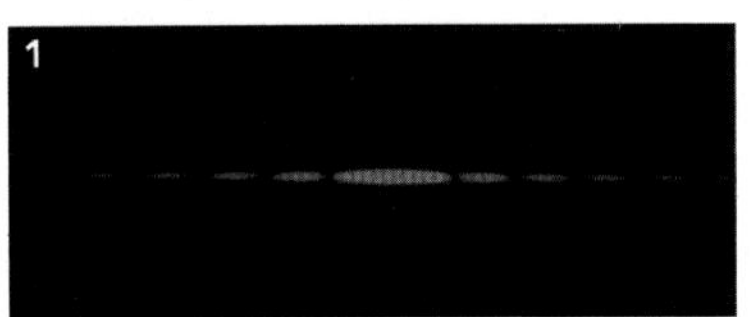

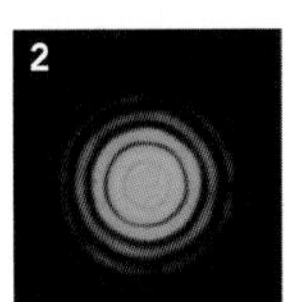

8 Calculer un demi-angle de diffraction

On réalise une figure de diffraction en éclairant un cheveu de 50 µm de diamètre avec un laser de longueur d'onde dans le vide λ = 632,8 nm.

1. Représenter la situation sur un schéma en faisant apparaître le demi-angle de diffraction θ.
2. Calculer cet angle θ.

Que sont les interférences ?

9 Connaître le phénomène d'interférences

Un système de deux fentes d'Young est éclairé à l'aide d'une source monochromatique. Décrire la figure obtenue sur un écran placé à quelques mètres des fentes.

10 Connaître les conditions d'interférences

1. Quelle(s) condition(s) doivent remplir les sources d'ondes pour obtenir des interférences ?
2. Quelle condition doit respecter la différence de marche entre deux ondes :
a. pour que les interférences soient constructives ?
b. pour que les interférences soient destructives ?

11 Illustrer le phénomène d'interférences

Citer des exemples de la vie courante dans lesquels le phénomène d'interférences intervient.

Qu'est-ce que l'effet Doppler ?

12 Illustrer l'effet Doppler

Citer des exemples d'effet Doppler dans la vie courante.

13 Comparer des fréquences

Une étoile émet une onde électromagnétique de fréquence f_E et de célérité c. Elle s'éloigne d'un observateur B avec une vitesse de valeur v_E. La fréquence f_B de l'onde perçue vérifie la relation :

$$f_B = \frac{c \cdot f_E}{c + v_E}$$

1. Vérifier l'homogénéité de cette expression par une analyse dimensionnelle (voir **fiche n° 5**, p. 588).
2. Comparer les fréquences f_E et f_B.

14 Schématiser l'effet Doppler

Sans calcul et à l'aide de schémas, expliquer pourquoi, lors d'une course de formule 1, un spectateur perçoit un son plus grave lorsque la voiture s'éloigne.

Pour s'entraîner

15 Largeur d'une tache centrale

COMPÉTENCES Faire un schéma ; calculer ; argumenter.

On réalise une figure de diffraction en éclairant une fente de largeur a à l'aide d'un faisceau laser de longueur d'onde λ dans le vide. Cette figure est obtenue sur un écran situé à une distance D de la fente.

1. Recopier et compléter le schéma ci-après en faisant apparaître le demi-angle de diffraction θ, la distance D et la largeur ℓ de la tache centrale.
2. Quelle relation existe-t-il entre θ, λ et a ?

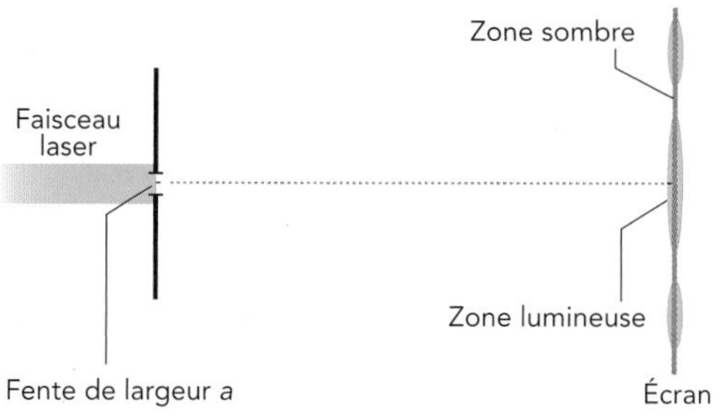

3. a. L'angle θ étant petit et exprimé en radian, on a la relation $\theta \approx \tan\theta$. Établir la relation entre la largeur ℓ de la tache centrale, l'angle θ et la distance D.
b. En déduire une relation entre ℓ, λ, D et a.
4. Comment évolue la largeur de la tache centrale si :
a. la largeur de la fente double ? est divisée par deux ?
b. la distance entre la fente et l'écran double ?
Justifier les réponses

16 À chacun son rythme

COMPÉTENCES Calculer ; raisonner.

Cet exercice est proposé à deux niveaux de difficulté. Dans un premier temps, essayer de résoudre l'exercice de niveau 2. En cas de difficultés, passer au niveau 1.

On réalise une figure d'interférences lumineuses à l'aide de fentes d'Young séparées par une distance $b = 1{,}0$ mm.

La figure est formée sur un écran situé à une distance $D = 2{,}00$ m du plan des fentes. Les fentes sont éclairées par une source lumineuse pouvant émettre deux radiations de longueurs d'onde respectives λ_1 et λ_2.

La distance séparant le milieu de la première frange brillante (la frange centrale) et celui de la dixième frange brillante est égale à 9,9 mm pour la figure formée grâce à la radiation de longueur d'onde λ_1.

En changeant de radiation, on constate que la sixième frange sombre due à la radiation de longueur d'onde λ_2 coïncide avec la huitième frange lumineuse due à la radiation de longueur d'onde λ_1.

Une étude théorique des interférences montre que l'interfrange i séparant les milieux de deux franges lumineuses (ou sombres) consécutives s'exprime par :

$$i = \frac{\lambda \cdot D}{b}$$

Niveau 2 (énoncé compact)

1. Quelle est la longueur d'onde λ_1 de la radiation utilisée ?
2. a. Quel est l'interfrange i_2 pour la radiation de longueur d'onde λ_2 ?
b. En déduire la longueur d'onde λ_2.

Niveau 1 (énoncé détaillé)

1. a. Représenter un schéma de la figure d'interférences puis calculer l'interfrange i_1 pour la radiation λ_1.
b. En déduire la longueur d'onde λ_1.
2. a. Calculer la distance séparant les milieux de la frange centrale et de la huitième frange brillante pour la radiation de longueur d'onde λ_1.
b. Calculer l'interfrange i_2 pour la radiation de longueur d'onde λ_2 après avoir schématisé la situation.
c. En déduire la longueur d'onde λ_2.

17 Mailles du voilage

COMPÉTENCES Exploiter une relation ; estimer une incertitude.

Rémi souhaite déterminer la dimension des mailles d'un voilage. Pour cela, il réalise le montage suivant.

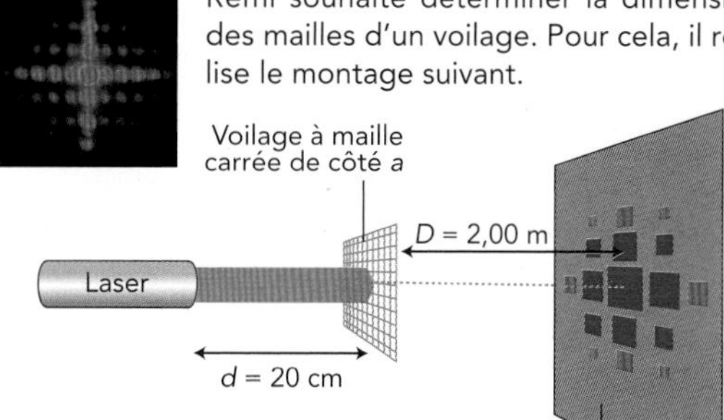

Le laser émet une lumière de longueur d'onde dans le vide $\lambda = 633$ nm. Il est placé à une distance $d = 20{,}0$ cm du voilage. La distance entre le voilage et l'écran vaut $D = (2{,}00 \pm 0{,}01)$ m.

Rémi observe que la tache centrale obtenue sur l'écran est composée de points lumineux équidistants séparés par des zones sombres.

La distance séparant deux points consécutifs est :

$$i = (0{,}45 \pm 0{,}01)\text{ cm.}$$

1. Le voilage se comporte comme un réseau à deux dimensions comportant un grand nombre de trous.
Quel est le phénomène responsable de l'observation de points lumineux équidistants sur l'écran ?
2. Comment appelle-t-on la distance i séparant deux points lumineux consécutifs sur l'écran ?
3. En notant a la distance séparant deux trous consécutifs du voilage, on a $i = \frac{\lambda \cdot D}{a}$.
Calculer a et son incertitude.
Pour le calcul de l'incertitude, on prendra :

$$\frac{U(a)}{a} = \sqrt{\left(\frac{U(D)}{D}\right)^2 + \left(\frac{U(i)}{i}\right)^2}$$

On suppose la longueur d'onde du laser connue avec exactitude. Le résultat sera donné sous la forme $a \pm U(a)$.

18 Détermination expérimentale d'une longueur d'onde

COMPÉTENCES Construire et exploiter un graphique.

Lors d'une séance expérimentale, des élèves ont placé un laser émettant une lumière de longueur d'onde λ devant une fente de largeur *a*.

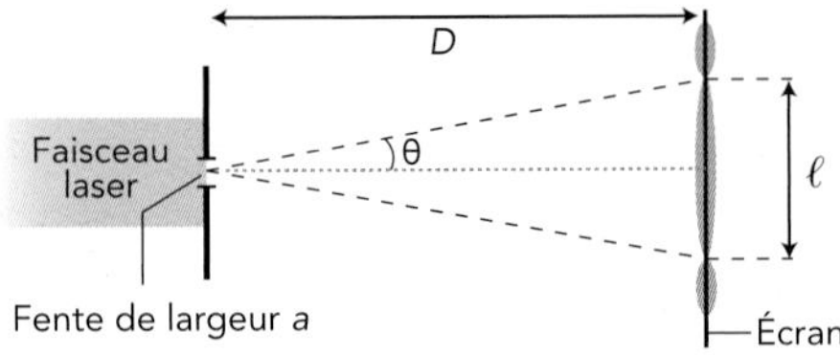

Ils observent la figure suivante, constituée de taches lumineuses, sur un écran placé à la distance D = 1,50 m de la fente.

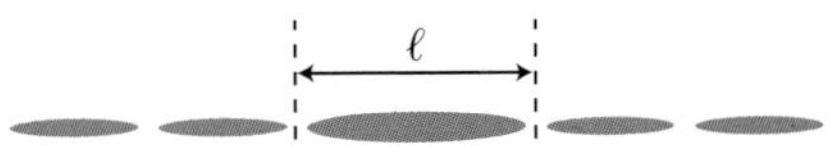

Ils modifient alors la largeur *a* de la fente et mesurent la largeur ℓ de la tache centrale observée.

Les résultats sont présentés dans le tableau ci-dessous.

a (µm)	100	120	200	250	300	340
ℓ (mm)	19	16	10	7,5	6,5	5,5

1. Comment se nomme le phénomène observé ?

2. a. Construire la représentation graphique de ℓ en fonction de $\frac{1}{a}$.

b. Quelle relation peut-on écrire entre ces deux grandeurs ? Justifier la réponse.

3. a. Rappeler l'expression du demi-angle de diffraction θ du faisceau diffracté en fonction de λ et *a*.

b. L'angle θ étant petit et exprimé en radian, on peut écrire tan θ ≈ θ. À l'aide du schéma, montrer que :

$$\frac{\lambda}{a} = \frac{\ell}{2D}$$

c. À partir des résultats précédents, déterminer la longueur d'onde de la lumière du laser utilisé.

Voir, si nécessaire, l'exercice résolu 5, p. 75.

19 Est-ce que ça diffracte ?

COMPÉTENCE Raisonner.

1. Dans une vallée de montagne, les ondes de radio et de télévision peuvent être diffractées par les parois rocheuses. On considère une étroite vallée de 800 m de large.
La diffraction est-elle plus importante pour des ondes radio de longueur d'onde λ_1 = 1 850 m ou λ_2 = 12 m ?

2. Un casque anti-bruit est un dispositif qui émet des ondes sonores en opposition de phase avec le bruit ambiant.
Quel phénomène physique est à l'origine de l'atténuation du bruit ressentie lors de l'utilisation d'un tel casque ? Expliquer.

3. Des bateaux au mouillage dans un port (voir schéma ci-dessous) peuvent être mis en mouvement et abîmés par la houle venant du large.
Quel phénomène physique est à l'origine de cette observation ? Expliquer.

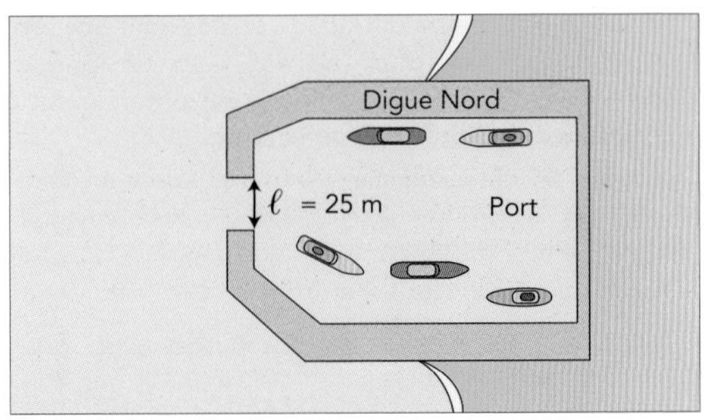

4. Dans un lecteur de disque CD, DVD ou BD, la lumière peut être diffractée à la sortie du laser.
Un lecteur DVD fonctionne avec une lumière de longueur d'onde λ_1 = 650 nm produite par un laser dont l'ouverture a un diamètre d_1 = 1,3 µm. Les lecteurs BD utilisent des faisceaux laser de diamètre d_2 = 0,58 µm. Pour limiter la diffraction, la lumière utilisée dans un BD a-t-elle une longueur d'onde plus grande ou plus petite que λ_1 ?

20 Bac Caractère ondulatoire de la lumière

COMPÉTENCES Raisonner ; argumenter ; estimer une incertitude

On réalise une expérience en utilisant un laser, une fente de largeur réglable et un écran blanc. Le dispositif est représenté ci-dessous :

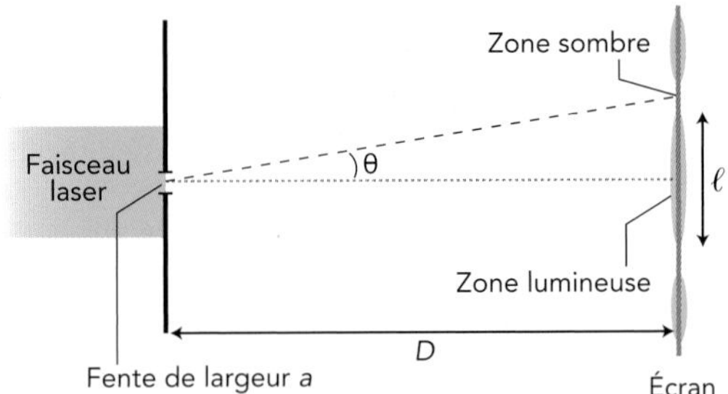

Les mesures de la largeur de la fente *a*, de la distance de la fente à l'écran *D* et de la largeur de la zone lumineuse centrale ℓ conduisent aux résultats suivants :

$$a = (0{,}200 \pm 0{,}005)\ \text{mm} ;\ D = (2{,}00 \pm 0{,}01)\ \text{m} ;$$
$$\ell = (12{,}6 \pm 0{,}1)\ \text{mm}$$

1. Quel est le nom du phénomène observé ?

2. L'angle θ étant petit et exprimé en radian, on peut utiliser l'approximation tan θ ≈ θ. Calculer l'angle θ en radian.

3. a. Quelle est la relation liant l'angle θ, la longueur d'onde λ de la lumière et la largeur *a* de la fente ?

b. Calculer la longueur d'onde λ.

c. L'incertitude sur la mesure de la longueur d'onde λ est évaluée par :

$$U(\lambda) = \lambda \cdot \sqrt{\left(\frac{U(a)}{a}\right)^2 + \left(\frac{U(\ell)}{\ell}\right)^2 + \left(\frac{U(D)}{D}\right)^2}$$

Calculer l'incertitude $U(\lambda)$ sur la longueur d'onde du laser.

d. En déduire un encadrement de la valeur expérimentale de λ.

4. Quelle est la relation entre λ, c (célérité de la lumière dans le vide) et ν (fréquence de la radiation lumineuse)?

Indiquer leurs unités dans le système international.

5. a. Exprimer la relation entre ℓ et λ.

b. Quelles sont approximativement les longueurs d'onde dans le vide des radiations bleues et rouges?

c. Indiquer comment varie la largeur ℓ lorsqu'on :

– remplace le laser émettant une lumière rouge par un laser émettant une lumière bleue?

– diminue la largeur de la fente a?

Voir, si nécessaire, l'exercice résolu 4, p. 74.

21 Contrôle de vitesse

COMPÉTENCE Interpréter un résultat.

Le cinémomètre Mesta 208® est utilisé afin de contrôler par effet Doppler la valeur de la vitesse instantanée des véhicules automobiles.

Un élève cherche à modéliser le principe de la mesure. Il dispose d'un émetteur et d'un récepteur d'ondes ultrasonores, ainsi que d'un véhicule jouet pouvant se déplacer à vitesse constante. La situation est représentée sur le document-ci-dessous.

Le cinémomètre Mesta 208® mesure la vitesse instantanée des véhicules automobiles. Il fonctionne par application de l'effet Doppler dans le domaine des ondes électromagnétiques (micro-ondes).

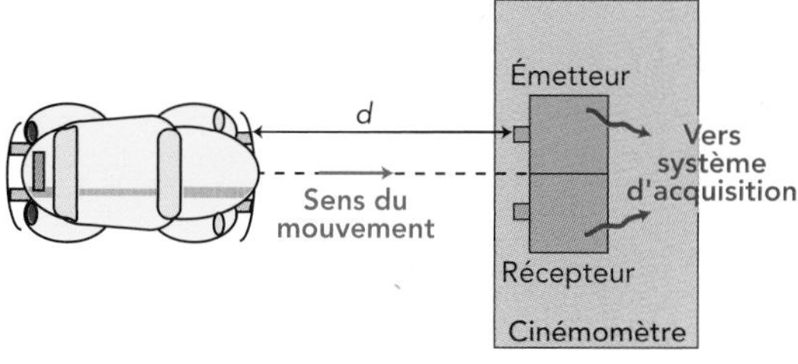

1. a. Quelle est la différence entre le principe de fonctionnement du cinémomètre et l'expérience historique de Buys-Ballot réalisée en 1845 (voir **exercice 26**, p. 81)?

b. Quelle propriété des ondes vue en Seconde cette expérience utilise-t-elle?

c. Déterminer, à partir du schéma, si la mesure de la vitesse est faite lorsque le véhicule s'approche ou s'éloigne du cinémomètre.

d. On note f_E la fréquence de l'onde émise et f_R celle de l'onde reçue par le récepteur. Lors d'un tel mouvement, f_E est-elle supérieure ou inférieure à f_R?

2. On réalise l'acquisition informatisée des signaux émis et reçus. Le logiciel permet de repérer les fréquences de chacun des signaux.

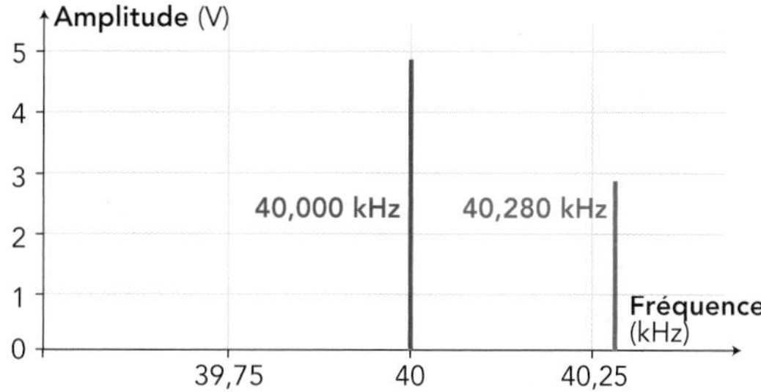

Déterminer f_E et f_R.

3. La célérité des ondes ultrasonores V_S est égale à 340 $m \cdot s^{-1}$. On propose trois relations permettant de calculer la valeur de la vitesse V du véhicule, mesurée par rapport au sol et telle que $V \ll V_S$.

a. Déterminer la relation correcte à partir d'une analyse dimensionnelle (voir **fiche n° 5**, p.588) et de la situation illustrée par le document.

(A) $f_E = f_R \cdot \left(2V - \frac{V}{V_S}\right)$; (B) $f_R = V \cdot \left(f_E - \frac{2V}{V_S}\right)$;

(C) $f_E = f_R \cdot \left(1 - \frac{2V}{V_S}\right)$; (D) $f_E = f_R \cdot \left(\frac{2V}{V_S} + 1\right)$.

b. D'où vient le nombre 2 dans l'expression de la vitesse? On pourra s'aider d'un schéma.

c. Calculer la valeur de la vitesse V du véhicule.

4. Le déplacement du véhicule a été filmé, pour obtenir puis représenter sa position x en fonction du temps.

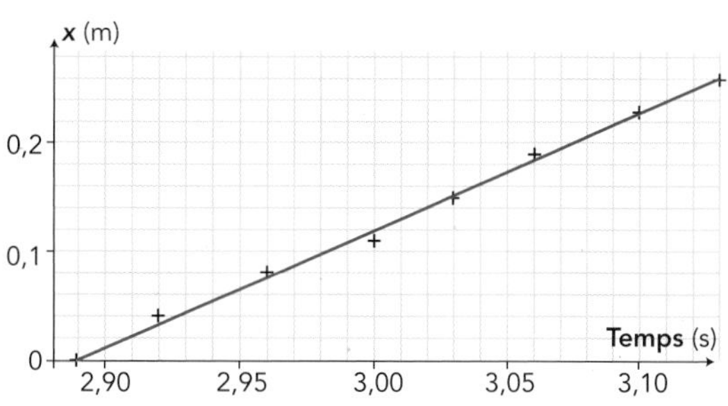

a. Déterminer graphiquement la vitesse $V_{vidéo}$ du véhicule obtenue à partir de la vidéo du mouvement.

b. Conclure en comparant les valeurs V et $V_{vidéo}$.

22 « niiiiiiian »

COMPÉTENCE Raisonner.

Dans un épisode de la série américaine *The Big Bang Theory*, Sheldon Cooper se déguise en « effet Doppler » pour Halloween.

1. Rappeler ce qu'est l'effet Doppler.

2. Comment les rayures évoquent-elles l'effet Doppler?

23 Différence de marche

COMPÉTENCE Calculer.

On réalise le montage suivant dans lequel S est une source de lumière monochromatique de longueur d'onde dans le vide $\lambda = 488$ nm. Cette source éclaire deux fentes étroites S_1 et S_2, séparées par une distance $b = 0{,}20$ mm. On a $SS_1 = SS_2$.

On observe la figure obtenue sur un écran situé à $D = 1{,}00$ m du plan de ces fentes.

On considère sur l'écran un axe (Ox), O se trouvant sur la médiatrice de $[S_1S_2]$. Pour un point P de cet axe d'abscisse x_P, la différence de marche entre les deux ondes provenant de S_1 et S_2 s'écrit : $\delta = \frac{b \cdot x}{D}$.

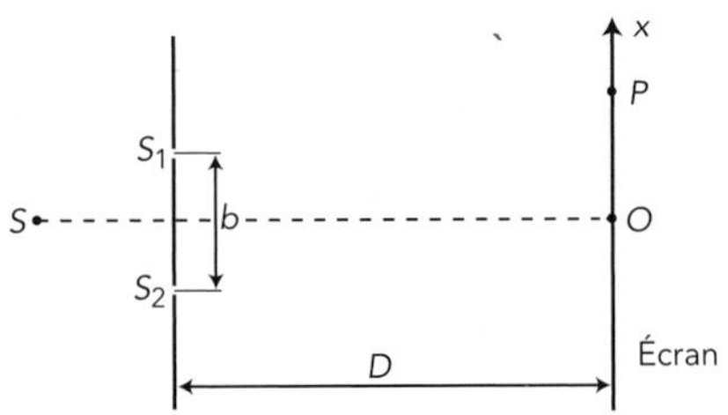

1. a. Quelle est la différence de marche en O?
b. Qu'observe-t-on sur l'écran en ce point?

2. a. Calculer la différence de marche au point P d'abscisse $x_P = 6{,}1$ mm.
b. Qu'observe-t-on sur l'écran en ce point?

24 Calcul d'une longueur d'onde

COMPÉTENCES Raisonner ; argumenter.

Deux fentes étroites et parallèles, séparées par une distance $b = 0{,}20$ mm, sont éclairées par un faisceau de lumière monochromatique de longueur d'onde λ dans le vide. On observe sur un écran, placé à la distance $D = 1{,}00$ m du plan de ces fentes, une alternance de franges brillantes et sombres. La distance séparant les milieux de deux franges brillantes (ou sombres) consécutives est appelée « interfrange » et notée i.

1. Afin de déterminer l'interfrange, on mesure la distance d comme indiqué sur le schéma ci-dessous. On obtient $d = 30$ mm. Calculer l'interfrange i.

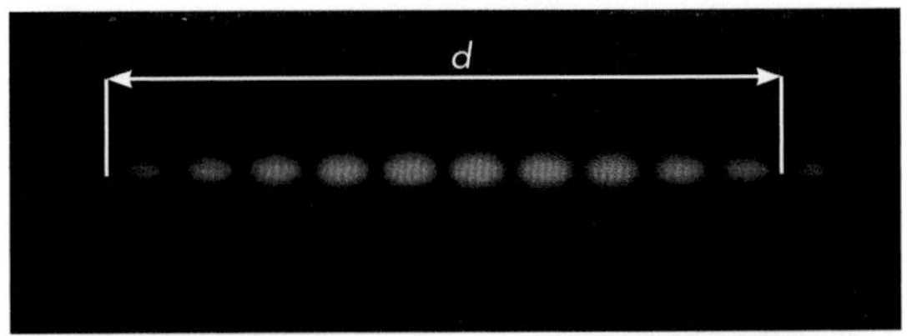

2. a. Par une analyse dimensionnelle (voir **fiche n° 5**, p. 588), déterminer l'expression qui permet de calculer l'interfrange i parmi les propositions suivantes :
(A) $i = \lambda \cdot D^2$; (B) $i = \frac{\lambda \cdot D}{b}$; (C) $i = \frac{\lambda \cdot b}{D^2}$.
b. En déduire la longueur d'onde λ de la lumière.

3. Pourquoi a-t-on mesuré plusieurs interfranges?

Voir, si nécessaire, l'exercice résolu 4, p. 74.

25 The Speed of Galaxy Q2125-431

COMPÉTENCES Exploiter un graphique ; calculer ; raisonner.

The Doppler Shift is an important physical phenomenon that astronomers use to measure the speeds of distant stars and galaxies. The basic formula for slow-speed motion (that is, speeds much slower than the speed of light) is:

$$\text{speed} = 299\,792 \times \frac{\lambda_0 - \lambda_r}{\lambda_r}$$

The speed of the object in km/s can be found by measuring the wavelength of the signal that you observe (λ_0), and knowing what the rest wavelength of the signal is λ_r, with wavelength measured in units of Angstroms, Å (1 Å = 1×10^{-10} m).

The spectrum below is a small part of the spectrum of the Seyfert galaxy Q2125-431 in the constellation Microscopium. An astronomer has identified the spectral lines for Hydrogen Alpha ($\lambda_{r\alpha} = 6\,563$ Å) and Beta ($\lambda_{r\beta} = 5\,007$ Å).

http://www.nasa.gov

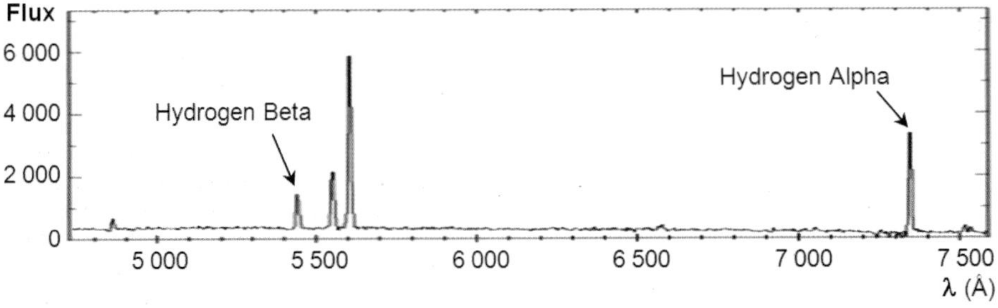

1. Déterminer avec le plus de précision possible les longueurs d'ondes $\lambda_{0\alpha}$ et $\lambda_{0\beta}$ correspondant aux pics d'absorption α et β de l'hydrogène.

2. En déduire la valeur de la vitesse radiale de la galaxie Q2125-431 par rapport à la Terre.

3. Cette galaxie s'approche-t-elle ou s'éloigne-t-elle de la Terre?

26 Expérience historique 

COMPÉTENCES Rechercher l'information utile ; effectuer un calcul.

Afin de vérifier la théorie de C. DOPPLER, le scientifique C. BUYS-BALLOT a réalisé l'expérience suivante :
Des musiciens à bord d'un train jouent un « La » de fréquence f_E. D'autres musiciens postés le long de la voie ferrée identifient la note entendue lors de l'approche du train, comme le montre le document ci-dessous :

Donnée : tableau de fréquences de notes de musique :

Note	Fa	Fa#	Sol	La^b	La	La#	Si
f (Hz)	349	370	392	415	440	466	494

La vitesse du son dans l'air est $V_S = 340\ \text{m}\cdot\text{s}^{-1}$.

1. a. Quel est le phénomène à l'origine du décalage des fréquences entre l'onde émise et l'onde perçue ?
b. Quelle est la fréquence de la note f_R entendue par les musiciens situés au bord de la voie ferrée ?

2. La relation permettant de calculer la vitesse V_E d'un émetteur sonore s'approchant d'un observateur immobile est :

$$V_E = V_S \cdot \left(1 - \frac{f_E}{f_R}\right)$$

Calculer la valeur de la vitesse de déplacement du train.

Pour aller plus loin

27 Démo Détermination par effet Doppler de la vitesse d'un émetteur sonore qui s'approche

COMPÉTENCES Raisonner ; calculer.

La valeur de la vitesse d'un émetteur (E) s'approchant d'un observateur immobile (A) peut être calculée par effet Doppler. On se propose de retrouver la relation liant les diverses grandeurs mises en jeu :
- f_E est la fréquence du signal produit par l'émetteur ;
- f_A est la fréquence du signal reçu par l'observateur ;
- V est la valeur de la vitesse de l'onde ;
- V_E est la valeur de la vitesse de l'émetteur.

Les valeurs des vitesses sont mesurées dans un référentiel terrestre et $V_E \ll V$.

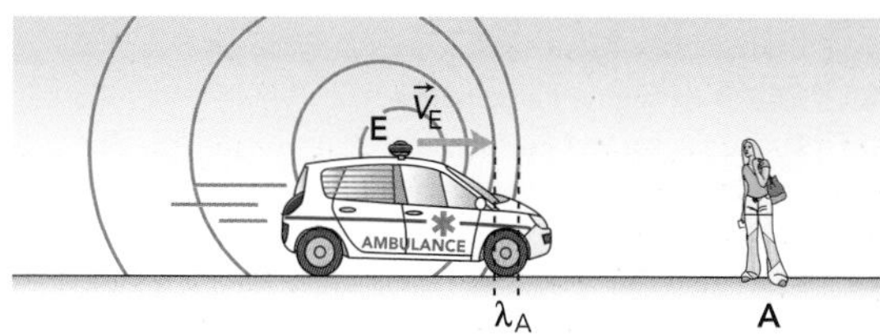

1. À la date $t = 0$, E est à la distance d de A et émet une onde. Exprimer littéralement la date t_1 au bout de laquelle le signal est perçu par A.

2. a. Déterminer l'expression de la distance d_E parcourue par l'émetteur pendant la période T_E du signal émis.
b. À la date T_E, quelle est la distance entre E et A ?
c. À la date T_E, l'émetteur émet de nouveau une onde. À quelle date t_2 l'observateur reçoit-il cette onde ?

3. Quelle est la durée T_A séparant deux signaux consécutifs captés par l'observateur ? Que représente T_A ?

4. a. Exprimer la relation liant f_A, f_E, V et V_E dans cette situation.
b. Quelle est l'expression littérale de la valeur de la vitesse V_E de l'émetteur ?

28 Démo Détermination par effet Doppler de la vitesse d'un émetteur sonore qui s'éloigne

COMPÉTENCE Réaliser une démonstration.

La valeur de la vitesse d'un émetteur (E) s'éloignant d'un observateur immobile (B) peut être calculée par effet Doppler. On se propose de retrouver la relation liant les diverses grandeurs mises en jeu :
- f_E est la fréquence du signal produit par l'émetteur ;
- f_B est la fréquence du signal reçu par l'observateur ;
- V est la valeur de la vitesse de l'onde ;
- V_E est la valeur de la vitesse de l'émetteur.

Les valeurs des vitesses sont mesurées dans un référentiel terrestre et $V_E \ll V$.

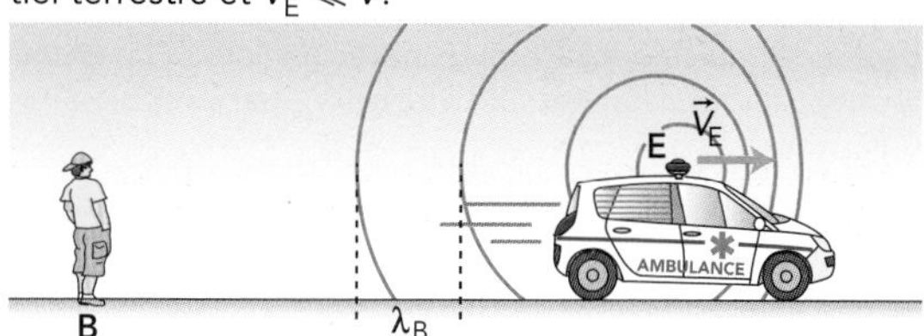

1. À la date $t = 0$, E est à la distance d de B et émet une onde. Exprimer littéralement la date t_1 au bout de laquelle le signal est perçu par B.

2. a. Déterminer l'expression de la distance d_E parcourue par l'émetteur pendant la période T_E du signal émis.
b. À la date T_E, quelle est la distance entre E et B ?
c. À la date T_E, l'émetteur émet de nouveau une onde. À quelle date t_2 l'observateur reçoit-il cette onde ?

3. Quelle est la durée T_B séparant deux signaux consécutifs captés par l'observateur ? Que représente T_B ?

4. a. Exprimer la relation liant f_B, f_E, V et V_E danc cette situation
b. Quelle est l'expression littérale de la valeur de la vitesse V_E de l'émetteur ?

29 L'Univers et l'effet Doppler-Fizeau

COMPÉTENCES **Raisonner ; argumenter.**

« La loi établie par Doppler était une belle loi, mais elle n'avait pas intéressé grand monde jusqu'au jour où un physicien français, Hippolyte Fizeau (1819-1896), s'avisa d'appliquer cette loi, conçue pour les phénomènes acoustiques, au domaine des radiations électromagnétiques. [...]
Il en résulte que lorsque la source émettrice d'un rayonnement s'éloigne de l'observateur, la longueur d'onde observée se décale vers les infrarouges, et si au contraire la source se rapproche de l'observateur, la longueur d'onde se décale vers les ultraviolets. [...]

L'effet Doppler-Fizeau et les mouvements des galaxies

À la simple observation d'un spectre de raies d'hydrogène venant d'un astre, on peut donc savoir si cet astre s'éloigne – ou se rapproche – de la Terre, et cette information est fondamentale pour les astronomes. [...]
En particulier, l'astronome américain Edwin Hubble (1889-1953) [...] constata que toutes ces galaxies s'éloignaient les unes des autres, et cela d'autant plus rapidement qu'elles étaient plus lointaines.
Hubble fit alors l'hypothèse qu'avant de s'éloigner, à une certaine époque, ces galaxies avaient dû être rassemblées dans un même point. »

Extrait de H. et G. Walter, *Les sciences racontées à ma petite-fille*, Robert Laffont, 2009.

Données : On rappelle la relation entre les fréquences des ondes de célérité V émises et reçues lorsqu'un émetteur est en mouvement à la vitesse V_E par rapport à un récepteur.

Dans le cas où l'émetteur E s'éloigne du récepteur R :

$$\frac{f_E}{f_R} = \left(1 + \frac{V_E}{V}\right)$$

Dans le cas où l'émetteur E se rapproche du récepteur R :

$$\frac{f_E}{f_R} = \left(1 - \frac{V_E}{V}\right)$$

1. Dans le cas du mouvement des galaxies, expliciter la signification de chacun des termes des formules.
2. Comparer les rapports $\frac{f_E}{f_R}$ selon que l'émetteur s'éloigne ou s'approche du récepteur.
3. Comment est-il possible de déterminer si une galaxie s'approche ou s'éloigne du système solaire ?
4. Quelle conception de l'origine de l'Univers l'effet Doppler-Fizeau permet-il de valider ?

30 Couleurs interférentielles des colibris

COMPÉTENCES **Raisonner ; argumenter.**

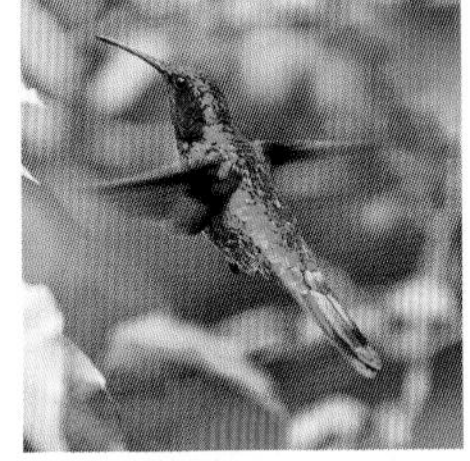

Les couleurs des animaux sont pour la plupart dues à des pigments. Mais, chez certains insectes et certains oiseaux, la production de couleurs provient d'interférences lumineuses. C'est le cas du plumage des colibris.
Leurs plumes sont constituées d'un empilement de petites lames transparentes qui réfléchissent la lumière. Pour comprendre le phénomène, une lame de plume sera modélisée par un parallélépipède transparent d'épaisseur e, d'indice de réfraction n, placé dans l'air.
Le schéma ci-dessous représente cette lame en coupe.

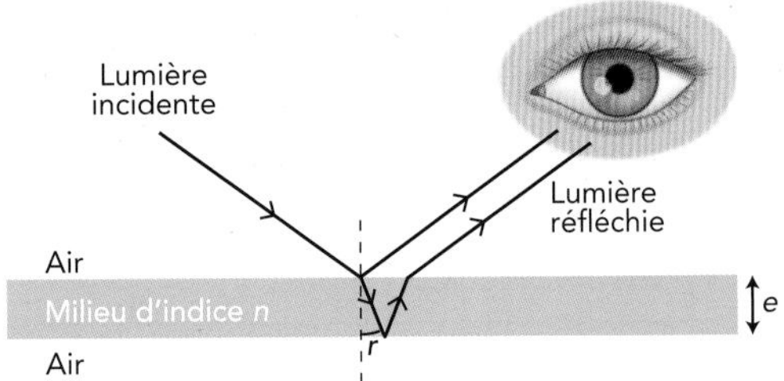

Les deux rayons réfléchis par la lame à faces parallèles se superposent sur la rétine de l'observateur et y interfèrent.

Pour un angle de réfraction r donné, la différence de marche notée δ des rayons dépend de l'épaisseur e de la lame et de son indice de réfraction n. Elle est donnée par :

$$\delta = 2\,n \cdot e \cdot \cos r + \frac{\lambda}{2}$$

Cet indice n dépend de la longueur d'onde de la radiation.
Parmi toutes les radiations de la lumière solaire, on s'intéresse à celles de longueur d'onde $\lambda_R = 750$ nm (rouge) et $\lambda_V = 380$ nm (violet).

On prendra $e = 0{,}15$ µm.

1. Quelle condition doit vérifier la différence de marche pour que les interférences soient constructives ? destructives ?
2. Pour un angle de réfraction $r = 20°$, vérifier par le calcul que les interférences des deux rayons sont constructives pour le rouge ($n_R = 1{,}33$) et destructives pour le violet ($n_V = 1{,}34$).
3. La couleur observée correspond à une longueur d'onde pour laquelle les interférences sont constructives.
Pour quel angle de réfraction r observe-t-on une coloration violette ?
4. La couleur observée dépend-elle de l'angle d'incidence ? Justifier la réponse. En déduire une méthode expérimentale pour distinguer la nature d'une couleur, pigmentaire ou interférentielle.

31 Exoplanètes

COMPÉTENCES **Exploiter un graphique ; raisonner ; argumenter.**

La présence d'une exoplanète autour d'une étoile peut être détectée par effet Doppler-Fizeau en analysant la lumière émise par l'étoile. En effet, le mouvement de la planète autour de son étoile induit de légères variations de la vitesse radiale de cette étoile.

1. Que mesurent les astrophysiciens pour accéder à la valeur de la vitesse radiale d'une étoile par spectroscopie ?

2. La valeur de la vitesse radiale de l'étoile 51 Pegasi en fonction du temps est représentée ci-dessous :

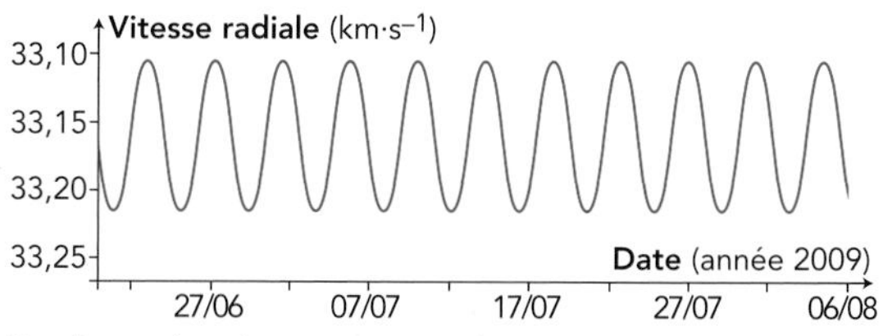

Quelle est la valeur moyenne de cette vitesse ?

3. La période du mouvement de révolution de l'exoplanète s'identifie à la période de la vitesse radiale de l'étoile.

a. Mesurer la période de révolution de l'exoplanète autour de l'étoile 51 Pegasi.

b. Comparer cette période de révolution à celle de la Terre.

32 Spectre d'une étoile lointaine

COMPÉTENCES **Exploiter un graphique ; calculer ; raisonner.**

Le graphique ci-dessous représente le spectre de l'étoile HD45282 entre 4340 Å et 4350 Å. On a repéré le pic correspondant à la raie H_γ l'hydrogène dont la longueur d'onde de référence est λ_r = 4 340,47 Å.

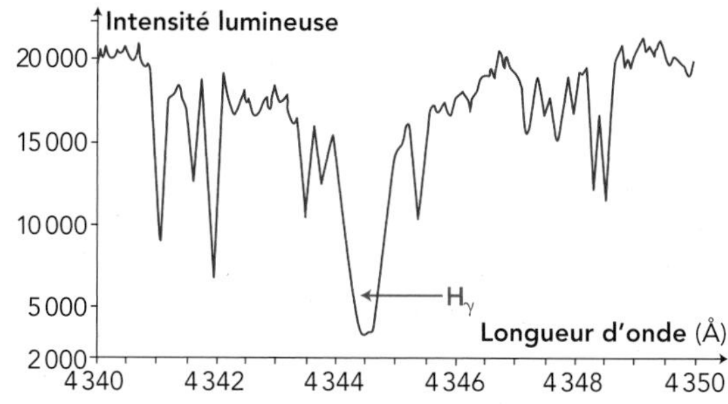

1. Que représentent les pics de ce graphe ?

2. Quelle est la longueur d'onde observée λ du pic correspondant à l'hydrogène dans le spectre étudié ?

3. Calculer la vitesse radiale de l'étoile HD45282 à partir de l'expression de Doppler-Fizeau :

$$v = c \cdot \frac{\lambda - \lambda_r}{\lambda_r}$$

avec $c = 3{,}00 \times 10^8\ m \cdot s^{-1}$.

4. a. Le décalage est-il observé vers le bleu (*blueshift*) ou vers le rouge (*redschift*) ?

b. L'étoile s'éloigne-t-elle ou s'approche-telle de la Terre ?

33 Bac Diffraction par un fil

COMPÉTENCES **Exploiter un graphique ; raisonner ; argumenter.**

On réalise une expérience de diffraction à l'aide d'un laser émettant une lumière monochromatique de longueur d'onde λ.

À quelques centimètres du laser, on place successivement des fils verticaux de diamètres *a* connus.

La figure de diffraction obtenue est observée sur un écran blanc situé à une distance *D* = 1,60 m des fils. Pour chacun des fils, on mesure la largeur *L* de la tache centrale.

À partir de ces mesures et des données, il est possible de calculer l'écart angulaire θ du faisceau diffracté (voir **figure 1** ci-après).

Figure 1
(vue du dessus)

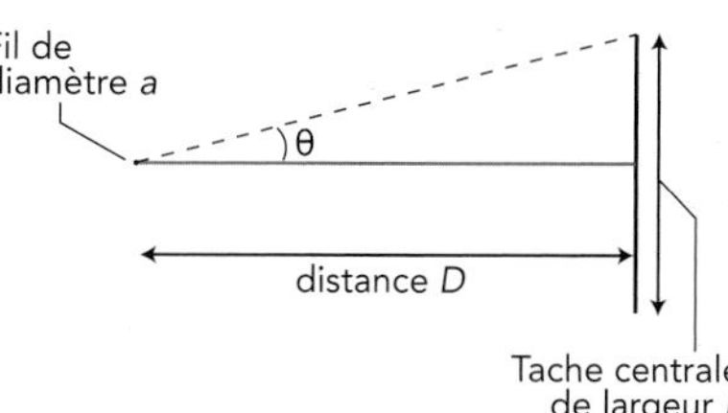

1. L'angle θ étant petit, on a la relation tan θ ≈ θ, avec θ en radian.

Donner la relation entre *L* et *D* qui a permis de calculer θ pour chacun des fils.

2. Donner la relation liant θ, λ et *a*. Préciser les unités.

3. On trace la courbe $\theta = f\left(\frac{1}{a}\right)$ (**figure 2**) :

Figure 2

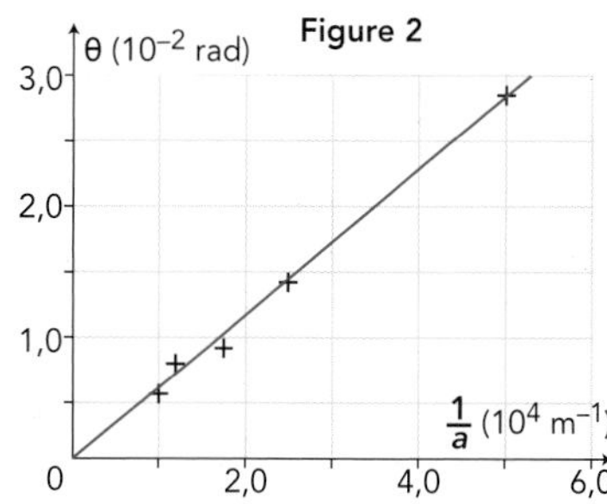

Montrer que la courbe obtenue est en accord avec l'expression de θ donnée à la question 2.

4. Comment, à partir de la courbe précédente, pourrait-on déterminer la valeur de la longueur d'onde λ de la lumière monochromatique utilisée ?

5. En utilisant la **figure 2**, préciser parmi les valeurs de longueurs d'onde proposées ci-dessous quelle est celle de la lumière utilisée :

560 cm ; 560 mm ; 560 μm ; 560 nm.

6. Si l'on envisageait de réaliser la même étude expérimentale en utilisant une lumière blanche, on observerait des franges irisées.

En utilisant la réponse donnée à la question 2, justifier succinctement l'aspect « irisé » de la figure observée.

Exercices

Un pas vers l'enseignement supérieur

34 Démo Les lambdamètres

COMPÉTENCES Calculer ; argumenter.

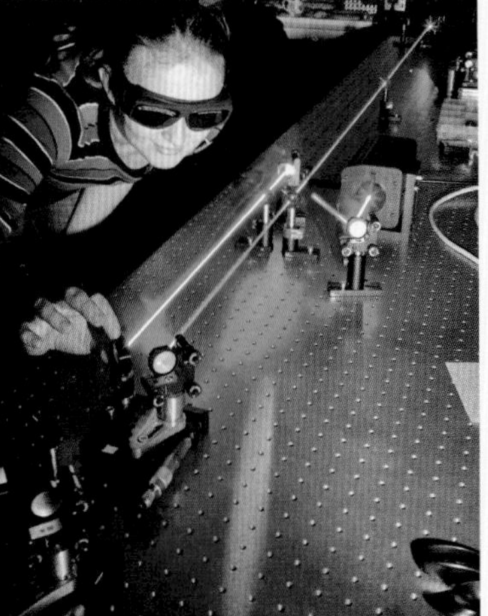

Basés sur des phénomènes d'interférences, les lambdamètres permettent de mesurer avec une excellente précision la longueur d'onde d'une source laser.

Deux sources lumineuses ponctuelles, S_1 et S_2, sont monochromatiques et cohérentes. Ces sources, distantes de b, sont symétriques par rapport à M. Elles sont également éclairées par un faisceau laser dont la direction est confondue avec la médiatrice du segment $[S_1S_2]$. Le point P, d'abscisse y_P, est un point de l'écran proche de O. Cet écran est suffisamment éloigné des sources pour que $D \gg b$ et $D \gg y_P$.

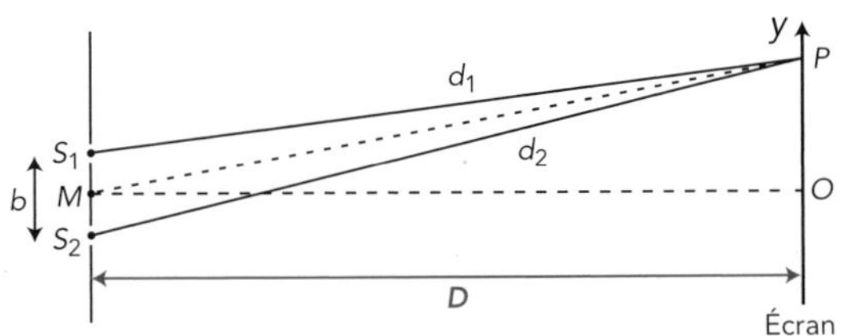

1. a. Montrer que la différence de marche $\delta = d_2 - d_1$ peut s'exprimer par :

$$\delta = \sqrt{D^2 + \left(y_P + \frac{b}{2}\right)^2} - \sqrt{D^2 + \left(y_P - \frac{b}{2}\right)^2}$$

b. En déduire que δ peut s'écrire sous la forme :

$$\delta = D \cdot \left(\sqrt{1 + \varepsilon^2} - \sqrt{1 + \varepsilon'^2}\right)$$

Exprimer littéralement ε et ε', puis montrer que leurs valeurs sont très petites.

c. En première approximation, pour un a petit, on a :

$$\sqrt{1 + a^2} \approx 1 + \frac{a^2}{2}$$

Montrer alors que l'on obtient $\delta = \frac{b \cdot y_P}{D}$.

2. Comment la mesure de l'interfrange permet-elle d'accéder à la longueur d'onde d'un laser ?

Retour sur l'ouverture du chapitre

35 Bulles de savon et iridescence

COMPÉTENCES Raisonner ; argumenter.

En observant une bulle de savon, on voit apparaître des irisations dont les couleurs changent suivant l'angle d'observation. C'est un phénomène d'iridescence.

Une bulle de savon est constituée d'un mince film d'eau savonneuse emprisonnant de l'air. Quand la lumière traverse ce film, il se produit un phénomène d'interférences entre la lumière réfléchie sur la face supérieure du film et celle réfléchie sur la face inférieure.

Une étude théorique montre que, pour un angle d'incidence très faible, la différence de marche entre les ondes qui interfèrent s'écrit :

$$\delta = 2\,n \cdot e + \frac{\lambda}{2}$$

Dans cette relation, e représente l'épaisseur du film et n l'indice de réfraction de l'eau savonneuse.

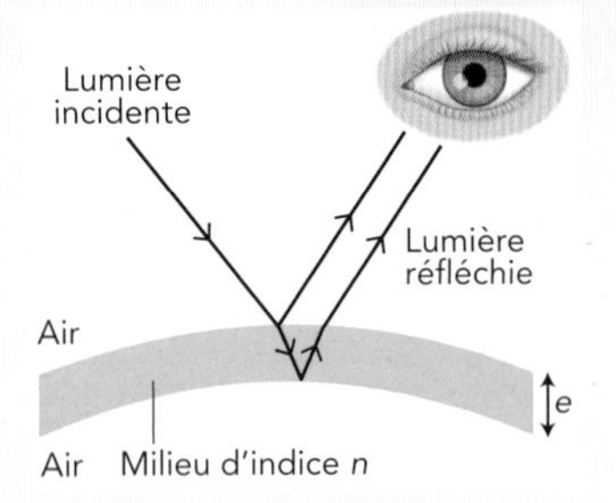

1. Pourquoi les ondes qui interfèrent dans cette situation peuvent-elles être qualifiées de cohérentes ?

2. Montrer que, pour qu'il y ait des interférences constructives, l'épaisseur e minimale du film doit vérifier la relation :

$$e = \frac{\lambda}{4n}$$

3. Calculer l'épaisseur minimale du film, pour que la bulle paraisse :

a. rouge ; b. bleue.

4. De quelle grandeur dépendent les couleurs irisées d'une bulle de savon éclairée en lumière blanche ?

5. Comment peut-on expliquer les variations de cette grandeur ?

Données :
indice de l'eau savonneuse : n = 1,35 ;
λ_{rouge} = 633 nm ;
λ_{bleu} = 488 nm.

Comprendre un énoncé

36 Bac Radar... et effet Doppler

Un véhicule muni d'une sirène est immobile. La sirène émet un son de fréquence $f = 680$ Hz. Le son émis à la date $t = 0$ se propage dans l'air à la vitesse $c = 340 \text{ m} \cdot \text{s}^{-1}$ à partir de la source S. On note λ la longueur d'onde correspondante.
Le véhicule se déplace vers la droite à la vitesse v inférieure à c.
Les **figures** ci-dessous représentent le front de l'onde sonore à la date $t = 4\,T$.

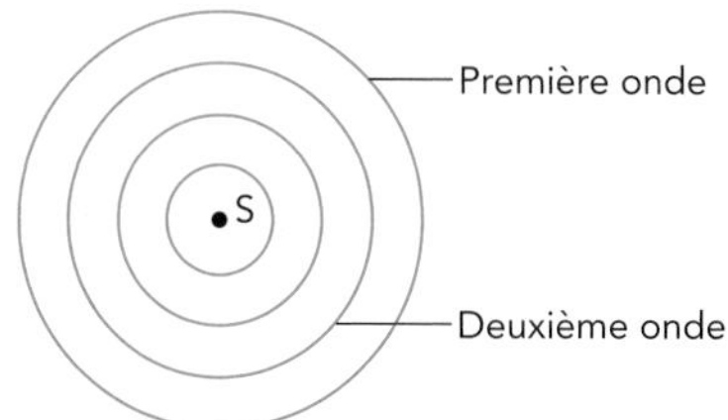

a. Le véhicule est immobile.

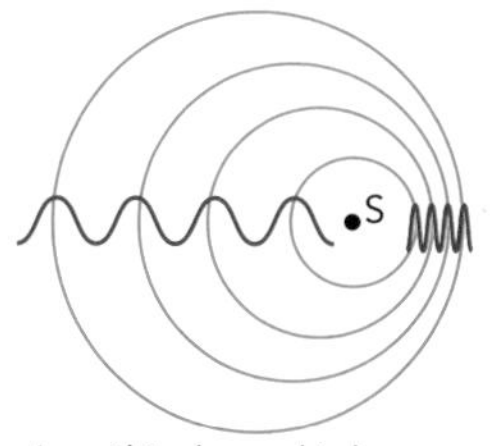

b. Le véhicule se déplace vers la droite à la vitesse $v < c$.

Le véhicule se rapproche d'un observateur immobile. Pendant l'intervalle de temps T, le son parcourt la distance λ. Pendant ce temps, le véhicule parcourt la distance $d = v \cdot T$. La longueur d'onde λ' perçue par l'observateur à droite de la source S a donc l'expression suivante :

$$\lambda' = \lambda - v \cdot T \quad \textbf{(1)}$$

Questions à se poser à la lecture de l'énoncé

- ➜ Quelle est la fréquence du son émis par la source immobile ?
- ➜ Quelle est la vitesse de propagation du son dans cette expérience ?
- ➜ Quelle est l'expression de la distance parcourue par la source pendant une période de l'onde ?
- ➜ Quelle est la relation entre la longueur d'onde de l'onde émise et celle perçue par l'observateur immobile ?

Questions	Compétences à mobiliser	Si difficulté, revoir
1. À partir de la relation **(1)** et de celle liant la vitesse de propagation, la longueur d'onde et la fréquence d'une onde, montrer que : $f' = f \cdot \dfrac{c}{c - v}$ f' étant la fréquence sonore perçue par l'observateur.	• Connaître et exploiter la relation liant la vitesse de propagation d'une onde, sa longueur d'onde et sa fréquence. • Connaître la relation entre la période et la fréquence d'une onde.	Cours §3.2, p. 70. Cours chapitre 2, p. 43.
2. Le son perçu est-il plus grave ou plus aigu que le son d'origine ? Justifier.	• Caractériser la hauteur d'un son. • Comparer deux valeurs*.	Cours chapitre 2, p. 45.
3. Exprimer, puis calculer en $\text{km} \cdot \text{h}^{-1}$, la vitesse du véhicule qui se rapproche de l'observateur sachant que ce dernier perçoit alors un son de fréquence $f' = 716$ Hz.	• Exploiter une relation*. • Utiliser les unités adaptées*.	Cours §3.2, p. 70.
4. a. Le véhicule s'éloigne de l'observateur à la même vitesse v. Donner, sans démonstration, les expressions de la nouvelle longueur d'onde λ'' et de la nouvelle fréquence f'' perçues par l'observateur en fonction de f, v et c.	• Schématiser une situation*. • Transposer une expression à une nouvelle situation*. • Exploiter une relation*.	Cours §3.2, p. 70.
b. Le son perçu est-il plus grave ou plus aigu que le son d'origine ? Justifier.	• Caractériser la hauteur d'un son. • Comparer deux valeurs*.	Cours chapitre 2, p. 45.

* Compétence transversale.

Avoir les bons réflexes 

Si l'énoncé demande de...	*il est nécessaire de...*	*Si difficulté*	*Pour réviser*
Identifier des situations dans lesquelles peut intervenir la diffraction.	● Comparer la longueur d'onde et la dimension de l'ouverture ou de l'obstacle.	Exercice 19, p. 78.	Exercice **19** p. 78.
Étudier ou décrire le phénomène de diffraction dans le cas des ondes lumineuses.	● Schématiser le dispositif expérimental. ● Placer les différents paramètres (θ, *a*, *D*, *L*) sur le schéma.	Exercice 8, p. 76.	Exercice **20** p. 78.
Exploiter une figure de diffraction dans le cas des ondes lumineuses.	● Connaître la forme de la figure obtenue avec une fente fine, un fil ou un trou. ● Connaître l'influence de *a* et de λ sur l'allure de la figure. ● Établir la relation géométrique qui lie les grandeurs θ, *L* et *D*.	Exercice résolu 5, p. 75 et exercices 6, 7, 8 et 15, p. 76 et 77.	Exercices **18** et **20** p. 78.
Exploiter la relation $\theta = \frac{\lambda}{a}$.	● Savoir ce que représentent les grandeurs θ, *a* et λ et connaître leurs unités. ● Placer θ et a sur un schéma.	Exercices 8, 15 et 20, p. 76 à 78.	Exercice **33** p. 83.
Préciser si les interférences sont constructives ou destructives en un point du milieu.	● Schématiser le dispositif expérimental. ● Représenter la marche des ondes. ● Calculer la différence de marche δ des deux ondes au point considéré. ● Comparer δ à λ ou à $\frac{\lambda}{2}$.	Exercices 9, 10 et 23, p. 76 à 80.	Exercice **30** p. 82.
Exploiter une figure d'interférences lumineuses.	● Placer les différentes grandeurs citées sur un schéma. ● Exploiter l'expression de l'interfrange donnée.	Exercice résolu 4, p. 74, et exercices 16 et 17, p. 77.	Exercice **24** p. 80.
Mesurer une vitesse en utilisant l'effet Doppler.	● Identifier la fréquence émise et la fréquence perçue (apparente). ● Exploiter la relation donnée entre ces deux fréquences, la vitesse de l'onde et celle de la source ou du récepteur.	Exercices 12, 13, 21 et 25, p. 76 à 80.	Exercice **32** p. 83.

Dans les conditions du baccalauréat

● **Avec aide :** Exercice **36** p. 85.

● **Sans aide :** Exercice **33** p. 83.

Analyse spectrale

Chapitre 4

La *Joconde* a été scannée par une caméra multispectrale en octobre 2004. 240 millions de spectres de réflexion diffuse ont été enregistrés numériquement. Leur analyse a permis d'identifier chaque mélange de pigments utilisé par Léonard de Vinci, révélant ainsi les couleurs originales. L'infrarouge est allé au-delà en mettant au jour les hésitations ou les repentirs du peintre, les accidents de manipulation et les restaurations. Cette technique spectrale a réalisé l'impossible : découvrir l'invisible de Mona Lisa.

La *Joconde* « infrarouge » prise à 900 nm.

La *Joconde* avec ses « vraies » couleurs de 1506.

La *Joconde* aujourd'hui.

La spectroscopie infrarouge est l'une des techniques utilisées pour étudier la dégradation des peintures de tableaux anciens ou le vieillissement de matériaux plastiques présents dans certaines œuvres d'art.
Comment est-elle utilisée ? Quels renseignements fournit-elle ? (Voir exercice 42, p. 113.)

Comment identifier la structure d'une molécule à partir de ses différents spectres ?

OBJECTIFS

- → Exploiter des spectres UV-visible.
- → Nommer des composés organiques et identifier leurs fonctions.
- → Exploiter un spectre infrarouge pour déterminer des groupes caractéristiques.
- → Relier un spectre de RMN à une molécule organique donnée.

Activités — Étude expérimentale

Compétences exigibles au baccalauréat
- *Mettre en œuvre un protocole expérimental pour caractériser une espèce colorée.*

1 Tracé et analyse de spectres UV-visible

Une solution colorée absorbe certaines radiations de la lumière blanche. Quelle relation existe-t-il entre la couleur de la solution et la longueur d'onde de la (ou des) radiation(s) au(x) maximum(s) d'absorption ?

A Analyse de quelques spectres

Le document 1 présente le spectre d'absorption de quelques solutions dont la couleur est précisée.

1 Pour chacun d'eux, repérer la valeur de la longueur d'onde au maximum d'absorption.

2 À l'aide du document 2, déterminer la couleur de la radiation correspondant au maximum d'absorption.

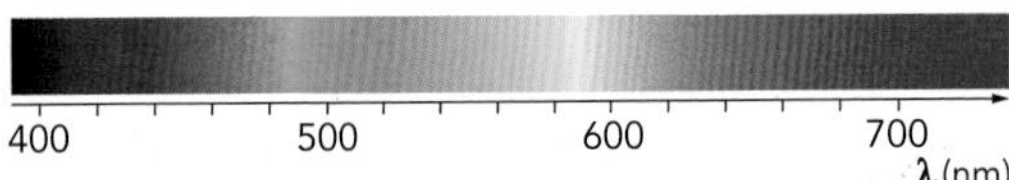

Doc. 2 Longueur d'onde des radiations visibles.

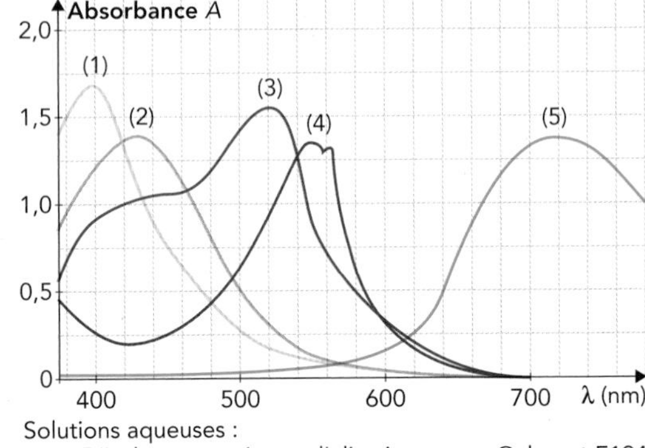

Doc. 1 Spectres de solutions colorées : jaune (1), orangée (2), rouge (3) violet (4) et bleu-vert (5).

Un pas vers le cours...

3 En s'aidant éventuellement de la **fiche n° 11A**, p. 594, comparer la couleur de la radiation correspondant au maximum d'absorption à celle de la solution étudiée.

B Étude de solutions colorées

DÉMARCHE D'INVESTIGATION

On souhaite vérifier si les conclusions tirées des observations faites ci-dessus sont toujours vraies.

4 Proposer un protocole opératoire permettant de vérifier si les solutions de vert de malachite, de chlorure de chrome (III), de jus de chou rouge à pH = 5 et d'hélianthine à pH = 4 se comportent comme celles étudiées au paragraphe A.

5 Après accord du professeur, mettre en œuvre ce protocole et interpréter les résultats obtenus.

Un pas vers le cours...

6 Compte tenu de ces résultats, comment compléter les conclusions présentées à la question 3 ?

C Recherche d'espèces colorées

DÉMARCHE D'INVESTIGATION

Divers produits proposent de « préparer, activer et prolonger le bronzage ». Certains contiennent du β-carotène, présent dans les carottes, d'autres du lycopène présent dans les tomates. Le β-carotène et le lycopène sont très solubles dans le cyclohexane.

7 À l'aide des produits disponibles (doc. 3) et d'un spectrophotomètre, proposer un protocole opératoire permettant de vérifier les indications de l'étiquette de l'un de ces produits.

8 Après accord du professeur, mettre en œuvre ce protocole et interpréter les résultats obtenus.

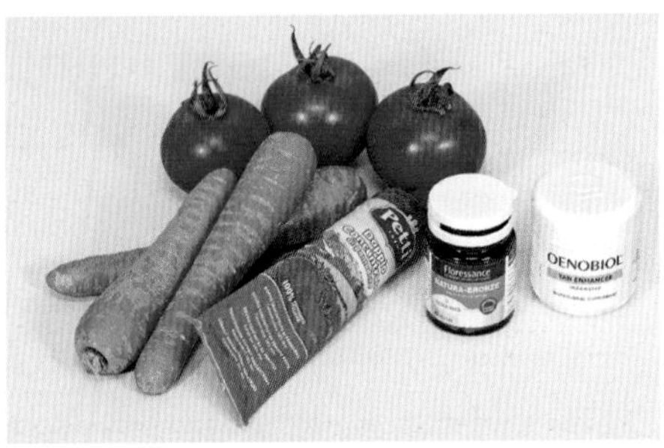

Doc. 3 Caroténoïdes frais ou en gélules.

2 Nomenclature et groupe caractéristique de composés organiques

EN AUTONOMIE

Un composé organique peut être identifié par ses formules semi-développée ou topologique ou par son nom. Quelles règles relient les formules et le nom d'un composé organique ?

A Alcènes

$CH_3-CH_2-HC=CH_2$
But-1-ène

$(CH_3)HC=CH(CH_3)$ (les deux CH_3 du même côté, les deux H du même côté)
(*Z*)-but-2-ène

$CH_3-CH(CH_3)-CH=CH-CH_2-CH(CH_3)-CH_3$
(*E*)-2,6-diméthylhept-3-ène

Doc. 4 Formules et noms de quelques alcènes.

Un pas vers le cours...

1 Quel groupe caractérise un alcène ?

2 En s'inspirant de la nomenclature des alcanes et des exemples (doc. 4), énoncer les principales règles de nomenclature des alcènes.

3 Représenter et nommer tous les alcènes à deux, trois, quatre et cinq atomes de carbone. Repérer l'éventuelle isomérie *Z*/*E*.

B Esters

$CH_3-CH_2-C(=O)-O-CH_2-CH_3$
Propanoate d'éthyle

$CH_3-CH_2-CH_2-CH(CH_3)-C(=O)-O-CH(CH_3)-CH_2-CH_3$
2-méthylpentanoate de 1-méthylpropyle

Doc. 5 Formules et noms de quelques esters.

Un pas vers le cours...

4 Quel groupe caractérise un ester ?

5 À l'aide des exemples (doc. 5), énoncer les principales règles de nomenclature des esters.

6 Représenter et nommer tous les esters à deux, trois et quatre atomes de carbone.

C Amines

$CH_3-CH_2-CH(CH_3)-NH_2$
Butan-2-amine

$CH_3-CH_2-CH_2-NH_2$
Propan-1-amine

$CH_3-CH(CH_3)-CH_2-NH-CH_3$
N-méthyl-2-méthylpropan-1-amine

Doc. 6 Formules et noms de quelques amines.

Un pas vers le cours...

7 Quel groupe caractérise une amine ?

8 À l'aide des exemples (doc. 6), énoncer les principales règles de nomenclature des amines.

9 Représenter et nommer toutes les amines à deux, trois et quatre atomes de carbone.

D Amides

$CH_3-CH_2-C(=O)-NH_2$
Propanamide

$CH_3-CH(CH_3)-CH_2-C(=O)-NH_2$
3-méthylbutanamide

$CH_3-CH(CH_3)-CH_2-CH_2-C(=O)-N(CH_3)-C_2H_5$
N-éthyl-N-méthyl-4-méthylpentanamide

Doc. 7 Formules et noms de quelques amides.

Un pas vers le cours...

10 Quel groupe caractérise un amide ?

11 À l'aide des exemples (doc. 7), énoncer les principales règles de nomenclature des amides.

12 Représenter et nommer tous les amides à deux, trois et quatre atomes de carbone.

3 Exploitation de spectres infrarouge (IR)

EN AUTONOMIE

Les composés organiques absorbent des radiations dans le domaine de l'UV-visible, mais aussi dans le domaine de l'infrarouge. Le spectre obtenu permet d'identifier les groupes caractéristiques présents dans les molécules de ces composés. Comment réalise-t-on cette identification ?

A Analyse de quelques spectres

Qu'est-ce qu'un spectre infrarouge ?

Le document 8 présente le spectre infrarouge du pentane C_5H_{12}. En ordonnée figure la **transmittance** ***T*** ou intensité lumineuse transmise par l'échantillon analysé. Elle est exprimée en pourcentage.

En abscisse est porté le **nombre d'ondes σ**, inverse de la longueur d'onde λ, ($\sigma = 1/\lambda$), exprimé généralement en cm^{-1}. Les radiations infrarouge exploitées en chimie organique s'étendent de 600 cm^{-1} à 4000 cm^{-1}.

Un spectre infrarouge renseigne sur la nature des liaisons présentes dans une molécule.

Les bandes d'absorption associées à chacune des liaisons rencontrées en chimie organique (C–C, C–H, O–H, N–H, C–O, C=C, C=O, etc.) correspondent à un domaine de nombre d'ondes bien précis (doc. 9).

Ainsi, dans le spectre du pentane (doc. 8) on reconnaît les bandes d'absorption relatives aux liaisons C–H ($\sigma \approx 2950$ cm^{-1} et $\sigma \approx 1460$ cm^{-1}). En revanche celle relative au groupe C–C est inexploitable.

1 Que signifie une transmittance de 100 % ? Une transmittance de 0 % ?
Justifier alors pourquoi les bandes d'absorption d'un spectre IR pointent vers le bas.

2 Quelles sont les valeurs limites des longueurs d'onde (exprimées en nm et µm) des radiations utilisées en spectroscopie infrarouge ?

3 Pourquoi n'exploite-t-on généralement pas la bande relative à la liaison C–C ?

Reconnaissance de groupes caractéristiques

Les documents 10a et 10b présentent les spectres infrarouge du pent-1-ène (B), du pentan-1-ol (C), du pentanal (D), de la pentan-3-one (E), de l'acide pentanoïque (F), de la pentan-1-amine (G), du propanoate d'éthyle (H) et du pentanamide (I).

4 Écrire la formule développée de chacun de ces huit composés et repérer son groupe caractéristique.

5 À l'aide des documents 8 et 9 et de la **fiche n° 11B**, p. 594, retrouver dans le spectre de chaque composé les bandes d'absorption relatives aux principales liaisons présentes.
Reporter les nombres d'ondes correspondant sur les formules développées.

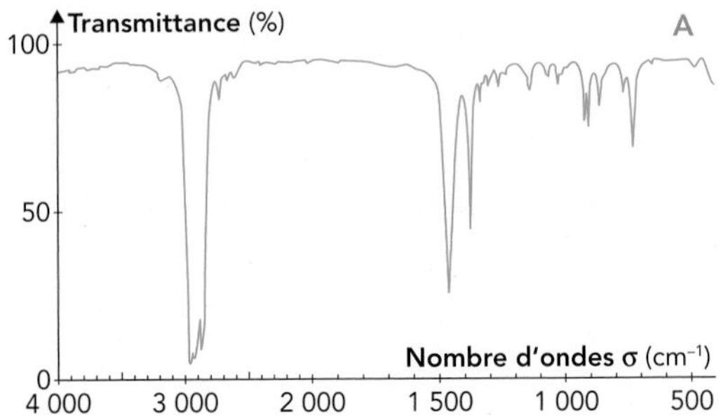

Doc. 8 Spectre infrarouge du pentane (A).

Liaison	–O–H	–N–H	C_{tri}–H	$C_{tét}$–H	>C=O
σ (cm^{-1})	3200 à 3650	3100 à 3500	3000 à 3100	2800 à 3000	1650 à 1750

Liaison	>C=C<	$C_{tét}$–H	–C–C–	–C–O–
σ (cm^{-1})	1625 à 1685	1415 à 1470	1000 à 1250	1050 à 1450

Doc. 9 Nombres d'ondes associés aux liaisons.

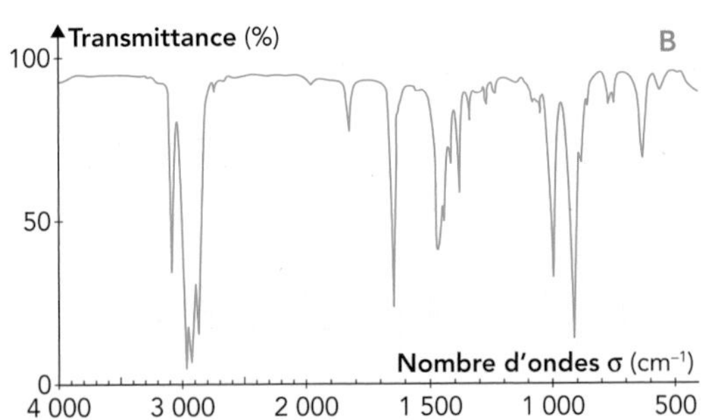

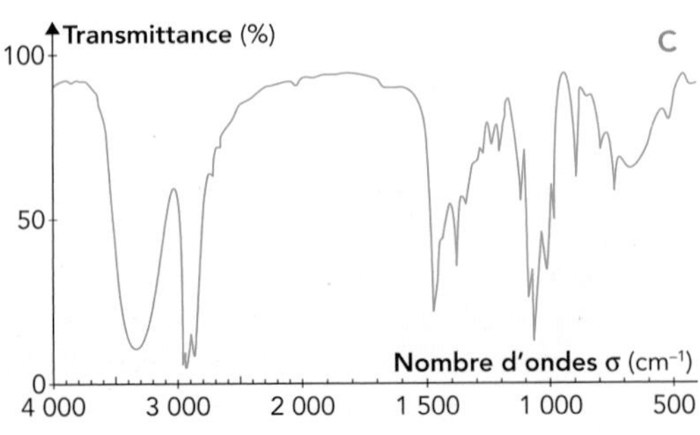

Doc. 10 a. Spectres du pent-1-ène (B) et du pentan-1-ol (C).

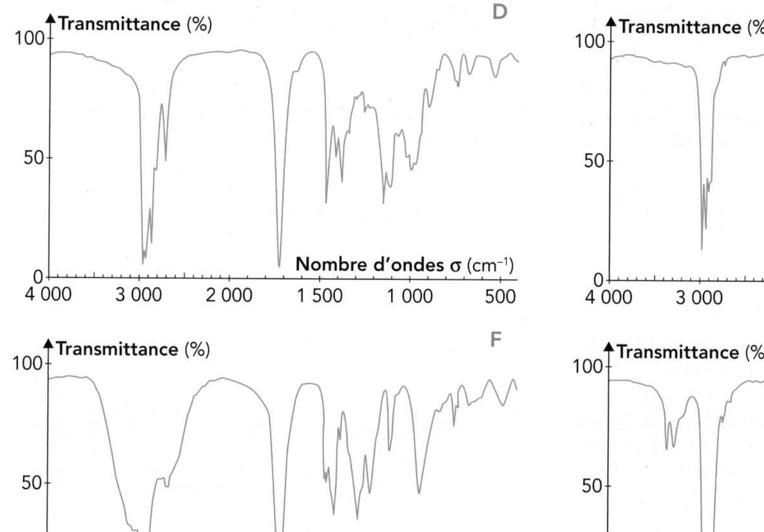

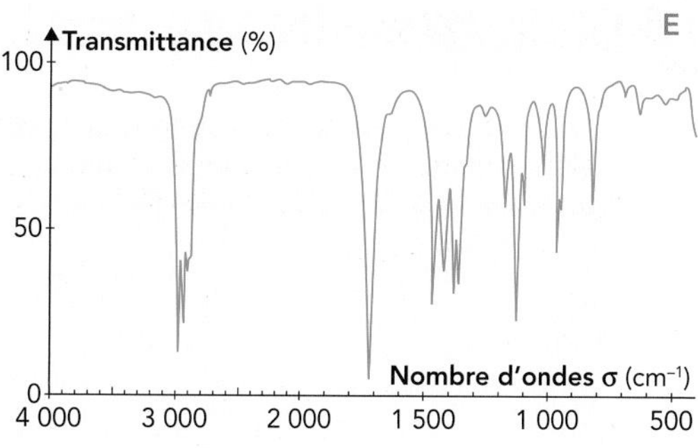

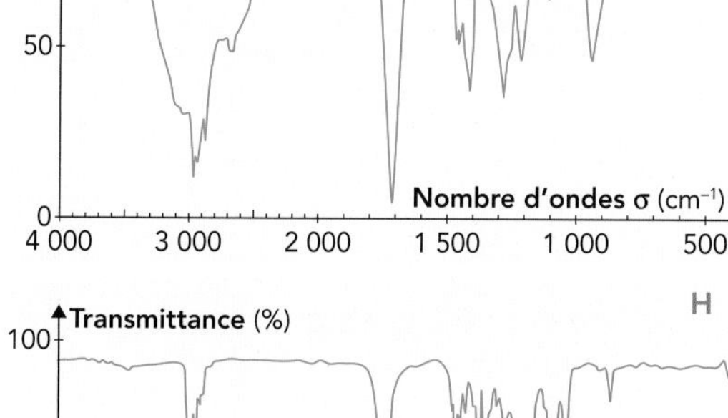

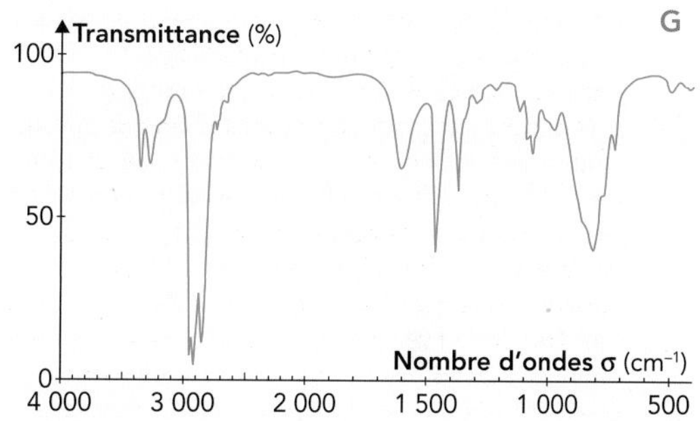

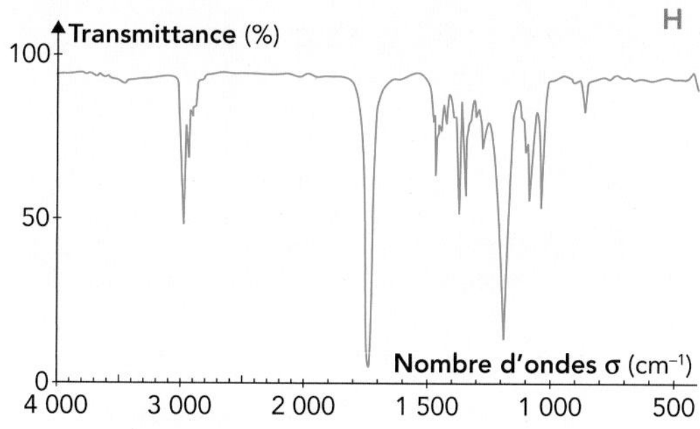

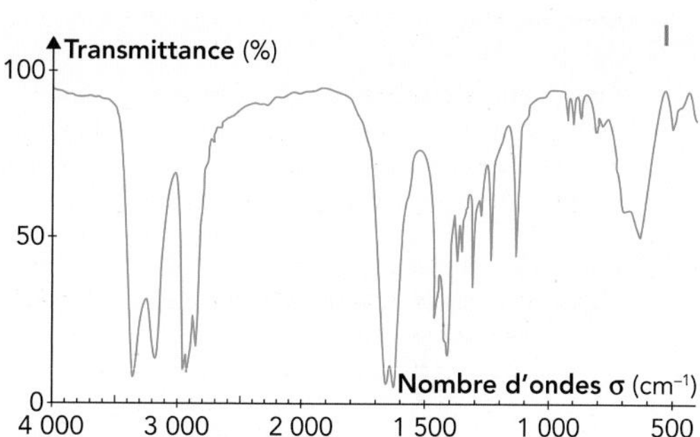

Doc. 10 b. Spectres du pentanal (D), de la pentan-3-one (E), de l'acide pentanoïque (F), de la pentan-1-amine (G), du propanoate d'éthyle (H) et du pentanamide (I).

B Identification d'un composé

Le document 11 fournit le spectre de l'un des quatre composés suivants :

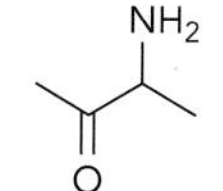

J 3-hydroxybutanone

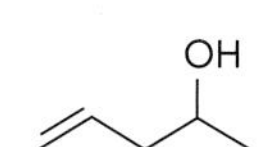

K Éthanoate d'éthyle

NH_2

O

L 3-aminobutanone

OH

M Pent-4-èn-2-ol

Transmittance (%)

Y

100

50

0

Nombre d'ondes σ (cm⁻¹)

4 000 3 000 2 000 1 500 1 000 500

Doc. 11 Spectre IR de l'un des composés J, K, L et M.

6 À quel composé le spectre Y correspond-il ?

Un pas vers le cours…

7 Rédiger une synthèse présentant les apports de la spectroscopie infrarouge à la détermination de la formule développée d'un composé organique.

Activités *Étude documentaire*

Compétence exigible au baccalauréat
- Extraire et exploiter des informations sur différents types de spectres et sur leurs utilisations.

4 Utilisations des spectres UV-visible et de RMN*

Les techniques spectroscopiques permettent d'étudier très précisément la structure des molécules que celles-ci soient isolées ou engagées dans des structures complexes. Dans quels domaines les utilise-t-on ?

Spectroscopie UV-visible et mesure de la pollution

Le formaldéhyde ou méthanal H_2CO est l'un des *monomères* de matières plastiques utilisées dans des peintures, des vernis, des meubles en aggloméré, etc. Il est libéré lors de la dégradation de ces matériaux. Comme il est cancérigène, une teneur limite, dans l'air, de 10 $\mu g \cdot m^{-3}$ est aujourd'hui préconisée.
Pour déterminer sa concentration dans l'air, un appareil de mesure fait appel à un capteur chimique qui contient un réactif, le Fluoral-P. Celui-ci, en réagissant avec le formaldéhyde, donne un produit, le DDL, qui absorbe dans l'UV et dans le visible (doc. 12).
La mesure des absorbances correspondantes donne la teneur en formaldéhyde de l'air analysé.
La limite de détection de cet appareil est de 0,625 $\mu g \cdot m^{-3}$.

D'après *Les défis du CEA*, avril-mai 2005 et *l'Actualité chimique*, mai-juin 2007.

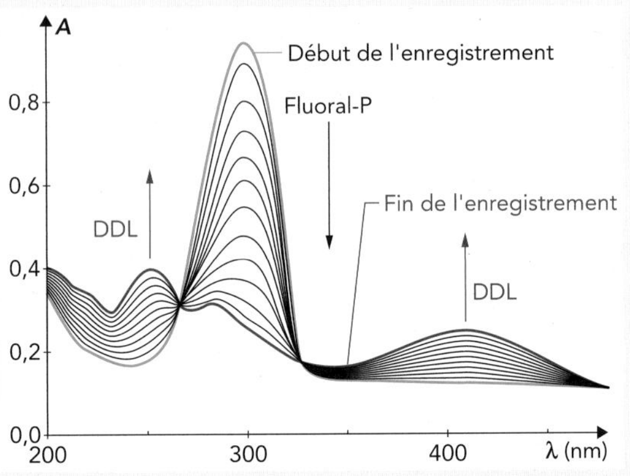

Doc. 12 Suivi temporel de la teneur en formaldéhyde dans l'air.

Spectroscopie de RMN et détection de fraudes

Initialement appliquée aux protons ^1H, la RMN s'est développée pour étudier d'autres atomes tels que ceux de deutérium, ^2H, de carbone 13, ^{13}C, ou d'azote 15, ^{15}N.
Lors de la *photosynthèse*, les plantes fixent de l'eau, H_2O, dont les atomes d'hydrogène peuvent être les *isotopes* ^1H ou ^2H. Or, le pourcentage en ^2H des molécules d'eau dépend du lieu où poussent ces plantes.
Une cartographie mondiale du rapport $R = \%(^2H) / \%(^1H)$ a pu être établie à partir des spectres de RMN des isotopes de l'hydrogène ^1H et ^2H. Celle-ci permet de localiser le lieu de production des substances d'origine végétale.
Il est ainsi possible de vérifier si un vin a été *chaptalisé* par ajout de sucre ou si la vanille, présente dans un dessert, est d'origine naturelle ou synthétique.

D'après *L'Actualité chimique*, août-septembre 2003.

Spectroscopie de RMN et imagerie

- L'**i**magerie par **r**ésonance **m**agnétique ou IRM est une méthode d'imagerie qui utilise la RMN. Capable d'étudier des tissus mous, tels que le cerveau, la moelle épinière ou les muscles, elle permet d'en connaître la structure anatomique, mais également d'en suivre le fonctionnement ou le *métabolisme* (doc. 13). C'est un outil indispensable à la médecine, pour établir un diagnostic ou interpréter le fonctionnement d'organes complexes comme le cerveau.
- En biologie structurale, l'association des RMN du proton et des noyaux de carbone 13, ^{13}C, d'azote 15, ^{15}N, ou d'oxygène 17, ^{17}O, permet de connaître la structure des *protéines* et d'étudier leurs interactions avec des molécules en solution, ce qui permet par exemple de connaître les cibles des *principes actifs* des médicaments (voir doc. 21, p. 99).

D'après *Clefs CEA*, hiver 2007-2008, et *l'Actualité chimique*, juin-juillet-août 2011.

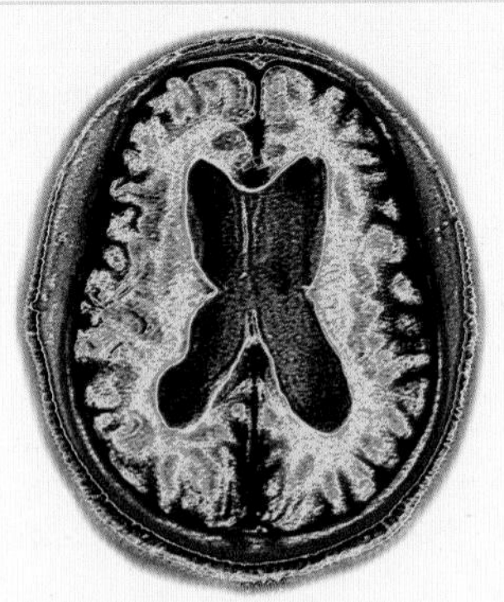

Doc. 13 IRM du cerveau.

1 @ Chercher le sens des mots ou expressions en *italique* dans les textes.

2 Quelle peut être la couleur du composé DDL ?

3 Pourquoi cherche-t-on à savoir si un arôme est naturel ? Sur quelle méthode est basée cette recherche ?

4 Pourquoi, en IRM, s'intéresse-t-on aux résonances des noyaux des éléments H, C, N et O ?

5 Les interactions entre protéines et principes actifs mettent en jeu des liaisons hydrogène. Justifier simplement que la RMN et la spectroscopie infrarouge puissent être utilisées pour étudier ces interactions.

* Il est recommandé de faire cette Activité documentaire après le cours.

Comment interpréter un spectre UV-visible ?

1.1 Spectroscopie UV-visible

La spectroscopie est l'étude quantitative des interactions entre la lumière et la matière. Lorsque de la lumière traverse une solution, elle est en partie absorbée et en partie transmise par diffusion et réflexion*. Plusieurs spectres UV-visible ont été présentés dans l'**activité 1**.
Dans tous ces spectres, la longueur d'onde λ des radiations est portée en abscisse. L'absorbance *A*, grandeur liée à la proportion de lumière absorbée, figure en ordonnée.
La région visible du spectre correspond à des longueurs d'onde, dans le vide ou dans l'air, comprises entre 400 et 800 nm et la région ultraviolette entre 200 et 400 nm.

* L'interprétation énergétique de la spectroscopie UV-visible sera faite au **chapitre 15**.

> L'absorbance *A* d'une espèce en solution suit la loi de Beer-Lambert :
> $$A = \varepsilon(\lambda) \cdot \ell \cdot C$$
> où ℓ est l'épaisseur de solution traversée, *C* sa concentration et $\varepsilon(\lambda)$ le coefficient d'absorption molaire.

Une espèce est caractérisée en spectroscopie UV-visible par la **longueur d'onde du maximum d'absorption λ_{max}** et par la valeur du **coefficient d'absorption molaire $\varepsilon(\lambda)$** correspondante.

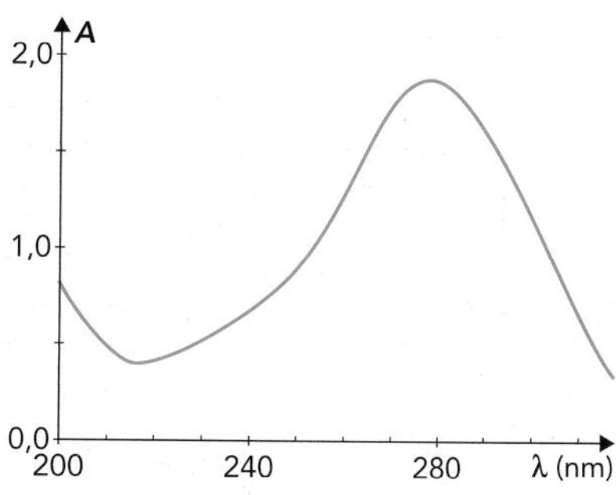

Doc. 1 La propanone ou acétone (incolore) n'absorbe que dans l'ultraviolet.

1.2 Couleur perçue et longueur d'onde λ_{max}

Le document 1 présente le spectre de la propanone. Cette cétone est incolore, elle n'absorbe que dans l'ultraviolet. Ce résultat est général :

> Une espèce **incolore** n'absorbe aucune radiation du spectre visible.
> Lorsqu'une espèce chimique n'absorbe que dans **un seul domaine** de longueurs d'onde du visible, **sa couleur est la couleur complémentaire** de celle des radiations absorbées.

Les ions cuivre (II), $Cu^{2+}(aq)$, qui absorbent dans le rouge-orangé ($\lambda_{max} \approx 700$ nm), donnent des solutions de couleur bleu-vert **(activité 1A)**.

> Lorsqu'une espèce chimique absorbe dans **plusieurs domaines** de longueurs d'onde, sa **couleur résulte de la synthèse additive des couleurs complémentaires** des radiations absorbées.

Les ions chrome (III), $Cr^{3+}(aq)$, qui absorbent dans le violet ($\lambda_{max} \approx 430$ nm), couleur complémentaire du jaune, et dans l'orangé ($\lambda_{max} \approx 640$ nm), couleur complémentaire du bleu, donnent des solutions vertes **(activité 1B)**.

L'utilisation de l'étoile chromatique (doc. 2) ou de la **fiche n° 11A**, p. 594, permet ainsi d'interpréter les spectres visibles et de relier couleur perçue et longueur d'onde au maximum d'absorption.

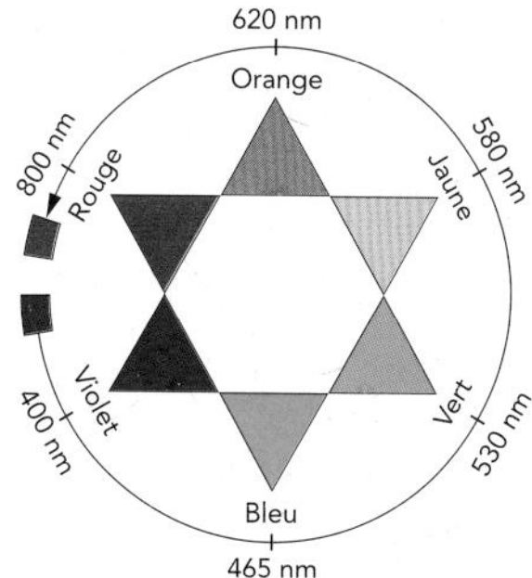

Doc. 2 Couleurs et ordres de grandeur des longueurs d'onde des radiations visibles. Deux couleurs complémentaires sont diamétralement opposées.

1.3 Lien entre couleur perçue et structure chimique

Le β-carotène et le lycopène sont colorés; tous deux possèdent de très nombreuses liaisons conjuguées **(activité 1C)**. Le document 3 présente les valeurs des longueurs d'onde des maxima d'absorption λ_{max} de quelques composés dérivés du benzène. On constate que, plus le nombre de liaisons conjuguées est élevé, plus λ_{max} est élevé. Ce résultat est général :

> Plus une molécule comporte de doubles **liaisons conjuguées**, plus les radiations absorbées ont une **grande longueur d'onde**.

Voir exercices 1, p. 101, et 7 à 9, p. 104.

Benzène (incolore)
$\lambda_{max} = 254$ nm

Naphtalène (incolore)
$\lambda_{max} = 314$ nm

Anthracène (jaune)
$\lambda_{max} = 380$ nm

Naphtacène (orange)
$\lambda_{max} = 480$ nm

Pentacène (violet)
$\lambda_{max} = 580$ nm

Doc. 3 Formules, longueurs d'onde des maxima d'absorption et couleurs de dérivés du benzène.

2 Comment nomme-t-on les composés organiques ?

2.1 Groupes caractéristiques et fonctions

Les molécules organiques comportent deux parties : un **squelette carboné** et des **groupes caractéristiques**. Les molécules qui possèdent le **même groupe caractéristique** ont des propriétés chimiques communes. Ces propriétés définissent une **fonction** chimique. En classe de Première S les fonctions alcool, aldéhyde, cétone et acide carboxylique ont été vues :

Fonction	Alcool	Aldéhyde	Cétone	Acide carboxylique
Groupe caractéristique	$-O-H$ Hydroxyle	$-C(=O)-H$ Carbonyle	$C-C(=O)-C$ Carbonyle	$-C(=O)-OH$ Carboxyle

Les fonctions alcène, ester, amine, amide sont aussi caractérisées par un groupe (doc. 4) :

Fonction	Alcène	Ester	Amine	Amide
Groupe caractéristique	$>C=C<$ Alcène	$-C(=O)-O-C$ Ester	$-N<$ Amine	$-C(=O)-N<$ Amide

Doc. 4 L'une des phéromones sexuelles du papillon *Lycorea ceres* présente une fonction alcène et une fonction ester.

2.2 Nomenclature

La nomenclature des alcanes, alcools, aldéhydes, cétones et acides carboxyliques a été présentée en classe de Première S. Elle est rappelée dans le **rabat V**.

Les alcènes

Un alcène est un hydrocarbure acyclique de formule brute C_nH_{2n}, présentant une seule double liaison C=C.

> Le nom d'un alcène dérive de celui de l'alcane de même chaîne carbonée en remplaçant la terminaison ***-ane*** par la terminaison ***-ène*** précédée de l'indice de position de la double liaison C=C dans la chaîne principale. Cet indice est le plus petit possible.

Le nom et la position des ramifications sont précisés. Le cas échéant l'isomérie *Z*/*E* l'est aussi (doc. 5).

Exemple :

$$\overset{6}{CH_3}-\overset{5}{CH}(CH_3)-\overset{4}{CH_2}-\overset{3}{CH}=\overset{2}{CH}-\overset{1}{CH_3}$$

(les deux H de la double liaison C=C du même côté) est le (*Z*)-5-méthylhex-2-ène.

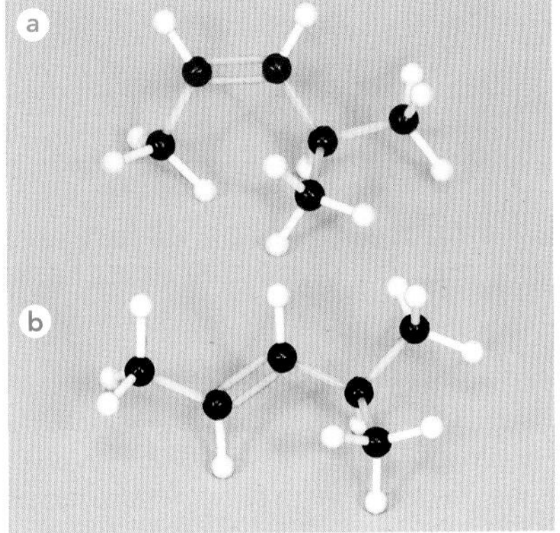

Doc. 5 Modèles moléculaires du (*Z*)-4-méthylpent-2-ène (a) et du (*E*)-4-méthylpent-2-ène (b).

Les esters

Un ester est un composé de formule générale $\mathbf{R-C(=O)-O-R'}$ (doc. 6).

> Le nom d'un ester comporte deux termes :
> – le premier, avec la terminaison ***-oate*** désigne la chaîne carbonée **R–C**, numérotée à partir de **C** ;
> – le second, avec la terminaison ***-yle*** est le nom du groupe alkyle **R'**, numéroté à partir de l'atome de carbone lié à l'atome d'oxygène **O**.

Doc. 6 L'arome d'ananas provient du butanoate d'éthyle, celui de poire est dû à l'éthanoate de 3-méthylbutyle.

Exemple :

$$\underset{4}{CH_3}-\underset{3}{CH}(CH_3)-\underset{2}{CH_2}-\underset{1}{C}(=O)-O-\underset{1}{CH_2}-\underset{2}{CH_2}-\underset{3}{CH_3}$$

est le 3-méthylbutan**oate** de prop**yle**.

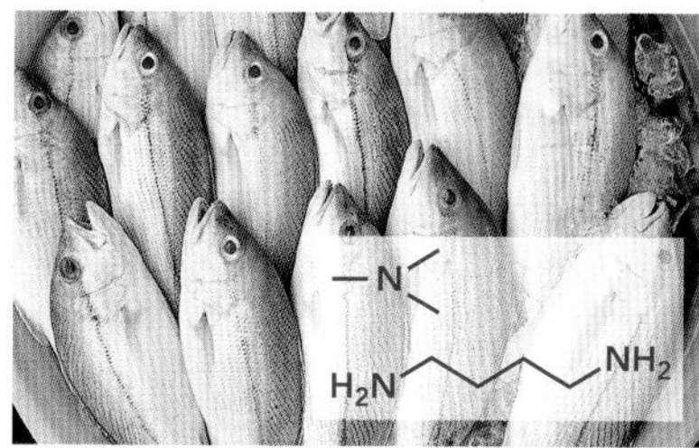

Doc. 7 En vieillissant, ces poissons dégagent des odeurs nauséabondes dues à la N,N-diméthylméthanamine $(CH_3)_3N$ et à la putrescine ou butane-1,4-diamine :

$$H_2N-CH_2-CH_2-CH_2-CH_2-NH_2$$

Les amines

Une amine est un composé de formule générale $R-N(R')-R''$, où **R'** et **R''** peuvent être des atomes d'hydrogène, des groupes alkyles, etc. (doc. 7).

> Le nom d'une amine de formule $R-NH_2$ dérive de celui de l'alcane de même chaîne carbonée en remplaçant le **-e** final par la terminaison ***-amine***, précédée de l'indice de position (le plus petit possible) du groupe amine dans la chaîne carbonée principale, c'est-à-dire la plus longue. Lorsque l'atome d'azote est lié à d'autres groupes alkyle, le nom de l'amine est précédé de la mention **N-alkyl**.

Exemple :

$$\underset{5}{CH_3}-\underset{4}{CH_2}-\underset{3}{CH}(CH_3)-\underset{2}{CH}(NH_2)-\underset{1}{CH_3}$$

est la 3-méthylpentan-2-**amine**.

$$\underset{4}{CH_3}-\underset{3}{CH}(CH_3)-\underset{2}{CH_2}-\underset{1}{CH_2}-NH(C_2H_5)$$

est la **N**-éthyl-3-méthylbutan-1-**amine**.

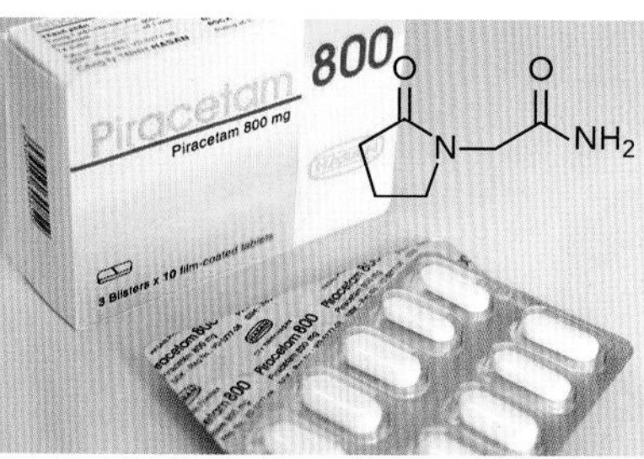

Doc. 8 La molécule du piracétam, principe actif de médicaments psychotoniques, présente deux fonctions amides.

Les amides

Un amide est un composé de formule générale $R-C(=O)-N(R')-R''$, où **R'** et **R''** peuvent être des atomes d'hydrogène, des groupes alkyle, etc. (doc. 8).

> Le nom d'un amide de formule $R-C(=O)-NH_2$ dérive de celui de l'alcane de même chaîne carbonée en remplaçant le **-e** final par la terminaison ***-amide***. La chaîne carbonée est numérotée à partir de l'atome de carbone **C**. Lorsque l'atome d'azote est lié à des groupes alkyle, le nom de l'amide est précédé de la mention **N-alkyl**.

Exemple :

$$\underset{4}{CH_3}-\underset{3}{CH_2}-\underset{2}{CH}(CH_3)-\underset{1}{C}(=O)-NH_2$$

est le 2-méthylbutan**amide**.

$$\underset{4}{CH_3}-\underset{3}{CH_2}-\underset{2}{CH}(C_2H_5)-\underset{1}{C}(=O)-NH(CH_3)$$

est le **N-méthyl**-2-éthylbutan**amide**.

Voir exercices 2, p. 101, et 10 à 14, p. 104 et 105.

3 Quels renseignements fournit un spectre infrarouge ?

3.1 Présentation d'un spectre

Le document 9 présente le spectre infrarouge de l'hexan-1-ol. En ordonnée, figure la **transmittance** T ou intensité lumineuse transmise par l'échantillon exprimée en pourcentage : une transmittance de 100 % signifie qu'il n'y a pas d'absorption. De ce fait, les **bandes d'absorption** d'un spectre IR pointent vers le bas.

Sur un axe orienté de droite à gauche, est porté en abscisse le **nombre d'ondes σ**, inverse de la longueur d'onde λ, ($\sigma = 1/\lambda$), exprimé généralement en cm^{-1}.

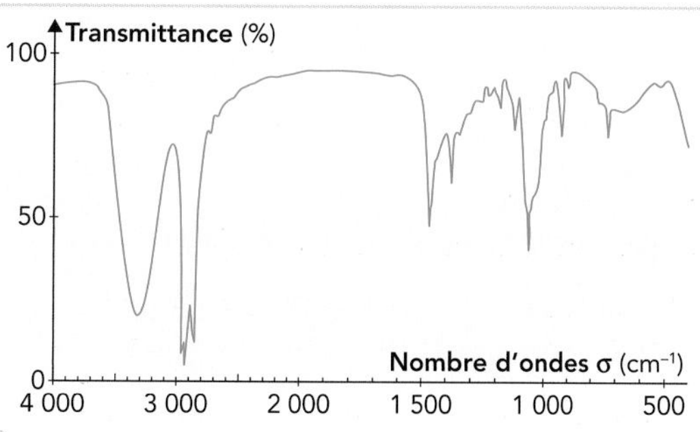

Doc. 9 Spectre infrarouge de l'hexan-1-ol :
$CH_3-CH_2-CH_2-CH_2-CH_2-CH_2-OH$

3.2 Origine du spectre

Quel que soit l'état physique, les atomes d'une molécule ne sont pas fixes : ils vibrent. Les vibrations (doc. 10) peuvent correspondre à une **élongation longitudinale** (a) ou à une **déformation angulaire** (b).

Les **vibrations des liaisons** d'une molécule sont à **l'origine de son spectre infrarouge***.

Un **spectre infrarouge** renseigne ainsi sur la nature des liaisons présentes dans une molécule et donc sur ses **groupes caractéristiques.**

Les bandes d'absorption associées à chacune des liaisons rencontrées en chimie organique (C–C, C–H, O–H, N–H, C–O, C=C, C=O, etc.) correspondent à un domaine de nombre d'ondes σ bien précis **(activité 3)**.

Pour chacune de ces liaisons, les nombres d'ondes correspondant au maximum d'absorption sont donnés dans la **fiche n° 11B**, p. 594. Le document 11 rappelle les principales bandes d'absorption.

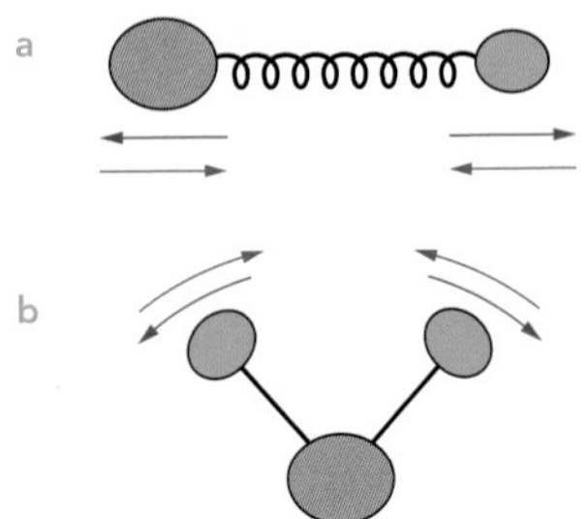

Doc. 10 Deux types de vibration : élongation longitudinale (a) ou déformation angulaire (b).

* Les relations existant entre ces vibrations et la spectroscopie infrarouge seront précisées au **chapitre 15**.

3.3 Bandes d'absorption caractéristiques

Sauf à de rares exceptions, telles que la bande C–O vers 1 070 cm^{-1} (doc. 9), seules les bandes d'absorption correspondant à des nombres d'ondes supérieurs à $\sigma \approx 1400\ cm^{-1}$ sont utilisées pour identifier les liaisons et les groupes caractéristiques. L'analyse des spectres montrent que :

> Plus une **liaison** est **forte,** plus le **nombre d'ondes** d'absorption d'élongation σ est **élevé.**

Bandes C–H

Pour la **liaison C–H,** le nombre d'ondes σ_{C-H}, voisin de **3000 cm^{-1}**, dépend de la nature du carbone : il est plus faible pour un atome de carbone tétragonal (noté $C_{tét}$) que pour un atome trigonal (noté C_{tri}). Ceci permet de repérer un groupe **alcène** de type **H–C=C** (doc. 12). Le spectre des **alcanes**, tels que le pentane **(activité 3)**, présente aussi une absorption intense vers 1 460 cm^{-1}; elle est liée à la déformation angulaire des liaisons C–H.

Les liaisons C–H se retrouvant dans de très nombreuses molécules organiques, des bandes d'absorption aux alentours de 1 460 cm^{-1} et 3 000 cm^{-1} se retrouvent dans la plupart des spectres infrarouge.

Bande C=C

La liaison C–C donne une très faible absorption vers 1 150 cm^{-1} généralement non exploitable. En revanche, la **liaison C=C** des alcènes tels que le pent-1-ène **(activité 3)** se repère par sa bande d'absorption intense vers **1 640 cm^{-1}**.

Lorsqu'elle est conjuguée à d'autres doubles liaisons, la liaison C=C est affaiblie et le nombre d'ondes correspondant diminue.

Bande C=O

La **liaison C=O** est présente dans de nombreuses molécules organiques (**aldéhydes, cétones, acide carboxyliques, esters, amides, etc.**); la position de la bande d'absorption dépend de la nature de la fonction **(activité 3)**; elle est généralement comprise entre **1 650 cm^{-1} et 1 750 cm^{-1}**.

Lorsqu'elle est conjuguée à d'autres doubles liaisons, la liaison C=O est affaiblie et le nombre d'ondes correspondant diminue.

Bande C–O

La **liaison C–O** se rencontre dans les **alcools**, les **acides carboxyliques, etc.** Sa bande d'absorption se situe entre **1 070 cm^{-1}** et **1 450 cm^{-1}**.

Liaison	Nombre d'ondes (cm^{-1})	Intensité
O–H	3 200 à 3 650	F
N–H	3 100 à 3 500	M
C_{tri}–H	3 000 à 3 100	M
$C_{tét}$–H	2 800 à 3 000	F
C=O	1 650 à 1 750	F
C=C	1 625 à 1 685	M
$C_{tét}$–H	1 415 à 1 470	F
C–O	1050 à 1450	F

Doc. 11 Bandes d'absorption caractéristiques, L'intensité de la bande traduit l'importance de l'absorption : F : forte, M : moyenne.

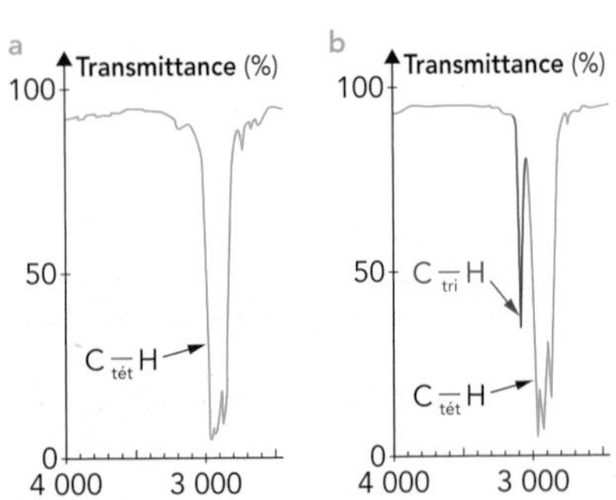

Doc. 12 Extrait des spectres infrarouge du pentane (a) et du pent-1-ène (b).
La bande fine à 3 080 cm^{-1} dans le spectre du pent-1-ène est caractéristique de la liaison C=C–H.

Bande N – H

La **liaison N – H**, présente dans certaines **amines** et certains **amides,** absorbe entre 3 100 cm^{-1} et 3 500 cm^{-1}.
La spectroscopie infrarouge permet de distinguer les amines de formule R – NH_2 des amines de formule RR'**NH.** En effet, la présence des *deux* atomes d'hydrogène dans R-NH_2 conduit à une bande d'absorption qui se *dédouble* dans sa partie terminale, ce qui n'est pas le cas pour RR'NH (doc. 13).

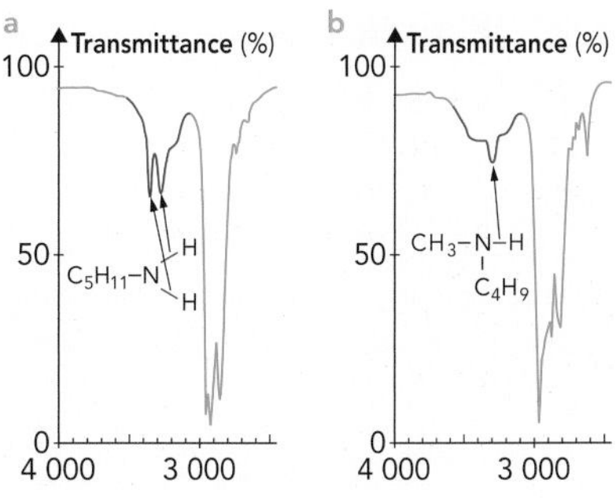

Doc. 13 Extrait des spectres de deux isomères (a) la pentan-1-amine, $C_5H_{11}-NH_2$, et (b) la N-méthylbutan-1-amine, $C_4H_9-NHCH_3$.

3.4 Cas de la liaison O-H ; liaison hydrogène

Le document 14 présente les extraits des spectres infrarouge de l'éthanol à l'état gazeux et à l'état liquide.

- À l'état gazeux, la **liaison O – H** donne une bande d'absorption **forte** et **fine** vers **3 620 cm^{-1}**.

À l'état gazeux, il n'existe pas de liaison hydrogène entre les molécules d'éthanol et la liaison O – H n'est pas affaiblie, elle est dite **libre.** Il en est de même lorsque l'alcool est, en solution, très diluée dans un solvant ne pouvant établir de liaison hydrogène.

- À l'état liquide, la **liaison O – H** se manifeste par une bande d'absorption **forte** et **large** de **3 200 cm^{-1} à 3 400 cm^{-1}**. Les **liaisons hydrogène** établies entre les molécules d'alcool **affaiblissent** les liaisons covalentes O – H et conduisent à l'**abaissement** du nombre d'ondes σ_{O-H} et à un **élargissement** de la bande. La liaison O – H est dans ce cas dite **associée.**

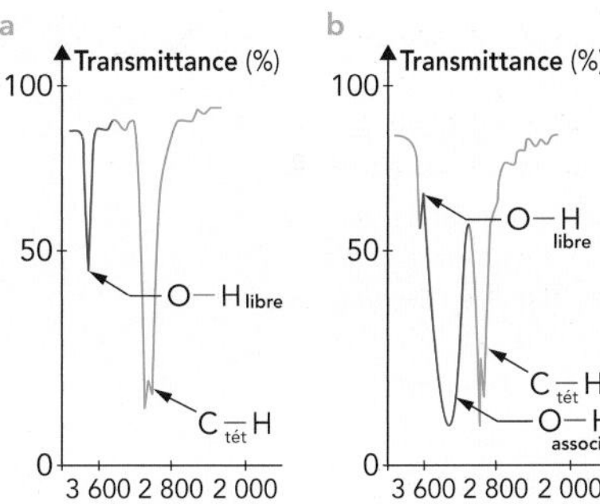

Doc. 14 Extrait des spectres de l'éthanol C_2H_5-O-H : (a) à l'état gazeux ; (b) à l'état liquide.

> L'association des molécules d'alcools par **liaison hydrogène** provoque la **diminution** de la valeur du nombre d'onde σ_{O-H} du maximum d'absorption de la liaison O – H et l'**élargissement** de la bande d'absorption.

Pour les **acides carboxyliques** en solution relativement concentrée, le déplacement de la bande O – H dû aux liaisons hydrogène est si important que l'on observe le **chevauchement** des **bandes d'absorption des liaisons O – H et $C_{tét}$ – H** conduisant à un aspect très caractéristique du spectre dans le domaine 2 600 cm^{-1}-3 200 cm^{-1} (doc. 15).

Voir exercices 3, p. 101, et 15 à 18, p. 105 et 106.

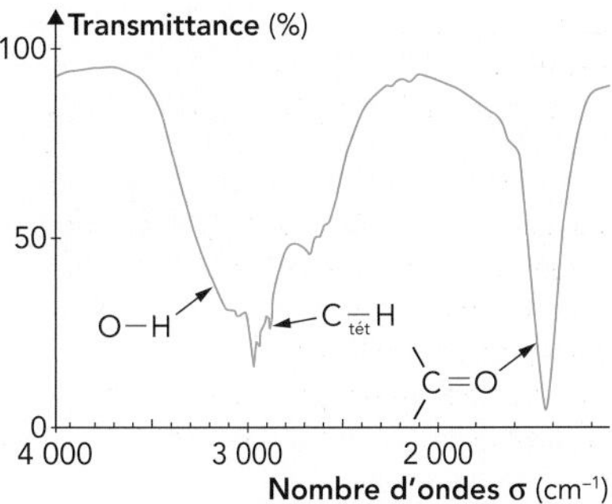

Doc. 15 Chevauchement des bandes O – H et $C_{tét}$ – H dans le spectre de l'acide butanoïque en solution concentrée.

4 Comment interpréter un spectre de RMN ?

4.1 Origine du spectre

La spectroscopie par résonance magnétique nucléaire ou **RMN** est basée sur l'énergie que possèdent certains noyaux lorsqu'ils sont placés dans un champ magnétique et soumis à un rayonnement électromagnétique.
Bien que de très nombreux éléments puissent être étudiés en RMN, l'étude sera ici limitée à la RMN du noyau de l'atome d'hydrogène ^1H ou RMN du proton*.
L'énergie des protons d'une molécule dépendant de leur environnement électronique, la RMN permet, par exemple, de distinguer, dans la molécule d'éthanol, les protons du groupe méthyle CH_3, de ceux du groupe méthylène CH_2 et de celui du groupe hydroxyle OH (doc. 16, p. 98).

* De façon usuelle, on emploie en RMN le terme « proton » pour désigner le noyau de l'atome d'hydrogène ^1H d'une molécule.

4.2 Exemples de spectres ; déplacement chimique

Le document 16 présente le spectre de l'éthanol situant l'énergie des protons de cette molécule par rapport à une référence choisie comme origine. Chaque signal*, constitué d'un ou plusieurs pics, traduit une absorption d'énergie par les protons : on dit alors qu'il y a **résonance.**

> Dans un spectre de RMN, chaque **signal,** quasi **symétrique,** est caractérisé par sa position sur **un axe orienté de droite à gauche,** ou **déplacement chimique δ,** exprimé en ppm (parties par million).

Ainsi, dans l'éthanol CH_3-CH_2-OH, les protons du groupe méthyle CH_3 résonnent vers 1,2 ppm, ceux du groupe méthylène CH_2 vers 3,6 ppm et ceux du groupe hydroxyle OH vers 4,7 ppm.
Les valeurs des déplacements chimiques sont le plus souvent comprises entre 0 et 10 ppm (voir **fiche n° 11C**, p. 595).
Le proton du groupe carboxyle $-CO_2H$ des **acides carboxyliques**, qui résonne entre **8,5 et 13 ppm**, et le proton lié au groupe carbonyle des **aldéhydes** $-COH$, qui résonne entre **9 et 10 ppm**, sont des exceptions remarquables.
Il est intéressant de remarquer que les protons du **benzène C_6H_6** ou de ses dérivés notés **Ar−H** résonnent vers **7-8 ppm,** valeur relativement élevée et donc facilement repérable dans un spectre (doc. 17).
Les déplacements chimiques des protons des groupes méthyle CH_3 de l'éthanoate de méthyle $\mathbf{CH_3}-CO-O-\mathbf{CH_3}$ illustrent l'importance de l'environnement des protons considérés : $\delta(CH_3) \approx 2$ ppm, alors que $\delta(CH_3) \approx 3{,}7$ ppm (doc. 18).

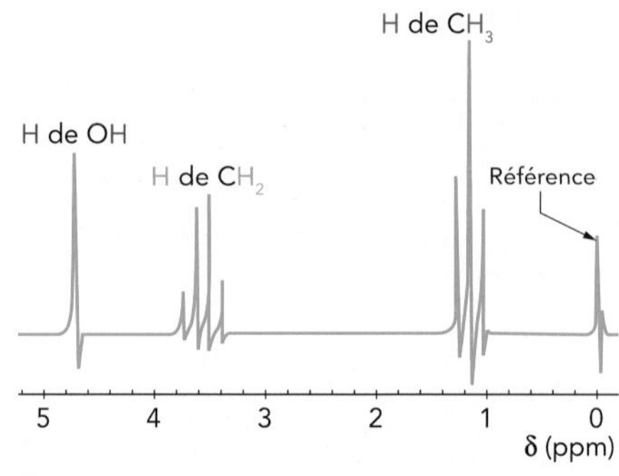

Doc. 16 Spectre de RMN de l'éthanol CH_3-CH_2-OH.

* Alors qu'en spectroscopie UV-visible ou infrarouge on parle de **bande d'absorption**, en spectroscopie de RMN on parle de **signal**.

4.3 Protons équivalents

Dans l'éthanoate de méthyle (doc. 18), les trois protons du groupe méthyle CH_3 résonnent tous les trois pour $\delta \approx 2$ ppm : on dit qu'ils sont **équivalents.** Il en est de même pour ceux du groupe méthyle CH_3 : $\delta(CH_3) \approx 3{,}7$ ppm. Ceci est général :

> Des **protons équivalents** résonnent pour la **même valeur de déplacement chimique δ.** Des protons qui ont le **même environnement chimique** dans une molécule sont **équivalents.**

Ainsi, les quatre protons des groupes méthylène CH_2 du 1,2-dichloroéthane $Cl-CH_2-CH_2-Cl$ sont équivalents : $\delta(CH_2) \approx 3{,}4$ ppm. Il en est de même pour les six protons des groupes méthyle du 2-méthylpropan-1-ol $(CH_3)_2CH-OH$: $\delta(CH_3) \approx 1{,}4$ ppm.
En revanche, les protons des groupes méthylène CH_2 et CH_2 du 1-chloro-2-iodoéthane $Cl-CH_2-CH_2-I$ ne sont pas équivalents : $\delta(CH_2) \approx 3{,}4$ ppm et $\delta(CH_2) \approx 3{,}1$ ppm.

Remarque

Il est possible que des protons résonnent pour la même valeur de déplacement chimique δ sans être chimiquement équivalents** ; ainsi les protons des groupes méthyle du toluène $CH_3-C_6H_5$ et de la méthanamine CH_3-NH_2 résonnent tous pour $\delta(CH_3) \approx 2{,}3$ ppm.

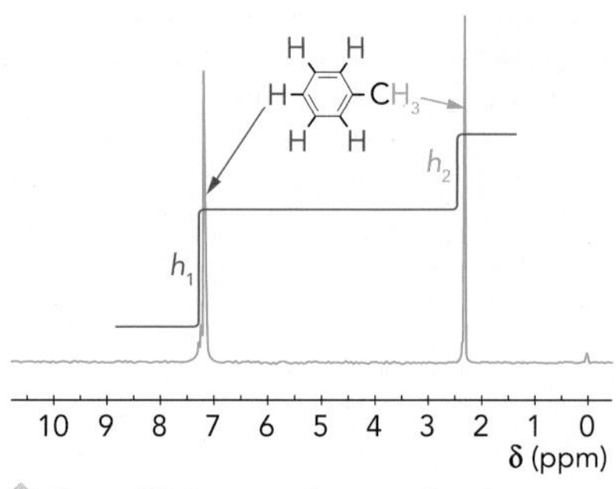

Doc. 17 Spectre de RMN du toluène $C_6H_5-CH_3$.

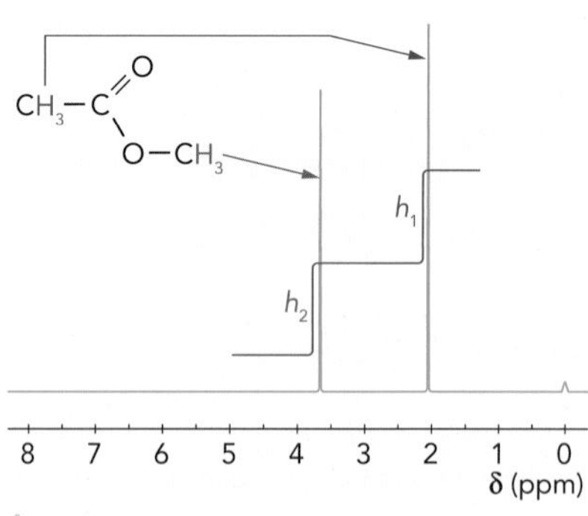

Doc. 18 Spectre de RMN de l'éthanoate de méthyle $CH_3-C(=O)-O-CH_3$.

** C'est la raison pour laquelle l'analyse d'un spectre de RMN ne suffit généralement pas pour identifier sans ambiguïté une molécule inconnue.

4.4 Intégration du signal

Sur les spectres des documents 17 et 18, une courbe superposée aux signaux présente des paliers. Cette courbe est appelée **courbe d'intégration des signaux.**
La hauteur séparant deux paliers successifs est proportionnelle au nombre de protons résonant au déplacement chimique correspondant. Ainsi on peut constater que :
- pour l'éthanoate de méthyle $\mathbf{CH_3}-CO-O-\mathbf{CH_3}$ (doc. 18) : $h_1 \approx h_2$;
- pour le toluène $\mathbf{C_6H_5}-CH_3$ (doc. 17) : $h_1 \approx 5/3\ h_2$.

Ce résultat est général :

> Dans un spectre de RMN, la **courbe d'intégration** permet de déterminer le **nombre de protons équivalents** résonant pour une valeur donnée du déplacement chimique δ.

Dans certains cas, le nombre de protons est directement indiqué sur le spectre au niveau des différents signaux (doc. 19).

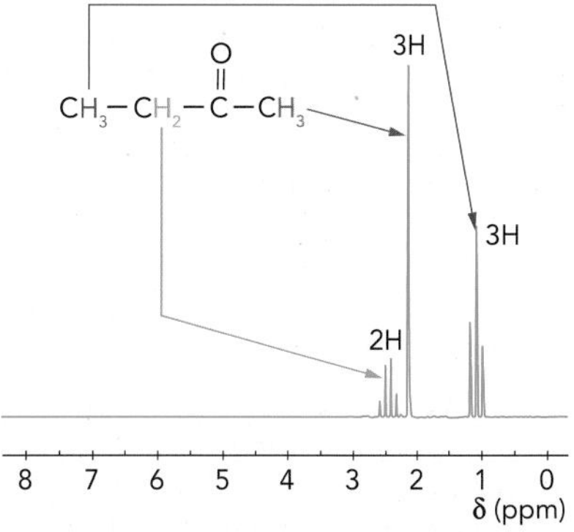

Doc. 19 Spectre de RMN de la butanone $CH_3-CH_2-CO-CH_3$ avec indication du nombre de protons qui résonnent.

4.5 Multiplicité du signal ; règle des (n + 1)-uplets

Dans le spectre de l'éthanol CH_3-CH_2-OH (doc. 16), le signal du groupe méthyle CH_3 présente **3** pics : c'est un **triplet.** Dans l'éthanoate de méthyle $CH_3-CO-O-CH_3$ (doc. 18), chaque groupe méthyle CH_3 apparaît sous forme de **1** seul pic : c'est un **singulet.** À quoi est due cette différence ?

En fait, dans une molécule, les protons portés par un atome de carbone **interagissent** avec les protons portés par les atomes de carbone voisins : on dit qu'il y a **couplage** entre protons.

Les atomes d'hydrogène du groupe méthyle de l'éthanol $\mathbf{CH_3}-CH_2-OH$, voisins des **2** atomes d'hydrogène du groupe méthylène, donnent (2 + 1) pics, soit **3 pics**.

Dans l'éthanoate de méthyle $\mathbf{CH_3}-CO-O-\mathbf{CH_3}$, les atomes d'hydrogène de chacun des deux groupes méthyle ont **0** atome d'hydrogène voisin, ils donnent (**0** + 1) pic soit **1 pic**.

Dans les cas simples, ces résultats peuvent être généralisés et conduisent à la **règle des (n + 1)-uplets** (doc. 20) :

> **Un proton**, ou **un groupe de protons équivalents,** ayant n **protons équivalents voisins**, c'est-à-dire portés par des atomes de carbone voisins, donne, par couplage avec ceux-ci, un signal constitué de **(n + 1) pics** appelé **multiplet.**

Nombre de protons équivalents voisins	Multiplicité	Nom du signal et symbole
0	1	singulet (s)
1	2	doublet (d)
2	3	triplet (t)
3	4	quadruplet (q)
4	5	quintuplet (quin)
5	6	sextuplet (sex)
6	7	septuplet (sep)
7	8	octuplet (oct)

Doc. 20 Nombre de protons équivalents voisins, multiplicité, nom et symbole des multiplets entre parenthèses.

Les quatre protons du 1,2-dichloroéthane $Cl-\mathbf{CH_2}-\mathbf{CH_2}-Cl$ sont équivalents ; leur signal est un **singulet**, en effet :

> Des **protons équivalents** ne se **couplent pas.**

Le proton du groupe hydroxyle de l'éthanol $CH_3-CH_2-\mathbf{OH}$ donne un **singulet**. Ce fait est général :

> **Les** protons des groupes hydroxyle $-OH$, carboxyle $-CO_2H$, amine $-NH_2$ ou $-NH-$ **ne peuvent se coupler** avec d'autres atomes d'hydrogène : ils donnent des **singulets.**

4.6 Utilisations des spectres UV-visible, IR et RMN

Les spectres UV-visible, infrarouge ou de RMN dont dispose aujourd'hui un chimiste dans son laboratoire lui permettent :
- d'identifier un composé inconnu ;
- de vérifier la pureté d'un produit connu, par absence des bandes (IR) ou des signaux (RMN) dus à des impuretés ;
- de suivre une réaction en étudiant l'apparition ou la disparition de réactifs, de produits ou d'espèces intermédiaires ;
- de doser un mélange à partir de l'intensité des pics ou des courbes d'intégration.

La spectroscopie a aujourd'hui de très nombreuses applications en recherche, dans l'industrie et dans l'aide au diagnostic dans le domaine médical (doc. 21). Les documents proposés dans l'**activité 4** illustrent certaines de ces applications.

Voir exercices 4, p. 101, et 19 à 24, p. 106 et 107.

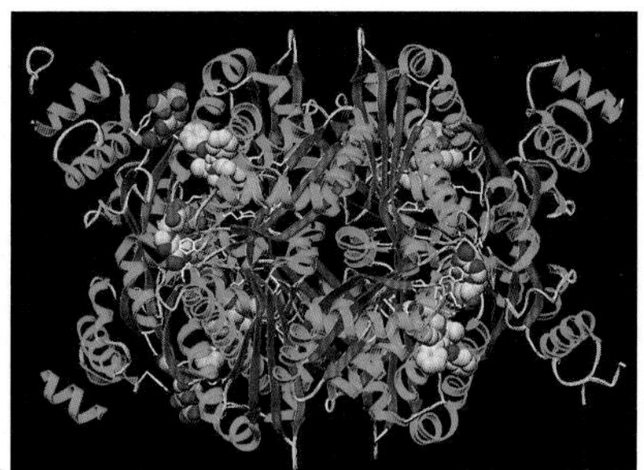

Doc. 21 Formule d'une protéine, la HMG-CoA réductase, obtenue par imagerie par résonance magnétique.

Essentiel

Spectroscopie UV-visible

▸ Une espèce **incolore** n'absorbe aucune radiation du spectre visible.

▸ Lorsqu'une espèce chimique n'absorbe que dans **un seul domaine** de longueurs d'onde du visible, **sa couleur est la couleur complémentaire** de celle des radiations absorbées.
Lorsqu'elle absorbe dans **plusieurs domaines** de longueurs d'onde du visible, sa **couleur résulte de la synthèse additive des couleurs complémentaires** des radiations absorbées **(doc. 1)**.

▸ Plus une molécule comporte de doubles **liaisons conjuguées**, plus les radiations absorbées ont une **grande longueur d'onde**.

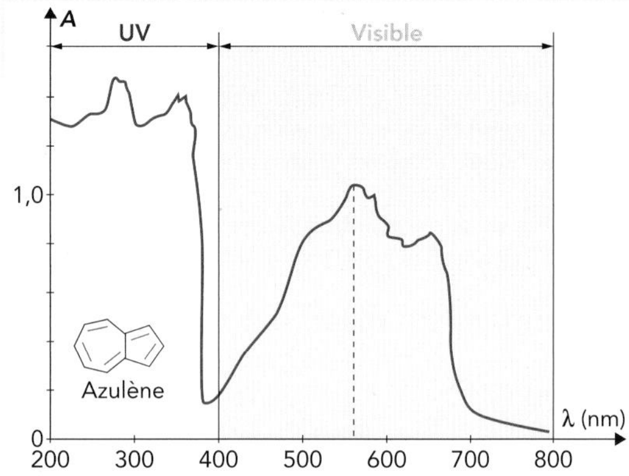

Doc. 1 L'azulène absorbe dans l'UV et dans le visible ; il est bleu-violacé.

Groupes caractéristiques et fonctions

Les composés organiques sont classés selon leurs **fonctions,** identifiées par un groupe caractéristique :

Fonction	Alcool	Aldéhyde	Cétone	Acide carboxylique	Alcène	Ester	Amine	Amide
Groupe caractéristique	$-O-H$ Hydroxyle	$-C(=O)-H$ Carbonyle	$C-C(=O)-C$ Carbonyle	$-C(=O)-OH$ Carboxyle	$>C=C<$ Alcène	$-C(=O)-O-C$ Ester	$>N-$ Amine	$-C(=O)-N<$ Amide

Spectroscopie infrarouge (IR)

▸ Un **spectre infrarouge** renseigne sur la nature des liaisons présentes dans une molécule et donc sur ses **groupes caractéristiques (doc. 2)**.

▸ L'association des molécules, présentant un groupe hydroxyle $-O-H$, par **liaisons hydrogène** provoque la **diminution** de la valeur du nombre d'onde σ_{O-H} du maximum d'absorption de la liaison $O-H$, et l'**élargissement** de la bande.

Doc. 2 ▸
Extrait du spectre infrarouge (IR) du pent-4-èn-2-ol :
$H_2C=CH-CH_2-CH(OH)-CH_3$.

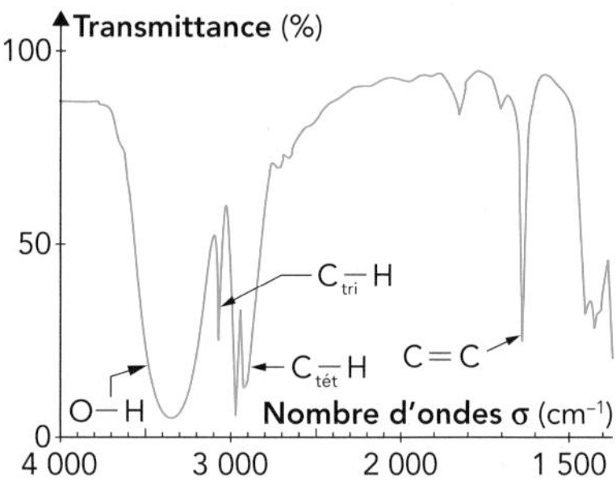

Spectroscopie de RMN

▸ Dans un spectre de RMN, chaque **signal,** quasi **symétrique,** est caractérisé par son **déplacement chimique δ** exprimé en ppm.

▸ Des **protons équivalents** résonnent pour la **même valeur de déplacement chimique δ.** Des protons qui ont le **même environnement chimique** dans une molécule sont **équivalents.**

▸ La **courbe d'intégration** permet de déterminer le **nombre de protons** résonant pour un déplacement chimique δ donné.

▸ Règle des (n + 1)-uplets : un **proton** ou un **groupe de protons équivalents**, ayant n **protons équivalents** voisins, donne, par **couplage** avec ceux-ci, un signal constitué de (**n + 1**) pics, appelé **multiplet (doc. 3)**.

▸ Des protons équivalents ne se couplent pas. **Les protons** des groupes $-OH$, $-CO_2H$, $-NH_2$ ou $-NH-$ **ne peuvent pas se coupler** : ils donnent des **singulets.**

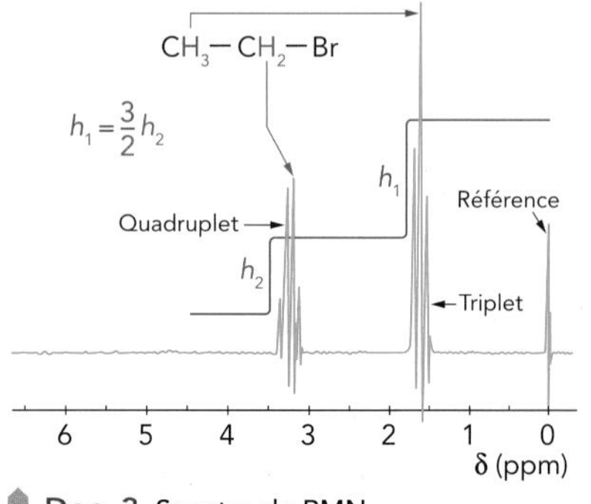

Doc. 3 Spectre de RMN du bromoéthane.

Pour chaque question, indiquer la (ou les) bonne(s) réponse(s).

Voir corrigés, p. 606.

1 Spectroscopie UV-visible

	A	B	C
1. Une solution de couleur verte :	absorbe des radiations de couleur verte.	peut absorber des radiations de couleur rouge.	peut absorber des radiations de couleur violette.
2. Un liquide incolore :	absorbe toutes les radiations de la lumière blanche.	n'absorbe pas dans le visible.	n'absorbe aucune radiation.

Si erreur, revoir § 1, p. 93.

2 Groupes caractéristiques et fonctions

	A	B	C
1. $-C(=O)-NH_2$	est un groupe amine.	est un groupe amide.	est un groupe ester.
2. $CH_3-C(=O)-O-CH_3$	est l'éthanoate de méthyle.	est une cétone.	est un ester.

Si erreur, revoir § 2, p. 94.

3 Spectroscopie infrarouge (IR)

	A	B	C
1. Dans un spectre infrarouge, on lit généralement :	la transmittance en ordonnée.	l'absorbance en ordonnée.	le nombre d'ondes en abscisse.
2. À partir de leur spectre infrarouge, on peut distinguer :	un alcane d'un alcène.	un aldéhyde d'une cétone.	un alcool d'un acide carboxylique.
3. Lorsqu'il peut se former des liaisons hydrogène, la bande d'absorption de la liaison O – H :	est fine.	est déplacée vers les faibles valeurs de nombre d'ondes.	est large.

Si erreur, revoir § 3, p. 95.

4 Spectroscopie de RMN

	A	B	C
1. Dans un spectre de RMN, un signal peut être repéré :	par son nombre d'ondes.	par sa longueur d'onde.	par son déplacement chimique.
2. Le spectre de RMN ci-contre peut être celui : (spectre : δ (ppm) 3 2)	du 2-chloropropane $CH_3-CHCl-CH_3$	du 1,2-diiodoéthane $I-CH_2-CH_2-I$	du 1,1-diiodoéthane I_2CH-CH_3
3. Le spectre de RMN d'une molécule A présente deux signaux, intégrant l'un pour six protons, l'autre pour deux. A peut être :	$CH_3-CHBr-CHCl-CH_3$	$CH_3-CHCl-CHCl-CH_3$	$CH_3-CH_2-CH_3$
4. Le spectre de RMN du 2-bromopropane $CH_3-CHBr-CH_3$:	présente trois signaux.	présente un doublet.	présente un sextuplet.
5. Un spectre de RMN qui ne présente qu'un seul triplet peut être celui de :	$CH_3-CH_2-CH_3$	$CH_3-CH_2-CH_2-Br$	CH_3-OH

Si erreur, revoir § 4, p. 97.

Exercice résolu

COMPÉTENCES
- Exploiter des graphes.
- Raisonner.

5 Associer une molécule à son spectre infrarouge

Énoncé

Le spectre infrarouge d'un composé organique A de formule brute $C_5H_{10}O$ est donné ci-contre.

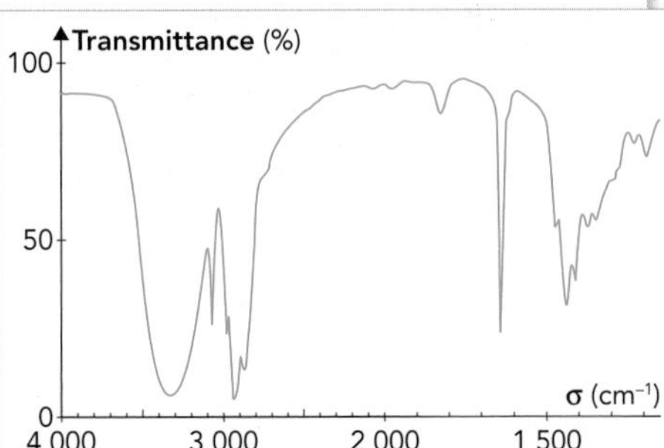

1. Le composé A possède-t-il, *a priori*, des liaisons :

$C_{tét}-H$? $C_{tri}-H$? $O-H$? $C=O$? $C=C$?

2. Lequel des deux composés suivants peut-être le composé A ?

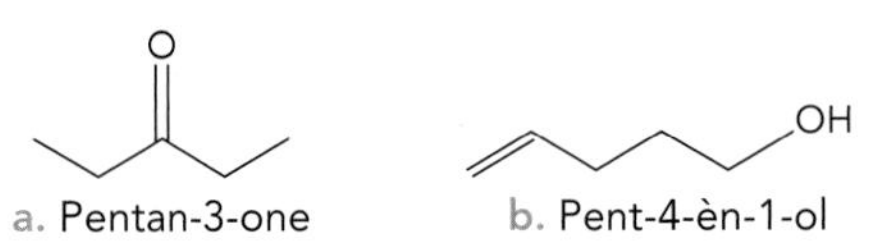

a. Pentan-3-one b. Pent-4-èn-1-ol

Données : pour les nombres d'ondes des bandes caractéristiques, voir la **fiche n° 11B**, p. 594.

Conseils

Comment vérifier la présence éventuelle d'une liaison ?

1. Rechercher, pour chacune des liaisons proposées, le domaine correspondant des nombres d'ondes caractéristiques dans la **fiche n° 11B**, p. 594. Repérer si le spectre présente une bande d'absorption dans ce domaine.

Quel composé peut-on associer à ce spectre ?

2. Pour chacun des composés proposés, écrire la formule semi-développée, en respectant la règle de l'octet pour l'atome de carbone. Repérer les liaisons effectivement présentes et conclure.

Solution rédigée

1. • Domaine des nombres d'ondes :
$C_{tét}-H$: 2800-3000 cm^{-1} et 1415-1470 cm^{-1} ;
$C_{tri}-H$: 3000-3100 cm^{-1} ; $O-H$: 3200-3650 cm^{-1} ;
$C=O$: 1650-1750 cm^{-1} ; $C=C$: 1625-1685 cm^{-1}.

• Le spectre présente des bandes d'absorption vers 3300 cm^{-1}, 3080 cm^{-1}, 2950 cm^{-1} (et 1430 cm^{-1}) et 1650 cm^{-1}.

• Le composé A peut donc, *a priori*, présenter des liaisons :

$$O-H\ ,\ C_{tri}-H\ ,\ C_{tét}-H \text{ et } C=C$$

En revanche, A ne possède pas de liaison $C=O$.

2. a. La formule de la pentan-3-one est :

$$CH_3-CH_2-\underset{\underset{\displaystyle O}{\|}}{C}-CH_2-CH_3$$

Elle présente une liaison $C=O$. Ce ne peut être le composé A.

b. La formule du pent-4-èn-1-ol est :

$$H_2C=CH-CH_2-CH_2-CH_2-OH$$

Il a des liaisons $O-H$, $C_{tri}-H$, $C_{tét}-H$ et $C=C$.
Le **pent-4-èn-1-ol** peut être le composé A.

Application immédiate

Le spectre infrarouge d'un composé organique B, de formule brute $C_4H_8O_2$, est donné ci-contre.

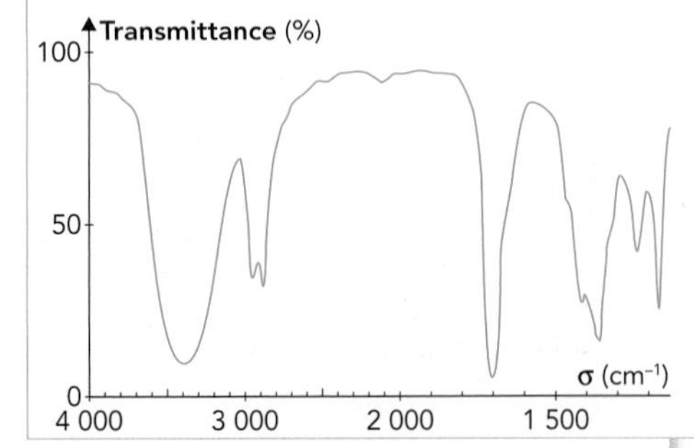

1. Le composé B peut-il avoir pour formule semi-développée :

a. $HO-CH_2-CH_2-\overset{\overset{\displaystyle O}{\|}}{C}-CH_3$?

b. $HO-CH_2-CH=CH-CH_2-OH$?

2. La bande vers 3 400 cm^{-1} est large. Pourquoi ?

Données : pour les nombres d'ondes des bandes caractéristiques, voir la **fiche n° 11B**, p. 594.

Voir corrigés, p. 606.

COMPÉTENCES
- Exploiter des graphes.
- Raisonner.

6 Relier un spectre de RMN à une molécule

Énoncé

Le spectre de RMN d'un composé organique A de formule brute C_4H_8O est donné ci-contre.
Le composé A peut-il être la butanone ?

Données : pour les déplacements chimiques caractéristiques, voir la **fiche n° 11C**, p. 595.

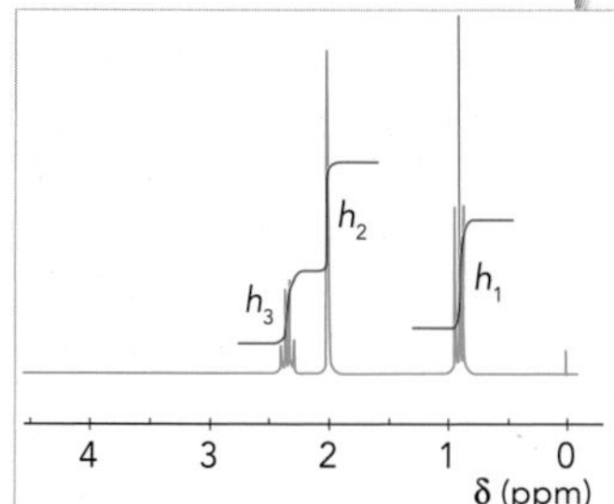

Conseils

Comment vérifier qu'un spectre de RMN peut être celui d'une molécule donnée ?

Écrire la formule semi-développée de la molécule.

Vérifier que le nombre de types de protons équivalents est égal au nombre de signaux.

Utiliser la courbe d'intégration pour vérifier le nombre de protons associé à chaque signal.

Vérifier que les multiplicités observées respectent la règle des (n + 1)-uplets.

Vérifier, avec la **fiche n° 11C**, p. 595, que les déplacements sont ceux attendus.

Solution rédigée

- La butanone présente **trois types de protons équivalents** en bleu, rouge et vert dans la formule ci-après :

$$CH_3-CH_2-\underset{\underset{O}{\|}}{C}-CH_3$$

ce qui est en accord avec la présence de **trois signaux** dans le spectre de RMN.

- Sur la courbe d'intégration on mesure :

$$h_1 \approx 9 \text{ mm}, \; h_2 \approx 9 \text{ mm et } h_3 \approx 6 \text{ mm}.$$

La somme $h_1 + h_2 + h_3 \approx H \approx 24$ mm est proportionnelle au nombre total N de protons du composé A, soit 8.
Une hauteur $h = H/N = 24/8 = 3$ mm correspond donc à un proton.
Trois protons résonnent donc pour $\delta_1 \approx 0{,}9$ ppm, trois protons pour $\delta_2 \approx 2$ ppm et deux pour $\delta_3 \approx 2{,}3$ ppm.

- Les trois protons à $\delta_1 \approx 0{,}9$ ppm donnent un **triplet** ; ils ont donc deux protons voisins.
Les trois protons à $\delta_2 \approx 2$ ppm donnent un **singulet** ; ils n'ont donc pas de protons voisins.
Les deux protons à $\delta_3 \approx 2{,}4$ ppm donnent un **quadruplet** ; ils ont donc trois protons voisins.

- Dans les tables de données (**fiche n° 11C**, p. 595) on lit :
– pour CH_3-C $\delta \approx 0{,}9$ ppm ;
– pour $-\overset{|}{\underset{|}{C}}-CH_2-CO-R$ $\delta \approx 2{,}4$ ppm ;
– pour CH_3-CO-R $\delta \approx 2{,}2$ ppm.

Le nombre de protons équivalents par signal, la courbe d'intégration, les multiplicités et les déplacements chimiques du spectre sont effectivement compatibles avec **la butanone**.

Application immédiate

Le spectre de RMN d'un composé organique B de formule brute $C_2H_4Cl_2$ est donné ci-contre.
Les signaux ont été zoomés pour les rendre plus visibles.
Le composé B peut-il être le 1,1-dichloroéthane ?

Données : pour les déplacements chimiques caractéristiques, voir la **fiche n° 11C**, p. 595.

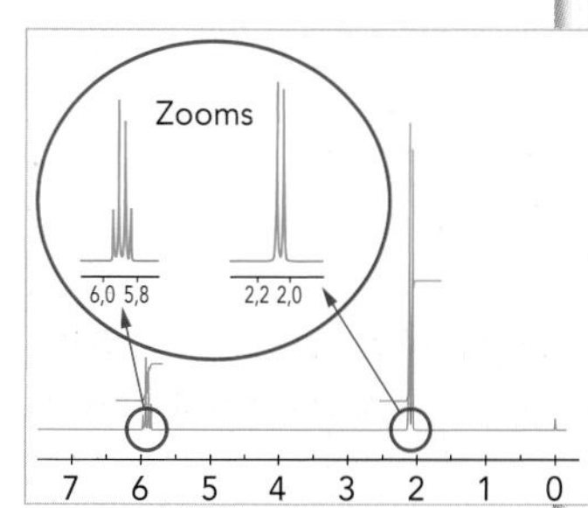

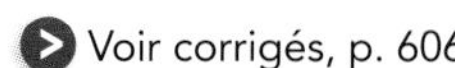
Voir corrigés, p. 606.

Exercices

Compétences exigibles au baccalauréat

- ✔ *Mettre en œuvre un protocole expérimental pour caractériser une espèce colorée.* ➲ activité 1
- ✔ Exploiter des spectres UV-visible. ➲ exercice 9
- ✔ Associer un groupe caractéristique à une fonction dans le cas des alcool, aldéhyde, cétone, acide carboxylique, ester, amine et amide. ➲ exercice 10
- ✔ Connaître les règles de nomenclature de ces composés ainsi que celle des alcanes et des alcènes. ➲ exercice 11
- ✔ Exploiter un spectre IR pour déterminer des groupes caractéristiques, à l'aide des fiches ou des logiciels. ➲ exercice 16
- ✔ Relier un spectre de RMN simple à une molécule organique donnée, à l'aide des fiches ou des logiciels. ➲ exercice 20
- ✔ Identifier des protons équivalents. ➲ exercice 22
- ✔ Relier la multiplicité du signal au nombre de voisins. ➲ exercice 24
- ✔ Extraire et exploiter des informations sur différents types de spectres et sur leurs utilisations. ➲ activité 4

Pour commencer

Comment interpréter un spectre UV-visible ?

7 Savoir lire et exploiter un spectre UV-visible

Dans chacune des phrases ci-dessous choisir la bonne réponse :

a. Dans un spectre UV-visible on lit généralement *l'absorbance / la transmittance*, en ordonnée, et le *nombre d'ondes / la longueur d'onde*, en abscisse.

b. Pour les radiations UV :
200 cm^{-1} ⩽ λ ⩽ 400 cm^{-1} / 200 nm ⩽ λ ⩽ 400 nm.

c. Un spectre UV-visible est un spectre *d'absorption / d'émission*.

d. En spectroscopie UV-visible, on applique *la loi de Wien / la loi de Beer-Lambert*.

e. Une espèce incolore absorbe *dans le visible / dans l'ultraviolet*.

f. Une espèce colorée, qui n'absorbe que des radiations bleues, est *bleue / jaune*.

8 Utiliser un spectre pour déterminer une couleur

On utilisera, si nécessaire, l'étoile chromatique du document 2, p. 93, ou la **fiche n° 11A**, p. 594.

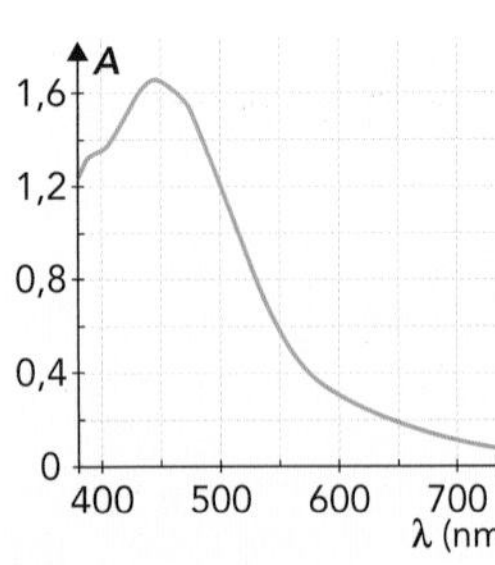

En réagissant avec les ions thiocyanate SCN^-, les ions fer(III) Fe^{3+} donnent un complexe coloré de formule $[Fe(SCN)]^{2+}$ qui permet de détecter des traces d'ions Fe^{3+}.

Le spectre UV-visible d'une solution diluée contenant cet ion est donné ci-contre.

Quelle est la couleur de cette solution ?

9 Justifier une couleur à partir d'un spectre

On utilisera, si nécessaire, l'étoile chromatique du document 2, p. 93, ou la **fiche n° 11A**, p. 594.

Le vert de bromocrésol est un indicateur coloré acido-basique ; ces solutions sont vertes lorsque leur pH est compris entre 3,8 et 5,4.

Le spectre d'une solution de pH = 4,6 est donné ci-contre.

Justifier la couleur de cette solution à partir de ce spectre.

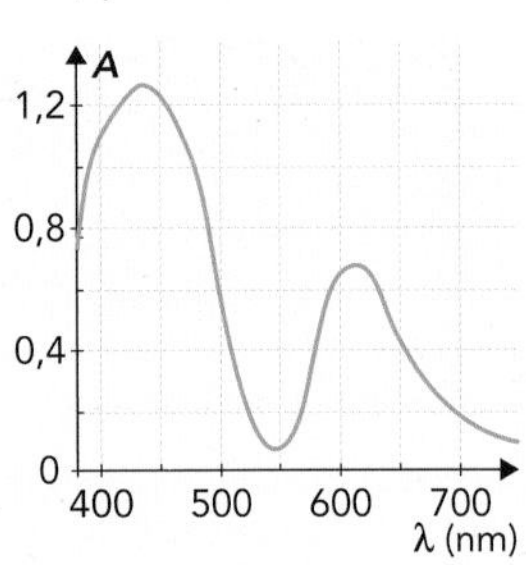

Comment nomme-t-on les composés organiques ?

10 Reconnaître un groupe caractéristique

Reconnaître les groupes caractéristiques présents dans les molécules, dont les formules semi-développées sont représentées ci-dessous. Associer à chacun d'eux une fonction :

$NH_2-CH_2-C(=O)-OH$

a. Glycine

$HO-CH_2-CH(NH_2)-C(=O)-OH$

b. Sérine

$H_2N-C(=O)-CH_2-CH(NH_2)-C(=O)-OH$

c. Asparagine

$CH_3-C(=O)-(CH_2)_5-CH=CH-C(=O)-OH$

d. Phéromone de la reine chez les abeilles

$C_6H_5-CH=CH-C(=O)-H$

e. Arôme de cannelle

11 Nommer des composés organiques

1. Repérer les groupes caractéristiques présents dans les composés, dont les formules semi-développées sont données ci-après. Associer à chacun d'eux une fonction :

a. $CH_3-HC=C(CH_3)_2$

b. $CH_3-CH(CH_3)-CH_2-CH_2-CH(OH)-CH_3$

c. $CH_3-CH(NH_2)-CH_2-CH_2-CH_3$

d. $CH_3-C(=O)-CH_2-CH(C_2H_5)-CH_2-CH_3$

e. $CH_3-CH_2-CH_2-C(=O)H$

f. $CH_3-CH(NH-C_2H_5)-CH_2-CH_3$

g. $CH_3-CH_2-CH(CH_3)-C(=O)-O-C_2H_5$

h. $CH_3-CH_2-CH_2-C(=O)-NH-CH_3$

2. Nommer ces composés.

12 Utiliser des formules topologiques

1. Repérer les groupes caractéristiques présents dans les composés, dont les formules topologiques sont données ci-après. Associer à chacun d'eux une fonction :

a. b. (OH) c. (O)

d. (O) e. (O, OH)

f. (O, O) g. (N, H)

h. (N) i. (O, N, H)

2. Nommer ces composés.

13 Écrire une formule semi-développée à partir d'un nom

1. Écrire les formules semi-développées des composés suivants :

a. (*Z*)-4-méthylpen-2-ène ; b. 2-méthylbutan-1-ol ;
c. 3-éthylpentanal ; d. 3-méthylpentan-2-one ;
e. acide 3-méthylbutanoïque ;
f. 2-méthylpropanoate d'éthyle ;
g. propan-2-amine ; h. N-éthyl-butan-1-amine ;
i. propanamide ; j. N-méthyl-éthanamide.

2. Repérer les groupes caractéristiques présents en associant à chacun d'eux une fonction chimique.

14 Écrire une formule topologique à partir d'un nom

1. Écrire les formules topologiques des composés suivants :

a. (*E*)-5-méthylhex-3-ène ; b. 4-méthylpentan-2-ol ;
c. 4-éthyl-2-méthylhexan-3-one ;
d. acide 2-éthylpentanoïque ;
e. propanoate de 1-méthyléthyle ;
f. 3-méthylpentanoate de 2-méthylpropyle ;
g. N-méthyl-N-éthyl-propan-2-amine ;
h. N-éthyl-3-méthylpentanamide.

2. Repérer les groupes caractéristiques présents, en associant à chacun d'eux une fonction chimique.

Quels renseignements fournit un spectre infrarouge ?

15 Savoir lire et exploiter un spectre infrarouge

Dans chacune des phrases ci-dessous choisir la bonne réponse :

a. Dans un spectre infrarouge, on lit généralement *l'absorbance / la transmittance* en ordonnée et *le nombre d'ondes / la longueur d'onde* en abscisse.

b. Pour les spectres infrarouge :
600 ppm $\leqslant \sigma \leqslant$ *4 000 ppm / 600 cm*$^{-1} \leqslant \sigma \leqslant$ *4 000 cm*$^{-1}$.

c. Un spectre infrarouge est un spectre *d'absorption / d'émission.*

d. Un spectre infrarouge renseigne sur *la nature des liaisons présentes / la couleur du composé étudié.*

16 Reconnaître des bandes d'absorption

On utilisera si nécessaire le tableau du **document 11**, p. 96, ou de la **fiche n° 11B**, p. 594.
Un extrait du spectre infrarouge de l'hexan-2-ol est donné ci-dessous.

1. Écrire la formule semi-développée de l'hexan-2-ol.
En déduire le groupe caractéristique et la fonction chimique de ce composé.

2. Identifier alors les bandes d'absorption notées (a), (b), (c) et (d).

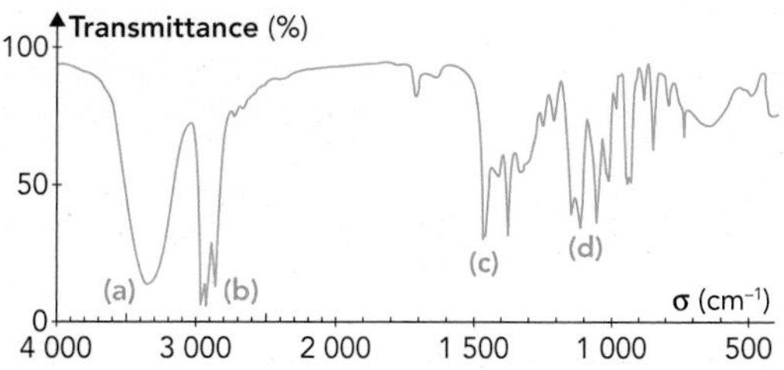

17 Utiliser un spectre pour déterminer une fonction

On utilisera si nécessaire le tableau du **document 11**, p. 96, ou de la **fiche n° 11B**, p. 594.
Un extrait du spectre infrarouge d'un composé A est donné ci-dessous.

1. Les molécules du composé A peuvent-elles, *a priori*, posséder :
a. une liaison $C_{tét}-H$?
b. une liaison $C_{tri}-H$?
c. une liaison $C-C$?
d. une liaison $C=C$?
e. une liaison $O-H$?
En déduire la fonction du composé A.

2. Le composé A est l'hex-1-ène.
Justifier alors les bandes d'absorption du spectre.

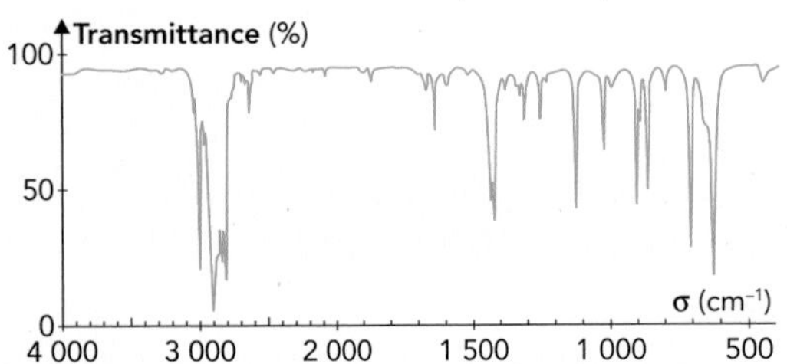

18 Utiliser un spectre pour identifier une fonction

On utilisera si nécessaire le tableau du **document 11**, p. 96, ou de la **fiche n° 11B**, p. 594.
Un extrait du spectre infrarouge d'un composé B est donné ci-dessous.

1. Les molécules du composé B peuvent-elles, a priori, posséder :
a. une liaison $C_{tét}-H$?
b. une liaison $C-C$?
c. une liaison $C=C$?
d. une liaison $O-H$?
e. une liaison $C=O$?
f. une liaison $C-O$?

2. Le composé B peut-il, *a priori*, présenter :
a. une fonction alcool ?
b. une fonction cétone ?
c. une fonction acide carboxylique ?

3. Le composé B est la 1-hydroxybutanone $CH_3-CH_2-CO-CH_2-OH$.
Justifier alors les bandes d'absorption.

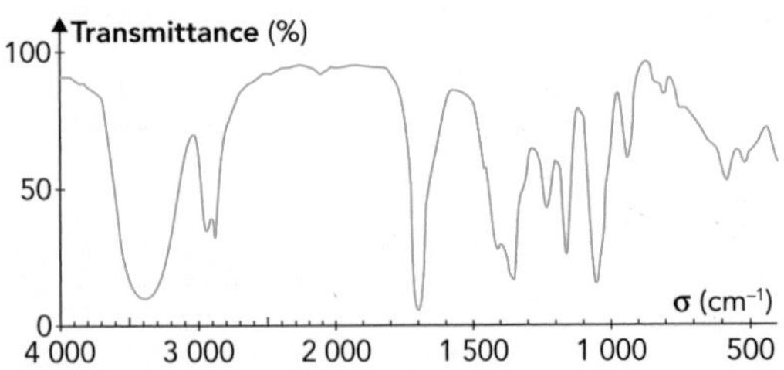

Comment interpréter un spectre de RMN ?

19 Savoir lire et exploiter un spectre de RMN

Dans chacune des phrases ci-dessous, choisir la bonne réponse :

a. Dans un spectre de RMN on lit généralement en abscisse *le nombre d'ondes/le déplacement chimique*.

b. La courbe d'intégration permet de déterminer *le nombre de protons qui résonnent/le nombre de protons voisins*.

c. La multiplicité d'un signal indique *le nombre de protons qui résonnent/le nombre de protons équivalents voisins*.

d. Si le spectre d'une molécule présente un doublet et un quadruplet, cette molécule peut être CH_3-CH_2-Cl/CH_3-CHCl_2.

20 Lire une table de données de RMN

1. Dans la **fiche n° 11C**, p. 595, lire la valeur des déplacements chimiques des protons des groupes méthyle CH_3- suivants :
a. CH_3-C-O ; b. CH_3-Cl ; c. CH_3-Ar ;
d. CH_3-O-R ; e. CH_3-CO-R ; f. $CH_3-C\equiv N$.

2. Mêmes questions pour les groupes méthylène $-CH_2-$ suivants :
a. $-C-CH_2-C$; b. $-C-CH_2-O-H$;
c. $-C-CH_2-Br$; d. $-C-CH_2-C-Br$;
e. $-C-CH_2-O-CO-R$;
f. $-C-CH_2-O-Ar$; g. $-C-CH_2-N$.

3. Mêmes questions pour les groupes méthyne $-CH-$ suivants :
a. $C-CH-C$; b. $C-CH-C-O-H$;
c. $C-CH-C-Cl$; d. $C-CH-C\equiv N$.

21 Attribuer des déplacements chimiques

On utilisera la **fiche n° 11C**, p. 595.

1. L'éthanoate de méthyle, $CH_3-CO-O-CH_3$, présente deux signaux correspondant, l'un à $\delta_1 = 2{,}0$ ppm, l'autre à $\delta_2 = 3{,}7$ ppm.
Attribuer à chaque groupe méthyle CH_3- son signal.

2. Les protons des deux groupes méthyle de CH_3-Br et CH_3-CH_2-Br résonnent, l'un à $\delta_1 = 1{,}7$ ppm, l'autre à $\delta_2 = 2{,}7$ ppm.
Attribuer à chaque groupe méthyle CH_3- son signal.

3. Les protons des deux groupes méthylène $-CH_2-$ de $CH_3-O-CH_2-CH_3$ et $C_6H_5-O-CH_2-CH_3$ résonnent l'un à $\delta_1 = 3{,}4$ ppm, l'autre à $\delta_2 = 4{,}3$ ppm.
Attribuer à chaque groupe méthylène $-CH_2-$ son signal.

4. Les protons des deux groupes méthyne $-CH-$ de $(CH_3)_2CH-O-H$ et $(CH_3)_2CH-NH_2$ résonnent l'un à $\delta_1 = 2{,}8$ ppm, l'autre à $\delta_2 = 3{,}9$ ppm.
Attribuer à chaque groupe méthyne $-CH-$ son signal.

22 Identifier des protons équivalents

1. Recopier les formules ci-après, et surligner chaque groupe de protons équivalents.

a. $HO-CH_2-CH_2-OH$; b. $CH_3-CH(OH)-CH_3$;
c. $Br-CH_2-CH_2-CH_2-CH_2-OH$;
d. $CH_3-CH_2-CO-O-CO-CH_2-CH_3$;
e. $CH_3-CH_2-CO-O-CH_2-CH_3$;

f.

H H
H3C— —CH3
H H

g.

H H
H3C— —Br
H H

2. Combien de signaux comporte, *a priori*, le spectre de RMN des composés de formule :

a. $CH_3-CH_2-CO_2H$; b. $CH_3-CH_2-CO-CH_2-CH_3$;
c. $Cl-CH_2-CH_2-I$; d. $(CH_3)_3N$;
e. $CH_3-CH_2-CO-O-CH_2-CH_3$;
f. $(CH_3)_2CH-NH_2$; g. $CH_3-CH_2-NH-CH_2-CH_3$;

h.

H H
H3C— —OH
H H

i.

H H
H3C— —H
H CO2H

23 Relier la multiplicité du signal au nombre de voisins

1. Préciser la multiplicité des signaux correspondant aux groupes méthyle CH_3- présents dans les extraits de chaînes carbonées suivants :

a. CH_3-CH_2- ; b. $(CH_3)_3C-$; c. $(CH_3)_2CH-$

2. Préciser la multiplicité des signaux correspondant aux groupes méthylène $-CH_2-$ présents dans les molécules suivantes :

a. CH_3-CH_2-OH ; b. $(CH_3)_2CH-CH_2-Br$;
c. $H_2N-CH_2-CH_2-NH_2$; d. $HO-CH_2-CH_2-Cl$.

3. Préciser la multiplicité des signaux correspondant aux groupes méthyne $-CH-$ présents dans les molécules ci-dessous :

a. $(CH_3)_2CH-Cl$; b. $(CH_3)_3CH$; c. $HCCl_3$; d. $(CH_3)CHCl_2$.

24 Reconnaître des signaux par leur multiplicité

On dispose des deux spectres (I) et (II) de RMN ci-dessous. Ces spectres sont ceux de deux composés choisis parmi les quatre composés suivants :

a. $(CH_3)_2CH-NO_2$; b. $Br-CH_2-CH_2-CN$;
c. $CH_3-CH_2-O-CH_2-CH_3$; d. CH_3-O-CH_3.

En exploitant les multiplicités des signaux, attribuer chacun des spectres à son composé.

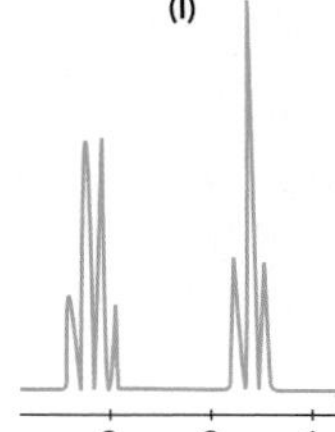

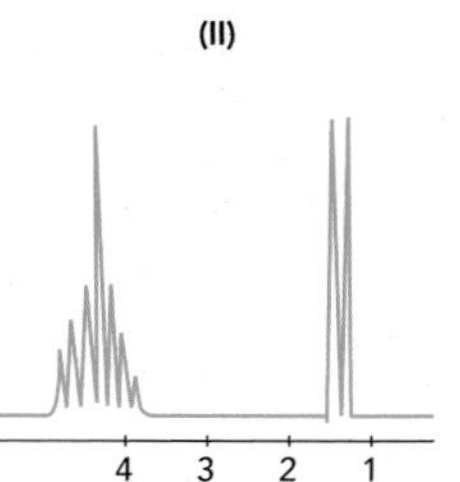

Pour s'entraîner

25 Couleurs et radiations absorbées

COMPÉTENCES Mobiliser ses connaissances ; exploiter un graphique ; raisonner.

On utilisera, si nécessaire, l'étoile chromatique du document 2, p. 93, ou la **fiche n° 11A**, p. 594.

1. Une solution aqueuse de chlorure de titane (III) absorbe principalement des radiations jaunes et vertes. Quelle est sa couleur ?

2. Une solution de dichromate de potassium, $2\ K^+(aq) + Cr_2O_7^{2-}(aq)$, est jaune-orangé.

a. Dans l'hypothèse où son spectre UV-visible ne présenterait qu'un seul maximum, dans quel domaine de longueur d'onde se trouverait-il ?

b. En réalité, son spectre UV-visible présente deux maxima, l'un pour $\lambda = 430$ nm, l'autre pour $\lambda = 500$ nm. Interpréter alors la couleur de la solution.

26 Spectre UV-visible et réactions chimiques

COMPÉTENCES Mobiliser ses connaissances ; exploiter un graphique ; raisonner.

On utilisera, si nécessaire, l'étoile chromatique du document 2, p. 93, ou la **fiche n° 11A**, p. 594.

Le spectre UV-visible d'une solution de sulfate de nickel (II), $Ni^{2+}(aq) + SO_4^{2-}(aq)$, présente deux maxima, l'un pour $\lambda = 400$ nm, l'autre pour $\lambda = 730$ nm.

On ajoute un excès d'ammoniac NH_3 à la solution de sulfate de nickel (II). Il se forme un complexe coloré de formule $[Ni(NH_3)_4]^{2+}(aq)$. Le spectre de la solution alors obtenue ne présente qu'un seul maximum pour $\lambda = 570$ nm.

Quelle évolution de couleur observe-t-on lorsque l'on ajoute l'ammoniac à la solution de sulfate de nickel (II) ?

27 Chimie et santé

COMPÉTENCE Mobiliser ses connaissances.

Reconnaître les groupes caractéristiques encadrés dans les principes actifs de médicament dont les formules topologiques sont représentées ci-dessous.

Associer chacun d'eux à une fonction chimique.

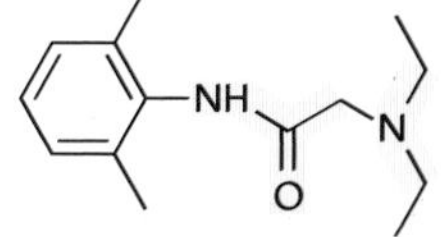

a. Lidocaïne (anti-arythmique)

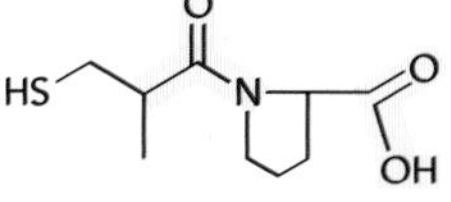

b. Captotril (anti-hypertenseur)

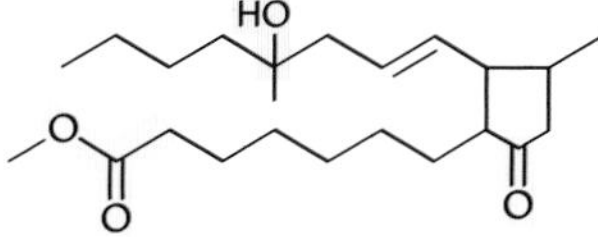

c. Misoprostol (anti-ulcéreux)

d. Aspirine (analgésique, antipyrétique)

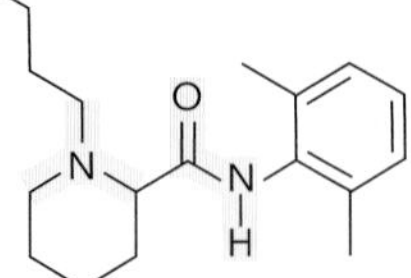
e. Bupivacaïne (anesthésique)

f. Péthidine (analgésique central)

28 Composés azotés

COMPÉTENCES Exploiter un tableau et un graphique ; raisonner.

On utilisera, si nécessaire, le tableau du document 11, p. 96, ou la **fiche n° 11B**, p. 594.

Le spectre infrarouge d'un composé organique A, de formule brute C_3H_7NO, est donné ci-dessous.

1. Le composé A possède des liaisons $C_{tét}-H$, $C=O$ et $N-H$. Repérer leurs bandes caractéristiques dans le spectre, en précisant leurs nombres d'ondes.

2. Le composé A est un amide.
a. Écrire et nommer tous les amides isomères du composé A.
b. L'un de ces amides ne peut avoir le spectre proposé, lequel et pourquoi ?
c. En déduire la formule et le nom de A.

Donnée : en infrarouge, la liaison $N-H$ donne une bande pour $N-H$, et deux bandes pour $-NH_2$.

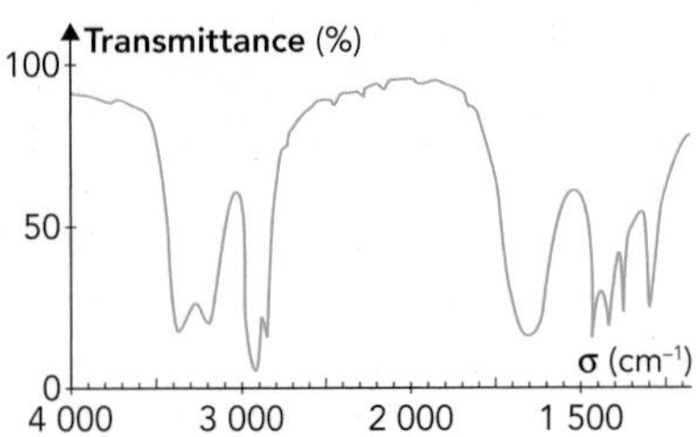

29 Spectres infrarouge et oxydation

COMPÉTENCES Exploiter un tableau et un graphique ; mobiliser ses connaissances.

On utilisera, si nécessaire, le tableau du document 11, p. 96, ou la **fiche n° 11B**, p. 594.

On réalise l'oxydation du butan-1-ol par une solution acidifiée de permanganate de potassium.

Dans un premier temps, l'oxydant est introduit en défaut ; on admet alors qu'il ne se forme qu'un seul produit A, que l'on extrait et purifie.

Dans un second temps, on utilise un net excès d'oxydant ; un seul produit B est alors obtenu, extrait et purifié.

On réalise le spectre infrarouge du butan-1-ol et des produits A et B.

1. Écrire les formules semi-développées du butan-1-ol et des produits A et B.

2. Quelles fonctions présentent ces trois espèces chimiques ?

3. Indiquer les bandes caractéristiques permettant de distinguer le butan-1-ol de ses deux produits d'oxydation, en précisant leurs nombres d'ondes.

4. En déduire une méthode permettant de vérifier la pureté des produits d'oxydation.

Voir, si nécessaire, l'exercice résolu 5, p. 102.

30 Spectres infrarouge et hydrogénation

COMPÉTENCES Exploiter un tableau ; mobiliser ses connaissances ; raisonner.

On utilisera si nécessaire le tableau du document 11, p. 96, ou la **fiche n° 11B**, p. 594.

L'acroléine (notée A) ou prop-2-ènal :

$$H_2C=CH-\overset{\overset{\displaystyle O}{\|}}{C}-H$$

est un liquide toxique par inhalation et ingestion. Elle se forme par dégradation, lors du chauffage de certains acides gras présents dans les viandes.

Elle peut être éliminée par hydrogénation progressive avec du dihydrogène : à basse pression, on obtient le propanal (noté B) alors qu'à haute pression, il se forme le propan-1-ol, (noté C).

Dans un réacteur chimique, on passe de A à B, puis de B à C.

1. Écrire les formules semi-développées de B et C. Quelles fonctions chimiques présentent A, B et C ?

2. Indiquer les bandes caractéristiques permettant de distinguer les composés A, B et C en précisant leurs nombres d'ondes.

3. En déduire une méthode permettant de vérifier que l'élimination, par hydrogénation de l'acroléine d'une huile de friture usagée, a été totale.

31 Spectre infrarouge d'acides carboxyliques

COMPÉTENCES Exploiter un graphique ; mobiliser ses connaissances.

Les deux extraits de spectres infrarouge, A et B, ci-dessous sont ceux de l'acide butanoïque : A est le spectre en phase vapeur, B est le spectre à l'état liquide.

Interpréter leur différence.

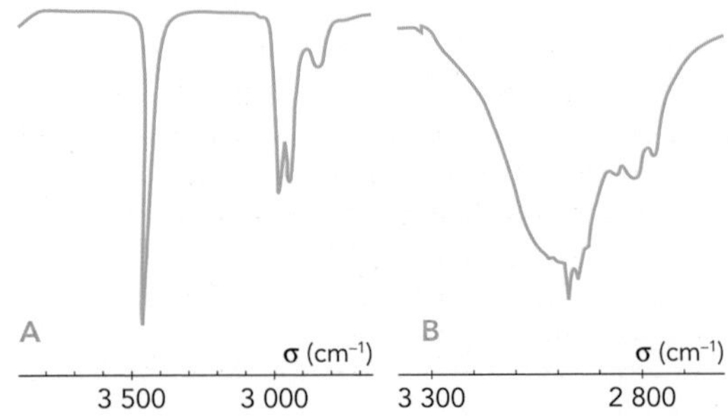

32 Du spectre à la molécule

COMPÉTENCES Exploiter un tableau et un graphique ; mobiliser ses connaissances.

On utilisera la **fiche n° 11C**, p. 595.

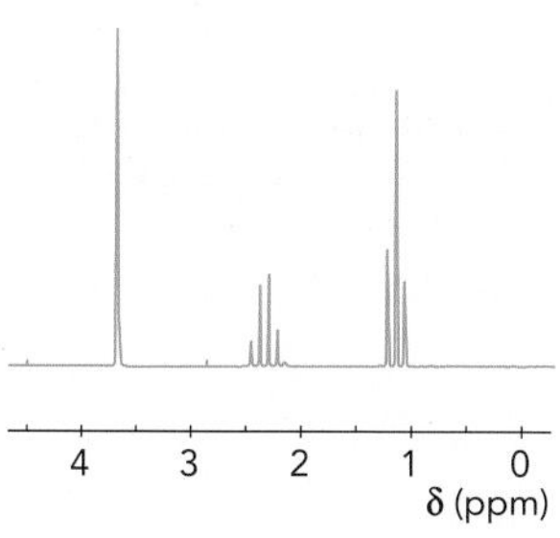

Le spectre de RMN d'un composé organique A, de formule brute $C_4H_8O_2$, est donné ci-contre.

1. Pourquoi le composé A ne peut-il pas être l'acide butanoïque ?

2. Le composé A est-il le propanoate de méthyle ou l'éthanoate d'éthyle ?

Voir, si nécessaire, l'exercice résolu 6, p. 103.

33 Classe d'un alcool et RMN

COMPÉTENCES Exploiter un tableau et un graphique ; mobiliser ses connaissances.

On se reportera à la **fiche n° 11C**, p. 595.
Le spectre de RMN d'un composé A, de formule C_3H_8O, est donné ci-dessous.

1. Écrire la formule semi-développée de tous les isomères de formule C_3H_8O.

2. a. Montrer que le spectre permet d'identifier le composé A sans ambigüité. Le nommer.
b. Quelle est sa classe ?

3. L'oxydation de A donne B.
a. Donner le nom et la formule de B.
b. Quelle serait l'allure du spectre de RMN de B ?

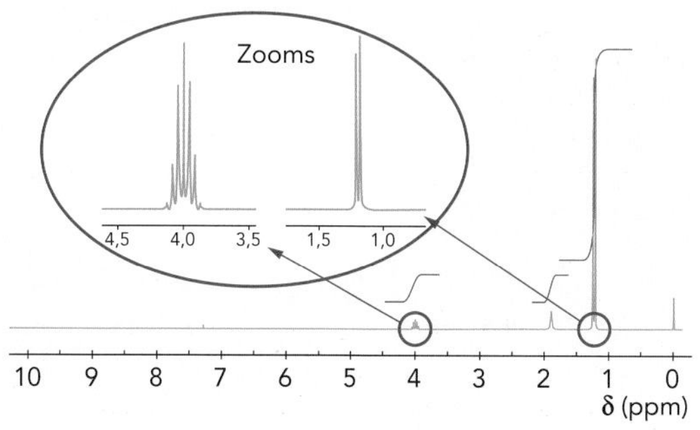

Voir, si nécessaire, l'exercice résolu 6, p. 103.

34 À chacun son rythme

COMPÉTENCES Exploiter un tableau et un graphique ; raisonner.

Cet exercice est proposé à deux niveaux de difficulté. Dans un premier temps, essayer de résoudre l'exercice de niveau 2. En cas de difficulté passer au niveau 1.

On se reportera à la **fiche n° 11C**, p. 595.
Le spectre de RMN d'un composé A, de formule C_3H_9N, est donné ci-dessous.
Certains signaux ont été zoomés afin de les rendre plus visibles.

Niveau 1 (énoncé compact)
Proposer une formule semi-développée, pour le composé A, en accord avec les données spectrales.

Niveau 2 (énoncé détaillé)

1. Écrire les formules semi-développées de tous les isomères du composé A.

2. À l'aide de la courbe d'intégration, déterminer le nombre de protons correspondant à chaque signal.

3. En appliquant la règle des (*n* + 1)-uplets déterminer, pour chaque signal, le nombre de protons voisins du (ou des) proton(s) correspondant à ce signal.

4. Vérifier alors qu'une seule formule est compatible avec le spectre de RMN.

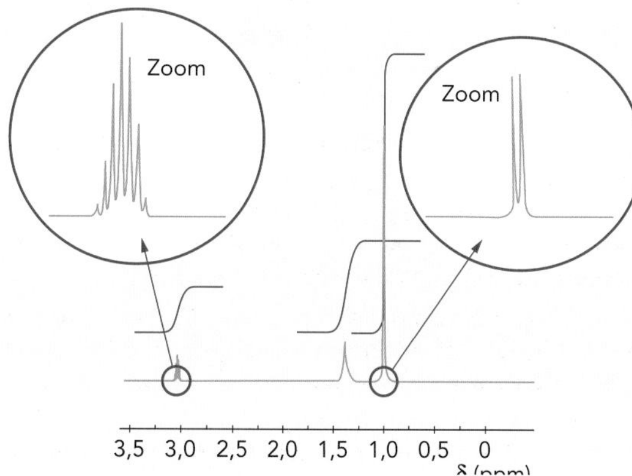

Voir, si nécessaire, l'exercice résolu 6, p. 103.

35 Structure et couleurs

COMPÉTENCES Exploiter un graphique ; mobiliser ses connaissances.

On utilisera, si nécessaire, l'étoile chromatique du document 2, p. 93, ou la **fiche n° 11A**, p. 594.
On donne les formules topologiques de trois composés organiques comportant chacun le groupe azo N=N.

a. (formule topologique : N=N)

b. (formule topologique : N=N, cycle benzénique)

c. (formule topologique : N=N, deux cycles benzéniques)

L'un de ces composés est rouge, un autre est jaune et le dernier est orangé.

1. Donner la formule brute de chacun d'eux.

2. Attribuer à chaque composé sa couleur en justifiant la réponse.

3. En supposant que leur spectre UV-visible ne présente qu'un maximum, dans quel domaine de longueurs d'onde se situe-t-il ?

4. Ces trois composés sont des stéréoisomères *E*.
Par analogie avec les alcènes, dessiner les stéréoisomères *Z* de a, b et c.

Pour aller plus loin

36 Vérifier une formule par RMN

COMPÉTENCES Exploiter un tableau et un graphique ; raisonner.

On utilisera la la **fiche n° 11C**, p. 595.

Le spectre de RMN d'un composé A, de formule C_9H_{12}, est donné ci-dessous.

Le signal à $\delta \approx 2{,}8$ ppm a été zoomé afin de le rendre plus visible.

1. a. En utilisant les valeurs des déplacements chimiques est-il logique d'envisager que le composé A soit un dérivé du benzène C_6H_6 et possède des protons dits aromatiques, c'est-à-dire portés par les atomes de carbone du cycle ?

b. Si oui, d'après la forme de leur signal, que peut-on dire de ces protons aromatiques ?

2. Le composé A peut-il être le 2-phénylpropane ou cumène, $C_6H_5-CH(CH_3)_2$?

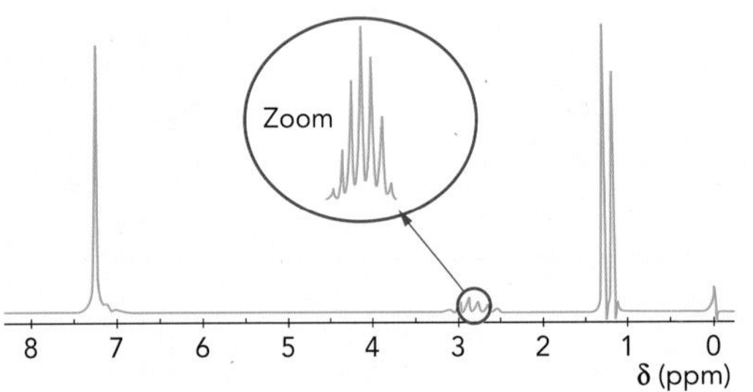

Voir, si nécessaire, l'exercice résolu 6, p. 103.

37 Spectroscopy analysis of amines  Ap

COMPÉTENCES Extraire et exploiter des informations ; raisonner

The absorptions of interest in the infrared spectra of amines are those associates with N – H vibrations.

Primary alkylamines and *arylamines* exhibit two peaks in the range 3 000 cm^{-1} to 3 500 cm^{-1}, which are due to symmetric and antisymmetric N – H *stretching modes*:

Symmetric N – H stretching mode of a primary amine

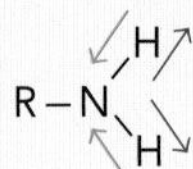

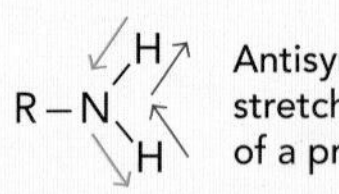

Antisymmetric N – H stretching mode of a primary amine

These two vibrations are clearly visible 3 270 cm^{-1} and 3 380 cm^{-1} in the infrared spectrum of butan-1-amine, shown in figure 1.

Secondary amines such as N-ethyl-ethanamine, shown in figure 2, exhibit only one peak, which is due to N – H stretching, at 3 280 cm^{-1}.

Tertiary amines of course, are transparent in this region, since they have no N – H bonds.

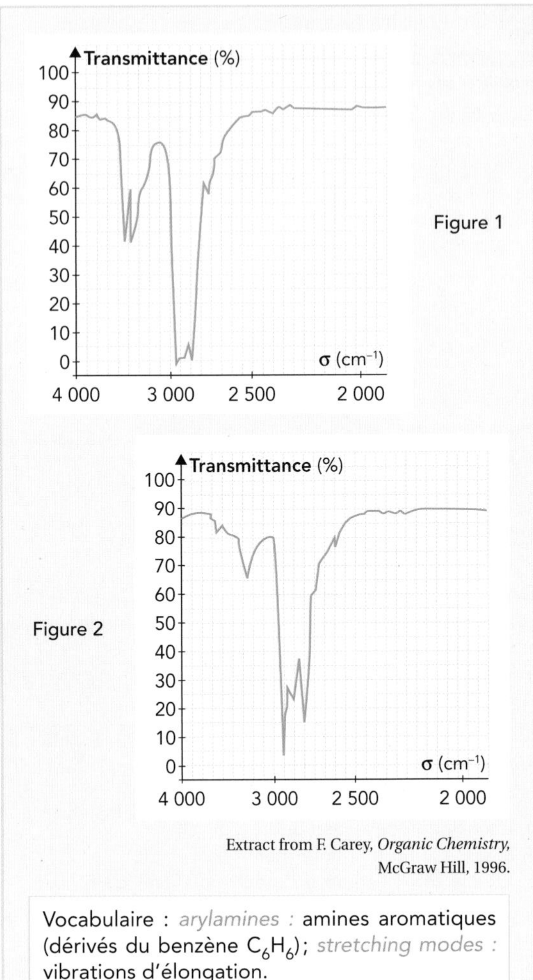

Extract from F. Carey, *Organic Chemistry*, McGraw Hill, 1996.

Vocabulaire : *arylamines* : amines aromatiques (dérivés du benzène C_6H_6) ; *stretching modes* : vibrations d'élongation.

1. Écrire les formules semi-développées de la butan-1-amine et de la N-éthyl-éthanamine.

En s'aidant du texte, en déduire ce que sont des amines primaires, secondaires et tertiaires.

2. Écrire les formules semi-développées de toutes les amines isomères de formule brute $C_4H_{11}N$.

Nommer ces amines et les regrouper selon leur classe primaire, secondaire ou tertiaire.

3. Expliquer le sens du mot « transparent » utilisé dans le texte.

4. Les liaisons N – H se comportent de la même façon dans les amides et les amines. Proposer une façon simple de distinguer deux amides isomères, la propanamide et la N-méthyl-éthanamide.

5. Le spectre infrarouge du benzile $C_6H_5-CO-CO-C_6H_5$ présente deux bandes d'absorption liées aux groupes carbonyle, l'une à 1 662 cm^{-1}, l'autre à 1 677 cm^{-1}.

Écrire la formule semi-développée du benzile et proposer, en s'aidant si nécessaire de schémas, une interprétation de l'existence de ces deux bandes.

38 Identification d'un composé

COMPÉTENCES **Exploiter un tableau et un graphique ; mobiliser ses connaissances ; raisonner.**

On utilisera la **fiche n° 11C**, p. 595.
Le spectre de RMN d'un composé A de formule $C_8H_{11}N$ est donné ci-dessous. L'intégration relative à chaque signal du spectre a été précisée.
Déterminer la formule semi-développée du composé A.

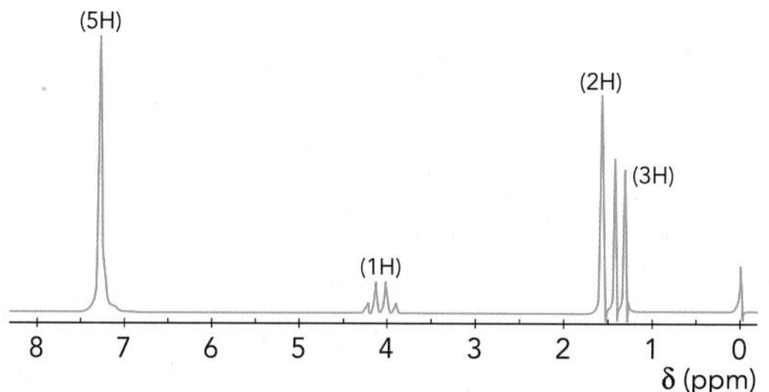

Voir, si nécessaire, l'exercice résolu 6, p. 103.

39 *Bac* Analyse élémentaire et spectres

COMPÉTENCES **Exploiter un tableau et un graphique ; mobiliser ses connaissances ; raisonner.**

On utilisera les **fiches n° 11B et 11C**, p. 594 et 595.
Les spectres infrarouge en phase vapeur et de RMN d'un composé A sont donnés ci-dessous. La masse molaire *M* du composé A a été déterminée par spectrométrie de masse et sa composition centésimale par analyse élémentaire.
Ces mesures ont donné, pour le composé A, $M = 136{,}0\ g \cdot mol^{-1}$ et un pourcentage en masse de 70,6 % de carbone, 5,90 % d'hydrogène et 23,5 % d'oxygène.

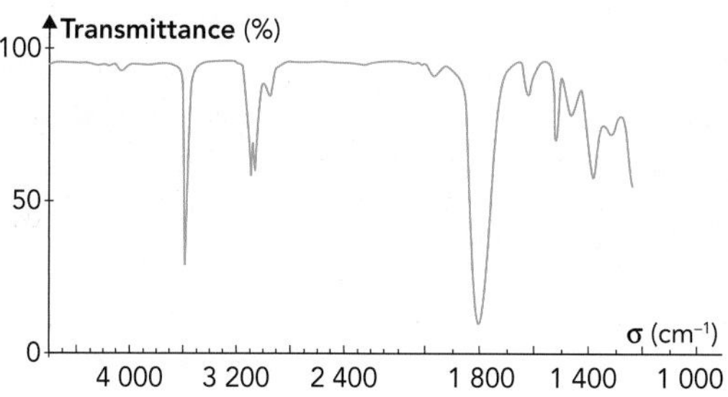

Spectre infrarouge de A.

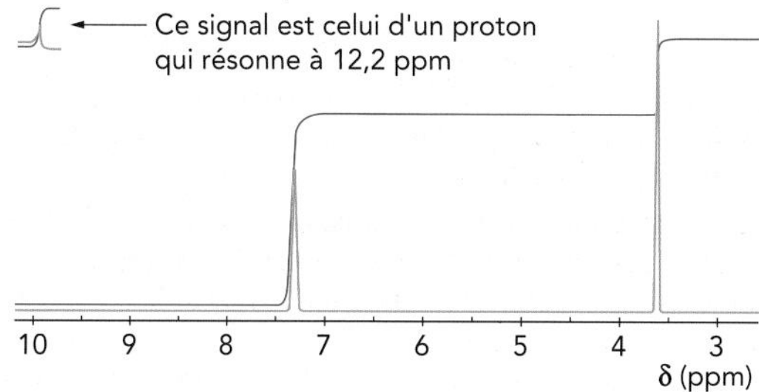

Spectre de RMN de A.

1. Déterminer la formule brute du composé A.
2. Quelle hypothèse peut-on faire, sur la nature de la fonction présente dans le composé A, à partir du signal à δ = 12,2 ppm en RMN ?
Le spectre infrarouge confirme-t-il cette hypothèse ?
3. Exploiter toutes les données du spectre de RMN et proposer une formule semi-développée pour le composé A.
4. Commenter la forme de la bande IR à $\sigma = 3\,600\ cm^{-1}$.

40 *Bac* Éthylotest, éthylomètre

COMPÉTENCES **Extraire et exploiter des informations ; effectuer des calculs ; raisonner.**

On utilisera si nécessaire les **fiches n° 11A et 11B**, p. 594.

Le dosage de l'éthanol dans l'air expiré peut être effectué par des éthylotests ou des éthylomètres.

Éthylotests de catégories A

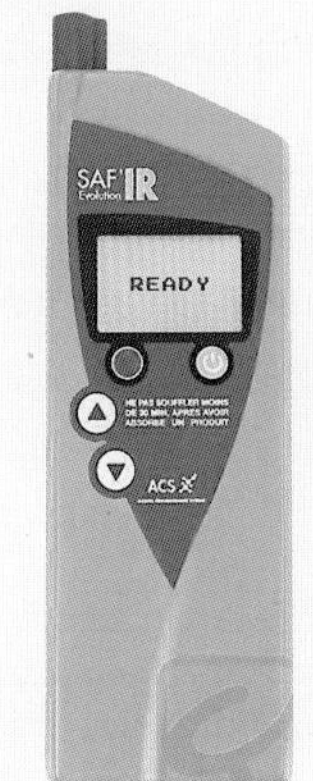

Ils sont constitués d'un tube rempli d'un solide imprégné d'une solution acidifiée de dichromate de potassium, $2\,K^+(aq) + Cr_2O_7^{2-}(aq)$. Au contact de l'éthanol, les ions dichromate jaune-orangé, $Cr_2O_7^{2-}(aq)$, oxydent l'éthanol en acide éthanoïque avec formation d'ions, Cr^{3+} (aq) vert.
Si l'air expiré contient de l'éthanol, un changement de couleur s'opère sur une longueur grossièrement proportionnelle à la concentration en alcool de l'air expiré ; la précision est de l'ordre de 20 %.

Éthylotests de catégorie B

Dans ces appareils, grâce à un catalyseur, l'éthanol est oxydé en acide éthanoïque ; cette réaction met en jeu des électrons dont la circulation génère un courant d'intensité proportionnelle à la concentration d'alcool. Cet appareil à mesure directe à une précision de l'ordre de 5 %.
Ces deux types d'appareils donnent des réponses positives avec d'autres alcools, l'éthanoate d'éthyle et l'éthanal généralement présents dans les vins ou les spiritueux.

Éthylomètres à infrarouge

Ces appareils font appel à la propriété qu'ont les alcools d'absorber dans l'infrarouge. Les premiers appareils utilisés réalisaient deux mesures, l'une pour $\lambda_1 = 3{,}39\ \mu m$, l'autre pour $\lambda_2 = 3{,}48\ \mu m$.
La présence d'hydrocarbures dans l'air expiré, chez les fumeurs en particulier, a conduit les fabricants à développer des appareils effectuant des mesures pour $\lambda_3 = 9{,}46\ \mu m$.
Les éthylomètres à infrarouge, appareils à lecture directe sont de plus en plus utilisés, leur précision est de l'ordre de 2 %.

D'après *Annales de Biologie clinique*, 2003, vol. 61, n° 3, p. 269-279.

Le spectre d'une solution de dichromate de potassium, $2\ K^+(aq) + Cr_2O_7^{2-}(aq)$, présente deux maxima, l'un pour $\lambda = 430$ nm, l'autre pour $\lambda \approx 500$ nm.
Le spectre d'une solution de chlorure de chrome (III), $Cr^{3+}(aq) + 3\ Cl^-(aq)$, présente deux maxima, l'un pour $\lambda \approx 430$ nm, l'autre pour $\lambda \approx 640$ nm.

1. a. Justifier les couleurs perçues dans les éthylotests de catégorie A.
b. Identifier les couples redox mis en jeu dans ces éthylotests.
En déduire l'équation de la réaction chimique qui se produit dans le tube de ces appareils.

2. Justifier que l'oxydation de l'éthanol en acide éthanoïque mette en jeu des électrons.

3. a. Quelle loi exploitent les éthylomètres ?
b. Déterminer les nombres d'ondes σ_1 et σ_2, correspondant respectivement à λ_1 et λ_2.
En déduire à quelle(s) bande(s) d'absorption du spectre infrarouge correspondent ces nombres d'ondes.
c. Justifier que la présence d'hydrocarbures puisse fausser les mesures.

4. a. Déterminer le nombre d'ondes σ_3 correspondant à λ_3.
En déduire à quelle bande d'absorption du spectre infrarouge correspond ce nombre d'ondes.
b. La présence d'éthanal fausse-t-elle la mesure ?
Même question pour la présence d'éthanoate d'éthyle.

5. Pourquoi ne cherche-t-on pas à détecter la bande d'absorption relative au groupe hydroxyle.

6. a. Comment définir la précision de ces trois appareils ?
b. Quelle analyse médicale est-il nécessaire de faire pour déterminer effectivement ces précisions ?
c. Que penser des trois méthodes au niveau de leur précision ?

Un pas vers l'enseignement supérieur

41 Identifier une molécule

COMPÉTENCES Exploiter un tableau et un graphique ; mobiliser ses connaissances ; raisonner.

On utilisera les **fiches n° 11B et 11C**, p. 594 et p. 595.

A. Utilisation des spectres

Les spectres infrarouge et de RMN d'un composé A de formule $C_8H_{10}O$ sont donnés ci-contre. La multiplicité des signaux a été précisée.

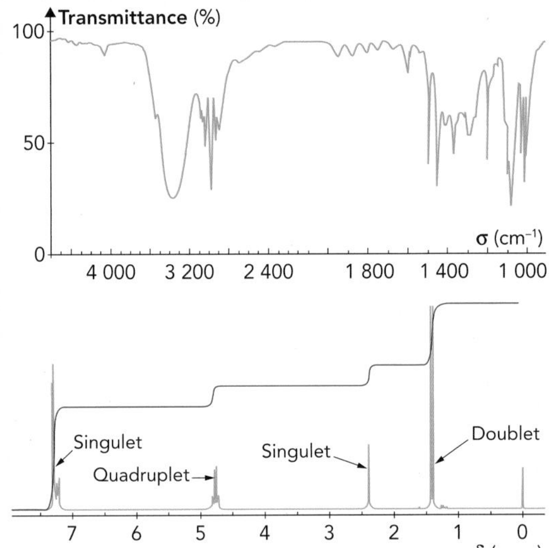

1. a. En justifiant la réponse, indiquer si l'analyse du spectre infrarouge permet d'envisager que le composé A soit un dérivé du benzène C_6H_6, c'est-à-dire qu'il présente un cycle aromatique.
b. Ceci est-il confirmé par le spectre de RMN ?

2. Quelle pourrait être la fonction oxygénée de A ?

3. Exploiter toutes les données du spectre de RMN et proposer une formule semi-développée pour A.

4. On réalise l'oxydation de A, on obtient un produit B.
a. Quelle(s) modification(s) observerait-on pour le spectre infrarouge en passant de A à B ?
b. Comment peut-on, à l'aide du spectre infrarouge, vérifier que B ne contient pas A comme impuretés ?

B. Utilisation de données spectrales

Quatre isomères de même formule brute $C_5H_{10}O_2$ sont caractérisés par les caractéristiques spectrales suivantes. Identifier et nommer ces quatre composés.

1. Composé A
RMN $\delta = 1{,}20$ ppm : doublet (6 H) ;
$\delta = 2{,}05$ ppm : singulet (3 H) ;
$\delta = 5{,}00$ ppm : septuplet (1 H) ;
IR $\sigma = 1740\ cm^{-1}$.

2. Composé B
RMN $\delta = 1{,}2$ ppm : doublet (6 H) ;
$\delta = 2{,}6$ ppm : septuplet (1 H) ;
$\delta = 3{,}7$ ppm : singulet (3 H) ;
IR $\sigma = 1740\ cm^{-1}$.

3. Composé C
RMN $\delta = 1{,}40$ ppm : singulet (6 H) ;
$\delta = 2{,}25$ ppm : singulet (3 H) ;
$\delta = 3{,}70$ ppm : singulet (1 H) ;
IR $\sigma = 3400\ cm^{-1}$ (bande large) ;
$\sigma = 1700\ cm^{-1}$.

4. Composé D
RMN $\delta = 1{,}15$ ppm : triplet (3 H) ;
$\delta = 1{,}30$ ppm : triplet (3 H) ;
$\delta = 2{,}35$ ppm : quadruplet (2 H) ;
$\delta = 4{,}15$ ppm : quadruplet (2 H) ;
IR $\sigma = 1740\ cm^{-1}$.

Retour sur l'ouverture du chapitre

42 Bac Vieillissement des œuvres d'art et spectroscopie infrarouge

COMPÉTENCES **Extraire et exploiter des informations ; raisonner.**

Les matériaux à base de polyuréthane et en particulier les mousses, occupent une place prépondérante dans les créations artistiques. C'est un matériau de prédilection pour certains artistes et designers tels que César ou Pesce. L'artiste japonais Kenji Yanobe a utilisé ce matériau pour créer *Foot Soldier (Godzilla)*.
Les polyuréthanes sont particulièrement connus pour leur tendance au jaunissement et, comme pour les autres *élastomères* de ce type, cela s'accompagne très souvent d'une perte de propriétés mécaniques et chimiques.
L'oxydation peut être initiée par la chaleur, les ultraviolets, les tensions mécaniques, des résidus de catalyse ou encore des impuretés. Il peut en résulter la formation de composés très instables, tels que par exemple les *hydroperoxydes*.
Ce phénomène d'oxydation combiné aux réactions d'*hydrolyse* accélère la *photo-oxydation* de ce polymère qui peut entraîner des décompositions irréversibles.

L'étude comportementale physico-chimique des polyuréthanes s'appuie sur la spectroscopie infrarouge.
Celle-ci offre la possibilité de suivre l'évolution des intensités des absorptions des groupements chimiques ou l'apparition de nouvelles bandes d'absorption synonymes parfois de phénomènes tels que l'hydrolyse ou l'oxydation.

L'augmentation de l'intensité de la bande d'absorption du carbonyle C = O traduit une réaction d'oxydation du polyuréthane.
Cette étude met en évidence la présence de deux des principaux mécanismes de dégradation : l'oxydation et l'hydrolyse.

$$\left(-\underset{}{C}(=O)-NH-C_6H_4-CH_2-C_6H_4-NH-C(=O)-O\left[-CH_2-CH(CH_3)-O-\right]_n-C(=O)-NH-C_6H_4-CH_2-C_6H_4-NH-C(=O)-NH-CH_2-CH_2-NH- \right)_m$$

Dégradation

$$...CH_2-C(=O)-CH_3 \; + \; {\bullet}O-CH_2-CH(CH_3)-O-CH_2-CH(CH_3)-O...$$

L'augmentation du nombre de groupes carbonyle peut créer de nouveaux ponts hydrogène ce qui peut provoquer une série de changements dans le comportement mécanique des polyuréthanes : les chaînes avec une grande densité des ponts hydrogène auront plus de restrictions de mouvement.

L'étude spectroscopique a mis en évidence la disparition de la bande C = C, confirmant l'hypothèse d'une dégradation induite par une réaction d'*ozonolyse* de certains polymères également contenus dans ces matériaux.

D'après A. Colombani, « Les matériaux en polyuréthane dans les œuvres d'art : des fortunes diverses », *CeroArt*, 2008.

1. @ Rechercher le sens des mots ou expressions en italique.

2. Pourquoi peut-on affirmer que l'augmentation de l'intensité de la bande d'absorption de la liaison C = O en infrarouge traduit une augmentation de la quantité de groupes carbonyle présents ?

3. La réaction de formation des hydroperoxydes peut être schématisée par l'équation :

$$R-H + O_2 \longrightarrow R-O-O-H$$

Comment se manifeste la formation de ces produits dans un spectre infrarouge ?

4. Repérer, dans le motif du polyuréthane, les sites pouvant participer à des *ponts hydrogène*.
Justifier alors l'avant-dernière phrase du texte ci-dessus : « L'augmentation... restrictions de mouvement ».

5. L'ozonolyse est la réaction d'un alcène avec l'ozone O_3 suivie de l'action de l'eau. Elle conduit à la formation de peroxyde d'hydrogène H_2O_2 et de deux composés carbonylés obtenus par rupture de la double liaison C = C.
Comment se manifeste cette réaction dans un spectre infrarouge ?

6. @ Décrire l'œuvre d'art *Foot Soldier (Godzilla)*. Rechercher d'autres œuvres de Kenji Yanobe.

Comprendre un énoncé

43 Identification d'espèces par spectroscopie

Un alcool inconnu, noté A, a pour formule brute C_3H_8O.
Son oxydation donne un composé B, dont un extrait du spectre infrarouge est donné ci-dessous.

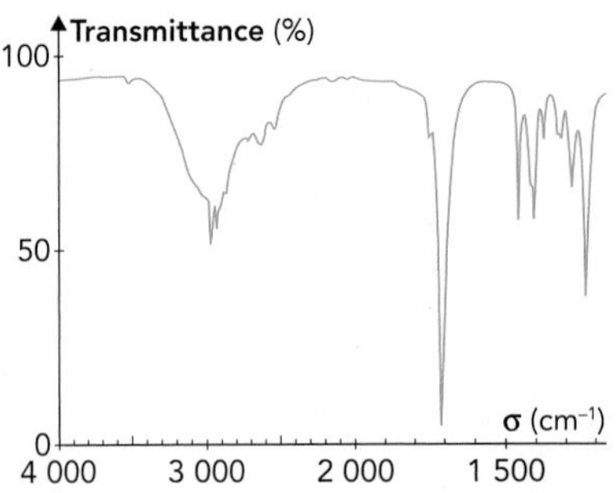

Le spectre de RMN de B présente un triplet pour δ = 1,2 ppm, un quadruplet pour δ = 2,4 ppm et un singulet pour δ = 11,7 ppm.

Données : les tables de données de spectroscopie infrarouge et de RMN, p. 594 et 595.

Questions à se poser à la lecture de l'énoncé

→ Quel groupe caractéristique présente un alcool ?

→ Que peut-on obtenir par oxydation d'un alcool ?

→ Quelles sont les bandes d'absorption remarquables de ce spectre ?

→ Que représentent les termes quadruplet, triplet, singulet ?

→ Quel(s) proton(s) peu(ven)t donner un déplacement chimique aussi élevé ?

→ Quelle(s) fonction(s) ou liaison(s) semble avoir le composé B ?

Questions	Compétences à mobiliser	Si difficulté, revoir
1. a. Écrire les formules semi-développées de tous les composés de formule brute C_3H_8O. b. Parmi ceux-ci, repérer et nommer les alcools et indiquer leur classe.	• Connaître le nombre de liaisons que peuvent donner C, O et H. • Connaître la fonction alcool. • Savoir déterminer la classe d'un alcool.	Révisions, p. 16 et Rabat V.
2. a. Rappeler les produits que peut donner l'oxydation d'un alcool suivant sa classe. b. En déduire les produits susceptibles de se former lors de l'oxydation de A.	• Connaître les produits d'oxydation des alcools selon leur classe.	Révisions, p. 16. Exercice 29, p. 108.
3. a. À l'aide des tables de données infrarouge indiquer les liaisons *a priori* présentes dans le composé B. b. Quelle est la classe de A ? c. Proposer alors une formule semi-développée possible pour B.	• Utiliser une table de données*. • Exploiter un spectre IR pour identifier des liaisons. • Associer un groupe caractéristique à une fonction.	Exercice résolu 5, p. 102. Exercices 16 et 18, p. 105 et 106.
4. En justifiant soigneusement, vérifier que la formule donnée à la question 3.c est en accord avec les données du spectre de RMN.	• Relier un spectre de RMN à une molécule organique donnée, à l'aide des tables de données.	Exercice résolu 6, p. 103. Exercice 20, p. 106.
5. En déduire la formule et le nom de A.	• Connaître les règles de nomenclature.	Rabat V.

* Compétence transversale.

Avoir les bons réflexes

Si l'énoncé demande de…	il est nécessaire de…	Si difficulté	Pour réviser
Exploiter un spectre UV-visible pour interpréter la couleur d'une solution.	● Utiliser l'étoile chromatique ou le tableau de données fourni. ● Repérer les longueurs d'onde aux maxima d'absorption et identifier les couleurs des radiations absorbées. Déterminer leurs couleurs complémentaires et conclure.	Exercice 9, p. 104	Exercice 26 p. 107.
Associer un groupe à une fonction.	● Connaître les groupes caractéristiques et les fonctions au programme.	Révisions, p. 16, et exercice 10, p. 104.	Exercice 12 p. 105.
Nommer des composés organiques à partir de leurs formules.	● Connaître les groupes caractéristiques et les fonctions au programme. ● Connaître les règles de nomenclature.	Exercices 11 et 13, p. 105.	Exercice 13 p. 105.
Identifier des bandes caractéristiques dans un spectre infrarouge.	● Repérer les principales bandes d'absorption du spectre. Rechercher les nombres d'ondes correspondant dans les tables.	Exercice résolu 5, p. 102, et exercice 16, p. 105.	Exercice 18 p. 106.
Repérer la présence de liaisons hydrogène entre molécules.	● Repérer les bandes d'absorption relatives aux groupes hydroxyle. ● Observer leur forme et leur position.	Exercice 31, p. 108.	Exercice 31 p. 108.
Relier un spectre de RMN à une molécule.	● Vérifier l'accord du spectre et de la structure de la molécule au niveau du nombre de signaux présents, des déplacements chimiques, des intégrations et des multiplicités.	Exercice résolu 6, p. 103.	Exercice résolu 6 p. 103.
Repérer des protons équivalents en RMN.	● Rechercher tous les protons ayant le même environnement chimique à l'aide de la formule semi-développée.	Exercice 22, p. 107.	Exercice 22 p. 107.
Déterminer le nombre de protons associés à un signal donné en RMN.	● Exploiter la courbe d'intégration ● Identifier le nombre de protons équivalents.	Exercice résolu 6, p. 103, et exercice 22, p. 107	Exercice 34 p. 109.
Justifier ou exploiter la multiplicité d'un signal en RMN.	● Identifier les protons ou groupes de protons équivalents. ● Appliquer la règle des $(n + 1)$-uplets.	Exercice résolu 6, p. 103.	Exercice 24 p. 107.

Dans les conditions du baccalauréat

● **Avec aide :** Exercice 43 p. 114.

● **Sans aide :** Exercice 39 p. 111.

1 La lumière pour le contrôle de qualité

La lumière peut servir pour contrôler la qualité de certains objets qui doivent répondre à des normes précises concernant leurs dimensions ou pour contrôler les microdéformations qu'ils sont susceptibles de subir.

L'objectif de cet exercice est d'analyser les documents ci-dessous en vue de la rédaction d'un article de vulgarisation présentant les phénomènes physiques utilisés lors de ces contrôles.

■ Contrôle d'un diamètre

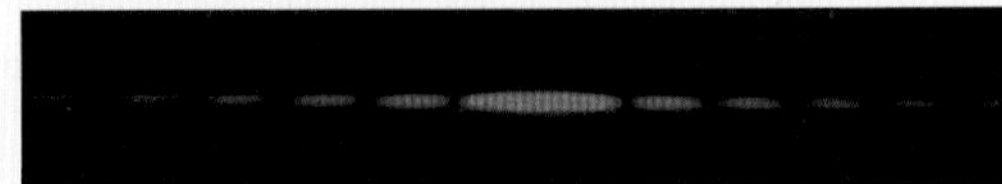

Doc. 1 Figure de diffraction obtenue avec une fente verticale.

Les exigences de certaines industries de haute technologie nécessitent l'utilisation de matériaux aux dimensions très précises.
Afin de mesurer le diamètre a d'un fil, un laboratoire de métrologie utilise un laser de longueur d'onde $\lambda = (632{,}8 \pm 0{,}1)$ nm. En dirigeant le faisceau vers le fil, le technicien observe, sur un écran placé derrière le fil, une figure analogue à celle obtenue en dirigeant le faisceau vers une fente de même largeur (doc. 1).
Il mesure entre le fil et l'écran une distance $D = (2{,}345 \pm 0{,}002)$ m. La tache centrale obtenue sur l'écran a une largeur $L = (6{,}98 \pm 0{,}03)$ cm.

■ Contrôle d'une déformation

L'holographie est un procédé qui consiste à enregistrer sur un support photosensible la figure d'interférences produite entre une onde de référence et l'onde diffusée par un objet.
Quand on éclaire l'hologramme obtenu avec l'onde de référence, on observe une image virtuelle de l'objet en 3D à l'endroit exact où il se trouvait lors de l'enregistrement.
En réalisant l'hologramme d'un objet dans différents états, on peut, par comparaison, déceler des défauts de structures. Prenons l'exemple d'un haut-parleur. Un premier hologramme est enregistré lorsque le haut-parleur est neuf et immobile (doc. 2a). Un second est enregistré sur le même support lorsque le haut-parleur est de nouveau immobile après avoir vibré. Si le haut-parleur s'est déformé, l'hologramme obtenu est légèrement différent.
La superposition de ces deux hologrammes est appelé « hologramme double exposition ». Lorsqu'on éclaire avec une lumière cohérente l'hologramme double exposition, la lumière issue des deux images interfère et forme une nouvelle figure d'interférences caractéristique des modifications subies par le haut-parleur lors de son fonctionnement (doc. 2b).
La même technique peut être utilisée pour détecter des vibrations comme celles de la carrosserie d'une voiture à l'arrêt mais avec le moteur en fonctionnement (doc. 2c). Dans un tel cas, la durée séparant les deux enregistrements doit être très petite.

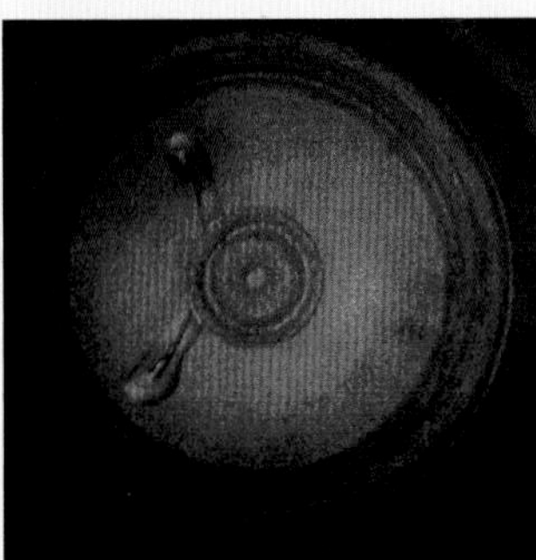

Doc. 2a Hologramme simple exposition.

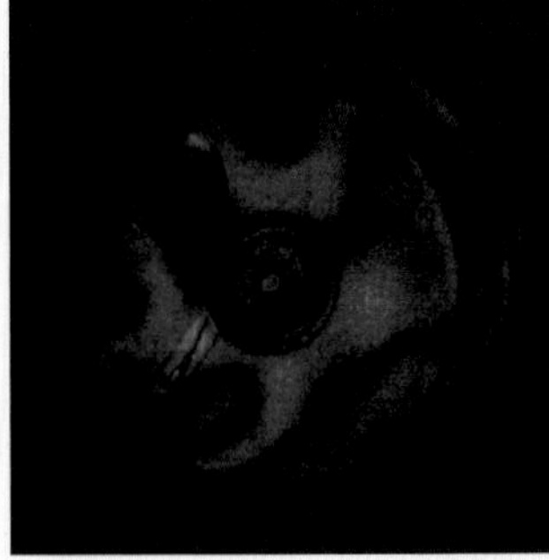

Doc. 2b Hologramme double exposition.

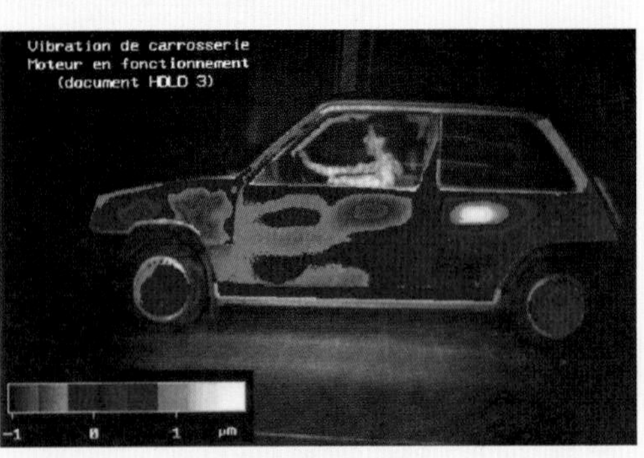

Doc. 2c Hologramme double exposition obtenu avec deux impulsions laser de 30 ns chacune séparées de 200 µs.

■ **Contrôle d'une surface**

Une lame d'air d'épaisseur e (**doc. 3a**) est comprise entre deux surfaces.

La surface supérieure est la base d'une lame de verre parfaitement plane et transparente appelée étalon. La surface inférieure est celle d'un miroir dont on souhaite vérifier la planéité.

Un rayon lumineux S arrivant sur la lame de verre sous un angle d'incidence i très petit (**doc. 3a**), parvient sur la lame d'air en A, où il subit une réflexion partielle lors du passage du verre dans l'air. Il donne alors naissance à un rayon réfléchi R.

Le rayon réfracté en A parvient ensuite sur le miroir en B où il subit une réflexion en donnant naissance à un rayon R'. Ces deux rayons R et R' peuvent interférer.

Pour une différence de marche égale à $\left(\frac{\lambda}{2} + k \cdot \lambda\right)$, avec k entier, les interférences sont destructives. Dans le cas particulier où les faces de la lame d'air font entre elles un angle très petit, on a un coin d'air (**doc. 3b**).

Si pour l'épaisseur e_1 les interférences sont destructives, à chaque fois que l'épaisseur du coin d'air augmente de $\frac{\lambda}{2}$ on voit une nouvelle frange sombre puisque la distance parcourue lors de l'aller-retour entre les deux surfaces est augmentée de λ. On peut observer des franges rectilignes alternativement sombres et brillantes si le miroir est plan (**doc. 3c**).

En présence de défauts de planéité du miroir, on observe une déformation des franges par rapport à la ligne droite (**doc. 3d**).

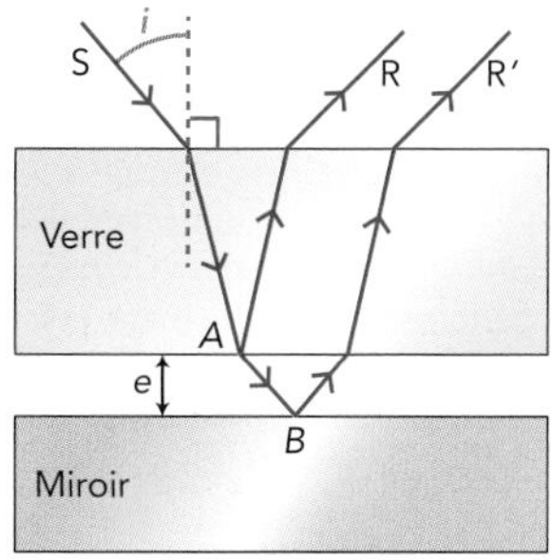

Doc. 3a

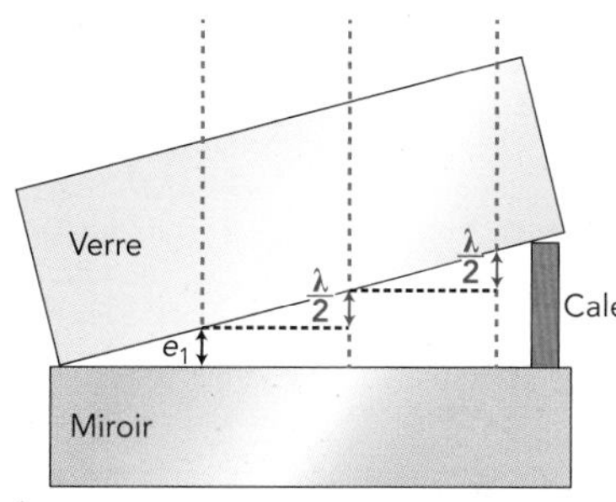

Doc. 3b

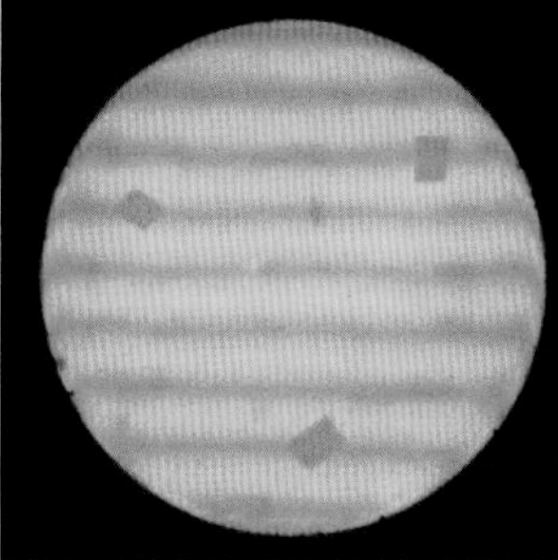

Doc. 3c Franges obtenues avec un miroir plan de bonne qualité.

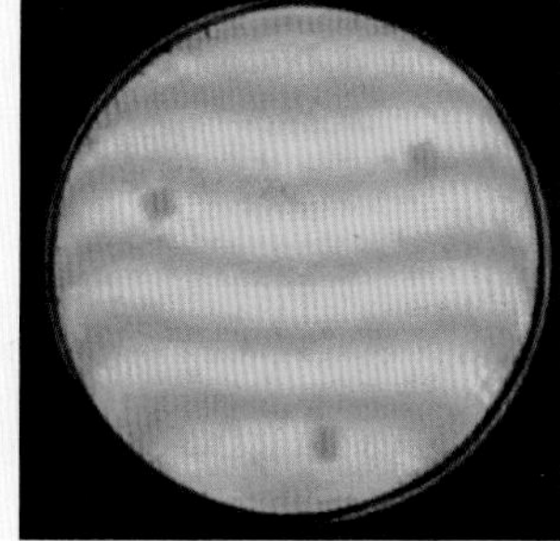

Doc. 3d Franges obtenues avec un miroir de surface « ondulée ».

1. Rédiger une courte introduction expliquant ce qu'est le contrôle de qualité.

2. Diamètre d'un fil

a. Nommer le phénomène physique utilisé pour le contrôle du diamètre d'un fil (**doc. 1**).
Dans quelle condition peut-on l'observer ?

b. En utilisant les données du premier texte et les propriétés du phénomène évoqué à la question 2a, calculer le diamètre a du fil et l'incertitude sur cette valeur. Illustrer les propos par des schémas.

3. Défauts de structure

a. Quand dit-on que des sources de lumière sont cohérentes ?

b. Pourquoi les faisceaux lumineux issus des deux images holographiques peuvent-ils interférer ?

c. Interpréter les zones noires observées sur le **document 2b**.

4. Les miroirs plans

a. Nommer le phénomène physique utilisé pour contrôler la planéité d'un miroir.

b. Pourquoi observe-t-on une alternance de franges sombres et brillantes ?

c. Rappeler les conditions nécessaires à l'observation de ce phénomène.

d. Comment se traduit un défaut de surface avec cette méthode ?

Donnée : l'incertitude sur a est donnée par :

$$U(a) = a\sqrt{\left(\frac{U(\lambda)}{\lambda}\right)^2 + \left(\frac{U(D)}{D}\right)^2 + \left(\frac{U(L)}{L}\right)^2}$$

2 Identification spectrale de molécules organiques

■ Odeurs, arômes, parfums

Le 4-éthylphénol **A** contribue à donner à certains vins une odeur désagréable, de sueur ou de cuir, détectable dès que sa teneur dépasse 500 µg·L^{-1}.
Le 2-phényléthanol **B** est naturellement présent dans les essences de rose, de géranium et dans certains vins blancs. Le phényléthanal **C** a été mis en évidence dans des céréales, dans le chocolat et dans diverses fleurs. Des insectes l'utilisent pour communiquer. L'acide phényléthanoïque **D** est un solide qui présente une odeur florale et sucrée ; l'un de ses dérivés le phényléthanoate d'éthyle **E** participe à l'arome du miel. Bien que présents dans de nombreuses substances naturelles, ces composés sont synthétisés industriellement.

A B C D E

■ Analyses spectrales

Les **documents 1** et **2** donnent respectivement des extraits des spectres infrarouge des composés **A** et **B**.
Le spectre du composé **A** a été obtenu à partir d'une solution diluée de **A** dans le tétrachloro-méthane CCl_4 alors que celui du composé **B** l'a été à partir d'un film de **B** pur à l'état liquide.
Les **documents 3** et **4** donnent les spectres de RMN des composés **A** et **B**.

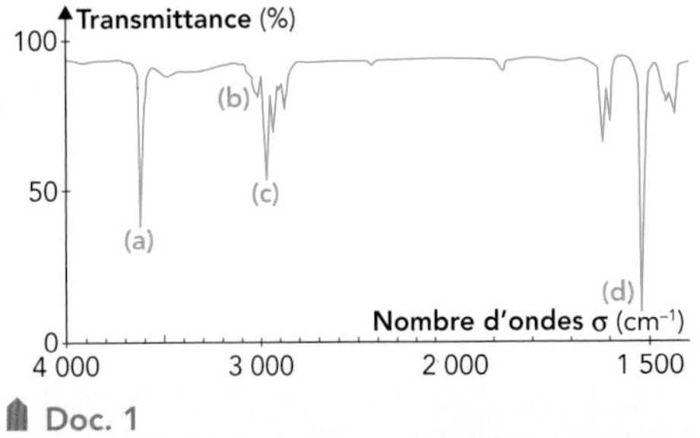

Doc. 1

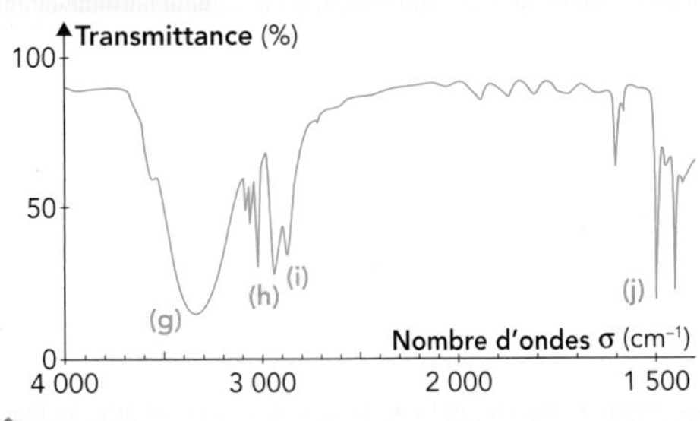

Doc. 2

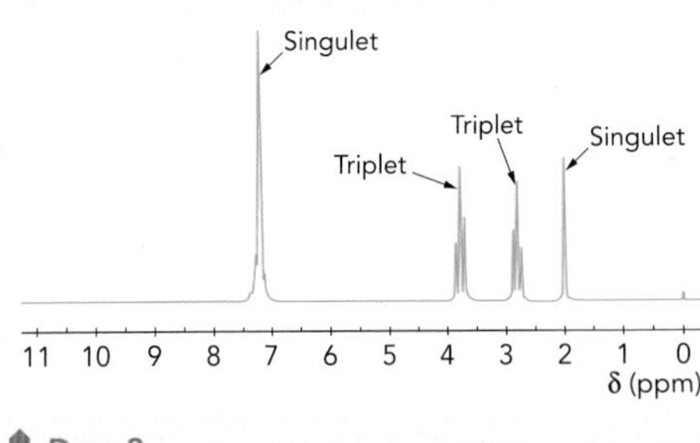

Doc. 3

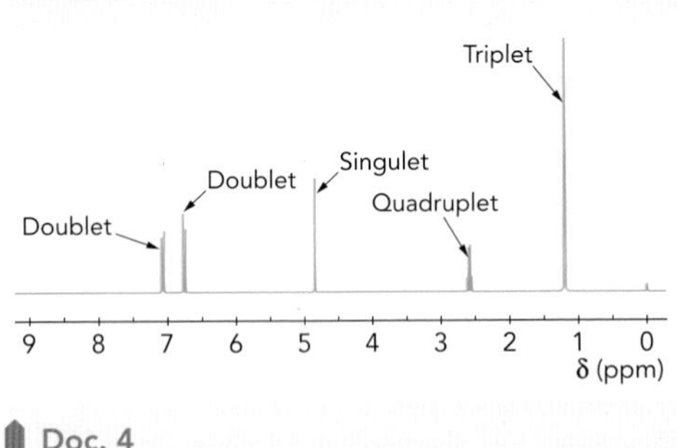

Doc. 4

■ Synthèses organiques

- L'oxydation d'un alcool primaire donne principalement un aldéhyde lorsque l'oxydant est en défaut et un acide carboxylique lorsque l'oxydant est en excès.
- L'oxydation d'un alcool secondaire donne une cétone.
- En faisant réagir, en milieu acide, le composé **D** avec de l'éthanol, on obtient le composé **E** et un composé **G** non organique.

1. a. Déterminer les formules brutes de A et B. Conclure.
b. Justifier pourquoi, contrairement à A, le composé B est un alcool.
c. Identifier les groupes caractéristiques et les fonctions des composés C, D et E.

2. a. À l'aide du *tableau I*, attribuer les bandes d'absorption, notées a, b, c, d, g, h, i et j, aux liaisons présentes dans les molécules de A et B.

b. Les nombres d'ondes et la forme des signaux a et g sont différents. Expliquer pourquoi.

3. La dégustation d'un vin banc conduit à envisager la présence de traces des composés A et B.
a. Quelles sont les bandes d'absorption caractéristiques des constituants majoritaires du vin ?
b. Indiquer alors, pour quelle raison le spectre infrarouge de ce vin ne permettrait pas de vérifier la présence des composés A et B dans ce vin ?

4. a. À partir de l'analyse des multiplicités de quelques signaux, attribuer les spectres de RMN des documents 3 et 4 aux composés A et B.
b. Représenter la formule semi-développée de B.
c. En justifiant la réponse, associer à chaque groupe d'atomes d'hydrogène équivalents du composé B, leur signal dans le spectre de RMN.

5. On réalise l'oxydation du composé B à l'aide d'un oxydant introduit en défaut.
a. Quel produit obtient-on principalement ?
b. Justifier que le tracé d'un spectre infrarouge du produit obtenu, après extraction du mélange réactionnel et purification, est une technique tout à fait appropriée pour vérifier sa pureté.

6. On réalise à présent l'oxydation du composé B à l'aide d'un oxydant introduit en excès.
a. Quel produit obtient-on alors principalement ?
b. Justifier que le tracé d'un spectre de RMN du produit obtenu est alors une technique plus appropriée pour vérifier sa pureté que le tracé de son spectre infrarouge.

7. a. Identifier G, puis écrire l'équation de la réaction conduisant à E à partir de D et de l'éthanol.
b. Le composé E est extrait du mélange réactionnel, puis purifié. Quelle technique spectroscopique paraît la plus indiquée pour vérifier la pureté du produit et éventuellement les fonctions présentes dans l'impureté ?

Données :
• Le vin est un mélange principalement constitué d'eau et d'éthanol.

Tableau I : bandes d'absorption de quelques liaisons en infrarouge

Liaison	Nombre d'ondes σ (cm^{-1})	Intensité
$O-H_{libre}$	3580-3650	F ; fine
$O-H_{lié}$	3200-3400	F ; large
$C_{tri}-H$	3000-3100	M
$C_{tri}-H_{aromat.}$	3030-3080	M
$C_{tét}-H$	2800-3000	F

Liaison	Nombre d'ondes σ (cm^{-1})	Intensité
$C=O_{ester}$	1700-1740	F
$C=O_{aldéh.\ cétone}$	1650-1730	F
$C=O_{acide}$	1680-1710	F
$C=C_{aromat.}$	1450-1600	M
$C_{tét}-H$	1415-1470	F

Tableau II : déplacement chimique δ (ppm) de quelques protons

Proton	δ (ppm)
CH_3-C	0,9
CH_3-C-O	1,4
$CH_3-C-O-CO$	1,3
R–CO–**H**	9,9
C–CH–Ar	3,0

Proton	δ (ppm)
Ar–**H**	7-9
–CO–**OH**	8,5-13
R–OH	0,5-5,5
Ar–**OH**	4,2-7,1
$C-CH_2-O-H$	3,6

Proton	δ (ppm)
$C-CH_2-O-CO$	4,1
$C-CH_2-CO-O$	2,2
$C-CH_2-Ar$	2,7
$C-CH_2-C$	1,3
$C-CH_2-C_{cycle}$	1,5

Ar désigne un composé avec un cycle aromatique comme le benzène ⌬ ou ses dérivés.

R désigne un radical alkyle et –CO– correspond au groupe C=O

1 L'échographie : comment ça « marche » ?

A Contexte du sujet

« Outil de base de la surveillance prénatale, l'échographie médicale sert en fait à tout visualiser : reins, cœur, foie, tumeurs, trajet d'une sonde, etc. Son gros atout : elle est sans danger pour l'organisme. [...] Les ultrasons ne sont en effet rien d'autre que des ondes sonores, des ondes élastiques capables de se propager dans tout milieu matériel (gaz, liquide, solide). Leurs fréquences se situent au-delà de ce que l'oreille peut percevoir de plus aigu. [...] Les fréquences utilisées s'échelonnent de 1 à 20 MHz en fonction de l'organe observé.

Tout comme les ondes lumineuses, les ultrasons sont réfléchis (c'est l'écho), réfractés, absorbés ou diffractés. [...] Le corps est pour l'essentiel un milieu souple et fluide où domine l'eau ; les ultrasons s'y propagent à la vitesse de 1 460 mètres par seconde. Tissus et graisses constituent un milieu différent de l'eau et la vitesse du son y varie de 1 480 à 1 600 mètres par seconde. Ces écarts de vitesse confèrent à chaque organe de notre corps un indice de réfraction acoustique qui lui est propre, et qui permet de le distinguer des organes voisins. [...]

Pour former une image, l'échographe fonctionne comme un radar : il émet une brève salve d'ultrasons, puis se met à l'écoute des échos réfléchis. [...] Connaissant la vitesse de propagation des ultrasons dans les tissus, il mesure la durée qui sépare l'émission de la réception de chaque écho, et en déduit les distances. Cette mesure lui permet de construire une ligne de l'image, celle qui correspond à la direction du faisceau d'ultrasons. Pour avoir une image complète, il faut balayer la zone étudiée. [..] »

Extrait de G. Martin, « L'échographie, comment ça « marche ? », *La Recherche*, 2004, n° 378.

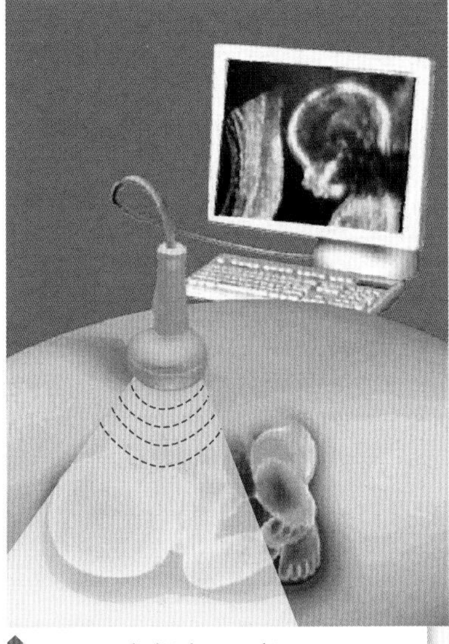

Principe de l'échographie.

B Documents mis à la disposition

■ **Ondes sonores et ultrasonores**

Les sons audibles ont des fréquences comprises entre 20 Hz et 20 kHz environ. Ils sont limités par les infrasons ($f < 20$ Hz) et par les ultrasons ($f > 20$ kHz).

■ **Formation des images échographiques**

La plupart des échographies sont en nuances de gris allant du noir au blanc (**doc. 1**).

Les amplitudes les plus importantes des ondes réfléchies sont codées en blanc, les plus faibles sont codées en noir. Les nuances de gris correspondent à des amplitudes intermédiaires. L'amplitude du signal ultrasonore réfléchi dépend des milieux rencontrés.

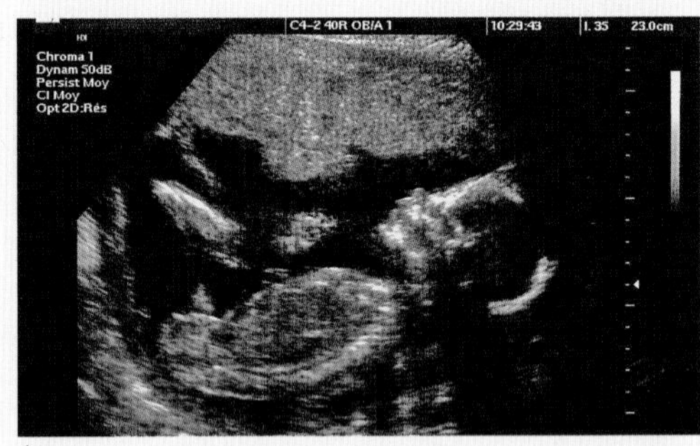

Doc. 1

• Si l'onde ultrasonore passe de l'eau ou du gel échographique dans la peau, le codage sera noir, car cette onde est presque totalement absorbée (**doc. 2**).

• Si l'onde ultrasonore passe du muscle dans l'os, le codage sera gris, car cette onde est en partie réfléchie (**doc. 3**).

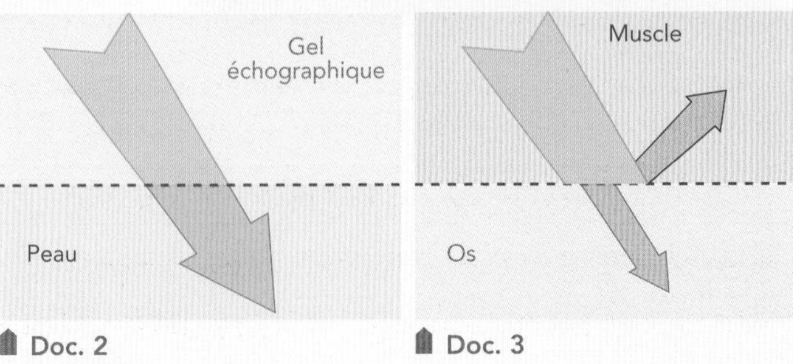

Doc. 2 Doc. 3

■ **Salves ultrasonores ou émission continue**

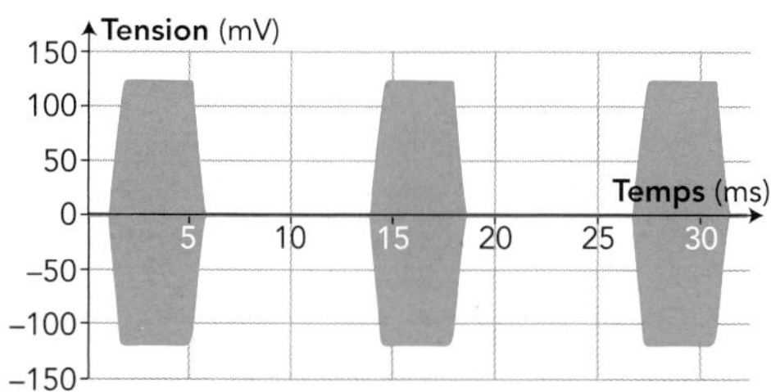

En mode « salve », un émetteur ultrasonore envoie à intervalle de temps régulier, un « bip » d'une durée brève.

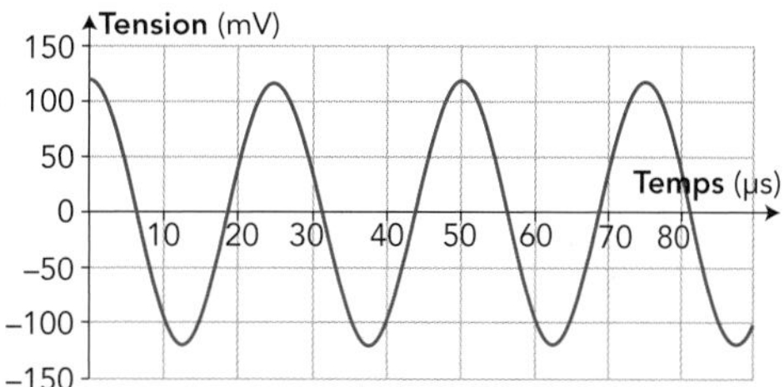

En mode continu, l'émetteur envoie en permanence un signal ultrasonore sinusoïdal de fréquence fixe. Certains types d'émetteurs permettent de choisir la fréquence.

Matériel disponible
- Plaques de bois et de polystyrène de différentes épaisseurs ;
- cadres recouverts de tissu, de papier, de plastique, de papier d'aluminium ;
- générateur d'ultrasons et de salves ultrasonores ;
- émetteur et récepteur d'ultrasons ;
- oscilloscope ;
- mètre ruban.

On travaillera dans l'air plutôt que dans l'eau pour des raisons de facilité.

C Travail à effectuer

1. **Analyser un problème.** (10 min*)

ANALYSER À l'aide des documents, identifier un facteur dont dépend l'amplitude des ultrasons réfléchis par un matériau.

....

2. **Formuler et mettre en œuvre des protocoles expérimentaux pour caractériser les ultrasons.** (35 min)

a. RÉALISER; VALIDER À l'aide du matériel mis à disposition, réaliser un montage pour vérifier que la fréquence des ondes générées par l'émetteur fonctionnant en mode continu se situe bien dans le domaine des ondes ultrasonores. Indiquer la fréquence obtenue.

....

Appel n° 1 Appeler le professeur pour lui présenter l'expérience réalisée ou en cas de difficulté.

b. ANALYSER Élaborer un protocole expérimental permettant de déterminer la longueur d'onde dans l'air des ultrasons utilisés.

....

Appel n° 2 Appeler le professeur pour lui présenter le protocole ou en cas de difficulté.

RÉALISER Mettre en œuvre ce protocole et déterminer la longueur d'onde dans l'air des ultrasons utilisés.

....

c. ANALYSER Déterminer la valeur de la vitesse de propagation des ultrasons dans l'air.

....

3. **Formuler et mettre en œuvre un protocole expérimental pour comprendre l'échographie.** (15 min)

a. ANALYSER Élaborer un protocole expérimental permettant de vérifier la réponse à la question 1.

....

Appel n° 3 Appeler le professeur pour lui présenter le protocole ou en cas de difficulté.

b. RÉALISER Mettre en œuvre ce protocole. Conclure sur la validité de la réponse à la question 1.

....

Défaire le montage et ranger la paillasse avant de quitter la salle.

* Toutes les durées indiquées sont des durées conseillées.

2 Interpréter la couleur d'une solution

A Contexte du sujet

Le vert malachite est un colorant vert utilisé pour la teinture du cuir, du papier ou de certains textiles. Il est aussi utilisé comme biocide en aquaculture.

Pour un pH compris entre 2 et 11 ses solutions sont vertes. Le but de l'épreuve est d'interpréter cette couleur à l'aide du spectre UV-visible d'une solution préparée par dilution préalable d'une solution mère.

B Documents mis à la disposition

$Cl^{\ominus}$ $^{\oplus}N$ N

Doc. 1 Formule topologique du vert malachite.

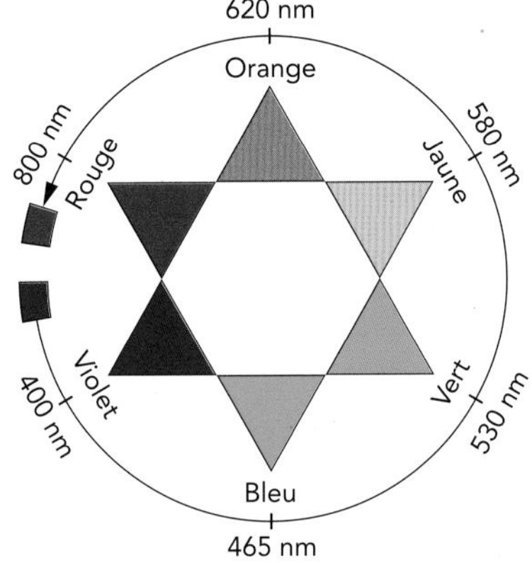

Doc. 2 Couleurs et ordre de grandeurs des longueurs d'onde des radiations visibles ou étoile des couleurs.

Liste du matériel et des produits disponibles

- Fioles jaugées de 50,0 mL et de 100,0 mL ;
- pipettes graduées de 5 mL, 10 mL et 20 mL ;
- éprouvettes graduées de 10 mL et de 50 mL ;
- pipettes jaugées de 5,0 mL et de 10,0 mL ;
- pipeteur ou propipette ;
- pipettes Pasteur ;
- béchers de 100 mL ;
- papier-filtre ;
- eau distillée ;
- solution aqueuse de vert malachite de concentration $C_0 = 2{,}00 \times 10^{-4}\ mol \cdot L^{-1}$;
- spectrophotomètre ;
- cuves pour spectrophotomètre.

C Travail à effectuer

1. **Élaborer un protocole de dilution d'une solution mère et le réaliser.** (20 min*)

ANALYSER Proposer un protocole pour réaliser la préparation d'un volume V = 50,0 mL d'une solution de vert malachite de concentration $C_1 = 4{,}00 \times 10^{-5}\ mol \cdot L^{-1}$, à partir de la solution mère fournie et du matériel disponible.

....

....

Appel n° 1 Appeler le professeur pour lui présenter le protocole de dilution et le réaliser.
COMMUNIQUER ; RÉALISER

2. **Tracer le spectre visible d'absorption de la solution diluée préparée.** (40 min)

• RÉALISER Le spectrophotomètre est prêt à être utilisé.

• Faire le zéro en absorbance avec de l'eau distillée.

• Dans une autre cuve, introduire la solution diluée de vert malachite, la placer dans le spectrophotomètre, relever la valeur de l'absorbance et reporter celle-ci sur le graphique ci-contre.

• Répéter le réglage du zéro d'absorbance et la mesure d'absorbance avec la solution de vert malachite pour des longueurs d'onde, comprises entre 400 nm et 700 nm, et variant de 20 nm en 20 nm.

Compléter le tracé du graphe au fur et à mesure.

• Terminer le tracé du graphique en reliant les points expérimentaux.

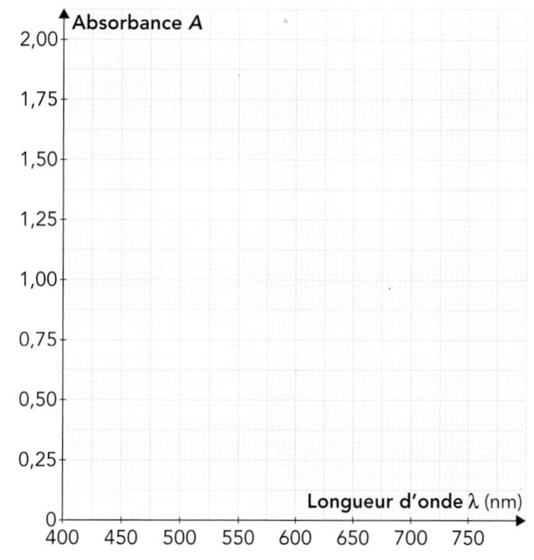

a. VALIDER Déterminer les longueurs d'onde des maxima d'absorption du spectre de la solution de vert malachite.

....

....

....

....

....

....

b. ANALYSER Vue la couleur de la solution, indiquer, en justifiant la réponse, dans quel domaine de longueurs d'onde devrait se trouver le maximum d'absorption si le spectre UV-visible n'en présentait qu'un seul.

....

....

....

....

....

....

c. ANALYSER En étudiant le spectre tracé, interpréter, en justifiant la réponse, la couleur de la solution étudiée.

....

....

....

....

....

....

d. VALIDER Examiner la formule du vert malachite et proposer une explication justifiant que ce composé donne des solutions colorées.

....

....

....

....

....

....

Appel n° 2 **Appeler le professeur pour lui présenter vos conclusions.** VALIDER; COMMUNIQUER

Rincer le matériel utilisé et ranger la paillasse avant de quitter la salle.

* Toutes les durées indiquées sont des durées conseillées.

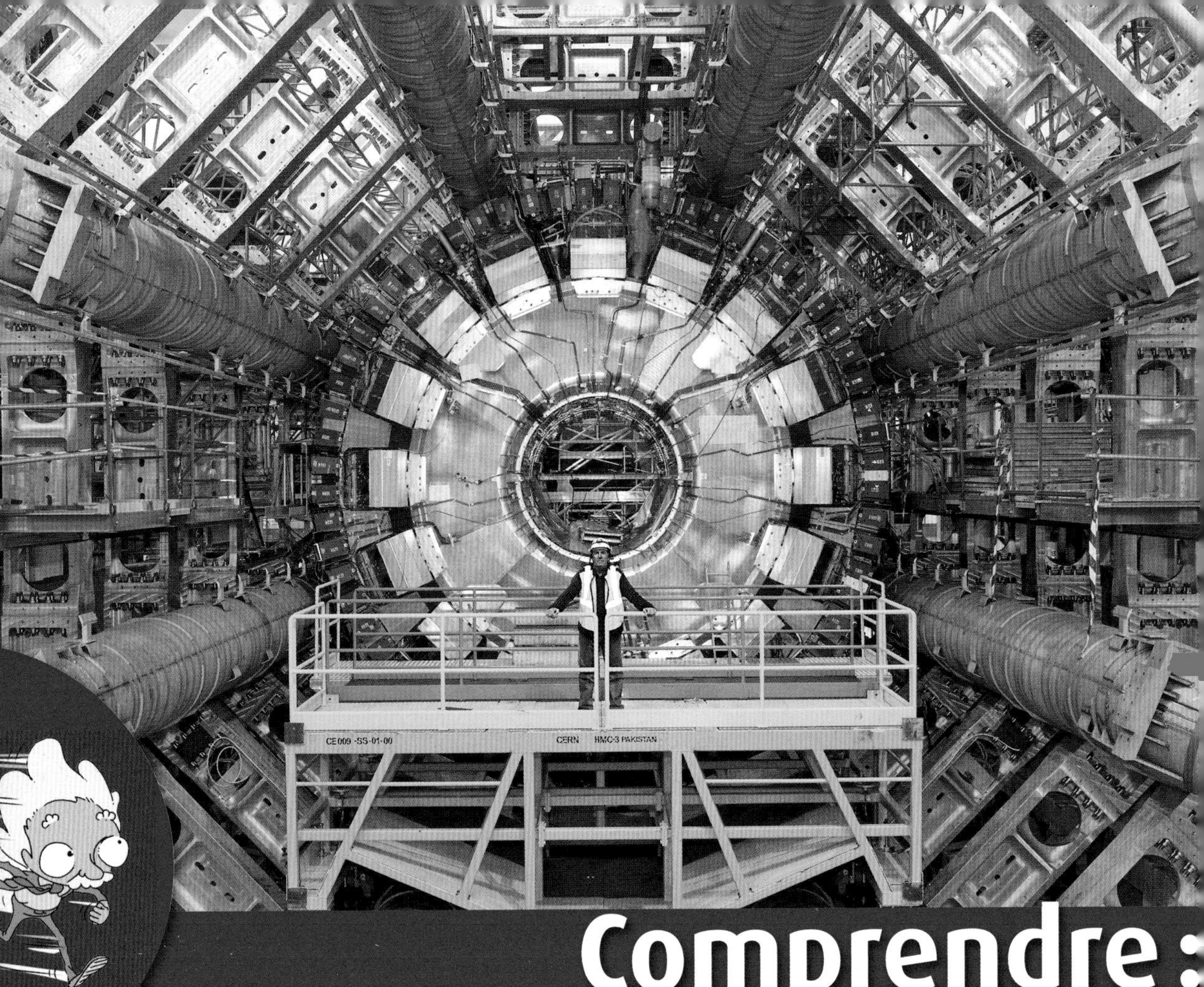

Comprendre :

Le temps et sa mesure reposent sur l'étude et l'exploitation de phénomènes périodiques. La cinématique et la dynamique newtoniennes inscrivent le temps comme une variable naturelle des phénomènes évolutifs. La définition du temps atomique et la réalisation des horloges associées mettent en évidence le caractère relatif du temps, à la base de la relativité restreinte.
La mesure du temps s'applique également à l'étude des transformations chimiques. La connaissance de la structure des molécules et des processus réactionnels permet d'étudier ces transformations, aussi bien aux niveaux microscopique que macroscopique. À ces différentes échelles, l'étude des transferts d'énergie se fait grâce à la thermodynamique ou à l'analyse des phénomènes quantiques.

- → ***Comment exploite-t-on des phénomènes périodiques pour accéder à la mesure du temps ?***
- → ***En quoi le concept de temps joue-t-il un rôle essentiel dans la relativité ?***
- → ***Quels paramètres influencent l'évolution chimique d'un système ?***
- → ***Comment la structure des molécules permet-elle d'interpréter leurs propriétés ?***
- → ***Comment les transferts de doublets d'électrons ou des échanges de protons participent-ils à la transformation de la matière ?***
- → ***Comment s'effectuent les transferts d'énergie à différentes échelles ?***
- → ***Comment se manifeste la réalité quantique, notamment pour la lumière ?***

Lois et modèles

Sommaire

Les notions vues au Collège, en Seconde et en Première S

Solution, quantité de matière, concentration

▸ La dissolution complète d'un **soluté** dans un liquide, appelé **solvant**, donne un mélange homogène appelé **solution**. Si le solvant est **l'eau**, on obtient une **solution aqueuse**.

▸ Pour préparer une solution de concentration déterminée, on peut soit **dissoudre un solide**, soit **diluer une solution-mère** (voir **fiches n°s 8 et 9**, p. 591 et 592).

▸ La **concentration massique** (ou teneur massique) **t(A)** d'une espèce chimique A est la masse de cette espèce chimique dissoute dans un litre de solution. La **concentration molaire** ***C*(A)** d'une espèce chimique A est la quantité de cette espèce chimique A dissoute dans un litre de solution.

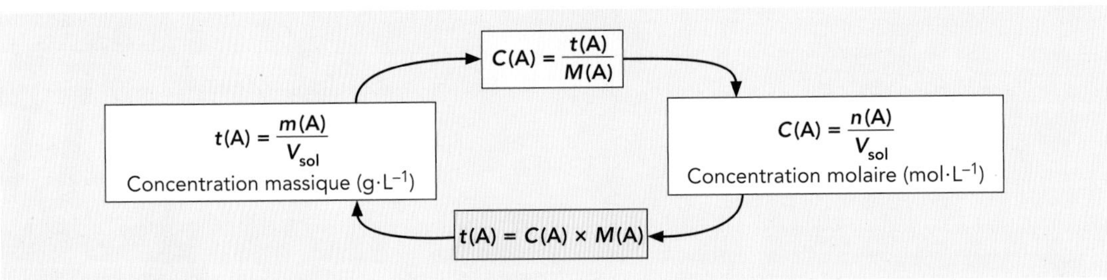

$$CoCl_2(s) \xrightarrow{\text{Eau}} Co^{2+}(aq) + 2\,Cl^-(aq)$$

Concentration en soluté S apporté :

$$C(S) = \frac{n(S)}{V_{sol}} \qquad n(S) = \frac{m(S)}{M(S)}$$

avec $n(S)$ en mol, V_{sol} en L, $C(S)$ en mol·L^{-1}, $m(S)$ en g et $M(S)$ en g·mol^{-1}.

Concentrations des ions en solution :

$$[Co^{2+}] = \frac{n(Co^{2+})}{V_{sol}} = \frac{n(S)}{V_{sol}} = C(S)$$

$$[Cl^-] = \frac{n(Cl^-)}{V_{sol}} = \frac{2\,n(S)}{V_{sol}} = 2\,C(S)$$

avec $n(Co^{2+})$ et $n(Cl^-)$ en mol, V_{sol} en L, $[Co^{2+}]$ et $[Cl^-]$ en mol·L^{-1}.

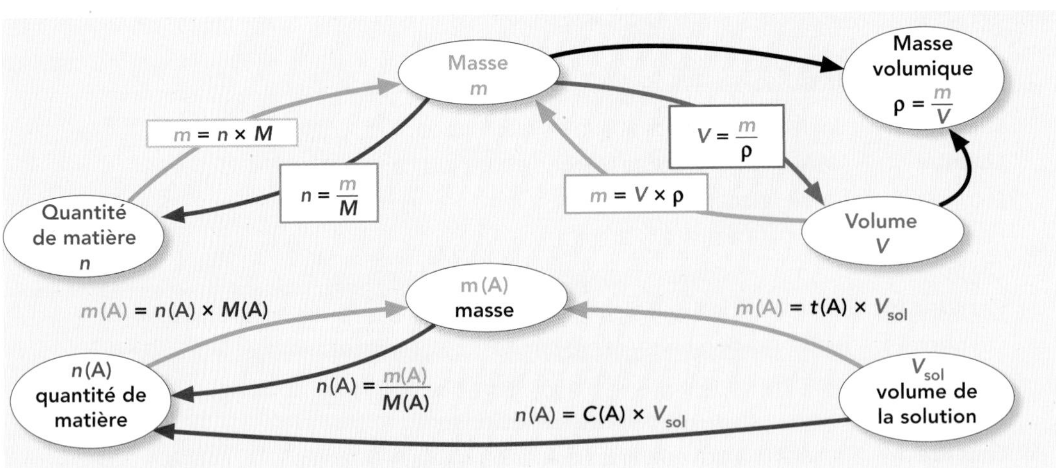

Électronégativité, polarité d'une liaison

L'**électronégativité** de l'atome A traduit son aptitude à attirer vers lui le doublet d'électrons qui le lie à l'atome B dans une liaison covalente.
Une liaison entre deux atomes A et B est **polarisée** si ces deux atomes ont des électronégativités différentes.

Évolution d'un système chimique – Tableau d'avancement

▸ L'évolution d'un système chimique est décrit depuis son état initial, par **l'avancement**, noté ***x*** et exprimé en **mol**. Le tableau d'avancement d'un système chimique se présente sous la forme suivante :

Équation chimique		$2\ Al(s)$ +	$6\ H^+(aq)$ ⟶	$2\ Al^{3+}(aq)$ +	$3\ H_2(g)$
État du système	Avancement (mol)	$n(Al)$	$n(H^+)$	$n(Al^{3+})$	$n(H_2)$
État initial	$x = 0$	$n_0(Al)$	$n_0(H^+)$	0	0
État intermédiaire	x	$n_0(Al) - 2x$	$n_0(H^+) - 6x$	$+ 2x$	$+ 3x$
État final	x_{max}	$n_0(Al) - 2x_{max}$	$n_0(H^+) - 6x_{max}$	$+ 2x_{max}$	$+ 3x_{max}$

Réaction d'oxydoréduction

▸ Un **réducteur** est une espèce chimique capable de **céder** un ou plusieurs électrons.

▸ Un **oxydant** est une espèce chimique capable de capter un ou plusieurs électrons. Deux espèces Ox et Red sont appelées **conjuguées** et forment un **couple oxydant/réducteur**, noté Ox/Red, si elles peuvent être reliées par une demi-équation d'oxydoréduction :

Réduction →

$$\mathrm{Ox} + n\,e^- \rightleftharpoons \mathrm{Red}$$

← Oxydation

Établir une demi-équation redox

1. Débuter l'écriture de la demi-équation redox par l'oxydant qui doit gagner un ou plusieurs électrons pour être réduit en son réducteur conjugué : $\mathrm{Ox} + n\,e^- \rightleftharpoons \mathrm{Red}$

2. Assurer, ou vérifier, la conservation des éléments autres que hydrogène et oxygène.

3. Assurer la conservation de l'élément oxygène avec des molécules d'eau H_2O (molécules constituant le solvant) : $H_2O\ (\ell)$.

4. Assurer la conservation de l'élément hydrogène avec des ions hydrogène $H^+(aq)$.

5. Assurer la conservation de la charge avec des électrons.

Étude d'un mouvement

Dans un référentiel donné, le système étudié est un point mobile noté M :

– la trajectoire de M est l'ensemble des positions occupées par M au cours de son mouvement ;

– la valeur moyenne v de la vitesse de M est le rapport de la distance parcourue d par la durée Δt du parcours :

$$v = \frac{d}{\Delta t};$$

– les caractéristiques du mouvement de M dépendent de la forme de sa trajectoire et de l'évolution de sa vitesse.

Modélisation d'une action mécanique

▸ Les actions mécaniques exercées sur un système sont toutes les **actions** exercées par l'extérieur sur le système. Elles peuvent être **de contact** ou **à distance**.

▸ Une action mécanique peut être modélisée par une force caractérisée par **une direction**, **un sens**, **une valeur** qui s'exprime en newton (N). Sur un schéma, une **force** est représentée par un **vecteur**.

▸ Le **point d'application** d'une force est le point où l'on considère que s'exerce la force.

Principe d'inertie

▸ Un corps est **immobile** ou en **mouvement rectiligne uniforme** si, et seulement si, les forces qui s'exercent sur lui se compensent (corps pseudo-isolé), ou s'il n'est soumis à aucune force (corps isolé). Ce principe ne s'applique que dans certains référentiels, appelés galiléens (voir p. 140).

▸ Le mouvement d'un système est modifié lorsque les forces qui s'exercent sur lui ne se compensent pas.

Interaction gravitationnelle

◗ Deux corps A et B, de masses m_A et m_B uniformément réparties autour de leurs centres séparés d'une distance d, exercent l'un sur l'autre des forces d'**attraction gravitationnelle** dont la valeur est donnée par la relation ci-contre.

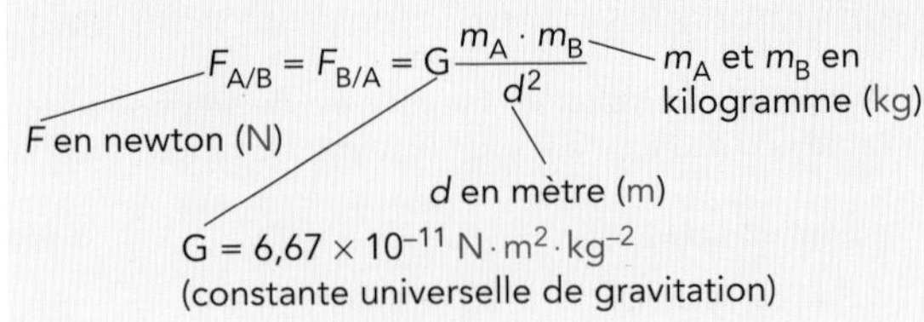

Champs et forces

◗ Un corps de masse m placé dans une région de l'espace où règne un champ de pesanteur $\vec{g}$ est soumis à une force $\vec{P} = m \cdot \vec{g}$ appelée le **poids.**

◗ Une particule de charge q placée dans une région de l'espace où règne un champ électrostatique $\vec{E}$ est soumise à une force $\vec{F} = q \cdot \vec{E}$.

Énergies

◗ **L'énergie cinétique** $\mathscr{E}_c$ d'un solide en translation est l'énergie qu'il possède du fait de son mouvement. Elle est définie par la relation ci-contre.

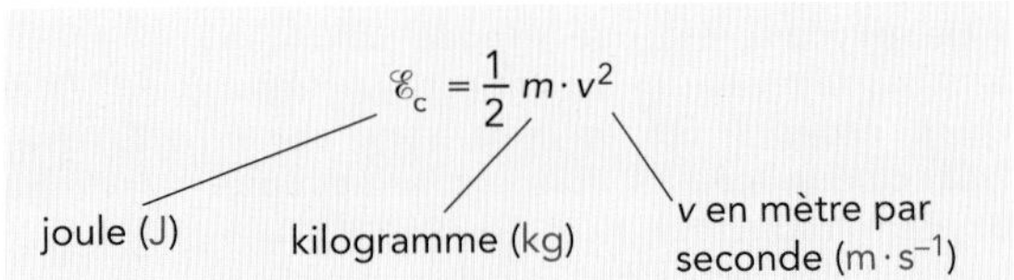

◗ **L'énergie potentielle de pesanteur** $\mathscr{E}_p$ d'un solide est l'énergie qu'il possède du fait de sa position par rapport à la référence choisie ($\mathscr{E}_{p_0} = 0$ quand $z = 0$), l'axe vertical (Oz) étant orienté vers le haut. Elle est définie par la relation ci-contre.

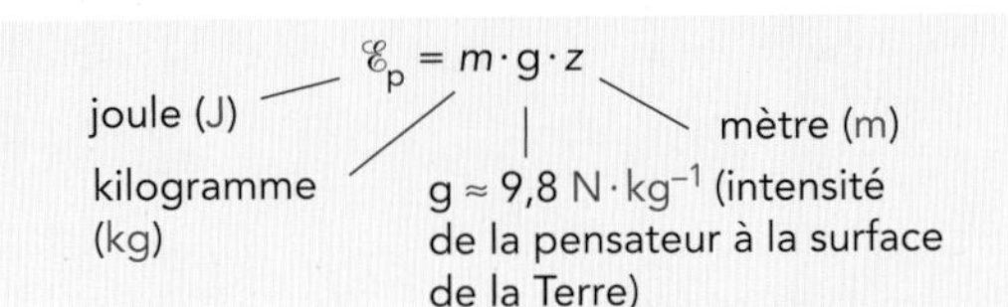

◗ **L'énergie mécanique** $\mathscr{E}_m$ d'un solide est $\mathscr{E}_m = \mathscr{E}_c + \mathscr{E}_p$.

◗ **L'énergie d'un système isolé** se conserve : elle peut être transférée d'une partie du système à un autre et/ou transformée d'une forme en une autre.

◗ Entre des corps en contact à des températures différentes, il y a échange d'énergie par transfert thermique.

Puissance et énergie

◗ L'énergie $\mathscr{E}$ consommée ou produite par un appareil de puissance $\mathscr{P}$ est liée à sa durée de fonctionnement Δt par la relation ci-contre.

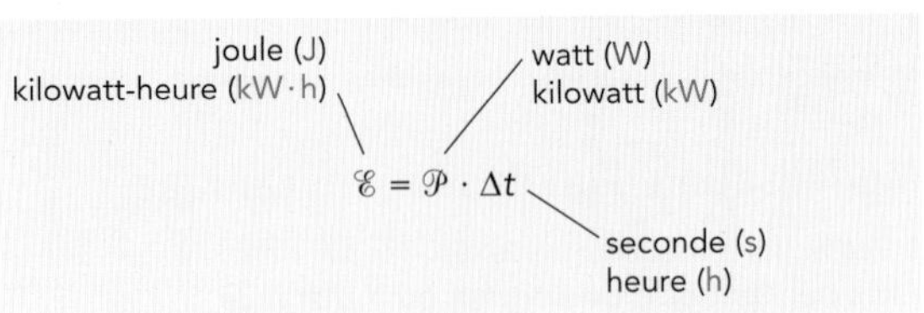

Onde électromagnétique et énergie

◗ L'énergie de la lumière est transportée par des **photons**. Dans une radiation de fréquence ν de longueur d'onde dans le vide λ, chaque photon transporte un quantum d'énergie $\mathscr{E}$ défini par la relation ci-contre.

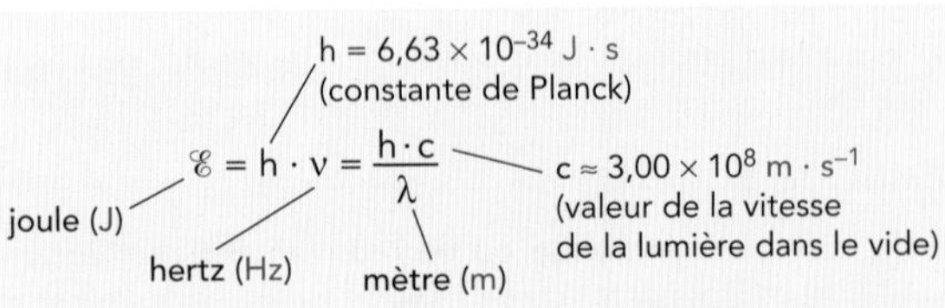

Cinématique et dynamique newtoniennes

Chapitre 5

vion Airbus A300, pécialement aménagé en Zéro-G.

Afin de simuler l'absence de pesanteur, le CNES utilise l'avion Zéro-G, qui permet d'atteindre des états d'impesanteur pendant une vingtaine de secondes.
Comment obtient-on une situation d'impesanteur ? Quel est le mouvement de l'avion pendant cette expérience ? (Voir exercice 34, p. 152.)

Quelles lois permettent d'étudier un mouvement ?

OBJECTIFS

→ Définir les vecteurs position, vitesse et accélération dans un référentiel donné.
→ Définir et reconnaître des mouvements (rectiligne uniforme, rectiligne uniformément varié, circulaire uniforme, circulaire non uniforme) et donner dans chaque cas les caractéristiques du vecteur accélération.
→ Connaître et exploiter les trois lois de Newton.

Activités Étude documentaire

1 Émilie du Châtelet, une femme passionnée de sciences

La connaissance scientifique ne s'est pas toujours répandue aussi facilement qu'aujourd'hui : les barrières linguistique et géographique ont longtemps freiné sa diffusion. C'est en latin et à Londres que le physicien anglais Isaac Newton a écrit en 1686 *Philosophiæ Naturalis Principia Mathematica*, considérée comme une œuvre majeure dans l'histoire des sciences.

Quelles sont les lois avancées par I. Newton dans cet ouvrage ?

La physicienne française Émilie du Châtelet (1706-1749) eut la chance de recevoir une éducation peu commune pour les filles de cette époque. Très ouvert à la culture, son père qui recevait poètes et philosophes dans son salon, lui avait enseigné le latin. Particulièrement douée pour les études et passionnée de sciences, É. du Châtelet étudie les travaux du scientifique allemand G. W. Leibniz et rencontre les savants A. Clairaut, P. de Maupertuis, J. S. König, J. Bernoulli, L. Euler, G.-L. Buffon, etc.
Encouragée par Voltaire, elle entreprit en 1745 de traduire en français *Les Principes mathématiques de la philosophie naturelle* d'I. Newton. Sa remarquable compréhension des concepts lui permit de réaliser une traduction fidèle, enrichie de commentaires personnels.
Son œuvre publiée en 1756, après sa mort prématurée, est ainsi préfacée par Voltaire : « On a vu deux prodiges : l'un, que Newton ait fait cet ouvrage ; l'autre, qu'une Dame l'ait traduit et l'ait éclairci. [...] Jamais femme ne fut si savante qu'elle, et jamais personne ne mérita moins qu'on dise d'elle, c'est une femme savante : elle ne parlait jamais de science qu'à ceux avec qui elle croyait pouvoir s'instruire, et jamais n'en parla pour se faire remarquer. »
Émilie du Châtelet énonce ainsi les trois lois du mouvement établies par I. Newton :

Doc. 2 Émilie du Châtelet, peinture d'après Maurice Quentin de La Tour.

1. Tout corps persévère *de lui-même* dans son état de repos ou de mouvement uniforme en ligne droite.
2. Le *changement qui arrive dans le mouvement* est toujours proportionnel à la force motrice, et se fait dans la direction de cette force.
3. L'action et la réaction sont toujours égales et contraires.

1 @ Relever les noms des scientifiques cités dans le texte. Faire une rapide biographie de deux d'entre eux, en précisant les domaines dans lesquels ils se sont illustrés.

2 Que signifie l'expression « *de lui-même* » évoquée dans la première loi de Newton ? Quel autre nom donne-t-on à cette loi ?

3 a. Quand dit-on que le mouvement d'un système varie ? À quoi est due cette variation ?
b. On définit le vecteur quantité de mouvement $\vec{p}$ d'un système assimilé à un point matériel par $\vec{p} = m \cdot \vec{v}$, où m est sa masse et $\vec{v}$ son vecteur vitesse. Quelles sont les conséquences d'une variation du mouvement sur cette grandeur ?
c. Actuellement, la deuxième loi de Newton est donnée par la relation $\vec{F} = \frac{d\vec{p}}{dt}$, où $\vec{F}$ est la résultante – c'est-à-dire la somme – des forces appliquées au système.
Le terme $\frac{d\vec{p}}{dt}$ représente la dérivée de la quantité de mouvement par rapport au temps.
Comparer cette égalité avec la deuxième loi de Newton traduite par É. du Châtelet.
En déduire par quelle grandeur peut être modélisé *le changement qui arrive dans le mouvement*.

Info — Notations

- En mathématiques, lorsqu'une fonction f est définie en fonction de la variable x, la dérivée de f par rapport à x se note :
$$f'(x) = \frac{df(x)}{dx}$$
- En physique, la variable est souvent le temps t.
- La dérivée par rapport au temps d'un vecteur $\vec{p}\,(t)$ de coordonnées $\begin{pmatrix} p_x(t) \\ p_y(t) \end{pmatrix}$ est le vecteur $\vec{p}\,'(t) = \frac{d\vec{p}(t)}{dt}$ de coordonnées $\begin{pmatrix} \frac{dp_x(t)}{dt} \\ \frac{dp_y(t)}{dt} \end{pmatrix}$.

4 Citer des exemples d'interactions vues en 2de et en 1re. Préciser en quoi ces interactions sont conformes à la troisième loi évoquée par É. du Châtelet.

Un pas vers le cours...

5 Reformuler de manière plus moderne les trois lois de Newton.

2 Étude de mouvements rectilignes

Des particules élémentaires jusqu'aux galaxies, la plupart des objets étudiés par les physiciens sont en mouvement. La *cinématique* est l'étude des mouvements en fonction du temps, indépendamment des causes qui les produisent. La *dynamique* s'intéresse au lien entre les mouvements des objets et les forces qu'ils subissent. Comment, à partir de l'analyse du mouvement d'un objet, peut-on accéder aux forces qu'il subit ?

Compétence exigible au baccalauréat

- *Mettre en œuvre une démarche expérimentale pour étudier un mouvement.*

Enregistrement 1

▸ Lancer un mobile sur le plan horizontal d'une table à palets auto-porteurs (doc. 2). On considère que le mobile est pseudo-isolé, c'est-à-dire soumis à des forces qui se compensent (la somme des forces est nulle).

▸ Enregistrer les positions successives du mobile à intervalles de temps égaux.

Enregistrement 2

▸ Fixer une poulie au bord de la table. Tendre horizontalement une ficelle passant sur la gorge de la poulie et accrochée au mobile. Suspendre une masse à l'autre extrémité de la ficelle. Le mobile étant immobile, laisser tomber la masse tirant sur la ficelle. Le mobile est alors soumis à une force constante. Sa vitesse initiale est nulle.

▸ Enregistrer les positions successives du mobile à intervalles de temps égaux.

▸ Sur chaque enregistrement, repérer les différentes positions M_i du mobile au cours de son déplacement.

1 Dans quel référentiel les enregistrements sont-ils réalisés ?

2 Caractériser les mouvements obtenus à l'aide des termes choisis dans la liste suivante : uniforme, accéléré, ralenti.

3 a. Sur chaque trajectoire, tracer les vecteurs vitesses aux points M_2, M_4, M_6 et M_8 (voir **fiche n° 15**, p. 600).
b. Comment évolue la valeur de la vitesse au cours des deux mouvements enregistrés ?

4 a. À partir des vecteurs vitesses, construire les vecteurs accélérations aux points M_3, M_5 et M_7 (voir **fiche n° 15**, p. 600).
b. Comment évolue la valeur de l'accélération au cours des deux mouvements enregistrés ?

5 Laquelle de ces deux situations illustre la première loi de Newton (principe d'inertie) ? (Voir **révisions**, p. 127.)

6 Sachant que, pour un point matériel de masse m constante, la deuxième loi de Newton peut se traduire par la relation $\Sigma\vec{F} = m \cdot \vec{a}$ (où $\Sigma\vec{F}$ représente la résultante des forces extérieures appliquées au système et $\vec{a}$ son vecteur accélération), en déduire les caractéristiques de cette résultante dans les deux situations.

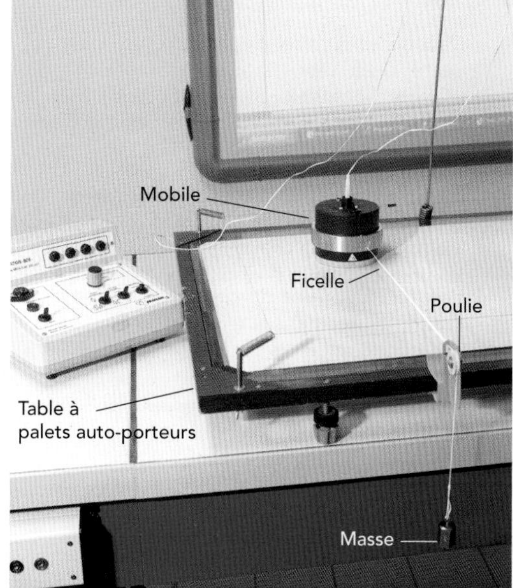

Doc. 2 La table à palets auto-porteurs est un dispositif d'étude de mouvements.

> ***Info*** **Valeur ou norme ?**
>
> **Une grandeur vectorielle** (force, vitesse, accélération, etc.) est modélisée par **un vecteur**.
>
> La **norme** de ce vecteur est proportionnelle à la **valeur** de la grandeur. Le coefficient de proportionnalité est l'échelle de représentation.
> En physique, on note v la valeur de la vitesse.
>
> En mathématiques, on note $\|\vec{v}\|$ la norme du vecteur vitesse.

Un pas vers le cours...

7 Donner les caractéristiques du vecteur accélération dans le cas d'un mouvement :
– rectiligne uniforme ;
– rectiligne uniformément accéléré.

8 Expliquer comment déterminer la résultante des forces extérieures $\Sigma\vec{F}$ s'exerçant sur un point mobile à partir de l'enregistrement de sa position au cours du temps.

3 Étude de mouvements circulaires

Les mouvements, dans un référentiel terrestre, d'un point de la nacelle d'une grande roue ou de l'extrémité du balancier d'une horloge, sont des exemples de mouvements circulaires. Celui du centre de Vénus dans le référentiel héliocentrique est quasi circulaire. Ces mouvements peuvent être uniformes ou non. Quelles sont les caractéristiques de l'accélération d'un mouvement circulaire ?

Compétence exigible au baccalauréat
- *Mettre en œuvre une démarche expérimentale pour étudier un mouvement.*

A Étude expérimentale

Dans le référentiel héliocentrique, on peut considérer que le centre *C* de Vénus a un mouvement circulaire uniforme dans un plan proche de celui de l'écliptique (doc. 3). Le plan de l'écliptique est le plan contenant le Soleil et la trajectoire de la Terre.

Le mouvement du centre de Vénus est uniforme, car la valeur de sa vitesse au cours de son mouvement autour du Soleil est constante. Cependant, son accélération n'est pas nulle.

Le tableau ci-contre (doc. 4) donne les coordonnées des projections orthogonales du centre de Vénus à différentes dates, à la même heure, dans un repère orthonormé associé au plan de l'écliptique et centré sur le centre *S* du Soleil.

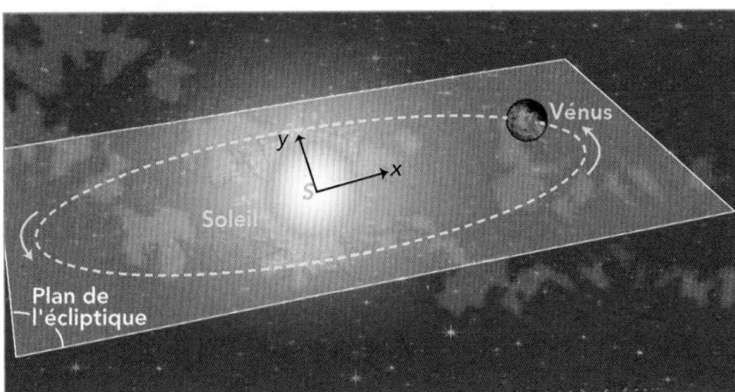

Doc. 3 Mouvement quasi circulaire de Vénus en orbite autour du Soleil.

Date	x (× 10^{10} m)	y (× 10^{10} m)
01/01/2012	10,8	0,519
11/01/2012	10,3	3,47
21/01/2012	8,90	6,15
31/01/2012	6,85	8,36
10/02/2012	4,26	9,91
20/02/2012	1,34	10,7
01/03/2012	−1,68	10,6
11/03/2012	−4,58	9,72
21/03/2012	−7,11	8,05
31/03/2012	−9,07	5,74
10/04/2012	−10,3	2,97
20/04/2012	−10,8	−0,0290
30/04/2012	−10,3	−3,03
10/05/2012	−9,12	−5,79
20/05/2012	−7,18	−8,10
30/05/2012	−4,69	−9,78
09/06/2012	−1,84	−10,7
19/06/2012	1,16	−10,8
29/06/2012	4,06	−10,1
09/07/2012	6,66	−8,61

Doc. 4 Coordonnées du centre *C* de Vénus dans le référentiel héliocentrique.

- Calculer, en seconde, la durée séparant deux positions successives repérées dans le tableau du document 4.
- Dans la version tableur du tableau du document 4 distribuée par le professeur, compléter les colonnes suivantes en calculant lorsque cela est possible :
  – la valeur du vecteur position (en m) ;
  – l'abscisse du vecteur vitesse (en $m \cdot s^{-1}$) ;
  – l'ordonnée du vecteur vitesse (en $m \cdot s^{-1}$) ;
  – la valeur du vecteur vitesse (en $m \cdot s^{-1}$) ;
  – l'abscisse du vecteur accélération (en $m \cdot s^{-2}$) ;
  – l'ordonnée du vecteur accélération (en $m \cdot s^{-2}$) ;
  – la valeur du vecteur accélération (en $m \cdot s^{-2}$).
  (Voir **fiche n° 16**, p. 602.)

  On choisira pour l'affichage des valeurs numériques, la notation scientifique à 3 chiffres significatifs.
- Tracer, à l'aide du tableur, la représentation graphique de *y* en fonction de *x*. Si le repère par défaut n'est pas orthonormé, modifier l'affichage pour le rendre orthonormé.
- Imprimer la représentation graphique ainsi obtenue.

1 Justifier que le mouvement du centre *C* de Vénus peut être considéré comme circulaire. Indiquer le rayon *R* de sa trajectoire.

2 Justifier que le mouvement du centre *C* de Vénus peut être considéré comme uniforme. Indiquer la valeur *v* de sa vitesse.

3 Comparer la valeur de l'accélération à $\frac{v^2}{R}$.

▸ Sur la feuille imprimée, construire les vecteurs vitesses $\vec{v}(t)$ aux dates suivantes :
21/01/12, 10/02/12, 31/03/12, 20/04/12, 10/05/12 et 30/05/12.
Échelle : 1 cm pour $1{,}00 \times 10^4$ m·s^{-1}.
Voir **fiche n° 15**, p. 600.

▸ Construire les variations des vecteurs vitesses $\Delta\vec{v}(t)$ aux dates suivantes :
31/01/12, 10/04/12 et 20/05/12.
Voir **fiche n° 15**, p. 600.

4 Vers quel point sont dirigées les accélérations $\vec{a}(t)$?

Un pas vers le cours...

5 Quelles sont les caractéristiques du vecteur accélération dans le cas d'un mouvement circulaire uniforme ?

B L'accélération d'un pendule simple

Un pendule simple est constitué d'un objet de masse m pouvant être considéré comme ponctuel, suspendu à un fil inextensible de longueur L (doc. 5).

▸ À l'aide d'un matériel adapté (vidéo ou dispositif d'acquisition), enregistrer le mouvement d'un pendule simple dans un référentiel terrestre (doc. 5).

▸ Représenter la vitesse $\vec{v}(t)$ et l'accélération $\vec{a}(t)$ en différents points du mouvement.

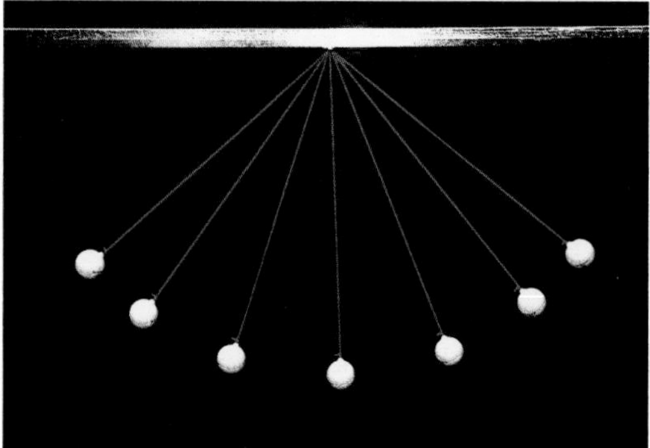

Doc. 5 Chronophotographie du mouvement du pendule.

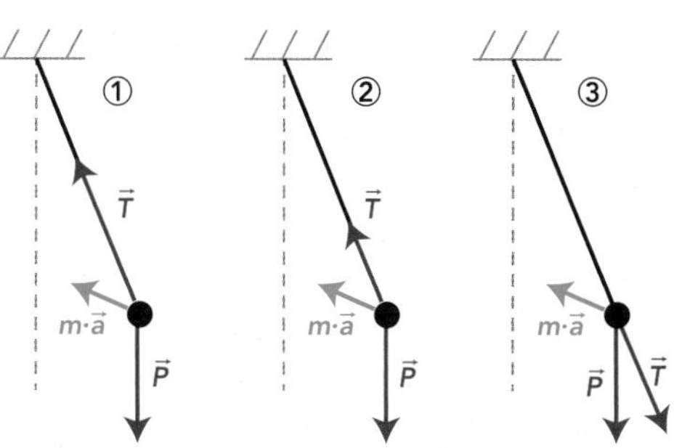

Doc. 6 Propositions de schémas représentatifs des forces extérieures appliquées à l'objet et du vecteur $m\cdot\vec{a}$ (produit de la masse de l'objet par son vecteur accélération).

6 a. Comment évolue le vecteur vitesse $\vec{v}$ au cours du mouvement ?
b. Qualifier ce mouvement.

7 a. Les vecteurs accélérations $\vec{a}$ sont-ils dirigés vers un point particulier ?
b. La valeur a de l'accélération est-elle constante ?

8 Dans un mouvement circulaire uniforme de rayon L, l'accélération a pour valeur $\frac{v^2}{L}$.
Montrer que cette relation n'est pas vérifiée ici.

9 À quelles interactions l'objet est-il soumis ? Représenter, sans souci d'échelle, les forces mises en jeu.

10 La deuxième loi de Newton s'exprime par :

$$\Sigma\vec{F} = m\cdot\vec{a}$$

où $\Sigma\vec{F}$ représente la résultante des forces extérieures appliquées à l'objet, m sa masse et $\vec{a}$ son vecteur accélération.
Sur le document 6, on a représenté convenablement les vecteurs $\vec{P}$ et $m\cdot\vec{a}$ à un instant donné. Parmi les trois schémas proposés, identifier celui qui illustre la deuxième loi de Newton, c'est-à-dire celui où le vecteur $\vec{T}$ est convenablement représenté.

Un pas vers le cours...

11 Dans le cas d'un mouvement circulaire non uniforme, le vecteur accélération est-il toujours dirigé vers le centre ? Sa valeur est-elle constante ?

Activités Étude expérimentale

Compétence exigible au baccalauréat

- *Mettre en œuvre une démarche expérimentale pour interpréter un mode de propulsion par réaction à l'aide d'un bilan qualitatif de quantité de mouveme*

4 Propulsion et quantité de mouvement

Pour se déplacer dans une piscine, le nageur prend appui sur l'eau. L'action de l'eau sur le nageur, opposée à l'action du nageur sur l'eau, permet à celui-ci de se propulser. Sur le même principe, la fusée est propulsée par le gaz qu'elle éjecte. Pour expliquer ce mode de propulsion, appelée propulsion par réaction, le physicien utilise une grandeur physique : la quantité de mouvement.
Comment peut-on expliquer le principe de la propulsion par réaction ?

On étudie le mouvement de mobiles pouvant se déplacer sans frottement sur un rail horizontal. Ceux-ci peuvent être lestés avec différentes masses.
L'étude expérimentale peut être réalisée par analyse de vidéos des mouvements, à l'aide d'un logiciel de pointage vidéo, ou par exploitation d'acquisitions de mesures à l'aide de capteurs de position en bout de rail et d'un logiciel approprié.

Expérience n° 1

Un mobile 1, de masse m_1, est initialement à l'arrêt au milieu du rail. Un mobile 2, de masse m_2, est lancé vers lui. Il le percute et s'y accroche (doc. 7).

- Réaliser l'expérience en enregistrant les positions d'un point de chaque mobile.
- Recommencer en modifiant les masses m_1 et/ou m_2.

Expérience n° 2

Les deux mobiles sont initialement à l'arrêt. Ils sont maintenus ensemble à l'aide d'un fil, mais se repoussent sous l'action de deux aimants de même polarité se faisant face.

- Brûler le fil en enregistrant les positions d'un point de chaque mobile.

Expérience n° 3

Un ballon de baudruche gonflé est fixé sur un mobile initialement à l'arrêt. Son embout est relié à un tube parallèle au rail. Le tube est initialement fermé.

- Ouvrir le tube en enregistrant les positions d'un point du mobile (doc. 8).

1 a. Exploiter les enregistrements de l'**expérience n° 1** pour évaluer la quantité de mouvement du système constitué par les deux mobiles avant le choc, puis après le choc.
b. Vérifier que, dans cette situation, la quantité de mouvement du système constitué par les deux mobiles se conserve.

2 a. Exploiter l'enregistrement de l'**expérience n° 2** pour évaluer la quantité de mouvement de chaque mobile avant et après la coupure du fil.
b. Représenter sur un schéma, à la même échelle, les quantités de mouvement de chacun des mobiles après la coupure du fil.
c. Vérifier que, dans cette situation, la quantité de mouvement du système constitué par les deux mobiles se conserve.

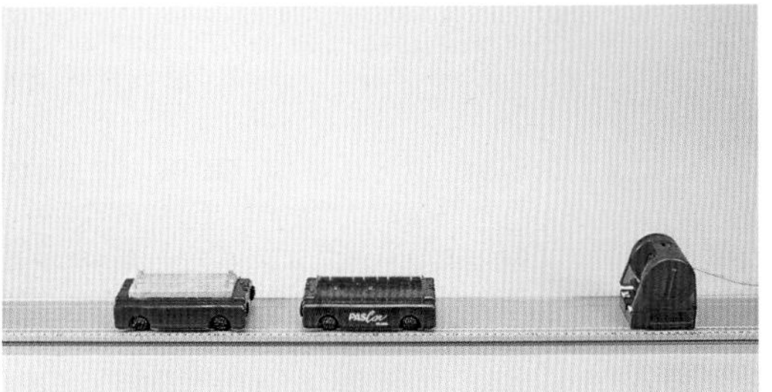

Doc. 7 Dispositif d'étude de mouvements rectilignes.

Doc. 8 Dispositif d'étude d'une propulsion par réaction.

Info La quantité de mouvement $\vec{p}$ d'un système de masse m et de vitesse $\vec{v}$ est donnée par la relation :

$$\vec{p} = m \cdot \vec{v}$$

3 a. Dans l'**expérience n° 3**, quelle est la quantité de mouvement du système {mobile + ballon rempli d'air}, lorsqu'il est à l'arrêt ?
b. Lorsque l'air commence à s'échapper du ballon, décrire l'évolution de la quantité de mouvement du système {mobile + ballon partiellement rempli d'air}. On considère que la quantité de mouvement du système {mobile + ballon rempli d'air + air expulsé} se conserve.
c. L'air s'échappe du ballon à une vitesse de valeur différente de celle à laquelle le système étudié avance. Laquelle est la plus élevée ? Justifier en comparant qualitativement les masses des deux systèmes considérés.

Un pas vers le cours...

4 Expliquer qualitativement la propulsion par réaction.

5 Galiléen or not galiléen ?

Selon la première loi de Newton, appelée également principe d'inertie, « dans certains référentiels, dits galiléens, tout objet soumis à aucune force ou à des forces qui se compensent est immobile ou en mouvement rectiligne uniforme ».
Comment définir un référentiel galiléen ?

1 @ Définir le terme « translation ».

2 a. Préciser les actions extérieures qui s'exercent sur la boule suspendue au rétroviseur lorsque la voiture ne roule pas. Schématiser les forces correspondantes.
b. Faire de même lorsque la voiture roule à vitesse constante sur une route rectiligne horizontale.
c. Dans ces deux situations, la voiture est-elle un référentiel galiléen ? Justifier.

3 Lorsque la voiture freine brusquement :
a. La boule est-elle soumise à des actions différentes ?
b. À l'aide du principe d'inertie, expliquer le mouvement de la boule par rapport à la route et par rapport à la voiture.
c. Dans ce cas, la voiture est-elle un référentiel galiléen ? Justifier.

Un pas vers le cours...

4 Définir de deux manières différentes un référentiel galiléen.

Quels outils pour décrire le mouvement ?

Avant de décrire le mouvement d'un objet, il faut définir le système étudié et préciser le référentiel d'étude. On se limitera à des systèmes de dimensions très faibles par rapport à celles de leurs déplacements.
Un tel système est modélisé par un point unique, qui contiendrait toute sa masse : on parle du *modèle du point matériel*.

Pour simplifier les écritures, l'étude est limitée aux mouvements plans (à deux dimensions), mais peut être généralisée aux espaces à trois dimensions.

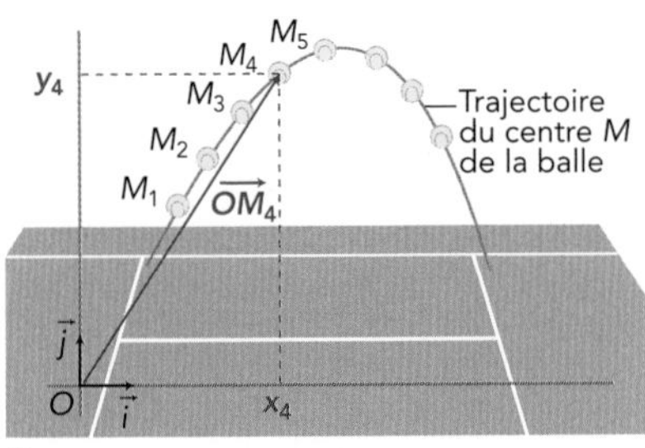

Doc. 1 Mouvement d'un système, trajectoire et représentation d'un vecteur position dans le repère orthonormé $(O\,;\vec{i}, \vec{j})$.

1.1 Le vecteur position

La position d'un point M est définie dans un repère orthonormé $(O\,; \vec{i}, \vec{j})$ lié au référentiel choisi (doc. 1). À chaque instant, on peut repérer ce point par les **coordonnées cartésiennes** $\begin{pmatrix} x \\ y \end{pmatrix}$ du **vecteur position** $\overrightarrow{OM}$.

Si M est en mouvement, x et y sont deux fonctions du temps. **$x(t)$ et $y(t)$** sont appelées les **équations horaires** du mouvement.

> Dans un référentiel donné, à toute date t, un point M est repéré par son **vecteur position** :
>
> $$\overrightarrow{OM}(t) = x(t) \cdot \vec{i} + y(t) \cdot \vec{j}$$
>
> Dans le système international d'unités, la valeur de la position est exprimée en mètre (m).

Pour simplifier les notations, on pourra écrire $\overrightarrow{OM} = x \cdot \vec{i} + y \cdot \vec{j}$.
On simplifiera de même l'écriture des grandeurs dépendant du temps.

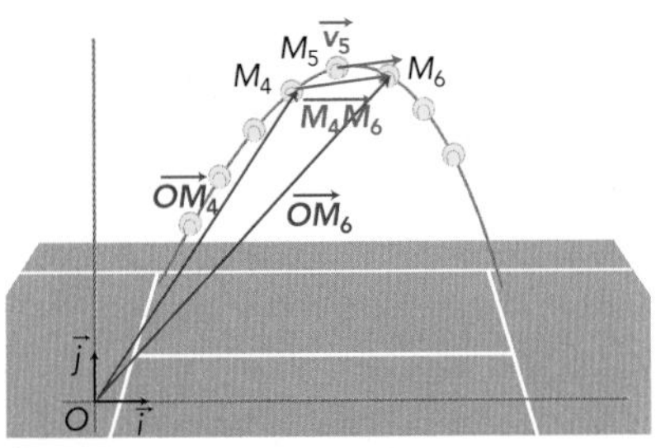

Doc. 2 Détermination du vecteur vitesse $\vec{v_5}$ à la date t_5.

1.2 Le vecteur vitesse

Le vecteur vitesse caractérise la variation du vecteur position en fonction du temps.

Le vecteur vitesse moyenne

Les **activités 2 et 3** ont permis de construire des vecteurs vitesses à différentes dates. Par exemple, on peut déterminer graphiquement le vecteur vitesse $\vec{v_5}$, à la date t_5 (doc. 2), en l'assimilant à la vitesse moyenne entre les dates t_4 et t_6 :

$$\vec{v_5} = \frac{\overrightarrow{M_4M_6}}{t_6 - t_4}$$

Ce vecteur $\vec{v_5}$ a la direction et le sens de $\overrightarrow{M_4M_6}$ et a pour valeur $v_5 = \dfrac{M_4M_6}{t_6 - t_4}$.

On peut généraliser pour déterminer le vecteur vitesse $\vec{v_i}$ à une date t_i quelconque :

$$\vec{v_i} = \frac{\overrightarrow{M_{i-1}M_{i+1}}}{t_{i+1} - t_{i-1}}$$

Or $\overrightarrow{M_{i-1}M_{i+1}} = \overrightarrow{OM_{i+1}} - \overrightarrow{OM_{i-1}}$; ce vecteur est noté $\Delta\overrightarrow{OM_i}$.

Dans les études de mouvement, la durée $t_{i+1} - t_{i-1}$ est constante. On la note Δt. Il vient :

$$\vec{v_i} = \frac{\Delta\overrightarrow{OM_i}}{\Delta t}$$

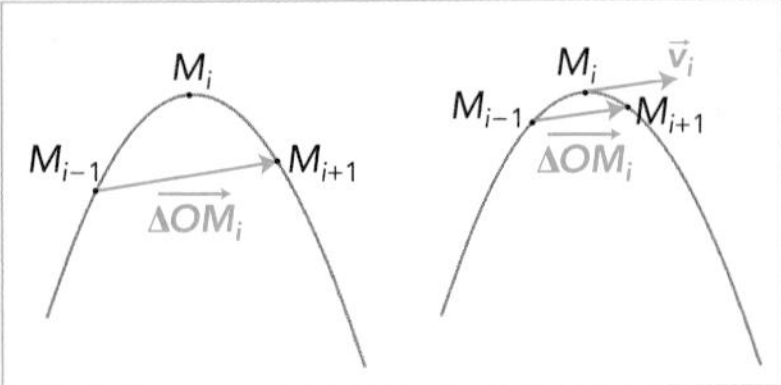

Doc. 3 On constate que, lorsque Δt tend vers zéro, le vecteur $\Delta\overrightarrow{OM_i}$ se rapproche du vecteur tangent à la trajectoire en M_i.

Le vecteur vitesse instantanée

Lorsque Δt tend vers zéro, le rapport $\dfrac{\Delta\overrightarrow{OM_i}}{\Delta t}$ est la dérivée du vecteur position $\overrightarrow{OM}$ par rapport au temps à la date t_i (doc. 3). En physique, cette dérivée est appelée vecteur vitesse instantanée à la date t_i :

$$\vec{v_i} = \lim_{\Delta t \to 0} \frac{\Delta\overrightarrow{OM_i}}{\Delta t} = \left(\frac{d\overrightarrow{OM}}{dt}\right)(t_i)$$

- La notation $\dfrac{df(t)}{dt}$ désigne la dérivée par rapport au temps de la fonction $f(t)$. En mathématiques, on la note $f'(t)$.
- La dérivée d'un vecteur $\vec{u}(t)$ de coordonnées $\begin{pmatrix} u_x(t) \\ u_y(t) \end{pmatrix}$ est le vecteur $\vec{v}'(t)$ de coordonnées $\begin{pmatrix} \dfrac{du_x(t)}{dt} \\ \dfrac{du_y(t)}{dt} \end{pmatrix}$ ou $\begin{pmatrix} u'_x(t) \\ u'_y(t) \end{pmatrix}$.

> Dans un référentiel donné, à toute date t, **le vecteur vitesse instantanée** d'un point M est égal à la dérivée par rapport au temps du vecteur position $\overrightarrow{OM}$:
> $$\vec{v} = \frac{d\overrightarrow{OM}}{dt}$$
> Le vecteur vitesse en un point est tangent à la trajectoire en ce point et est dirigé dans le sens du mouvement (doc. 4).
> Dans le système international d'unités, la valeur de la vitesse est exprimée en mètre par seconde ($m \cdot s^{-1}$).

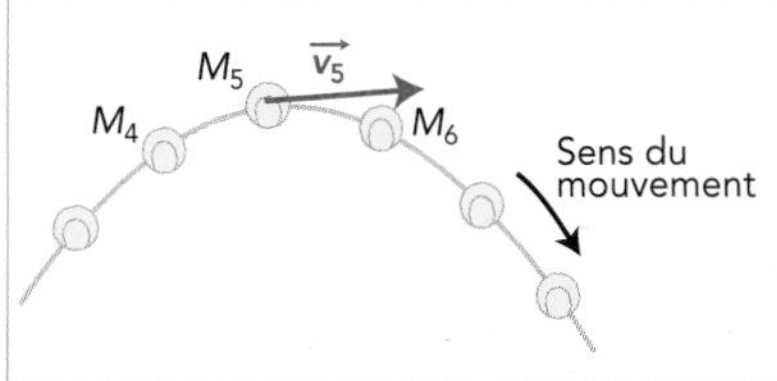

Doc. 4 Le vecteur vitesse est toujours tangent à la trajectoire au point considéré et dans le sens du mouvement.

Dans le repère $(O; \vec{i}, \vec{j})$, le vecteur vitesse $\vec{v}$ s'écrit :
$$\vec{v} = v_x \cdot \vec{i} + v_y \cdot \vec{j}, \quad \text{avec } v_x = \frac{dx}{dt} \quad \text{et} \quad v_y = \frac{dy}{dt}$$
La valeur de la vitesse est liée aux coordonnées du vecteur vitesse par la relation de Pythagore (doc. 5) :
$$v = \sqrt{{v_x}^2 + {v_y}^2}$$
Les coordonnées et donc la valeur du vecteur vitesse dépendent du temps (elles dépendent aussi du référentiel).

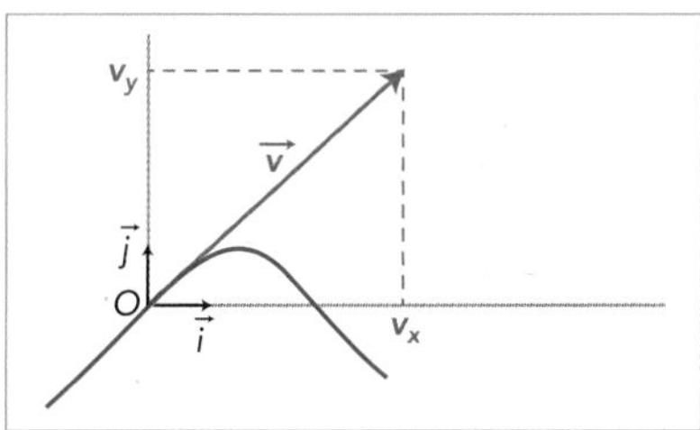

Doc. 5 Décomposition du vecteur $\vec{v}$ dans le repère orthonormé $(O; \vec{i}, \vec{j})$.

1.3 Le vecteur accélération

Le vecteur accélération caractérise la variation du vecteur vitesse en fonction du temps.

Le vecteur accélération moyenne

Par analogie avec le vecteur vitesse, on peut déterminer le vecteur accélération à une date t_i quelconque : $\vec{a_i} = \frac{\vec{v_{i+1}} - \vec{v_{i-1}}}{t_{i+1} - t_{i-1}} = \frac{\Delta \vec{v_i}}{\Delta t}$.

Ce vecteur a la direction et le sens du vecteur $\Delta \vec{v_i}$ et a pour valeur $a_i = \frac{\Delta v_i}{t_{i+1} - t_{i-1}} = \frac{\Delta v_i}{\Delta t}$ (doc. 6).

Le vecteur accélération instantanée

Lorsque Δt tend vers zéro, le rapport $\frac{\Delta \vec{v_i}}{\Delta t}$ est la dérivée du vecteur vitesse $\vec{v}$ par rapport au temps à la date t_i. En physique, cette dérivée, notée $\vec{a_i}$, est appelée le vecteur accélération instantanée à la date t_i :
$$\vec{a_i} = \lim_{\Delta t \to 0} \frac{\Delta \vec{v_i}}{\Delta t} = \left(\frac{d\vec{v}}{dt}\right)(t_i)$$

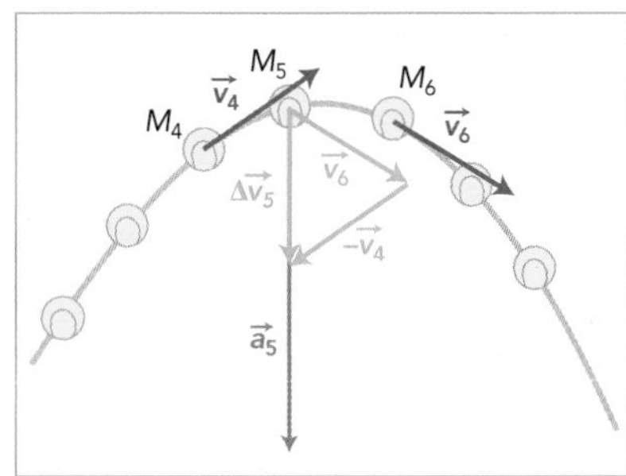

Doc. 6 Construction du vecteur accélération $\vec{a_5}$ à la date t_5.

> Dans un référentiel donné, à toute date t, le **vecteur accélération instantanée** d'un point M est égal à la dérivée par rapport au temps du vecteur vitesse instantanée $\vec{v}$:
> $$\vec{a} = \frac{d\vec{v}}{dt}$$
> Dans le système international d'unités, la valeur de l'accélération est exprimée en mètre par seconde au carré ($m \cdot s^{-2}$).

Dans le repère $(O; \vec{i}, \vec{j})$, le vecteur accélération $\vec{a}$ s'exprime par :
$$\boldsymbol{\vec{a} = a_x \cdot \vec{i} + a_y \cdot \vec{j}}, \quad \text{avec } \boldsymbol{a_x = \frac{dv_x}{dt}} \quad \text{et} \quad \boldsymbol{a_y = \frac{dv_y}{dt}}.$$

En utilisant les expressions $v_x = \frac{dx}{dt}$ et $v_y = \frac{dy}{dt}$, on en déduit :
$$a_x = \frac{dv_x}{dt} = \frac{d^2x}{dt^2} \qquad \text{et} \qquad a_y = \frac{dv_y}{dt} = \frac{d^2y}{dt^2}$$

On dit que a_x et a_y sont respectivement les dérivées secondes de x et de y par rapport au temps.

> La **valeur** v d'une grandeur vectorielle (vitesse, force, accélération, etc.) est proportionnelle à la **norme** $\|\vec{v}\|$ du vecteur qui la modélise. La valeur et la norme sont liées par l'échelle de représentation.
> La valeur s'exprime avec une unité.
> **Attention :** $\Delta\vec{v_5} = \vec{v_6} - \vec{v_4}$ (vecteurs)
> mais $\Delta v_5 \neq v_6 - v_4$ (valeurs)

> En mathématiques, si f est une fonction de t, on note sa dérivée seconde $f''(t)$.
> On a alors :
> $$f''(t) = \frac{d}{dt}\left(\frac{df(t)}{dt}\right) = \frac{d^2f(t)}{dt^2}$$

La valeur de l'accélération est reliée aux coordonnées du vecteur accélération a_x et a_y par la relation de Pythagore :

$$a = \sqrt{a_x^2 + a_y^2}$$

Les coordonnées et donc la valeur du vecteur accélération dépendent du temps (elles dépendent aussi du référentiel).

1.4 Le vecteur quantité de mouvement

L'**activité 4** a montré que le vecteur quantité de mouvement permet l'étude du mouvement d'un système.

> Le **vecteur quantité de mouvement $\vec{p}$** d'un point matériel est égal au produit de sa masse m par son vecteur vitesse $\vec{v}$:
>
> $$\vec{p} = m \cdot \vec{v}$$
>
> Comme la vitesse, la quantité de mouvement dépend du référentiel. Dans le système international d'unités, la valeur de la quantité de mouvement est exprimée en $kg \cdot m \cdot s^{-1}$.

Le vecteur quantité de mouvement a toujours la même direction et le même sens que le vecteur vitesse, car la masse m est une grandeur toujours positive.

Voir exercices 1, p. 143, et 6 à 13, p. 146-147.

Conventions d'écriture des fonctions dépendant du temps

Écriture complète	Écriture simplifiée
$\vec{v}(t) = \dfrac{d\overrightarrow{OM}(t)}{dt}$	$\vec{v} = \dfrac{d\overrightarrow{OM}}{dt}$
$\vec{a}(t) = \dfrac{d\vec{v}(t)}{dt}$	$\vec{a} = \dfrac{d\vec{v}}{dt}$
$\vec{p}(t) = m \cdot \vec{v}(t)$	$\vec{p} = m \cdot \vec{v}$

À une date t_i, on a donc :

$$\vec{v}(t_i) = \vec{v}_i = \left(\frac{d\overrightarrow{OM}(t)}{dt}\right)(t_i)$$

$$\vec{a}(t_i) = \vec{a}_i = \left(\frac{d\vec{v}(t)}{dt}\right)(t_i)$$

$$\vec{p}(t_i) = m \cdot \vec{v}_i$$

2 Comment reconnaître un mouvement ?

Il existe des trajectoires rectilignes et circulaires, ainsi que des mouvements uniformes et non uniformes (**activités 2 et 3**).

2.1 Les mouvements rectilignes uniformes

Dans un référentiel donné, le mouvement d'un système est rectiligne et uniforme lorsque la trajectoire est une portion de droite et la valeur de sa vitesse est constante (doc. 7).

> Dans un référentiel donné, un système a un **mouvement rectiligne uniforme** si son vecteur vitesse a toujours même direction, même sens et même valeur : il est constant. Son vecteur accélération est alors égal, à chaque instant, au vecteur nul :
>
> $\vec{v}$ est indépendant du temps, donc $\vec{a} = \dfrac{d\vec{v}}{dt} = \vec{0}$

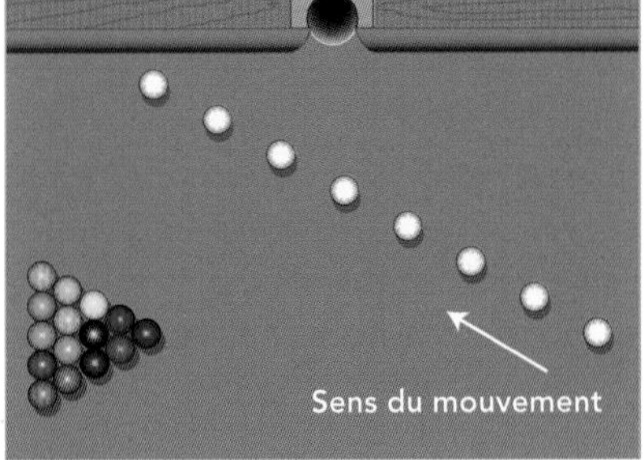

Doc. 7 Chronophotographie d'un mouvement rectiligne uniforme.

Les graphiques suivants caractérisent un mouvement rectiligne et uniforme sur un axe (Ox) orienté dans le sens du mouvement :

Chronophotographie d'un mouvement rectiligne uniforme sur un axe (*Ox*)	Représentation graphique de la coordonnée x de la position en fonction du temps	Représentation graphique de la coordonnée v_x de la vitesse en fonction du temps	Représentation graphique de la coordonnée a_x de l'accélération en fonction du temps
x Sens du mouvement O	x, x_0, 0, t Équation de la représentation graphique : $x(t) = v_{x_0} \cdot t + x_0$	v_x, v_{x_0}, 0, t Équation de la représentation graphique : $v_x(t) = v_{x_0}$	a_x, 0, t Équation de la représentation graphique : $a_x(t) = 0$

2.2 Les mouvements rectilignes uniformément variés

Dans un référentiel donné, le mouvement d'un système est rectiligne et uniformément varié lorsque sa trajectoire est une portion de droite et la valeur de son accélération est constante (doc. 8). La valeur de la vitesse est alors une fonction affine du temps.

> Dans un référentiel donné, un système a un **mouvement rectiligne uniformément varié** si son vecteur accélération a toujours même direction, même sens et même valeur ; il est constant.

Le mouvement rectiligne est accéléré si le vecteur accélération est dans le sens du vecteur vitesse. Le mouvement est décéléré (ralenti) si le vecteur accélération est dans le sens opposé.
Les graphiques suivants caractérisent un mouvement rectiligne uniformément accéléré sur un axe (Ox) orienté dans le sens du mouvement :

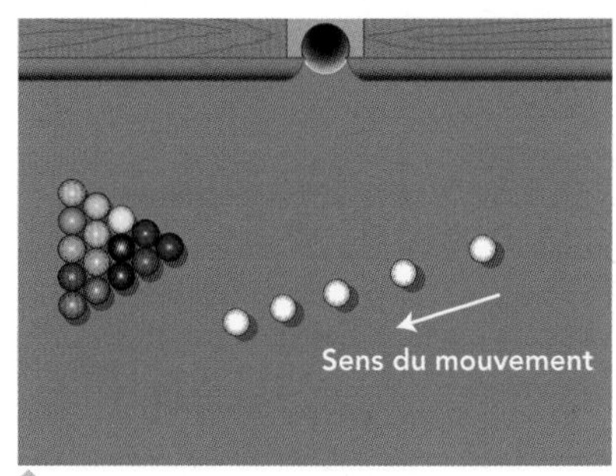

Doc. 8 Chronophotographie d'un mouvement rectiligne uniformément décéléré.

Chronophotographie du mouvement	Représentation graphique de la coordonnée x en fonction du temps	Représentation graphique de la coordonnée v_x en fonction du temps	Représentation graphique de la coordonnée a_x en fonction du temps
Sens du mouvement ; O ; x	Graphique : x ; x_0 ; 0 ; t Équation de la représentation graphique : $x(t) = \frac{1}{2} \cdot a_{x_0} \cdot t^2 + v_{x_0} \cdot t + x_0$	Graphique : v_x ; v_{x_0} ; 0 ; t Équation de la représentation graphique : $v_x(t) = a_{x_0} \cdot t + v_{x_0}$	Graphique : a_x ; a_{x_0} ; 0 ; t Équation de la représentation graphique : $a_x(t) = a_{x_0}$

2.3 Les mouvements circulaires uniformes

Dans le cas d'un mouvement circulaire uniforme, la valeur v de la vitesse et celle a de l'accélération sont constantes (doc. 9 et **activité 3**).

> Dans un référentiel donné, un système a un mouvement **circulaire uniforme** si sa trajectoire est une portion de cercle de rayon R et si la valeur v de sa vitesse est constante. Le vecteur accélération est alors centripète, de valeur a constante : $a = \frac{v^2}{R}$.

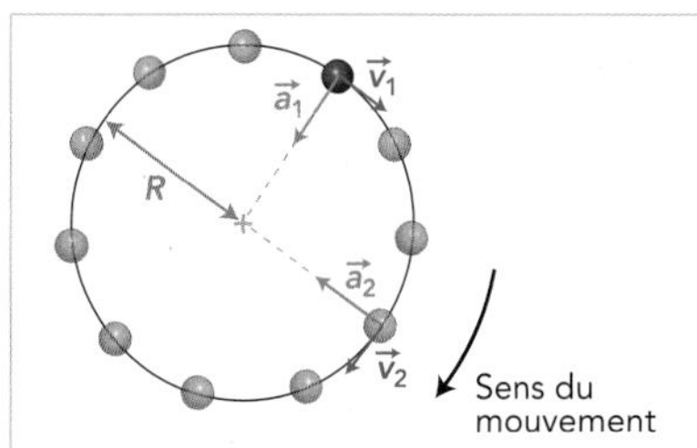

Doc. 9 Chronophotographie d'un mouvement circulaire uniforme.

2.4 Les mouvements circulaires non uniformes

Dans le cas d'un mouvement circulaire non uniforme, la valeur de l'accélération n'est pas constante (doc. 10 et **activité 3**).

> Dans un référentiel donné, un système a un mouvement **circulaire non uniforme** si sa trajectoire est une portion de cercle de rayon R et si la valeur de son accélération n'est pas constante.
> À chaque instant, le vecteur accélération a se décompose en deux vecteurs : $\vec{a} = \vec{a_N} + \vec{a_T}$ (doc. 10)
> $\vec{a_N}$ est l'accélération normale : elle est centripète, de valeur $a_N = \frac{v^2}{R}$.
> $\vec{a_T}$ est l'accélération tangentielle : elle est tangente à la trajectoire, orientée dans le sens du mouvement, de valeur $a_T = \frac{dv}{dt}$.
> v est la valeur de la vitesse instantanée.

Voir exercices 2, p. 143, et 14 à 16, p. 147-148.

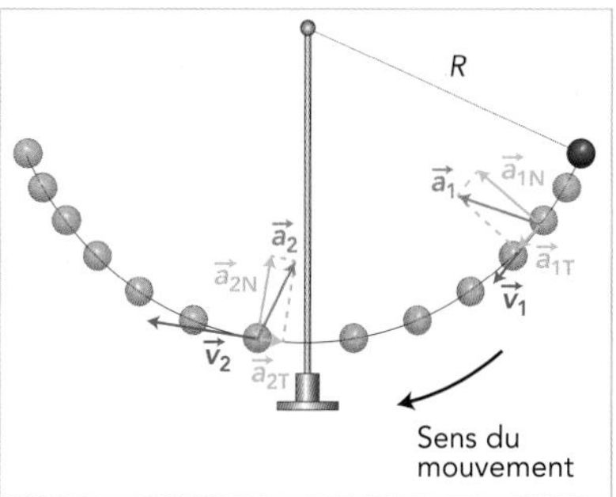

Doc. 10 Chronophotographie d'un mouvement circulaire non uniforme et décomposition du vecteur accélération.

3 Quelles sont les lois de Newton ?

3.1 Référentiels galiléens

Pour simplifier l'étude du mouvement d'un système, il faut utiliser un référentiel adapté. Un référentiel dans lequel **les lois de Newton** sont vérifiées est dit **galiléen (activité 5)**.
On choisit par exemple :
– un référentiel terrestre (lié à la surface de la Terre) pour l'étude de mouvements de courte durée au voisinage de la Terre ;
– le référentiel géocentrique (lié au centre de la Terre) pour l'étude du mouvement des satellites terrestres (doc. 11) ;
– le référentiel héliocentrique (lié au centre du Soleil) pour l'étude du mouvement des planètes dans le système solaire (doc. 11).
Pour ces mouvements, ces référentiels peuvent être considérés comme galiléens.

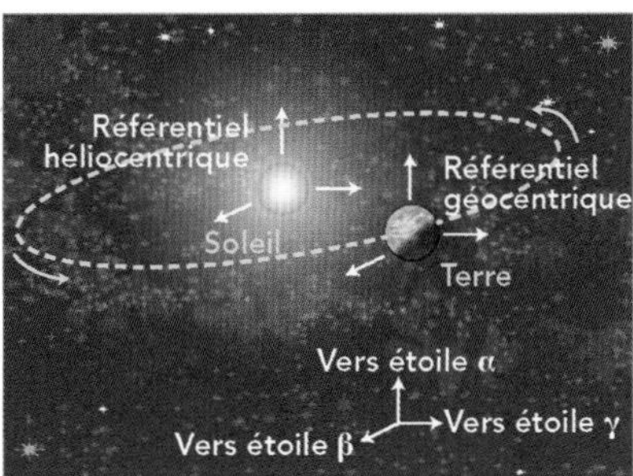

Doc. 11 Référentiels héliocentrique et géocentrique

3.2 Première loi de Newton ou principe d'inertie

Contrairement à ce que pensait le savant grec ARISTOTE (384-322 av. J.-C.), une force n'est pas nécessaire pour entretenir le mouvement. Le physicien GALILÉE (1554-1642) l'avait pressenti, près de 80 ans avant l'énoncé des lois par I. NEWTON (1642-1727). Ces lois ont été traduites en français par É. DU CHÂTELET **(activité 1)**.

Principe d'inertie (1re loi de Newton)

Dans un référentiel galiléen, si un système assimilé à un point matériel n'est soumis à aucune force (système isolé) ou s'il est soumis à un ensemble de **forces qui se compensent** (système pseudo-isolé), alors il est **immobile** ou animé d'un **mouvement rectiligne et uniforme.**

Doc. 12 En première approximation, la pierre de curling, une fois lancée, a un mouvement rectiligne uniforme, car il n'y a pratiquement pas de frottement.

Selon la première loi de Newton, s'il n'y avait pas de forces de frottement s'exerçant sur la pierre de curling en mouvement (doc. 12), elle ne s'arrêterait jamais.
Lorsqu'un système est isolé ou pseudo-isolé, sa vitesse est constante, donc sa quantité de mouvement se conserve puisque $\vec{p} = m \cdot \vec{v}$.

3.3 Deuxième loi de Newton ou principe fondamental de la dynamique

L'**activité 3** a montré que la direction de la vitesse du centre de Vénus varie au cours du temps. Il en résulte que sa quantité de mouvement varie aussi (doc. 13).

Principe fondamental de la dynamique (2e loi de Newton)

Dans un référentiel galiléen, si un système assimilé à un point matériel est soumis à une ou plusieurs forces extérieures, alors la somme vectorielle de ces forces notée $\Sigma\vec{F}$ est égale à la dérivée par rapport au temps de son vecteur quantité de mouvement :

$$\Sigma\vec{F} = \frac{d\vec{p}}{dt}$$

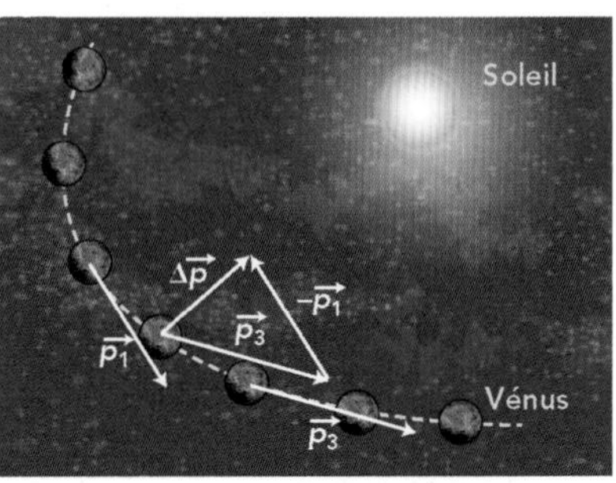

Doc. 13 La variation de la quantité de mouvement du centre de Vénus a la même direction et le même sens que la force d'attraction exercée par le Soleil sur Vénus.

Les forces à prendre en compte sont les forces exercées par l'extérieur sur le système.

Si le système conserve une masse constante au cours du temps, cette loi peut également s'écrire :

$$\Sigma\vec{F} = m\cdot\vec{a}, \quad \text{car} \quad \Sigma\vec{F} = \frac{d\vec{p}}{dt};$$

$$\text{or} \quad \vec{p} = m\cdot\vec{v}, \quad \text{donc} \; \Sigma\vec{F} = \frac{d(m\cdot\vec{v})}{dt} = m\cdot\frac{d\vec{v}}{dt} \quad \text{et} \quad \vec{a} = \frac{d\vec{v}}{dt}.$$

Dans un repère orthonormé $(O; \vec{i}, \vec{j})$, le vecteur quantité de mouvement $\vec{p}$ s'exprime par :

$$\vec{p} = p_x\cdot\vec{i} + p_y\cdot\vec{j}$$

et la deuxième loi de Newton permet d'écrire :

$$F_x = \frac{dp_x}{dt} \quad \text{et} \quad F_y = \frac{dp_y}{dt}$$

F_x et F_y sont les coordonnées de la somme des forces extérieures qui s'exercent sur le système.

3.4 Troisième loi de Newton ou principe des actions réciproques

Quelle que soit la situation, lorsque deux systèmes sont en interaction, les forces qu'ils exercent l'un sur l'autre sont opposées (doc. 14).

Principe des actions réciproques (3e loi de Newton)

Si un système A exerce sur un système B une force $\vec{F}_{A/B}$, alors le système B exerce également sur le système A une force $\vec{F}_{B/A}$.
Ces deux forces ont même direction, même valeur et sont de sens opposés. On écrit :

$$\vec{F}_{A/B} = -\vec{F}_{B/A}$$

Attention : Les forces $\vec{F}_{A/B}$ et $\vec{F}_{B/A}$ ne s'exercent pas sur le même système. Ainsi, lors de l'application de la deuxième loi de Newton, si le système étudié est A, la force extérieure à prendre en compte est $\vec{F}_{B/A}$ et pas $\vec{F}_{A/B}$. De même, si le système est B, il faut prendre en compte $\vec{F}_{A/B}$. Si le système contient A et B, alors il ne faut prendre en compte aucune des deux forces, car elles ne sont pas extérieures au système.

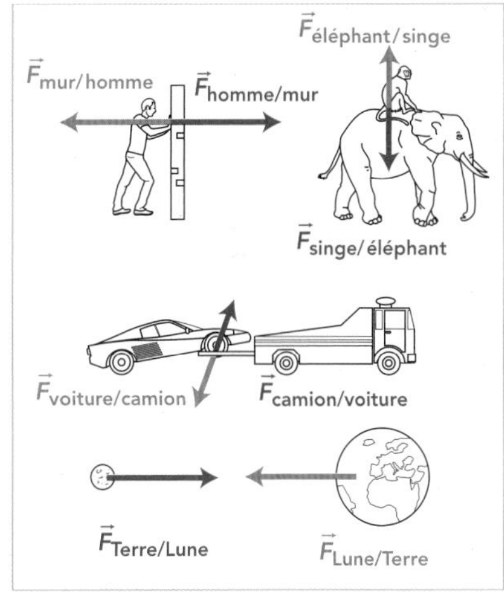

Doc. 14 Dans ces quatre situations, deux systèmes sont en interaction.
On a représenté à chaque fois la force exercée par le système 1 sur le système 2 et la force exercée par le système 2 sur le système 1.

3.5 Application à la propulsion par réaction

Pour se déplacer, le piéton prend appui sur le sol et le nageur sur l'eau. De même, la fusée qui décolle est propulsée par l'action du gaz qu'elle éjecte (doc. 15). Ce sont des exemples de **propulsion par réaction**.

Dans un référentiel galiléen, lorsqu'un système assimilé à un point matériel est soumis à des forces qui se compensent, la deuxième loi de Newton permet d'écrire que le vecteur quantité de mouvement se conserve (**activité 4**) :

$$\Sigma\vec{F} = \vec{0}; \quad \text{or} \quad \Sigma\vec{F} = \frac{d\vec{p}}{dt}, \quad \text{donc} \; \frac{d\vec{p}}{dt} = \vec{0}$$

Si ce système se sépare en deux parties en interaction, les quantités de mouvement des deux parties sont opposées puisque leur somme vectorielle reste nulle.

La **conservation de la quantité de mouvement** permet d'expliquer la **propulsion par réaction.**

Voir exercices 3, p. 143, et 17 à 20, p. 148.

Doc. 15 Fusée au décollage : un exemple de propulsion par réaction.

Essentiel

Des outils pour décrire le mouvement

Dans un référentiel donné, associé à un repère orthonormé $(O; \vec{i}, \vec{j})$, à toute date t :

- Un point matériel M est repéré par son vecteur position : $\overrightarrow{OM} = x \cdot \vec{i} + y \cdot \vec{j}$.
- Le vecteur vitesse de ce point est $\vec{v} = \dfrac{d\overrightarrow{OM}}{dt}$.
- Le vecteur accélération de ce point est $\vec{a} = \dfrac{d\vec{v}}{dt}$.
- Le vecteur quantité de mouvement de ce point est $\vec{p} = m \cdot \vec{v}$, m étant sa masse.
- Les vecteurs $\overrightarrow{OM}$, $\vec{v}$, $\vec{a}$ et $\vec{p}$ dépendent du temps.

Reconnaître un mouvement

Dans un référentiel donné, les vecteurs $\vec{v}$ et $\vec{a}$ sont caractéristiques du mouvement d'un système :

Mouvement	Rectiligne uniforme	Rectiligne uniformément varié	Circulaire uniforme	Circulaire non uniforme
Exemple de chronophotographie				
Trajectoire	Portion de droite		Portion de cercle de rayon R	
Vecteur vitesse	**Valeur** : constante v.	**Valeur :** fonction affine du temps.	**Valeur** : constante v.	**Valeur** : variable v.
	Direction : celle de la trajectoire.		**Direction** : tangente à la trajectoire.	
	Sens : celui du mouvement.		**Sens** : celui du mouvement.	
Vecteur accélération	Nul.	**Valeur :** constante. **Direction** : celle de la trajectoire. **Sens :** celui du mouvement si le mouvement est accéléré, dans le sens contraire si le mouvement est ralenti.	**Valeur** : constante égale à $\dfrac{v^2}{R}$. **Direction** : perpendiculaire à la trajectoire. **Sens** : centripète.	**Valeur** : variable v. **Direction** et **sens** : variables. $\vec{a} = \overrightarrow{a_N} + \overrightarrow{a_T}$ $\overrightarrow{a_N}$ accélération normale de valeur $a_N = \dfrac{v^2}{R}$; $\overrightarrow{a_T}$ accélération tangentielle de valeur $a_T = \dfrac{dv}{dt}$.

Les lois de Newton

Principe d'inertie (1re loi)

Dans un référentiel galiléen, si un point matériel n'est soumis à aucune force ou s'il est soumis à des forces extérieures qui se compensent, alors il est immobile ou en mouvement rectiligne uniforme.

Principe fondamental de la dynamique (2e loi)

Dans un référentiel galiléen, si un point matériel est soumis à une ou plusieurs forces extérieures, alors la résultante de ces forces, notée $\Sigma\vec{F}$, est égale à la dérivée par rapport au temps de son vecteur quantité de mouvement :

$$\Sigma\vec{F} = \frac{d\vec{p}}{dt}$$

Principe des actions réciproques (3e loi)

Soit A et B deux systèmes. Si A exerce sur B une force $\vec{F}_{A/B}$, alors B exerce sur A une force $\vec{F}_{B/A}$ telle que $\vec{F}_{B/A} = -\vec{F}_{A/B}$. Ces deux forces ont même direction, même valeur et sont de sens opposés.

Application à la propulsion par réaction

La conservation de la quantité de mouvement d'un système isolé permet d'expliquer la propulsion par réaction.

Pour chaque question, indiquer la (ou les) bonne(s) réponse(s).

Voir corrigés, p. 606.

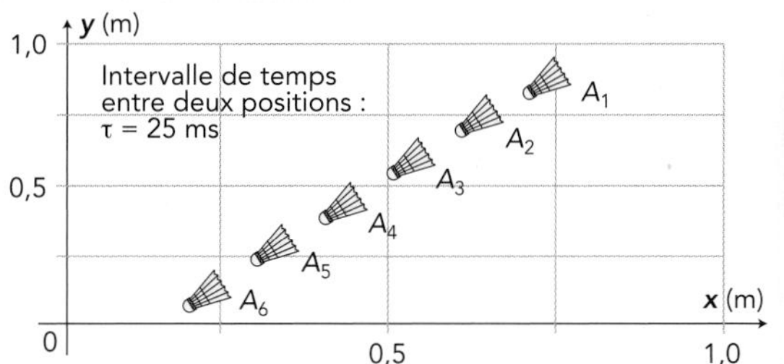

Doc. 1 Chronophotographie d'un volant de badminton (dans le plan contenant la trajectoire).

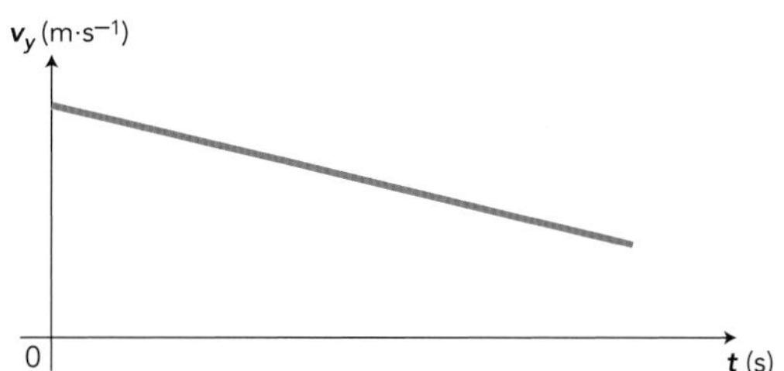

Doc. 2 Évolution temporelle de la coordonnée v_y de la vitesse d'un point mobile en mouvement rectiligne selon l'axe (*Oy*) orienté dans le sens du mouvement.

1 Des outils pour décrire le mouvement

	A	B	C
1. Sur le document 1, les coordonnées approchées du vecteur position de la base du volant au point A_6 sont :	$x = 0{,}20$ m ; $y = 7$ cm.	$x = 8$ cm ; $y = 3$ cm.	$x = 7$ cm ; $y = 0{,}20$ m.
2. Le vecteur vitesse du volant au point A_3 :	est nul.	est tangent à la trajectoire.	a pour valeur $v_3 = 0{,}50\ \text{m}\cdot\text{s}^{-1}$.
3. Le vecteur accélération du volant au point A_3 :	est nul.	est perpendiculaire à la trajectoire.	a pour valeur $a_3 = 200\ \text{m}\cdot\text{s}^{-2}$.

Si erreur, revoir § 1, p. 136.

2 Reconnaître un mouvement

	A	B	C
1. Le mouvement du volant de badminton du document 1 est :	rectiligne uniformément varié.	rectiligne uniforme.	circulaire uniforme.
2. Le document 2 illustre un mouvement :	uniforme.	uniformément décéléré.	dont l'accélération est constante.
3. Lorsqu'un système est en mouvement circulaire uniforme :	son vecteur vitesse est constant.	son vecteur accélération est constant.	son vecteur accélération est centripète.
4. L'accélération d'un système en mouvement circulaire uniforme de rayon *R* et à la vitesse *v* :	est nulle.	a pour valeur $\frac{dv}{dt}$.	a pour valeur $\frac{v^2}{R}$.

Si erreur, revoir § 2, p. 138.

3 Les lois de Newton

	A	B	C
1. La résultante des forces qui s'exercent sur le point mobile du document 2 est :	nulle.	constante.	dans le sens opposé au mouvement.
2. Dans le cas d'un mouvement circulaire uniforme, la résultante des forces qui s'exercent sur le système est :	nulle.	constante.	centripète.
3. Une dépanneuse D tire une voiture V.	$\lVert \vec{F}_{D/V} \rVert > \lVert \vec{F}_{V/D} \rVert$.	$\vec{F}_{V/D} = \vec{0}$.	$\vec{F}_{D/V} = -\vec{F}_{V/D}$.

Si erreur, revoir § 3, p. 140.

Exercice résolu

COMPÉTENCES
- Modéliser.
- Schématiser.

4 Tracer des vecteurs vitesse et accélération

Énoncé

Le document ci-contre donne l'enregistrement des positions P_0, P_1, P_2, etc. du centre de gravité d'un solide en mouvement. La durée entre deux marquages consécutifs est $\tau = 60$ ms.

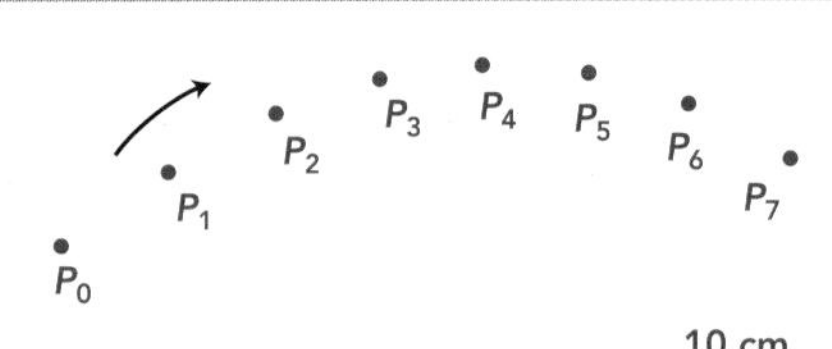

Reproduire le document pour effectuer les constructions.

1. a. Calculer les valeurs des vitesses aux points P_2 et P_4.
b. Tracer, à la même échelle que l'on précisera, les deux vecteurs vitesse correspondants.

2. a. Construire le vecteur $\overrightarrow{\Delta v_3} = \overrightarrow{v_4} - \overrightarrow{v_2}$.
b. Calculer la valeur de ce vecteur.
c. En déduire la valeur de l'accélération a_3.
d. Représenter le vecteur accélération $\overrightarrow{a_3}$ en précisant l'échelle choisie.

Conseils

1. a. La valeur de la vitesse v_2 au point P_2 est celle de la vitesse moyenne entre les points P_1 et P_3.
Pour calculer v_2, il faut mesurer la distance P_1P_3 et la diviser par l'intervalle de temps qui sépare les passages par ces deux positions, soit 2τ.
b. Le vecteur vitesse $\overrightarrow{v_2}$ a pour origine P_2. Il est parallèle au segment $[P_1P_3]$ et est orienté dans le sens du mouvement. La longueur du segment fléché représente $1{,}3\ \text{m}\cdot\text{s}^{-1}$.

2. a. Pour construire $\overrightarrow{\Delta v_3} = \overrightarrow{v_4} - \overrightarrow{v_2}$, reporter $\overrightarrow{v_4}$ et $-\overrightarrow{v_2}$; le vecteur $\overrightarrow{\Delta v_3}$ débute à l'origine de $\overrightarrow{v_4}$ et se termine à l'extrémité de $-\overrightarrow{v_2}$.
b. La mesure de sa longueur permet de déterminer sa valeur en tenant compte de l'échelle choisie pour représenter les vitesses.
c. L'accélération est déterminée grâce à la relation suivante : $a_3 = \dfrac{\Delta v_3}{2\tau}$.
d. Reporter en P_3 la direction de $\overrightarrow{\Delta v_3}$ et choisir une échelle de représentation pour la valeur de a_3.
On pourra également se reporter à la **fiche n° 15**, p. 600.

Solution rédigée

1. a. Le mouvement du solide est étudié dans un référentiel terrestre.

$$v_2 = \frac{P_1P_3}{2\tau}$$

En tenant compte de l'échelle des longueurs :
$P_1P_3 = 15\ \text{cm} = 1{,}5 \times 10^{-1}\ \text{m}$

Donc $\mathbf{v_2} = \dfrac{1{,}5 \times 10^{-1}}{2 \times 60 \times 10^{-3}} = \mathbf{1{,}3\ m\cdot s^{-1}}$.

De même $\mathbf{v_4} = \dfrac{P_3P_5}{2\tau} = \dfrac{1{,}4 \times 10^{-1}}{2 \times 60 \times 10^{-3}} = \mathbf{1{,}2\ m\cdot s^{-1}}$.

b. Voir schéma ci-dessous.

2. a. Voir schéma ci-dessous.

b. En utilisant l'échelle de représentation, on déduit de la mesure de la norme de $\overrightarrow{\Delta v_3}$: $\mathbf{\Delta v_3 = 0{,}58\ m\cdot s^{-1}}$.

c. $\mathbf{a_3} = \dfrac{\Delta v_3}{2\tau} = \dfrac{0{,}58}{2 \times 60 \times 10^{-3}} = \mathbf{4{,}8\ m\cdot s^{-2}}$.

d.

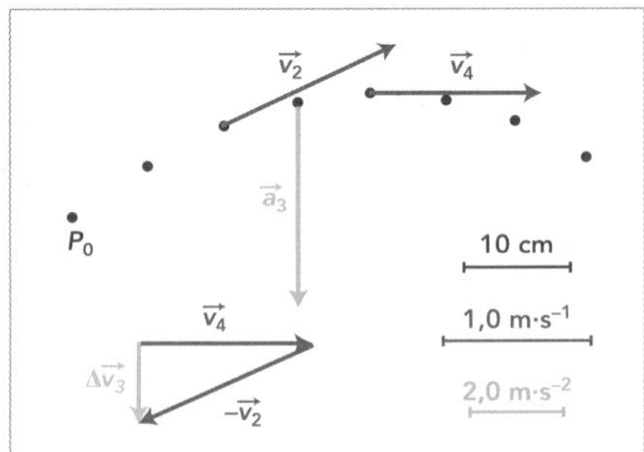

Application immédiate

Reprendre l'exercice précédent pour calculer la valeur de l'accélération a_5 au point P_5.
Représenter le vecteur $\overrightarrow{a_5}$ à la même échelle que le vecteur $\overrightarrow{a_3}$.

Voir corrigés, p. 606.

COMPÉTENCE
- Exploiter un graphique.

5 Déterminer une accélération

Énoncé

Le graphique ci-contre représente l'évolution en fonction du temps de la coordonnée v_x de la vitesse de la locomotive d'un TGV modélisée par un point P sur une portion de voie rectiligne (Ox).

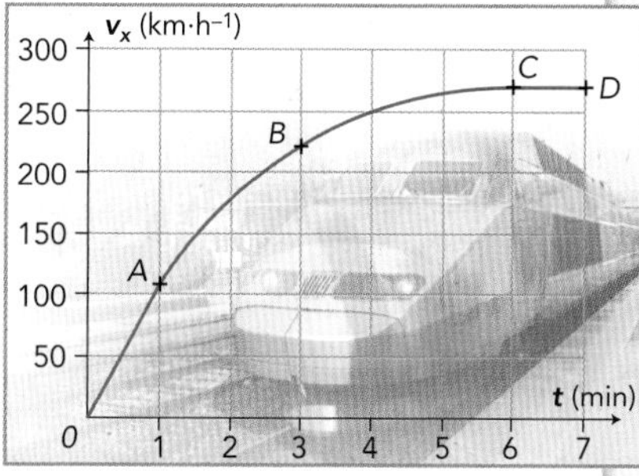

1. Déterminer la nature du mouvement au cours de ses différentes phases.
2. Calculer la valeur de l'accélération entre les dates $t_1 = 0$ min et $t_2 = 1$ min.
3. Calculer la valeur de l'accélération à la date $t = 3$ min.
4. Quelle est la valeur de l'accélération entre les dates $t_4 = 6$ min et $t_5 = 7$ min ?

Conseils

1. Le graphique représente l'évolution au cours du temps de la coordonnée v_x de la vitesse du point P. Le mouvement étant rectiligne et la coordonnée v_x étant positive, son évolution traduit aussi celle de la valeur v de la vitesse. Associer aux différentes évolutions caractéristiques de v les mouvements correspondants.

2. Faire le lien entre la coordonnée de l'accélération et celle de la vitesse. Pour passer à la valeur du vecteur, utiliser la relation entre la valeur et les coordonnées. Ici, le mouvement est rectiligne ; il n'y a qu'une seule coordonnée.

3. Pour déterminer la coordonnée $a_x(3)$ de l'accélération au point de date $t = 3$ min, il faut tracer la tangente à la courbe $v_x(t)$ à la date $t = 3$ min et déterminer son coefficient directeur. Passer ensuite de la coordonnée $a_x(3)$ à la valeur $a(3)$ du vecteur.

Penser aux unités dans l'application numérique : L'accélération est exprimée en $m \cdot s^{-2}$ si la vitesse est en $m \cdot s^{-1}$ et la durée en s. Convertir les $km \cdot h^{-1}$ en $m \cdot s^{-1}$ et les minutes en secondes.

4. Remarquer qu'après 6 min, v_x est constante.

Solution rédigée

1. Entre 0 et 1 min, v_x augmente linéairement de 0 à 110 $km \cdot h^{-1}$. Entre 1 min et 6 min, v_x augmente de 110 à 270 $km \cdot h^{-1}$, mais de moins en moins rapidement. Au-delà de 6 min, v_x est constante.
Comme le mouvement est rectiligne et comme v_x est positive, la valeur v de la vitesse évolue comme v_x, car $v = \sqrt{v_x^2}$.
Ainsi, entre 0 et 1 min, le mouvement est rectiligne uniformément accéléré. Entre 1 min et 6 min, il est rectiligne accéléré. Au-delà de 6 min, il est rectiligne uniforme.

2. Entre 0 et 1 min, le mouvement est rectiligne uniformément accéléré. L'accélération a_x est donc égale au coefficient directeur de la droite (OA) :

$$a_x = \frac{\Delta v_x}{\Delta t} = \frac{110}{3{,}6 \times 60} = 0{,}51 \ m \cdot s^{-2}.$$

Valeur de l'accélération : $a = \sqrt{a_x^2} = 0{,}51 \ m \cdot s^{-2}$.

3.

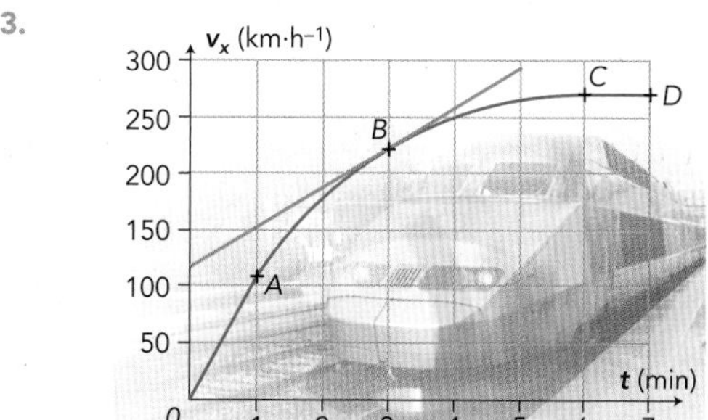

$$a_x = \frac{\frac{(290 - 120)}{3{,}6}}{(5 - 0) \times 60} = 0{,}16 \ m \cdot s^{-2}.$$

Valeur de l'accélération : $a = 0{,}16 \ m \cdot s^{-2}$.

4. De $t_4 = 6$ min à $t_5 = 7$ min, le mouvement est rectiligne uniforme, donc $a_x = a = 0 \ m \cdot s^{-2}$.

Application immédiate

Voir exercice 24, p. 149.

Voir corrigés, p. 606.

Exercices

Compétences exigibles au baccalauréat

- ✔ Choisir un référentiel d'étude. ▸ activité 5 ▸ exercices 6 et 7
- ✔ Définir et reconnaître des mouvements (rectiligne uniforme, rectiligne uniformément varié, circulaire uniforme, circulaire non uniforme) et donner dans chaque cas les caractéristiques du vecteur accélération. ▸ activités 2 et 3 ▸ exercices 10 et 14
- ✔ Définir la quantité de mouvement d'un point matériel. ▸ exercice 13
- ✔ *Mettre en œuvre une démarche expérimentale pour étudier un mouvement.* ▸ activités 2 et 3
- ✔ Connaître et exploiter les trois lois de Newton. ▸ activité 1 ▸ exercices 17, 18 et 19
- ✔ *Mettre en œuvre une démarche expérimentale pour interpréter un mode de propulsion par réaction à l'aide d'un bilan qualitatif de quantité de mouvement.* ▸ activité 4

Pour commencer

Quels outils pour décrire le mouvement ?

6 Choisir un référentiel d'étude (1)

Associer à chaque mouvement le référentiel d'étude adapté parmi les suivants :

héliocentrique; *géocentrique*; *terrestre*.

a. Papillon voletant dans un jardin.
b. Voiture en mouvement sur une route.
c. Satellite Astra en orbite autour de la Terre.
d. Planète Mars en orbite autour du Soleil.
e. Avion de ligne effectuant un trajet Paris Toulouse.

7 Choisir un référentiel d'étude (2)

Pour chacune des situations suivantes, choisir le référentiel d'étude le plus adapté compte tenu du <u>système</u> :
a. <u>Terre</u> tournant autour du Soleil ;
b. <u>satellite</u> artificiel terrestre ;
c. <u>cycliste</u> roulant sur une route ;
d. <u>Io</u> en rotation autour de Jupiter.

8 Déterminer des vecteurs positions et des vecteurs vitesses

La position d'un point de l'extrémité d'un cerf-volant, noté G, est repérée à intervalles de temps égaux à 0,8 s dans le repère orthonormé $(O; \vec{i}, \vec{j})$ lié au sol.

20 m
10 m
G_1
G_2
G_3
O
$\vec{i}$
$\vec{j}$
10 m
20 m

1. Quelles sont les coordonnées du vecteur position $\overrightarrow{OG}$ lorsque G est en G_1, G_2, puis G_3 ?
2. Déterminer la valeur de chacun de ces vecteurs.
3. Calculer les coordonnées et la valeur du vecteur vitesse $\vec{v_2}$ de G en position G_2.

9 Connaître les propriétés du vecteur vitesse

En TP, Alex et Solène ont repéré la position d'une bille à intervalles de temps égaux dans diverses situations. Ils ont également représenté quelques vecteurs vitesses par des flèches bleues, toutes tracées à la même échelle.

c
Sens du mouvement
$\vec{v_6}$

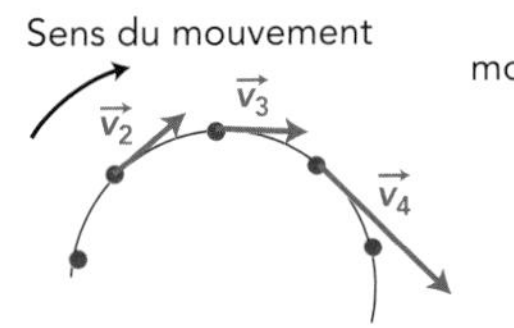

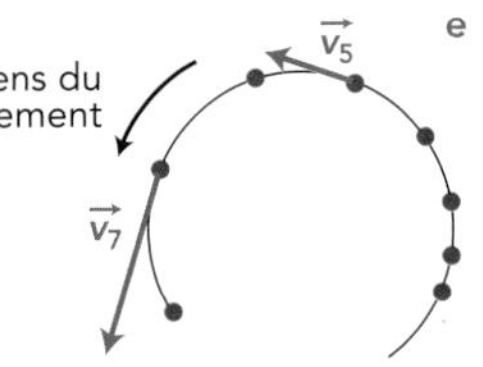

1. La représentation de ces vecteurs est-elle correcte pour chacune des situations ?
2. En cas d'erreur, indiquer ce qu'il faut modifier pour que le schéma devienne correct.

10 Connaître les propriétés du vecteur accélération

On repère à intervalles de temps égaux, les positions successives d'un point A d'une voiture téléguidée dans un référentiel terrestre.
On a obtenu les situations suivantes :

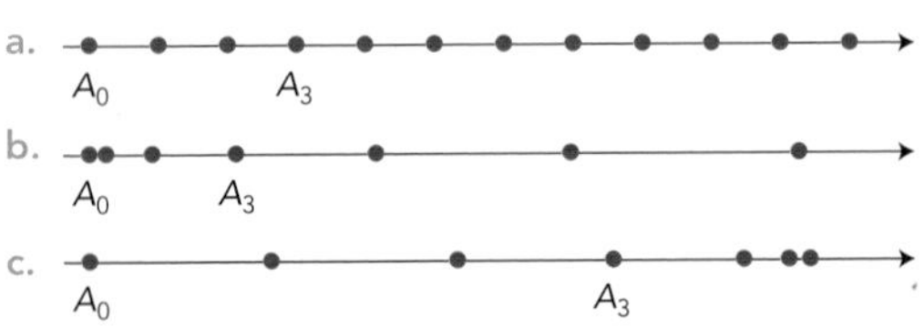

Dans chaque cas, indiquer la direction et le sens du vecteur accélération du point A dans la position A_3.

11 Représenter des vecteurs vitesses

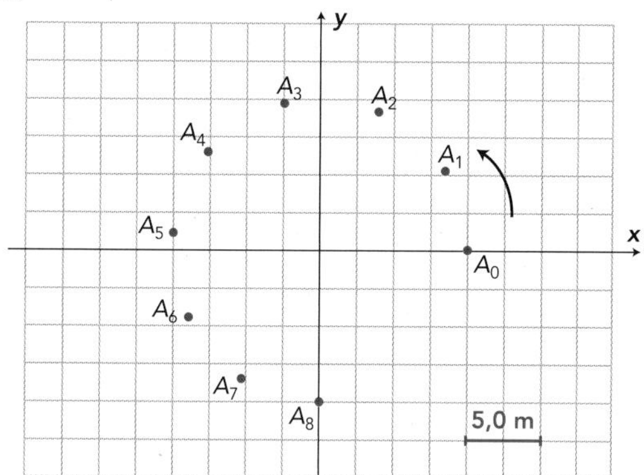

On a représenté les positions consécutives d'un point A d'une nacelle d'une grande roue dans un référentiel terrestre. L'intervalle de temps séparant deux positions consécutives du point A est $\Delta t = 5{,}0$ s.

1. Reproduire la chronophotographie, puis représenter les vecteurs vitesses $\vec{v_2}$ au point A_2 et $\vec{v_3}$ au point A_3 (préciser l'échelle choisie pour ces représentations).

2. Quelle est la nature du mouvement ?

12 Représenter des vecteurs accélérations

On a représenté deux vecteurs vitesses $\vec{v_8}$ et $\vec{v_{10}}$ lors du mouvement d'un point A dans un référentiel terrestre. L'intervalle de temps séparant deux positions consécutives du point A est $\Delta t = 0{,}50$ s.

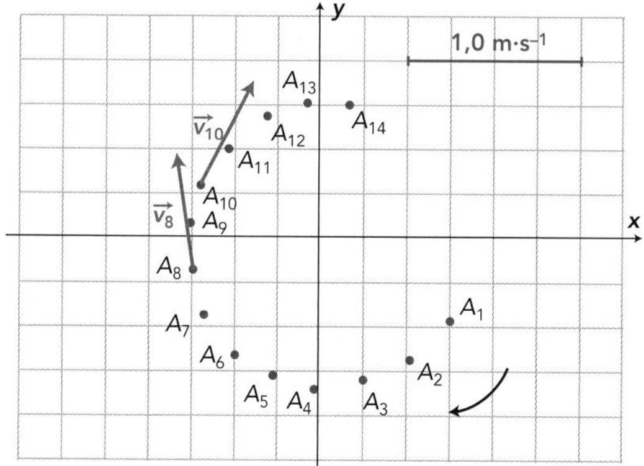

1. Reproduire le schéma, puis construire au point A_9 le vecteur $\vec{v_{10}} - \vec{v_8}$.

2. Calculer la valeur de ce vecteur à l'aide de l'échelle. En déduire la norme du vecteur accélération $\vec{a_9}$ au point A_9.

3. Préciser les caractéristiques (direction, sens, valeur) du vecteur accélération $\vec{a_9}$.

13 Définir et calculer une quantité de mouvement

1. Quelle est la définition de la quantité de mouvement d'une bille de paintball ? Préciser l'unité de chaque grandeur.

2. Calculer la valeur de la quantité de mouvement de la bille de paintball de masse $m = (3{,}5 \pm 0{,}1)$ g projetée avec une vitesse de valeur $v = (75 \pm 1)\ \mathrm{m \cdot s^{-1}}$.

3. a. Donner un encadrement de la valeur de p, compte tenu des incertitudes sur m et v.

On rappelle que $\dfrac{U(p)}{p} = \sqrt{\left(\dfrac{U(m)}{m}\right)^2 + \left(\dfrac{U(v)}{v}\right)^2}$

b. Justifier le nombre de chiffres significatifs à retenir pour écrire la valeur de p.

Comment reconnaître un mouvement ?

14 Analyser une représentation graphique

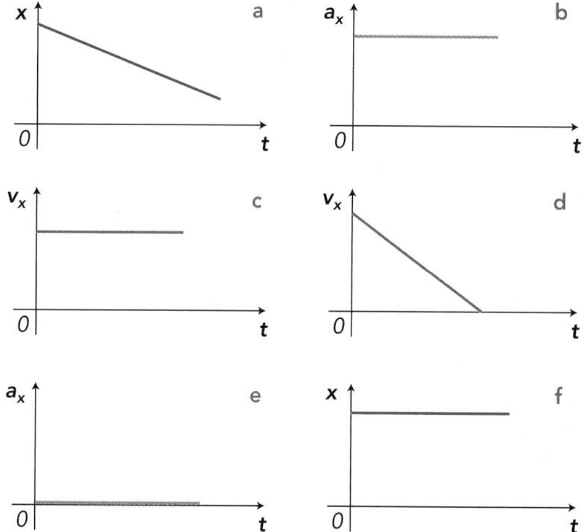

1. Parmi les représentations graphiques ci-dessus montrant les évolutions temporelles de la position x, la vitesse v_x, l'accélération a_x d'un point matériel sur un axe (Ox), identifier, s'il y en a, celle(s) qui correspond(ent) à un système constamment immobile dans le référentiel.

2. Identifier les représentations graphiques correspondant à un mouvement uniforme ou uniformément varié.

15 Reconnaître un mouvement

La position d'un point mobile est repérée à intervalles de temps égaux au cours de divers mouvements dans le même référentiel.

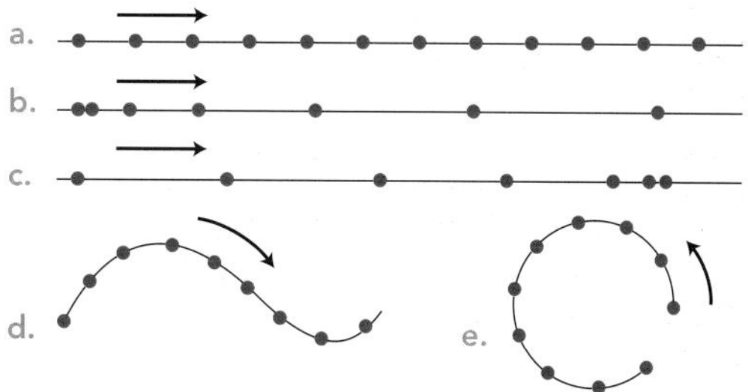

Dans chaque cas, indiquer la nature du mouvement.

Exercices

16 Analyser un mouvement

Les évolutions temporelles des coordonnées v_x et v_y du vecteur vitesse relatif au mouvement d'une bille lancée vers le haut dans le plan vertical (Oxy) associé à un repère orthonormé sont représentées ci-dessous.

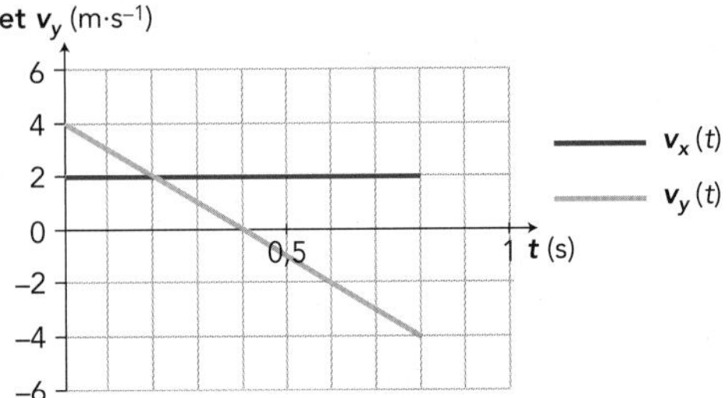

1. Calculer la valeur de la vitesse de la bille aux instants $t_1 = 0{,}2$ s et $t_2 = 0{,}6$ s.

2. Décrire l'évolution de la valeur de la vitesse de la bille entre 0,0 s et 0,8 s.

3. Représenter les évolutions temporelles des coordonnées a_x et a_y de l'accélération de la bille au cours de ce mouvement.

4. En déduire la valeur de l'accélération de la bille à chaque instant et préciser la nature de son mouvement.

Aide au calcul : $\sqrt{2} \approx 1{,}4$.

Quelles sont les lois de Newton ?

17 Connaître les lois de Newton

Énoncer les trois lois de Newton et présenter ou schématiser une situation qui illustre chaque loi.

18 Déterminer des forces inconnues

Un skieur de masse $M = 60$ kg glisse à vitesse de valeur constante sur une piste rectiligne qui fait un angle $\alpha = 30°$ avec l'horizontale.

Le skieur est modélisé par son centre de gravité S. On considère qu'il est soumis à trois forces :

– son poids $\vec{P}$;

– l'action normale du sol $\vec{R}$ (perpendiculaire au plan de la piste) ;

– une force de frottement $\vec{f}$ (parallèle à la piste et de sens opposé au déplacement).

1. Quelle relation vérifient ces forces ? Justifier.

2. Schématiser, à l'échelle 1 cm pour 200 N et en respectant les angles, les vecteurs qui modélisent ces forces.

3. Déduire de la construction les valeurs de $\vec{R}$ et de $\vec{f}$.

Donnée : $g = 10$ N·kg⁻¹.

19 Exploiter les lois de Newton

Dans les situations suivantes, le système étudié est modélisé par un point matériel. Indiquer si les propositions sont vraies et corriger ou compléter les propositions fausses :

a. Dans un référentiel terrestre, une voiture soumise à des forces extérieures qui se compensent peut prendre un virage.

b. Dans un référentiel galiléen, le vecteur vitesse d'un avion est toujours de même sens que la résultante des forces extérieures qui s'appliquent sur lui.

c. Lorsqu'un véhicule tractant une caravane démarre, la valeur de la force qu'exerce le véhicule sur la caravane est supérieure à la valeur de la force exercée par la caravane sur le véhicule.

d. Dans un référentiel galiléen, la variation de la quantité de mouvement d'un quad est toujours égale à la résultante des forces extérieures auxquelles il est soumis.

20 Étudier la propulsion d'un système isolé

Un ballon de baudruche est gonflé à l'hélium. Il est tenu par une ficelle et reste immobile dans l'air à 2,5 m du sol.

1. Ce ballon peut-il être considéré comme un système pseudo-isolé dans un référentiel terrestre ?

2. Schématiser les forces qui s'exercent sur lui.

3. Le ballon se détache de la ficelle et s'ouvre. Expliquer ce qu'il se passe pour le ballon.

4. Que peut-on dire de la quantité de mouvement du ballon juste après l'ouverture ?

Pour s'entraîner

21 Coordonnées du vecteur position

COMPÉTENCES **Calculer ; construire et exploiter un graphique.**

« L'homme-canon » est un spectacle de foire, qui consiste à propulser d'un canon un homme convenablement protégé, par la brutale détente d'un ressort comprimé. Lors d'un spectacle, les équations horaires de l'homme-canon modélisé par un point matériel M dans un repère orthonormé $(O; \vec{i}, \vec{j}, \vec{k})$ lié au référentiel d'étude sont :

$$x = 20\,t; \qquad y = -4{,}9\,t^2 + 20\,t + 2{,}5; \qquad z = 0$$

$\vec{j}$ est vertical ; $\vec{i}$ et $\vec{k}$ sont horizontaux.

Les coordonnées sont exprimées en mètre et les dates en seconde.

1. La trajectoire est plane. Justifier cette affirmation.

2. À l'aide d'un tableur ou d'une calculatrice, calculer les coordonnées du point M toutes les 0,5 seconde, de 0 à 4 s. Représenter ces positions.

3. Déterminer graphiquement à quelle distance du canon il faut placer le matelas de réception.

22 Calculer les coordonnées des vecteurs vitesse et accélération

COMPÉTENCES Exploiter une relation ; exploiter un tableau.

1. À partir des données de l'exercice précédent, calculer les coordonnées v_x et v_y du vecteur vitesse $\vec{v}$ du point M à chaque instant.

2. Quelle est la valeur du vecteur vitesse $\vec{v_1}$ à $t_1 = 1{,}0$ s ?

3. Exprimer les coordonnées a_x et a_y du vecteur accélération $\vec{a}$ du point M à chaque instant.

4. Que peut-on dire de l'évolution de la valeur du vecteur $\vec{a}$ au cours du temps ? Qualifier ce mouvement.

23 Saut en parachute

COMPÉTENCE Exploiter un graphique.

Le schéma ci-dessous représente l'évolution au cours du temps de la coordonnée verticale v_z de la vitesse (dans un référentiel terrestre) d'un parachutiste, modélisé par un point matériel, lâché d'un hélicoptère en vol stationnaire (sans vitesse initiale).

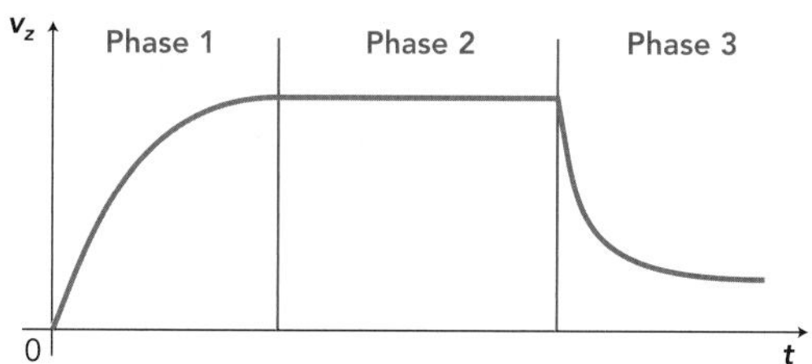

1. Dans quel sens est orienté l'axe (Oz) ? Justifier.

2. Décrire le mouvement du parachutiste lors de chaque phase. À quoi correspond le début de la phase 3 ?

3. Représenter graphiquement l'allure de l'évolution de la coordonnée a_z de l'accélération en fonction du temps.

24 Arrivée en gare d'un TGV

COMPÉTENCE Exploiter un graphique.

Le graphique ci-dessous représente l'évolution dans un référentiel terrestre de la coordonnée v_x de la vitesse d'un TGV sur une portion de voie rectiligne (Ox) à l'approche d'une gare.

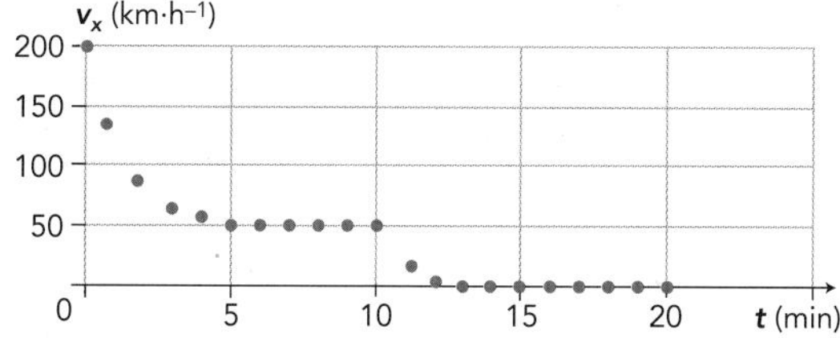

1. Décrire les différentes phases du mouvement du TGV.

2. Que vaut la coordonnée a_x de l'accélération du TGV entre les dates $t_5 = 5$ min et $t_{10} = 10$ min puis à partir de la date $t_{13} = 13$ min ?

3. Déterminer la coordonnée a_x de l'accélération aux dates $t_2 = 2$ min et $t_{11} = 11$ min.

Voir, si nécessaire, l'exercice résolu 5, p. 145.

25 À chacun son rythme

COMPÉTENCE Raisonner.

Cet exercice est proposé à deux niveaux de difficulté. Dans un premier temps, essayer de résoudre l'exercice de niveau 2. En cas de difficultés, passer au niveau 1.

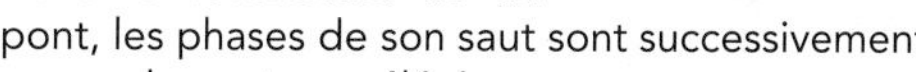

Julie, modélisée par un point matériel J, fait du saut à l'élastique. Elle se laisse tomber verticalement sans vitesse initiale par rapport au pont.

Dans le référentiel lié au pont, les phases de son saut sont successivement :

a. une descente accélérée ;

b. une descente ralentie, lorsque l'élastique se tend progressivement ;

c. une remontée accélérée lorsque l'élastique tendu se détend progressivement ;

d. une remontée ralentie lorsque l'élastique est détendu.

Niveau 2 (énoncé compact)

Pour chaque phase du mouvement, représenter la résultante des forces extérieures qui s'exercent sur le point J.

Niveau 1 (énoncé détaillé)

1. Indiquer comment varie la quantité de mouvement $\vec{p}$ du point matériel J lors de chaque phase.

2. En déduire la direction et le sens de la résultante des forces extérieures qui s'exercent sur le point J.

3. Pour chaque phase du mouvement, représenter la résultante des forces extérieures qui s'exercent sur le point J.

26 Ascension d'une montgolfière

COMPÉTENCE Faire un schéma.

Lors d'une ascension, une montgolfière modélisée par un point matériel est soumise à deux forces verticales : son poids $\vec{P}$ et la poussée d'Archimède $\vec{A}$.

1. Pendant une première phase, la montgolfière s'élève verticalement à vitesse constante dans un référentiel terrestre. Écrire la relation entre les deux forces, puis les schématiser en justifiant les choix.

2. Procéder de la même façon lorsque la montgolfière s'élève verticalement :

a. en accélérant ;

b. en décélérant.

Exercices

27 Les jetpacks

COMPÉTENCE **Faire preuve d'esprit critique.**

« Démuni des pouvoirs de Superman, le héros de bandes dessinées Rocketeer utilise un réacteur placé dans son dos pour voler. Ce type de propulsion individuelle existe en réalité depuis plus de 50 ans ! Mais la puissance nécessaire interdisait une autonomie supérieure à la minute. Aujourd'hui, de nouveaux dispositifs permettent de voler durant plus d'une demi-heure. Tous les jetpacks utilisent le principe de la propulsion à réaction, qui est fondé sur la loi de conservation de la quantité de mouvement : lorsqu'un moteur expulse vers l'arrière un jet de fluide, il apparaît par réaction une force de poussée dont l'intensité est égale à la variation de la quantité de mouvement du fluide éjectée par unité de temps. »

Extrait de Jean-Michel COURTY et Édouard KIERLIK « Démuni des pouvoirs de Superman », *Pour la Science*, n° 406, août 2011.

1. a. Donner la définition de la quantité de mouvement.
b. À quelle condition la conservation de la quantité de mouvement s'applique-t-elle ?

2. Expliquer la propulsion par réaction à l'aide du principe de conservation de la quantité de mouvement. On s'aidera d'un schéma.

3. L'explication de la propulsion donnée à la fin de ce texte s'appuie-t-elle sur la conservation de la quantité de mouvement ?

28 Voiture au banc d'essai

COMPÉTENCE **Construire et exploiter un graphique.**

Lors d'une séance d'essais, on enregistre la coordonnée v_x de la vitesse d'une voiture de masse m = 1 200 kg pendant la phase de démarrage sur une portion de route rectiligne. L'axe (Ox) étant orienté dans le sens du mouvement, on obtient les résultats suivants :

t (s)	0	1	2	4	5	10	15	20
v_x ($m \cdot s^{-1}$)	0,0	2,5	5,0	10	12	22	28	33

t (s)	25	30	35	40	45	50	55	60
v_x ($m \cdot s^{-1}$)	38	41	43	45	46	46	46	46

1. a. Représenter l'évolution de v_x en fonction du temps.
b. Repérer et caractériser les trois phases du mouvement. Décrire qualitativement l'évolution de la valeur de l'accélération sur chacune des phases.

2. a. Expliquer comment déterminer la coordonnée a_x de l'accélération du véhicule à différents instants, à partir de cette courbe ?
b. Calculer la valeur de l'accélération durant la première phase.
c. Calculer la valeur de l'accélération à la date t = 25 s.

3. En déduire un ordre de grandeur de la valeur de la force motrice de la voiture à t = 25 s.

Voir, si nécessaire, l'exercice résolu 5, p. 145.

Pour aller plus loin

29 Le thermomètre de Galilée

COMPÉTENCES **Raisonner ; rédiger.**

Un thermomètre de Galilée est composé d'un tube contenant de l'éthanol dans lequel sont immergées de petites ampoules de verre scellées contenant des liquides colorés. Toutes les ampoules ont le même volume V constant, mais ont des masses m légèrement différentes les unes des autres.
À chaque ampoule est associée une température.
Immergée dans l'éthanol, une ampoule est soumise à deux forces :
– son poids $\vec{P} = m \cdot \vec{g}$ vertical vers le bas ;
– la poussée d'Archimède, $\vec{A} = -\rho \cdot V \cdot \vec{g}$, verticale et vers le haut, où ρ est la masse volumique de l'éthanol.

1. Quelle relation lie $\vec{P}$ et $\vec{A}$ lorsqu'une ampoule est immobile en suspension dans l'éthanol ? Justifier.

2. Quand la température augmente, la masse volumique ρ de l'éthanol diminue.
a. Que devient alors la relation précédente pour la même ampoule qui serait en suspension ?
b. Quel est alors le mouvement de l'ampoule par rapport au tube ?

3. Inversement, qu'advient-il du mouvement de l'ampoule quand la température diminue ?

4. Expliquer comment ce dispositif peut constituer un thermomètre.

30 Bac Décollage d'Ariane 5

COMPÉTENCES **Schématiser ; calculer ; raisonner.**

La fusée Ariane 5 permet de mettre en orbite divers satellites, dont les satellites météo. Lors du décollage, la poussée des moteurs est modélisée par une force verticale de valeur constante F.
Tout au long du décollage, on admet que la valeur du champ de pesanteur g est constante. La masse totale de la fusée est notée M.
Dans un référentiel terrestre supposé galiléen, on étudie le mouvement du centre de gravité G de la fusée.
On choisit un repère orthonormé dans lequel l'axe vertical est dirigé vers le haut.

À l'instant $t_0 = 0$ s, Ariane 5 est immobile au sol et son centre de gravité G est confondu avec l'origine O du repère orthonormé.
On utilise les notations suivantes :

- a coordonnée verticale de l'accélération de G : $\vec{a} = a \cdot \vec{j}$;
- v coordonnée verticale de la vitesse de G : $\vec{v} = v \cdot \vec{j}$;
- y coordonnée verticale de la position de G : $\overrightarrow{OG} = y \cdot \vec{j}$.

Données : $M = 7{,}3 \times 10^5$ kg ; $F = 1{,}16 \times 10^7$ N ; $g = 10$ m·s^{-2}.

Pendant la phase de décollage, on suppose que seuls le poids $\vec{P}$ et la force de poussée $\vec{F}$ agissent sur la fusée. On néglige l'action de l'air sur la fusée et on considère que la masse M de la fusée reste constante.

1. Représenter sur un schéma, à la même échelle, les forces s'exerçant sur la fusée modélisée par le point G pendant le décollage quand elle a quitté le sol.

2. Établir l'expression de la coordonnée verticale a de l'accélération du point G. Calculer sa valeur.

3. Parmi les propositions suivantes, laquelle correspond à l'expression de la coordonnée verticale v de la vitesse du point G ?

$$v = a \cdot t ; \qquad v = a ; \qquad v = a \cdot t^2.$$

4. Parmi les propositions suivantes, laquelle correspond à l'expression de la coordonnée verticale y de la position du point G ?

$$y = 0 ; \qquad y = a \cdot t ; \qquad y = \frac{a}{2} \cdot t^2.$$

5. La trajectoire ascensionnelle reste verticale et l'accélération inchangée jusqu'à la date $t_1 = 6{,}0$ s.
À cette date, quelle distance la fusée a-t-elle parcourue depuis son décollage ?

6. Par quel principe la propulsion de la fusée est-elle assurée ? Illustrer la réponse par un schéma.

31 C'est la salsa !

COMPÉTENCES Exploiter un graphique ; raisonner.

Sophia danse la salsa. Les schémas suivants donnent, pour chaque temps du rythme musical, la position de ses pieds vus de dessus. Dans chaque situation représentée, les deux pieds sont immobiles. Au départ, les deux pieds sont immobiles sur la ligne médiane.

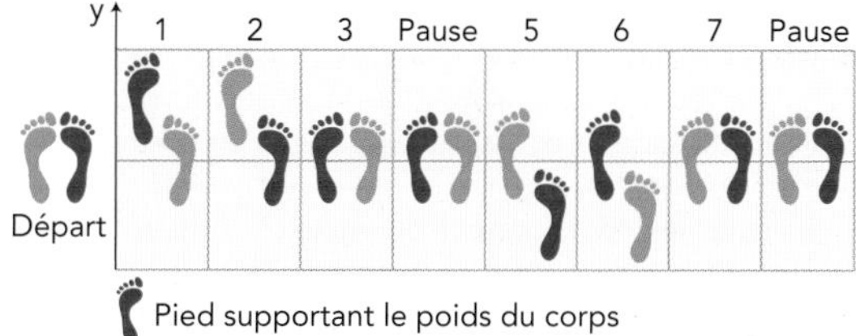

On suppose que, lors d'un changement de position entre deux situations, l'un des pieds glisse sur le sol (mouvement exclusivement horizontal).

Le pied représenté en rouge est celui sur lequel porte le poids du corps. Au départ, les deux pieds sont sur la ligne médiane.

1. Quel pied est en mouvement :
a. entre le temps 1 et le temps 2 ?
b. entre le temps 2 et le temps 3 ?

2. Le mouvement du pied droit entre le temps 6 et le temps 7 peut-il être :
a. uniforme ?
b. uniformément varié ? Justifier les réponses.

3. L'accélération du pied droit entre la position 6 et la position 7 garde-t-elle toujours le même sens ? Justifier.

4. Quelles relations vérifient les forces extérieures qui s'appliquent sur la semelle gauche en position 1 ? Justifier.

5. Comparer la force exercée par la semelle gauche sur le sol et celle exercée par le sol sur la semelle gauche lors de la pause en position 4.

32 Mach's formulation of Newton's laws  

COMPÉTENCE Extraire des informations.

Newton's laws were introduced here in the traditional way, through the concepts of mass and force (Newton actually formulated the second law in terms of *momentum*, not acceleration). Ernst MACH, who lived in Germany two centuries after NEWTON, tried to avoid new concept and formulate physics only in terms of what can be observed and measured. He argued that Newton's laws *boil down* to one law: "When two compact objects act on each other, they accelerate in opposite directions, and the ratio of their accelerations is always the same." Read it again, if you will: no mention of force or mass, only of acceleration, which can be measured. When a gun acts on a bullet, a rocket on its *exhaust jet*, the Sun on Earth (and on the scale of the distance separating the two, Sun and Earth can be viewed as compact objects), the accelerations are always oppositely directed.

Ernst MACH (1838-1916).

D'après le site http://www-istp.gsfc.nasa.gov/

Vocabulaire : *momentum* : quantité de mouvement ; *to boil down (to)* : se résumer (à) ; *exhaust jet* : gaz d'échappement.

1. Qu'apporte Ernst MACH dans sa formulation des lois de Newton ?

2. La formulation d'Ernst MACH est-elle valable dans tous les référentiels ?

3. À partir des deuxième et troisième lois de Newton, donner l'expression du rapport constant des valeurs des accélérations des corps en interaction dans la formulation de MACH.

Un pas vers l'enseignement supérieur

33 Rien ne sert de courir...

COMPÉTENCE **Modéliser.**

Après avoir fait la sieste sous un arbre à 20,0 m de la ligne d'arrivée, le Lièvre se réveille et aperçoit la Tortue qui le précède d'une distance *d* égale à 19,5 m. Elle file vers le succès dans cette dernière ligne droite, avec une vitesse de valeur v_0 égale à 0,250 $m \cdot s^{-1}$. Le Lièvre se met alors à courir en ligne droite avec une accélération de valeur égale à 9,00 $m \cdot s^{-2}$ jusqu'à atteindre une vitesse v_1 de valeur 18,0 $m \cdot s^{-1}$ et s'y maintenir.

L'origine du repère orthonormé associé au référentiel terrestre est prise au pied de l'arbre où le Lièvre faisait la sieste. Le Lièvre et la Tortue sont modélisés par des points matériels.

1. a. Combien de temps faut-il à la Tortue pour atteindre la ligne d'arrivée ?
b. À la vitesse de pointe v_1 = 18,0 $m \cdot s^{-1}$, quelle distance d_1 parcourt le Lièvre pendant cette durée ?
Peut-on faire un pronostic sur le résultat de la course à partir de ces valeurs ?

2. Écrire, dans le repère orthonormé choisi, les équations horaires des mouvements de la Tortue et du Lièvre lors de la première phase de son mouvement.

3. À quelle distance de l'arbre le Lièvre se trouve-t-il à la fin de la première phase de son mouvement ? Montrer alors qu'il a perdu la course.

4. Combien de temps après la Tortue le Lièvre franchira-t-il la ligne d'arrivée ?

Retour sur l'ouverture du chapitre

34 En impesanteur

COMPÉTENCES **Extraire et exploiter des informations ; raisonner.**

« Sous l'effet de l'attraction terrestre, tout objet est attiré vers le centre de la Terre. Des obstacles (le sol, un immeuble, une table) stoppent néanmoins cette chute, imprimant à chaque objet ou personne une sensation de poids, c'est-à-dire de pesanteur.
Placé dans des conditions particulières, on peut néanmoins faire disparaître certains effets de cette pesanteur. C'est le cas des spationautes qui, libérés de leur poids, semblent flotter dans leur vaisseau. C'est également ce qui se passe lors de vols paraboliques qui permettent pendant quelques secondes d'accéder sur Terre aux conditions d'*impesanteur*. [...]
Depuis 1988, le Cnes mène un programme de vols paraboliques afin de réaliser des expériences scientifiques en impesanteur sans recourir à un dispositif spatial coûteux. L'établissement utilise depuis 1997 un Airbus A300 spécialement aménagé : l'Airbus A300 Zéro-G.
L'appareil effectue lors de chaque vol une série de 30 paraboles.
Il est alors en chute libre pendant 20 à 25 secondes, créant ainsi une situation d'impesanteur.
Des expériences inédites peuvent alors être réalisées. [...]
Lors du vol parabolique, l'Airbus A300 Zéro-G décrit une trajectoire parabolique qui installe durant 22 s une impesanteur proche de 0 g, précédée et suivie de 20 s en hyperpesanteur (1,5 g à 1,8 g). »

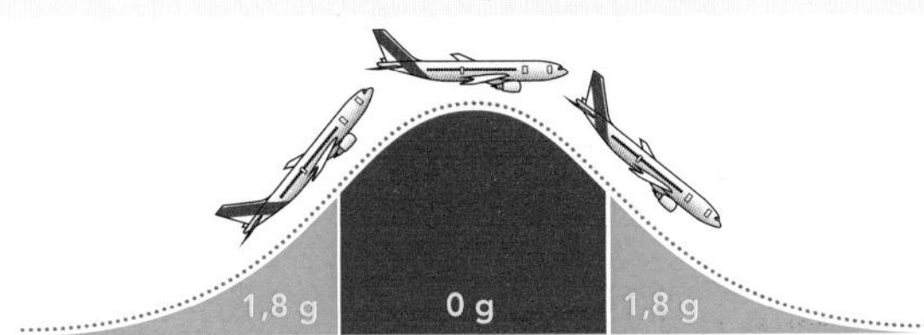

Texte extrait de www.cnes.fr et schéma d'après www.novespace.fr

1. a. L'impesanteur est-elle l'absence de poids ? Argumenter et définir cet état à partir des informations du document.
b. Définir de même l'hyperpesanteur.
Quelle(s) force(s) extérieures s'exerce(nt) alors sur le passager de l'Airbus A300 Zéro-G ?

2. La parabole s'effectue à une altitude d'environ 8 000 m.
Calculer la valeur de l'intensité de la pesanteur *g* à cette altitude. On donne :
– la masse de la terre $M = 6{,}0 \times 10^{24}$ kg ;
– la constante universelle de gravitation $G = 6{,}67 \times 10^{-11}\ N \cdot m^2 \cdot kg^{-2}$;
– le rayon terrestre $R = 6{,}4 \times 10^6$ m.

3. Un repère orthonormé $(O ; \vec{i}, \vec{j})$ est défini dans le plan de la trajectoire et lié à un référentiel terrestre. Dans ce repère, une parabole suivie par le centre de gravité de l'A300 zéro-G est modélisée par les équations horaires suivantes :

$$x = 113\ t ; \qquad y = -4{,}87\ t^2 + 113\ t + 7{,}80 \times 10^3.$$

Les coordonnées *x* et *y* sont exprimées en mètre et les dates *t* en seconde.
a. Calculer les coordonnées du vecteur accélération de l'Airbus à chaque instant pendant la parabole.
b. En déduire la valeur du vecteur accélération à chaque instant pendant la parabole.
c. Ce résultat est-il en accord avec les réponses aux questions 1a et 2 ?

Comprendre un énoncé

35 Bac Le dauphin à flancs blancs

Le dauphin à flancs blancs du Pacifique est très sociable, puissant et très joueur, il adore sauter hors de l'eau.

Les positions du centre de gravité G d'un dauphin au cours d'un saut sont représentées à intervalles de temps égaux sur le document ci-dessous. L'échelle de représentation est indiquée sur le document.

La durée entre deux positions consécutives est $\Delta t = 0{,}10$ s.

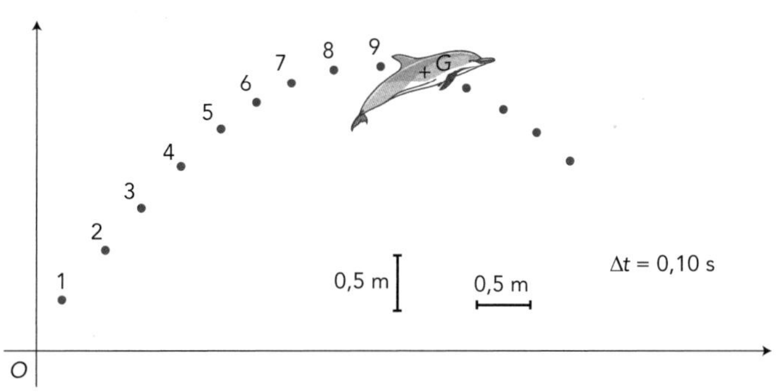

Questions à se poser à la lecture de l'énoncé

- → Quel est le référentiel d'étude ?
- → Que représentent les points sur le document ?
- → Quelles sont les grandeurs omises sur les axes ?
- → Quelle est l'échelle utilisée pour la représentation des longueurs ? Est-elle la même sur les deux axes ?
- → Que représente l'intervalle de temps Δt ?

Questions	Compétences à mobiliser	Si difficulté, revoir
1. Quel référentiel est adapté à l'étude de ce mouvement ? À partir du document, déterminer les coordonnées du point 8.	• Choisir un référentiel adapté. • Exploiter un graphique*. • Utiliser une échelle de longueurs*.	Cours §3.1, p. 140.
2. Reproduire le document. Représenter les vecteurs positions aux points 3, 5, 7.	• Définir et représenter un vecteur position dans un référentiel donné.	Cours §1.1, p. 136.
3. Calculer la valeur de la vitesse du centre de gravité G du dauphin aux points 4 et 6.	• Définir une vitesse en un point d'une chronophotographie.	Cours §1.2, p. 136.
4. On note $\vec{v_4}$ et $\vec{v_6}$ les vecteurs vitesses aux points 4 et 6. Tracer ces vecteurs vitesses en utilisant l'échelle 1 cm pour 2 $m \cdot s^{-1}$.	• Représenter un vecteur vitesse. • Utiliser une échelle de représentation*.	Cours §1.2, p. 136.
5. Construire sur le même document le vecteur $\Delta\vec{v_5} = \vec{v_6} - \vec{v_4}$ au point 5 et déterminer sa valeur en $m \cdot s^{-1}$ en utilisant l'échelle précédente.	• Construire une différence vectorielle. • Utiliser l'échelle pour déterminer la valeur d'un vecteur.	Fiche n° 15, p. 600.
6. En déduire la valeur a_5 du vecteur accélération $\vec{a_5}$ au point 5 en $m \cdot s^{-2}$.	• Définir le vecteur accélération en un point d'une chronophotographie.	Cours §1.3, p. 137.
7. Représenter ce vecteur sur le document en choisissant comme échelle de représentation : 1 cm pour 2 $m \cdot s^{-2}$.	• Représenter un vecteur accélération. • Utiliser une échelle de représentation*.	Cours §1.3, p. 137.

* Compétence transversale.

Bac Réussir l'épreuve de physique chimie

Avoir les bons réflexes 

Si l'énoncé demande de…	il est nécessaire de…	Si difficulté	Pour réviser
Choisir un référentiel d'étude.	● Définir le système étudié. ● Considérer le contexte du mouvement pour choisir un référentiel galiléen adapté.	Cours §3, p. 140, et exercice 6, p. 146.	Exercice 7 p. 146.
Déterminer les coordonnées des vecteurs vitesse et accélération.	● Connaître les relations entre les coordonnées de la position, de la vitesse, de l'accélération. ● Savoir dériver des fonctions du temps. ● Savoir déterminer graphiquement la dérivée en un point.	Cours §1, p. 136, et exercice résolu 5, p. 145.	Exercice 22 p. 149.
Représenter des vecteurs position, vitesse ou accélération.	● Connaître les propriétés des vecteurs vitesse et accélération dans le cas de mouvements particuliers. ● Savoir calculer des valeurs approchées sur des petits intervalles de temps à partir d'une chronophotographie. ● Utiliser une échelle de représentation.	Cours §1, p. 136, et exercice résolu 4, p. 144.	Exercices 8, 11 et 12 p. 146-147.
Définir et reconnaître des mouvements et donner les caractéristiques du vecteur accélération.	● Identifier la nature du mouvement à partir des données. ● Représenter des vecteurs vitesses ou accélérations en différents points de la trajectoire et les comparer. ● Connaître les caractéristiques du vecteur accélération pour chaque type de mouvement.	Cours §2, p. 138, et exercice 14, p. 147.	Exercice 15 p. 147.
Définir la quantité de mouvement $\vec{p}$ d'un point matériel.	● Connaître la relation $\vec{p} = m \cdot \vec{v}$. ● Connaître les unités associées aux valeurs.	Cours §1, p. 138.	Exercice 13 p. 147.
Connaître et exploiter les trois lois de Newton.	● Relier un mouvement rectiligne et uniforme à la première loi de Newton. ● Relier la variation de la quantité de mouvement à la somme des forces appliquées au système. ● Connaître le principe des actions réciproques.	Cours §3, p. 140, et exercices 17 et 19, p. 148	Exercices 18 et 25 p. 148-149.
Interpréter un mode de propulsion par réaction.	● Connaître les conditions de conservation de la quantité de mouvement d'un système.	Cours §3, p. 141.	Exercice 20 p. 148.

Dans les conditions du baccalauréat

● **Avec aide :** Exercice 35 p. 153.

● **Sans aide :** Exercice 30 p. 150.

Application des lois de Newton et des lois de Kepler

Comète de Halley photographiée depuis la Terre, mars 1986.

La prévision du retour et du retard de la comète de Halley a validé les lois de Newton.
Comment a-t-on pu calculer la période de révolution de cette comète grâce aux lois de Newton et de Kepler ? (Voir exercice 28, p. 180.)

Comment déterminer les caractéristiques des mouvements à partir des lois de Newton et de Kepler ?

OBJECTIFS

→ Étudier des mouvements de points matériels dans des champs de pesanteur et électrostatique uniformes à l'aide des lois de Newton.
→ Étudier des mouvements de satellites ou de planètes à l'aide des lois de Newton et des lois de Kepler.

1 Promenons-nous dans les champs

Dans certains domaines de l'espace, le champ de pesanteur $\vec{g}$ et le champ électrostatique $\vec{E}$ conservent chacun la même direction, le même sens et la même valeur en tout point. On parle alors de « champ uniforme ».
Comment la deuxième loi de Newton permet-elle d'étudier le mouvement d'un objet placé dans un champ uniforme ?
De quels paramètres ce mouvement dépend-il ?

Compétence exigible au baccalauréat

- *Mettre en œuvre une démarche expérimentale pour étudier un mouvement.*

A Étude expérimentale d'un mouvement dans le champ de pesanteur uniforme

- En plaçant une caméra dans le plan perpendiculaire à la trajectoire, filmer le mouvement d'une balle, modélisée par son centre G, lancée obliquement (doc. 1).

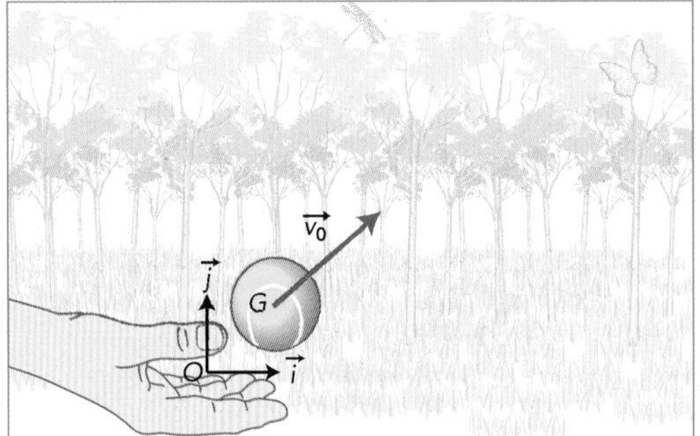

Doc. 1 Lancer d'une balle dans le plan $(O; \vec{i}, \vec{j})$.

- Exploiter la vidéo avec un logiciel de pointage en plaçant le repère d'espace d'origine O tel que l'axe (Oy) soit vers le haut, l'axe (Ox) soit dans le sens du mouvement horizontal et l'origine sur la première position pour laquelle la balle n'est plus en contact avec la main.
- À l'aide d'un tableur (voir **fiche n° 16**, p. 602), calculer, à chaque instant, les coordonnées v_x et v_y du vecteur vitesse instantanée $\vec{v}$ de G.
- De même, calculer les coordonnées a_x et a_y du vecteur accélération instantanée $\vec{a}$ de G.
- Sur une première représentation graphique, tracer l'évolution temporelle de l'abscisse x et de l'ordonnée y de G.
- Sur une deuxième représentation graphique, tracer les évolutions temporelles de v_x et v_y de G.
- Sur une troisième représentation graphique, tracer les évolutions temporelles de a_x et a_y de G.

Info

Dans le repère $(O; \vec{i}, \vec{j})$, les fonctions du temps :
- x et y sont les **équations horaires** du mouvement du système ;
- v_x et v_y sont les **coordonnées** du vecteur vitesse instantanée à chaque instant ;
- a_x et a_y sont les **coordonnées** du vecteur accélération instantanée à chaque instant.

1 En observant les représentations graphiques ou à l'aide de l'outil de modélisation du tableur, vérifier les affirmations suivantes :
a. a_x est nulle et a_y est constante à tout instant :
$$a_x = 0 \quad \text{et} \quad a_y = k_1.$$
Préciser la valeur de k_1.
b. v_x est constante et v_y est une fonction affine du temps :
$$v_x = k_2 \quad \text{et} \quad v_y = k_1 \cdot t + k_3.$$
Préciser les valeurs de k_2 et k_3.
c. x est une fonction linéaire du temps et y est une fonction polynôme de degré 2 du temps :
$$x = k_2 \cdot t \quad \text{et} \quad y = k_4 \cdot t^2 + k_3 \cdot t.$$
Préciser la valeur de k_4.

2 On appelle **trajectoire** du centre G de la balle l'ensemble des positions occupées par ce point au cours de son mouvement. L'équation de la trajectoire est de la forme :
$$y = f(x)$$
Sur une dernière représentation graphique, tracer et modéliser la trajectoire du centre G de la balle.
Noter le résultat de la modélisation.

Un pas vers le cours...

3 a. Comparer les coordonnées du vecteur accélération instantanée à celles du vecteur champ de pesanteur $\vec{g} = 0\,\vec{i} - 9{,}8\,\vec{j}$.
b. Montrer que la deuxième loi de Newton, appliquée au point G, permet de retrouver ce résultat expérimental si les frottements de l'air sont négligés.

4 a. Rechercher les primitives par rapport au temps des coordonnées de l'accélération et comparer le résultat aux coordonnées de la vitesse.
b. Procéder de même pour les coordonnées de la vitesse et les coordonnées de la position.

5 a. Établir l'équation de la trajectoire en éliminant le temps par combinaison des équations horaires du mouvement.
b. Comparer l'équation obtenue au résultat de la modélisation de la question 2.

B Simulation de mouvements dans des champs uniformes

On simule le mouvement d'un point matériel P, de masse m ou de charge électrique q, dans une région où règne un champ de pesanteur ou électrostatique uniforme.

On étudie ce mouvement dans un référentiel terrestre muni d'un repère orthonormé $(O; \vec{i}, \vec{j})$.

La simulation permet de choisir un espace où règne exclusivement l'un des deux champs.

À l'origine des dates, le point P est en O.

▶ Dans le cas du champ de pesanteur uniforme, on peut choisir :
- la masse m de la particule ;
- sa vitesse initiale $\vec{v_0}$ (valeur v_0 et orientation repérée par l'angle α (doc. 2) ;
- le lieu de l'expérience associé à une intensité de pesanteur g.

▶ Dans le cas du champ électrostatique uniforme, on peut choisir :
- la masse m de la particule ;
- sa charge q ;
- sa vitesse initiale $\vec{v_0}$ (valeur v_0 et orientation repérée par l'angle α (doc. 3)) ;
- le vecteur champ électrostatique $\vec{E}$ (valeur E et orientation).

Rappel

Les vecteurs force électrostatique $\vec{F}$ et champ électrostatique $\vec{E}$ sont liés par la relation $\vec{F} = q \cdot \vec{E}$.

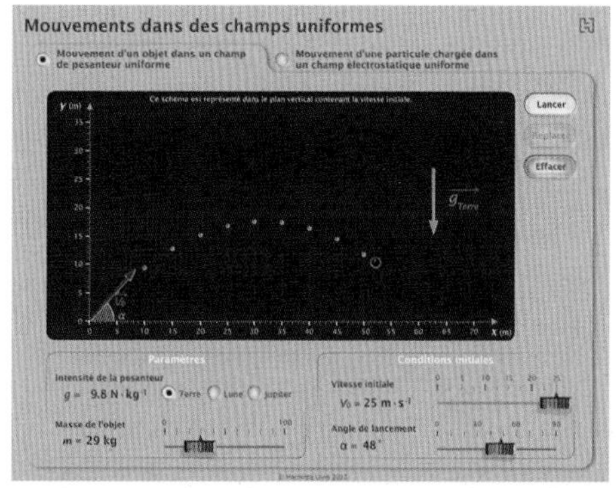

Doc. 2 Simulation du mouvement d'un projectile dans un champ de pesanteur uniforme.

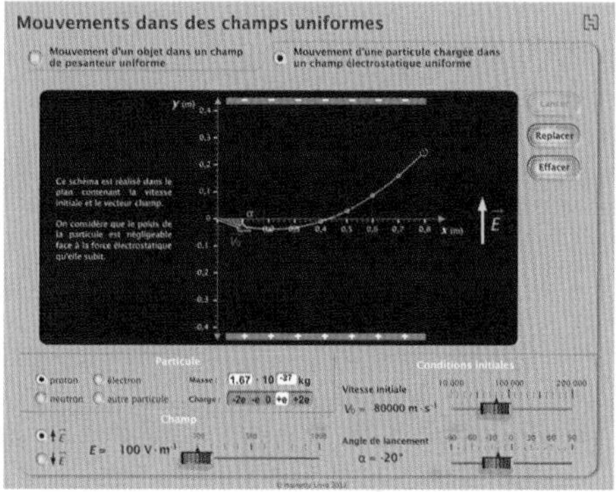

Doc. 3 Simulation du mouvement d'une particule chargée dans un champ électrostatique uniforme.

Influence du champ de pesanteur

▶ Choisir les paramètres souhaités.

6 À l'aide de la deuxième loi de Newton, montrer que le mouvement du système ne dépend pas de sa masse.
Le vérifier à l'aide de la simulation.

7 L'équation de la trajectoire du système s'écrit :

$$y = -\frac{g}{2(v_0 \cdot \cos\alpha)^2} \cdot x^2 + \tan\alpha \cdot x.$$

De quels paramètres dépend l'allure de la trajectoire ?
Vérifier les propositions à l'aide de la simulation.

Influence du champ électrostatique

▶ Choisir les paramètres souhaités.

8 À l'aide de la deuxième loi de Newton, montrer que le mouvement du système dépend de sa masse.
Le vérifier à l'aide de la simulation.

9 L'équation de la trajectoire du système s'écrit :

$$y = \frac{q \cdot E}{2m(v_0 \cdot \cos\alpha)^2} \cdot x^2 + \tan\alpha \cdot x$$

De quels paramètres dépend l'allure de la trajectoire ?
Vérifier les propositions à l'aide de la simulation.

Un pas vers le cours...

10 Dans un référentiel donné, quels paramètres physiques peuvent avoir une influence sur le mouvement d'un système dans un champ uniforme ? Regrouper ces paramètres selon qu'ils sont relatifs au système, aux conditions initiales ou au milieu extérieur.

2 Lois de Kepler

À partir des tables des positions des planètes collectées par l'astronome Tycho BRAHE (1546-1601), Johannes KEPLER (1571-1630) a établi trois lois concernant le mouvement des planètes et des comètes. Comment mettre en évidence les lois de Kepler à l'aide d'un simulateur spatial ?

A Simulation de la trajectoire de Mercure avec Celestia®

Cette étude porte sur la planète Mercure, mais les lois de Kepler s'appliquent également, entre autres, à tous les astres en orbite autour du Soleil.

- Configurer le menu ***Rendu/Option*** du logiciel Celestia® pour afficher les étoiles et les planètes, les orbites et les noms des planètes, ainsi que la grille écliptique.
- Dans le menu ***Temps/Régler l'heure***, mettre à l'heure courante en temps universel et arrêter le temps.
- Sélectionner le Soleil (touche H). Y aller (touche G) et le suivre, c'est-à-dire se placer dans le référentiel héliocentrique (touche F).
- Dézoomer (avec la molette de la souris) pour afficher la trajectoire complète de quelques planètes (en bleu).
- En déplaçant la souris tout en maintenant le clic droit enfoncé, placer l'image à l'écran dans le plan de l'écliptique et placer le Soleil au centre de la grille, repéré par une croix.
- Afficher la trajectoire de la planète Mercure sur tout l'écran (doc. 4). Ne plus la déplacer.

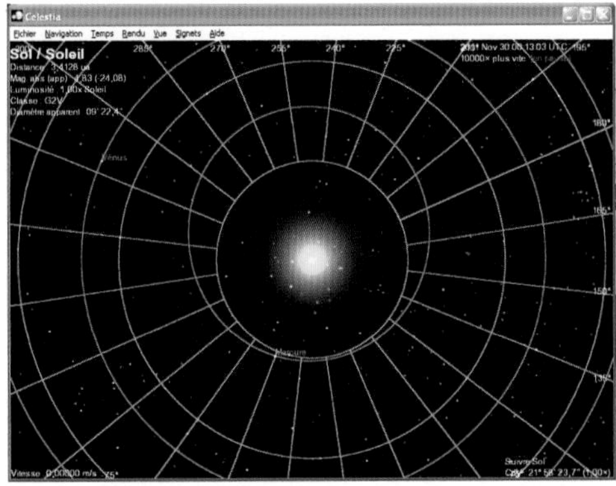

Doc. 4 Trajectoire de la planète Mercure dans le plan de l'écliptique.

- En jouant sur l'écoulement du temps, placer Mercure sur une des lignes de la grille.
- Créer un signet nommé Mercure1 pour pouvoir retrouver rapidement cette représentation.
- Capturer l'image obtenue (F10) et l'enregistrer.

B Vérification des trois lois de Kepler pour la planète Mercure

En utilisant les observations et mesures de Tycho BRAHE, Johannes KEPLER a établi les lois mathématiques régissant le mouvement des planètes (doc. 5 et 6).

Première loi de Kepler (loi des orbites, 1609)
Les trajectoires des planètes sont des ellipses dont le Soleil occupe l'un des foyers.

Deuxième loi de Kepler (loi des aires, 1609)
Si S est le Soleil et P la position d'une planète, le segment $[SP]$ balaie des aires égales pendant des durées égales.

Troisième loi de Kepler (loi des périodes, 1618)
Le carré de la période de révolution T d'une planète est proportionnel au cube du demi-grand axe a de sa trajectoire elliptique :

$$\frac{T^2}{a^3} = \text{constante}$$

Doc. 5 Énoncé des trois lois de Kepler.

Une ellipse est une courbe plane, définie comme l'ensemble des points P dont la somme des distances à deux points fixes F et F' est constante :

$$FP + F'P = d + d' = \text{constante}$$

F et F' sont appelés les foyers de l'ellipse. $[AA']$ est le grand axe de l'ellipse. $[BB']$ est le petit axe de l'ellipse. Ces deux axes sont des axes de symétrie de l'ellipse.

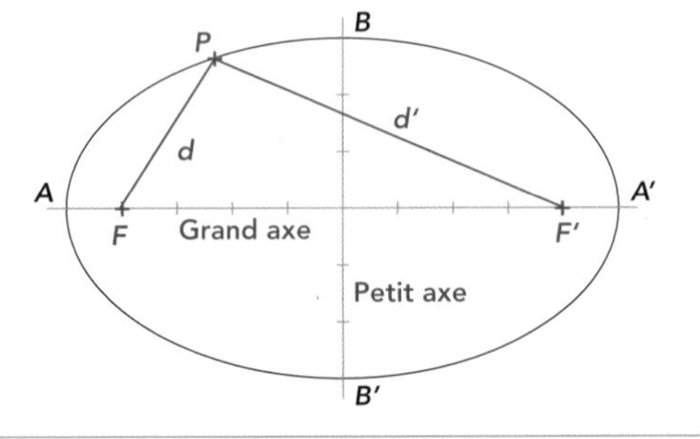

Doc. 6 Propriétés géométriques d'une ellipse.

Première loi de Kepler

On souhaite mettre en évidence la première loi de Kepler (doc. 5 et 6).

▶ Ouvrir l'image avec le logiciel Mesurim® (voir **fiche n°17**, p. 604).

▶ Dans le menu ***Image***, inverser les couleurs, puis ajouter un quadrillage (maille de 20 pixels).

▶ Rechercher et marquer la position du deuxième foyer de la trajectoire de Mercure.

1 En utilisant l'outil de mesure de distances sur une série de points, mettre en évidence la première loi de Kepler.

Deuxième loi de Kepler

On souhaite mettre en évidence la deuxième loi de Kepler (doc. 5 et 7).

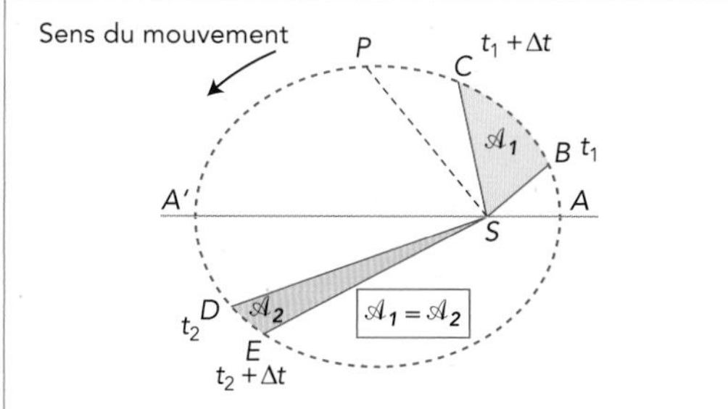

Doc. 7 Illustration de la loi des aires.

▶ Dans Celestia®, afficher la situation repérée par le signet Mercure1. Activer et accélérer l'écoulement du temps pour percevoir le mouvement de la planète.

2 Le mouvement de Mercure est-il uniforme ?

▶ Arrêter le temps et faire afficher la situation enregistrée par le signet Mercure1. On considère que Mercure est alors au point *B* (doc. 7).

▶ Dans le menu ***Temps/Régler l'heure***, ajouter 12 jours à la date julienne. On considère que Mercure est alors au point *C* (doc. 7). Enregistrer un signet appelé Mercure2 et capturer une nouvelle image.

▶ En jouant sur l'écoulement du temps, placer Mercure en un point *D* (doc. 7). Enregistrer un autre signet Mercure3 et capturer l'image.

▶ Ajouter 12 jours à la date julienne de cette nouvelle situation. On considère que Mercure est alors au point *E* (doc. 7). Enregistrer un signet Mercure4 et capturer une dernière image.

▶ Ouvrir cette image avec Mesurim®. Inverser ses couleurs. À l'aide du menu ***Outils/Schéma*** du logiciel, ***amorcer un schéma*** de cette situation. Centrer la trajectoire de Mercure à l'aide de l'ascenseur horizontal. Sur la partie ***image*** (à gauche), tracer le rayon Soleil-Mercure. Il se reporte automatiquement sur le schéma.

▶ En ouvrant les autres images capturées (menu ***Fichier/Changer de document/Ouvrir un fichier d'image***) reporter sur le schéma les différents rayons Soleil-Mercure dans les positions repérées.

▶ Sur le schéma (à droite), peindre uniformément avec deux couleurs différentes les deux zones sous la trajectoire correspondant à des durées de parcours égales (doc. 7).

▶ Dans le menu ***Fichier***, cliquer sur ***Transférer*** le schéma pour l'exploiter avec les outils de Mesurim®. Déterminer les surfaces (en pourcentage ou en pixel) des deux aires balayées.

▶ Collecter les résultats obtenus par l'ensemble des groupes de la classe pour la même durée de parcours.

3 Calculer la valeur moyenne et l'écart type de la série de mesures obtenues par les différents groupes. En déduire l'incertitude de répétabilité associée à un niveau de confiance de 95 % sur cette mesure (voir **fiche n° 3**, p. 584). Conclure.

Troisième loi de Kepler

On souhaite mettre en évidence la troisième loi de Kepler (doc. 4).

▶ Constituer quatre groupes d'élèves.

▶ Choisir une planète parmi les quatre plus proche du Soleil afin que chaque groupe ait une planète différente.

▶ Proposer un protocole et le mettre en œuvre pour mesurer, à l'aide de Celestia®, la période *T* de révolution de la planète choisie.

▶ On choisit la distance Terre-Soleil comme échelle de longueur, considérée égale à une unité astronomique, notée 1 ua (1 ua = $1{,}50 \times 10^{11}$ m). Mesurer, à l'aide de Mesurim®, la longueur *a* du demi-grand axe de la trajectoire de la planète choisie.

4 Calculer $\frac{T^2}{a^3}$ en $j^2 \cdot ua^{-3}$.
Comparer les valeurs obtenues par les différents groupes de la classe pour les différentes planètes du système solaire en calculant la moyenne, puis l'écart type de la série de mesures. En déduire l'incertitude de répétabilité associée à un niveau de confiance de 95 % sur cette mesure. Conclure.

Un pas vers le cours...

5 Montrer que la valeur moyenne de $\frac{T^2}{a^3}$ est proche de $\frac{4\pi^2}{G \cdot M_{Soleil}}$.
Données : $G = 6{,}67 \times 10^{-11}\ m^3 \cdot kg^{-1} \cdot s^{-2}$; $M_{Soleil} = 2{,}0 \times 10^{30}$ kg.

3 Satellisation

L'homme a colonisé l'espace proche en y envoyant de nombreux satellites artificiels.
Quels sont les objectifs et les contraintes de ces lancements ?

▪ Qu'est-ce qu'une orbite ?

Véritable projectile, un objet spatial, qu'il soit satellite, sonde, planète, comète ou astéroïde, se déplace à une vitesse vertigineuse sur une route ininterrompue et inévitable : son orbite.
Une orbite est l'ensemble des positions occupées dans l'espace par un astre ou un satellite artificiel, lorsqu'il est en mouvement autour d'un astre de masse plus grande que la sienne.
Prenons l'exemple d'un satellite artificiel terrestre. Son orbite est tout d'abord fonction des conditions de lancement. Il existe une valeur de vitesse en dessous de laquelle la satellisation n'est pas possible : le satellite retomberait ou brûlerait dans l'atmosphère. Cette vitesse est appelée « vitesse de satellisation circulaire ». L'orbite est alors un cercle. La valeur de cette vitesse dépend de l'altitude du point de libération du satellite par le lanceur (fusée ou navette). Par exemple, pour une altitude de 220 km, la vitesse en ce point (appelé « point d'injection ») vaut 7,75 km·s^{-1}.
Si la vitesse est supérieure à cette valeur limite, l'orbite est alors une ellipse. Plus la vitesse croît, plus l'ellipse s'allonge. Si la vitesse augmente encore, l'ellipse devient de plus en plus allongée, tandis que l'attraction terrestre diminue avec l'éloignement (voir schéma ci-dessous). Pour la valeur particulière de 11,2 km·s^{-1}, l'attraction n'est plus capable de ramener le satellite vers la Terre. La trajectoire devient alors parabolique et, au-delà, hyperbolique.

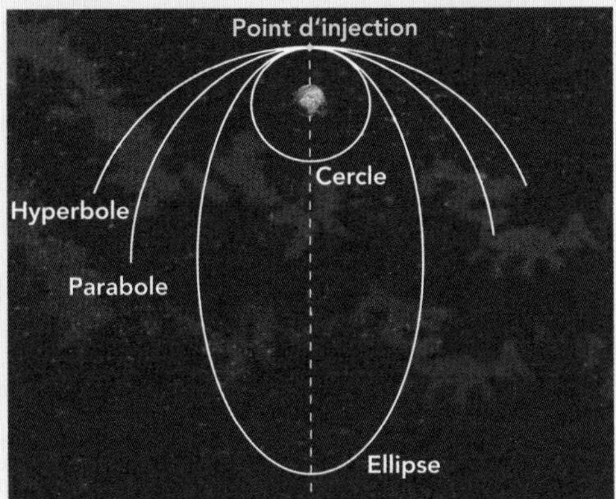

Les trajectoires possibles.

▪ Quelques orbites particulières

L'orbite polaire
À une altitude généralement assez basse, un satellite en orbite polaire survole les pôles à chaque révolution (voir schéma ci-contre). Il survole la quasi-totalité de la Terre et de ce fait permet son observation.

L'orbite géostationnaire
Situé à 35 786 km d'altitude, un satellite géostationnaire nous apparaît immobile. En réalité, il évolue à plus de 10 000 km·h^{-1} dans le plan de l'équateur (voir schéma ci-contre). Sa période de révolution est égale à la période de rotation de la Terre autour de l'axe des pôles : 23 h 56 min.
Avec une vaste vue d'ensemble, les satellites géostationnaires sont des relais idéaux pour les télécommunications et forment un réseau de surveillance pour les prévisions météorologiques.

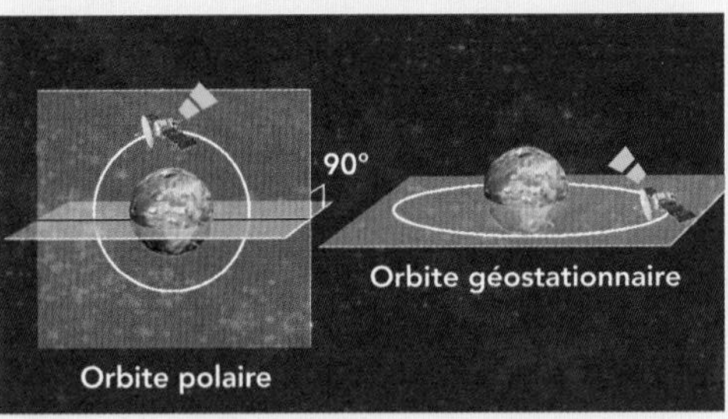

Deux orbites différentes.

D'après www.cnes.fr et www.espace-sciences.org

Nom	Masse (kg)	Altitude (km)	Période de révolution autour de la Terre	Année de lancement	Utilisation
Demeter	125	710		2004	Observations géophysiques
Giove A	700	23 258	14 h 05 min	2005	Système de positionnement Galileo
Hot Bird 7A	4 100	35 786		2006	Télécommunications (TV)
Jason-2	500		112 min	2008	Observations des océans

Caractéristiques de quelques satellites artificiels terrestres.

■ Comment établir des cartes météo en temps réel ?

Le centre de météorologie spatiale de Lannion, en Bretagne, concentre les données de satellites géostationnaires de plusieurs opérateurs étrangers et effectue le relais vers les utilisateurs.

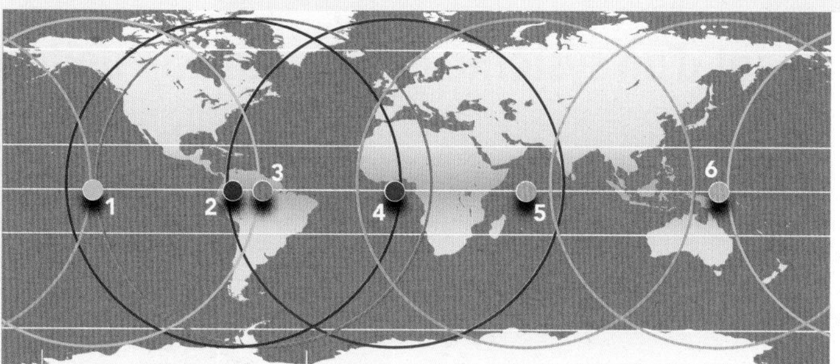

Les satellites géostationnaires :
1 : GOES-W, 135 °W, États-Unis
2 : GOES-E, 75 °W, États-Unis
3 : GOES-SA, 60 °W, États-Unis
4 : MeteoSat , 0° , EumetSat
5 : MeteoSat IODC, 57 °E, EumetSat
6 : MTSAT, 140 °E, Japon

Les différents satellites situés sur l'orbite géostationnaire assurent ensemble une couverture globale et permanente de la planète à l'exception des calottes polaires (les pôles, eux, sont observés par des satellites à orbites polaires). Une image composite, nommée « Pentasat », est réalisée et diffusée toutes les trois heures.

D'après www.meteo-spatiale.fr

■ L'exploration spatiale est-elle menacée ?

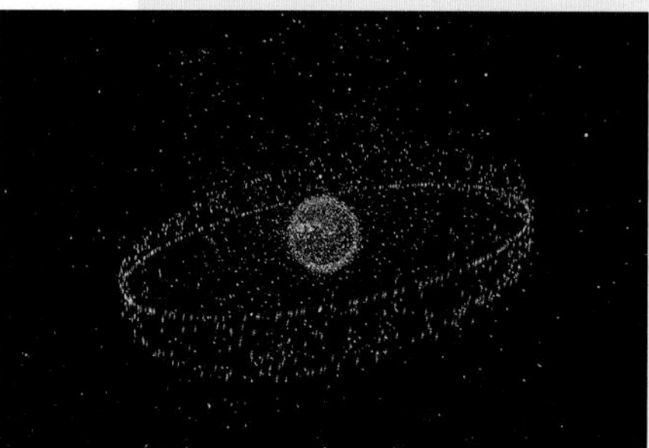

« Un demi-siècle de **conquête spatiale** a laissé une trace : un sillon de débris enrobe la Terre. Les scientifiques tirent la sonnette d'alarme. Le nombre de déchets flottant dans l'espace a atteint un "point critique", qui menace désormais les satellites et les futurs astronautes en mission. "Si on n'entreprend rien, dans 100 ans, pourra-t-on encore utiliser l'espace ?", s'interroge Mario Hucteau, du Centre national d'études spatiales **Cnes**.
La **Nasa**, de son côté, a recensé 22 000 débris importants. Des satellites hors-service, des étages de lanceurs, des fragments de navette… À cela s'ajoutent des millions d'autres déchets, trop petits pour être comptabilisés. Parmi ces derniers, **300 000 sont pourtant susceptibles de causer des dégâts**, bien que leur diamètre soit compris entre 1 et 10 cm. [...]
La présence en nombre de ces corps entraîne une réaction en chaîne : lorsque deux débris entrent en collision, ils génèrent de nouveaux déchets plus petits. "La Nasa doit réfléchir à un moyen de limiter les risques que font peser météorites et débris orbitaux sur les hommes et les missions spatiales", s'inquiète Donald Kessler, ancien responsable de la Nasa et président du ***Committee for the Assessment of NASA's Orbital Debris Programs***.
Nettoyer l'espace coûte cher et se révèle compliqué. Les lois internationales n'autorisent pas un État à saisir les objets spatiaux appartenant à d'autres pays. [...]
La gestion des débris devra être intégrée dès le départ dans la conception des futurs satellites et systèmes de lancement pour un développement durable de l'espace. »

Extrait de Marie Dias-Alves, *« L'espace saturé de déchets : l'exploration spatiale menacée », National Geographic*, 7/09/2011.

1 a. Quel est l'intérêt d'utiliser des satellites géostationnaires comme satellites météo ?
b. Pourquoi faut-il également utiliser des satellites à orbite polaire pour réaliser une image Pentasat ?

2 La troisième loi de Kepler indique que, pour un satellite, le rapport du carré de la période T de révolution autour de la Terre et du cube du rayon r de la trajectoire est constant. Recopier et compléter alors le tableau de la page précédente.
Donnée : rayon de la Terre $R_T = 6{,}37 \times 10^3$ km.

3 Dans le référentiel géocentrique, la première vitesse cosmique est la vitesse d'un satellite en mouvement circulaire uniforme autour de la Terre à altitude nulle. Sa valeur v_1 est égale à $\sqrt{\dfrac{G \cdot M_T}{R_T}}$.
La deuxième vitesse cosmique est la vitesse minimale à communiquer à un système pour qu'il échappe à l'attraction gravitationnelle de la Terre. Sa valeur v_2 est égale à $v_1 \cdot \sqrt{2}$.
a. Calculer les valeurs v_1 et v_2.
Données : $G = 6{,}67 \times 10^{-11}$ m^3 kg^{-1} · s^{-2} ; masse de la Terre $M_T = 5{,}97 \times 10^{24}$ kg.
b. À quelle condition un objet peut-il être satellisé ?

4 Pourquoi y a-t-il des déchets dans l'espace ? Quels sont les risques causés par leur présence ?

Comme dans le chapitre précédent, on se limitera à l'étude de systèmes modélisés par un point matériel. Les unités seront celles du Système international.

1 Quel est le mouvement d'un système dans un champ uniforme ?

La trajectoire de la balle et celle de la particule chargée étudiées dans l'**activité 1** sont des portions de paraboles. La mise en œuvre des lois de Newton vues au **chapitre 5** permet de retrouver ces résultats.

1.1 Cas d'un objet dans un champ de pesanteur uniforme

Définition du système, choix du référentiel

Toute étude de mouvement nécessite, pour commencer, de **définir le système** et de **choisir un référentiel** adapté.

Dans le cas du mouvement d'une balle de masse m (doc. 1a) :
– le **système étudié** est la balle, modélisée par son centre G ;
– le **référentiel choisi** est un référentiel terrestre considéré galiléen.

L'étude générale se fera dans un repère orthonormé de l'espace $(O ; \vec{i}, \vec{j}, \vec{k})$, choisi tel que la vitesse initiale $\vec{v_0}$ soit dans le plan vertical $(O ; \vec{i}, \vec{j})$ comme indiqué sur le document 1b.

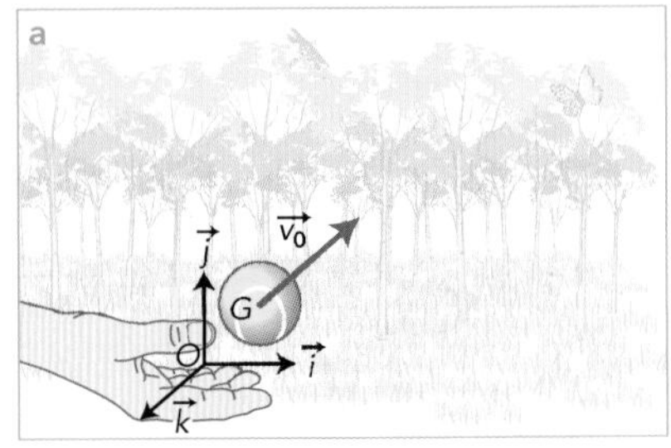

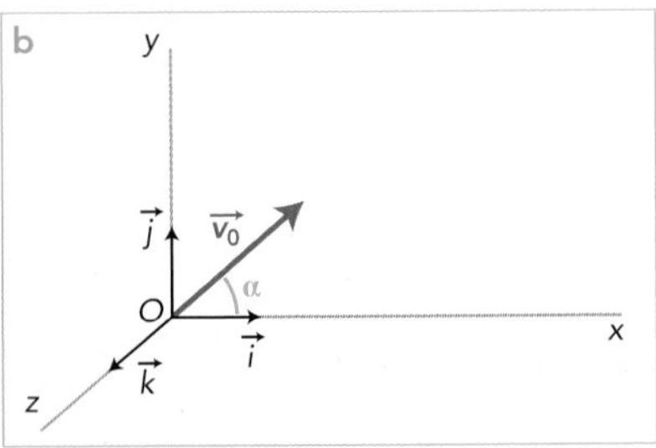

Doc. 1 a. Lancer d'une balle.
b. Schématisation du lancer et définition du repère spatial. Ici, G coïncide avec O à la date $t = 0$. $\vec{v_0}$ est dans le plan vertical $(O ; \vec{i}, \vec{j})$

De la deuxième loi de Newton à l'accélération

L'application de la deuxième loi de Newton nécessite de faire l'**inventaire des forces** extérieures exercées sur le système.

- Les forces extérieures exercées sur le point G sont :
  – le poids $\vec{P}$ de la balle ;
  – les forces exercées par l'air $\vec{F}_{air/balle}$.
- Dans l'expérience de l'**activité 1**, les valeurs des forces exercées par l'air sont très faibles devant celle du poids. On peut donc considérer que la balle n'est soumise qu'à son poids (on dit que l'on néglige les frottements) ; le système est en **chute libre**.
- Dans le référentiel terrestre choisi, la deuxième loi de Newton s'écrit :

$$\Sigma\vec{F} = \frac{d\vec{p}}{dt}$$

La masse de la balle ne variant pas au cours du temps, on peut écrire :

$$\frac{d\vec{p}}{dt} = \frac{d(m\vec{v})}{dt} = m \cdot \frac{d\vec{v}}{dt} = m \cdot \vec{a}$$

Or, on a $\Sigma\vec{F} = \vec{P} = m \cdot \vec{g}$.
D'où $m \cdot \vec{g} = m \cdot \vec{a}$, soit $\vec{a} = \vec{g}$.
Dans le repère $(O ; \vec{i}, \vec{j}, \vec{k})$ (doc. 2), les coordonnées du vecteur $\vec{g}$ sont :

$$\vec{g}\begin{pmatrix} g_x = 0 \\ g_y = -g \\ g_z = 0 \end{pmatrix}$$

donc celles du vecteur $\vec{a}$ sont :

$$\vec{a}\begin{pmatrix} a_x = 0 \\ a_y = -g \\ a_z = 0 \end{pmatrix}$$

La valeur de g dépend du lieu où l'on se trouve. On utilisera une valeur moyenne égale à $9{,}81 \text{ m} \cdot \text{s}^{-2}$.

Point math
a est une constante.
$f(t)$ est une fonction du temps.
La dérivée par rapport au temps de la fonction $a \cdot f(t)$, soit $(a \cdot f(t))'$, est égale à $a \cdot f'(t)$.

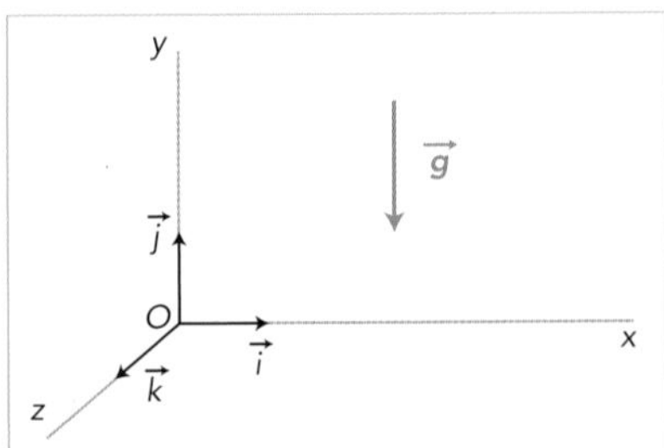

Doc. 2 Représentation du vecteur champ de pesanteur dans le repère choisi.

De l'accélération à la vitesse

▸ Le vecteur accélération $\vec{a}$ est la dérivée par rapport au temps du vecteur vitesse $\vec{v}$:

$$\vec{a} = \frac{d\vec{v}}{dt}, \quad \text{soit } a_x = \frac{dv_x}{dt}, \quad a_y = \frac{dv_y}{dt} \quad \text{et} \quad a_z = \frac{dv_z}{dt}$$

La **détermination du vecteur vitesse** nécessite de rechercher la primitive par rapport au temps de chaque coordonnée du vecteur accélération en tenant compte des coordonnées du vecteur vitesse initiale v_0.

▸ Le mouvement de la balle s'effectuant dans une zone limitée de l'espace, on peut considérer que le champ de pesanteur est uniforme, c'est-à-dire que sa direction, son sens et sa valeur g sont constants.

Dans le repère $(O; \vec{i}, \vec{j}, \vec{k})$ choisi, les coordonnées du vecteur $\vec{v}$ sont :

$$\vec{v}\begin{pmatrix} v_x = C_x \\ v_y = -g \cdot t + C_y \\ v_z = C_z \end{pmatrix}$$

où C_x, C_y et C_z sont des constantes d'intégration.

▸ Ces constantes vont être déterminées à partir des coordonnées de la vitesse initiale :

$$\vec{v_0}\begin{pmatrix} v_{x_0} = v_0 \cdot \cos\alpha \\ v_{y_0} = v_0 \cdot \sin\alpha \\ v_{z_0} = 0 \end{pmatrix} \quad \text{(doc. 3)}$$

Par **identification** des coordonnées du vecteur $\vec{v_0}$ avec celles du vecteur $\vec{v}$ à la date $t = 0$, on trouve :

$$C_x = v_0 \cdot \cos\alpha, \quad C_y = v_0 \cdot \sin\alpha \quad \text{et} \quad C_z = 0.$$

▸ Les coordonnées du vecteur $\vec{v}$ à toute date t sont donc :

$$\vec{v}\begin{pmatrix} v_x = v_0 \cdot \cos\alpha \\ v_y = -g \cdot t + v_0 \cdot \sin\alpha \\ v_z = 0 \end{pmatrix}$$

Au cours du mouvement, la coordonnée v_z est constamment nulle ; le mouvement de la balle est donc plan dans le plan $(O; \vec{i}, \vec{j})$.

Point math : primitive d'une fonction

Soit f une fonction définie sur un intervalle I. Une **primitive** par rapport au temps de f sur I est une fonction F dérivable sur I et telle que, pour tout réel t de I :

$$F'(t) = f(t)$$

Exemples :
- Si $f(t) = 0$, alors :

$$F(t) = D$$

D est une **constante d'intégration** qui dépend des conditions initiales.
- Soit C une constante non nulle.

Si $f(t) = C$, alors :

$$F(t) = C \cdot t + D$$

- Si $f(t) = C \cdot t + D$, alors :

$$F(t) = \frac{1}{2} C \cdot t^2 + D \cdot t + E$$

E est une constante d'intégration qui dépend des conditions initiales.

De la vitesse à la position

▸ Le vecteur vitesse $\vec{v}$ est la dérivée par rapport au temps du vecteur position $\overrightarrow{OG}$:

$$\vec{v} = \frac{d\overrightarrow{OG}}{dt}, \quad \text{soit } v_x = \frac{dx}{dt}, \quad v_y = \frac{dy}{dt} \quad \text{et} \quad v_z = \frac{dz}{dt}$$

La **détermination du vecteur position** nécessite de rechercher la primitive par rapport au temps de chaque coordonnée du vecteur vitesse en tenant compte des coordonnées du vecteur position initiale $\overrightarrow{OG_0}$.

▸ Dans le repère $(O; \vec{i}, \vec{j}, \vec{k})$ choisi, les coordonnées du vecteur $\overrightarrow{OG}$ sont :

$$\overrightarrow{OG}\begin{pmatrix} x = v_0 \cdot \cos\alpha \cdot t + D_x \\ y = -\frac{1}{2} g \cdot t^2 + v_0 \cdot \sin\alpha \cdot t + D_y \\ z = D_z \end{pmatrix}$$

où D_x, D_y et D_z sont des constantes d'intégration.

▸ Ces constantes vont être déterminées à partir des coordonnées de la position initiale :

$$\overrightarrow{OG_0}\begin{pmatrix} x_0 = 0 \\ y_0 = 0 \\ z_0 = 0 \end{pmatrix} \quad \text{(doc. 3)}$$

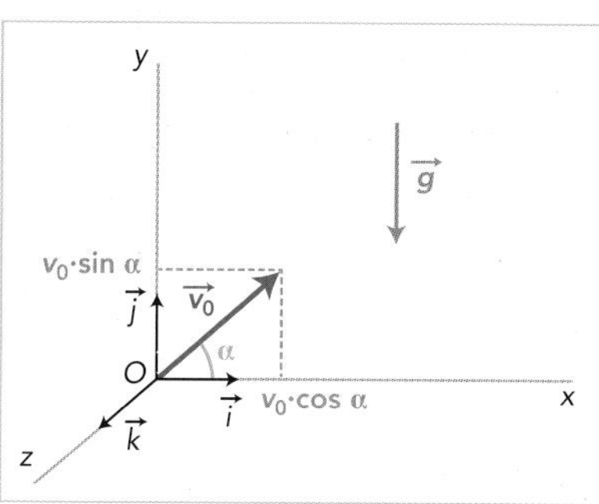

Doc. 3 Champ de pesanteur uniforme et coordonnées du vecteur vitesse dans les conditions initiales.
G coïncide avec O à la date $t = 0$.

Par **identification** des coordonnées du vecteur $\overrightarrow{OG_0}$ avec celles du vecteur $\overrightarrow{OG}$ à la date $t = 0$, on trouve : $D_x = 0$, $D_y = 0$ et $D_z = 0$.

- Les coordonnées du vecteur $\overrightarrow{OG}$ à la date t sont donc :

$$\overrightarrow{OG}\begin{pmatrix} x = v_0 \cdot \cos\alpha \cdot t \\ y = -\frac{1}{2}\, g \cdot t^2 + v_0 \cdot \sin\alpha \cdot t \\ z = 0 \end{pmatrix}$$

Les coordonnées x et y dépendent du temps ; elles sont appelées **équations horaires** du mouvement.
La coordonnée z étant constamment nulle, la trajectoire est plane. Comme dans le **chapitre 5**, l'étude pourra se faire dans un repère $(O; \vec{i}, \vec{j})$ à deux dimensions.

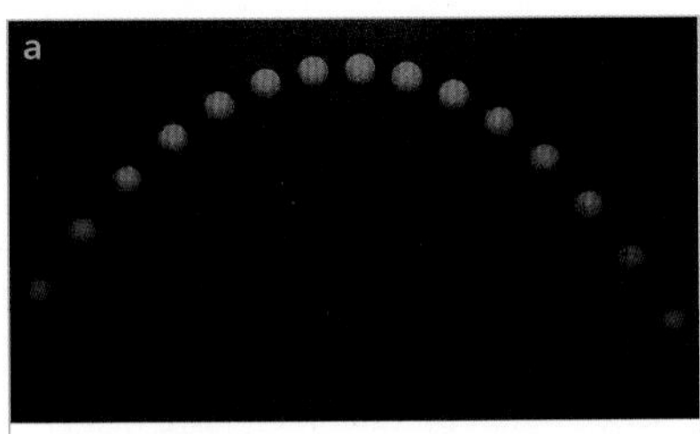

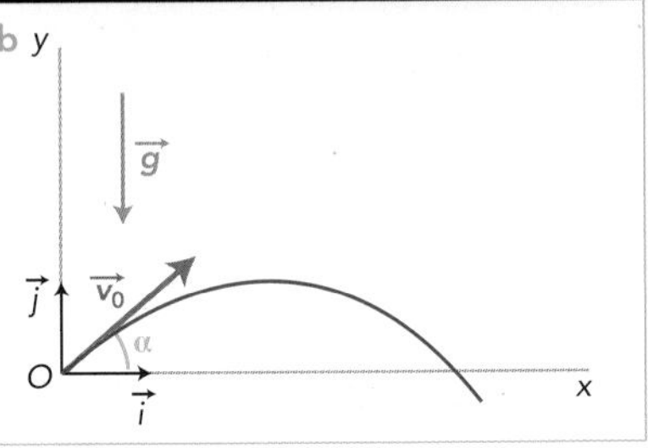

Doc. 4 a. Chronophotographie d'un lancer de balle. b. Trajectoire (en rouge) de la balle lancée depuis le point O dans le champ de pesanteur uniforme.

De la position à la trajectoire

- La trajectoire d'un point est l'ensemble des positions successives occupées par ce point au cours de son mouvement. Dans le repère $(O; \vec{i}, \vec{j})$ choisi, l'ordonnée y est une fonction de l'abscisse x, l'équation de la trajectoire est de la forme $y = f(x)$.

> La détermination de l'équation de la trajectoire $y = f(x)$ nécessite d'éliminer le temps en combinant les équations horaires du mouvement.

- De la première équation horaire, on obtient $t = \frac{x}{v_0 \cdot \cos\alpha}$

En substituant t dans la seconde équation, il vient :

$$y = -\frac{1}{2}\, g \cdot \left(\frac{x}{v_0 \cdot \cos\alpha}\right)^2 + v_0 \cdot \sin\alpha \cdot \frac{x}{v_0 \cdot \cos\alpha}$$

Cette relation s'écrit également : $y = -\frac{g}{2\,(v_0 \cdot \cos\alpha)^2} \cdot x^2 + \tan\alpha \cdot x$.

- L'équation de la trajectoire est une fonction polynôme de degré 2. La trajectoire de la balle est bien une portion de parabole (doc. 4a). Elle dépend des conditions initiales (valeur de la vitesse initiale v_0, angle α de lancement et position initiale) (doc. 4b).

1.2 Cas d'une particule chargée dans un champ électrostatique uniforme

Une particule M, supposée ponctuelle, de charge électrique q et de masse m, est placée dans un champ électrostatique uniforme $\vec{E}$.
La démarche précédente permet d'étudier son mouvement.
En Terminale S, tous les mouvements étudiés seront plans et seront étudiés dans le plan de la trajectoire.

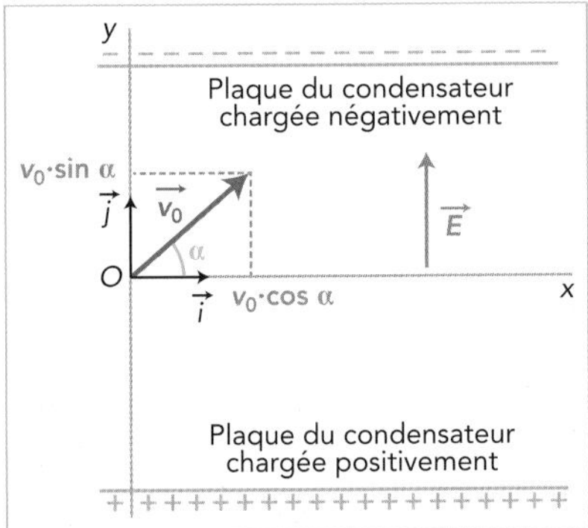

Doc. 5 Champ électrostatique uniforme et coordonnées du vecteur vitesse dans les conditions initiales.
La particule M coïncide avec O à la date $t = 0$.

Définition du système, choix du référentiel

Système étudié : la particule chargée M.
Référentiel choisi : référentiel terrestre, considéré galiléen.

Le mouvement étant plan, on utilise un repère $(O; \vec{i}, \vec{j})$ contenant les vecteurs champ électrostatique $\vec{E}$ et vitesse initiale $\vec{v_0}$ (doc. 5).

De la deuxième loi de Newton à l'accélération

- **Inventaire des forces** extérieures exercées sur la particule :
- la force électrostatique $\vec{F_e}$;
- le poids $\vec{P}$;
- les forces exercées par l'air.

Rappel de Première S
Une particule de charge électrique q placée dans un champ électrostatique $\vec{E}$ est soumise à une force électrostatique $\vec{F_e}$ donnée par :

$$\vec{F_e} = q \cdot \vec{E}$$

$\vec{E}$ est orienté de la plaque chargée positivement vers la plaque chargée négativement.

Les valeurs du poids et des forces exercées par l'air sont très faibles devant celle de la force électrostatique. On considère donc que la particule n'est soumise qu'à la force électrostatique : $\sum\vec{F} = q \cdot \vec{E}$ (voir exercice 20, p. 176).

L'application de la **deuxième loi de Newton** conduit à :

$$\vec{a} = \frac{q \cdot \vec{E}}{m}$$

Connaissant les coordonnées du champ électrostatique $\vec{E}\begin{pmatrix}0\\E\end{pmatrix}$, il vient :

$$\vec{a}\begin{pmatrix}a_x = 0\\ a_y = \dfrac{q \cdot E}{m}\end{pmatrix}$$

Remarque : si la charge q est négative, la coordonnée a_y est négative. Le vecteur accélération est orienté dans le sens opposé à $\vec{j}$.

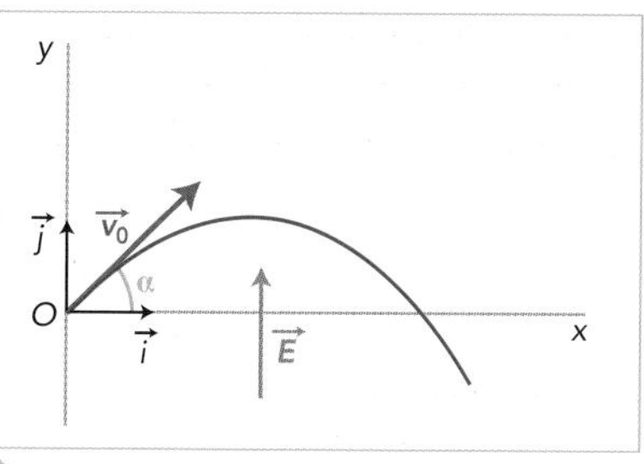

Doc. 6 Trajectoire d'une particule chargée négativement lancée depuis O dans un champ électrostatique $\vec{E}$ uniforme.

De l'accélération à la vitesse

Connaissant les conditions initiales sur la vitesse $\vec{v_0}\begin{pmatrix}v_{x_0} = v_0 \cdot \cos\alpha\\ v_{y_0} = v_0 \cdot \sin\alpha\end{pmatrix}$ (doc. 6), il vient :

$$\vec{v}\begin{pmatrix}v_x = v_0 \cdot \cos\alpha\\ v_y = \dfrac{q \cdot E}{m} \cdot t + v_0 \cdot \sin\alpha\end{pmatrix}$$

De la vitesse à la position

Connaissant les conditions initiales sur la position $\overrightarrow{OM_0}\begin{pmatrix}x_0 = 0\\ y_0 = 0\end{pmatrix}$ (doc. 6), il vient :

$$\overrightarrow{OM}\begin{pmatrix}x = v_0 \cdot \cos\alpha \cdot t\\ y = \dfrac{q \cdot E}{2m} \cdot t^2 + v_0 \cdot \sin\alpha \cdot t\end{pmatrix}$$

De la position à la trajectoire

En combinant les équations horaires, on obtient l'équation de la trajectoire :

$$y = \frac{q \cdot E}{2m\,(v_0 \cdot \cos\alpha)^2} \cdot x^2 + \tan\alpha \cdot x$$

La trajectoire de la particule est parabolique (doc. 6). Elle dépend des conditions initiales (valeur de la vitesse initiale v_0, angle α de lancement et position initiale), ainsi que de la charge et de la masse de la particule.

Voir exercices 1, p. 169, et 5 à 9, p. 172-173.

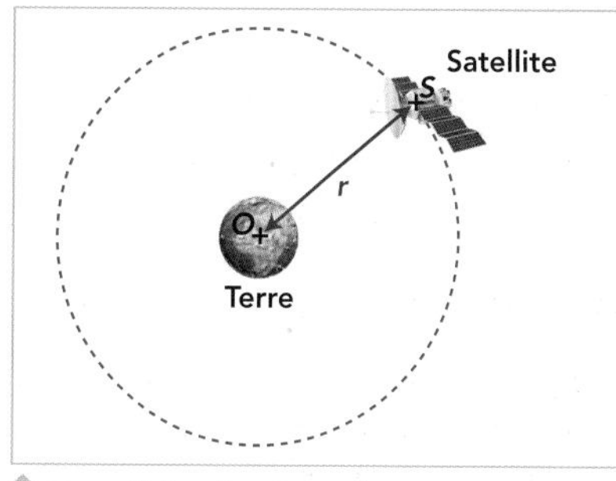

Doc. 7 Satellite S en orbite autour de la Terre.

2 Comment décrire le mouvement des satellites et des planètes ?

2.1 Description par la deuxième loi de Newton

On étudie le mouvement d'un satellite S de masse m, assimilé à un point matériel, en orbite autour de la Terre de centre O et de masse M_T. On se place dans l'approximation d'une orbite circulaire de rayon $r = OS$ (doc. 7).

La démarche précédente permet d'étudier ce mouvement.
Système étudié : le satellite S.
Référentiel choisi : référentiel géocentrique, considéré galiléen.
Le mouvement étant plan, on utilise un repère mobile $(S; \vec{t}, \vec{n})$ lié au satellite et dont les axes sont dans le plan du mouvement (doc. 8).

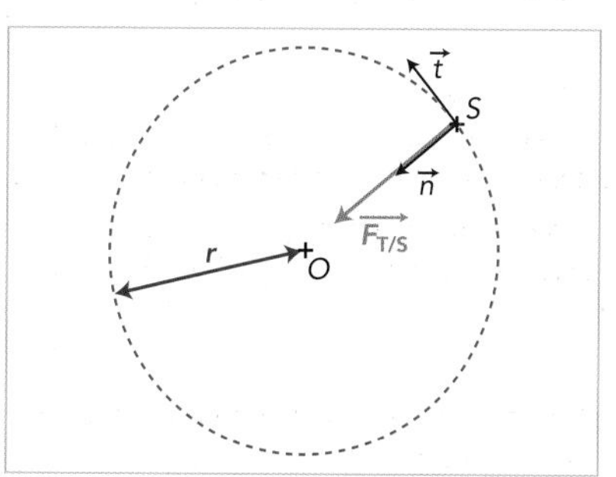

Doc. 8 Modélisation du mouvement d'un satellite.

▸ **Inventaire des forces** extérieures exercées sur le satellite :
– la force d'attraction gravitationnelle exercée par la Terre $\overrightarrow{F_{T/S}}$;
– la force d'attraction gravitationnelle exercée par les autres astres de l'Univers ;
– les forces de frottement exercées par l'atmosphère terrestre.
Dans le cadre de l'étude de ce mouvement circulaire, on considérera que le satellite n'est soumis qu'à la force d'attraction gravitationnelle exercée par la Terre (doc. 8) : $\sum \vec{F} = \overrightarrow{F_{T/S}}$.

▸ L'application de la **deuxième loi de Newton** conduit à $\vec{a} = \dfrac{\overrightarrow{F_{T/S}}}{m}$.

La force $\overrightarrow{F_{T/S}}$ a pour expression :

$$\overrightarrow{F_{T/S}} = G \cdot \frac{m \cdot M_T}{r^2} \cdot \vec{n}$$

Il vient donc $\vec{a} = \dfrac{G \cdot \dfrac{m \cdot M_T}{r^2}}{m} \cdot \vec{n}$, soit $\vec{a} = \dfrac{G \cdot M_T}{r^2} \cdot \vec{n}$.

Le vecteur accélération est centripète, c'est-à-dire qu'il est dirigé vers le centre de la trajectoire.

▸ Comme il a été vu au **chapitre 5**, pour un mouvement circulaire :

$$\vec{a} = \overrightarrow{a_T} + \overrightarrow{a_N}, \quad \text{avec} \quad \overrightarrow{a_T} = \frac{dv}{dt} \cdot \vec{t} \quad \text{et} \quad \overrightarrow{a_N} = \frac{v^2}{r} \cdot \vec{n}$$

v est la valeur de la vitesse.

Par identification, on en déduit : $\begin{cases} \dfrac{dv}{dt} = 0 \\ \dfrac{v^2}{r} = \dfrac{G \cdot M_T}{r^2} \end{cases}$

▸ L'égalité $\dfrac{dv}{dt} = 0$ implique que la valeur de la vitesse v est constante. Ce mouvement circulaire est donc **uniforme**.

▸ L'égalité $\dfrac{v^2}{r} = \dfrac{G \cdot M_T}{r^2}$ implique que la valeur de la vitesse est :

$$v = \sqrt{\frac{G \cdot M_T}{r}}$$

La valeur de la vitesse du satellite est indépendante de sa masse, mais dépend du rayon $r = R_T + h$ de la trajectoire (doc. 9a). Elle diminue lorsque ce rayon augmente (doc. 9b).

▸ La durée T pour effectuer un tour est appelée **période de révolution**. Elle est égale au périmètre de la trajectoire circulaire divisé par la valeur de la vitesse pour un mouvement uniforme.

$$T = \frac{2\pi \cdot r}{v} = \frac{2\pi \cdot r}{\sqrt{\dfrac{G \cdot M_T}{r}}} = 2\pi \sqrt{\frac{r^3}{G \cdot M_T}}$$

La période de révolution du satellite est indépendante de sa masse, mais dépend du rayon de la trajectoire. Elle augmente lorsque ce rayon augmente.
L'homogénéité de ces relations peut être vérifiée par une analyse dimensionnelle (voir **fiche n° 5**, p. 588)

▸ Cette étude réalisée pour un satellite en orbite circulaire autour de la Terre de masse M_T peut être généralisée à tout satellite ou planète en orbite circulaire autour d'un astre de masse M.

> Dans l'approximation des trajectoires circulaires, l'application de la deuxième loi de Newton à l'étude du mouvement d'un satellite ou d'une planète permet de montrer que le mouvement est uniforme et d'établir l'expression de la valeur de sa vitesse et de sa période de révolution.

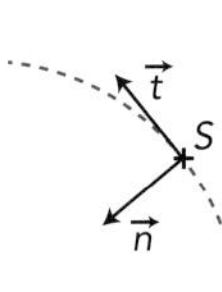

Le repère mobile $(S ; \vec{t}, \vec{n})$ a pour origine le point $S(t)$ occupé par le système à la date t.
Le vecteur unitaire $\vec{t}$ est tangent à chaque instant à la trajectoire ; il est orienté dans le sens du mouvement.
Le vecteur unitaire $\vec{n}$ est perpendiculaire à chaque instant à la trajectoire ; il est orienté vers le centre de courbure.

- G est la constante universelle de gravitation :
  $G = 6{,}67 \times 10^{-11}\ m^3 \cdot kg^{-1} \cdot s^{-2}$
- M_T est la masse de la Terre :
  $M_T = 5{,}97 \times 10^{24}$ kg

a

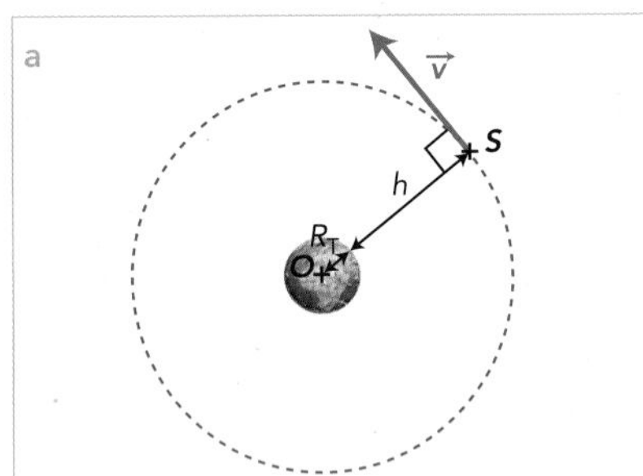

b

Satellite	Altitude (m)	Vitesse ($m \cdot s^{-1}$)
Spot	$8{,}2 \times 10^5$	$7{,}4 \times 10^3$
Astra (TV)	$3{,}6 \times 10^7$	$3{,}1 \times 10^3$

Doc. 9 a. Satellite en mouvement circulaire uniforme : la valeur de la vitesse est constante, mais sa direction change le long de la trajectoire. R_T est le rayon de la Terre, h est l'altitude du satellite. Le rayon de la trajectoire est donc $r = R_T + h$.
b. Quelques valeurs de vitesse de satellites.

2.2 Description par les lois de Kepler

Au début du XVIIe siècle, en utilisant les résultats des observations de Tycho BRAHE (1546-1601), l'astronome Johannes KEPLER (1571-1630) formule trois lois qui décrivent le mouvement des planètes autour du Soleil (doc. 10 et activité 2).

Première loi de Kepler : loi des orbites
Dans le référentiel héliocentrique, la trajectoire du centre de gravité d'une planète est une ellipse dont le centre de gravité du Soleil est l'un des foyers.

Le cercle est une ellipse particulière dont les deux foyers sont confondus en un point qui est le centre du cercle.

Deuxième loi de Kepler : loi des aires
Le segment de droite reliant les centres de gravité du Soleil et de la planète balaie des aires égales pendant des durées égales.

La valeur de la vitesse d'une planète le long de sa trajectoire elliptique autour du Soleil n'est pas constante ; elle est plus grande lorsque la planète est proche du Soleil que lorsqu'elle en est éloignée (doc. 11).

Troisième loi de Kepler : loi des périodes
Pour toutes les planètes du système solaire, le rapport entre le carré de la période de révolution T et le cube de la longueur a du demi-grand axe est égal à une même constante :

$$\frac{T^2}{a^3} = \text{constante}$$

Dans le cas particulier où la trajectoire est un cercle de rayon r, le demi-grand axe de l'ellipse est le rayon du cercle : $r = a$. La troisième loi de Kepler devient :

$$\frac{T^2}{r^3} = \text{constante}$$

Cette constante peut être calculée à partir de l'expression de la période de révolution déterminée au paragraphe précédent :

$$T = 2\pi\sqrt{\frac{r^3}{G \cdot M_S}}$$

où M_S est la masse du Soleil.

En élevant cette expression au carré, il vient :

$$\frac{T^2}{r^3} = \frac{4\pi^2}{G \cdot M_S}$$

La constante s'identifie donc à $\frac{4\pi^2}{G \cdot M_S}$. Elle dépend uniquement de la masse du Soleil.

La masse du Soleil peut donc être déterminée grâce à la mesure de la période de révolution T et du rayon r de l'orbite d'une planète à trajectoire circulaire.

Généralisation
Les trois lois de Kepler énoncées dans le cas de planètes en orbite autour du Soleil peuvent être généralisées à tout satellite ou planète en orbite autour d'un astre de masse M.

Voir exercices 2, p. 169, et 10 à 12, p. 173.

Doc. 10 Johannes KEPLER (1571-1630).

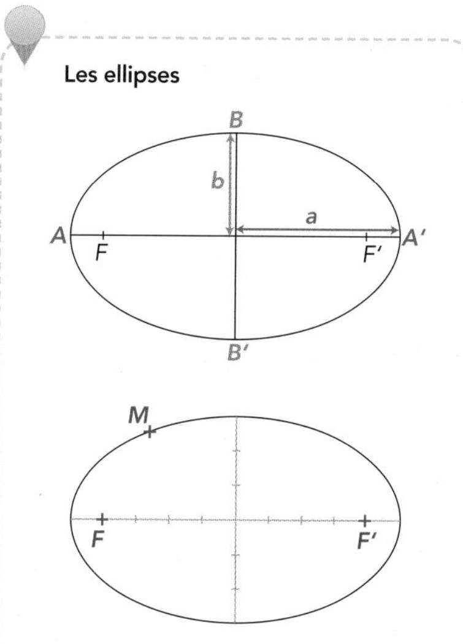

F et F' sont les foyers de l'ellipse.
$[AA']$ est son grand axe il mesure $2a$.
$[BB']$ est son petit axe, il mesure $2b$.
Tout point M de l'ellipse vérifie la relation :
$MF + MF' = 2a = \text{constante}$

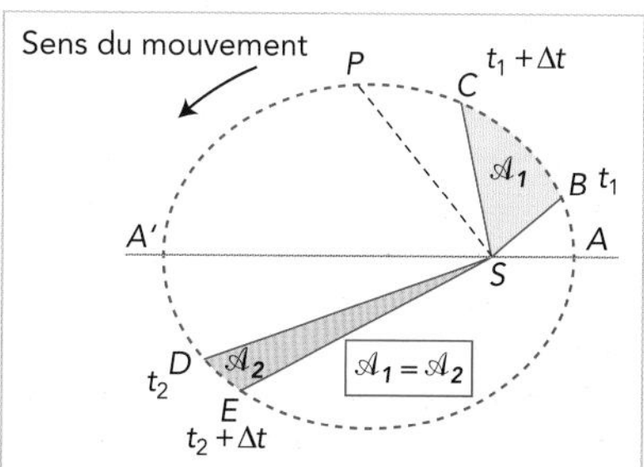

Doc. 11 Les aires $\mathcal{A}_1$ et $\mathcal{A}_2$, balayées pendant des durées Δt égales, sont égales. L'arc $\overset{\frown}{BC}$ est donc plus long que l'arc $\overset{\frown}{DE}$.
Ces deux arcs étant parcourus pendant la même durée Δt, la valeur de la vitesse moyenne de la planète P entre B et C est supérieure à celle entre D et E.

Essentiel

Mouvement dans un champ uniforme

Tous les systèmes étudiés sont assimilés à des points matériels : toute leur masse est regroupée au centre de gravité.
Toute étude de mouvement nécessite :

- de **définir le système** et de **choisir un référentiel** adapté ;
- d'**appliquer la deuxième loi de Newton** après avoir fait **l'inventaire des forces extérieures** exercées sur le système afin de déterminer le **vecteur accélération** :

Champ uniforme	Pesanteur $\vec{g}$	Électrostatique $\vec{E}$
Vecteur accélération	$\vec{a} = \vec{g}$	$\vec{a} = \dfrac{q \cdot \vec{E}}{m}$

- de **déterminer le vecteur vitesse $\vec{v}$** en recherchant la primitive par rapport au temps de chaque coordonnée du vecteur accélération $\vec{a}$ et en utilisant les coordonnées du vecteur vitesse initiale $\vec{v_0}$ pour prendre en compte les conditions initiales ;
- de **déterminer le vecteur position $\overrightarrow{OG}$** en recherchant la primitive par rapport au temps de chaque coordonnée du vecteur vitesse $\vec{v}$ et en utilisant les coordonnées du vecteur position initiale $\overrightarrow{OG_0}$ pour prendre en compte les conditions initiales.

Les coordonnées x et y de $\overrightarrow{OG}$ dépendent du temps ; elles sont appelées **équations horaires** du mouvement.

La détermination de l'équation de la trajectoire $y = f(x)$ nécessite d'éliminer le temps en combinant les équations horaires.

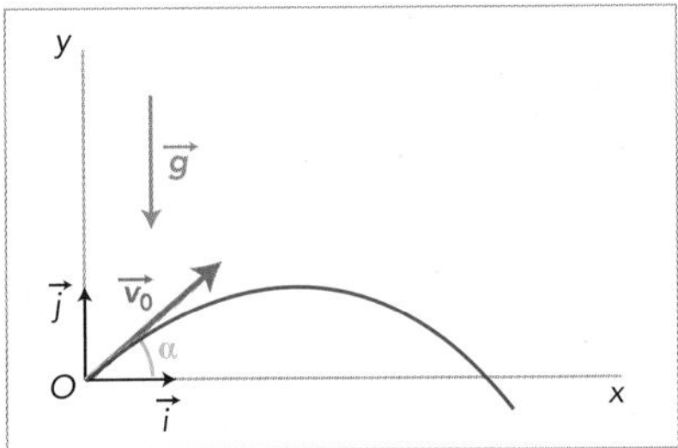

Trajectoire d'une balle lancée depuis le point O dans le champ de pesanteur $\vec{g}$ uniforme.

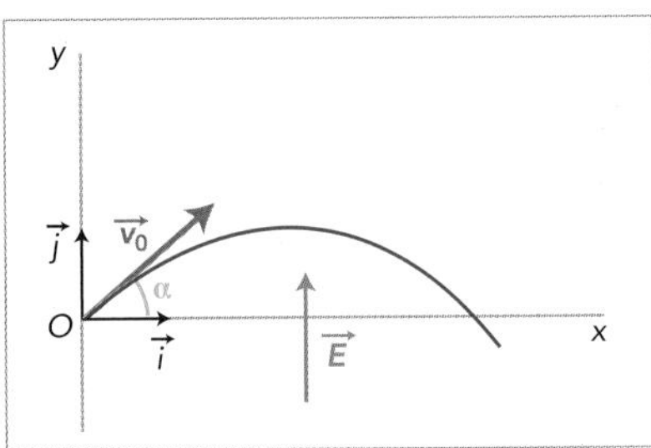

Trajectoire d'une particule chargée négativement lancée depuis le point O dans un champ électrostatique $\vec{E}$ uniforme.

Mouvement des satellites et des planètes

Étude avec la deuxième loi de Newton

Dans l'approximation des trajectoires circulaires, l'application de la deuxième loi de Newton à l'étude du mouvement d'un satellite ou d'une planète permet :
– de montrer que le mouvement est uniforme ;
– d'établir l'expression de sa vitesse v et de sa période de révolution T.

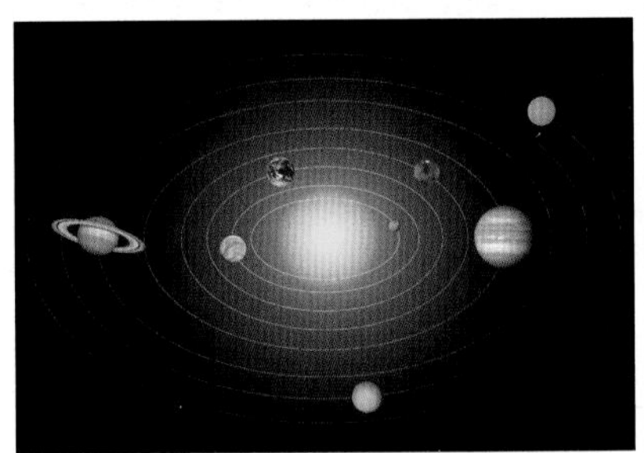

Étude avec les lois de Kepler

Première loi de Kepler : loi des orbites
Dans le référentiel héliocentrique, la trajectoire du centre de gravité d'une planète est une ellipse dont le centre de gravité du Soleil est l'un des foyers.

Deuxième loi de Kepler : loi des aires
Le segment de droite reliant les centres de gravité du Soleil et de la planète balaie des aires égales pendant des durées égales.

Troisième loi de Kepler : loi des périodes
Pour toutes les planètes du système solaire, le rapport entre le carré de la période de révolution T et le cube de la longueur a du demi-grand axe est le même : $\dfrac{T^2}{a^3}$ = constante.

Généralisation :
Les trois lois de Kepler énoncées dans le cas de planètes en orbite autour du Soleil peuvent être généralisées à tout satellite ou planète en orbite autour d'un astre.

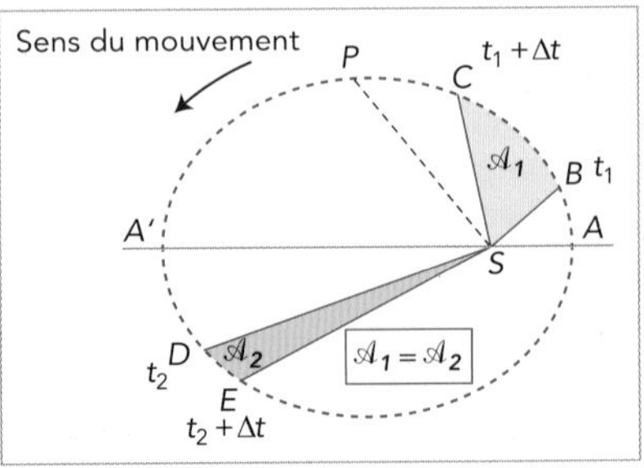

Les deux aires $\mathcal{A}_1$ et $\mathcal{A}_2$ sont égales.

Pour chaque question, indiquer la (ou les) bonne(s) réponse(s).

Voir corrigés, p. 606.

Tigibus lance un bouton de masse m verticalement au-dessus de lui, à partir d'une hauteur h. La valeur initiale de la vitesse est v_0. On étudie le mouvement du bouton dans le repère $(O; \vec{i}, \vec{j})$ contenu dans le plan de la trajectoire.

L'intensité de la pesanteur est notée g.

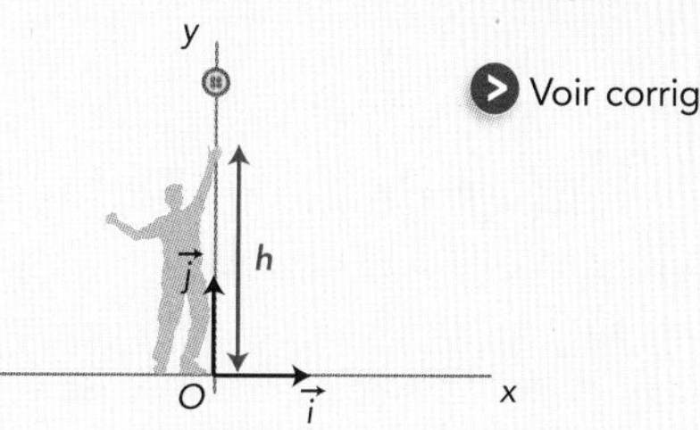

1 Mouvement dans un champ uniforme

	A	B	C
1. Un référentiel pertinent pour étudier le mouvement du bouton est :	le référentiel héliocentrique.	le référentiel géocentrique.	un référentiel terrestre.
2. Dans l'hypothèse d'une chute libre, le bouton est uniquement soumis :	à son poids et aux forces de frottements de l'air.	à son poids.	aux forces de frottements de l'air.
3. Le vecteur accélération du bouton est :	vertical ascendant.	vertical descendant.	horizontal et dans le sens du mouvement.
4. À chaque date t, l'abscisse v_x du vecteur vitesse du bouton est :	0	v_0	$-v_0$
5. À chaque date t, l'ordonnée v_y du vecteur vitesse du bouton est :	$-g \cdot t + v_0$	$+g \cdot t + v_0$	$-g \cdot t - v_0$
6. Les équations horaires du mouvement du bouton sont :	$\begin{cases} x = 0 \\ y = -\dfrac{g \cdot t^2}{2} + v_0 \cdot t + h \end{cases}$	$\begin{cases} x = 0 \\ y = -\dfrac{g \cdot t^2}{2} + v_0 \cdot t - h \end{cases}$	$\begin{cases} x = h \\ y = -\dfrac{g \cdot t^2}{2} + v_0 \cdot t \end{cases}$
7. La trajectoire du bouton est :	parabolique.	circulaire.	rectiligne.

Si erreur, revoir § 1, p. 162.

2 Mouvement des satellites et des planètes

	A	B	C
1. Le référentiel le plus adapté à l'étude du mouvement de la Lune autour de la Terre est : 	le référentiel héliocentrique.	le référentiel géocentrique.	un référentiel terrestre.
2. D'après la loi des aires, le segment de droite reliant les centres de gravité de la Lune et de la Terre :	balaie des aires égales pendant des durées égales.	a une trajectoire elliptique.	a une longueur constante.
3. Dans l'approximation d'une trajectoire circulaire, le mouvement de la Lune dans ce référentiel est :	rectiligne uniforme.	circulaire uniforme.	circulaire non uniforme.
4. Un satellite est en orbite autour de la Terre. Il effectue une révolution de rayon r avec une période T. La troisième loi de Kepler s'écrit :	$\dfrac{T^3}{r^2}$ = constante	$\dfrac{r^3}{T^2}$ = constante	$\dfrac{T^2}{r^3}$ = constante

Si erreur, revoir § 2, p. 165.

Exercice résolu

COMPÉTENCES
- Exploiter une relation.
- Raisonner.

3 Déterminer la trajectoire d'une particule dans un champ uniforme

Énoncé

Un électron, de masse m, pénètre au point O dans le champ électrostatique uniforme $\vec{E}$ créé par deux plaques nommées également armatures parallèles et horizontales de longueur $\ell = 10{,}0$ cm.
L'électron pénètre au milieu des deux armatures avec une vitesse de valeur $v_0 = 3{,}00 \times 10^7$ m·s^{-1} faisant un angle α avec l'horizontale.

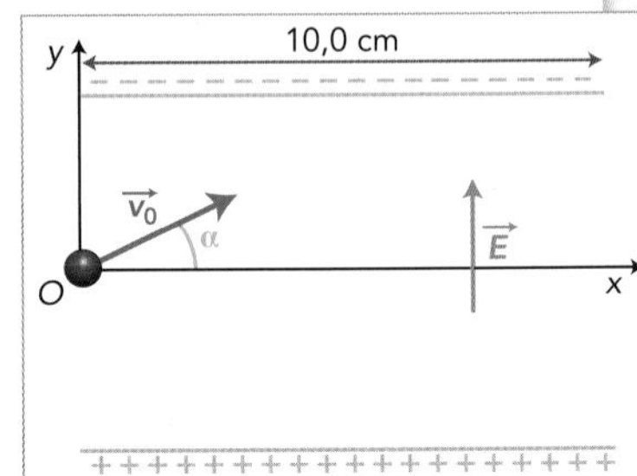

1. Établir les équations horaires du mouvement de l'électron.
2. Établir l'équation de sa trajectoire.
3. Déterminer les coordonnées du point de sortie S de l'électron hors de la zone entre les plaques.

Données : $E = 4{,}43 \times 10^4$ V·m^{-1} ; $e = 1{,}60 \times 10^{-19}$ C ; $m = 9{,}11 \times 10^{-31}$ kg ; $\alpha = 30°$.
On négligera le poids de l'électron devant la force électrostatique à laquelle il est soumis.

Conseils

1. Pour étudier le mouvement de cet électron, il faut définir le système et le référentiel, puis faire l'inventaire des forces extérieures.
Il faut ensuite utiliser la deuxième loi de Newton afin de déterminer l'accélération, puis procéder à la recherche des primitives par rapport au temps successives pour obtenir les équations horaires du mouvement.
Les coordonnées de la vitesse initiale sont données par la projection du vecteur $\vec{v_0}$ sur les axes du repère.
Lors de la recherche d'une primitive, il ne faut pas oublier la constante d'intégration ; celle-ci est obtenue à l'aide des conditions initiales.

2. Pour déterminer l'équation de la trajectoire, on élimine le temps en combinant les équations horaires du mouvement.

3. Au point de sortie S, l'abscisse x_S est connue. On peut en déduire y_S, en remplaçant x_S par sa valeur dans l'équation de la trajectoire puisque S est un point de la trajectoire de l'électron.

Solution rédigée

1. Le système est l'électron. On utilise un référentiel terrestre supposé galiléen.
Inventaire des forces extérieures : force électrostatique $\vec{F} = q \cdot \vec{E}$ **avec** $q = -e$

D'après la **deuxième loi de Newton**, $\vec{F} = m\vec{a}$. D'où $\vec{a}\begin{pmatrix} a_x = 0 \\ a_y = -\dfrac{e \cdot E}{m} \end{pmatrix}$.

Sachant que $\vec{v_0}\begin{pmatrix} v_{x_0} = v_0 \cdot \cos\alpha \\ v_{y_0} = v_0 \cdot \sin\alpha \end{pmatrix}$, on obtient :

$$\vec{v}\begin{pmatrix} v_x = v_0 \cdot \cos\alpha \\ v_y = -\dfrac{e \cdot E}{m} \cdot t + v_0 \cdot \sin\alpha \end{pmatrix}$$

Sachant qu'à $t = 0$ la particule est en O, on obtient :

$$\overrightarrow{OG}\begin{pmatrix} x = v_0 \cdot \cos\alpha \cdot t \\ y = -\dfrac{1}{2}\dfrac{e \cdot E}{m} \cdot t^2 + v_0 \cdot \sin\alpha \cdot t \end{pmatrix}$$

2. En éliminant t, on obtient l'équation de la trajectoire :

$$y = -\frac{1}{2}\frac{e \cdot E}{m} \cdot \frac{x^2}{{v_0}^2 \cdot \cos^2\alpha} + x \cdot \tan\alpha$$

3. Lorsque la particule sort au point S : $x_S = \ell = 10{,}0 \times 10^{-2}$ **m.**

$$y_s = -\frac{1}{2}\frac{e \cdot E}{m} \cdot \frac{x_S^2}{{v_0}^2 \cdot \cos\alpha^2} + x_S \cdot \tan\alpha$$

$$y_s = -\frac{1{,}60 \times 10^{-19} \times 4{,}43 \times 10^4 \times (10{,}0 \times 10^{-2})^2}{2 \times 9{,}11 \times 10^{-31} \times (3{,}00 \times 10^7 \times \cos 30)^2} + 10{,}0 \times 10^{-2} \times \tan 30$$

$y_S = 1{,}02 \times 10^{-4}$ **m.**

Le point S a pour coordonnées $x_s = 10{,}0 \times 10^{-2}$ m et $y_s = 1{,}02 \times 10^{-4}$ m.

Application immédiate

Reprendre les questions précédentes pour un proton de masse m_p, placé dans un champ électrostatique uniforme avec une vitesse initiale de valeur égale à $5{,}00 \times 10^5$ m·s^{-1} faisant un angle de 20° (vers le haut) avec l'horizontale. Le champ électrostatique $\vec{E}$ est vertical et orienté vers le bas.

Données : $E = 1{,}00 \times 10^4$ V·m^{-1} ; $e = 1{,}60 \times 10^{-19}$ C ; $m_p = 1{,}67 \times 10^{-27}$ kg.

Voir corrigés, p. 606.

COMPÉTENCES
- Raisonner.
- Exploiter une relation.

4 Calculer une période de révolution

Énoncé

Depuis la base de Kourou, en Guyane, proche de l'équateur, à 6° de latitude, un tir de la fusée Ariane a placé en orbite un satellite de communication du type « Télécom » de masse *m*.

Ce satellite géostationnaire est en orbite circulaire, dans le plan équatorial, à une altitude de 36 000 km environ et sa période de révolution est d'environ 86 000 s, soit 24 h.

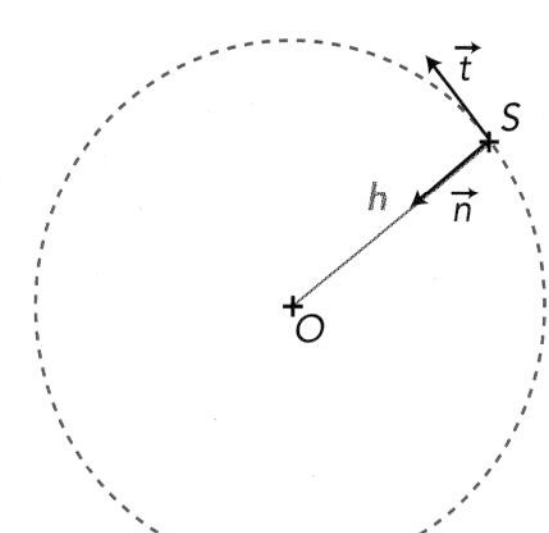

1. Montrer que le mouvement du satellite géostationnaire en orbite circulaire est uniforme.

2. Retrouver l'expression de la valeur *v* de la vitesse du satellite :

$$v = \sqrt{\frac{G \cdot M_T}{r + h}}$$

où G est la constante universelle de gravitation, M_T est la masse de la Terre, *r* est le rayon de la Terre et *h* est l'altitude du satellite.

3. En déduire l'expression de la période de révolution du satellite.

Conseils

1. Il faut définir le système, le référentiel, puis faire l'inventaire des forces extérieures qui s'exercent sur le système.
Pour des corps de masse importante, on néglige souvent les forces autres que l'attraction gravitationnelle terrestre.
On applique ensuite la deuxième loi de Newton, afin d'obtenir le vecteur accélération.
Il faut connaître l'expression du vecteur accélération dans le cas d'un mouvement circulaire dans le repère $(S; \vec{t}, \vec{n})$ et la comparer à celle obtenue en appliquant la seconde loi de Newton.

2. La relation obtenue à la question 1 permet de déterminer la valeur *v* de la vitesse.

3. Il faut traduire la définition de la période *T* en une expression mathématique. Il faut ensuite simplifier l'expression.

Solution rédigée

1. Le système est le satellite géostationnaire étudié dans le référentiel géocentrique, considéré galiléen.
Inventaire des forces : force d'attraction gravitationnelle $\overrightarrow{F_{T/S}}$ exercée par la Terre.
L'application de la deuxième loi de Newton conduit à :

$$\vec{a} = \frac{\overrightarrow{F_{T/S}}}{m} \quad \text{avec} \quad \overrightarrow{F_{T/S}} = G \cdot \frac{m \cdot M_T}{(r+h)^2} \cdot \vec{n}$$

Il vient $\vec{a} = \dfrac{G \cdot \dfrac{m \cdot M_T}{(r+h)^2}}{m} \cdot \vec{n}$, soit $\vec{a} = \dfrac{G \cdot M_T}{(r+h)^2} \cdot \vec{n}$.

En identifiant l'expression ci-dessus à :

$$\vec{a} = \frac{dv}{dt} \cdot \vec{t} + \frac{v^2}{r+h} \cdot \vec{n}$$

on obtient $\mathbf{\frac{dv}{dt} \cdot \vec{t} = \vec{0}}$, donc la valeur de la vitesse *v* est constante.
Le mouvement circulaire est donc uniforme.

2. On déduit également que :

$$\frac{v^2}{r+h} = \frac{G \cdot M_T}{(r+h)^2}, \quad \text{d'où } v = \sqrt{\frac{G \cdot M_T}{r+h}}$$

3. *T* est la durée mise par le satellite pour effectuer une révolution.

$$T = \frac{2\pi \cdot (r+h)}{v} = \frac{2\pi \cdot (r+h)}{\sqrt{\dfrac{G \cdot M_T}{r+h}}}, \quad \text{soit } \boldsymbol{T = 2\pi \sqrt{\frac{(r+h)^3}{G \cdot M_T}}}.$$

Application immédiate

On envisage de mettre un satellite en orbite autour de la Lune, sur une orbite circulaire à une altitude de z = 2,5 km. Sachant que le rayon lunaire vaut r = 1 737 km et que la masse de la Lune vaut 1/81e de la masse de la Terre, calculer la valeur de la vitesse et la période de révolution de ce satellite lunaire.

Données : $G = 6{,}67 \times 10^{-11}\ m^3 \cdot kg^{-1} \cdot s^{-2}$ et $M_T = 5{,}97 \times 10^{24}$ kg.

Voir corrigés, p. 606.

Exercices

Compétences exigibles au baccalauréat

- ✔ Mettre en œuvre les lois de Newton pour étudier des mouvements dans des champs de pesanteur et électrostatique uniformes. activité 1 exercices 6, 9 et 21
- ✔ *Mettre en œuvre une démarche expérimentale pour étudier un mouvement.* activité 1
- ✔ Démontrer que, dans l'approximation des trajectoires circulaires, le mouvement d'un satellite, d'une planète, est uniforme. Établir l'expression de sa vitesse et de sa période. exercices 13 et 22
- ✔ Connaître les trois lois de Kepler. exercice 11
- ✔ Exploiter la troisième loi de Kepler dans le cas d'un mouvement circulaire. activité 2 exercice 25

Pour commencer

Quel est le mouvement d'un système dans un champ uniforme ?

5 Faire un inventaire de forces

Après avoir défini le système et un point qui peut le modéliser, faire l'inventaire des forces extérieures qui s'exercent sur :
– un cycliste roulant sur une route ;
– un satellite artificiel terrestre ;
– la Terre tournant autour du Soleil.

6 Exprimer le vecteur accélération

On considère une bille dans le champ de pesanteur uniforme. La bille n'est soumise qu'à son poids.

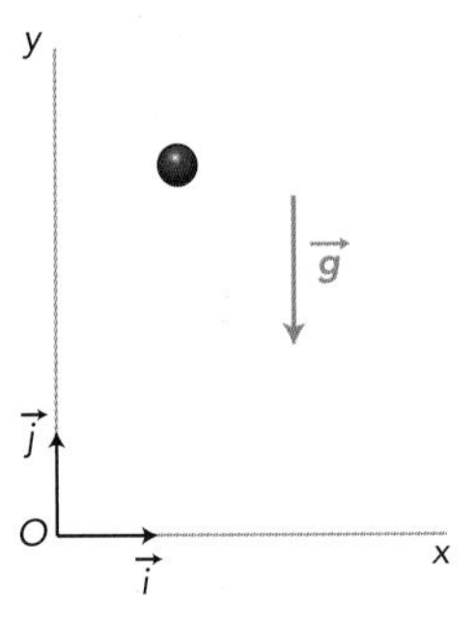

1. Préciser le système et le référentiel d'étude.
On peut modéliser la bille par son centre.

2. Exprimer le vecteur accélération du système dans le référentiel choisi, supposé galiléen, auquel on associe le repère $(O; \vec{i}, \vec{j})$.

3. Quelles sont les coordonnées de ce vecteur dans le repère d'étude ?

7 Exprimer le vecteur vitesse

Un positon de charge e et de masse m pénètre dans un champ électrostatique uniforme avec une vitesse initiale $\vec{v_0}$.
On étudie son mouvement dans un référentiel terrestre.
À chaque instant, les coordonnées du vecteur accélération dans les conditions de l'expérience sont :

$$\vec{a}\begin{pmatrix} a_x = 0 \\ a_y = \dfrac{e \cdot E}{m} \end{pmatrix}$$

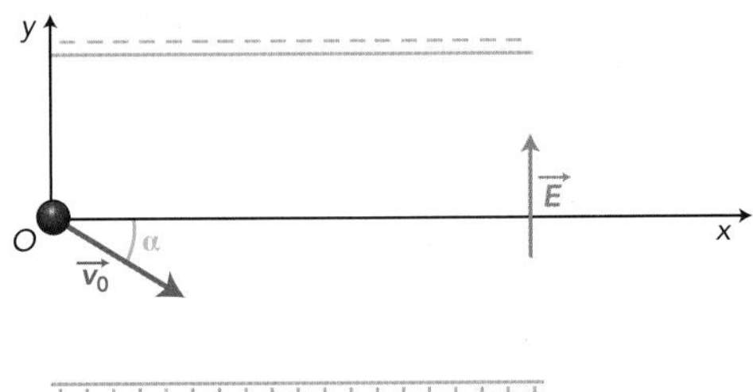

1. Quelles sont les coordonnées du vecteur vitesse à $t = 0$?

2. a. Écrire la relation entre les vecteurs accélération $\vec{a}$ et vitesse $\vec{v}$.

b. Déterminer les coordonnées du vecteur vitesse $\vec{v}$ à chaque instant à partir de celles du vecteur accélération $\vec{a}$ et du vecteur vitesse $\vec{v_0}$ à la date $t = 0$.

8 Exprimer le vecteur position

Une boule de pétanque est lancée dans le champ de pesanteur terrestre, considéré uniforme. À l'instant initial, son centre G coïncide avec l'origine du repère $(O; \vec{i}, \vec{j})$. Dans ce repère, les coordonnées du vecteur vitesse du point G sont :

$$\vec{v}\begin{pmatrix} v_x = v_0 \cdot \cos\alpha \\ v_y = -g \cdot t + v_0 \cdot \sin\alpha \end{pmatrix}$$

1. Quel est le référentiel d'étude ?

2. Schématiser la situation en représentant le repère et le vecteur champ de pesanteur.

3. Quelles sont les coordonnées du vecteur position à $t = 0$?

4. Déterminer les coordonnées du vecteur position à chaque instant à partir de celles du vecteur vitesse.

9 Étudier un lancer de poids

Un athlète lance un poids. À la date $t = 0$, correspondant à l'instant du lancer, le poids se trouve à une hauteur h de 2,00 m au-dessus du sol et part avec une vitesse initiale, de valeur égale à 14,0 m·s^{-1}, faisant un angle α de 35,0° par rapport à l'horizontale. Le poids est assimilé à un point matériel. Le champ de pesanteur terrestre est considéré uniforme.

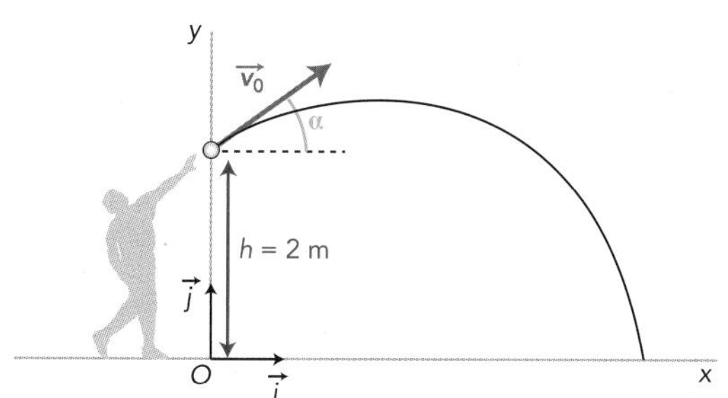

On propose trois expressions littérales possibles de la trajectoire du poids dans le repère $(O;\ \vec{i},\ \vec{j})$ associé au référentiel terrestre supposé galiléen. L'objectif de cet exercice est de déterminer l'expression littérale correcte parmi les suivantes :

(A) $y = -\frac{1}{2}g \cdot \frac{x^2}{v_0^2 \cdot \cos^2 \alpha} + \tan \alpha \cdot x$

(B) $y = -\frac{1}{2}g \cdot \frac{x^2}{v_0^2 \cdot \cos^2 \alpha} + \tan \alpha \cdot x + h$

(C) $y = -\frac{1}{2}g \cdot t^2 + v_0 \cdot \sin \alpha \cdot t$

1. a. Rappeler la définition de la trajectoire d'un point matériel en mouvement dans un référentiel.
b. Quelle expression peut-on alors éliminer?

2. a. Quelles sont les coordonnées du vecteur position initiale?
b. En déduire la proposition correcte.

Comment décrire le mouvement des satellites et des planètes ?

10 Faire une analyse dimensionnelle

Pour une planète du système solaire, la troisième loi de Kepler se traduit par l'expression :

$$\frac{T^2}{r^3} = \frac{4\pi^2}{G \cdot M_S}$$

Indiquer la signification de chaque grandeur et vérifier à l'aide d'une analyse dimensionnelle que l'expression est homogène (voir **fiche n° 5**, p. 588).

Donnée : $G = 6{,}67 \times 10^{-11}\ m^3 \cdot kg^{-1} \cdot s^{-2}$.

11 Illustrer les lois de Kepler

On étudie le mouvement d'un satellite artificiel de la Terre dont la trajectoire est elliptique.

1. Énoncer la première loi de Kepler appliquée à cette situation, puis représenter sa trajectoire en précisant la position de la Terre.

2. Énoncer la deuxième loi de Kepler appliquée à cette situation, puis l'illustrer sur le schéma.

12 Décrire le mouvement d'une planète

Vénus est la planète du système solaire dont l'orbite autour du Soleil est la plus proche d'un cercle. On peut considérer que son mouvement est circulaire et uniforme.

1. Définir un mouvement circulaire uniforme.

2. Sans calcul, expliquer la démarche à suivre pour déterminer la valeur de la vitesse de Vénus.

Pour s'entraîner

13 Phobos

COMPÉTENCES **Faire un schéma ; mobiliser ses connaissances ; exploiter une relation.**

Le centre de gravité *P* de Phobos, satellite naturel de la planète Mars, est en mouvement circulaire autour de cette planète.

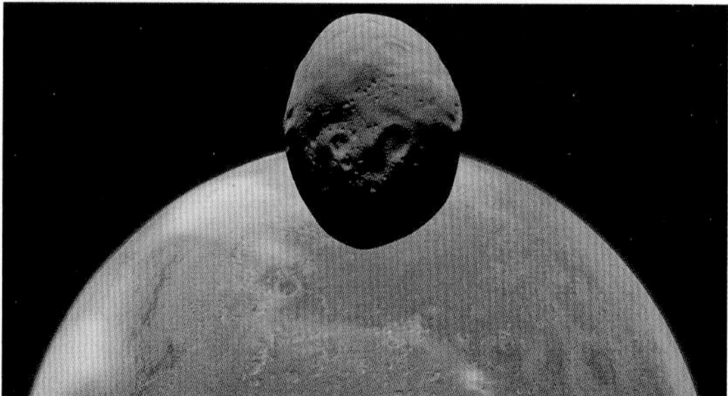

1. Préciser le référentiel d'étude. Faire un schéma de la situation en représentant le repère $(P;\ \vec{t},\ \vec{n})$.

2. En appliquant la deuxième loi de Newton, déterminer le vecteur accélération $\vec{a}$ du centre de gravité de Phobos.

3. Montrer que le mouvement du centre de gravité de Phobos est uniforme.

Voir, si nécessaire, l'exercice résolu 4, p. 171.

14 Orientation du champ

COMPÉTENCE **Raisonner.**

La magnétohydrodynamique (MHD) décrit le comportement du mouvement d'un fluide conducteur, notamment grâce à l'action d'un champ électrostatique. La MHD est appliquée par exemple à la géophysique pour l'étude du noyau terrestre et à l'astrophysique pour l'étude des milieux interstellaires.
On néglige le poids de chaque particule devant la force électrostatique à laquelle elle est soumise.

1. Comment doit-on orienter le champ électrostatique pour qu'un cation ait un vecteur accélération :
a. vertical ascendant?
b. horizontal vers la gauche?

2. Répondre aux mêmes questions pour un anion.

3. Deux ions isotopes peuvent-ils être accélérés de la même manière par un champ électrostatique uniforme?

15 À chacun son rythme 

COMPÉTENCES **Raisonner ; calculer.**

Cet exercice est proposé à deux niveaux de difficulté. Dans un premier temps, essayer de résoudre l'exercice de niveau 2. En cas de difficultés, passer au niveau 1.

La nuit tombée, Roméo se tient à une distance d de la maison de Juliette. Il lance un caillou de masse m vers sa fenêtre de hauteur ℓ et qui est située à la hauteur H du sol. La pierre quitte la main de Roméo avec une vitesse initiale, de valeur v_i, faisant un angle α par rapport à l'horizontale. À cet instant, elle se trouve à $h = 2{,}0$ m du sol. L'origine du repère d'espace est prise au niveau du sol, à l'endroit où se trouve Roméo. L'axe vertical est orienté vers le haut. Le référentiel est supposé galiléen.
Le champ de pesanteur $\vec{g}$ est uniforme et vaut $9{,}81\ \text{m}\cdot\text{s}^{-2}$.

Données : $d = 2{,}0$ m ; $\ell = 1{,}0$ m ; $H = 4{,}5$ m ; $\alpha = 60°$.

Niveau 2 (énoncé compact)
La valeur de la vitesse initiale est $v_i = 10\ \text{m}\cdot\text{s}^{-1}$. Dans l'hypothèse où la pierre est en chute libre, atteindra-t-elle la fenêtre de Juliette ?

Niveau 1 (énoncé détaillé)

1. Schématiser la situation.

2. Dans l'hypothèse où la pierre est en chute libre, déterminer son vecteur accélération dans un référentiel terrestre en appliquant la deuxième loi de Newton.

3. Montrer que les équations horaires du mouvement de la pierre sont :

$$\begin{cases} x(t) = v_i \cdot \cos\alpha \cdot t \\ y(t) = -\frac{1}{2} g \cdot t^2 + v_i \cdot \sin\alpha \cdot t + h \end{cases}$$

4. En déduire l'équation de la trajectoire de la pierre.

5. Roméo lance la pierre avec une vitesse initiale de valeur v_i, égale à $10\ \text{m}\cdot\text{s}^{-1}$. La pierre atteindra-t-elle la fenêtre de Juliette ?

16 Manquera, manquera pas ?

COMPÉTENCES **Raisonner ; calculer.**

Vil Coyote tend un piège à Bip-Bip : juché sur un promontoire rocheux à une hauteur H au-dessus d'une route rectiligne horizontale, il attend sa proie, prêt à faire basculer une enclume sur la tête de Bip-Bip. L'enclume commence sa chute verticale sans vitesse initiale au moment où Bip-Bip, qui se déplace à une vitesse de valeur v_0 constante le long de la route, se trouve à une distance d du point de chute. On suppose que les lois de la physique s'appliquent dans l'univers Looney Tunes.

1. Schématiser la situation à la date initiale.

2. a. Établir les équations horaires du mouvement de l'enclume dans un référentiel terrestre supposé galiléen.
b. Comment qualifier ce mouvement ?

3. Quelle est la durée de chute de l'enclume ?

4. Comment qualifier le mouvement de Bip-Bip dans ce même référentiel ?

5. Montrer que Vil Coyote a lâché l'enclume trop tard pour assommer Bip-Bip.

Données : $H = 30{,}0$ m ; taille de Bip-Bip $h = 1{,}20$ m ; $d = 50{,}0$ m ; $m_{\text{enclume}} = 20$ kg ; $v_0 = 110\ \text{km}\cdot\text{h}^{-1}$; le champ de pesanteur $\vec{g}$ est supposé uniforme et vaut $9{,}81\ \text{m}\cdot\text{s}^{-2}$.

17 Étude du canon à électrons

COMPÉTENCES **Raisonner ; calculer.**

Un canon à électrons est constitué d'un filament qui, lorsqu'il est porté à haute température, émet des électrons de vitesse initiale négligeable. Ces électrons sont ensuite accélérés à l'intérieur d'un condensateur plan dont les armatures A et B sont verticales et entre lesquelles règne un champ électrostatique uniforme de valeur E.

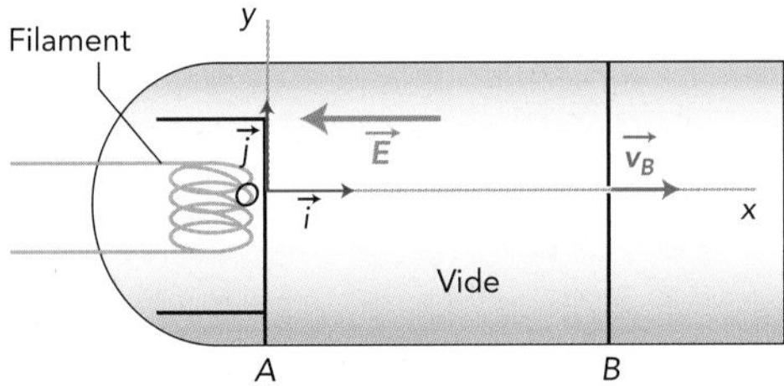

On négligera le poids de l'électron devant la force électrostatique. Le référentiel est supposé galiléen.

1. a. Déterminer les coordonnées du vecteur accélération $\vec{a}$ et du vecteur vitesse $\vec{v}$ de l'électron au cours du mouvement entre les plaques A et B. On choisira le repère $(O ; \vec{i}, \vec{j})$ indiqué sur le schéma.
b. En déduire l'expression de la valeur de sa vitesse à chaque instant.

2. Établir les équations horaires de son mouvement.

3. a. Montrer que l'expression de la vitesse de l'électron lorsqu'il parvient à la plaque B du condensateur est :

$$v_B = \sqrt{\frac{2e \cdot E}{m_e} \cdot d}$$

b. Calculer la valeur v_B de cette vitesse.

Données :
$e = 1{,}60 \times 10^{-19}$ C ; $m_e = 9{,}11 \times 10^{-31}$ kg ;
$AB = d = 3{,}00$ cm ; $E = 6{,}00 \times 10^{4}\ \text{V}\cdot\text{m}^{-1}$.

Voir, si nécessaire, l'exercice résolu 3, p. 170.

18 Neptune et Galatée

COMPÉTENCES **Raisonner ; argumenter.**

Galatée est l'un des 13 satellites actuellement connus de la planète Neptune. Neptune est la huitième planète du système solaire.

Données :
$G = (6{,}673\,84 \pm 0{,}000\,80) \times 10^{-11}\ m^3 \cdot kg^{-1} \cdot s^{-2}$;
Galatée : période de révolution $T = (0{,}429 \pm 0{,}001)$ jour, longueur du demi-grand axe $a = (6{,}19 \pm 0{,}01) \times 10^4$ km, masse M_G ;
Neptune : masse $M_N = (1{,}02 \pm 0{,}01) \times 10^{26}$ kg.

1. a. Calculer le rapport $Q = \dfrac{T^2}{a^3}$ pour Galatée.
b. Calculer l'incertitude existant sur la valeur Q.
On donne :

$$U(Q) = Q \cdot \sqrt{4\left(\frac{U(T)}{T}\right)^2 + 9\left(\frac{U(a)}{a}\right)^2}.$$

c. En déduire un encadrement de la valeur Q.

2. a. Calculer le rapport $Q' = \dfrac{4\pi^2}{G \cdot M_N}$ pour Neptune.
b. Calculer l'incertitude existant sur la valeur Q'.
On donne :

$$U(Q') = Q' \cdot \sqrt{\left(\frac{U(G)}{G}\right)^2 + \left(\frac{U(M_N)}{M_N}\right)^2}.$$

c. En déduire un encadrement de la valeur Q'.

3. La troisième loi de Kepler est-elle vérifiée dans cette situation ?

19 Kepler third law  AP

COMPÉTENCES **Mobiliser ses connaissances ; exploiter un graphique.**

Kepler's third law is extremely important to astronomers. Because it involves the mass, it allows astronomers to find the mass of any astronomical object with something orbiting it. Astronomers find the masses of all astronomical objects by applying Kepler's third law to orbits. They measure the mass of the Sun by studying the orbits of the planets. They measure the mass of the planets by studying the orbits of their moons. Moons have nothing orbiting them, so to find the mass of the moons astronomers need to send a probe to be affected by their gravity.

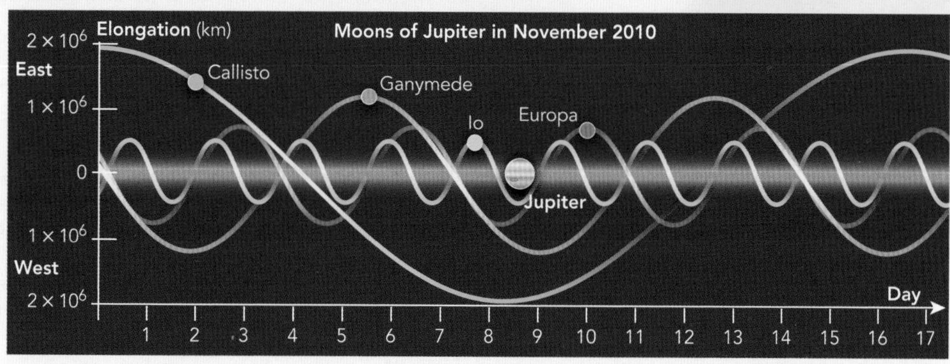

Distance between Jupiter and its moons, observed from Earth.

1. a. Rappeler la troisième loi de Kepler.
b. En quoi la troisième loi de Kepler est-elle importante pour les astronomes ?
c. Comment doivent procéder les astronomes pour mesurer la masse d'objets célestes sans satellite ?

2. a. Montrer, en appliquant la troisième loi de Kepler à une « lune » de Jupiter dont la trajectoire sera supposée circulaire, que la masse M de Jupiter peut être déterminée par la relation :

$$M = \frac{4\pi^2}{G} \cdot \frac{R^3}{T^2}$$

avec $G = 6{,}67 \times 10^{-11}$ SI, R le rayon de la trajectoire et T la période de révolution de la « lune ».
b. À l'aide des unités de chaque grandeur physique, déterminer l'unité de la constante universelle de gravitation dans le système international.

3. Déterminer, à l'aide du graphique, les périodes de révolution et les rayons des orbites des « lunes » de Jupiter.

4. Évaluer, avec le plus de précision possible, la masse de Jupiter.

Exercices

20 Poids ou force électrostatique

COMPÉTENCES Calculer ; interpréter un résultat.

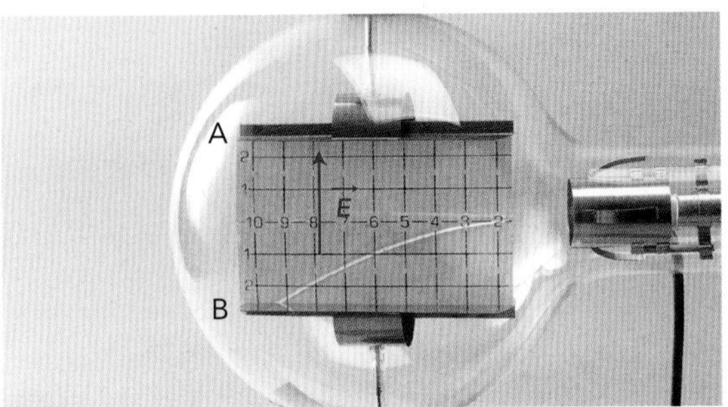

Le dispositif ci-dessus permet de dévier un faisceau d'électrons grâce à un champ électrostatique uniforme $\vec{E}$ perpendiculaire aux armatures A et B.

Bastien se demande si la déviation observée est due au poids des électrons ou à la force électrostatique.

1. a. Quelle est l'expression de la force électrostatique $\vec{F_e}$ à laquelle est soumis l'électron ?
b. Calculer sa valeur F_e

2. a. Quelle est l'expression du poids $\vec{P_e}$ de l'électron ?
b. Calculer sa valeur P_e.

3. Une force $\vec{F_1}$ peut être considérée négligeable par rapport à une force $\vec{F_2}$ si sa valeur F_1 est au plus égale au centième de la valeur F_2 de la force $\vec{F_2}$.
a. Peut-on négliger une des deux forces $\vec{F_e}$ ou $\vec{P_e}$ par rapport à l'autre ?
b. Conclure sur la force à l'origine de la déviation du faisceau d'électrons.

Données : $m_e = 9,1 \times 10^{-31}$ kg ; $g = 10$ m·s^{-2} ;
$e = 1,6 \times 10^{-19}$ C ; $E = 50\,000$ V·m^{-1}.

Pour aller plus loin

21 De l'optique avec des électrons !

COMPÉTENCES Extraire des informations ; raisonner.

> Dès la fin du XIXe siècle, des dispositifs permettant de dévier des faisceaux d'électrons à l'aide de champs électrostatiques ont été mis au point. Oscilloscopes, canons à électrons de télévisions et accélérateurs de particules ont été inventés et perfectionnés dans le courant du XXe siècle.
> Dans *certains dispositifs, les faisceaux d'électrons ont un comportement analogue à celui de rayons lumineux. Il est possible de reproduire les phénomènes* de réflexion et *de réfraction.* De véritables lentilles électrostatiques équipent les microscopes électroniques à transmission.

On considère un électron de masse m, de charge électrique $-e$, initialement animé d'un mouvement rectiligne uniforme à la vitesse $\vec{v_1}$. Il entre au point O dans une région délimitée par deux grilles horizontales entre lesquelles règne un champ électrostatique uniforme vertical ascendant $\vec{E}$. Les deux grilles sont séparées d'une distance d.

On négligera le poids de l'électron dans tout l'exercice. Le référentiel est supposé galiléen.

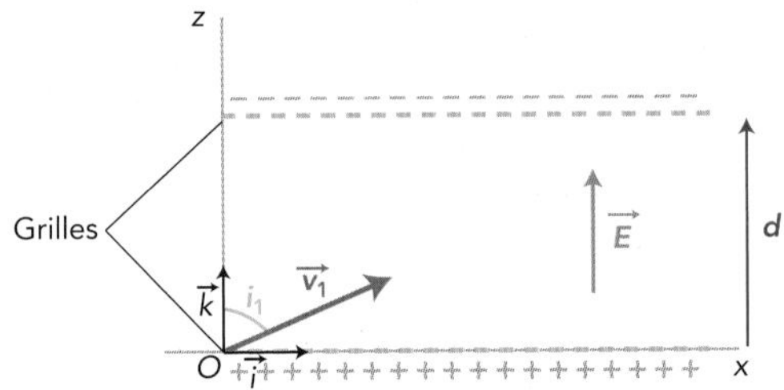

1. Établir les équations horaires du mouvement de cet électron sachant que le vecteur $\vec{v_1}$ fait un angle i_1 par rapport à l'axe vertical (Oz).

2. Montrer que l'équation de la trajectoire de l'électron s'écrit :

$$z(x) = -\frac{e \cdot E}{2m \cdot (v_1 \cdot \sin i_1)^2} \cdot x^2 + \frac{1}{\tan i_1} \cdot x$$

3. a. Quelle est la nature de la trajectoire de l'électron ?
b. Dans l'hypothèse où il n'atteint pas la grille, représenter l'allure de sa trajectoire ainsi que le vecteur vitesse au sommet S de la trajectoire.
c. Déterminer graphiquement les coordonnées du vecteur vitesse en S.
d. En déduire la date t_s à laquelle l'électron atteint le point S.
e. Montrer que le sommet S de la trajectoire a pour ordonnée $z_S = \dfrac{m \cdot (v_1 \cdot \cos i_1)^2}{2e \cdot E}$.

4. Quelle est la condition sur la valeur E du champ électrostatique pour que l'électron atteigne la région située au-dessus de la grille supérieure ?

5. a. Si cette condition est remplie, comment qualifier le mouvement de l'électron dans cette région ?
b. L'électron traverse la grille avec une vitesse $\vec{v_2}$. On note i_2 l'angle entre ce vecteur et la verticale.
La situation est représentée sur le schéma suivant :

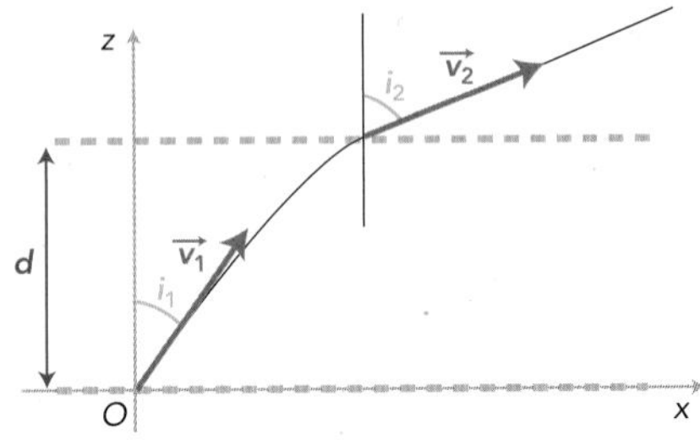

Exprimer le sinus de l'angle i_2 en fonction de v_1, v_2 et du sinus de l'angle i_1.
c. Justifier à l'aide de ce qui précède la phrase du texte en italique.

22 Quelle est la masse de Jupiter ?

COMPÉTENCES Mobiliser ses connaissances ; exploiter un graphique.

La planète Jupiter possède de nombreux satellites, On s'interesse à ceux dont la trajectoire est considérée circulaire. Chacun d'eux, modélisé par son centre de gravité, n'est soumis qu'à la seule force de gravitation exercée par Jupiter.
La distance entre les centres de gravité de Jupiter et du satellite étudié est notée r.

1. a. Quelle est l'expression vectorielle de la force de gravitation exercée par Jupiter, de masse M, sur un satellite de masse m ?
b. Représenter cette force $\overrightarrow{F_{J/S}}$ sur un schéma.

2. Montrer que, dans le référentiel, lié au centre de Jupiter, supposé galiléen, le satellite a un mouvement uniforme et exprimer la valeur de sa vitesse.

3. Choisir parmi les quatre propositions ci-dessous celle qui correspond au satellite le plus rapide. Justifier la réponse.
- le satellite le plus proche de Jupiter ;
- le satellite le plus éloigné de Jupiter ;
- le satellite le plus léger ;
- le satellite le plus lourd.

4. À partir de l'expression de la valeur de la vitesse, établir l'expression de la période de révolution T d'un satellite autour de Jupiter.

5. a. L'étude des mouvements de quatre satellites de Jupiter (Callisto, Europe, Ganymède et Io) a permis de déterminer la période et le rayon de l'orbite de chacun. On a représenté pour chaque satellite les valeurs des couples (r^3 ; T^2).

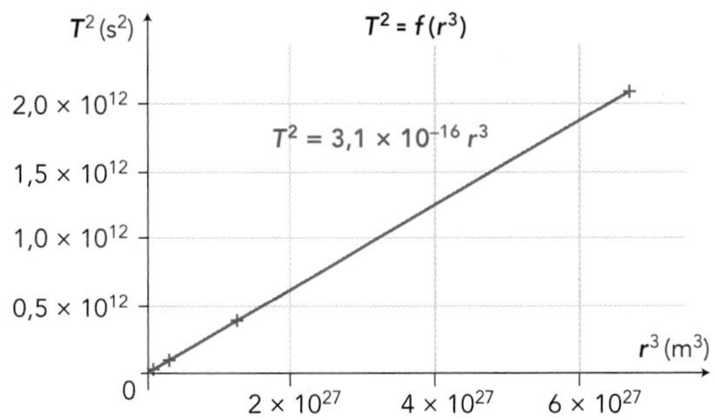

Montrer que l'allure de la représentation graphique est en accord avec la troisième loi de Kepler.
b. L'équation modélisant la droite obtenue est donnée sur le graphique.

En déduire l'ordre de grandeur de la masse de Jupiter.
Donnée : $G = 6,67 \times 10^{-11}\ m^3 \cdot kg^{-1} \cdot s^{-2}$.

Voir, si nécessaire, l'exercice résolu 4, p. 171.

23 Particule alpha dans un champ électrostatique uniforme

COMPÉTENCES Raisonner ; calculer.

Une particule α (noyau d'hélium : ${}^4_2He$) arrive au point O dans un condensateur plan avec une vitesse $\vec{v_0}$ de direction parallèle aux armatures C et D du condensateur.

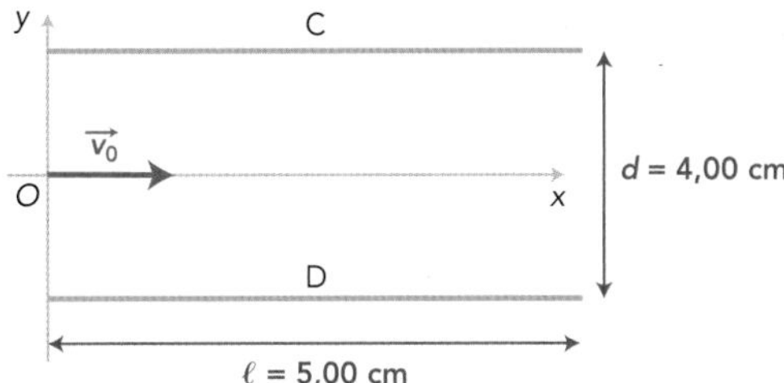

Une tension constante U est appliquée entre ces deux armatures longues de ℓ = 5,00 cm et distantes de d = 4,00 cm. On négligera le poids de la particule α devant la force électrostatique.

1. Quelle est la charge q de la particule α ?

2. Indiquer la polarité des plaques pour que la particule soit déviée vers le haut.

3. Recopier la figure en indiquant le champ électrostatique existant entre C et D, ainsi que la force électrostatique que subit la particule α en O.

4. Établir les équations horaires et l'équation de la trajectoire de la particule. On choisira le repère indiqué sur le schéma. Le référentiel associé est supposé galiléen.

5. a. Exprimer, à l'aide de l'équation de la trajectoire, la tension U en fonction des grandeurs m_α, e, v_0, x, d et y.
b. Calculer sa valeur pour que la particule sorte au point S de coordonnées $x_S = \ell$ et y_S = 1,00 cm.
On rappelle que pour un condensateur plan : $E = \frac{U}{d}$.
Données : $v_0 = 5,00 \times 10^5\ m \cdot s^{-1}$;
$e = 1,60 \times 10^{-19}$ C ; $m_\alpha = 6,64 \times 10^{-27}$ kg.

24 Bac Le hockey sur gazon

COMPÉTENCES Mobiliser ses connaissances ; raisonner.

Pratiqué depuis l'Antiquité sous le nom de « jeu de crosse », le hockey sur gazon est un sport olympique depuis 1908.
Il se pratique sur une pelouse naturelle ou synthétique, de dimensions quasi identiques à celles d'un terrain de football.
Chaque joueur propulse la balle avec une crosse, l'objectif étant d'envoyer la balle dans le but adverse.

Dans cet exercice, on étudie le mouvement du centre de la balle de masse m, dans un référentiel terrestre supposé galiléen.

À la date $t = 0$ s, la balle quitte la crosse au point B avec le vecteur vitesse $\vec{v_B}$ contenu dans le plan (xOz) comme le montre le schéma.
On néglige toutes les actions dues à l'air. Le mouvement du centre de la balle est étudié dans le champ de pesanteur supposé uniforme.
Le système d'axes utilisé est représenté sur le schéma ci-dessous : l'axe (Ox) est horizontal dirigé vers la droite, l'axe (Oz) est vertical et dirigé vers le haut.
L'origine des axes est située à la verticale du point B telle que $OB = h = 0{,}40$ m.

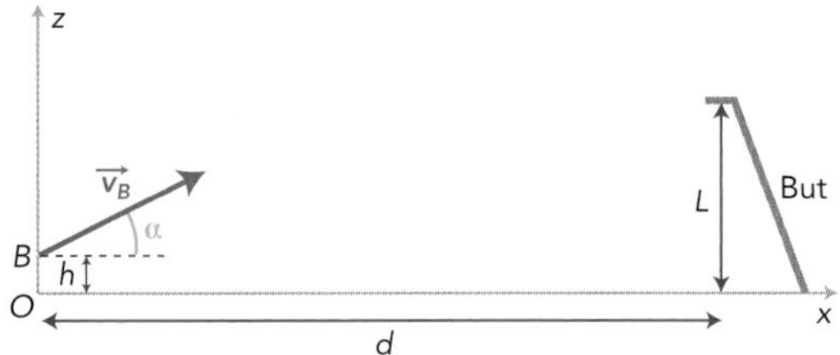

1. Exprimer les coordonnées v_{B_x} et v_{B_z} du vecteur vitesse $\vec{v_B}$ du centre G de la balle à l'instant $t = 0$ s, en fonction de v_B et de α.

2. Quelles sont les coordonnées x_B et z_B du vecteur position $\overrightarrow{OG}$ de la balle au point B?

3. En appliquant la deuxième loi de Newton, montrer que l'on obtient les équations suivantes :

$$\vec{a}\begin{cases} a_x = 0 \\ a_z = -g \end{cases} \quad \text{et} \quad \vec{v}\begin{cases} v_x = v_B \cdot \cos\alpha \\ v_z = -g \cdot t + v_B \cdot \sin\alpha \end{cases}$$

4. Montrer que la valeur v_S de la vitesse du point G au sommet S de la trajectoire est :

$$v_S = 12{,}1\ \text{m}\cdot\text{s}^{-1}.$$

5. Montrer que les coordonnées du vecteur position $\overrightarrow{OG}$ du centre G de la balle sont les suivantes :

$$\overrightarrow{OG}\begin{cases} x = v_B \cdot \cos\alpha \cdot t \\ z = -\dfrac{1}{2} g \cdot t^2 + v_B \cdot \sin\alpha \cdot t + h \end{cases}$$

6. En déduire l'équation de la trajectoire du point G.

7. La ligne de but est située à une distance $d = 15{,}0$ m du point O. La hauteur du but est $L = 2{,}14$ m. On néglige le diamètre de la balle devant la hauteur du but.
Le but est-il marqué ?

Données : $g = 9{,}81\ \text{m}\cdot\text{s}^{-2}$; $v_B = 14{,}0\ \text{m}\cdot\text{s}^{-1}$; $\alpha = 30°$

25 Bac Le cercle des planètes disparues

COMPÉTENCES **Raisonner ; faire preuve d'esprit critique.**

La planète Pluton, découverte par l'américain Clyde TOMBAUGH en 1930 était considérée comme la neuvième planète de notre système solaire.
Le 5 janvier 2005, une équipe d'astronomes a découvert sur des photographies prises le 21 octobre 2003 un nouveau corps gravitant autour du Soleil.
Provisoirement nommé 2003 UB313, cet astre porte maintenant le nom d'Éris, du nom de la déesse grecque de la discorde.

La découverte d'Éris et d'autres astres similaires (2003 EL61, 2005 FY9, etc.) a été le début de nombreuses discussions et controverses acharnées entre scientifiques sur la définition même du mot « planète ».
Au cours d'une assemblée générale, le 24 août 2006 à Prague, 2 500 astronomes de l'Union astronomique internationale (UAI) ont décidé à main levée de déclasser Pluton pour lui donner le rang de « planète naine » en compagnie de Cérès (gros astéroïde situé entre Mars et Jupiter) et d'Éris.

Orbite d'Éris
Éris parcourt une orbite elliptique autour du Soleil avec une période de révolution $T_É$ valant environ 557 années.

Découverte de Dysnomia
Les astronomes ont découvert ensuite qu'Éris possède un satellite naturel qui a été baptisé Dysnomia (fille d'Éris et déesse de l'anarchie).
Six nuits d'observation depuis la Terre ont permis de reconstituer l'orbite de Dysnomia.
On a obtenu le document ci-dessous :

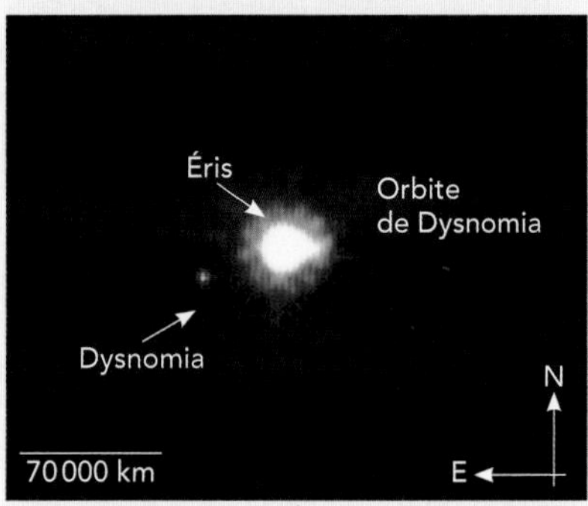

NASA, ESA and M. Brown (California Institute of Technology)

Données :
- Période de révolution terrestre : $T_T = 1{,}00$ an.
- Période de révolution de Pluton : $T_P = 248$ ans.
- $M_É$ et M_D sont les masses respectives d'Éris et de Dysnomia.
- Masse de Pluton : $M_P = 1{,}31 \times 10^{22}$ kg.
- Rayon de l'orbite circulaire de Dysnomia : $R_D = 3{,}60 \times 10^7$ m.
- Période de révolution de Dysnomia : $T_D = 15{,}0$ jours $\approx 1{,}30 \times 10^6$ s.
- Constante universelle de gravitation : $G = 6{,}67 \times 10^{-11}\ \text{m}^3\cdot\text{kg}^{-1}\cdot\text{s}^{-2}$.
- Le mouvement de Dysnomia autour d'Éris est supposé circulaire uniforme.

1. Énoncer précisément la troisième loi de Kepler, relative à la période de révolution d'une planète autour du Soleil, dans le cas d'une orbite elliptique.

2. L'orbite d'Éris se situe-t-elle au-delà ou en-deçà de celle de Pluton ? Justifier par un calcul littéral.

3. Définir le référentiel permettant d'étudier le mouvement de Dysnomia autour d'Éris.
Par la suite, ce référentiel sera considéré comme galiléen.

4. a. Établir l'expression du vecteur accélération du centre de gravité de Dysnomia $\vec{a_D}$ en fonction des paramètres de l'énoncé et d'un vecteur unitaire représenté sur le schéma ci-contre.

b. Préciser la direction et le sens de ce vecteur accélération.

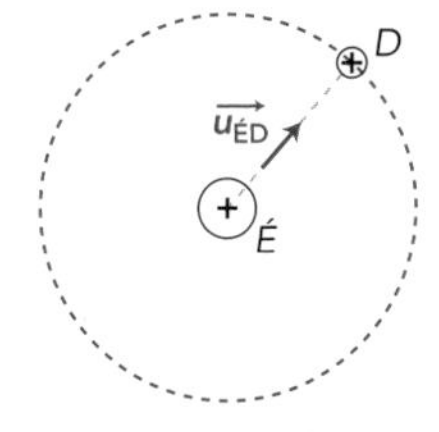

5. a. Montrer que la période de révolution T_D de Dysnomia a pour expression :

$$T_D = 2\pi\sqrt{\frac{R_D^3}{G \cdot M_É}}$$

Retrouve-t-on la troisième loi de Kepler ? Justifier.

b. Déduire de l'expression de T_D celle de la masse $M_É$ d'Éris. Calculer sa valeur.

6. Calculer le rapport des masses d'Éris et de Pluton. Expliquer alors pourquoi la découverte d'Éris a remis en cause le statut de planète pour Pluton.

Un pas vers l'enseignement supérieur

26 Principe de la spectrométrie de masse

COMPÉTENCES **Raisonner ; argumenter.**

La spectrométrie de masse est une technique d'analyse permettant notamment d'identifier des molécules organiques et de déterminer leur formule développée. *Dans un spectromètre de masse, des ions sont séparés en fonction de leur masse et de leur charge électrique.* Le Canadien Arthur DEMPSTER (1886-1950) a contribué à développer cette technique durant la première moitié du XXe siècle et ses travaux l'ont conduit à la découverte de l'isotope 235 de l'uranium (seul l'isotope 238 était connu à l'époque), utilisé comme combustible fissile dans les centrales électronucléaires. Cette technique ne nécessitant que des microéchantillons est aussi utilisée dans l'analyse d'œuvres d'art, ainsi qu'en imagerie biomédicale...

Le principe du spectromètre de masse est le suivant :
- un vide poussé est maintenu dans tout l'appareil ;
- dans la chambre d'ionisation, les molécules à analyser sont bombardées par des électrons, ce qui les fragmente en cations ;
- ensuite, ces cations sortent de la fente F avec une vitesse négligeable dans le référentiel terrestre du laboratoire supposé galiléen.

On considère deux ions i_1 et i_2 de même charge, mais de masses m_1 et m_2 différentes, pénétrant dans la chambre d'accélération délimitée par les plaques P et P' distantes de d. Dans cette chambre règne un champ électrostatique uniforme $\vec{E}$.

En O, ces ions possèdent respectivement les vitesses :

$$\vec{v_{01}} = \sqrt{\frac{2 \cdot q_1 \cdot E \cdot d}{m_1}} \cdot \vec{i} \quad \text{et} \quad \vec{v_{02}} = \sqrt{\frac{2 \cdot q_2 \cdot E \cdot d}{m_2}} \cdot \vec{i}.$$

Dans la chambre de déviation, on cherche à séparer ces ions avant leur entrée dans la chambre de détection. Le poids des ions sera négligé devant les autres forces.

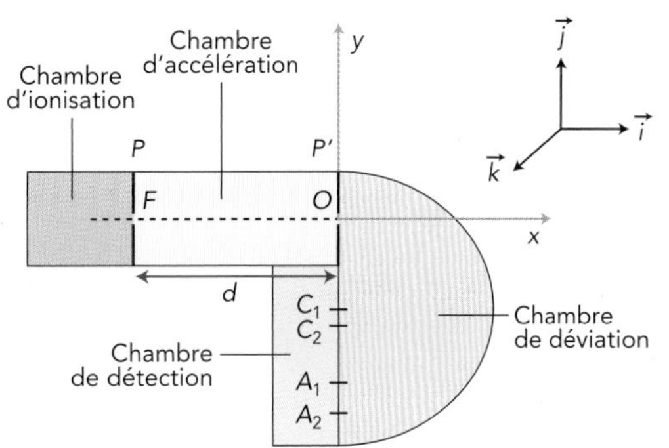

Représentation du spectromètre de masse vu de dessus.

1. Comment doit être orienté le champ $\vec{E}$ pour accélérer les cations entre P et P' ?

2. Dans la chambre de déviation règne un champ magnétique $\vec{B}$, uniforme, orthogonal aux vitesses initiales, colinéaire et de même sens que $\vec{k}$. Les ions subissent alors une force appelée force de Lorentz $\vec{F_L}$ toujours orthogonale au champ $\vec{B}$ et au vecteur vitesse des ions. Elle a pour valeur $F_L = q_i \cdot v_i \cdot B$, où v_i et B sont respectivement les valeurs des vecteurs $\vec{v_i}$ et $\vec{B}$ et q_i la charge de l'ion i. Dans ces conditions, le mouvement des ions est circulaire (de centre C_i) et uniforme.

a. Définir un mouvement circulaire uniforme.

b. Rappeler l'expression du vecteur accélération en fonction des vecteurs unitaires $\vec{t}$ et $\vec{n}$ du repère lié à la particule.

c. En admettant que la force $\vec{F_L}$ est orientée dans le sens du vecteur $\vec{n}$, montrer que le rayon R_i de la trajectoire de chaque ion i vaut :

$$R_i = \frac{m_i \cdot v_i}{q_i \cdot B}$$

d. Justifier alors la phrase en italique dans le texte ci-contre.

3. Les ions i_1 et i_2 atteignent la chambre de détection aux points A_1 et A_2. Dans la chambre de détection, il n'existe plus aucun champ. Que dire alors du mouvement des ions ?

4. Expliquer comment la spectrométrie de masse a permis à A. DEMPSTER de découvrir l'uranium 235.

Un pas vers l'enseignement supérieur

27 Un record qui tient toujours

COMPÉTENCES Extraire des informations; raisonner; faire preuve d'esprit critique.

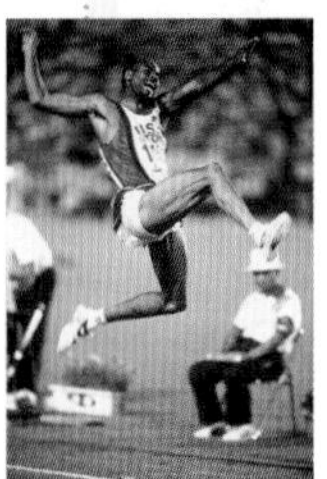
Mike Powell.

Le concours de saut en longueur des championnats du monde d'athlétisme de 1991, à Tokyo, est le plus captivant de l'histoire.
Le record du monde de 8,90 m, détenu par Bob Beamon depuis les Jeux olympiques de Mexico en 1968, y est battu deux fois au cours de la compétition.
Tout d'abord Carl Lewis effectue un saut à 8,91 m, mais le saut n'est pas homologué, car le vent est trop favorable. Puis Mike Powell saute à 8,95 m. Cette fois le record est homologué, car le vent souffle moins fort.

1. Une bonne course d'élan est une course uniformément accélérée. Quelles sont dans ce cas les caractéristiques du mouvement du sauteur assimilé à un point matériel P?

2. L'origine du repère sera choisie à l'endroit du dernier appui de Mike Powell.
a. Faire un schéma de la situation en précisant les notations utilisées.
b. Dans l'hypothèse où il ne serait soumis qu'à son poids, établir l'équation de la trajectoire de P à partir de l'endroit où il prend son impulsion de saut. Le référentiel terrestre de la piste est supposé galiléen.

3. a. Quelle est l'expression littérale de la longueur du saut.
b. Calculer cette longueur à l'aide des données.
c. Comparer la longueur calculée à la longueur du saut réel. Quelles sont les limites du modèle utilisé ?

4. Proposer un protocole pour étudier expérimentalement ce saut.

Données :
hauteur du centre de gravité de M. Powell lors de son dernier appui : h = 1,05 m; valeur de la vitesse au début du saut de M. Powell : v_0 = 10,9 m·s^{-1}; angle de décollage mesuré par rapport à la piste : α = 33°; g = 9,81 m·s^{-2}.

Retour sur l'ouverture du chapitre

28 Bac Halley la Bleue!

COMPÉTENCES Mobiliser ses connaissances; extraire des informations.

La comète de Halley est la plus célèbre des comètes. Elle fut baptisée ainsi en hommage aux travaux de l'astronome britannique Edmund Halley (1656-1742) qui, à partir d'observations datant de 1531, 1607 et 1682, prédit son retour en 1758.
Affinant les calculs en tenant compte de l'attraction gravitationnelle de Jupiter et de Saturne, les Français J. Lalande (1732-1807) et A. C. Clairaut (1713-1765) affirmèrent que la comète réapparaîtrait en avril 1759, plus ou moins un mois.
Son observation en mars 1759 constitua un succès éclatant de la mécanique newtonienne. Il semble que les Chinois mentionnèrent son observation dès le ve siècle av. J.-C. Elle apparut même le jour de la bataille de Hastings en 1066. On peut d'ailleurs voir une représentation de la comète sur la tapisserie de Bayeux (photographie ci-contre) tissée pour célébrer la conquête de l'Angleterre par Guillaume le Conquérant.

Comme toutes les comètes, l'orbite de cet astre est elliptique et elle est inclinée par rapport au plan de l'écliptique. Son demi-grand axe mesure 17,9 UA.
Lors de son dernier passage au voisinage de la Terre en 1986, la comète de Halley fut étudiée et photographiée par plusieurs sondes. Le prochain passage est prévu pour 2061.

Détail de la tapisserie de Bayeux. La comète est représentée au-dessus d'un château, dans la partie centrale de l'image.

Données :
- Unité astronomique : 1 UA = 1,50 × 10^8 km.
- Masse du Soleil : M_S = 2,0 × 10^{30} kg.
- Constante universelle de gravitation : G = 6,67 × 10^{-11} m^3·kg^{-1}·s^{-2}.

1. En quoi la comète de Halley est un succès pour la mécanique Newtonienne?

2. Énoncer les trois lois de Kepler.

3. Quelle information du texte permet d'illustrer la première loi de Kepler?

4. a. Quelle est la période de révolution de la comète?
b. Montrer que les informations de l'énoncé sont en accord avec la troisième loi de Kepler.

Comprendre un énoncé

29 Bac Pesanteur martienne

Le champ de pesanteur d'un astre s'identifie au champ de gravitation créé par cet astre si on néglige l'effet de sa rotation autour de l'axe de ses pôles. Mars, quatrième planète du système solaire, a une masse environ dix fois plus faible que la Terre.
La conquête de cette planète est envisagée au cours du XXIe siècle. Les spationautes devront s'adapter au champ de pesanteur martien pendant leur exploration : certains muscles seront moins sollicités et s'atrophieront, les os se fragiliseront, la circulation sanguine sera perturbée : *les parties supérieures du corps seront suralimentées par le cœur au contraire des parties inférieures.*

Données :
- Masse de la Terre : $M_T = 6{,}0 \times 10^{24}$ kg.
- Masse sur Terre d'un spationaute et de son équipement : $m = 120$ kg.
- Rayon de la Terre : $R_T = 6{,}4 \times 10^3$ km.
- Rayon de Mars : $R_M = 3{,}4 \times 10^3$ km.
- Constante universelle de gravitation : $G = 6{,}67 \times 10^{-11}$ m$^3 \cdot$kg$^{-1} \cdot$s^{-2}.

Questions à se poser à la lecture de l'énoncé

→ Comment calculer le champ de gravitation créé par un astre ?
→ Quelle est la masse de la planète Mars ?
→ Quel est le système dont on étudie le mouvement ?
→ Quelle(s) force(s) extérieures s'exerce(nt) sur le système ?

Questions	Compétences à mobiliser	Si difficulté, revoir
1. a. Exprimer la valeur g_M du champ de pesanteur martien au voisinage de la surface. **b.** Vérifier par le calcul que cette valeur est environ trois fois plus faible que celle du champ de pesanteur terrestre.	• Connaître l'expression du champ de gravitation créé par une planète à sa surface. • Calculer des valeurs et les comparer*.	Cours de 1re S.
2. a. Dans un référentiel lié à la surface de Mars et supposé galiléen, établir les équations horaires du mouvement du centre de gravité d'un spationaute faisant un bond sur Mars à la vitesse initiale inclinée d'un angle α par rapport à l'horizontale. **b.** Établir l'équation de la trajectoire du centre de gravité du spationaute sur Mars.	• Exploiter la deuxième loi de Newton pour l'étude d'un mouvement dans un champ de pesanteur uniforme. • Transformer des équations mathématiques pour éliminer une variable*.	Cours § 1, p. 162, et exercice résolu 3, p. 170.
3. a. Par analogie, écrire l'équation de la trajectoire du centre de gravité du spationaute sur la Terre. **b.** Montrer que le saut est trois fois plus long sur Mars que sur Terre.	• Transposer une relation à un nouveau contexte*. • Vérifier la cohérence d'un résultat*.	Cours § 1, p. 162.
4. Sachant que le cœur fonctionne comme sur Terre dans les premiers temps d'un voyage spatial, justifier la phrase en italique dans le texte.	• Faire le lien entre diverses situations*. • Raisonner*.	Cours § 1, p. 162.

* Compétence transversale.

Avoir les bons réflexes

Si l'énoncé demande de...	il est nécessaire de...	Si difficulté	Pour réviser
Étudier des mouvements dans des champs de pesanteur et électrostatique uniformes.	● Assimiler le système étudié à un point *M*. ● Définir le référentiel et le repère d'étude. ● Définir les conditions initiales. ● Appliquer la deuxième loi de Newton au système étudié. ● Projeter la relation obtenue dans le repère d'étude. ● Rechercher les primitives par rapport au temps successives des coordonnées du vecteur accélération $\vec{a}$ afin d'obtenir celles des vecteurs vitesses $\vec{v}$ et position $\overrightarrow{OM}$ à la date t. ● Déterminer l'équation de la trajectoire par élimination du paramètre temps des équations horaires.	Exercice résolu 3, p. 170.	Exercices 21 et 24 p. 176 à 178.
Démontrer que le mouvement d'un satellite ou d'une planète est uniforme si sa trajectoire est circulaire	● Assimiler le système étudié à un point *S*. ● Définir un repère d'étude $(S; \vec{t}, \vec{n})$ dont les axes sont dans le plan du mouvement. ● Appliquer la deuxième loi de Newton au système étudié. ● Connaître l'expression de l'accélération dans le cas d'un mouvement circulaire.	Exercice résolu 4, p. 171.	Exercice 13 p. 173.
Établir la vitesse et/ou la période d'un satellite ou d'une planète.	● Connaître l'expression de la force de gravitation. ● Appliquer la deuxième loi de Newton au satellite ou à la planète. ● Établir l'expression de la période du satellite à partir de celle de sa vitesse.	Exercice résolu 4, p. 171.	Exercice 25 p. 178-179.
Exploiter la troisième loi de Kepler.	● Connaître les lois de Kepler. ● Relier la période de révolution et le rayon de la trajectoire du satellite ou de la planète à la masse de l'astre attracteur.	Exercice 11, p. 173.	Exercice 22 p. 177

Dans les conditions du baccalauréat

● **Avec aide :** Exercice 29 p. 181.

● **Sans aide :** Exercice 24 p. 177-178.

Chapitre 7

Travail et énergie

La station d'Orcières est située dans le département des Hautes-Alpes (05).

Le Roll'Air Câble de la station d'Orcières permet à un amateur de sensations fortes d'effectuer un vol long de 1 900 m entre ciel et terre avec une vitesse de pointe pouvant atteindre 140 $km \cdot h^{-1}$.
Comment acquérir une telle vitesse grâce à des transferts d'énergie ? **(Voir exercice 31, p. 206.)**

Comment varie l'énergie d'un système mécanique ?

OBJECTIFS

- → Établir et exploiter les expressions du travail d'une force constante : cas de forces conservatives et non conservatives.
- → Connaître les conditions de conservation et non conservation de l'énergie mécanique et analyser les transferts énergétiques qui ont lieu au cours d'un mouvement.

1 Travail d'une force

Dès l'Antiquité, les Égyptiens ont bâti des pyramides sans utiliser ni roues ni poulies. Pour construire de tels édifices, ils ont dû élever des blocs de pierre d'une dizaine de tonnes grâce à la force humaine. Pour évaluer l'effet d'une force sur l'énergie d'un système, on utilise une grandeur appelée travail. Comment calculer le travail d'une force constante ?

Pour expliquer la construction de la pyramide de Khéops (doc. 1), édifiée en Égypte il y a plus de 4500 ans, de nombreuses théories ont été avancées. Celle de l'architecte Jean-Pierre Houdin, développée en 2000, est basée sur l'utilisation d'une rampe extérieure enduite de boues humides, longue de plusieurs centaines de mètres avec une pente de 8 %. Cette rampe aurait permis d'acheminer les blocs de pierre pour la construction des 43 premiers mètres de hauteur. Dans les questions qui suivent, on s'intéresse à la rampe extérieure.

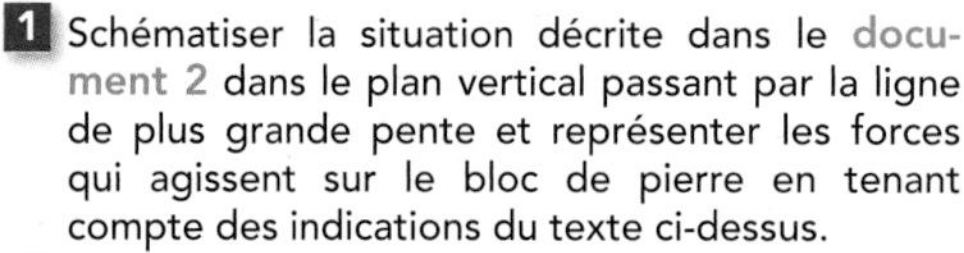

1 Schématiser la situation décrite dans le document 2 dans le plan vertical passant par la ligne de plus grande pente et représenter les forces qui agissent sur le bloc de pierre en tenant compte des indications du texte ci-dessus.

2 On considère un bloc de pierre immobile au pied de la rampe, puis ce même bloc de pierre à 43 m de hauteur. Quelle forme d'énergie du bloc de pierre a varié entre ces deux positions ? À quoi peut-on attribuer cette variation d'énergie ?

3 Un ouvrier vient apporter de l'aide aux ouvriers qui tirent le bloc de pierre, mais il ne sait pas où se placer. Le document 3 représente les forces qu'il est susceptible d'exercer selon l'endroit où il se trouve. Les quatre forces $\vec{A}$, $\vec{B}$, $\vec{C}$ et $\vec{D}$ ont la même valeur.

a. Quel est l'effet de chacune d'elles sur le bloc de pierre ?

b. Commenter leur efficacité.

Un pas vers le cours...

4 Pour qu'une force travaille, il faut que son point d'application se déplace. Le travail d'une force a la dimension d'une énergie. On envisage le cas général d'une force constante $\vec{F}$ dont le point d'application se déplace d'un point A vers un point B (doc. 4). On note α l'angle entre cette force et le vecteur déplacement $\overrightarrow{AB}$.

Une des relations suivantes permet de calculer le travail $W_{AB}(\vec{F})$ de cette force :

a. $W_{AB}(\vec{F}) = \dfrac{F}{AB \cdot \cos\alpha}$; b. $W_{AB}(\vec{F}) = F \cdot AB \cdot \sin\alpha$;

c. $W_{AB}(\vec{F}) = F \cdot AB \cdot \cos\alpha$; d. $W_{AB}(\vec{F}) = \dfrac{AB \cdot \cos\alpha}{F}$.

Par une analyse dimensionnelle et à l'aide du document 4, déterminer l'expression correcte (voir **fiche n° 5**, p. 588).

Doc. 1 La pyramide de Khéops, aujourd'hui haute de 137 m.

Doc. 2 Rampe extérieure permettant l'acheminement des blocs.

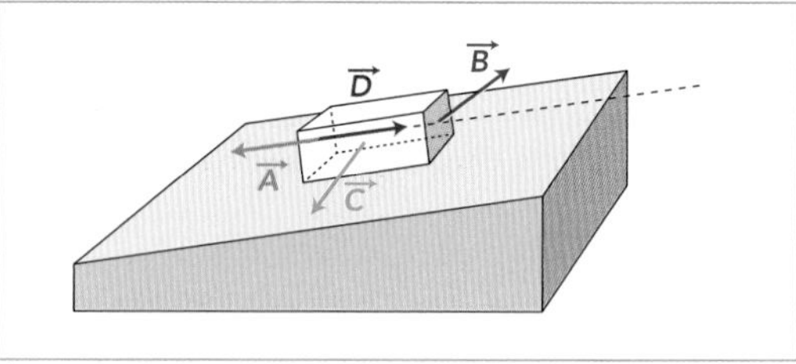

Doc. 3 Schématisation des forces susceptibles d'être exercées par l'ouvrier.

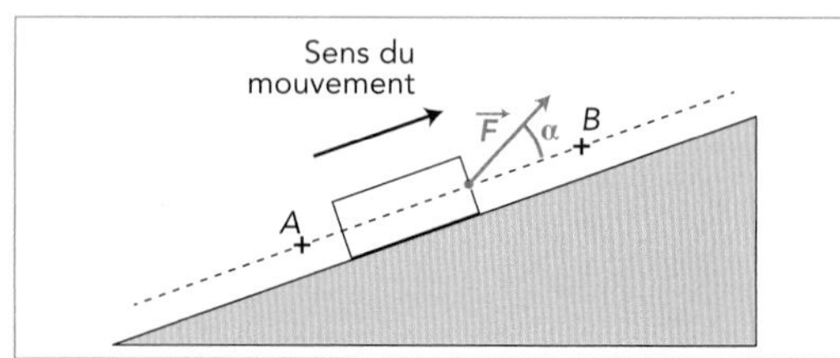

Doc. 4 Schématisation, dans le plan du mouvement, d'une force de traction s'exerçant sur un objet placé sur un plan incliné.

2 Potentiels et énergie potentielle dans un condensateur plan

En classe de Première, il a été vu que le champ électrostatique dans un condensateur plan est uniforme. Une particule de charge q placée entre les armatures de ce condensateur est soumise à une force électrostatique $\vec{F} = q \cdot \vec{E}$.
Quelle est l'expression du travail de la force électrostatique dans un champ uniforme ?
Quelle est l'énergie potentielle d'une particule chargée située dans ce champ ?

Les armatures verticales P_A et P_B d'un condensateur plan, distantes de d, sont reliées aux bornes P et N d'un générateur délivrant une tension continue U_{PN} de 6,00 V (doc. 5).

Expérience

Les deux armatures P_A et P_B sont immergées dans une cuve horizontale remplie d'une solution de sulfate de cuivre (II).
Un multimètre muni de pointes permet de mesurer la tension U_{SB} entre deux points S et B (doc. 5 et 6).
B est un point de l'armature P_B du condensateur et S un point de l'espace situé entre P_A et P_B.
Afin de repérer la position du point S, on place sous la cuve un papier millimétré sur lequel est tracé un repère orthonormé $(O ; \vec{i}, \vec{j})$.
Dans ce repère, les coordonnées du point S sont x_S et y_S.
- Mesurer la tension U_{SB} pour différentes positions du point S.
- Rassembler les résultats des mesures dans un tableau.

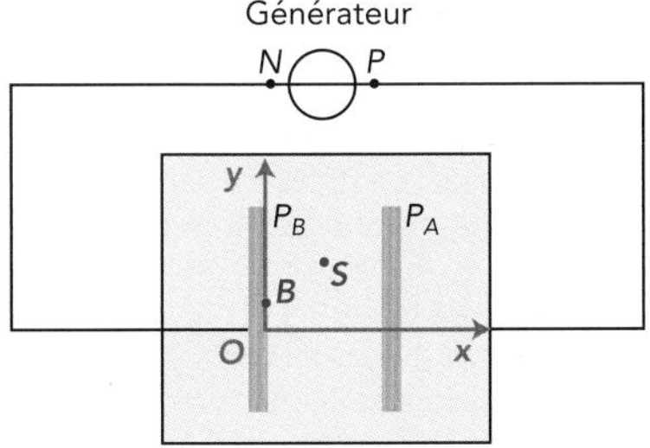

Doc. 5 Schématisation du montage réalisé.

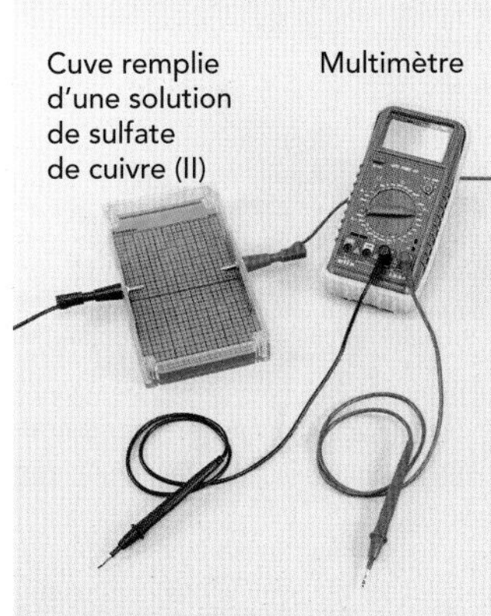

Doc. 6 Photographie d'une partie du montage

1 Quelles sont les caractéristiques du vecteur champ électrostatique entre les armatures P_A et P_B ?
On demande de donner sa valeur, sa direction et son sens.

2 a. Représenter l'évolution de U_{SB} en fonction de y_S pour une valeur de x_S fixée.
Représenter l'évolution de U_{SB} en fonction de x_S pour une valeur de y_S fixée.
Comment varie la tension U_{SB} :
– en fonction de y_S ?
– en fonction de x_S ?
b. En déduire l'expression de la tension U_{SB} en fonction de x_S, puis en fonction de x_S et E.

3 a. La tension U_{SB} est aussi appelée « différence de potentiel » entre S et B ; elle est notée $V_S - V_B$.
Calculer le potentiel V_S pour les différentes positions du point S, en prenant $V_B = 0$ V, puis $V_B = -6$ V.
b. De quoi dépend la valeur du potentiel d'un point ?

Info

Le travail d'une force $\vec{F}$ constante dont le point d'application se déplace d'un point S à un point B est égal au produit scalaire de $\vec{F}$ par $\overrightarrow{SB}$:

$$W_{SB}(\vec{F}) = \vec{F} \cdot \overrightarrow{SB}$$

Le travail du poids $\vec{P}$ d'un système dont le centre de gravité (point d'application du poids) se déplace d'un point S à un point B est égal à l'opposé de la variation de son énergie potentielle de pesanteur entre ces deux points. Avec un axe (Oz) orienté vers le haut :

$$W_{SB}(\vec{P}) = \vec{P} \cdot \overrightarrow{SB} = m \cdot g \cdot (z_S - z_B)$$
$$W_{SB}(\vec{P}) = -(\mathscr{E}_{pp}(B) - \mathscr{E}_{pp}(S))$$

Un pas vers le cours...

4 Montrer que le travail de la force électrostatique qui s'exerce sur une particule de charge q et dont le point d'application se déplace de S vers B s'écrit $W_{SB}(\vec{F}) = q \cdot (V_S - V_B)$.

5 a. Comme on associe au poids une énergie potentielle de pesanteur, on associe à la force électrostatique une énergie potentielle électrique.
Par analogie, déterminer l'expression de la variation d'énergie potentielle électrique de la particule entre les points S et B.
b. En déduire l'expression de l'énergie potentielle de la particule au point S, en choisissant le point B comme référence des potentiels.

3 Tic-tac, « tactique » de mesure du temps

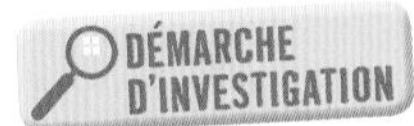

GALILÉE (1564-1642) est, semble-t-il, le premier à avoir étudié de manière quantitative les oscillations en observant le balancement d'un lustre suspendu à la voûte de la cathédrale de Pise (doc. 7). Il découvre ainsi les lois du mouvement pendulaire, à la base des premières horloges à pendule.
Comment un pendule permet-il de mesurer le temps ?

Compétence exigible au baccalauréat
- *Pratiquer une démarche expérimentale pour mettre en évidence les différents paramètres influençant la période d'un oscillateur mécanique et son amortissement.*

Doc. 7 a. Lustre suspendu à la voûte de la cathédrale de Pise. b. Illutration de GALILÉE mesurant à l'aide de son pouls la période de balancement du lustre.

Un pendule simple est constitué d'un solide de masse m, de petite dimension, suspendu à un fil inextensible, de masse négligeable devant m et de longueur très supérieure aux dimensions du solide.
On note ℓ la longueur du pendule (distance entre le point d'attache et le centre de gravité du solide).
La position du pendule est repérée par son abscisse angulaire θ qui représente l'angle entre la verticale et la direction du fil.
Dans tout ce qui suit, on lâchera le pendule sans vitesse initiale depuis une position repérée par son abscisse angulaire θ_0 (doc. 8).

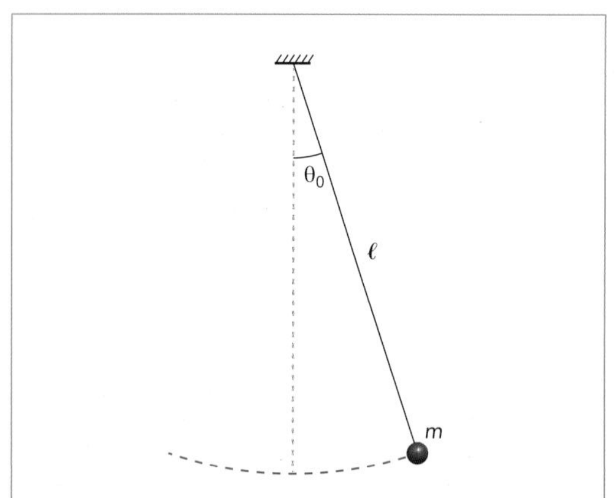

Doc. 8 Schématisation d'un pendule simple.

1 L'oscillation d'un pendule est-elle un phénomène périodique ?

2 Proposer un protocole pour mesurer avec la meilleure précision possible, la durée d'une oscillation du pendule.

3 De quels paramètres la durée d'une oscillation peut-elle *a priori* dépendre ?
Proposer et mettre en œuvre un protocole pour vérifier les hypothèses.

4 On parle d'*isochronisme* des oscillations lorsque la période des oscillations est constante, quelle que soit leur amplitude.
L'isochronisme est-il toujours observé ?

5 a. Déterminer la période T des oscillations à l'aide de la mesure de 10 T, 20 T, puis 30 T. Comparer les trois résultats. Qu'observe-t-on pour l'amplitude des oscillations ?
b. On considère que l'incertitude sur le résultat de la mesure des durées au chronomètre est 0,2 s. Quelle est l'incertitude sur les résultats obtenus ?

Un pas vers le cours...

6 Comment se manifeste l'amortissement des oscillations d'un oscillateur mécanique ?
À quoi est-il dû ?

7 Dans quelles conditions le pendule peut-il servir à construire une horloge ?

Étude énergétique des oscillations libres d'un pendule

Compétence exigible au baccalauréat

- *Pratiquer une démarche expérimentale pour étudier l'évolution des énergies cinétique, potentielle et mécanique d'un oscillateur.*

Une masse fixée à un fil effectue un mouvement de va-et-vient autour de sa position d'équilibre. Le pendule ainsi constitué est un oscillateur mécanique.
Comment évoluent les différentes formes d'énergie d'un oscillateur au cours de son mouvement ?

Expérience n° 1

Un pendule est constitué d'un solide de masse m, suspendu à une tige ou un fil de longueur ℓ dont une extrémité est fixe (doc. 9). Les frottements de l'air sont considérés négligeables par rapport aux autres forces.
À chaque instant, la position du centre de gravité G du solide est repérée par son abscisse angulaire $\theta(t)$, qui est l'angle entre la verticale (Oz) passant par A et la droite (AG) à la date t.
Cet angle dépend du temps, mais par souci de simplification de l'écriture, on écrira par la suite θ au lieu de $\theta(t)$.

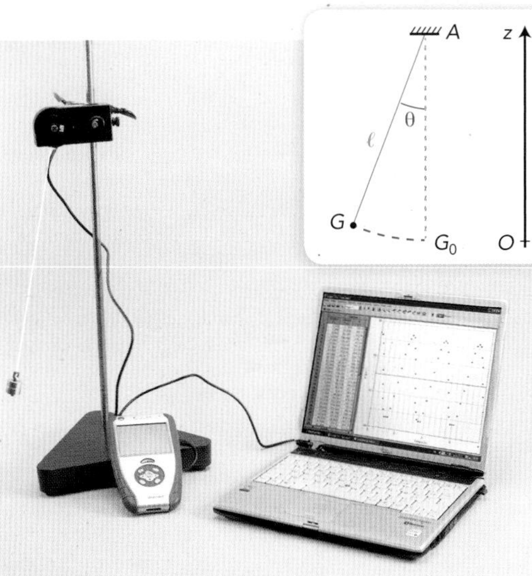

Doc. 9 Un pendule et le dispositif expérimental pour l'étude de son mouvement.

- Écarter le pendule de sa position d'équilibre G_0.
- À l'aide d'un dispositif d'acquisition, enregistrer l'évolution de son abscisse angulaire θ au cours du temps.

L'origine des énergies potentielles de pesanteur $\mathscr{E}_{pp_0} = 0$ J est prise au point G_0 d'altitude $z_0 = 0$ m.

Expérience n° 2

- Reproduire les différentes étapes de l'**expérience 1** pour un pendule soumis à des frottements fluides.

1 Montrer que la relation entre l'altitude z du centre de gravité du solide et l'angle θ est :
$$z = \ell \cdot (1 - \cos\theta)$$
Donner alors l'expression de l'énergie potentielle de pesanteur $\mathscr{E}_{pp}$ du solide en fonction de m, g, ℓ et θ.
Calculer l'énergie potentielle de pesanteur $\mathscr{E}_{pp}$ du solide aux différentes dates, à l'aide du logiciel associé au dispositif d'acquisition.

2 Calculer les valeurs de la vitesse du centre de gravité G du solide aux différentes dates, puis son énergie cinétique $\mathscr{E}_c$.

3 Calculer l'énergie mécanique $\mathscr{E}_m$ du solide aux différentes dates.

4 Représenter, sur le même graphique, l'évolution des trois formes d'énergie au cours du temps.

5 a. Donner la valeur maximale de l'énergie potentielle de pesanteur $\mathscr{E}_{pp}$.
À quelle position du pendule correspond-elle ?
b. Comment évolue l'énergie potentielle de pesanteur $\mathscr{E}_{pp}$ du solide au cours d'une période d'oscillation ?

6 a. Donner la valeur maximale de l'énergie cinétique $\mathscr{E}_c$.
À quelle position du pendule correspond-elle ?
b. Comment évolue l'énergie cinétique $\mathscr{E}_c$ au cours d'une période d'oscillation ?

7 Reprendre les questions précédentes pour un pendule soumis à des frottements fluides.

Info

Lors d'un mouvement circulaire de rayon ℓ, la vitesse v d'un point est définie à une date t par la relation :
$$v = \ell \cdot \frac{d\theta}{dt}$$
avec ℓ en mètre (m) et θ en radian (rad) et v en $m \cdot s^{-1}$.

Un pas vers le cours...

8 a. Comment évolue l'énergie mécanique du pendule au cours du temps dans les deux situations expérimentales ?
b. Interpréter en termes de transfert d'énergie les évolutions des différentes formes d'énergies.

5 Mesure du temps et définition de la seconde : la quête de la précision

La seconde est un étalon de mesure du temps. C'est une grandeur de référence qui doit être précise, reproductible, donc immuable. Pendant longtemps, elle a été définie à partir du jour solaire moyen, mais les découvertes scientifiques et les innovations techniques ont conduit à en donner une nouvelle définition.
Dans quel but la définition de la seconde a-t-elle évolué ? Quels avantages présente l'utilisation des horloges atomiques dans la mesure du temps ?

Compétences exigibles au baccalauréat

- Extraire et exploiter des informations relatives à la mesure du temps pour justifier l'évolution de la définition de la seconde.
- Extraire et exploiter des informations sur l'influence des phénomènes dissipatifs sur la problématique de la mesure du temps et la définition de la seconde.
- Extraire et exploiter des informations pour justifier l'utilisation des horloges atomiques dans la mesure du temps.

La mesure du temps

Depuis l'Antiquité, les hommes ont toujours cherché à mesurer le temps ou, plus précisément, les intervalles de temps. Ils se sont d'abord tournés vers les phénomènes naturels qui présentent une grande régularité comme la rotation de la Terre autour du Soleil, la rotation de la Lune autour de la Terre ou encore la rotation de la Lune sur elle-même pour définir des calendriers et des échelles de temps. Ils ont ensuite cherché à réaliser eux-mêmes des instruments toujours plus précis et l'un des plus anciens instruments est connu sous le nom de sablier égyptien. Cependant, il faudra attendre le début des années 1600 et la découverte du pendule par GALILÉE et sa mise en pratique par HUYGENS pour que ces instruments commencent à atteindre une précision de l'ordre de quelques dizaines de secondes par jour.

Extrait de C. SALOMON, XV séminaire Poincaré, « Le Temps ».

Des horloges de plus en plus précises

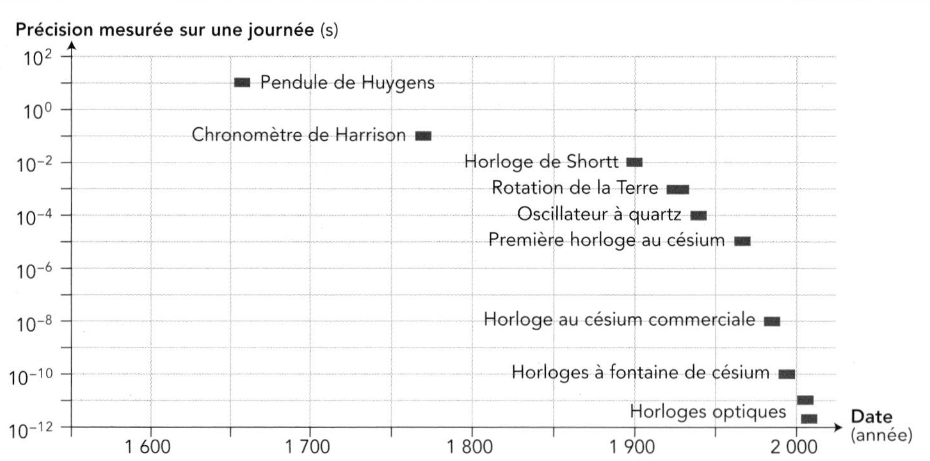

Évolution de la précision de la mesure du temps au cours des années (source : C. SALOMON).

La définition de la seconde a évolué au cours du temps. Avec l'avènement des mesures astronomiques, les astronomes se sont aperçus que la rotation de la Terre autour de son axe n'était pas uniforme. Sa vitesse diminue sensiblement et, de fait, la durée des jours augmente.
Ce ralentissement est principalement généré par l'effet des marées. Sous l'action des forces exercées essentiellement par la Lune, la Terre se déforme. Il apparaît des bourrelets océaniques créant des frottements qui ralentissent sa rotation.
Dans les années 1960, la définition de la seconde comme étant 1/86 400e du jour solaire moyen est donc abandonnée.
Aujourd'hui, la seconde est définie comme la durée nécessaire pour qu'il se produise 9 192 631 770 oscillations au sein de l'atome de césium 133.
On parle de temps atomique.

L'horloge atomique, pourquoi et comment ?

Pourquoi des horloges atomiques ?
Les horloges atomiques permettent d'obtenir un oscillateur stable de très courte période, sans perte d'énergie, ce qui améliore grandement la précision de la mesure du temps.

Comment ça marche ?
Un atome peut exister sous différents niveaux d'énergie. Ces énergies ne peuvent prendre que des valeurs bien précises, caractéristiques de la nature de l'atome.
Pour passer d'un niveau d'énergie à un autre, l'atome reçoit ou émet un photon dont l'énergie correspond exactement à la différence d'énergie entre les deux niveaux.
Puisque les différences d'énergie entre les états d'un atome ont des valeurs parfaitement définies, il en est de même de la fréquence, donc de la période de l'onde électromagnétique associée au changement de niveau.
Une horloge atomique utilise la période de cette onde électromagnétique.
Le signal utile d'une l'horloge atomique est le signal délivré par un oscillateur macroscopique à quartz, contraint d'osciller à la fréquence du rayonnement échangé par l'atome de césium 133 lors d'une transition électronique entre deux niveaux d'énergie particuliers. Cette fréquence vaut 9 192 631 770 Hz.
On utilise donc des atomes de césium qui contrôlent et ajustent la fréquence générée par le quartz.

Pourquoi le césium 133 ?
Le césium a plusieurs caractéristiques qui justifient son utilisation :
- le césium est un atome stable et simple à manipuler ;
- à l'état naturel, il n'existe qu'un seul isotope du césium. La fréquence du rayonnement échangé entre les deux niveaux particuliers est donc la même pour tous les atomes ;
- cette fréquence est grande (10^{10} oscillations par seconde), ce qui permet d'avoir une horloge d'une grande précision.

Depuis 1967, la définition de la seconde est basée sur une transition de l'atome de césium 133.

Le quartz, un matériau piézoélectrique

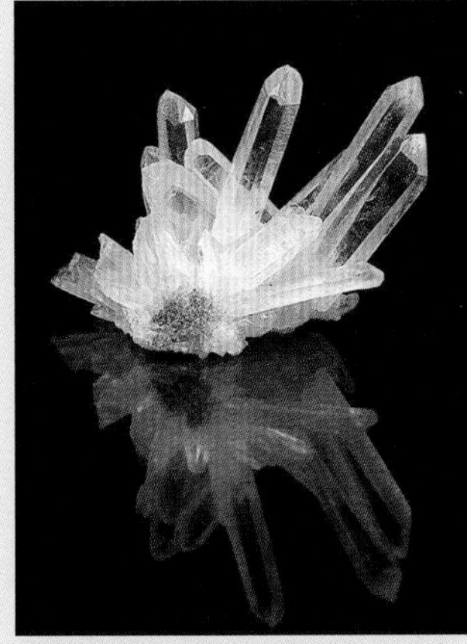

Le quartz est un minéral composé de dioxyde de silicium de formule SiO_2 (silice). Il est piézoélectrique, c'est-à-dire qu'il vibre avec une fréquence stable lorsqu'il est stimulé électriquement. Inversement, s'il est mis en oscillation mécanique, il émet un signal électrique, stable également, de la même fréquence.

Quel avenir pour les horloges atomiques ?

Aujourd'hui, les horloges atomiques ont de nombreuses applications : elles permettent par exemple de déterminer l'heure légale de chaque fuseau horaire ou de faire fonctionner le système de positionnement GPS (voir **chapitre 8**).
Les horloges les plus récentes ont des fréquences encore plus élevées (10^{15} Hz). Elles sont devenues meilleures que les horloges au césium et il faudra, à l'avenir, changer la définition de la seconde.

Les progrès scientifiques permettent de construire des horloges atomiques de plus en plus précises.

1 a. Donner des exemples de phénomènes physiques utilisés pour définir une mesure du temps.
b. Quel est le paramètre commun à tous ces phénomènes physiques ?

2 @ Pourquoi parle-t-on de jour solaire *moyen* ?

3 On peut parler de phénomènes dissipatifs responsables du ralentissement de la rotation de la Terre.
a. Quels sont les phénomènes dissipatifs évoqués dans les documents ci-dessus ?
b. Pourquoi sont-ils qualifiés de « dissipatifs » ?
c. En quoi ces phénomènes sont-ils un frein à l'utilisation des systèmes mécaniques pour mesurer le temps ?

4 Justifier l'utilisation des horloges atomiques pour la définition de la seconde.

5 Pourquoi l'utilisation des horloges atomiques n'est-elle pas plus répandue ?

Comment définir le travail d'une force constante ?

1.1 Notion de force et de travail d'une force

Comme il a été vu en Seconde, une force peut mettre en mouvement un objet, modifier son mouvement, le maintenir en équilibre ou le déformer. Une force est caractérisée par sa direction, son sens et sa valeur.
Lorsque ces trois caractéristiques ne varient pas au cours du temps, la force est dite **constante**.
Le **point d'application** d'une force est le point où l'on considère qu'elle s'exerce.

Sur un schéma, l'objet étudié est souvent représenté par un point qui correspond à son centre de gravité *G*. Le point d'application des forces exercées sur cet objet est donc confondu avec *G*.

En physique, le **travail** est une grandeur algébrique qui permet d'évaluer l'effet d'une force sur l'énergie d'un objet en mouvement.
Le travail constitue un mode de **transfert** de l'énergie **(activité 1)**. Il s'exprime en joule (J).

1.2 Travail d'une force constante

La voile d'un bateau est soumise à la force $\vec{F}$ exercée par le vent, considérée comme constante lors du déplacement rectiligne $\overrightarrow{AB}$. Cette force travaille puisqu'elle permet de faire avancer le voilier (doc. 1).

On considère une force $\vec{F}$ qui s'applique sur un objet se déplaçant rectilignement d'un point *A* à un point *B*.

Le travail $W_{AB}(\vec{F})$ d'une force constante $\vec{F}$ dont le point d'application se déplace de *A* à *B* est égal au produit scalaire du vecteur force $\vec{F}$ par le vecteur déplacement $\overrightarrow{AB}$.

$$W_{AB}(\vec{F}) = \vec{F} \cdot \overrightarrow{AB} = F \cdot AB \cdot \cos\alpha$$

$W_{AB}(\vec{F})$ s'exprime en joule (J), *F*, la valeur de la force, en newton (N) et *AB*, le déplacement, en mètre (m).
α désigne l'angle entre le vecteur force $\vec{F}$ et le vecteur déplacement $\overrightarrow{AB}$.

- Si le déplacement n'est pas rectiligne, la définition du travail reste la même.
- Si **le travail d'une force** est indépendant du chemin suivi (doc. 2), c'est-à-dire s'il ne dépend que des positions du point de départ *A* et du point d'arrivée *B*, on dit que la force est **conservative**.

L'effet d'une force $\vec{F}$ sur le mouvement d'un objet est différent selon l'orientation de cette force par rapport à la direction et au sens du déplacement $\overrightarrow{AB}$:

α = 0° cos α = 1	$\vec{F}$ A $\overrightarrow{AB}$ B	$W_{AB}(\vec{F}) = F \cdot AB$ $W_{AB}(\vec{F}) > 0$	La force est parallèle à la trajectoire rectiligne et elle est dans le sens du mouvement. Le travail est positif ; il est dit **moteur**.
α = 90° cos α = 0	A $\vec{F}$ $\overrightarrow{AB}$ B	$W_{AB}(\vec{F}) = 0$	La force ne travaille pas quand son point d'application se déplace dans une direction perpendiculaire à celle de la force.
α = 180° cos α = −1	$\vec{F}$ A $\overrightarrow{AB}$ B	$W_{AB}(\vec{F}) = -F \cdot AB$ $W_{AB}(\vec{F}) < 0$	La force est parallèle à la trajectoire rectiligne et elle est opposée au sens du mouvement. Le travail est négatif ; il est dit **résistant.**

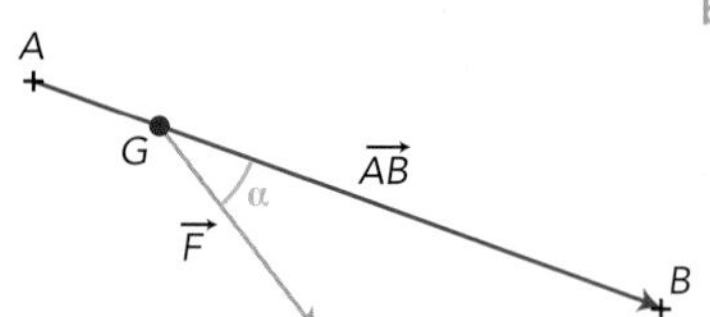

Doc. 1 a. Le vent exerce une force $\vec{F}$ considérée comme constante sur les voiles. b. Modélisation de cette force lors du déplacement rectiligne $\overrightarrow{AB}$.

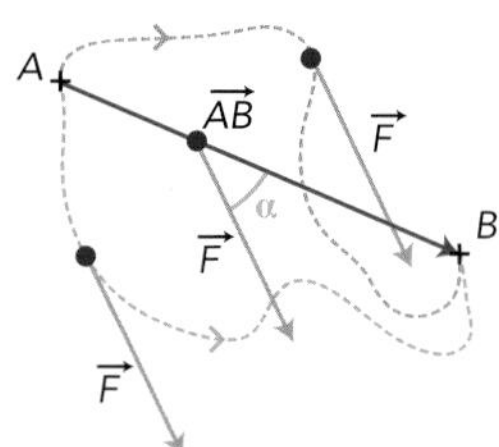

Doc. 2 Le travail d'une force constante $\vec{F}$ entre les points *A* à *B* est indépendant du chemin suivi.

1.3 Travail du poids

Dans un champ de pesanteur $\vec{g}$ considéré comme uniforme, le poids d'un objet de masse m est une force constante.
On considère un objet se déplaçant dans un référentiel terrestre, auquel est associé un repère $(O; \vec{i}, \vec{k})$ dont l'axe vertical est orienté vers le haut (doc. 3).

Un objet de masse m, placé dans un champ de pesanteur uniforme $\vec{g}$, est soumis à son poids, dont le point d'application est le centre de gravité de l'objet.
Lorsque le centre de gravité se déplace d'un point A à un point B, le travail du poids est donné par la relation :

$$W_{AB}(\vec{P}) = \vec{P} \cdot \overrightarrow{AB} = P \cdot AB \cdot \cos\alpha; \qquad \text{or,} \qquad \cos\alpha = \frac{(z_A - z_B)}{AB}$$

D'où : $W_{AB}(\vec{P}) = P \cdot (z_A - z_B)$

$$\mathbf{W_{AB}(\vec{P}) = m \cdot g \cdot (z_A - z_B)}$$

$W_{AB}(\vec{P})$ s'exprime en joule (J), m, la masse de l'objet, en kilogramme (kg), g, l'intensité du champ de pesanteur, en mètre par seconde au carré ($m \cdot s^{-2}$) et $(z_A - z_B)$, la différence d'altitudes entre A et B, repérées sur un axe (Oz) orienté vers le haut, en mètre (m).

Dans un champ de pesanteur uniforme, le travail du poids d'un objet ne dépend que des altitudes du point de départ et du point d'arrivée.
Le poids est une **force conservative.**

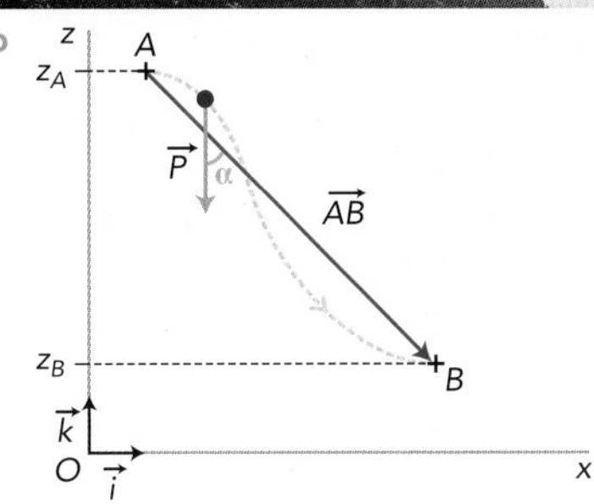

Doc. 3 a. La Terre exerce une force $\vec{P}$ considérée comme constante sur le parapentiste.
b. Modélisation de cette force lors du déplacement $\overrightarrow{AB}$.

1.4 Travail d'une force électrostatique

Dans un champ électrostatique uniforme $\vec{E}$, la force électrostatique $\vec{F} = q \cdot \vec{E}$ qui s'exerce sur une particule de charge q assimilée à un point matériel est constante (doc. 4).
Lorsque la particule se déplace d'un point A à un point B, le travail de la force électrostatique est donné par la relation :

$$W_{AB}(\vec{F}) = \vec{F} \cdot \overrightarrow{AB} = q \cdot \vec{E} \cdot \overrightarrow{AB} = q \cdot E \cdot AB \cdot \cos\alpha$$

Comme on l'a vu en classe de Première S, la valeur du champ électrostatique entre deux armatures P et N dépend de la tension U_{PN} entre ces armatures et de la distance d qui les sépare :

$$E = \frac{U_{PN}}{d} \qquad \text{(doc. 5)}$$

Cette relation reste valable pour des points A et B qui appartiennent à l'espace situé entre les armatures. Dans ce cas :

$$\ell = AB \cdot \cos\alpha \text{ (doc. 4)} \qquad \text{et} \qquad W_{AB}(\vec{F}) = q \cdot E \cdot \ell = q \cdot U_{AB}$$

où $U_{AB} = E \cdot AB \cdot \cos\alpha$ est la tension entre les points A et B.

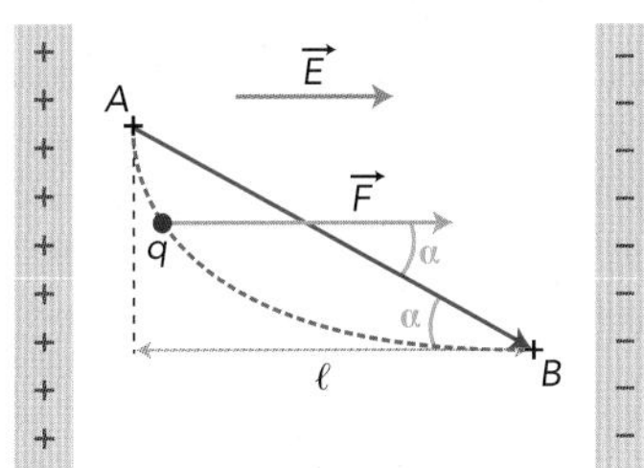

Doc. 4 Force électrostatique $\vec{F}$ constante qui s'exerce sur une particule de charge positive q se déplaçant de A à B.

Une particule de charge q placée dans un champ électrostatique uniforme $\vec{E}$ est soumise à une force électrostatique $\vec{F}$.
Lorsque cette particule se déplace d'un point A à un point B, le travail de la force à laquelle elle est soumise est donné par la relation :

$$W_{AB}(\vec{F}) = \vec{F} \cdot \overrightarrow{AB} = q \cdot \vec{E} \cdot \overrightarrow{AB} = q \cdot E \cdot AB \cdot \cos\alpha$$

$$\mathbf{W_{AB}(\vec{F}) = q \cdot U_{AB}}$$

$W_{AB}(\vec{F})$ s'exprime en joule (J), q, la charge de la particule, en coulomb (C) et U_{AB}, la tension électrique entre les points A et B, en volt (V).

Dans un champ électrostatique uniforme, le travail de la force électrostatique à laquelle est soumise une particule ne dépend que des positions de son point de départ et de son point d'arrivée.
La force électrostatique est une **force conservative**.

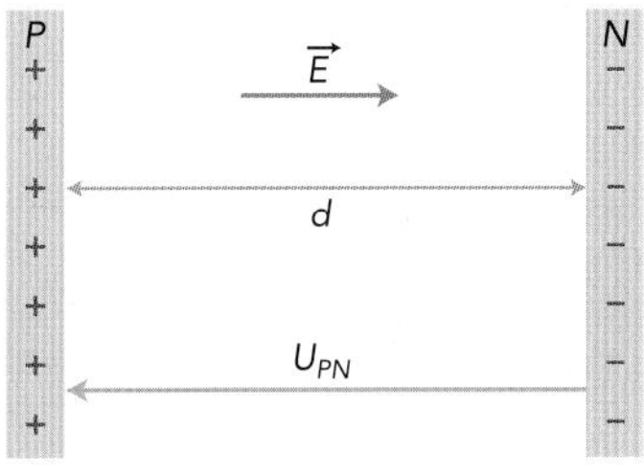

Doc. 5 Champ électrostatique entre deux armatures planes. $U_{PN} = E \cdot d$.

1.5 Force non conservative : cas des forces de frottements

Une balle de golf est soumise à une force de frottement $\vec{f}$ dont le point d'application se déplace de A à B (doc. 6).
On se limite à l'étude d'un mouvement rectiligne au cours duquel l'intensité de la force de frottement reste constante.

Lors d'un mouvement rectiligne de longueur AB, le travail d'une force de frottement $\vec{f}$ d'intensité constante est donné par la relation :

$$W_{AB}(\vec{f}) = \vec{f} \cdot \overrightarrow{AB}$$

$W_{AB}(\vec{f})$ s'exprime en joule (J), f, en newton (N) et AB, en mètre (m).
La force de frottement $\vec{f}$ étant généralement de sens opposé au vecteur déplacement $\overrightarrow{AB}$, cette relation devient :

$$\mathbf{W_{AB}(\vec{f}) = -f \cdot AB < 0}$$

On dit que ce travail est **résistant**.

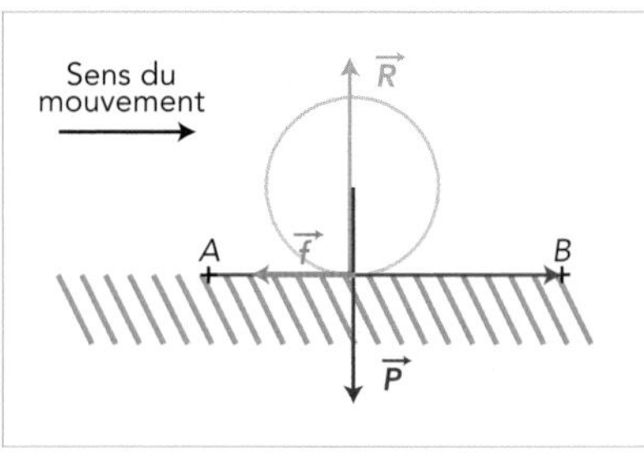

Doc. 6 Force de frottement $\vec{f}$ qui agit sur une balle de golf en mouvement rectiligne ($\vec{P} + \vec{R} = \vec{0}$).

Dans le cas particulier où la force $\vec{f}$ est de même sens que le vecteur déplacement $\overrightarrow{AB}$, $W_{AB}(\vec{f}) = f \cdot AB > 0$. On dit alors que le travail est moteur.
Le travail de la force de frottement pendant un déplacement $\overrightarrow{AB}$ dépend du chemin suivi : **la force de frottement** est une **force non conservative**.

Pour un exemple où la force de frottement est de même sens que le vecteur déplacement, voir l'exercice 22, p. 202.

Voir exercices 1, p. 195, et 5 à 10, p. 198-199.

2 Comment s'effectuent les transferts énergétiques ?

2.1 Forces conservatives et énergies potentielles

À toute force conservative, on associe une énergie appelée énergie potentielle. On définit ainsi une énergie potentielle de pesanteur, une énergie potentielle électrique, etc.

- Dans le cas de la force de pesanteur :

$$W_{AB}(\vec{P}) = m \cdot g \cdot (z_A - z_B) = m \cdot g \cdot z_A - m \cdot g \cdot z_B$$

L'axe (Oz) est un axe vertical orienté vers le haut.
Comme on l'a vu en Première S, l'énergie potentielle de pesanteur d'un système de masse m, dont le centre de gravité est à l'altitude z par rapport à la référence des énergies potentielles de pesanteur, est définie par :

$$\mathscr{E}_{pp} = m \cdot g \cdot z \qquad \text{(doc. 7)}$$

À l'altitude choisie comme référence, $\mathscr{E}_{pp} = 0$.

- On peut alors exprimer le travail du poids d'un système se déplaçant d'un point A à un point B par :

$$W_{AB}(\vec{P}) = \mathscr{E}_{pp_A} - \mathscr{E}_{pp_B} = -(\mathscr{E}_{pp_B} - \mathscr{E}_{pp_A}) = -\Delta\mathscr{E}_{pp}$$

$\Delta\mathscr{E}_{pp}$ est la variation d'énergie potentielle de pesanteur entre le point de départ A et le point d'arrivée B.
Le **travail du poids** d'un système se déplaçant entre deux points est **l'opposé de la variation de son énergie potentielle de pesanteur** entre ces deux points.

- Dans le cas de la force électrostatique $W_{AB}(\vec{F}) = q \cdot U_{AB}$ la tension électrique U_{AB} entre les points A et B est aussi appelée différence de potentiel et peut être exprimée sous la forme :

$$U_{AB} = V_A - V_B \qquad \text{(doc. 8)}$$

V_A et V_B sont les potentiels respectifs aux points A et B.
Ainsi $W_{AB}(\vec{F}) = q \cdot U_{AB} = q \cdot (V_A - V_B) = q \cdot V_A - q \cdot V_B$.

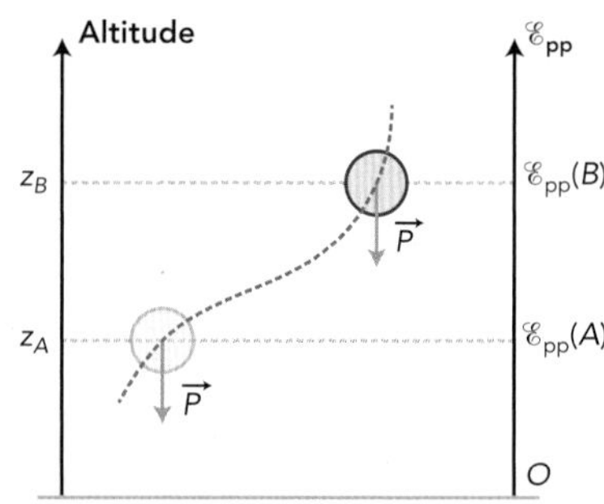

Doc. 7 Repère d'étude pour définir l'énergie potentielle de pesanteur. L'origine des énergies potentielles est prise pour $z = 0$.

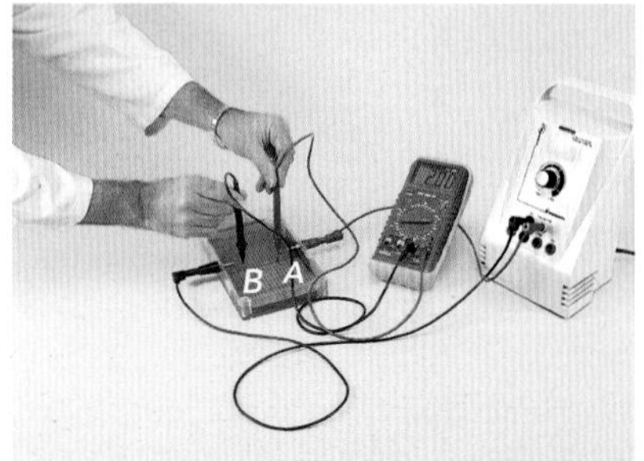

Doc. 8 La tension est une différence de potentiels : $U_{AB} = V_A - V_B$.

Par analogie avec la force de pesanteur (**activité 2**), en choisissant convenablement une origine des potentiels, on peut définir l'énergie potentielle électrique d'une particule de charge q en un point de potentiel V par $\mathscr{E}_{pé} = q \cdot V$, avec $\mathscr{E}_{pé}$ en joule (J), q en coulomb (C) et V en volt (V).
Ainsi : $W_{AB}(\vec{F}) = \mathscr{E}_{pé_A} - \mathscr{E}_{pé_B} = -(\mathscr{E}_{pé_B} - \mathscr{E}_{pé_A}) = -\Delta\mathscr{E}_{pé}$.
$\Delta\mathscr{E}_{pé}$ est la variation d'énergie potentielle électrique entre le point de départ A et le point d'arrivée B.
Le **travail de la force électrostatique** exercée sur un système se déplaçant entre deux points est **l'opposé de la variation de son énergie potentielle électrique** entre ces deux points.
Cette propriété est générale :

La variation d'énergie potentielle d'un système se déplaçant d'un point A à un point B est égale à l'opposé du travail effectué par les forces conservatives de somme $\vec{F}$ qui s'exercent sur ce système :

$$\Delta\mathscr{E}_p = \mathscr{E}_{p_B} - \mathscr{E}_{p_A} = -W_{AB}(\vec{F})$$

▸ L'énergie mécanique $\mathscr{E}_m$ d'un système s'écrit :

$$\mathscr{E}_m = \mathscr{E}_c + \mathscr{E}_p$$

où $\mathscr{E}_c$ représente l'énergie cinétique du système et $\mathscr{E}_p$ son énergie potentielle.

▸ Pour simplifier, le système est généralement assimilé à un point matériel.

2.1 Conservation de l'énergie mécanique

L'**activité 4** a montré que, pour un pendule, si les frottements sont négligeables, il y a conservation de l'énergie mécanique (doc. 9).

Lorsqu'un système est soumis à des forces conservatives et/ou à des forces non conservatives dont le travail est nul, son énergie mécanique $\mathscr{E}_m$ se conserve.

La variation d'énergie mécanique $\Delta\mathscr{E}_m$ au cours du mouvement est donc nulle :

$$\Delta\mathscr{E}_m = \Delta\mathscr{E}_c + \Delta\mathscr{E}_p = 0, \quad \text{soit } \Delta\mathscr{E}_c = -\Delta\mathscr{E}_p$$

Lorsqu'il y a conservation de l'énergie mécanique, il y a transfert total de l'énergie potentielle en énergie cinétique ou inversement.

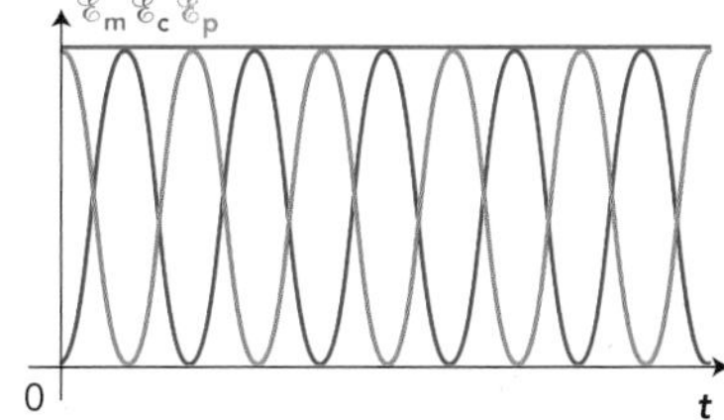

Doc. 9 Diagramme énergétique d'un pendule en l'absence de frottements.

2.3 Non conservation de l'énergie mécanique

Pour un pendule, lorsque les frottements ne sont pas négligeables, l'énergie mécanique ne se conserve pas (**activité 4** et doc. 10).

Lorsqu'un système est soumis à des forces conservatives et/ou à des forces non conservatives qui travaillent, la variation de son énergie mécanique $\mathscr{E}_m$ est égale au travail des forces non conservatives.

La variation d'énergie mécanique $\Delta\mathscr{E}_m$ au cours du mouvement est donc :

$$\Delta\mathscr{E}_m = W(\vec{f})$$

où $\vec{f}$ est la résultante des forces non conservatives.

Lorsqu'il y a non-conservation de l'énergie mécanique, il y a transfert partiel de l'énergie potentielle en énergie cinétique ou inversement.

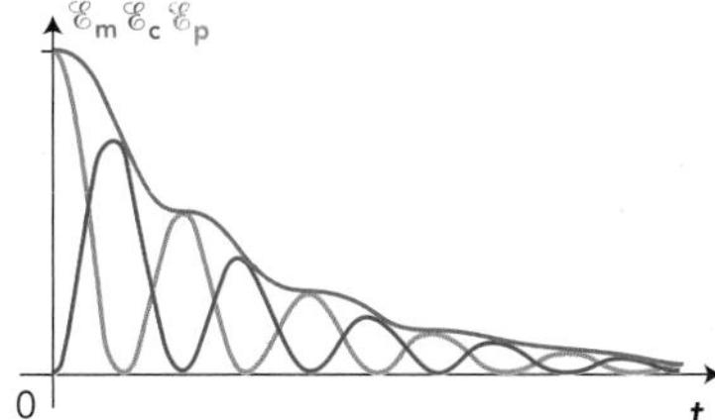

Doc. 10 Diagramme énergétique du pendule amorti.

L'**activité 3** a montré que, lorsqu'un pendule est soumis à des forces de frottement, il y a amortissement des oscillations.
Les frottements sont qualifiés de **dissipatifs**, car ils sont à l'origine d'une diminution de l'énergie mécanique. Il est impossible d'utiliser un tel système mécanique pour définir la seconde, car son évolution n'est plus périodique.
C'est pourquoi, depuis 1967, la définition de la seconde est élaborée à l'aide d'horloges atomiques (**activité 5** et doc. 11).

Voir exercices 2, p. 195, et 11 à 16, p. 199-200.

Doc. 11 Les physiciens britanniques Jack Parry (à gauche) et Louis Essen (à droite) ont mis au point, en 1955, la première horloge au césium opérationnelle.

Essentiel

Travail d'une force constante

- Le travail $W_{AB}(\vec{F})$ d'une force constante $\vec{F}$ dont le point d'application se déplace de A à B est égal au produit scalaire du vecteur force $\vec{F}$ par le vecteur déplacement $\vec{AB}$:

$$W_{AB}(\vec{F}) = \vec{F} \cdot \vec{AB}$$

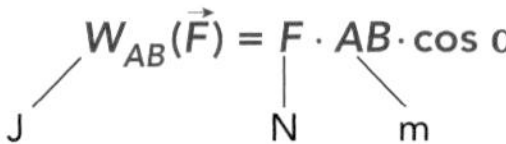

$$W_{AB}(\vec{F}) = F \cdot AB \cdot \cos\alpha$$

J, N, m

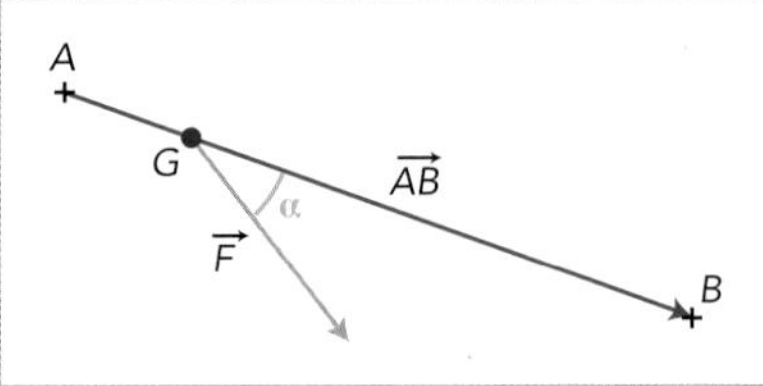

Force constante $\vec{F}$ dont le point d'application se déplace de A à B.

- Dans un champ de pesanteur $\vec{g}$ considéré comme uniforme, le travail $W_{AB}(\vec{P})$ du poids d'un objet de masse m se déplaçant de A à B ne dépend que des altitudes des points de départ et d'arrivée :

$$W_{AB}(\vec{P}) = m \cdot g \cdot (z_A - z_B)$$

J, kg, $m \cdot s^{-2}$, m

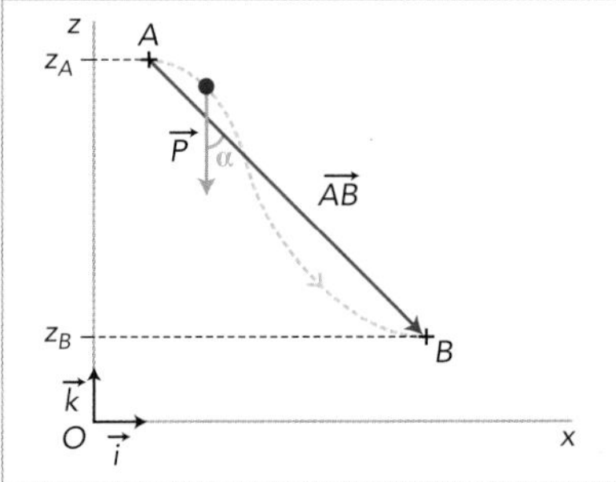

Poids constant $\vec{P}$ dont le point d'application se déplace de l'altitude z_A à l'altitude z_B.

- Dans un champ électrostatique uniforme $\vec{E}$, le travail $W_{AB}(\vec{F})$ de la force électrostatique s'exerçant sur une particule de charge q se déplaçant de A à B ne dépend que des potentiels des points A et B :

$$W_{AB}(\vec{F}) = q \cdot (V_A - V_B) = q \cdot U_{AB}$$

J, C, V, C, V

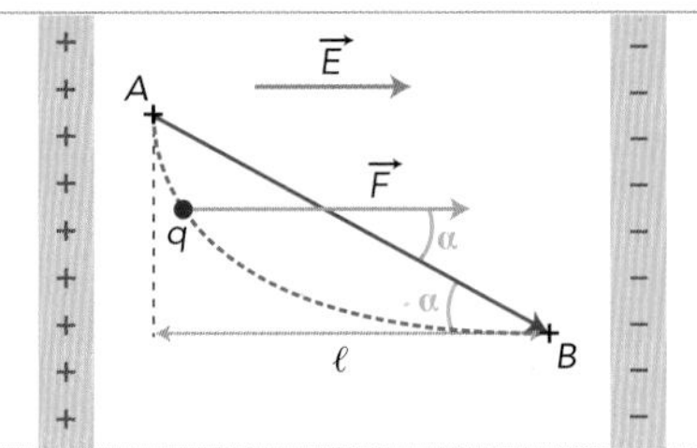

Force électrostatique $\vec{F}$ constante qui s'exerce sur une particule de charge positive q se déplaçant de A à B.

- Lors d'un mouvement rectiligne de longueur AB, le travail d'une force de frottement $\vec{f}$ d'intensité constante, de sens opposé au déplacement, est donné par :

$$W_{AB}(\vec{f}) = -f \cdot AB$$

J, N, m

Transferts d'énergie

- La variation d'énergie potentielle d'un système déplacé d'un point A à un point B est égale à l'opposé du travail effectué par les forces conservatives s'exerçant sur ce système :

$$\Delta\mathscr{E}_p = \mathscr{E}_{p_B} - \mathscr{E}_{p_A} = -W_{AB}(\vec{F})$$

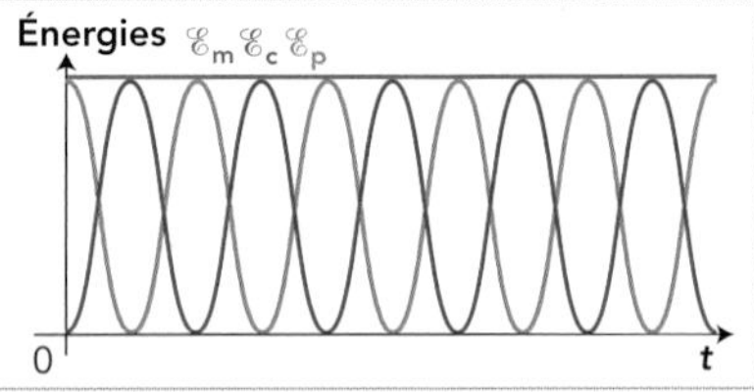

Diagramme énergétique d'un pendule en l'absence de frottements.

- Lorsqu'un système est soumis à des forces conservatives et/ou à des forces non conservatives dont le travail est nul, son énergie mécanique se conserve.
Il y a transfert total de l'énergie potentielle en énergie cinétique ou inversement.

- Lorsqu'un système est soumis à des forces conservatives et/ou à des forces non conservatives qui travaillent, la variation de son énergie mécanique est égale au travail des forces non conservatives.
Il y a transfert partiel de l'énergie potentielle en énergie cinétique ou inversement.

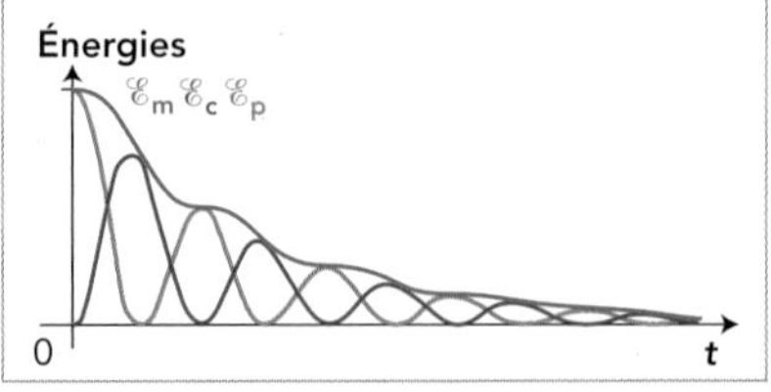

Diagramme énergétique du pendule amorti.

Pour chaque question, indiquer la (ou les) bonne(s) réponse(s).
On prendra g égale à 10 m·s^{-2}.

Voir corrigés, p. 606.

1 Travail d'une force constante

	A	B	C
1. Le travail $W_{AB}(\vec{F})$ d'une force constante $\vec{F}$ dont le point d'application se déplace de A à B est donné par la relation :	$W_{AB}(\vec{F}) = \frac{\vec{F}}{\overrightarrow{AB}}$	$W_{AB}(\vec{F}) = \vec{F} \cdot \overrightarrow{BA}$	$W_{AB}(\vec{F}) = \vec{F} \cdot \overrightarrow{AB}$
2. Une force est dite conservative, si :	son travail est nul.	son travail est indépendant du chemin suivi.	son travail est moteur.
3. Le travail du poids d'un parapentiste de 80 kg s'élançant à une altitude de 1 500 m et se posant à une altitude de 500 m vaut :	$8{,}0 \times 10^5$ J.	$8{,}0 \times 10^2$ J.	$-8{,}0 \times 10^5$ J.
4. Le travail $W_{AB}(\vec{F})$ de la force électrostatique s'exerçant sur une particule de charge q se déplaçant d'un point A, où le potentiel est V_A, à un point B, où le potentiel est V_B, s'écrit :	$W_{AB}(\vec{F}) = q \cdot (V_A - V_B)$	$W_{AB}(\vec{F}) = q \cdot (V_B - V_A)$	$W_{AB}(\vec{F}) = q \cdot (\vec{E} \cdot \overrightarrow{AB})$

Si erreur, revoir § 1, p. 190.

On a représenté ci-contre les évolutions au cours du temps des énergies d'un pendule de masse m = 100 g, écarté de sa position d'équilibre et lâché sans vitesse initiale à la date t = 0.

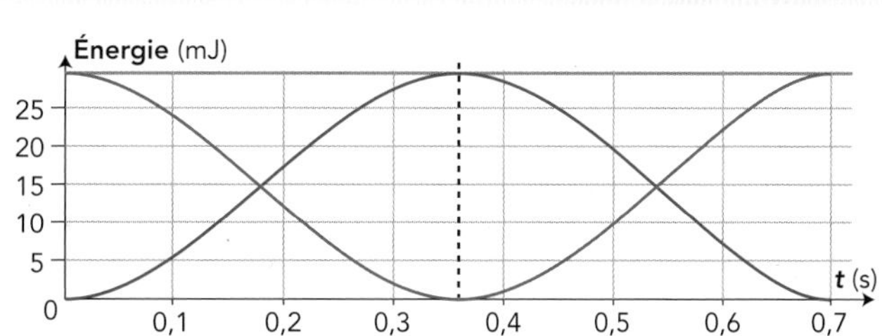

2 Transferts d'énergie

	A	B	C
1. On considère le graphique ci-dessus. **a. Les énergies du pendule sont représentées de la façon suivante :**	$\mathscr{E}_m$ en vert ; $\mathscr{E}_c$ en rouge.	$\mathscr{E}_{pp}$ en rouge ; $\mathscr{E}_c$ en bleu.	$\mathscr{E}_m$ en rouge ; $\mathscr{E}_{pp}$ en vert.
b. La date t = 0,36 s correspond au passage du pendule :	par sa position d'équilibre.	par sa position la plus haute.	par sa position la plus basse.
c. Lorsque le pendule passe par sa position d'équilibre, sa vitesse vaut :	0,77 m·s^{-1}.	0 m·s^{-1}.	$2{,}4 \times 10^{-2}$ m·s^{-1}.
d. Jusqu'à la date t = 0,36 s, il y a :	transfert partiel de l'énergie potentielle de pesanteur en énergie cinétique.	transfert complet de l'énergie cinétique en énergie potentielle de pesanteur.	transfert complet de l'énergie potentielle de pesanteur en énergie cinétique.
2. Lorsque l'énergie mécanique d'un point matériel ne se conserve pas, la variation d'énergie mécanique de ce point est égale à la somme des travaux :	des forces conservatives et non conservatives appliquées à ce point.	des forces conservatives appliquées à ce point.	des forces non conservatives appliquées à ce point.
3. Un pendule peut servir à construire une horloge si l'amplitude de ses oscillations :	diminue au cours du temps.	augmente au cours du temps.	reste constante au cours du temps.

Si erreur, revoir § 2, p. 192.

Exercice résolu

COMPÉTENCES
- Mobiliser ses connaissances.
- Exploiter un graphique.
- Raisonner.

3 Analyser des transferts énergétiques

Énoncé

Un skateur part d'un point A avec une vitesse initiale de valeur v_A. Pour modéliser la situation, le skateur est assimilé à un point matériel en mouvement dans le champ de pesanteur uniforme. On néglige tous les frottements au cours du mouvement.

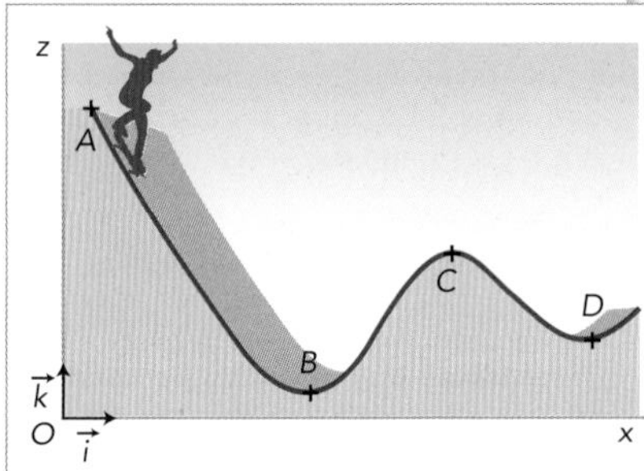

1. a. Établir l'expression du travail du poids du skateur entre les points A et B en fonction de z_A et z_B.
b. Exprimer la variation de l'énergie potentielle de pesanteur du skateur entre les points A et B.
c. Comparer ces deux expressions.

2. L'énergie mécanique se conserve-t-elle au cours du mouvement ?

3. Comparer, sans calcul, les valeurs des vitesses du skateur aux points D et B.

Conseils

1. a. **Définir le travail d'une force constante. Exprimer le poids et le déplacement $\overrightarrow{AB}$ dans le repère orthonormé $(O; \vec{i}, \vec{k})$.**
b. **Exprimer l'énergie potentielle de pesanteur, aux points A et B, en fonction des altitudes z_A et z_B. Préciser le point choisi comme référence de cette énergie.**
c. **Lors de la comparaison, il faut faire attention aux grandeurs des expressions et aux signes.**

2. **Faire un bilan des forces qui s'exercent sur le skateur, puis identifier celles qui travaillent et celles qui sont conservatives.**

3. **Utiliser la conservation de l'énergie mécanique, puis comparer les énergies potentielles de pesanteur aux points B et D.**

Solution rédigée

1. a. La définition du travail d'une force permet d'écrire :

$$W_{AB}(\vec{P}) = \vec{P} \cdot \overrightarrow{AB}$$

Dans le repère orthonormé $(O; \vec{i}, \vec{k})$, le poids et le déplacement $\overrightarrow{AB}$ s'expriment par : $\vec{P} = -m \cdot g \cdot \vec{k}$ et $\overrightarrow{AB} = (x_B - x_A) \cdot \vec{i} + (z_B - z_A) \cdot \vec{k}$.

Or, $\vec{k} \cdot \vec{k} = 1$ et $\vec{k} \cdot \vec{i} = 0$,

donc : $$\mathbf{W_{AB}(\vec{P}) = -m \cdot g \cdot (z_B - z_A)}.$$

b. En choisissant le point O comme référence de cette énergie, l'énergie potentielle de pesanteur du skateur est donnée par :

$$\mathscr{E}_{pp_A} = m \cdot g \cdot z_A \quad \text{et} \quad \mathscr{E}_{pp_B} = m \cdot g \cdot z_B$$

La variation $\Delta\mathscr{E}_{pp}$ de l'énergie potentielle de pesanteur entre les points A et B s'écrit alors :

$$\mathbf{\Delta\mathscr{E}_{pp} = \mathscr{E}_{pp_B} - \mathscr{E}_{pp_A} = m \cdot g \cdot (z_B - z_A)}.$$

c. En comparant ces expressions, on vérifie que la variation d'énergie potentielle de pesanteur du skateur est égale à l'opposé du travail de son poids :

$$\mathbf{\Delta\mathscr{E}_{pp} = -W_{AB}(\vec{P})}$$

2. Le skateur est soumis à son poids et à la réaction du support. La réaction du support ne travaille pas, car elle est perpendiculaire au déplacement. Seul le poids travaille et c'est une force conservative.
L'énergie mécanique se conserve donc au cours du mouvement.

3. L'énergie mécanique se conserve, donc :

$$\mathscr{E}_m(B) = \mathscr{E}_m(D)$$

soit : $$\mathscr{E}_c(B) + \mathscr{E}_{pp}(B) = \mathscr{E}_c(D) + \mathscr{E}_{pp}(D)$$

L'altitude du point D est supérieure à celle du point B. L'énergie potentielle au point D est donc plus grande que celle au point B. Par conséquent, l'énergie cinétique en D est plus petite que l'énergie cinétique en B. **La valeur de la vitesse en D est donc plus faible que celle en B.**

Application immédiate

Le skateur est maintenant soumis à une force de frottement au cours du mouvement.

1. L'énergie mécanique se conserve-t-elle ?
2. La valeur de la vitesse au point D est-elle plus importante avec ou sans frottement ? Justifier.

Voir corrigés, p. 606.

COMPÉTENCES
- Raisonner.
- Calculer.

4 Utiliser la conservation de l'énergie mécanique pour calculer une vitesse

Énoncé

Dans un canon à électrons, les électrons pénètrent au point A dans un champ électrostatique uniforme $\vec{E}$. Ils atteignent le point B avec une vitesse de valeur v_B.
La valeur de la vitesse en A est négligeable devant celle en B.
On considère qu'un électron, assimilé à un point matériel, n'est soumis qu'à la force électrostatique $\vec{F}$, qui est conservative.
Lorsque l'électron se déplace d'un point X à un point B, le travail de cette force est égal à l'opposé de la variation de son énergie potentielle entre ces deux points. Son expression est donnée par :

$$W_{XB}(\vec{F}) = -\Delta\mathscr{E}_{pé} = -e\cdot(V_X - V_B)$$

où V_X et V_B sont les potentiels respectifs aux points X et B.

Données : $V_A = -1{,}24 \times 10^4$ V ; $V_B = 0$ V ; $e = 1{,}60 \times 10^{-19}$ C ; $m = 9{,}11 \times 10^{-31}$ kg.

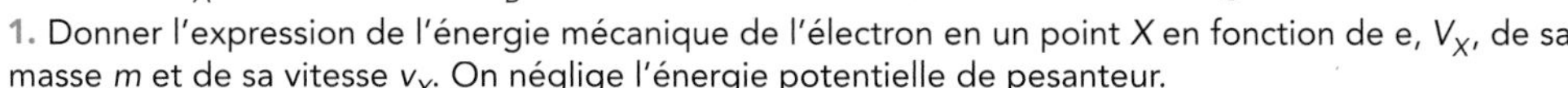

1. Donner l'expression de l'énergie mécanique de l'électron en un point X en fonction de e, V_X, de sa masse m et de sa vitesse v_X. On néglige l'énergie potentielle de pesanteur.
2. Comment évolue l'énergie mécanique de l'électron entre les points A et B ?
3. Exprimer la valeur de la vitesse en B en fonction de V_A, e et m. Calculer cette valeur.
4. Interpréter les échanges d'énergie lors du mouvement de l'électron entre A à B.

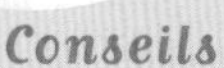

Conseils

1. Il faut connaître l'expression de l'énergie mécanique et de l'énergie cinétique.
Définir un point pour origine des potentiels.
2. La force qui s'applique sur l'électron est-elle conservative ?
3. Utiliser le résultat des questions 1 et 2, puis isoler la grandeur cherchée. Dans la relation trouvée, remplacer les grandeurs par les valeurs numériques.
4. Il faut trouver les énergies qui augmentent et celles qui diminuent, puis en déduire les transferts d'une énergie à l'autre.

Solution rédigée

1. $\mathscr{E}_m(X) = \mathscr{E}_c(X) + \mathscr{E}_{pé}(X)$
D'après l'énoncé : $W_{XB}(\vec{F}) = \mathscr{E}_{pé}(X) - \mathscr{E}_{pé}(B) = -e\cdot(V_X - V_B)$.
Le point B est choisi comme origine des potentiels (car $V_B = 0$).
On obtient donc : $\mathscr{E}_{pé}(B) = 0$ et $\mathbf{\mathscr{E}_{pé}(X) = (-e)\cdot V_X}$
En utilisant cette expression et celle de l'énergie cinétique, l'énergie mécanique $\mathscr{E}_m$ s'écrit :

$$\mathscr{E}_m(X) = \frac{1}{2}\cdot m\cdot v_X^2 - e\cdot V_X$$

2. L'électron n'est soumis qu'à la force électrostatique, qui est une force conservative. Son énergie mécanique se conserve : $\mathscr{E}_m(B) = \mathscr{E}_m(A)$.

3. $\frac{1}{2}\cdot m\cdot v_B^2 + (-e)\cdot V_B = \frac{1}{2}\cdot m\cdot v_A^2 + (-e)\cdot V_A$
Or, $V_B = 0$ et $v_A = 0$, donc $\mathbf{v_B = \sqrt{\frac{2\,(-e)\cdot V_A}{m}}}$.

$$v_B = \sqrt{\frac{2\times(-1{,}60\times10^{-19})\times(-1{,}24\times10^4)}{9{,}11\times10^{-31}}} = \mathbf{6{,}60\times10^7\ m\cdot s^{-1}}.$$

4. Entre A et B, l'énergie cinétique augmente. Au cours du mouvement, l'énergie potentielle électrique est transformée en énergie cinétique.

Application immédiate

Quelle doit être la valeur du potentiel en A pour que l'électron parvienne en B avec une vitesse $v_B = 3{,}60 \times 10^7$ m·s^{-1} ?
Données : $V_B = 0$ V ; $e = 1{,}60 \times 10^{-19}$ C ; $m = 9{,}11 \times 10^{-31}$ kg.

Voir corrigés, p. 606.

Exercices

Compétences exigibles au baccalauréat

- ✔ Extraire et exploiter des informations relatives à la mesure du temps pour justifier l'évolution de la définition de la seconde. ▸ activité 5
- ✔ *Pratiquer une démarche expérimentale pour mettre en évidence les différents paramètres influençant la période d'un oscillateur mécanique, son amortissement.* ▸ activité 3
- ✔ Établir et exploiter les expressions du travail d'une force constante (force de pesanteur, force électrostatique dans le cas d'un champ uniforme). ▸ exercices 7, 10, 23 et 26
- ✔ Établir l'expression du travail d'une force de frottement d'intensité constante dans le cas d'une trajectoire rectiligne. ▸ exercices 18 et 22
- ✔ Analyser les transferts énergétiques au cours d'un mouvement d'un point matériel. ▸ exercices 12 et 14
- ✔ *Pratiquer une démarche expérimentale pour étudier l'évolution des énergies cinétique, potentielle et mécanique d'un oscillateur.* ▸ activité 4
- ✔ Extraire et exploiter des informations sur l'influence des phénomènes dissipatifs sur la problématique de la mesure du temps et la définition de la seconde. ▸ activité 5
- ✔ Extraire et exploiter des informations pour justifier l'utilisation des horloges atomiques dans la mesure du temps. ▸ activité 5 ▸ exercice 16

Dans tous les exercices, le champ de pesanteur sera considéré comme uniforme.

Pour commencer

Comment définir le travail d'une force constante ?

5 Connaître la condition pour qu'une force travaille

Parmi les propositions suivantes, indiquer dans quel(s) cas une force travaille :

a. si sa direction est parallèle à celle du mouvement ;
b. si sa direction est perpendiculaire à celle du mouvement ;
c. si sa direction fait un angle de 30° avec celle du mouvement.

6 Connaître l'expression du travail d'une force

À l'aide d'une corde, Sylvain tire sa luge en ligne droite sur une distance AB de 200 m.
La force $\vec{F}$ exercée par la corde sur la luge fait un angle α de 40° par rapport à l'horizontale. Elle garde une valeur constante de 45 N.

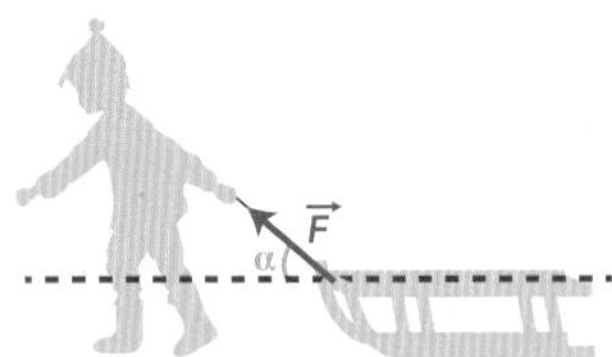

1. Donner l'expression du travail de la force $\vec{F}$ au cours du déplacement $\overrightarrow{AB}$.
2. Calculer sa valeur.

7 Établir l'expression du travail du poids

Un plongeur s'élance du haut d'une falaise à l'altitude z_H et rentre dans l'eau à l'altitude z_E.

1. Donner l'expression du travail du poids du plongeur le long du trajet HE.
2. Montrer que ce travail s'écrit :

$$W_{HE}(\vec{P}) = m \cdot g \cdot (z_H - z_E)$$

▸ Voir, si nécessaire, l'exercice résolu 3, p. 196.

8 Connaître l'expression du travail du poids

Lors d'un meeting aérien, un avion de voltige, de masse m, effectue différentes figures dans un plan vertical.

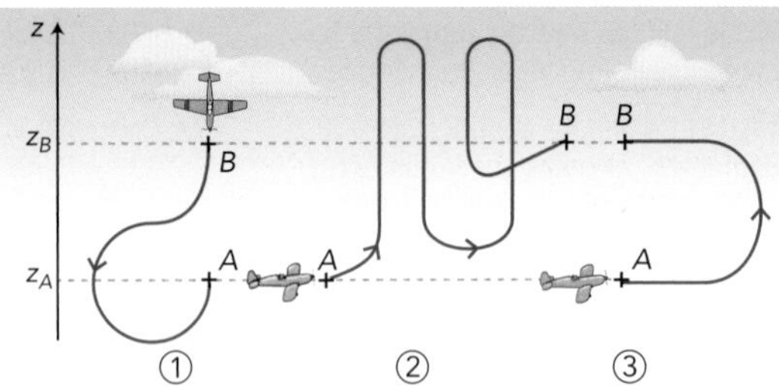

1. Attribuer à chaque figure l'expression du travail du poids de l'avion qui lui correspond parmi les propositions suivantes :

$W_{AB}(\vec{P}) = m \cdot g \cdot (z_B - z_A)$; $W_{AB}(\vec{P}) = m \cdot g \cdot (z_A - z_B)$;
$W_{BA}(\vec{P}) = m \cdot g \cdot (z_B - z_A)$.

2. a. Calculer dans chaque cas sa valeur.
b. Comparer ces valeurs. Justifier les éventuelles égalités.

Données :
$m = 600$ kg ; $g = 9{,}81$ m·s^{-2} ; $z_B - z_A = 800$ m.

9 Calculer le travail d'une force constante

Un hélicoptère en vol stationnaire effectue le sauvetage de skieurs en montagne. L'évacuation d'un skieur de masse 80 kg s'effectue à l'aide d'un treuil. Il permet de hisser le skieur, à vitesse constante, d'une hauteur h de 5,0 m. Le treuil exerce une force $\vec{F}$ de valeur constante.

1. Donner l'expression du travail de la force exercée par le treuil au cours de l'évacuation du skieur.

2. L'évacuation ayant lieu à vitesse constante, que peut-on dire des valeurs de la force $\vec{F}$ et du poids $\vec{P}$ du skieur ?

3. Calculer la valeur du travail de la force $\vec{F}$ lors de l'évacuation.

Donnée : $g = 9,81 \text{ m} \cdot \text{s}^{-2}$.

10 Calculer le travail d'une force électrostatique

Deux armatures métalliques P_A et P_B, parallèles entre elles et distantes de d, sont reliées aux bornes d'un générateur de tension continue. Entre ces deux armatures règne un champ électrostatique $\vec{E}$ uniforme.

1. Donner l'expression du travail de la force électrostatique $\vec{F}$ qui s'exerce sur une particule de charge q se déplaçant d'un point A de l'armature P_A à un point B de l'armature P_B. L'exprimer en fonction de $\vec{E}$, $\overrightarrow{AB}$ et q.

2. Montrer que le travail de cette force s'écrit :

$$W_{AB}(\vec{F}) = q \cdot U_{AB}$$

3. Calculer sa valeur dans le cas d'un noyau d'hélium He^{2+} se déplaçant de A à B.

Données : $e = 1,60 \times 10^{-19}$ C ; $U_{AB} = 400$ V.

Comment s'effectuent les transferts énergétiques ?

11 Définir une force conservative

Corriger, si nécessaire, les affirmations suivantes :

a. Une force est conservative si son travail dépend du chemin suivi.

b. Le poids est une force conservative.

c. Au cours du déplacement d'un système, le travail des forces de frottement ne dépend que du point de départ et du point d'arrivée.

12 Identifier les différentes formes d'énergie

Un pendule est constitué d'un solide pontuel de masse m, fixé à l'extrémité d'une tige métallique de longueur ℓ. Il est écarté de sa position d'équilibre, puis lâché sans vitesse initiale, à la date $t = 0$. Il oscille alors de part et d'autre de sa position d'équilibre.

Un dispositif d'acquisition et un logiciel de traitement permettent de tracer l'évolution des différentes formes d'énergie au cours du temps.

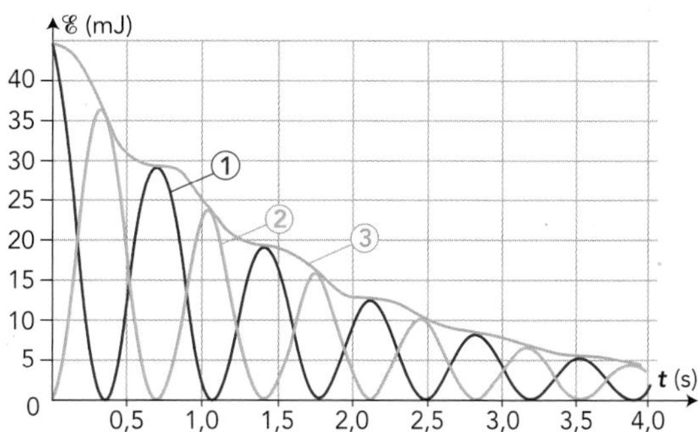

1. Quelles sont les différentes formes d'énergie que possède le solide ?

2. Attribuer une énergie à chacune des courbes ci-dessus en justifiant les réponses.

3. Que peut-on dire des transferts d'énergie lors des oscillations ?

13 Utiliser les transferts d'énergie pour calculer une vitesse

Un jongleur lance verticalement vers le haut une balle de masse $m = 480$ g. La balle quitte sa main située en un point A à l'altitude $z_A = 1,50$ m au-dessus du sol et s'élève à une altitude $z_B = 5,0$ m.

On néglige les frottements de l'air et on assimile la balle à un point matériel.

1. Donner l'expression de l'énergie mécanique au moment où la balle quitte la main.

2. Donner l'expression de l'énergie mécanique lorsque la balle atteint le point le plus haut.

3. a. Montrer que la vitesse de la balle lorsqu'elle quitte la main du jongleur peut s'écrire :

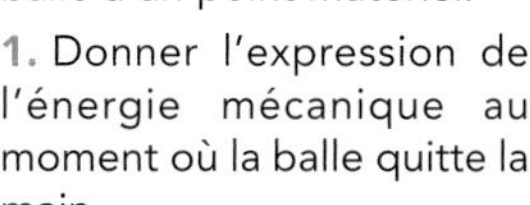

$$v_0 = \sqrt{2 \cdot g \cdot h}$$

Identifier h.

b. Calculer la valeur v_0.

Donnée : $g = 9,81 \text{ m} \cdot \text{s}^{-2}$.

14 Utiliser les transferts d'énergie pour calculer une différence de potentiels

Dans un canon à électrons, des électrons se déplacent parallèlement à la direction d'un champ électrostatique uniforme, créé entre deux électrodes A et B. Ils sont émis au niveau de l'électrode A avec une vitesse négligeable et sont accélérés vers l'électrode B par une différence de potentiel $V_B - V_A$.

On néglige les frottements et le poids de l'électron.

1. Que peut-on dire de la variation de l'énergie mécanique de l'électron entre les deux électrodes ?

2. Quel est le signe de sa variation d'énergie potentielle électrique ? Justifier.

3. L'énergie potentielle électrique d'une particule de charge q en un point de potentiel V est donnée par la relation $\mathscr{E}_{pé} = q \cdot V$.

Quel doit être le signe de la différence de potentiels $V_B - V_A$ pour que l'électron soit accéléré ? Justifier.

15 Utiliser les transferts d'énergie pour calculer la valeur d'une force

Un véhicule de masse m = 1 000 kg est en mouvement sur une route horizontale et rectiligne à la vitesse de valeur $v = 83{,}5\ \text{km} \cdot \text{h}^{-1}$.

Sous l'action exclusive de son système de freinage, le véhicule s'arrête en 50,0 m.

1. Donner l'expression de la variation d'énergie mécanique pendant le freinage en fonction de m et de v.

2. Calculer la valeur de la force de freinage $\vec{f}$, considérée constante et parallèle au déplacement pendant tout le freinage.

16 Mesurer le temps

Dans un dictionnaire, on peut lire :

> **Temps atomique international :** échelle de temps établie par le Bureau international des poids et mesures sur la base des données fournies par un ensemble d'horloges atomiques. Cette échelle diffère de celles fondées sur la rotation de la Terre.

1. À quelles conditions un oscillateur peut-il servir à construire une horloge pour mesurer le temps avec précision ?

2. @ Quelles échelles de temps sont fondées sur la rotation de la Terre ?

3. Pourquoi a-t-on préféré utiliser un temps atomique plutôt qu'astronomique ?

Pour s'entraîner

17 Précision d'une mesure

COMPÉTENCES **Estimer une incertitude.**

Un pendule est constitué d'un fil inextensible, de longueur ℓ = 41,2 cm, et d'une petite sphère, de masse m = 12,0 g, accrochée à l'une des extrémités du fil.

La sphère écartée de sa position d'équilibre est lâchée sans vitesse initiale.

On mesure à l'aide d'un chronomètre la durée Δt de n oscillations du pendule. Les résultats obtenus sont donnés dans le tableau suivant :

n	1	5	10	20
Δt (s)	1,3	6,2	12,7	25,7

On considère que l'incertitude sur le résultat de la mesure des durées au chronomètre est de 0,2 s.

1. Donner la période des oscillations du pendule obtenue dans chaque cas.

2. Indiquer l'incertitude sur chaque valeur de la période (voir **fiche n° 3**, p. 584).

3. Quel est l'intérêt de mesurer un grand nombre d'oscillations ?

18 Utiliser la non-conservation de l'énergie mécanique

COMPÉTENCE **Calculer.**

Arrivé sur un green horizontal, un joueur de golf doit effectuer un put de longueur ℓ = 6,0 m pour que sa balle, de masse m, aille dans le trou.

Le joueur communique à la balle une vitesse initiale de valeur v_0.

La balle, assimilée à un point matériel, est alors animée d'un mouvement rectiligne. Durant son mouvement, elle est soumise à une force de frottement constante de valeur $4{,}0 \times 10^{-2}$ N.

1. a. Faire l'inventaire des forces qui s'exercent sur la balle et les représenter sur un schéma.

b. Donner l'expression du travail de chacune des ces forces au cours du mouvement.

2. L'énergie mécanique de la balle se conserve-t-elle au cours du mouvement ?

3. Quelle doit être la valeur de v_0 pour que la balle atteigne le trou avec une vitesse de valeur nulle ?

Donnée : m = 45 g.

19 À chacun son rythme 

COMPÉTENCES **Calculer ; raisonner.**

Cet exercice est proposé à deux niveaux de difficulté. Dans un premier temps, essayer de résoudre l'exercice de niveau 2. En cas de difficultés, passer au niveau 1.

Une voiture de masse m = 1 000 kg, assimilée à un point matériel, roule à $83{,}5\ \text{km} \cdot \text{h}^{-1}$ sur une route rectiligne en pente descendante, faisant un angle de 4,0° avec l'horizontale. À partir d'une position A de la voiture, le conducteur freine brutalement. Il s'arrête à la position B au bout de 50,0 m.

Niveau 2 (énoncé compact)
Calculer la valeur de la force de freinage $\vec{f}$ considérée comme constante et parallèle au déplacement pendant tout le freinage.

Niveau 1 (énoncé détaillé)
1. Faire un schéma de la situation et représenter sans souci d'échelle les forces qui agissent sur la voiture.
2. Donner l'expression de la variation d'énergie mécanique de la voiture pendant le freinage.
3. Calculer la valeur de la force de freinage $\vec{f}$.

20 Un pendule battant la seconde

COMPÉTENCES **Extraire des informations ; argumenter.**

Dans les premières horloges mécaniques, une masse accrochée à une corde enroulée autour d'un axe horizontal permettait d'entraîner une seule aiguille dans un mouvement de rotation. La chute de la masse étant accélérée, on trouva un moyen de réguler son mouvement en bloquant sa chute à intervalles de temps réguliers (échappement).

Christian HUYGENS

Ces horloges fonctionnaient quelques heures et étaient peu précises.
Le physicien hollandais Christian HUYGENS (1629-1695) montre que la période exacte d'un pendule dépend de sa longueur ℓ et de la pesanteur g.
Elle vaut :

$$T = 2\pi\sqrt{\frac{\ell}{g}}$$

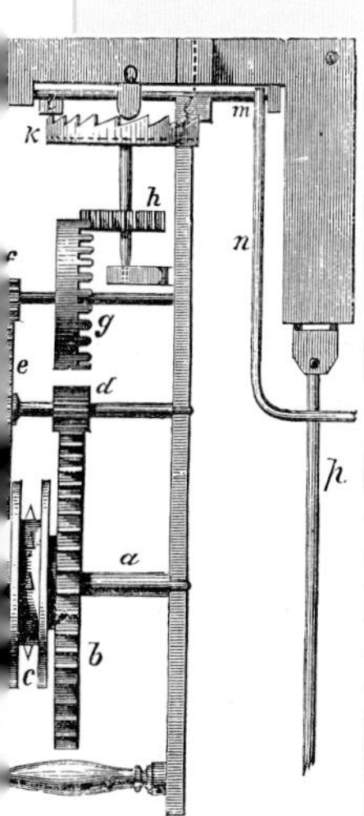

Il décide d'utiliser un pendule battant la seconde pour réguler le mouvement des horloges
Il ajoute un dispositif, constitué d'une masse et d'un système d'engrenages, *pour entretenir les oscillations qui ont tendance à s'amortir.*
L'échappement à ancre permet de laisser passer une à une les dents d'une roue, ce qui libère et bloque alternativement la chute de la masse à intervalles de temps égaux.
Le mouvement régulier de la roue est transmis à des aiguilles par un jeu d'engrenages. Cette horloge à pendule dérive seulement de quelques secondes en 24 h, mais mesure un temps qui dépend de la valeur de g.

1. Dans l'horloge à pendule, quel est le rôle de la masse ?
Quel est le rôle du dispositif d'échappement à ancre ?
2. Par une analyse dimensionnelle (voir **fiche n° 5**, p. 588), vérifier que la relation donnée par C. HUYGENS est bien homogène à un temps.
3. Déterminer la longueur d'un pendule de HUYGENS battant la seconde à Paris, sachant que la valeur du champ de pesanteur à Paris est $g = 9{,}812\ \text{m}\cdot\text{s}^{-2}$.
4. Quels transferts d'énergie ont lieu au cours des oscillations d'un pendule ?
5. Expliquer la phrase en italique dans le texte.
6. @ Rechercher la définition d'un étalon de temps.
Un pendule peut-il servir d'étalon de temps ?

21 Bac Le toboggan aquatique

COMPÉTENCES **Calculer ; argumenter.**

Un enfant glisse le long d'un toboggan de plage. On étudie son mouvement dans un référentiel terrestre supposé galiléen.
Dans l'exercice, l'enfant sera assimilé à un point matériel noté G et on négligera tout type de frottement, ainsi que toutes les actions dues à l'air.
Ce toboggan est constitué par :
– une piste DO qui permet à l'enfant partant de D sans vitesse initiale d'atteindre le point O avec une vitesse $\vec{v_0}$ faisant un angle α avec l'horizontale ;
– une piscine de réception.

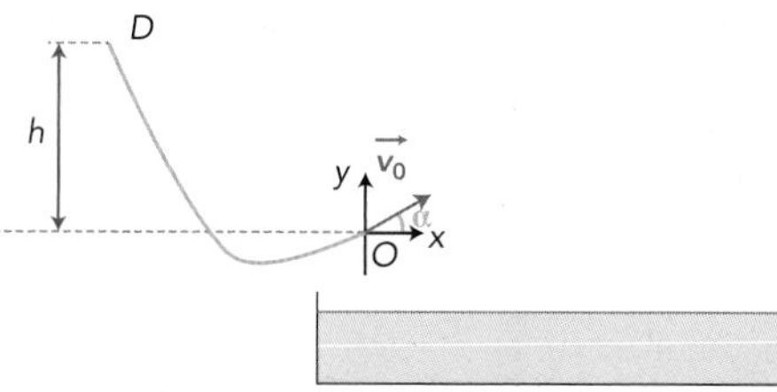

Données : masse de l'enfant $m = 35$ kg ;
intensité de la pesanteur $g = 10\ \text{m}\cdot\text{s}^{-2}$;
dénivellation $h = 5{,}0$ m.
On choisit l'altitude du point O comme référence pour l'énergie potentielle de pesanteur.

1. Donner l'expression de l'énergie potentielle de pesanteur $\mathscr{E}_{pp}(D)$ de l'enfant au point D.
2. Donner l'expression de l'énergie mécanique $\mathscr{E}_m(D)$ de l'enfant au point D. Justifier.
3. Donner l'expression de l'énergie mécanique $\mathscr{E}_m(O)$ de l'enfant au point O.
4. a. En déduire l'expression de la valeur v_0 de la vitesse en justifiant le raisonnement.
b. Calculer la valeur v_0 de la vitesse de l'enfant en O.
5. a. En réalité, la vitesse en ce point est nettement inférieure et vaut $6{,}0\ \text{m}\cdot\text{s}^{-1}$.
Comment peut-on expliquer cette différence ?
b. Calculer le travail des forces de frottement le long du trajet DO.

Aide au calcul :
$35 \times 32 \approx 1{,}1 \times 10^3$; $35 \times 36 \approx 1{,}3 \times 10^3$;
$35 \times 68 \approx 2{,}4 \times 10^3$.

22 Le chargement des bagages 

COMPÉTENCES Raisonner ; calculer.

Un tapis roulant de longueur $\ell = AB = 5{,}0$ m est utilisé pour charger des bagages dans la soute d'un avion. Le tapis est incliné d'un angle $\alpha = 15°$ par rapport à l'horizontale. Une valise de masse $m = 20$ kg, assimilée à un point matériel, est entraînée sur ce tapis avec une vitesse de valeur v constante.

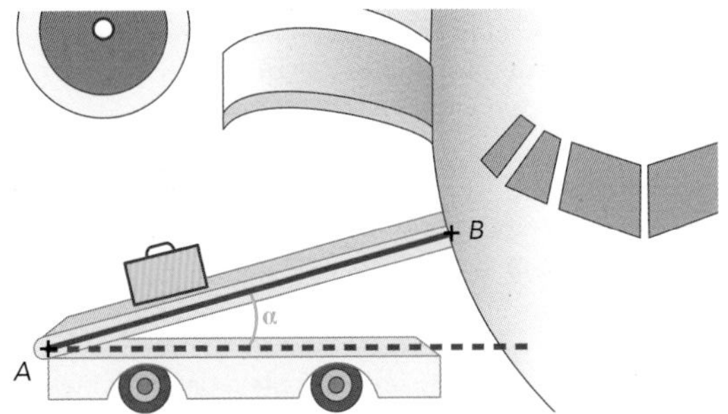

1. Faire l'inventaire des forces appliquées à la valise. La force motrice, notée $\vec{f}$, exercée par le tapis sur la valise sera considérée constante.
Schématiser la situation en représentant les différentes forces.

2. L'énergie mécanique de la valise se conserve-t-elle au cours du mouvement ? Justifier.

3. Que peut-on dire du signe de la variation de l'énergie mécanique au cours du mouvement ?

4. a. Montrer qu'au cours du déplacement rectiligne $\overrightarrow{AB}$ de la valise le travail de la force $\vec{f}$ s'écrit :

$$W_{AB}(\vec{f}) = m \cdot g \cdot \ell \cdot \sin \alpha$$

b. Calculer la valeur de $\vec{f}$.

Données :
$g = 10 \text{ m} \cdot \text{s}^{-2}$; $\sin \alpha = 0{,}26$.

23 Accélération d'une particule α

COMPÉTENCES Calculer ; raisonner.

Une particule α (noyau d'hélium), produite par une source radioactive, est émise au voisinage d'un point A. La valeur de sa vitesse en A est négligeable devant celle qu'elle peut atteindre en B.
Entre les points A et B règne un champ électrostatique uniforme qui permet l'accélération de la particule. Le poids et les frottements sont négligeables lors de ce mouvement.

1. Quelle est la charge q_α de la particule α ?

2. Établir l'expression du travail de la force électrostatique s'appliquant sur la particule α se déplaçant entre A et B. Exprimer ce travail en fonction q_α, V_A et V_B. (V_A et V_B sont les potentiels respectifs aux points A et B.)

3. En déduire l'expression de la variation d'énergie potentielle électrique entre A et B.

4. L'énergie mécanique se conserve-elle ? Justifier.

5. a. À partir des réponses précédentes, exprimer la différence de potentiel $V_A - V_B$ en fonction de v_B, m_α et q_α.

b. Calculer cette valeur sachant que la vitesse en B a pour valeur $v_B = 1{,}00 \times 10^3 \text{ km} \cdot \text{s}^{-1}$.

Données : $e = 1{,}60 \times 10^{-19}$ C ; $m_\alpha = 6{,}70 \times 10^{-27}$ kg.

Voir, si nécessaire, l'exercice résolu 4, p. 197.

24 Bac Service au tennis

COMPÉTENCES Calculer ; argumenter.

Lors d'un match de tennis, un joueur placé en O effectue un service.
Il lance la balle verticalement et la frappe avec sa raquette en un point A, situé sur la verticale de O à la hauteur $H = 2{,}20$ m au-dessus du sol.
La balle part alors de A avec une vitesse de valeur $v_0 = 126 \text{ km} \cdot \text{h}^{-1}$, horizontale comme le montre le schéma ci-dessous.

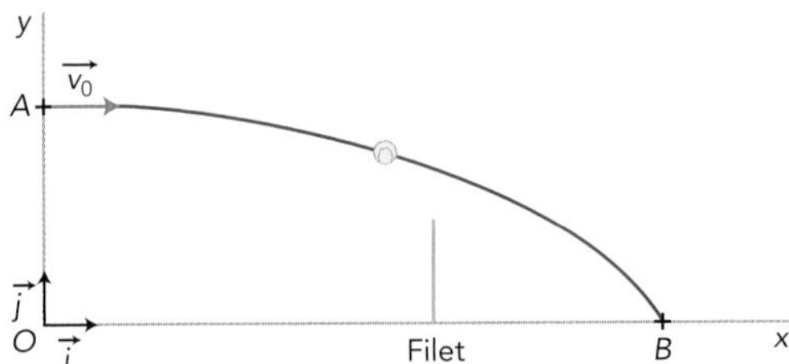

La balle, de masse $m = 58{,}0$ g, est considérée ponctuelle. On fait l'hypothèse que l'action de l'air sur la balle est négligée par rapport aux autres actions.

1. a. À quelle(s) force(s) la balle est-elle soumise entre l'instant où elle quitte la raquette et l'instant où elle touche le sol ?

b. Ces forces sont-elles conservatives ?

2. Donner les expressions de l'énergie mécanique $\mathscr{E}_m$ de la balle en A et en B en fonction de m, g, v_0, v_B et H.

3. Quelle relation existe-t-il entre ces deux énergies ? Justifier.

4. a. Montrer que l'expression de la valeur de la vitesse v_B de la balle lorsqu'elle touche le sol s'écrit :

$$v_B = \sqrt{{v_0}^2 + 2 \cdot g \cdot H}$$

b. Calculer cette valeur.

c. En réalité, on mesure une valeur de la vitesse en B de $120 \text{ km} \cdot \text{h}^{-1}$. Justifier cette différence.

25 Hydroelectric dam  

COMPÉTENCES **Calculer ; raisonner.**

In a hydroelectric dam, the gravitational energy of the water is converted as the water falls. Consider just one thousand cubic meter of water that falls a distance of 500 ft.

1. Into what energies is the gravitational energy converted? What is the purpose of these conversions?

2. Assuming that the energy conversion is 90% efficient, how much energy can be obtained as the water falls?

3. Why isn't the performance 100%?
Into which energy is converted the energy that is lost?

Donnée : 1 ft = 1 foot = 30,48 cm.

Pour aller plus loin

26 Épreuve du saut nautique

COMPÉTENCES **Calculer ; raisonner.**

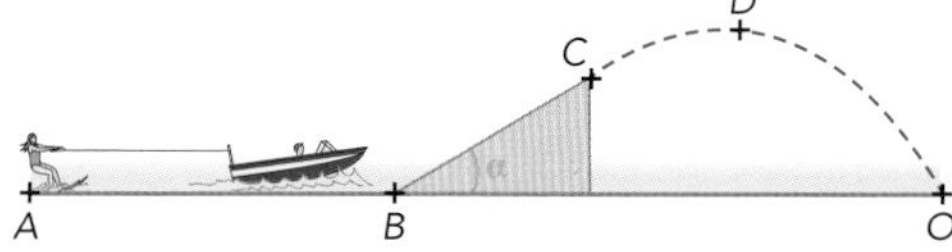

Une skieuse de masse m, assimilée à un point matériel est tractée par un bateau à l'aide d'une corde parallèle à la surface de l'eau. Elle part d'un point A sans vitesse initiale et arrive en B où elle lâche la corde avec une vitesse de 57,0 $km \cdot h^{-1}$.
Elle passe sur un tremplin BC, incliné d'un angle α par rapport à la surface de l'eau. Elle arrive jusqu'au point C, effectue un saut et retombe en O.
Le long du trajet AB, la force de traction $\vec{T}$ de la corde est constante et l'ensemble des forces de frottements est équivalent à une force unique constante $\vec{f}$.
Sur le reste du trajet, les frottements seront considérés comme négligeables par rapport aux autres forces.

Données : m = 60,0 kg ; AB = 200 m ; BC = 6,40 m ; f = 150 N ; α = 14,0°.

1. Faire le bilan des forces s'exerçant sur la skieuse au cours des trajets AB et BC. Les représenter sur un schéma.

2. Donner les expressions littérales des travaux des forces s'exerçant sur la skieuse aux cours des trajets AB et BC.

3. La force de traction est qualifiée de non conservative. Qu'est-ce que cela signifie ?

4. a. Que peut-on dire de l'évolution de l'énergie mécanique le long du trajet AB ?
b. En déduire l'expression de la valeur T de la force de traction le long du trajet AB. Calculer sa valeur.

5. a. Que peut-on dire de l'évolution de l'énergie mécanique le long du trajet BC ?
b. En déduire l'expression de la vitesse v_C au point C. Calculer sa valeur.

6. La skieuse parvient au point D avec une vitesse de valeur v_D = 51 $km \cdot h^{-1}$. Déterminer l'altitude atteinte par la skieuse au sommet D de sa trajectoire.

27 Le pendule de Foucault

COMPÉTENCES **Argumenter ; calculer.**

Situé au centre de la coupole du Panthéon à Paris, le « pendule de Foucault » est composé d'une sphère de masse m = 28,0 kg suspendue à l'extrémité d'un fil d'acier d'une longueur L = 67,0 m et de masse négligeable.
Le pendule est écarté de sa position d'équilibre d'un angle α, puis abandonné sans vitesse initiale en un point A. On suppose qu'il oscille sans frottement.

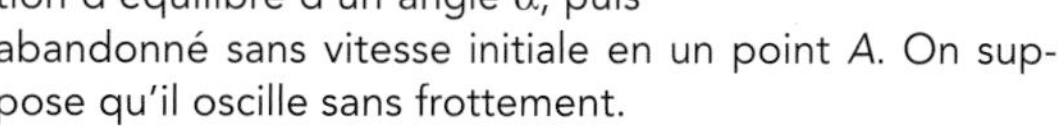

Le mouvement sera étudié dans un référentiel terrestre sur une durée suffisamment courte pour que le référentiel soit considéré galiléen.
On choisit le point O comme référence pour l'énergie potentielle de pesanteur et la sphère du pendule est assimilée à un point matériel.

1. Faire l'inventaire des forces extérieures exercées sur la sphère. Les représenter sur un schéma.

2. a. Comment évolue l'énergie mécanique de la sphère au cours du temps ?
b. Quels transferts d'énergie ont lieu au cours d'une oscillation ?

3. a. Donner l'expression de l'énergie mécanique de la sphère lorsqu'elle est en A, en fonction de m, g, α et L.
b. Donner l'expression de l'énergie mécanique de la sphère lorsqu'elle passe en O, en fonction de m et de la valeur v_0 de sa vitesse lorsqu'elle passe en O.

4. À partir des relations précédentes, déterminer l'expression puis la valeur de l'angle dont a été écarté le pendule sachant que $v_0 = 1{,}17 \text{ m}\cdot\text{s}^{-1}$.

5. @ Quel phénomène FOUCAULT a-t-il mis en évidence en 1851 à l'aide d'un tel pendule ?

Donnée : $g = 9{,}81 \text{ m}\cdot\text{s}^{-2}$.

Les dominos

COMPÉTENCES **Raisonner ; calculer.**

On souhaite préparer le départ d'une bille pour un « dominos-cascade ». La bille lancée doit aller percuter le premier domino pour déclencher des chutes en cascade. L'installation des dominos étant compliquée, on ne peut pas faire d'essais : les conditions de lancer et la trajectoire doivent donc être calculées.
Le schéma ci-dessous décrit la situation. Attention, les échelles ne sont pas respectées.

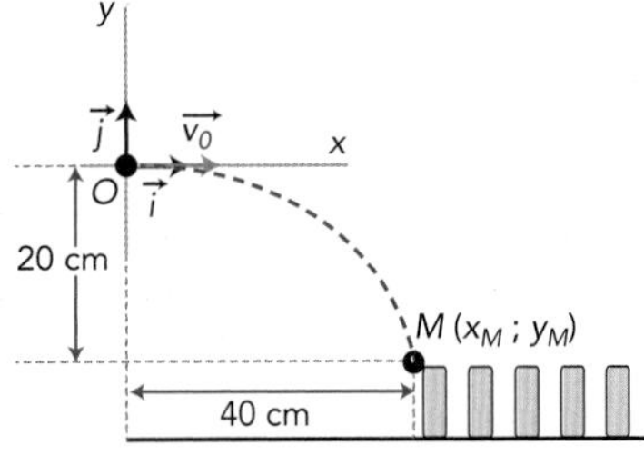

Figure 1

On suppose dans l'ensemble de l'exercice que :
– le référentiel terrestre est galiléen ;
– la bille est assimilée à un point matériel ;
– les frottements sont négligeables.
On prendra $g = 10 \text{ m}\cdot\text{s}^{-2}$. La masse de la bille est $m = 60$ g.

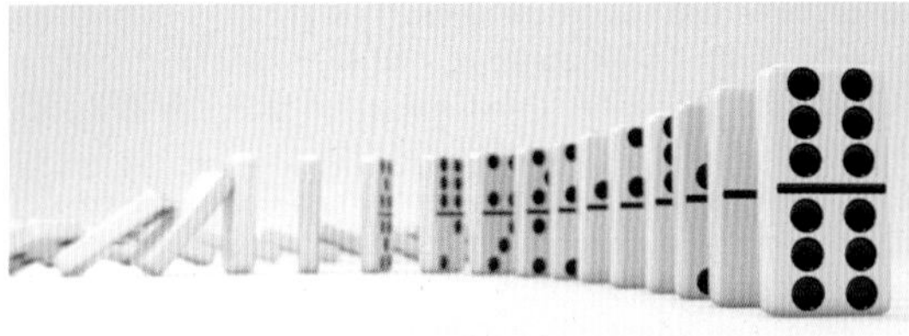

1. Équation de la trajectoire de la bille

On suppose dans cette partie que la bille arrive en O de coordonnées (0 ; 0) avec une vitesse $\vec{v_0} = v_0 \cdot \vec{i}$ de direction horizontale. L'instant où la bille arrive en ce point sera pris comme origine des temps ($t = 0$).
a. À quelle force extérieure la bille est-elle soumise entre les points O et M exclus ?
b. En appliquant la deuxième loi de Newton à la bille lorsqu'elle a quitté le point O, établir la relation entre l'accélération de la bille et le champ de pesanteur $\vec{g}$.
c. Déterminer les coordonnées du vecteur vitesse de la bille.
d. Montrer alors que l'équation de la trajectoire de la bille entre O et M est :

$$y(x) = -\frac{g \cdot x^2}{2\, v_0^2}$$

e. Calculer la valeur de la vitesse v_0 pour que la bille arrive en M, dont les coordonnées dans le repère $(O ; \vec{i}, \vec{j})$ sont :

$$x_M = 0{,}40 \text{ m} \quad \text{et} \quad y_M = -0{,}20 \text{ m.}$$

2. Utilisation d'un plan incliné pour que la bille arrive en O avec la vitesse de valeur v_0

Dans cette situation (illustrée par la **figure 2**), la bille est lâchée sans vitesse initiale d'un point A (de coordonnées x_A et y_A), situé en haut d'un plan incliné réglable très lisse sur lequel on néglige les frottements.

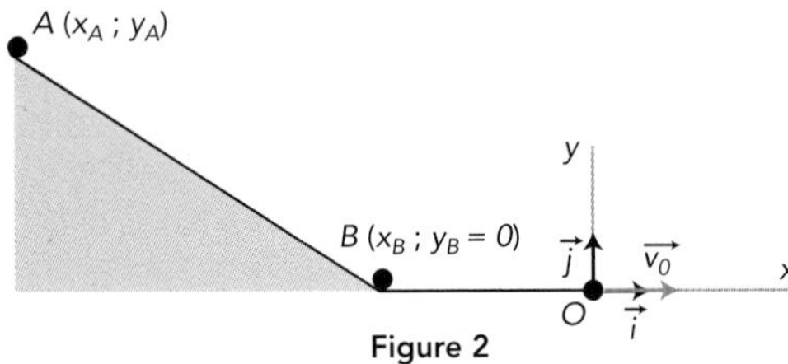

Figure 2

Ensuite, la bille roule entre les points B et O : sur cette portion, on considérera que la valeur de la vitesse de la bille reste constante : $v_B = v_0$.
Entre A et B, la bille est soumise à deux forces constantes : le poids $\vec{P}$ et la réaction du plan incliné $\vec{R}$. Ces forces sont représentées (sans considération d'échelle), en un point quelconque du trajet [AB], sur la **figure 3** ci-dessous.
L'origine des énergies potentielles de pesanteur est prise au point O d'altitude $y_O = 0$.

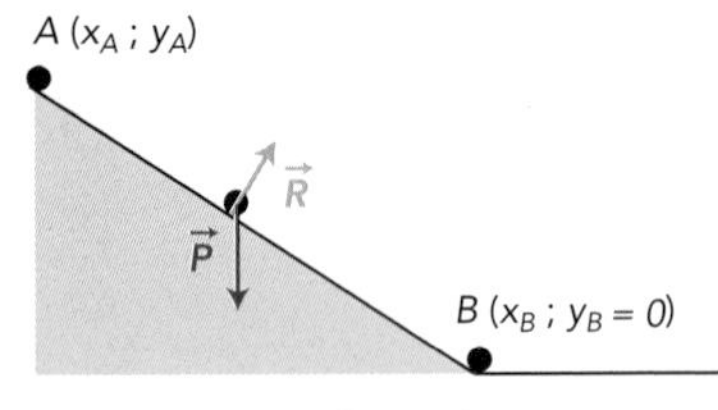

Figure 3

a. Quelle(s) force(s) travaillent au cours du mouvement de la bille entre A et B ? Justifier.
b. Entre A et B, l'énergie mécanique de la bille se conserve-t-elle ?
c. Établir l'expression de l'énergie mécanique $\mathscr{E}_m(A)$ de la bille en A en fonction de y_A.
d. Établir l'expression de l'énergie mécanique $\mathscr{E}_m(B)$ de la bille en B en fonction de v_B.
e. En déduire l'expression de y_A en fonction de v_0.
f. Calculer y_A pour que $\vec{v_0}$ ait une valeur de $2{,}0 \text{ m}\cdot\text{s}^{-1}$.

Un pas vers l'enseignement supérieur

29 Le grand huit 

COMPÉTENCES Raisonner ; calculer.

Un wagon d'un manège de parc d'attraction est propulsé par catapulte à une hauteur H. Il est ensuite abandonné, sans vitesse initiale, dans une grande descente, puis effectue un looping de forme circulaire de 38 m de diamètre.

Dans la partie circulaire, la position du wagon est repérée par l'angle θ (voir schéma ci-dessous).

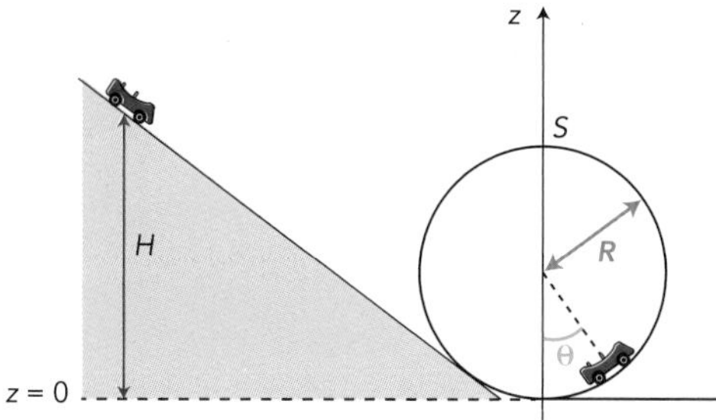

On supposera que les frottements sont négligeables lors du mouvement du wagon qui sera assimilé à un point matériel.

1. Exprimer l'altitude z du wagon en fonction du rayon R de la partie circulaire et de θ.
2. Exprimer la valeur de la vitesse v_M du wagon en un point M repéré par cet angle θ.
3. Que devient cette expression au sommet S de la boucle ?
4. La valeur de la vitesse v_S en S doit être au minimum de 13,8 $m \cdot s^{-1}$ pour que le wagon reste en contact avec le rail.

Quelle doit être la hauteur H pour que le wagon passe en S avec cette vitesse ?

Donnée : $g = 9{,}81\ m \cdot s^{-2}$.

30 Le pendule électrostatique 

COMPÉTENCES Raisonner ; faire une démonstration ; construire un graphique.

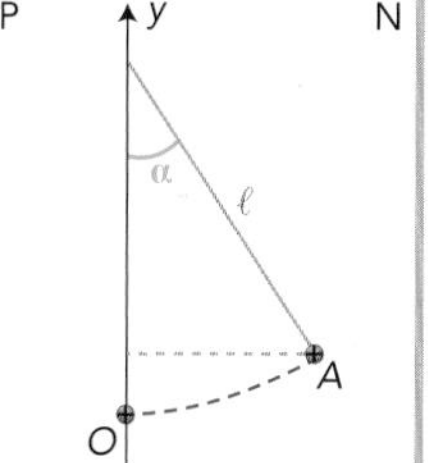

La sphère d'un pendule électrostatique, supposée petite et chargée positivement, est en équilibre en un point O situé entre deux plaques P et N conductrices, parallèles et distantes de $d = 18{,}0$ cm. Les plaques sont initialement neutres.

On applique alors entre ces deux plaques une différence de potentiel $V_P - V_N = 1\,500$ V qui crée un champ électrostatique $\vec{E}$ uniforme.

Après quelques oscillations, la sphère adopte une nouvelle position d'équilibre en un point A (voir schéma ci-dessus).

Dans cette position, le fil du pendule fait un angle α avec la verticale.

Le point O est pris comme point de référence pour les énergies potentielles électrique et de pesanteur.

On néglige les frottements.

1. a. Établir l'expression du travail du poids de la sphère lorsqu'elle se déplace du point O au point A en fonction de m, g, ℓ et α.
b. Établir l'expression du travail de la force électrostatique qui s'exerce sur cette sphère lorsqu'elle se déplace du point O au point A en fonction de q, E, ℓ et α.
2. En déduire l'expression de la variation d'énergie potentielle de pesanteur $\Delta\mathscr{E}_{pp}$ et de la variation d'énergie potentielle électrique $\Delta\mathscr{E}_{pé}$ de la sphère au cours de son mouvement.
3. En utilisant un tableur ou une calculatrice, tracer la représentation graphique des variations des énergies potentielles $\Delta\mathscr{E}_{pp}$ et $\Delta\mathscr{E}_{pé}$ et de leur somme $\Delta\mathscr{E}_p$ pour différentes valeurs de α comprises entre 0° et 50°.
4. Pour quelle valeur de l'angle α la somme $\Delta\mathscr{E}_p$ des variations des énergies potentielles $\Delta\mathscr{E}_{pp}$ et $\Delta\mathscr{E}_{pé}$ est-elle minimale ?

Que peut-on dire du pendule pour cet angle ?

Données :
masse de la sphère $m = 0{,}50$ g ;
charge de la sphère $q = 3{,}00 \times 10^{-7}$ C ;
longueur du fil $\ell = 10{,}0$ cm ;
$g = 10\ m \cdot s^{-2}$.

Retour sur l'ouverture du chapitre

31 **Bac** Amateur de sensations fortes 

COMPÉTENCES **Extraire des informations ; calculer ; raisonner ; construire un graphique.**

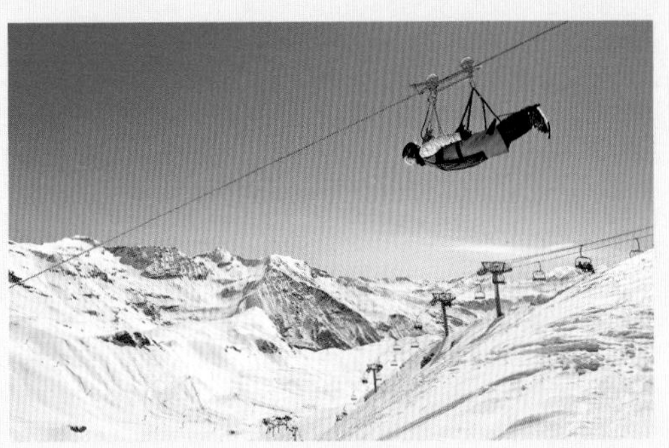

La plus grande tyrolienne d'Europe se situe à Orcières, village des Hautes-Alpes à 1 850 m d'altitude. Elle permet à un amateur de sensations fortes d'effectuer un vol long de 1 900 m entre ciel et terre avec une vitesse de pointe pouvant atteindre 140 $km \cdot h^{-1}$!
La descente s'effectue suspendu à un baudrier, corps horizontal et tête en avant entre le sommet du Drouvet à une altitude de 2 650 m et le lac de Long à une altitude de 2 534 m.

Damien se laisse glisser, sans vitesse initiale, depuis le sommet *A* du Drouvet. Sa trajectoire est modélisée par trois portions de droite.

Il effectue d'abord une descente de 1 000 m sur une pente de 14 % jusqu'à un point *B*. Il poursuit ensuite son « vol » sur une portion de trajet horizontale de 500 m de longueur jusqu'à un point *C* et le termine en remontant une pente de 6 % longue de 400 m. Il s'arrête en douceur en un point *D* de cette pente sous l'effet de son poids.

On s'intéresse au système constitué par Damien et son équipement qui sera assimilé à un point matériel *S* de masse $m = 85{,}0$ kg.

On supposera que les frottements sont équivalents à une force unique de valeur *f* constante égale à 60,0 N, tout au long du parcours.

On choisit l'altitude de la station d'Orcières comme référence pour l'énergie potentielle de pesanteur.

1. En utilisant les indications de l'énoncé, représenter la trajectoire de *S* dans un repère $(O; \vec{i}, \vec{j})$ dont l'origine sera judicieusement choisie.

2. a. Quelles formes d'énergie le système *S* possède-t-il ?
b. Indiquer comment évolue chacune des ces formes au cours des différentes phases du mouvement.

3. a. Quelle est l'expression de l'énergie mécanique du système étudié au point *A*, sommet du Drouvet ?
b. Calculer sa valeur.

4. a. En quel point de la trajectoire la vitesse de *S* est-elle maximale ?
b. Donner l'expression de la valeur de cette vitesse v_{max} puis faire l'application numérique.
c. Comparer la valeur obtenue à la valeur de l'énoncé. Quelle raison peut expliquer la différence ?

5. a. Donner l'expression de la valeur de la vitesse avec laquelle *S* atteint le bas *C* de la remontée.
b. La calculer.

6. a. Quelle distance doit parcourir *S* dans la dernière phase du mouvement pour s'arrêter ?
b. Ce résultat est-il cohérent avec la longueur de la remontée ?

Donnée : $g = 10\ m \cdot s^{-2}$.

Aide au calcul

$6{,}0 \times 8{,}5 = 51$;	$7{,}0 \times 8{,}5 \approx 60$;
$8{,}0 \times 8{,}5 = 68$;	$1{,}4 \times 8{,}5 \approx 12$;
$6{,}5 \times 3{,}6 \approx 23$;	$3{,}7 \times 3{,}6 \approx 13$;
$\frac{600}{85} \approx 7{,}1$;	$\frac{60}{111} \approx 0{,}54$;
$\sqrt{7{,}0} \approx 2{,}6$;	$\sqrt{14} \approx 3{,}7$;
$\sqrt{21} \approx 4{,}6$;	$\sqrt{42} \approx 6{,}5$.

Comprendre un énoncé

32 Bac À la fête foraine

Un jouet de fête foraine est constitué d'un chariot de masse m pouvant glisser avec frottements le long d'un rail qui comporte une partie $[OA]$ horizontale et une partie $[AB]$ inclinée d'un angle α par rapport à l'horizontale.

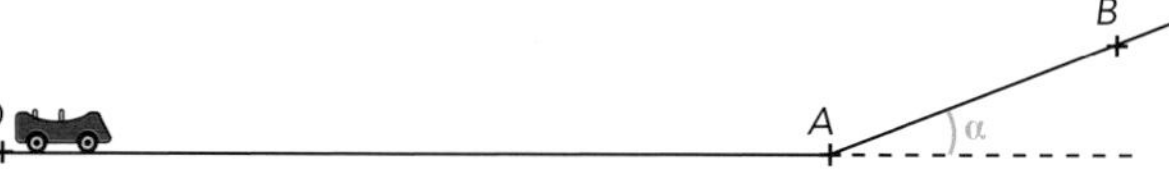

Le chariot, lancé avec une vitesse initiale de valeur v_O, parvient au point B, redescend et s'arrête en un point C situé sur la partie horizontale.
Les frottements sont équivalents à une force constante $\vec{f}$ tout au long du trajet.

Données :
$v_O = 6{,}0 \text{ m} \cdot \text{s}^{-1}$; $m = 5{,}0 \text{ kg}$;
$OA = 8{,}0 \text{ m}$; $AB = 4{,}0 \text{ m}$; $\alpha = 30°$;
$f = 10 \text{ N}$;
$g = 9{,}81 \text{ m} \cdot \text{s}^{-2}$.

Questions à se poser à la lecture de l'énoncé

→ Quel est le système étudié ?

→ Quelle est la valeur de la vitesse au point B ?

→ Quelle est la valeur de la vitesse au point C ?

→ La force de frottement est-elle une force conservative ?

→ La force de frottement travaille-t-elle ?

Questions	Compétences à mobiliser	Si difficulté, revoir
1. a. Exprimer le travail de la force de frottement lorsque le chariot va directement du point O au point C, sans être passé par la partie inclinée. **b.** Exprimer le travail de la force de frottement lorsque le chariot va du point O au point C en passant par le point B.	• Connaître l'expression du travail d'une force constante. • Calculer un produit scalaire*.	Cours, §1.2 et 1.5, p. 190 à 192.
c. Comparer les résultats et conclure.	• Connaître la notion de force non conservative.	Cours §1.5, p. 192.
2. a. Quelles formes d'énergie le chariot possède-t-il en B ? en C ?	• Connaître l'énergie cinétique et l'énergie potentielle de pesanteur. • Définir un point de référence pour l'énergie potentielle.	Exercice résolu 3, p. 196.
b. Quel transfert d'énergie a lieu au cours du mouvement entre B et C ?	• Analyser les transferts d'énergie qui ont lieu au cours d'un mouvement.	Cours §2.3, p. 193.
3. Déterminer la distance BC parcourue par le chariot au retour.	• Exploiter la relation qui traduit la non-conservation de l'énergie mécanique. • Calculer*.	Cours §2.3, p. 193.

* Compétence transversale.

Avoir les bons réflexes 

Si l'énoncé demande de...	il est nécessaire de...	Si difficulté	Pour réviser
Établir ou exploiter l'expression du travail du poids.	● Donner l'expression vectorielle du travail. ● Repérer correctement les altitudes sur un axe vertical. ● Identifier les points de départ et d'arrivée.	Exercice résolu 3, p. 196, et exercice 7, p. 198.	Exercice 26 p. 203.
Établir ou exploiter l'expression du travail d'une force électrostatique dans le cas d'un champ uniforme.	● Donner l'expression vectorielle du travail. ● Savoir associer à une force conservative une énergie potentielle.	Exercice résolu 4, p. 197, et exercice 10, p. 199.	Exercice 23 p. 202.
Établir l'expression du travail d'une force de frottement.	● Donner l'expression vectorielle du travail. ● Repérer le sens du déplacement et celui de la force de frottement.	Cours § 1.5, p. 192, et exercice 18, p. 200.	Exercice 22 p. 202.
Analyser et exploiter des transferts d'énergie.	● Définir le système étudié. ● Identifier les différentes formes d'énergie. ● Identifier les forces conservatives et les forces non conservatives. ● Dire s'il y a transfert total ou partiel d'une forme d'énergie en une autre ou bien conservation ou non-conservation de l'énergie mécanique. ● Savoir exprimer l'énergie mécanique d'un système en un point.	Cours §2.2 et §2.3, p. 193, exercice résolu 3, p. 196, et exercice 27, p. 203.	Exercices 24, 29, et 30 p. 202 à 205.

Dans les conditions du baccalauréat

- **Avec aide :** Exercice 32 p. 207.
- **Sans aide :** Exercice 31 p. 206.

Temps et relativité restreinte

Chapitre 8

En 1905, Albert EINSTEIN élabore la théorie de la relativité restreinte. Le postulat principal est que la valeur de la vitesse de la lumière dans le vide est constante dans tout référentiel galiléen. Une conséquence est que la valeur de la vitesse de la lumière dans le vide est une valeur limite que l'on ne peut pas dépasser. **Cette théorie peut-elle être remise en cause par des expériences récentes ? (Voir exercice 27, p. 226.)**

Qu'est-ce que la relativité restreinte ?

OBJECTIFS

- → Savoir que la vitesse de la lumière dans le vide est la même dans tous les référentiels galiléens.
- → Définir la notion de temps propre et exploiter la relation entre durée propre et durée mesurée.
- → Identifier des situations concrètes où le caractère relatif du temps est à prendre en compte.

Activités Étude documentaire

1 Et « l'éther » s'évapora...

La théorie de la relativité est, avec la mécanique quantique, une théorie qui révolutionna la physique du XXe siècle. Comment a-t-elle été élaborée et quelles en sont les conséquences ?

Le caractère ondulatoire de la lumière est mis en évidence au XIXe siècle, grâce aux phénomènes de diffraction et d'interférences (voir **chapitre 3**). On pense alors que la lumière, comme les ondes mécaniques, nécessite un milieu de propagation. Ainsi, tout l'espace serait rempli d'un fluide immobile nommé « éther » dans lequel la lumière se propagerait à vitesse constante. La Terre en mouvement par rapport à l'éther serait alors soumise à un « vent d'éther » de sens opposé à celui de son déplacement (**doc. 1**).

Diverses expériences, notamment celle des physiciens américains A. MICHELSON (1852-1931) et E. MORLEY (1838-1923) réalisée dans les années 1880, sont entreprises pour mesurer la vitesse de déplacement de la Terre par rapport à l'éther.

A. MICHELSON et E. MORLEY conçoivent un appareil, appelé « interféromètre », qui permet de séparer une onde lumineuse monochromatique en deux faisceaux.

Ces derniers se propagent dans deux directions perpendiculaires et sont réfléchis par des miroirs (**doc. 2**). Les deux faisceaux parcourent des longueurs légèrement différentes entre le moment où ils sont séparés et celui où ils se superposent à nouveau.

Cette différence de longueur, et donc de temps de parcours, engendre au niveau du détecteur des franges d'interférences (voir **chapitre 3**) qui alternent des bandes sombres et claires.

Si la Terre avait un mouvement par rapport au référentiel de l'éther, la vitesse de la lumière serait différente dans les deux directions perpendiculaires.

Cela devrait affecter la figure d'interférences, d'une manière variable selon l'orientation de l'interféromètre par rapport au sens de déplacement de la Terre. Bien que l'expérience fût répétée à de nombreuses reprises, aucune variation significative ne fut jamais détectée. L'éther semblait immobile par rapport à la Terre, ce qui était très improbable étant donnée la course compliquée de la Terre autour du Soleil.

En 1905, un jeune employé du Bureau des Brevets à Berne, A. EINSTEIN, propose d'abandonner la notion d'éther et publie la théorie de la relativité restreinte, selon laquelle la lumière se propage dans le vide avec une vitesse indépendante du référentiel.

Cela est en totale contradiction avec la mécanique galiléenne.

La relativité restreinte expliquera les observations mettant en jeu des systèmes en mouvement à des vitesses non négligeables face à celles de la lumière dans le vide.

Elle permet en outre de retrouver les lois de la mécanique galiléenne pour les faibles vitesses.

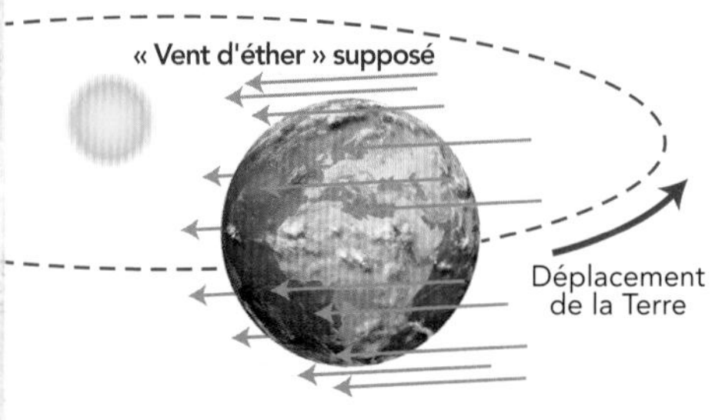

Doc. 1 Mouvement de la Terre par rapport à l'éther.

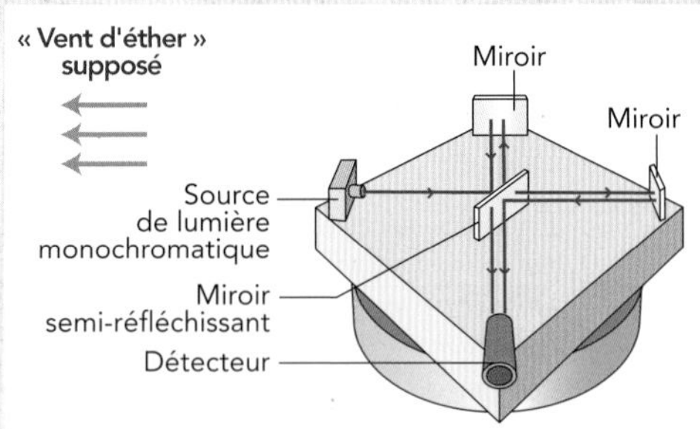

Doc. 2 Schématisation du dispositif de A. MICHELSON et E. MORLEY.

1 En quoi le texte illustre-t-il les étapes d'une démarche scientifique ?

2 Expliquer pourquoi la théorie de la relativité restreinte est en contradiction avec les conceptions de la mécanique galiléenne.
Par quels aspects ces deux théories ne sont-elles pas incompatibles ?

Un pas vers le cours...

3 Que peut-on dire de la vitesse de la lumière dans le vide ?

2 ... lorsque la relativité arriva

Les muons (voir chapitre 1) sont des particules élémentaires produites dans la haute atmosphère. Ces particules ont une durée de vie très courte, de l'ordre de la microseconde. Elles atteignent cependant la surface de la Terre.
La mécanique classique explique-t-elle la détection de muons à la surface de la Terre ?

Compétence exigible au baccalauréat
- Extraire et exploiter des informations relatives à une situation concrète où le caractère relatif du temps est à prendre en compte.

Les muons sont des particules voisines de l'électron, mais beaucoup plus massives, qui mettent en évidence la présence de rayonnements cosmiques. Ces rayonnements, présents dans tout l'Univers, sont notamment constitués de particules chargées.
Parmi ces particules, on trouve principalement des protons qui interagissent avec les noyaux des atomes des éléments chimiques qu'ils rencontrent dans la haute atmosphère. Après plusieurs désintégrations, des muons peuvent se former.
Les muons parcourent une distance importante dans la matière, car ils interagissent peu avec cette dernière. Pour parvenir au sol, ils doivent traverser une couche d'atmosphère d'une épaisseur d'environ 10 km. Pour repérer leur présence au niveau du sol, on utilise des détecteurs (doc. 3).
Ils voyagent à une vitesse de valeur très élevée, $v = 0{,}998 \times c$, avec $c = 3{,}00 \times 10^8\ \text{m} \cdot \text{s}^{-1}$, la valeur de la vitesse de la lumière dans le vide.
D'après les lois de la mécanique classique, à cette vitesse, il faut environ 33 µs aux muons pour traverser cette couche d'atmosphère.

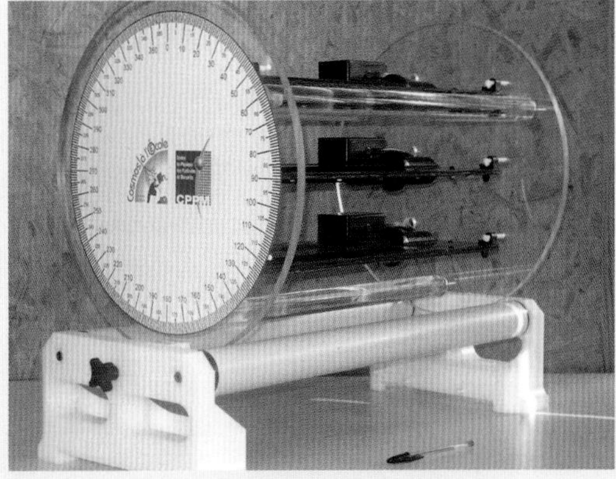

Doc. 3 Un exemple de détecteur de muons : le cosmodétecteur, réalisé par le Centre de physique des particules de Marseille (CPPM) dans le cadre de l'opération Cosmos à l'École, menée conjointement par Sciences à l'École et l'IN2P3.

1 Retrouver par le calcul la valeur de 33 µs indiquée dans le texte.

2 Diverses expériences ont montré que les muons ont une durée de vie moyenne notée ΔT_0, de l'ordre de 2,2 µs.
En raisonnant en mécanique classique, devrait-on détecter des quantités non négligeables de muons au niveau du sol ?

3 Des muons sont pourtant détectés au niveau du sol (voir chapitre 1). La relativité restreinte permet d'expliquer cette détection par la dilatation des durées. On suppose un muon se déplaçant, par rapport à la Terre, avec une vitesse de valeur v proche de c. On considère deux événements affectant ce muon qui se produisent en deux points différents sur Terre. Ces événements sont, par exemple, sa création dans l'atmosphère et son arrivée au niveau du sol. La durée entre ces événements mesurée sur Terre est notée $\Delta T'$.
Dans la théorie de la relativité restreinte, $\Delta T'$ est différente de la durée ΔT_0 entre ces deux mêmes événements mesurée dans un référentiel lié au muon en mouvement. La durée $\Delta T'$ est appelée **durée mesurée**. La durée ΔT_0 est appelée **durée propre**.
Ces deux durées sont liées par la relation de la **dilatation des durées** : $\Delta T' = \gamma \cdot \Delta T_0$.
Le coefficient γ est donné par $\gamma = \dfrac{1}{\sqrt{1 - \dfrac{v^2}{c^2}}}$.
v est la valeur de la vitesse relative du référentiel, lié à la Terre, dans lequel on mesure $\Delta T'$, par rapport à celui, lié à l'objet en mouvement, dans lequel on mesure ΔT_0.

a. Calculer γ dans le cas du muon.

b. En déduire la durée de vie moyenne mesurée, par un observateur terrestre, $\Delta T'$ d'un muon se déplaçant à la vitesse de valeur v.

c. En comparant $\Delta T'$ et ΔT_0, expliquer l'expression « dilatation des durées ».

d. Comparer $\Delta T'$ à la valeur 33 µs indiquée dans le texte.

Un pas vers le cours...

4 En quoi l'observation de muons au niveau du sol est-elle une preuve expérimentale de la pertinence de la relativité restreinte ?

Compétence exigible au baccalauréat

- Extraire et exploiter des informations relative à une situation concrète où le caractère relatif du temps est à prendre en compte.

3 « Être à l'heure pour se situer »

Lors d'un trajet routier, il est nécessaire de pouvoir se localiser si l'on souhaite optimiser son parcours. Alors que la carte papier était longtemps l'unique moyen de repérage, le GPS (*Global Position System*) est actuellement très utilisé.
Quels sont les principes de fonctionnement du GPS ? En quoi la relativité permet-elle de prévoir et justifier les dérives temporelles des horloges embarquées à bord des satellites GPS ?

La Terre et une constellation de satellites GPS

Développé initialement à des fins militaires, le GPS est aujourd'hui utilisable par les civils. Le GPS comprend une constellation de 24 satellites. Chacun d'eux emporte une horloge atomique (voir l'**activité 5** du **chapitre 7**) de haute précision et évolue sur une orbite circulaire autour de la Terre.
Il émet régulièrement un signal électromagnétique indiquant l'heure d'émission et sa position par rapport à la Terre. Le récepteur GPS, situé dans un bateau ou une voiture par exemple, détecte l'heure d'arrivée du signal.
Avec ces deux informations, heure d'émission et heure de réception, le récepteur calcule la durée de propagation du signal et en déduit la distance qui le sépare du satellite.

Principe de la localisation

Le principe de la localisation par GPS est très simple : c'est celui de la triangulation. Supposons que nous soyons perdus quelque part en France. Si nous passons devant un panneau de signalisation indiquant que Paris est à 161 km, que Rennes est à 233 km et que Poitiers est à 136 km, il suffit de dessiner trois cercles sur une carte et de repérer où ces trois cercles se coupent, dans le cas présent à Blois (**doc. 4**).
Pour localiser un point M à la surface du globe terrestre, il suffit d'entrer en contact avec quatre satellites GPS. En effet, avec un satellite, le point M est localisé sur une sphère de rayon égal à la distance qui le sépare du satellite. Avec deux satellites, le point M est localisé à l'intersection de deux sphères. Une telle intersection est un cercle.
Avec trois satellites, le point M est localisé à l'intersection de trois sphères, ce qui donne deux positions possibles. Le quatrième satellite permet de lever l'ambiguïté restant entre les deux positions précédentes.

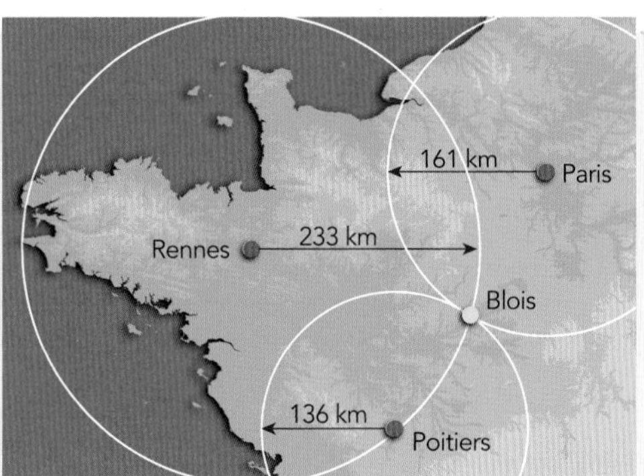

Doc. 4 Principe de localisation à la surface de la Terre : trois cercles sont nécessaires.

Être à l'heure pour se situer

Pour minimiser l'erreur sur les distances, toutes les horloges du système doivent être parfaitement synchronisées.
Pour déterminer une distance à dix mètres près, il faut mesurer la durée du trajet avec une précision d'environ 30 nanosecondes.
Les horloges atomiques embarquées à bord des satellites sont bien plus précises que cela.
En revanche, le récepteur GPS au sol ne peut disposer d'une horloge de ce type, chère et volumineuse.
Pour pallier cela, son horloge électronique, relativement peu précise, est remise régulièrement à l'heure à l'aide des signaux en provenance des satellites.

La relativité et le GPS

Les satellites GPS se déplacent à plus de 20 000 kilomètres d'altitude, avec une vitesse dont la valeur est de $3{,}9 \times 10^3$ mètres par seconde dans un référentiel géocentrique. **À cause de cette vitesse, leurs horloges retardent de 7 microsecondes par jour par rapport aux horloges terrestres.** Ce retard relève de la théorie de la relativité restreinte. À cela s'ajoute un effet plus subtil lié à la gravitation, donc à la théorie de la relativité générale qui prévoit que deux horloges identiques soumises à une gravité différente ne battent pas au même rythme. À cause de ce deuxième phénomène, les horloges des satellites GPS avancent de 45 microsecondes par jour par rapport à une horloge située au sol.

D'après J.-M. Courty et E. Kierly, « La gravitation », dossier hors-série n° 38, *Pour la Science*, janvier-avril 2003.

■ **La synchronisation d'horloges dans des situations particulières**

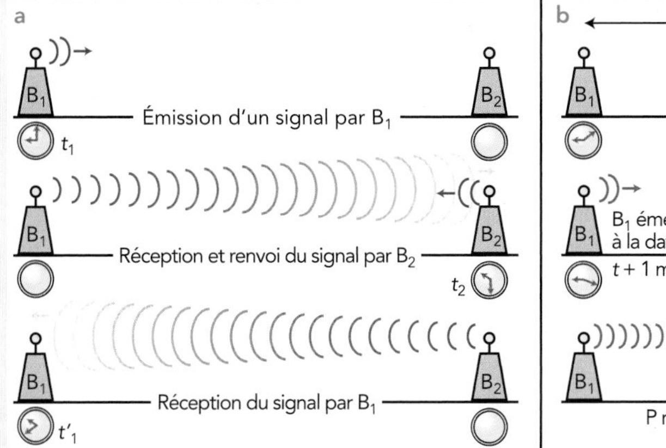

Doc. 5 Deux principes de synchronisation d'horloges.

a. Schématisation du principe de synchronisation de deux horloges immobiles l'une par rapport à l'autre. Le signal est émis par la balise B_1 à la date t_1 indiquée par l'horloge située en B_1.
Dès réception, B_2 renvoie un signal à la date t_2 indiquée par l'horloge située en B_2. B_1 reçoit un signal à la date t'_1.

b. Schématisation du principe de la synchronisation d'une montre (horloge mobile) grâce à deux horloges immobiles synchronisées. Le promeneur P, dont la montre n'est pas forcément à l'heure, est situé entre deux balises B_1 et B_2. On suppose qu'il reçoit simultanément les signaux de B_1 et de B_2. Chaque signal contient l'heure d'émission, par exemple t pour B_2 et $t + 1$ ms pour B_1.

D'après J.-M. Courty et E. Kierly, « La gravitation », dossier hors-série n° 38, *Pour la Science*, janvier-avril 2003.

La relativité restreinte permet d'écrire que $\Delta T' = \gamma \cdot \Delta T_0$, avec $\Delta T'$ la durée mesurée au sol et ΔT_0 la durée propre indiquée par une horloge embarquée dans le satellite. Le coefficient γ a pour expression :

$$\gamma = \frac{1}{\sqrt{1 - \frac{v^2}{c^2}}}$$

avec $c = 3{,}00 \times 10^8\ m \cdot s^{-1}$ et v la valeur de la vitesse relative du satellite par rapport au sol.

1 Expliquer le principe de localisation par GPS. On pourra se servir d'une carte mentale pour relever les mots-clés.

2 Pourquoi faut-il synchroniser toutes les horloges du GPS, celles des satellites et celle du récepteur ?

3 Lors de la synchronisation des deux horloges immobiles, comment s'exprime t_2 en fonction de t_1 et de t'_1 (doc. 5a) ?

4 Lors de la synchronisation d'une horloge mobile grâce à deux horloges immobiles (doc. 5b) :
a. Quelle information sur sa position le promeneur P peut-il tirer de la différence des dates d'émission des signaux issus des balises B_1 et B_2 ?
b. Sachant que la distance B_1B_2 est de 900 km, calculer la position de P par rapport à B_1 et par rapport à B_2. On suppose que les signaux émis sont des ondes électromagnétiques qui se déplacent dans le vide ou dans l'air à la vitesse de la lumière de valeur c.
c. Comment le promeneur P, connaissant sa position par rapport à B_1 ou par rapport à B_2, peut-il vérifier si sa montre est synchronisée avec les horloges des balises ?

5 Un satellite émet deux signaux successifs séparés d'une durée propre de 1 s ; cette durée est connue avec la plus grande précision permise par l'horloge du satellite.
a. En utilisant la théorie de la relativité restreinte, donner l'expression de la durée mesurée au sol entre ces deux émissions.
b. En déduire l'expression du retard de l'horloge embarquée dans le satellite par rapport à l'horloge au sol expliqué par la relativité restreinte.
c. On suppose que $v = 3{,}9 \times 10^3\ m \cdot s^{-1}$.
Calculer ce retard sur une journée.
d. Ce résultat est-il compatible avec la phrase en gras dans le texte ?

6 a. De combien les horloges des satellites avancent-elles par rapport aux horloges terrestres à cause des phénomènes de relativités restreinte et générale cumulés ?
b. Si cette avance n'était pas prise en compte par le GPS, la distance entre un satellite et le récepteur serait erronée. Quelle serait alors l'erreur sur la mesure de cette distance au bout de 24 heures ?

1 Qu'est-ce que l'invariance de la vitesse de la lumière dans le vide ?

L'expérience de A. MICHELSON (1852-1931) et E. MORLEY (1838-1923), réalisée en 1887 (**activité 1**), n'a pas mis en évidence l'existence de l'Éther. En 1905, A. EINSTEIN (doc. 1) publie un article qui s'appuie sur les travaux de H. LORENTZ (1853-1928) et H. POINCARÉ (1854-1912), ainsi que sur les résultats de l'expérience précédente. Dans cet article, il postule* que la valeur de la vitesse de la lumière dans le vide est la même dans tous les référentiels galiléens : c'est l'**invariance de la vitesse de la lumière**. Ceci remet en cause la mécanique classique pour laquelle la valeur de la vitesse dépend du référentiel.

Postulat d'A. Einstein pour la vitesse de la lumière
La valeur de la vitesse de la lumière dans le vide est la même dans tous les référentiels galiléens.

Voir exercices 1, p. 217, et 5 à 6, p. 219.

Doc. 1 Albert EINSTEIN, physicien allemand (1879-1955).

* **Postuler**, c'est admettre un principe et s'en servir de base pour un raisonnement.

La valeur de la vitesse de la lumière dans le vide est une des constantes fondamentales de la physique. Par convention, sa valeur est $c = 2{,}997\ 924\ 58 \times 10^8\ m \cdot s^{-1}$.

2 Qu'est-ce que la relativité restreinte ?

2.1 La relativité restreinte

- Le temps est une grandeur mesurée par une horloge.
- En physique classique, celle de GALILÉE et NEWTON (**chapitres 5 et 6**), le temps est absolu : il s'écoule indépendamment des conditions extérieures et de la même façon pour tout observateur, qu'il soit en mouvement ou pas.
- Selon la théorie de la relativité restreinte, l'écoulement du temps dépend du référentiel. La durée séparant deux événements* dépend donc du référentiel d'observation (**activité 3**, doc. 2 et 3).

* Un **événement** est un fait se produisant à un endroit donné. Ses coordonnées (x; y; z; t) dépendent du référentiel.

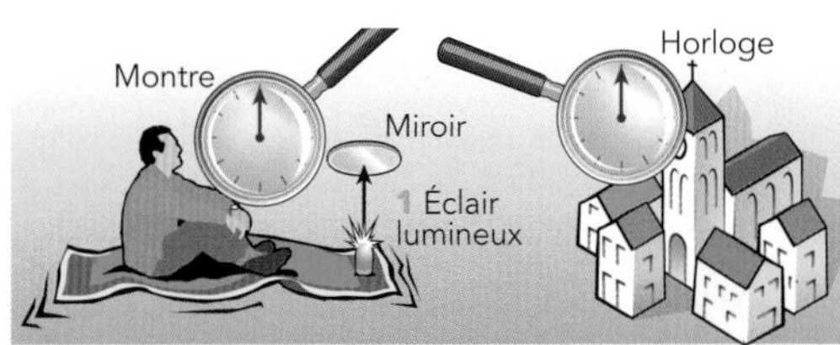

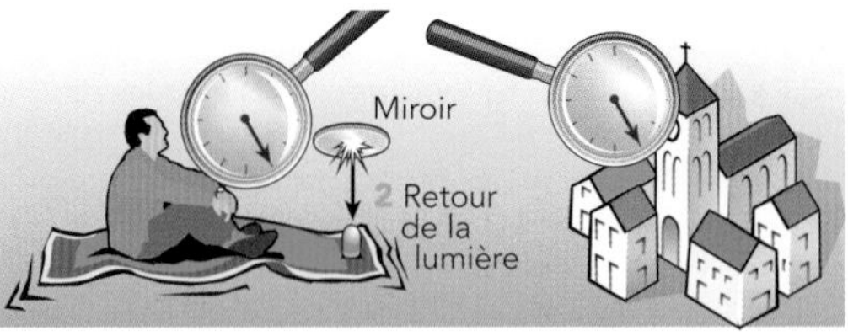

Doc. 2 Deux horloges immobiles l'une par rapport à l'autre mesurent les mêmes durées entre les événements 1 et 2.

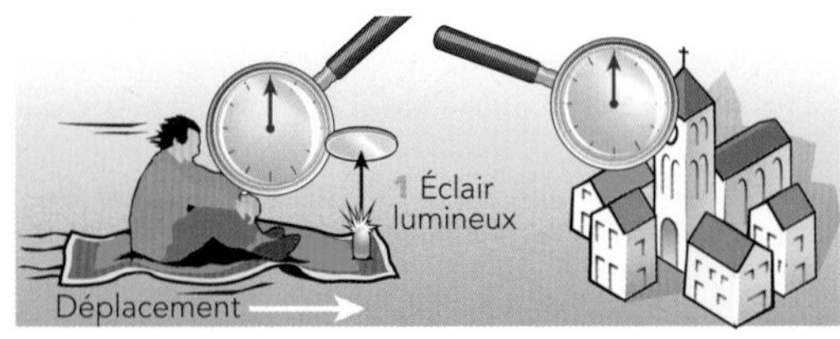

Doc. 3 Une horloge en mouvement et une horloge fixe ne mesurent pas la même durée entre les événements 1 et 2.

2.2 Relativité du temps

Temps propre

Le **temps propre**, ou **durée propre**, ΔT_0 est la **durée séparant** deux événements ayant lieu au même endroit dans un référentiel galiléen (R). Cette durée est mesurée par une horloge fixe dans ce référentiel galiléen et proche des deux événements.

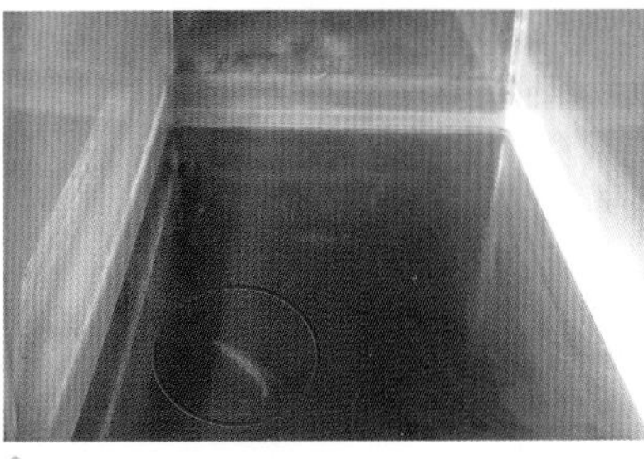

Doc. 4 Traces de muons dans un détecteur.

Temps mesuré

L'**activité 2** a montré que la durée de vie propre d'un muon (doc. 4) en mouvement dans l'atmosphère terrestre est plus petite que la durée de vie mesurée par un observateur immobile à la surface de la Terre.

Le **temps mesuré**, ou **durée mesurée**, $\Delta T'$ est la durée séparant deux événements mesurée par des horloges fixes dans un référentiel galiléen (R') en mouvement par rapport au référentiel galiléen (R) dans lequel on mesure le temps propre.

Relativité du temps

$\Delta T'$ et ΔT_0 sont liées par la relation de dilatation temporelle :

$$\Delta T' = \gamma \cdot \Delta T_0$$

Le coefficient γ (doc. 5), sans unité, est donné par la relation :

$$\gamma = \frac{1}{\sqrt{1 - \frac{v^2}{c^2}}}$$

où v est la valeur de la vitesse relative d'un référentiel par rapport à l'autre. c est la valeur de la vitesse de la lumière dans le vide.
v étant inférieure à c, le coefficient γ est supérieur à 1. Une durée mesurée $\Delta T'$ est toujours supérieure à la durée propre ΔT_0 correspondante.

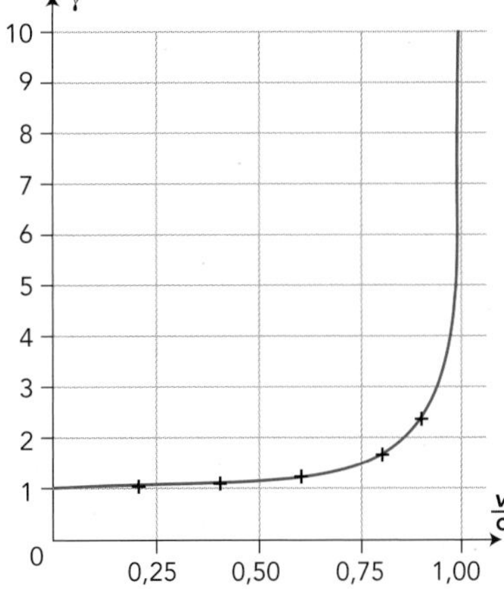

Doc. 5 Le coefficient γ ne diffère sensiblement de 1 que pour des valeurs de v non négligeables devant c.

Deux horloges en mouvement relatif ne mesurent pas la même durée entre les deux mêmes événements : $\Delta T' > \Delta T_0$.
C'est le phénomène de **dilatation des durées**.
Une horloge qui se déplace par rapport à un observateur bat plus lentement qu'une horloge immobile par rapport à cet observateur.

Voir exercices 2, p. 217, et 7 à 11, p. 219-220.

3 Physique classique ou relativité restreinte ?

Le postulat d'Einstein est compatible avec les lois de la mécanique classique de GALILÉE et de NEWTON. En effet si v est bien inférieure à c, alors γ est très proche de 1 (doc. 5). $\Delta T'$ est alors égale à ΔT_0. Dans ce cas, la mesure d'une durée est indépendante du référentiel choisi.

Dans le cas où la valeur de la vitesse relative entre les référentiels considérés est faible par rapport à la valeur de la vitesse de propagation de la lumière dans le vide, la dilatation des durées n'est plus perceptible, même avec des horloges atomiques.

Dans certaines situations, il est indispensable de prendre en compte la relativité du temps. C'est le cas des GPS (**activité 3**) : sans synchronisation, les horloges embarquées dans les satellites seraient décalées par rapport à une horloge terrestre.

Voir exercices 3, p. 217, et 12 et 13, p. 220.

Essentiel

Invariance de la vitesse de la lumière dans le vide

- La valeur de la **vitesse de la lumière dans le vide** est la même dans tous les référentiels galiléens.

Relativité restreinte

- En physique classique, le temps est **absolu** ; il s'écoule de la même manière quel que soit le référentiel d'étude. En relativité restreinte, le temps est **relatif** au référentiel choisi.

- Le **temps propre**, ou **durée propre**, ΔT_0 est la durée séparant deux événements ayant lieu au même endroit dans un référentiel galiléen (R). Cette durée est mesurée par une horloge fixe dans ce référentiel (R) et proche des deux événements.

- Le **temps mesuré**, ou **durée mesurée**, $\Delta T'$ est la durée séparant deux événements mesurée dans un référentiel galiléen (R') en mouvement par rapport au référentiel galiléen (R) dans lequel on mesure le temps propre. Les horloges qui mesurent $\Delta T'$ sont fixes dans (R').

La durée séparant l'émission de la lumière (événement 1) et sa réception après réflexion sur un miroir (événement 2) est mesurée par deux horloges proches de ces deux événements et immobiles l'une par rapport à l'autre. Ces deux horloges indiquent la même durée : c'est la durée propre ΔT_0.

Dans le référentiel lié au tapis, les événements ont lieu au même endroit. L'horloge liée au tapis est proche des deux événements. Elle indique la durée propre ΔT_0.
Les événements n'ont pas lieu au même endroit dans le référentiel terrestre. Les horloges fixes dans le référentiel terrestre indiquent une durée mesurée $\Delta T'$.

- Des horloges en mouvement relatif ne mesurent pas la même durée entre deux événements. Une durée mesurée est toujours supérieure à la durée propre.
C'est le phénomène de **dilatation des durées** : $\Delta T' > \Delta T_0$.

Physique classique ou relativité restreinte

- Dans le cas où la valeur de la vitesse relative entre les référentiels considérés est faible par rapport à la valeur de la vitesse de propagation de la lumière dans le vide, la dilatation des durées n'est plus perceptible, même avec des horloges atomiques.

Pour chaque question, indiquer la (ou les) bonne(s) réponse(s).

Voir corrigés, p. 606.

Données : $\gamma = \dfrac{1}{\sqrt{1-\dfrac{v^2}{c^2}}}$; $c = 2{,}997\,924\,58 \times 10^8\ \text{m}\cdot\text{s}^{-1}$.

1 Invariance de la vitesse de la lumière dans le vide

	A	B	C
1. En relativité restreinte, la valeur de la vitesse de la lumière dans le vide et dans un référentiel galiléen :	est absolue.	est relative.	dépend du référentiel.
2. L'invariance dans le vide de la valeur de la vitesse de la lumière dans un référentiel galiléen est un postulat de :	GALILÉE.	NEWTON.	EINSTEIN.

Si erreur, revoir § 1, p. 214.

2 Relativité restreinte

	A	B	C
1. L'horloge qui mesure le temps propre séparant deux événements doit être :	éloignée des lieux des événements.	proche des lieux des événements.	en mouvement par rapport au lieu où se déroulent ces deux événements.
2. En relativité restreinte, les durées mesurées sont :	contractées par rapport aux durées propres.	les mêmes que les durées propres.	dilatées par rapport aux durées propres.
3. Les durées propre ΔT_0 et mesurée $\Delta T'$ sont reliées par $\Delta T' = \gamma \cdot \Delta T_0$.	γ s'exprime en $\text{m}\cdot\text{s}^{-1}$.	γ s'exprime en s^{-1}.	γ est sans unité.
4. Deux personnes munies de chronomètres, fixes dans deux référentiels galiléens, observent les deux mêmes événements. Les durées séparant ces deux événements sont sensiblement différentes si :	ces deux personnes sont en mouvement l'une par rapport à l'autre à une vitesse de valeur élevée.	ces deux personnes sont en mouvement l'une par rapport à l'autre à une vitesse de faible valeur.	ces deux personnes ne sont pas en mouvement l'une par rapport à l'autre.
5. On imagine qu'une personne A munie d'un chronomètre se déplace à 225 000 $\text{km}\cdot\text{s}^{-1}$ par rapport à une personne B. B est également munie d'un chronomètre et les référentiels liés à A et B sont galiléens. A mesure la durée propre séparant deux événements.	La durée mesurée par B entre ces deux événements est environ 2 fois plus grande que celle mesurée par A.	La durée mesurée par B entre ces deux événements est environ 1,5 fois plus grande que celle mesurée par A.	La durée mesurée par B entre ces deux événements est sensiblement égale à celle mesurée par A.

Si erreur, revoir § 2, p. 214.

3 Physique classique ou relativité restreinte

	A	B	C
1. La mécanique classique :	est un cas particulier de la mécanique relativiste.	est une généralisation de la mécanique relativiste.	correspond au cas où $\gamma = 1$.
2. Le caractère relatif du temps est-il à prendre en compte par un observateur fixe dans un référentiel terrestre lorsqu'il mesure la période de battement des ailes d'une mouche volant à 10 $\text{km}\cdot\text{h}^{-1}$?	Oui.	Non.	On ne peut pas savoir sans connaître la période propre des battements.

Si erreur, revoir § 3, p. 215.

Exercice résolu

COMPÉTENCES
- Calculer.
- Extraire des informations.

4 Définir la notion de durée propre et exploiter la relation entre durée propre et durée mesurée

Énoncé

On considère le déplacement d'une particule élémentaire, un méson, dans un référentiel terrestre (R) supposé galiléen. Sa vitesse constante a pour valeur $v = 0{,}99 \times c$, où c est la valeur de la vitesse de la lumière dans le vide ($c = 3{,}0 \times 10^8\ m \cdot s^{-1}$). Il parcourt dans (R), depuis sa création jusqu'à sa désintégration, une distance $d = 3{,}0$ km.

Atlas, un détecteur de particules du CERN. Il détecte notamment des mésons.

1. a. Calculer la durée de vie $\Delta T'$ du méson dans le référentiel (R).
b. Dans quel référentiel la durée de vie propre peut-elle être déterminée ? En déduire que $\Delta T'$ est une durée mesurée.

2. Montrer que la durée de vie propre ΔT_0 de ce méson a pour expression $\Delta T_0 = \sqrt{1 - 0{,}99^2} \cdot \Delta T'$. Calculer ΔT_0.

La relation qui lie les durées propre ΔT_0 et mesurée $\Delta T'$ est $\Delta T' = \gamma \cdot \Delta T_0$, avec $\gamma = \dfrac{1}{\sqrt{1 - \dfrac{v^2}{c^2}}}$.

Conseils

1. a. Il faut rechercher toutes les informations relatives au mouvement du méson dans le référentiel imposé. Il faut s'interroger sur les unités et le nombre de chiffres significatifs.

b. Il faut définir précisément les deux événements.
Dans quel référentiel les deux événements ont-ils lieu au même endroit ?
La durée mesurée est la durée séparant deux événements, mesurée par une horloge fixe dans un référentiel galiléen en mouvement par rapport au référentiel galiléen dans lequel on mesure le temps propre.

2. Il faut utiliser la relation donnée dans l'énoncé.
Pour calculer γ, il faut connaître la vitesse relative du référentiel lié au méson par rapport à (R).
Il faut s'interroger sur les unités et le nombre de chiffres significatifs.

Solution rédigée

1. a. La durée de vie du méson est calculable à partir de la distance qu'il parcourt dans (R) et de la valeur de sa vitesse de parcours :

$$\Delta T' = \frac{d}{v} = \frac{3{,}0 \times 10^3}{0{,}99 \times 3{,}0 \times 10^8} = 1{,}0 \times 10^{-5}\ s = 10\ \mu s.$$

La durée de vie du méson mesurée dans (R) est de **10 µs**.

b. Les deux événements sont la création et la désintégration du méson.
Ils ont lieu au même endroit dans le référentiel lié au méson.
Le référentiel (R) est en mouvement par rapport au référentiel lié au méson.
$\Delta T'$ est donc une durée mesurée.

2. On déduit la durée de vie propre en utilisant la relation $\Delta T' = \gamma \cdot \Delta T_0$ où $\Delta T'$ est la durée mesurée entre deux événements et ΔT_0 la durée propre.

$\gamma = \dfrac{1}{\sqrt{1 - \dfrac{v^2}{c^2}}}$ avec v la vitesse relative entre les deux référentiels ($v < c$).

On en déduit la durée de vie propre :

$$\Delta T_0 = \frac{\Delta T'}{\gamma} = \frac{\Delta T'}{\dfrac{1}{\sqrt{1 - \dfrac{v^2}{c^2}}}} = \sqrt{1 - \frac{(0{,}99c)^2}{c^2}} \cdot \Delta T' = \mathbf{\sqrt{1 - 0{,}99^2} \cdot \Delta T'}$$

$\Delta T_0 = \sqrt{1 - 0{,}99^2} \times 1{,}0 \times 10^{-5} = 1{,}4 \times 10^{-6}$ s.

La durée de vie propre du méson est de **1,4 µs**.

Application immédiate

Une particule a une durée de vie propre de 2,51 µs. Elle se déplace dans un référentiel galiléen (R) avec une vitesse constante ayant pour valeur $v = 0{,}95 \times c$.

Quelle est la durée de vie $\Delta T'$ de cette particule mesurée dans le référentiel (R) ?

Voir corrigés, p. 606.

Compétences exigibles au baccalauréat

- ✔ Savoir que la vitesse de la lumière dans le vide est la même dans tous les référentiels galiléens. ➲ exercices 5 et 7
- ✔ Définir la notion de temps propre. ➲ exercice 15
- ✔ Exploiter la relation entre durée propre et durée mesurée. ➲ exercices 11 et 15
- ✔ Extraire et exploiter des informations relatives à une situation concrète où le caractère relatif du temps est à prendre en compte. ➲ activité 3 ➲ exercice 20

Pour commencer

Qu'est-ce que l'invariance de la vitesse de la lumière dans le vide ?

5 Connaître l'invariance de la vitesse de la lumière dans le vide

1. Énoncer le postulat sur l'invariance de la valeur de la vitesse de la lumière dans le vide.
2. Quel est le premier physicien à l'avoir énoncé ?

6 Connaître la valeur de la vitesse de la lumière dans le vide

1. Avec trois chiffres significatifs, rappeler la valeur de la vitesse de la lumière dans le vide.
2. La valeur de cette vitesse est-elle aujourd'hui connue de façon exacte ?

Qu'est-ce que la relativité restreinte ?

7 Attribuer les principes

Compléter le texte avec les termes suivants : *absolu(e), relatif(ve), invariant(e), Isaac* N*EWTON* et *Albert* E*INSTEIN*.

a. En mécanique classique, le temps est ...... et la valeur de la vitesse de la lumière dans le vide est ....
C'est la mécanique d'...... .

b. En relativité restreinte, le temps est ...... et la valeur de la vitesse de la lumière dans le vide est ....
C'est la mécanique d'......

8 Comprendre la relation entre durée propre et durée mesurée

La durée mesurée $\Delta T'$ entre deux événements est reliée à la durée propre ΔT_0 par :

$$\Delta T' = \gamma \cdot \Delta T_0$$

$$\text{où } \gamma = \frac{1}{\sqrt{1 - \frac{v^2}{c^2}}},$$

avec v la valeur de la vitesse relative des horloges qui mesurent $\Delta T'$ et ΔT_0.

1. Dans quels référentiels galiléens ces durées sont-elles mesurées ?
2. Montrer que γ est supérieur ou égal à un.
3. En mécanique relativiste, on parle de dilatation de durées. Justifier cette expression.

9 Étudier un électron dans le tube cathodique d'un téléviseur

L'étude d'un électron dans le tube cathodique d'un ancien modèle de téléviseur a montré que le coefficient γ qui lui est associé dans un référentiel terrestre supposé galiléen est égal à 1,05.

1. Exprimer la valeur v de la vitesse de déplacement de l'électron dans ce référentiel terrestre.
2. Calculer sa valeur.

Le coefficient γ est donné par la relation :

$$\gamma = \frac{1}{\sqrt{1 - \frac{v^2}{c^2}}}$$

avec $c = 2{,}997\,924\,58 \times 10^8\ \text{m} \cdot \text{s}^{-1}$.

10 Exploiter le coefficient γ

On imagine que, dans un futur lointain, un astronaute puisse se déplacer suivant une trajectoire rectiligne à une vitesse de valeur constante par rapport à la Terre égale à $0{,}80 \times c$.
Le référentiel lié à l'astronaute est supposé galiléen. On considère deux événements se déroulant au même endroit sur Terre.
La durée propre ΔT_0 séparant ces deux événements est mesurée par une horloge liée à la Terre et proche du lieu où se déroulent ces événements.

1. De quel coefficient γ la durée $\Delta T'$ entre ces deux événements mesurée par l'astronaute est-elle allongée par rapport à la durée propre relevée sur Terre ?
2. Quelle devrait être la valeur de la vitesse de l'astronaute par rapport à la Terre pour que la durée qu'il mesure soit le double par rapport à la durée propre sur Terre ?

Donnée : Les durées propre ΔT_0 et mesurée $\Delta T'$ sont reliées par $\Delta T' = \gamma \cdot \Delta T_0$ où :

$$\gamma = \frac{1}{\sqrt{1 - \frac{v^2}{c^2}}}$$

avec v la valeur de la vitesse relative des horloges qui mesurent $\Delta T'$ et ΔT_0.

Exercices

11 Exploiter la relation entre durée propre et durée mesurée

Un astronaute s'éloigne de la Terre avec une vitesse de valeur constante $v = 0{,}90 \times c$ suivant une trajectoire rectiligne jusqu'à une planète distante de $d = 4{,}0$ années de lumière.

La durée mesurée $\Delta T'$ obtenue sur Terre est différente de la durée propre ΔT_0 relevée par une horloge fixe dans un référentiel lié à l'astronaute supposé galiléen.

Ces deux durées sont reliées par :

$$\Delta T' = \gamma \cdot \Delta T_0$$

Le coefficient γ est donné par la relation :

$$\gamma = \frac{1}{\sqrt{1 - \frac{v^2}{c^2}}}$$

v est la valeur de la vitesse relative des horloges qui mesurent $\Delta T'$ et ΔT_0.

1. Quelle est la durée du trajet de l'astronaute pour un observateur terrestre ?

2. Quelle est la durée de ce même trajet pour l'astronaute ?

Physique classique ou relativité restreinte ?

12 Distinguer physique classique et relativité restreinte

Associer ces deux postulats fondamentaux à la bonne théorie :

Postulat A :
La vitesse de la lumière dans le vide est la même dans tous les référentiels galiléens : elle est la même pour tout observateur.

Postulat B :
Le temps s'écoule de la même manière dans tout référentiel : il est le même pour tout observateur.

Théorie 1 : Mécanique classique.
Théorie 2 : Relativité restreinte.

13 Étudier le vol d'un pigeon

Place Saint-Marc à Venise, des touristes observent des pigeons.

Doivent-ils utiliser la relativité restreinte dans le cas de l'étude du vol d'un pigeon ?

Pour s'entraîner

14 La relativité du temps

COMPÉTENCES **Extraire des informations ; exploiter une relation.**

On imagine qu'un OVNI est repéré dans le sud ouest de la France. Il se déplace à une vitesse constante par rapport au sol dont la valeur est égale aux deux tiers de celle de la vitesse de la lumière dans le vide.

On cherche à déterminer la durée qui s'écoule lors d'un survol rectiligne entre Bordeaux et Arcachon de l'OVNI, villes distantes de 49 km, lorsque cette durée est :

a. mesurée par Nicolas en vacances à Arcachon ;
b. mesurée par un extraterrestre à bord de l'OVNI.

Données :

Les durées propre ΔT_0 et mesurée $\Delta T'$ sont reliées par $\Delta T' = \gamma \cdot \Delta T_0$, où

$$\gamma = \frac{1}{\sqrt{1 - \frac{v^2}{c^2}}}$$

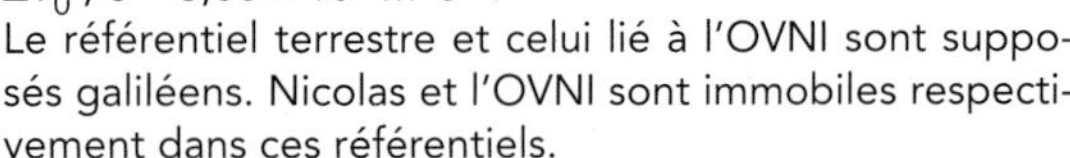

avec v la valeur de la vitesse relative des horloges qui mesurent $\Delta T'$ et ΔT_0 ; $c = 3{,}00 \times 10^8\ \text{m} \cdot \text{s}^{-1}$.

Le référentiel terrestre et celui lié à l'OVNI sont supposés galiléens. Nicolas et l'OVNI sont immobiles respectivement dans ces référentiels.

1. Quels sont les deux événements dont on cherche à mesurer la durée qui les sépare ?

2. Qui de Nicolas ou de l'extraterrestre mesure la durée propre du survol de l'OVNI ?

3. Calculer la durée du survol mesurée par Nicolas.

4. Calculer la durée du survol mesurée par l'extraterrestre.

15 Une période variable

COMPÉTENCES **Raisonner ; calculer.**

On imagine qu'une fusée se déplace selon une trajectoire rectiligne avec une vitesse de valeur constante $v = 250\,000\ \text{km} \cdot \text{s}^{-1}$ par rapport à la Terre. À son bord, un astronaute envoie à un ami resté sur Terre un signal lumineux périodique. Il règle sa fréquence d'émission f à 5,0 Hz.

Le référentiel terrestre et celui lié à la fusée sont supposés galiléens pendant la durée des mesures.

Données :

Les durées propre ΔT_0 et mesurée $\Delta T'$ sont reliées par

$$\Delta T' = \gamma \cdot \Delta T_0, \text{ où } \gamma = \frac{1}{\sqrt{1 - \frac{v^2}{c^2}}},$$

avec v la valeur de la vitesse relative des horloges qui mesurent $\Delta T'$ et ΔT_0 et $c = 3{,}00 \times 10^8\ \text{m} \cdot \text{s}^{-1}$.

1. Quels sont les deux événements à considérer pour étudier la période du signal lumineux envoyé par l'astronaute à son ami ?

2. Quelle est la période propre de ce signal lumineux ?

3. Quelle est la période mesurée de ce signal par l'ami resté sur Terre ?

16 À chacun son rythme

COMPÉTENCES Calculer ; raisonner ; exploiter une relation.

Cet exercice est proposé à deux niveaux de difficulté. Dans un premier temps, essayer de résoudre l'exercice de niveau 2. En cas de difficultés, passer au niveau 1.

Nébuleuse de la Lyre.

La nébuleuse de la Lyre est située à une distance d_R de 42×10^3 années de lumière du Soleil, cette distance étant mesurée dans le référentiel héliocentrique. On considère cette nébuleuse fixe par rapport au Soleil. Une sonde voyage à une vitesse de valeur constante et en ligne droite pour aller du Soleil à la nébuleuse de la Lyre. Une horloge, à bord de la sonde, indique une durée du voyage ΔT_S égale à 20 000 ans.
Le référentiel héliocentrique et celui lié à la sonde sont considérés galiléens.

Niveau 2 (énoncé compact)

Quelle est la valeur de la vitesse de la sonde dans le référentiel héliocentrique ?

Niveau 1 (énoncé détaillé)

1. La durée ΔT_S est-elle une durée propre ou mesurée ? Justifier.

2. ΔT_R est la durée de parcours de la sonde dans le référentiel héliocentrique.
Quelle est la relation entre ΔT_S et ΔT_R ?

3. Quelle est la relation entre la distance parcourue d_R et la durée de parcours ΔT_R ?

4. Calculer la valeur de la vitesse de la sonde dans le référentiel héliocentrique.

Données :
Les durées propre ΔT_0 et mesurée $\Delta T'$ sont reliées par

$$\Delta T' = \gamma \cdot \Delta T_0$$

$$\text{où } \gamma = \frac{1}{\sqrt{1 - \frac{v^2}{c^2}}}$$

avec v la valeur de la vitesse relative des horloges qui mesurent $\Delta T'$ et ΔT_0 et $c = 3,00 \times 10^8 \text{ m} \cdot \text{s}^{-1}$.

17 Relativité es-tu là ?

COMPÉTENCES **Construire et exploiter une représentation graphique.**

Le coefficient γ apparaissant dans la formule de dilatation des durées peut servir à déterminer dans quels cas il est pertinent d'utiliser la mécanique classique ou la théorie de la relativité restreinte.
Dans le tableau ci-dessous, v représente la valeur de la vitesse relative de deux observateurs fixes dans deux référentiels galiléens munis de chronomètres et c la valeur de la vitesse de la lumière dans le vide ($c = 2,997\,924\,58 \times 10^8 \text{ m} \cdot \text{s}^{-1}$).

On donne $\gamma = \frac{1}{\sqrt{1 - \frac{v^2}{c^2}}}$ avec v la valeur de la vitesse relative des horloges qui mesurent $\Delta T'$ et ΔT_0.

$\frac{v}{c}$	0	0,200	0,400	0,600	0,800	0,900	0,995
γ	1	1,02	1,09		1,67		10,0

1. Recopier et compléter le tableau ci-dessus.

2. Représenter graphiquement γ en fonction du rapport $\frac{v}{c}$.

3. En 1997, le Thurst SSC a battu le record de vitesse sur terre en roulant à $1\,228 \text{ km} \cdot \text{h}^{-1}$.
Le mouvement de ce véhicule dans un référentiel terrestre peut-il être étudié en mécanique classique ?

Thurst SSC.

4. a. Quelle valeur de γ correspond à une augmentation de 10 % des durées ?
b. Pour quelle valeur de la vitesse relative v, en $\text{km} \cdot \text{s}^{-1}$, observe-t-on une telle dilatation des durées ?

5. Pourquoi les effets de la relativité restreinte n'ont-ils été observés par l'homme que tardivement dans l'histoire des sciences ?

18 Expérience de Bertozzi

COMPÉTENCES Construire et exploiter une représentation graphique.

W. Bertozzi est professeur de physique au MIT (*Massachussetts Institute of Technology*).

Dans l'expérience de Bertozzi, réalisée en 1964 par le physicien américain William BERTOZZI, des électrons sont accélérés sous l'effet d'une tension électrique U. On démontre, en mécanique classique, que la valeur de la vitesse des électrons par rapport au référentiel terrestre est donnée par la relation :

$$v_c = \sqrt{\frac{2e \cdot U}{m}}$$

où e est la charge élémentaire, m la masse de l'électron et U la tension appliquée en volt.

Données :
$e = 1{,}60 \times 10^{-19}$ C ; $m = 9{,}11 \times 10^{-31}$ kg.

1. a. À l'aide d'une analyse dimensionnelle ou en utilisant les unités du système international, vérifier que l'expression de v_c donnée ci-dessus est homogène (voir **fiche n° 5**, p. 588).

b. Compléter le tableau ci-dessous :

U (V)	v_c ($m \cdot s^{-1}$)
$1{,}00 \times 10^2$	
$1{,}00 \times 10^3$	
$1{,}00 \times 10^4$	
$1{,}00 \times 10^5$	
$1{,}00 \times 10^6$	
$1{,}00 \times 10^7$	

2. Le tableau suivant donne les valeurs expérimentales de la vitesse mesurées par W. BERTOZZI :

U (V)	v_{exp} ($m \cdot s^{-1}$)
$1{,}00 \times 10^2$	$5{,}93 \times 10^6$
$1{,}00 \times 10^3$	$1{,}87 \times 10^7$
$1{,}00 \times 10^4$	$5{,}85 \times 10^7$
$1{,}00 \times 10^5$	$1{,}64 \times 10^8$
$1{,}00 \times 10^6$	$2{,}82 \times 10^8$
$1{,}00 \times 10^7$	$2{,}99 \times 10^8$

Les valeurs expérimentales confirment-elles les prévisions de la mécanique classique ?

3. Quelle est la valeur limite de la vitesse que peuvent atteindre les électrons ?

4. La mécanique classique est-elle toujours utilisable ?

19 Bac Incertitude ou relativité restreinte ?

COMPÉTENCES Estimer une incertitude ; exploiter une relation.

Un observateur 1 mesure, dans un référentiel galiléen, la durée propre $\Delta T_0 = 5{,}593568$ s entre deux événements à l'aide d'un chronomètre. La notice de ce chronomètre indique que l'incertitude sur la mesure, associée à un niveau de confiance de 95 %, est $U(\Delta T_0)$ = (0,0001 % de la valeur affichée + 0,0014 ms).

On suppose qu'un observateur 2, muni d'un chronomètre identique, se déplace dans un référentiel galiléen avec un mouvement rectiligne et une vitesse de valeur v constante par rapport à l'observateur 1.

On cherche à savoir à partir de quelle valeur de la vitesse la dilatation des durées prévue par la relativité restreinte peut être repérée avec ce type de chronomètre.

1. Exprimer littéralement l'écart entre la durée mesurée $\Delta T'$ et la durée propre ΔT_0 en fonction du coefficient γ et de ΔT_0.

2. a. Calculer la valeur de $U(\Delta T_0)$.

b. En déduire l'intervalle des valeurs de ΔT_0 associé à un niveau de confiance de 95 % et traduire cette écriture sous la forme d'un graphique comportant un axe gradué pour les durées comme sur l'exemple ci-dessous :

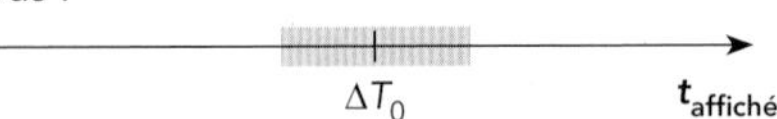

c. On considère que $U(\Delta T') = U(\Delta T_0)$.
En s'aidant du graphique ci-dessous, indiquer l'écart minimal entre ΔT_0 et $\Delta T'$ qui permet d'affirmer, à partir des valeurs affichées, que les valeurs exactes de ΔT_0 et $\Delta T'$ sont différentes.

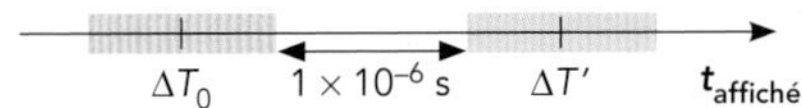

3. Calculer la valeur de γ pour l'écart minimal entre ΔT_0 et $\Delta T'$.

4. a. Calculer la valeur minimale de la vitesse relative v entre les observateurs 1 et 2 à partir de laquelle la dilatation des durées prévue par la relativité restreinte est repérée par ce type de chronomètre.

b. On suppose deux amis : l'un est immobile dans un référentiel terrestre supposé galiléen, l'autre est dans un avion ayant un mouvement rectiligne et uniforme par rapport au sol. Le référentiel lié à l'avion est supposé galiléen.
Ces deux amis peuvent-ils mettre en évidence la dilatation du temps avec ce type de chronomètre ?

5. Quelle est la conséquence du remplacement de ce type de chronomètre par une horloge atomique beaucoup plus précise ?

Données :
$\Delta T' = \gamma \cdot \Delta T_0$, où $\gamma = \frac{1}{\sqrt{1 - \frac{v^2}{c^2}}}$

avec v la valeur de la vitesse relative des horloges qui mesurent $\Delta T'$ et ΔT_0 et $c = 3{,}00 \times 10^8\ m \cdot s^{-1}$.

20 Démo Quand les durées se dilatent

COMPÉTENCES Schématiser une situation ; raisonner.

La relativité restreinte conduit à des conclusions surprenantes dont celle de la dilatation des durées. L'expérience de pensée suivante permet de démontrer la formule de dilatation des durées et l'expression du coefficient γ.
Elle utilise une « horloge de lumière » qui est un dispositif imaginaire constitué de deux miroirs parallèles (représentés en bleu dans le schéma ci-dessous) entre lesquels les allers-retours d'un faisceau lumineux rythment le temps.

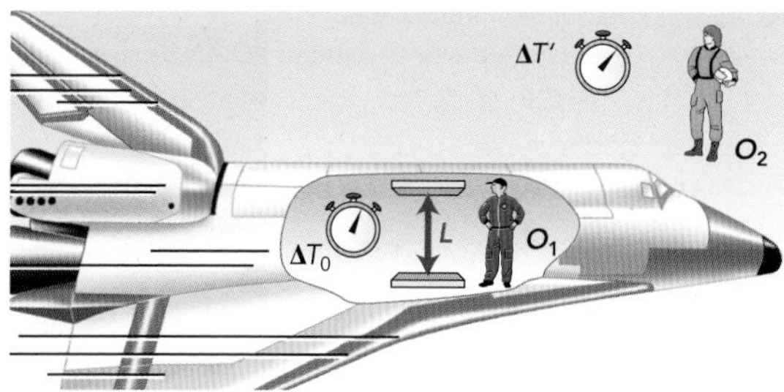

Dans un vaisseau, un observateur O_1, immobile par rapport à l'horloge de lumière, mesure la durée ΔT_0 d'un aller-retour de la lumière entre les deux miroirs distants d'une longueur L. La lumière se déplace à une vitesse de valeur c.
Un autre observateur O_2, à l'extérieur du vaisseau, regarde l'horloge et la voit se déplacer horizontalement à une vitesse de valeur v constante. Dans le référentiel galiléen lié à O_2, le faisceau de lumière parcourt une distance plus grande que celle parcourue dans le référentiel galiléen relié à O_1 du fait du déplacement du vaisseau (schéma ci-dessus).

La lumière ayant une vitesse de valeur c indépendante du référentiel, la durée $\Delta T'$ mesurée par O_2 sera supérieure à ΔT_0.

1. Lequel des observateurs mesure la durée propre ?

2. a. Pour O_1, quelle est la distance parcourue par la lumière lors d'un aller-retour entre les deux miroirs ?
b. Exprimer cette distance en fonction de c et de ΔT_0.

3. a. Sur le schéma ci-dessous, on a représenté différentes positions de l'horloge observée par O_2 lors d'un aller-retour de la lumière entre les deux miroirs.

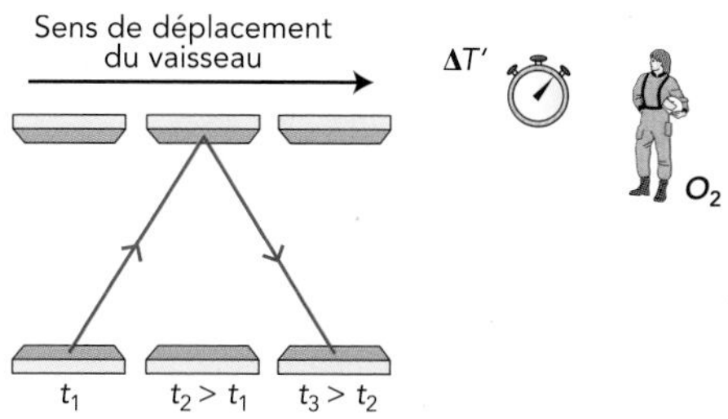

Pour O_2, exprimer, en fonction de v et de $\Delta T'$, la distance d parcourue par l'astronef pendant un aller simple de la lumière.

b. On appelle ℓ la distance parcourue par la lumière dans le référentiel lié à O_2 pendant la durée $\Delta T'$.
Recopier et compléter le schéma de la question 3a en faisant apparaître d, L et $\frac{\ell}{2}$.

c. Quelle est la relation entre d, L et ℓ ?

4. a. Exprimer la distance ℓ en fonction de c et de $\Delta T'$.
b. À l'aide des questions précédentes, exprimer la durée $\Delta T'$ en fonction de ΔT_0 et montrer que le coefficient γ apparaissant vaut :

$$\gamma = \frac{1}{\sqrt{1 - \frac{v^2}{c^2}}}$$

5. Pourquoi parle-t-on de dilatation des durées dans le titre de l'exercice ?

21 Chérie, j'ai rétréci la navette

COMPÉTENCES Raisonner ; argumenter.

Imaginez...
Boule est dans une navette se déplaçant à une vitesse de valeur constante v par rapport à un référentiel terrestre.
Bill, immobile sur la Terre assimilée à un référentiel galiléen, observe la navette passant à sa verticale. Le référentiel lié à la navette est supposé galiléen.
Pour mesurer la longueur de la navette, Boule et Bill définissent deux événements E_1 et E_2 :
– E_1 correspond au passage de l'avant de la navette à la verticale de Bill ;
– E_2 correspond au passage de l'arrière de la navette à la verticale de Bill.
Boule et Bill mesurent la durée séparant ces deux événements.
Bill : « J'ai mesuré la durée propre ΔT_0. J'en déduis une longueur L_2 de la navette. »
Boule : « Moi, j'ai mesuré la durée $\Delta T'$ et j'en ai déduit une longueur L_1 de la navette. »

1. Justifier que la durée mesurée par Bill est la durée propre.

2. Exprimer les longueurs L_1 et L_2 en fonction de v, ΔT_0 et $\Delta T'$.

3. Exprimer L_2 en fonction de L_1 et de γ.

4. On appelle longueur propre d'un objet sa longueur dans un référentiel où il est immobile.
a. Qui de Boule ou de Bill calcule la longueur propre ?
b. Pourquoi parle-t-on de contraction des longueurs ?

5. La navette a une vitesse de valeur $0{,}90 \times c$ dans le référentiel terrestre et sa longueur propre est 30 m.
Quelle est la longueur de la navette mesurée par Bill ?

Donnée :

$$\Delta T' = \gamma \cdot \Delta T_0,$$

où $\gamma = \frac{1}{\sqrt{1 - \frac{v^2}{c^2}}}$ avec v la valeur de la vitesse relative des deux observateurs.

22 How GPS bends time?

COMPÉTENCES **Extraire des informations ; raisonner.**

Einstein knew what he was talking about with that relativity stuff. For proof, just look at your GPS. The global positioning system relies on 24 satellites hat transmit *time-stamped* information on where they are. Your GPS unit registers the exact time at which it receives that information from each satellite and then calculates how long it took for the individual signals to arrive. By multiplying the *elapsed* time by the speed of light, it can figure out how far it is from each satellite, compare those distances, and calculate its own position. For *accuracy* to within a few meters, the satellites' atomic clocks have to be extremely precise – plus or minus 10 nanoseconds. Here's where things get *weird*: Those amazingly *accurate* clocks never seem to run quite right. One second as measured on the satellite never matches a second as measured on Earth – just as Einstein predicted.

According to Einstein's *special theory of relativity*, a clock that's traveling fast will appear to run slowly from the perspective of someone *standing still*. Satellites move at about 9,000 mph – enough to make their onboard clocks slow down by 8 microseconds per day from the perspective of a GPS gadget and totally *screw up* the location data. To counter this effect, the GPS system adjusts the time it gets from the satellites by using the equation here.

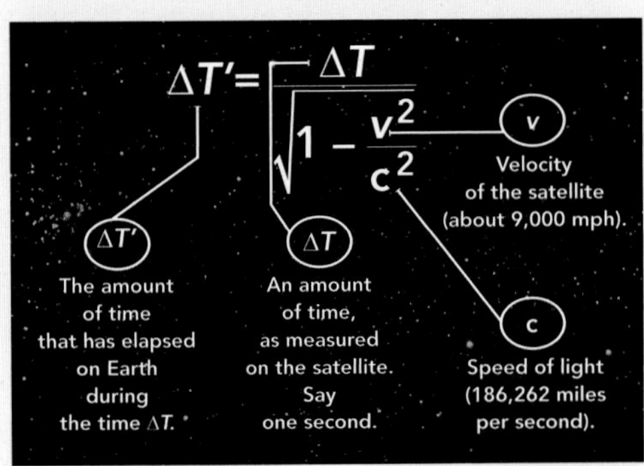

Extrait de *Wired*, juillet 2011.

Vocabulaire : *time-stamped* : horodaté ; *elapsed* : écoulé ; *accuracy (adj. = accurate)* : justesse, exactitude ; *weird* = *strange* ; *special theory of relativity* : *théorie de la relativité restreinte* ; *standing still* = not moving ; *screw up* : brouiller.

1. Résumer le principe de localisation du GPS tel qu'il est décrit dans l'article.

2. Pour quelle raison les satellites GPS sont-ils équipés d'horloges atomiques ?

3. Comment se traduit la théorie de la relativité d'Einstein dans le cas du système GPS ?

4. Dans l'équation de dilatation des durées, peut-on exprimer les valeurs des deux vitesses en miles par seconde (mps) ?
Retrouver par le calcul le retard de 8 μs par jour des horloges des satellites.

Pour aller plus loin

23 Le test des étoiles doubles

COMPÉTENCES **Raisonner ; argumenter.**

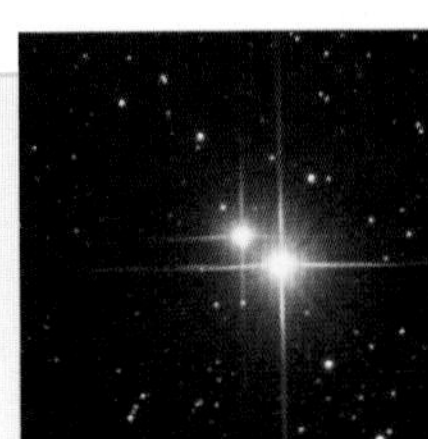

Albireo (β Cygni) est une étoile double.

Le postulat d'EINSTEIN concernant la valeur c de la vitesse de la lumière dans le vide a révolutionné la physique du XXe siècle. Il est en désaccord avec la loi de composition des vitesses de la mécanique classique.
Aussi, de nombreuses expériences ont été réalisées pour tester la validité du postulat d'EINSTEIN.
En 1913, l'astronome néerlandais Willem DE SITTER (1872-1934) propose de tester ce postulat en observant des étoiles doubles. Il s'agit de deux étoiles tournant autour du centre de gravité de l'ensemble.
La loi classique de composition des vitesses implique que l'étoile s'approchant de la Terre émet de la lumière dont la valeur de la vitesse est plus élevée que celle de son étoile compagne qui s'éloigne de la Terre. L'image des étoiles doubles apparaîtrait alors brouillée.
Or, DE SITTER, après avoir observé de nombreuses étoiles doubles, n'a recensé aucun cas d'images brouillées.

1. Énoncer le postulat d'EINSTEIN de la relativité restreinte.

2. Sachant que les enfants représentés sur le schéma ci-dessus lancent leur balle avec une vitesse de même valeur par rapport au manège, laquelle des deux balles arrive en premier à la personne ?

3. Pourquoi la loi classique de composition des vitesses s'applique bien à l'exemple cité à la question 2 ?

4. Le postulat d'EINSTEIN est-il en accord avec les résultats de l'expérience de DE SITTER. Justifier.

24 Le test des pions

COMPÉTENCES **Extraire et exploiter l'information ; argumenter.**

Une théorie n'étant vraie que jusqu'à preuve du contraire, nombre d'expériences ont été menées pour tester celle de la relativité restreinte. Elle postule que la valeur de la vitesse de la lumière dans le vide est la même quel que soit le référentiel galiléen, contrairement au résultat de la loi de composition des vitesses de la mécanique classique.
En 1964, ALVÄGER et ses collaborateurs ont mis au point un protocole faisant appel à des particules subatomiques de la famille des mésons : les pions neutres π^0.
Ces particules peuvent être produites, dans un accélérateur de particules où règne le vide, lors de collisions de protons sur des atomes de béryllium. Les pions neutres se désintègrent ensuite, le plus souvent en émettant des photons gamma. En mesurant le « temps de vol » de ces photons entre deux points de repère, on détermine leur vitesse dans un référentiel terrestre supposé galiléen.

On considère des pions neutres se déplaçant en ligne droite dans le vide à une vitesse constante de valeur $0{,}99975 \times c$ par rapport au référentiel terrestre (R) choisi.

1. Quelle est la source des photons gamma dans l'expérience d'ALVÄGER ?

2. À quelle vitesse dans (R) cette source se déplace-t-elle ?

3. Selon la loi classique de composition des vitesses, les vecteurs vitesses des photons dans le référentiel galiléen (R) et dans le référentiel lié à la source et supposé galiléen (R') sont liés par :

$$\vec{v}_{\text{photon/Terre}} = \vec{v}_{\text{photon/source}} + \vec{v}_{\text{source/Terre}}$$

a. Sachant que la lumière est émise avec une vitesse de valeur c dans le référentiel (R'), d'après cette loi, quelle serait la valeur de la vitesse dans le référentiel (R) de photons qui sont émis dans le sens du déplacement de la source ?

b. Même question pour des photons qui sont émis dans le sens opposé au sens de déplacement de la source.

4. Les résultats obtenus en 1964 montrent que la valeur de la vitesse des photons gamma dans le référentiel (R) est c avec une incertitude de $10^{-5} \times c$.

a. En tenant compte de l'incertitude de mesure, la loi de composition des vitesses est-elle vérifiée par l'expérience d'ALVÄGER ?

b. La théorie de la relativité restreinte d'EINSTEIN est-elle infirmée par cette expérience ?

Un pas vers l'enseignement supérieur

25 La quantité de mouvement relativiste 

COMPÉTENCES **Raisonner ; argumenter.**

La quantité de mouvement d'une particule de masse m se déplaçant à la vitesse $\vec{v}$ dans un référentiel galiléen est définie par $\vec{p}_{\text{clas.}} = m \cdot \vec{v}$ en mécanique newtonienne.
En mécanique relativiste, elle devient :

$$\vec{p}_{\text{relat.}} = \gamma \cdot m \cdot \vec{v} \text{ avec } \gamma = \frac{1}{\sqrt{1 - \frac{v^2}{c^2}}}.$$

1. Montrer que l'on retrouve l'expression classique de la quantité de mouvement pour des vitesses de faibles valeurs.

2. Une particule n'est pas relativiste si :

$$\frac{p_{\text{relat.}} - p_{\text{clas.}}}{p_{\text{clas.}}} \leqslant 1\ \%$$

Quelle est la valeur maximale v_{max} de la vitesse d'une particule non relativiste ? On exprimera v_{max} en fonction de c.

26 L'énergie relativiste 

COMPÉTENCES **Raisonner ; argumenter.**

Dans le vide, l'énergie relativiste totale $\mathscr{E}$ d'une particule de masse m s'exprime par :

$$\mathscr{E}^2 = p^2 \cdot c^2 + m^2 \cdot c^4$$

p est la valeur de sa quantité de mouvement relativiste, $\vec{p}_{\text{relat.}} = \gamma \cdot m \cdot \vec{v}$ avec $\gamma = \frac{1}{\sqrt{1 - \frac{v^2}{c^2}}}$ et $\vec{v}$ la vitesse de la particule dans le référentiel terrestre.

1. Montrer que cette énergie peut se mettre sous la forme :

$$\mathscr{E} = \gamma \cdot m \cdot c^2$$

2. L'énergie relativiste totale $\mathscr{E}$ de la particule est la somme de son énergie cinétique relativiste $\mathscr{E}_c$ (qui dépend de la valeur v de la vitesse de la particule dans le référentiel galiléen) et de son énergie de masse, appelée aussi énergie au repos, $\mathscr{E}_0 = m \cdot c^2$, indépendante de v.
Déterminer l'expression relativiste de l'énergie cinétique d'une particule de masse m.

3. Contrairement à la mécanique classique, la théorie de la relativité restreinte prévoit qu'une particule de masse nulle, par exemple un photon, transporte de l'énergie.

a. Que dire du rapport $\frac{\mathscr{E}}{\gamma}$ dans le cas d'une particule de masse nulle ?

b. Que peut-on en déduire à propos du coefficient γ d'une telle particule ?

c. En déduire la valeur de la vitesse dans le vide d'une particule de masse nulle.

4. Un photon transporte une énergie $\mathscr{E}$ qui dépend de la fréquence ν de la radiation associée.

a. Pour un photon, exprimer $\mathscr{E}$ en fonction de la fréquence ν, puis de la longueur d'onde λ de cette radiation.

b. Pour un photon, exprimer $\mathscr{E}$ en fonction de p et de c.

c. En déduire, pour un photon, l'expression de p en fonction de λ.

Retour sur l'ouverture du chapitre

27 La vitesse de la lumière et Einstein dépassés par une particule ?

COMPÉTENCES Extraire des informations; calculer.

« Totalement inattendu », « étonnant »... les physiciens n'en croyaient pas leurs instruments, mais ils pensent avoir mesuré une particule dépassant la vitesse de la lumière dans le vide, **pourtant considérée comme une « limite infranchissable » dans la théorie d'Einstein**.

Selon les mesures effectuées par les spécialistes de l'expérience internationale Opera, des neutrinos ont parcouru les 730 km séparant les installations du CERN à Genève du laboratoire souterrain de Gran Sasso (Italie) avec 60 ns d'avance sur la lumière. Autrement dit, sur une « course de fond » de 730 km, les neutrinos franchissent la ligne d'arrivée avec 20 mètres d'avance sur la lumière si elle avait parcouru la même distance à travers l'écorce terrestre, précise le CNRS.

Et il ne s'agit pas d'un exploit unique : les résultats publiés par le CERN et le CNRS sont le fruit de trois ans de données et de l'observation de plus de 15 000 neutrinos, avec une incertitude record de seulement 10 milliardièmes de seconde.

Tout en se réjouissant des nouvelles perspectives qui s'offrent à eux, les physiciens du CERN appellent à la plus grande « prudence » tant que les mesures n'auront pas été « vérifiées avec un système complètement différent ».

D'après une dépêche de l'AFP, 22/09/2011.

Données : $c = 2{,}997\,924\,58 \times 10^8\ m \cdot s^{-1}$ et $\gamma = \dfrac{1}{\sqrt{1 - \dfrac{v^2}{c^2}}}$.

1. Expliquer la phrase en gras dans le texte.

2. a. Qu'est-ce qu'un neutrino ?
b. Quel est le temps mis par les neutrinos pour parcourir 730,085 km dans le référentiel terrestre ?
c. Donner un encadrement de cette valeur connaissant l'incertitude de mesure.

3. Donner un encadrement de la vitesse du neutrino. On considère que la distance parcourue par le neutrino est mesurée à un mètre près.
L'incertitude de mesure $U(v)$ sur la valeur de la vitesse v a pour expression :
$U(v) = v \cdot \sqrt{\left(\dfrac{U(d)}{d}\right)^2 + \left(\dfrac{U(\Delta t)}{\Delta t}\right)^2}$ avec $U(d)$ et $U(\Delta t)$ respectivement les incertitudes sur la distance et sur la durée.

4. Dans l'expérience décrite, avec la précision de la mesure, le neutrino va-t-il plus vite que la lumière ?

5. Utiliser la relation entre durée propre et durée mesurée, pour expliquer en quoi la relativité restreinte serait remise en cause si ces résultats étaient confirmés.

6. En analysant la dernière phrase, expliquer quelle est la démarche des scientifiques du CERN.

Comprendre un énoncé

28 Bac Je suis en retard ! en retard ! en retard !

Dans *Alice au pays des merveilles*, Alice rencontre un Lapin blanc très pressé qui doit se rendre auprès de la Reine de Cœur. Connaissant le caractère de cette dernière, on comprend aisément que le Lapin se hâte. Aussi on peut imaginer, étant au Pays des Merveilles après tout, que le Lapin se déplace en ligne droite à une vitesse constante de valeur $v = 0{,}9 \times c$ afin de ne pas faire attendre trop longtemps la royale personne. On s'intéresse à la durée séparant les deux événements suivants : passage du Lapin Blanc devant Alice immobile et passage du Lapin Blanc devant la Reine assise sur son trône.

On notera (R_1) le référentiel lié au Lapin blanc et (R_2) celui lié au Pays des Merveilles. (R_1) et (R_2) sont supposés galiléens.

La durée $\Delta T'$ mesurée par la Reine entre les deux événements et la durée propre ΔT_0 mesurée par le Lapin blanc entre les deux événements sont reliées par :

$$\Delta T' = \gamma \cdot \Delta T_0,$$

où $\gamma = \dfrac{1}{\sqrt{1 - \dfrac{v^2}{c^2}}}$ avec v la valeur de la vitesse relative des deux observateurs.

Questions à se poser à la lecture de l'énoncé

- Le mouvement peut-il être étudié en mécanique classique ou doit-on utiliser la relativité restreinte ?
- Quels sont les deux événements étudiés ici ?
- Dans quel référentiel ces grandeurs sont-elles mesurées ?
- Quelles notations doit-on utiliser ?

Questions	Compétences à mobiliser	Si difficulté, revoir
1. Le Lapin blanc arrive donc en retard. Afin de calmer le courroux de la Reine, il tente de se justifier. Au contraire, celle-ci s'irrite de plus en plus accusant le Lapin de minimiser son retard. Expliquer.	• Extraire les informations, argumenter*. • Extraire et exploiter des informations relatives à une situation concrète où le caractère relatif du temps est à prendre en compte.	Exercices 8 et 15, p. 219 et 220.
2. Alice fera-t-elle preuve de maladresse en contredisant la Reine sur ce point ?	• Extraire les informations, argumenter*.	Cours § 2.2, p. 215 Exercice 17, p. 221.
3. Le Lapin s'est démené pour minimiser son retard. Était-ce une bonne stratégie vis-à-vis de l'humeur de la Reine que de courir aussi vite ?	• Exploiter la relation entre durée propre et durée mesurée. • Raisonner*.	Exercice 14, p. 220.
4. Le Chapelier Toqué et le Lièvre de Mars, assis en train de prendre le thé, constatent que la montre du Lapin retarde. Leur tentative de réparation à l'aide de citron, beurre, confiture, etc. échoue (curieusement). Le Lapin s'équipe d'une horloge atomique. Ses problèmes de retard seront-ils réglés pour autant ?	• Mobiliser ses connaissances*. • Faire preuve d'esprit critique*.	Chapitre 7, p. 193.

* Compétence transversale.

Avoir les bons réflexes 

Si l'énoncé demande de...	il est nécessaire de...	Si difficulté	Pour réviser
Savoir s'il faut utiliser la relativité restreinte ou la mécanique classique.	● Relever la valeur de la vitesse du système et la comparer à celle de la lumière dans le vide notamment en calculant γ. ● Si γ est très proche de 1 ($1 \leqslant \gamma < 1{,}01$), on peut travailler en mécanique classique. ● Si γ est supérieur à un (en général $\gamma \geqslant 1{,}01$), on doit travailler en mécanique relativiste.	Exercice 13, p. 220.	Exercice 17 p. 221.
Déterminer le coefficient gamma (γ).	● Relever l'expression de γ indiquée dans les données de l'exercice. ● Faire l'application numérique en utilisant la même unité pour v et c.	Exercice résolu 4, p. 218.	Exercice 19 p. 222.
Calculer la valeur de la vitesse v d'un système dans un référentiel galiléen connaissant la valeur de γ.	● Relever la valeur de γ donnée dans l'exercice. ● Extraire v de cette expression. ● Effectuer l'application numérique	Exercice 9, p. 219.	Exercice 10 p. 219.
Calculer une durée propre connaissant une durée mesurée ou inversement.	● Repérer les deux événements dont on mesure la durée qui les sépare. ● Savoir identifier la durée propre et la durée mesurée. ● Appliquer la relation entre la durée mesurée et la durée propre connaissant l'une des deux.	Exercice résolu 4, p. 218.	Exercices 15 et 16 p. 220-221.
Calculer une durée propre sans connaître une durée mesurée ou inversement.	● Repérer les deux événements dont on mesure la durée Δt qui les sépare. ● Savoir déterminer qu'il s'agit d'une durée propre ou d'une durée mesurée. ● Repérer le référentiel (R) dans lequel une horloge fixe mesurerait la durée inconnue Δt. ● Calculer cette durée en utilisant $\Delta t = \frac{d}{v}$ où v est la valeur de la vitesse relative des horloges ou d'un référentiel par rapport à l'autre et d est la distance parcourue par l'horloge mobile dans (R).	Exercice résolu 4, p. 218.	Exercices 11 et 14 p. 220.

Dans les conditions du baccalauréat

- **Avec aide :** Exercice 28 p. 227.
- **Sans aide :** Exercice 19 p. 222.

Temps et évolution chimique : cinétique et catalyse

Chapitre 9

Propulsion de la fusée Ariane par combustion de propergols.

Formation de la rouille sur une épave marine.

La combustion des propergols et la formation de la rouille sont deux réactions d'oxydoréduction. **Qu'est-ce qui les distingue d'un point de vue cinétique ? (Voir exercice 28, p. 252.)**

Comment évaluer la durée d'une réaction chimique ? Peut-on influencer l'évolution temporelle d'un système chimique ?

OBJECTIFS

- → Classer les réactions chimiques d'un point de vue cinétique.
- → Identifier les facteurs cinétiques d'une réaction chimique.
- → Connaître le rôle d'un catalyseur.
- → Suivre l'évolution d'une quantité de matière au cours du temps.

1 Réactions rapides, réactions lentes...

Lorsque l'on mélange deux réactifs, il peut se produire une réaction chimique.
Celle-ci est-elle nécessairement rapide ?

- Dans un bécher A, verser 10 mL d'une solution de sulfate de fer(II), $Fe^{2+}(aq) + SO_4^{2-}(aq)$, à $1,0 \times 10^{-2}$ mol·L^{-1}.
- Dans un bécher B, verser 10 mL d'une solution d'acide oxalique, $H_2C_2O_4(aq)$, à $5,0 \times 10^{-1}$ mol·L^{-1}.
- Ajouter **simultanément** dans chaque bécher, 5 mL d'une solution acidifiée de permanganate de potassium, $K^+(aq) + MnO_4^-(aq)$, à $1,0 \times 10^{-3}$ mol·L^{-1}. Agiter et comparer l'évolution des deux mélanges (doc. 1).

1 Écrire les équations des réactions d'oxydoréduction qui se produisent dans les béchers A et B.
Couples mis en jeu : $Fe^{3+}(aq)/Fe^{2+}(aq)$, $MnO_4^-(aq)/Mn^{2+}(aq)$, et $CO_2(g)/H_2C_2O_4(aq)$.

Doc. 1 Réaction entre l'ion permanganate et l'ion fer (II) (bécher A) ou l'acide oxalique (bécher B).

Un pas vers le cours...

2 Laquelle de ces deux réactions est la plus rapide ? Quel critère permet de les classer ?

3 Pourquoi dit-on que ces deux réactions ont des cinétiques différentes ?

2 Facteurs cinétiques

Divers paramètres, appelés facteurs cinétiques, agissent sur la rapidité d'évolution d'un système chimique.
Quels sont ces facteurs ? Quels sont leurs effets ?

Compétence exigible au baccalauréat
- *Mettre en œuvre une démarche expérimentale pour mettre en évidence quelques paramètres influençant l'évolution temporelle d'une réaction chimique : concentration, température.*

A Influence des concentrations

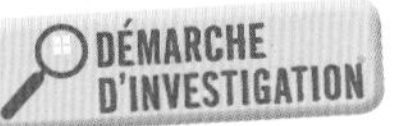

Réaction étudiée

En milieu acide, les ions thiosulfate $S_2O_3^{2-}(aq)$ réagissent lentement avec les ions hydrogène $H^+(aq)$ pour donner du soufre S(s) et du dioxyde de soufre $SO_2(aq)$ selon la réaction d'équation :

$$S_2O_3^{2-}(aq) + 2\,H^+(aq) \longrightarrow H_2O(aq) + S(s) + SO_2(aq)$$

Le soufre reste en suspension dans la solution et le mélange s'opacifie progressivement. L'appréciation de la rapidité d'évolution du système se fait en mesurant la durée t_d nécessaire à la disparition visuelle d'un motif placé sous le bécher et toujours observé dans les mêmes conditions (doc. 2).

Matériel et produits disponibles

- Des béchers identiques de 100 mL ;
- deux éprouvettes graduées de 15 mL et 25 mL ;
- un chronomètre ;
- trois solutions de thiosulfate de sodium : $2\,Na^+(aq) + S_2O_3^{2-}(aq)$, à $0,5 \times 10^{-1}$ mol·L^{-1}, $1,0 \times 10^{-1}$ mol·L^{-1} et $5,0 \times 10^{-1}$ mol·L^{-1} ;
- trois solutions d'acide chlorhydrique : $H^+(aq) + Cl^-(aq)$, à $0,5 \times 10^{-1}$ mol·L^{-1}, $1,0 \times 10^{-1}$ mol·L^{-1} et $5,0 \times 10^{-1}$ mol·L^{-1}.

Doc. 2 Disparition progressive du motif.

Manipulation

- Proposer un protocole permettant de mettre en évidence l'influence de la concentration initiale de **l'un des réactifs** sur la rapidité de la réaction étudiée.
- Mettre en œuvre ce protocole après discussion avec le professeur.

Un pas vers le cours...

1 Faire la synthèse des observations effectuées sur le rôle des concentrations des réactifs sur la rapidité d'évolution d'un système, siège d'une réaction chimique.

B Influence de la température

Réaction étudiée

La réaction étudiée est la réaction entre les ions permanganate, $MnO_4^-(aq)$, et l'acide oxalique, $H_2C_2O_4(aq)$, d'équation :

$$2\ MnO_4^-(aq) + 5\ H_2C_2O_4(aq) + 6\ H^+(aq) \longrightarrow 2\ Mn^{2+}(aq) + 10\ CO_2(g) + 8\ H_2O(\ell)$$

Lorsque l'ion permanganate est le réactif limitant, la disparition, dans le mélange réactionnel, de la couleur violette indique la fin de la réaction.

Manipulation

- Rédiger un protocole permettant de mettre en évidence l'influence de la température sur la rapidité de la réaction étudiée.
- Mettre en œuvre ce protocole après discussion avec le professeur.

Matériel et produits disponibles

- Des béchers identiques de 100 mL ;
- deux éprouvettes graduées de 15 mL et 25 mL ;
- un chronomètre ;
- de la glace pilée dans un cristallisoir ;
- un bain-marie à 50 °C ;
- une solution acidifiée de permanganate de potassium, $K^+(aq) + MnO_4^-(aq)$, à $5{,}0 \times 10^{-3}\ mol \cdot L^{-1}$;
- une solution d'acide oxalique, $H_2C_2O_4(aq)$, à $1{,}0 \times 10^{-1}\ mol \cdot L^{-1}$.

Un pas vers le cours...

2 Faire la synthèse des observations effectuées à propos du rôle de la température sur la rapidité d'évolution d'un système, siège d'une réaction chimique.

C Influence des catalyseurs

Compétence exigible au baccalauréat

- *Mettre en œuvre une démarche expérimentale pour mettre en évidence le rôle d'un catalyseur.*

Réaction étudiée

La réaction étudiée est la décomposition du peroxyde d'hydrogène H_2O_2 (présent dans l'eau oxygénée, doc. 3) en dioxygène et eau selon l'équation :

$$2\ H_2O_2(aq) \longrightarrow O_2(g) + 2\ H_2O(\ell)$$

Manipulation

- Dans quatre béchers marqués A, B, C et D, verser 20 mL d'eau oxygénée ou solution aqueuse de peroxyde d'hydrogène H_2O_2 à 30 volumes. Le bécher A sert de témoin.
- Introduire :
  - dans le bécher B, un petit cylindre de *platine* utilisé pour la désinfection et le nettoyage des lentilles cornéennes ;
  - dans le bécher C, quelques gouttes d'une solution concentrée de chlorure de fer(III) ou de sulfate de fer(III) ;
  - dans le bécher D, un petit morceau de foie contenant une enzyme, la *catalase*.
- Observer.

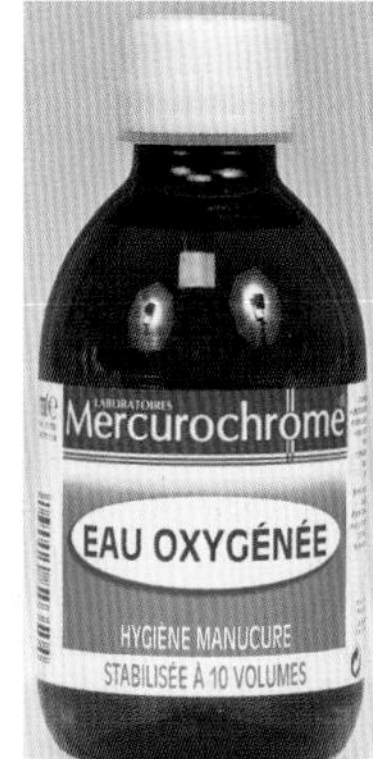

Doc. 3 L'eau oxygénée est une solution aqueuse de peroxyde d'hydrogène H_2O_2. La décomposition de ce peroxyde pouvant aussi être accélérée sous l'action d'un rayonnement ultraviolet, les flacons d'eau oxygénée doivent être conservés à l'abri de la lumière.

Un pas vers le cours...

5 Proposer une définition pour les termes suivants : *catalyseur* ; *réaction catalysée* ; *catalyse hétérogène* ; *catalyse homogène* ; *catalyse enzymatique.*

3 Pourquoi n'observe-t-on pas ou très peu de dégagement de dioxygène dans le bécher A ?

4 Quel est alors le rôle du platine, des ions fer(III) et de la catalase dans le déroulement de cette réaction dans les béchers B, C et D ?

6 @ Rechercher des exemples d'applications de la catalyse dans la vie quotidienne.

7 @ Rechercher, dans le cours des sciences de la Vie et de la Terre, des exemples de catalyse enzymatique.

3 Suivi temporel d'une synthèse organique par CCM

Lorsque la révélation d'un réactif ou d'un produit d'une synthèse organique est possible, on peut suivre cette synthèse par chromatographie sur couche mince (CCM). Comment procéder ?

Compétence exigible au baccalauréat

- *Mettre en œuvre une démarche expérimentale pour suivre dans le temps une synthèse organique par CCM et en estimer la durée.*

A Réaction étudiée ; méthode d'étude

L'ion benzoate $C_6H_5-CO_2^-$ est utilisé comme conservateur dans l'industrie agroalimentaire. Sa synthèse peut être réalisée par oxydation du benzaldéhyde C_6H_5-CHO par l'ion permanganate en milieu basique. Le benzaldéhyde et l'ion benzoate possédant un noyau benzénique, leur présence peut être mise en évidence par CCM avec révélation sous UV.
On peut ainsi suivre l'évolution des quantités d'aldéhyde et d'acide présents dans le milieu réactionnel au cours de la synthèse.

B Manipulation

- Observer les pictogrammes des réactifs utilisés. Rechercher les risques que peut présenter leur utilisation et s'organiser en conséquence (voir **rabat IV**).
- Préparer deux plaques à chromatographie de 4 cm × 6 cm ; sur la ligne de dépôt repérer quatre points équidistants notés t_0, t_1, t_2, t_3 sur la première plaque et t_4, t_5, t_6, t_7 sur la seconde.
- Dans une cuve de taille adaptée, introduire 6 mL d'un éluant constitué de 4 mL de cyclohexane et 2 mL de propanone et couvrir la cuve.
- La synthèse est réalisée dans un ballon bicol dont le col latéral va permettre l'introduction de l'aldéhyde et les prélèvements pour la chromatographie.
- Dans un ballon bicol de 250 mL, introduire 20 mL d'une solution de soude à 0,25 $mol \cdot L^{-1}$ puis 60 mL d'une solution de permanganate à 0,25 $mol \cdot L^{-1}$. Ajouter quelques grains de pierre ponce.
- Réaliser le montage à reflux du **document 4** et porter le mélange à ébullition douce.
- Lorsque l'ébullition commence introduire 2,0 mL de benzaldéhyde tout en déclenchant un chronomètre.
- Dès que possible, prélever un peu du mélange réactionnel et en déposer une goutte sur la plaque à chromatographie au point noté t_0.
- Toutes les deux ou trois minutes, prélever, en utilisant à chaque fois un nouveau tube capillaire, une goutte du mélange réactionnel et la déposer en t_1, puis en t_2, t_3, ..., t_6, et enfin en t_7.
- Réaliser l'élution des deux plaques, puis les sécher après avoir repéré le front du solvant.
- Révéler la plaque sous UV et repérer au crayon à papier les taches qui apparaissent.

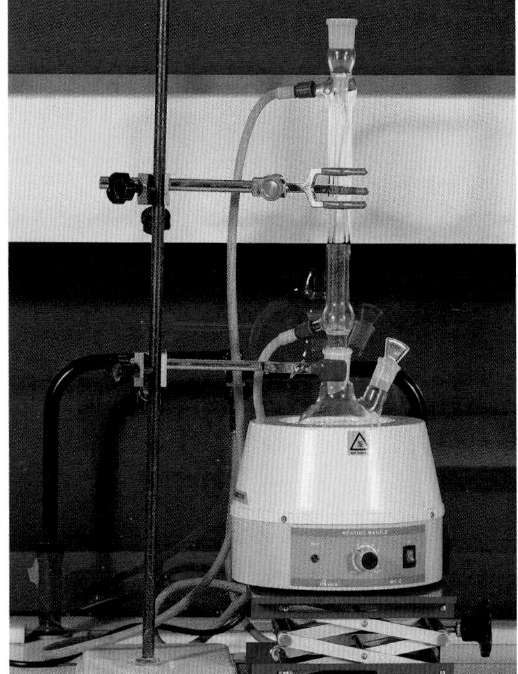

Doc. 4 Montage de chauffage à reflux.

1 Écrire l'équation de la réaction en milieu basique.
Couples mis en jeu : $MnO_4^-(aq)$ / $MnO_2(s)$ et $C_6H_5-CO_2^-(aq)$ / $C_6H_5-CHO(\ell)$

2 Vérifier que le benzaldéhyde (de masse volumique $\rho = 1,042$ $g \cdot mL^{-1}$) est le réactif limitant de cette synthèse.

3 Pour quelle raison peut-on considérer que le mélange réactionnel prélevé n'évolue plus après qu'il a été déposé sur la plaque ?

4 Combien de taches sont visibles sur les chromatogrammes pour chaque dépôt ? Comment interpréter cette évolution ?

5 a. Au bout de combien de temps le système réactionnel semble-t-il ne plus évoluer ?
b. Comment pourrait-on procéder pour améliorer la précision de la mesure de cette durée ?

Un pas vers le cours...

6 Proposer une définition de la durée d'une réaction chimique.

4 Suivi temporel d'une réaction par spectrophotométrie

Certaines réactions font intervenir des espèces colorées, dont la concentration varie au cours du temps. Il est alors possible d'étudier de telles réactions par spectrophotométrie. Comment procéder ?

A Réaction étudiée ; méthode d'étude

- Dans un erlenmeyer, introduire :
– 5,0 mL d'iodure de potassium, $K^+(aq) + I^-(aq)$, à $0{,}50\ mol \cdot L^{-1}$;
– 20 mL d'acide sulfurique, $2\ H^+(aq) + SO_4^{2-}(aq)$, à $2{,}0\ mol \cdot L^{-1}$;
– 5,0 mL d'une solution de peroxyde d'hydrogène, $H_2O_2(aq)$, à $5{,}0 \times 10^{-2}\ mol \cdot L^{-1}$.
- Agiter et observer.

1 a. Que peut-on dire de cette réaction d'un point de vue cinétique ?
b. Écrire son équation.
Couples mis en jeu :
$H_2O_2(aq)/H_2O(\ell)$ et $I_2(aq)/I^-(aq)$.
c. Les ions hydrogène $H^+(aq)$ sont-ils des catalyseurs de cette réaction ?

2 a. Quelle espèce chimique est responsable de la couleur de la solution ?
b. En déduire, en s'aidant si nécessaire de la **fiche n° 12**, p. 597, que cette réaction peut être suivie par *spectrophotométrie* (doc. 5).

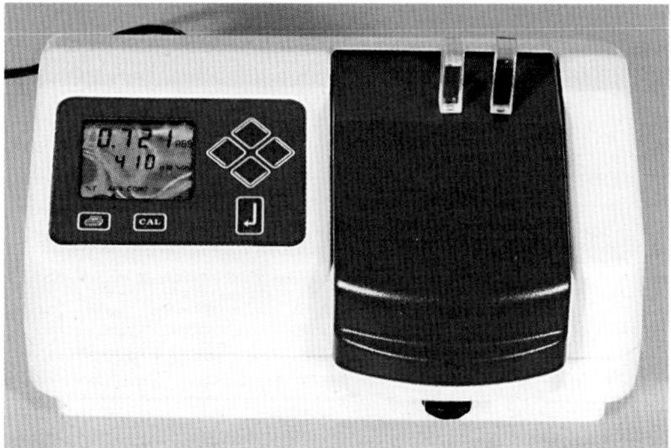

Doc. 5 Un spectrophotomètre permet, après étalonnage, de mesurer l'absorbance d'une solution colorée.

B Manipulation

- Préparer un tableau permettant de relever le temps t et l'absorbance A.
- Allumer le spectrophotomètre et régler la longueur d'onde à $\lambda = 410$ nm.
- Faire le zéro du spectrophotomètre avec de l'eau distillée.
- Prévoir une autre cuve propre et sèche.
- Dans un erlenmeyer, préparer un mélange, de volume V, identique à celui étudié au paragraphe **A** (ci-contre), mais en déclenchant le chronomètre à l'instant où est introduite la solution de peroxyde d'hydrogène.
- Homogénéiser rapidement ce mélange, en remplir la cuve et mesurer l'absorbance de ce mélange dès que possible, puis toutes les minutes pendant environ trente minutes.

3 a. Tracer le graphe $A(t) = f(t)$.
b. Déterminer graphiquement la valeur de l'absorbance finale A_f lorsque le système n'évolue plus.
c. Quelle est alors la valeur de t, notée t_f ?

4 En observant la couleur de la solution de diiode, justifier la valeur de la longueur d'onde choisie pour les mesures.

5 Rappeler l'expression de la loi de Beer-Lambert.

6 a. À l'aide d'un tableau d'avancement, déterminer le réactif limitant et établir la relation :
$$[I_2] = \frac{x(t)}{V}$$
b. Montrer que $[I_2]_{max} = \frac{n_0}{V}$, où n_0 est la quantité initiale de réactif limitant.

7 Établir la relation $\frac{A(t)}{A_f} = \frac{x(t)}{n_0}$, où $A(t)$ et A_f sont les absorbances de la solution respectivement aux instants t et t_f.

Un pas vers le cours...

8 a. Déterminer graphiquement la valeur $t_{1/2}$ telle que $x(t_{1/2}) = \frac{n_0}{2}$.
b. À l'aide de l'ensemble des valeurs de $t_{1/2}$ trouvées par les divers groupes, déterminer la valeur moyenne de cette grandeur et un encadrement de cette valeur avec un intervalle de confiance de 95 % (voir **fiche n° 3**, p. 584).
c. Comparer t_f à $t_{1/2}$. Conclure.

1 Qu'est-ce qu'une réaction rapide ou lente ?

1.1 Réactions rapides

Lors de l'ajout de la solution acidifiée de permanganate de potassium à la solution de sulfate de fer (II), à l'**activité 1**, on observe une disparition immédiate de la coloration violette caractéristique des ions permanganate.

La réaction qui se produit entre les ions permanganate, $MnO_4^-(aq)$, et les ions fer (II), $Fe^{2+}(aq)$, a pour équation :

$$MnO_4^-(aq) + 5\ Fe^{2+}(aq) + 8\ H^+(aq) \rightarrow Mn^{2+}(aq) + 5\ Fe^{3+}(aq) + 4\ H_2O(\ell)$$

C'est un exemple de **réaction rapide** ou **instantanée**.

Une **réaction** est ***rapide*** lorsqu'elle semble achevée dès que les réactifs entrent en contact.

De nombreuses réactions sont rapides ; c'est le cas de quelques réactions d'oxydoréduction, des réactions de précipitation (doc. 1) ou des réactions acido-basiques.

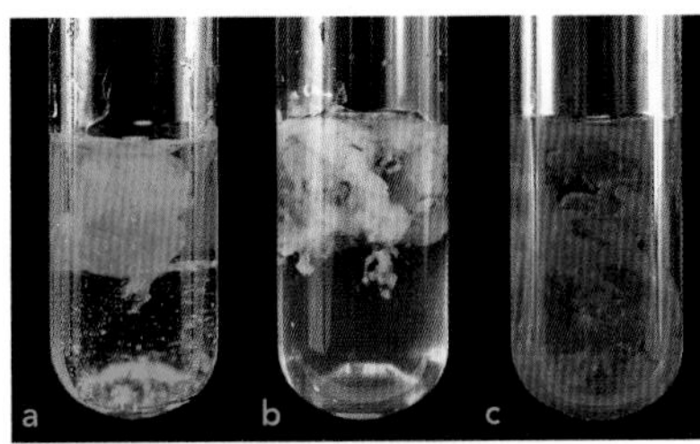

Doc. 1 Les précipitations des hydroxydes de cuivre (II) (a), de fer (II) (b) et fer (III) (c) sont rapides.

1.2 Réactions lentes

Lors de l'ajout de la solution acidifiée de permanganate de potassium à la solution d'acide oxalique à l'**activité 1**, on observe la disparition progressive de la coloration violette caractéristique des ions permanganate.

La réaction, qui se produit entre les ions permanganate $MnO_4^-(aq)$ et les molécules d'acide oxalique $H_2C_2O_4(aq)$, a pour équation :

$$2\ MnO_4^-(aq) + 5\ H_2C_2O_4(aq) + 6\ H^+(aq) \longrightarrow 2\ Mn^{2+}(aq) + 10\ CO_2(g) + 8\ H_2O(\ell)$$

C'est un exemple de **réaction lente**.

Une **réaction** est ***lente*** lorsqu'elle dure de quelques secondes à plusieurs dizaines de minutes.

Les réactions aux cours desquelles de nombreuses liaisons sont rompues et formées sont généralement lentes.

C'est le cas de nombreuses réactions d'oxydoréduction (doc. 2), de réactions en chimie organique, en biochimie et en biologie (doc. 3).

Remarque :
Lorsque l'évolution d'un système est possible, mais ne peut être appréciée, même après plusieurs jours, la réaction chimique qui s'y déroule est infiniment lente. Ce système est cinétiquement *inerte*.

Doc. 2 L'oxydation des ions iodure $I^-(aq)$ en diiode $I_2(aq)$ jaune-orangé par le peroxyde d'hydrogène $H_2O_2(aq)$ a pour équation :

$$H_2O_2(aq) + 2\ I^-(aq) + 2\ H^+(aq) \longrightarrow I_2(aq) + 2\ H_2O(\ell)$$

C'est une réaction lente.

1.3 La cinétique chimique

Les expériences réalisées dans l'**activité 1** et rappelées ci-dessus montrent que la durée d'évolution des systèmes chimiques est variable.

La **cinétique chimique** est l'étude du déroulement temporel des réactions chimiques.

Divers paramètres agissent sur la rapidité d'évolution d'un système siège d'une réaction chimique : ces paramètres constituent les **facteurs cinétiques** de la réaction.

Voir exercices 1, p. 241, et 7 p. 244.

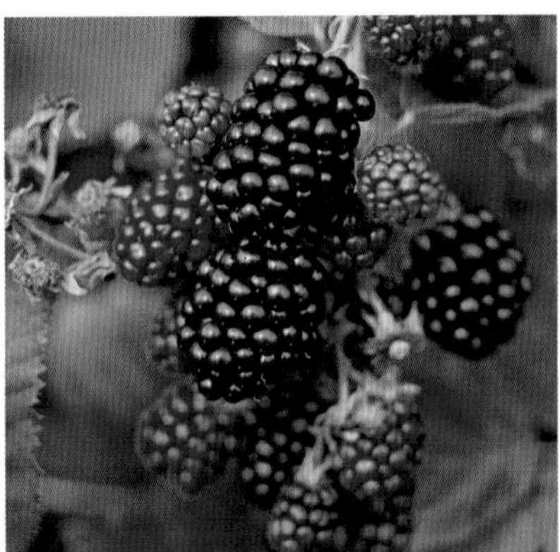

Doc. 3 Le mûrissement des fruits est un processus biologique relativement lent, accéléré par un ensoleillement généreux et des températures plutôt douces.

2 Quels sont les facteurs cinétiques d'une réaction ?

2.1 Influence de la concentration des réactifs

L'étude, à l'**activité 2A**, de la réaction entre les ions thiosulfate, $S_2O_3^{2-}(aq)$, et les ions hydrogène, $H^+(aq)$, d'équation :

$$S_2O_3^{2-}(aq) + 2\,H^+(aq) \longrightarrow H_2O(aq) + S(s) + SO_2(aq)$$

a permis d'établir que le système évoluait d'autant plus rapidement que la concentration en ions thiosulfate $S_2O_3^{2-}$ (aq) ou en ions hydrogène H^+ (aq) est élevée.

Ce résultat est général :

> L'évolution d'un système chimique est d'autant **plus rapide** que **les concentrations des réactifs sont élevées.**

Ce résultat peut s'interpréter, à l'échelle microscopique, en considérant que plus les concentrations des réactifs sont élevées plus la probabilité pour qu'il y ait contact, et donc réaction, entre les réactifs est grande.

Lorsque l'un des réactifs est solide, la réaction est d'autant plus rapide que le contact entre les réactifs est important (doc. 4).

> Le **facteur cinétique** essentiel correspondant à un **réactif solide** est l'étendue de sa **surface de contact** avec les autres réactifs.
> La réaction est d'autant plus rapide que cette surface est grande.

Doc. 4 Dans un haut-fourneau, la réaction entre les oxydes de fer et le charbon solides est favorisée par un broyage préalable des réactifs.

2.2 Influence de la température

L'étude, à l'**activité 2B**, de la réaction entre les ions permanganate MnO_4^- (aq) et l'acide oxalique $H_2C_2O_4$(aq) d'équation :

$$2\,MnO_4^-(aq) + 5\,H_2C_2O_4(aq) + 6\,H^+(aq) \longrightarrow 2\,Mn^{2+}(aq) + 10\,CO_2(g) + 8\,H_2O(\ell)$$

a permis d'établir que le système évoluait d'autant plus rapidement que sa température était élevée.

Ce résultat est général :

> L'évolution d'un système chimique est d'autant **plus rapide** que **sa température est élevée.**

Ce résultat peut s'interpréter, à l'échelle microscopique, en considérant que plus la température est élevée plus le nombre de chocs entre les réactifs est important et plus ces chocs sont efficaces.

L'influence de la température sur l'évolution d'un système a de nombreuses applications pratiques :

Accélération ou déclenchement d'une réaction chimique

Certaines réactions, trop lentes à température ordinaire, sont réalisées à une température plus élevée afin qu'elles soient suffisamment rapides (doc. 5).

La cuisson des aliments s'accompagne de réactions chimiques qui sont d'autant plus rapides que la température de cuisson est élevée (doc. 6).

Les mélanges comburant-combustible sont en général cinétiquement inertes à la température ordinaire ; la combustion doit être déclenchée par une élévation de température. C'est le rôle de l'allumette utilisée à la sortie d'un brûleur ou de l'étincelle jaillissant entre les électrodes des bougies des moteurs.

Doc. 5 Grâce à un montage de chauffage à reflux, la réaction peut s'effectuer à la température d'ébullition du mélange réactionnel, température pour laquelle la synthèse est la plus rapide.

Doc. 6 Dans un autocuiseur, la pression peut atteindre 2 bar. La température d'ébullition de l'eau est alors voisine de 120 °C. Le temps de cuisson est ainsi nettement réduit.

Ralentissement ou arrêt d'une réaction chimique

- Sous l'action de micro-organismes, les aliments deviennent le siège de réactions de décomposition qui produisent des toxines. Il est donc nécessaire de bloquer ces réactions en abaissant suffisamment la température (doc. 7).
- La *trempe* désigne le refroidissement brutal que l'on fait subir à un système chimique. Si le refroidissement est assez rapide, le système n'évolue plus et conserve la composition qu'il avait juste avant le refroidissement.

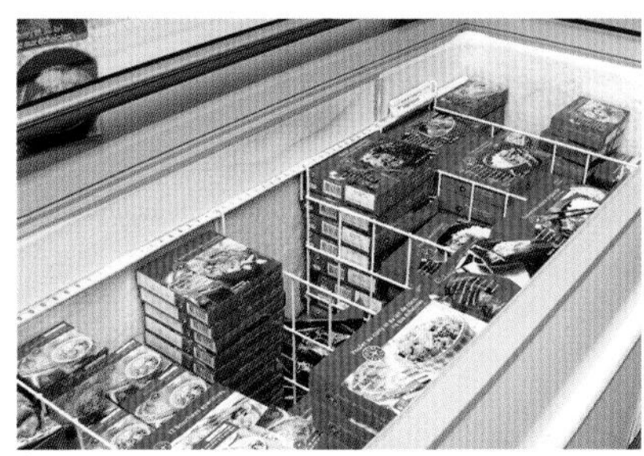

Doc. 7 À basse température (– 22 °C), les réactions de dégradation des aliments sont bloquées.

2.3 Autres facteurs cinétiques

- La synthèse chlorophyllienne, le bronzage, la synthèse de la vitamine D par l'organisme constituent des exemples de *réactions photochimiques* (doc. 8). De telles réactions illustrent le rôle d'un autre facteur cinétique : **l'éclairement** du milieu réactionnel par une radiation de longueur d'onde appropriée.
- Au **chapitre 11** est étudiée la réaction d'équation :

$$(CH_3)_3COH + Cl^- \longrightarrow (CH_3)_3CCl + OH^-$$

L'expérience montre que cette réaction est beaucoup plus rapide en utilisant l'eau plutôt que l'éthanol comme solvant. Le **solvant** peut être un facteur cinétique.

- Dans certaines réactions, la présence, souvent en faible quantité, de substances chimiques, différentes des réactifs, accélère l'évolution du système. Ces substances sont des **catalyseurs** et constituent des facteurs cinétiques très importants dans les domaines industriel et biologique.

Voir exercices 2, p. 241, et 8 à 10, p. 244-245.

Doc. 8 La synthèse chlorophyllienne ou photosynthèse est une réaction photochimique.

3 Qu'est-ce qu'un catalyseur ?

3.1 Caractéristiques d'un catalyseur

Le peroxyde d'hydrogène H_2O_2, présent dans l'eau oxygénée, n'est pas stable ; il se décompose en eau et dioxygène selon la réaction, étudiée à l'**activité 2C**, d'équation :

$$2\,H_2O_2(aq) \longrightarrow 2\,H_2O(\ell) + O_2(g)$$

- Cette réaction étant très lente, il n'est pas possible d'observer un dégagement de dioxygène dans le bécher A (doc. 9).
- En revanche, un intense dégagement de dioxygène se produit dans les trois autres béchers. Les ions Fe^{3+}, le platine ou la catalase, enzyme présente dans le foie, accélèrent cette réaction : ce sont des **catalyseurs** de la réaction.

En rajoutant, en fin de réaction, de l'eau oxygénée dans les béchers B, C et D, un intense dégagement gazeux est à nouveau observé, prouvant ainsi que les catalyseurs ne sont pas détruits au cours de la réaction. Cette expérience permet de préciser ce qu'est un catalyseur :

> Un **catalyseur** est une espèce qui **accélère une réaction chimique** sans être consommée par celle-ci ; sa formule n'apparaît donc pas dans l'équation de la réaction.

> Lorsque le catalyseur et tous les réactifs sont dans la même phase, la **catalyse** est dite **homogène** ; elle est **hétérogène** dans le cas contraire.
> La **catalyse** est **enzymatique** si le catalyseur est une enzyme.

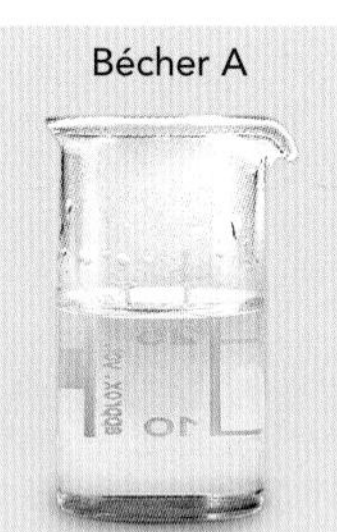

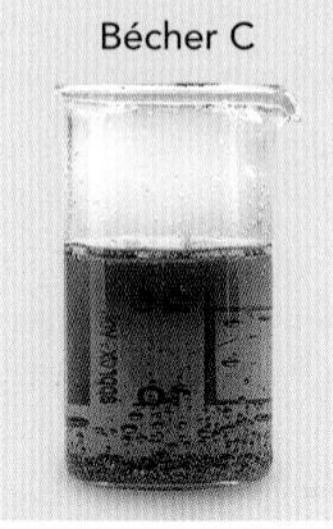

Doc. 9 Eau oxygénée : (A) seule ; (B) en présence de platine ; (C) en présence d'ions Fe^{3+} ; (D) en présence de foie, source de catalase.

▸ Dans une **catalyse homogène** (cas des ions Fe^{3+}), la réaction se déroule dans tout le volume occupé par le système; elle est d'autant plus rapide que la **concentration du catalyseur** est **élevée**.

▸ Dans une **catalyse hétérogène** (cas du platine), la réaction se déroule à la surface du catalyseur; elle est d'autant plus rapide que la surface du catalyseur est importante (doc. 10).

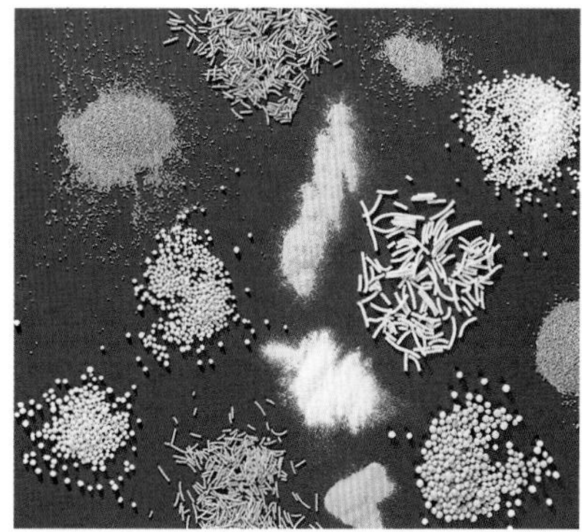

Doc. 10 Les catalyseurs utilisés en *pétrochimie* se présentent sous forme de fines poudres, de billes ou de cylindres très poreux afin d'offrir une très grande surface de contact aux réactifs.

3.2 Mode d'action d'un catalyseur

▸ L'oxydation des ions iodure $I^-(aq)$ par les ions peroxodisulfate $S_2O_8^{2-}(aq)$ a pour équation :

$$S_2O_8^{2-}(aq) + 2\ I^-(aq) \longrightarrow 2\ SO_4^{2-}(aq) + I_2(aq) \quad (1)$$

C'est une réaction lente. Elle peut être catalysée par des ions fer (II) Fe^{2+} (doc. 11).

▸ Comment interpréter cette catalyse?

L'expérience montre que l'oxydation des ions $Fe^{2+}(aq)$ par les ions $S_2O_8^{2-}(aq)$, d'équation (2), et celle des ions $I^-(aq)$ par les ions $Fe^{3+}(aq)$ d'équation (3), sont rapides :

$$2\ Fe^{2+}(aq) + S_2O_8^{2-}(aq) \longrightarrow 2\ Fe^{3+}(aq) + 2\ SO_4^{2-}(aq) \quad (2)$$

$$2\ Fe^{3+}(aq) + 2\ I^-(aq) \longrightarrow 2\ Fe^{2+}(aq) + I_2(aq) \quad (3)$$

Ainsi en présence d'ions Fe^{2+}, la réaction lente d'équation (1) est remplacée par les deux réactions rapides d'équation (2) et (3) de même bilan :

$$(2) + (3) = (1)$$

La présence des ions fer(II) Fe^{2+} a permis de remplacer **une réaction lente** par **deux réactions plus rapides**.

Ce résultat est général :

Un catalyseur modifie la nature des étapes permettant de passer des réactifs aux produits : la réaction globale, lente, est remplacée par plusieurs réactions plus rapides.

Remarque :
Certaines réactions chimiques sont catalysées par un de leurs produits; ces réactions sont dites autocatalytiques. Ainsi la réaction entre les ions permanganate $MnO_4^-(aq)$ et l'acide oxalique $H_2C_2O_4(aq)$ (voir § 2.2) d'équation :

$$2\ MnO_4^-(aq) + 5\ H_2C_2O_4(aq) + 6\ H^+(aq) \longrightarrow 2\ \mathbf{Mn^{2+}(aq)} + 10\ CO_2(g) + 8\ H_2O(\ell)$$

est autocatalysée par les ions $\mathbf{Mn^{2+}(aq)}$.

Doc. 11 L'oxydation des ions $I^-(aq)$ par les ions $S_2O_8^{2-}(aq)$ (a) est plus rapide en présence d'ions Fe^{2+} (b).

3.3 Catalyse et industrie

▸ Un même mélange réactionnel peut donner plusieurs réactions conduisant à des produits différents (doc. 12). Dans l'industrie, un choix judicieux de catalyseur permet d'accélérer **spécifiquement** l'une des réactions au détriment des autres :

Un catalyseur est **sélectif** : son action est **spécifique**.

Ainsi, sous pression, le chauffage du mélange $CO + H_2$ conduit-il des hydrocarbures en présence de fer, des alcools en présence de cuivre et du glycol en présence de rhodium.

De même, l'oxydation de l'ammoniac NH_3 par le dioxygène O_2 fournit du monoxyde d'azote NO et de l'eau H_2O en présence de fer Fe comme catalyseur, alors qu'il ne se forme que du diazote N_2 et de l'eau H_2O en son absence.

Doc. 12 Le palladium, le platine et le rhodium présents dans ce pot catalytique catalysent l'élimination sélective des gaz polluants à la sortie du moteur.

3.4 Catalyse et biologie

Les réactions se produisant dans les organismes vivants ou **réactions biochimiques** sont souvent catalysées par des macromolécules organiques appelées « **enzymes** ». Les enzymes sont des protéines.

Leur sélectivité est très importante ; elle est liée à la structure spatiale de ces molécules (doc. 13).

La salive, les sucs gastriques, pancréatiques ou intestinaux contiennent des enzymes telles que l'amylase salivaire, la pepsine, la présure, la maltase, la lipase, etc.

Le nom d'une enzyme indique souvent la nature ou la transformation mise en jeu : ainsi, l'*amylase* transforme l'*amidon* en maltose, la *saccharase* catalyse l'hydrolyse du *saccharose* en glucose et fructose et les *réductases* favorisent les *réductions* des groupes carbonyles, acides, esters.

Les enzymes sont très utilisées dans l'industrie agroalimentaire (fabrication du pain, préparation de boissons fermentées, conservation des aliments et des boissons, etc.), l'analyse médicale et la synthèse de médicaments.

Les enzymes sont des catalyseurs très efficaces ; ainsi la *catalase* est, à concentration égale, 10^6 fois plus efficace que les ions fer (III) pour la décomposition du peroxyde d'hydrogène H_2O_2 (voir § 3.1) et l'*uréase* est, dans les mêmes conditions, 10^{14} fois plus performante que les ions hydrogène $H^+(aq)$ pour hydrolyser l'urée.

Voir exercices 3, p. 241, et 11 et 12, p. 245.

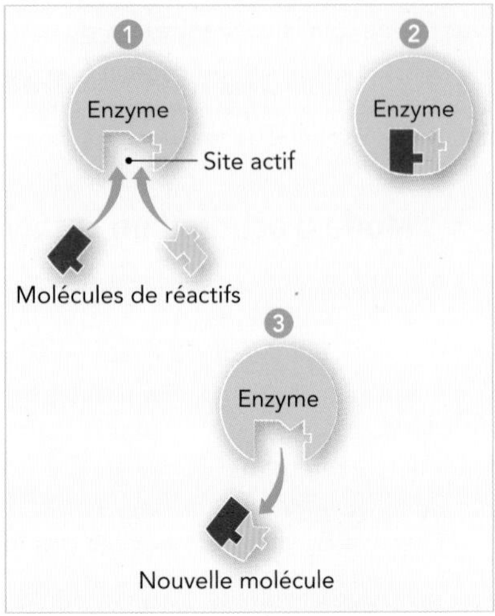

Doc. 13 Les molécules de réactifs trouvent des places complémentaires sur le site actif, ce qui favorise la réaction. Seuls les réactifs ayant la bonne structure peuvent réagir.

4 Comment suivre l'évolution d'un système ?

L'étude de l'évolution temporelle d'un système consiste à déterminer expérimentalement la relation existant entre l'avancement x du système et le temps t.

Cette étude peut faire appel à des **méthodes chimiques** ou à des **méthodes physiques**.

4.1 Les méthodes chimiques

À intervalles de temps réguliers, on prélève un échantillon du mélange réactionnel, on bloque son évolution à un instant t grâce à une trempe* et on détermine la concentration de l'un des réactifs ou de l'un des produits par **titrage** (doc. 14). On en déduit alors l'avancement de la réaction dont on étudie la cinétique. Les méthodes de titrage sont étudiées au **chapitre 18**.

Les méthodes chimiques sont utilisées pour des systèmes dont l'évolution est relativement lente.

* La **trempe** consiste à introduire rapidement l'échantillon prélevé dans un mélange d'eau et de glace pilée. L'importante dilution et le refroidissement brutal ainsi réalisés stoppent quasiment la réaction étudiée (voir § 2.1 et 2.2).

4.2 Les méthodes physiques

L'avancement du système est déterminé à partir de la mesure d'une **grandeur physique** (absorbance, conductivité électrique, pression, volume, etc.).

Mesure d'absorbance ou spectrophotométrie

Lorsque l'un des réactifs (ou l'un des produits) est coloré, l'absorbance du système évolue dans le temps. L'application de la loi de Beer-Lambert (voir **fiche n° 12,** p. 597, et l'**activité 4**) permet de déterminer la concentration de ce réactif (ou de ce produit) et d'en déduire l'avancement.

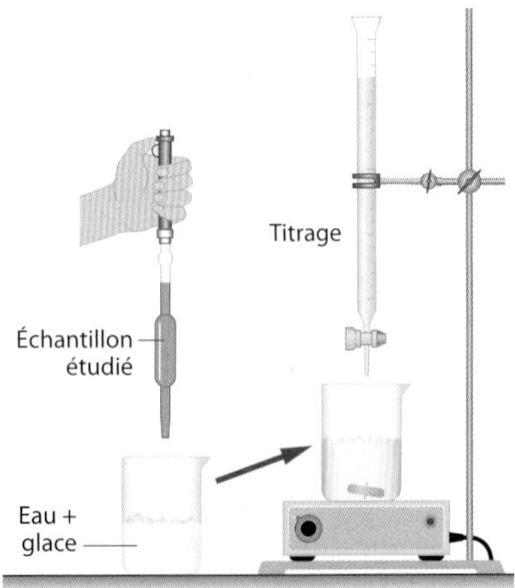

Doc. 14 Démarche utilisée pour le suivi temporel du système par titrage après **trempe**.

Mesure de la conductivité ou conductimétrie

Lorsque la réaction consomme ou produit des espèces ioniques, la conductivité électrique, liée aux concentrations de ces espèces, varie.

Sa mesure permet alors de déterminer la composition du système et son avancement (voir **fiche n° 12,** p. 596).

Mesure de la pression ou manométrie

Lorsque la réaction consomme ou produit des gaz, la pression du système, directement liée à la quantité de ces espèces gazeuses, varie. Sa mesure (doc. 15) permet alors de déterminer la composition du système et son avancement (voir **fiche n° 12,** p. 597).

Les méthodes physiques permettent des mesures en continu, ne perturbent pas le système réactionnel et sont bien adaptées à l'étude des évolutions rapides.

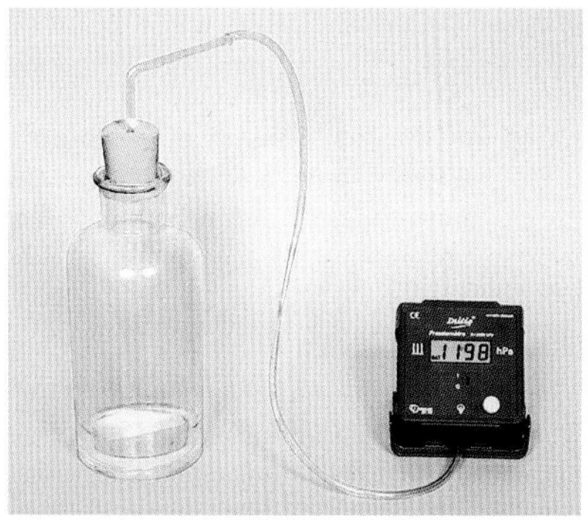

Doc. 15 La manométrie est une technique bien adaptée à l'étude de la réaction du calcaire $CaCO_3$ avec les ions H^+ (aq) d'équation :

$CaCO_3(s) + 2\ H^+(aq) \longrightarrow Ca^{2+}(aq) + \mathbf{CO_2\ (g)} + H_2O\ (\ell)$

4.3 Durée d'une réaction

Pour caractériser la rapidité d'évolution d'un système, on peut s'intéresser à la **durée de la réaction** qui s'y déroule (doc. 16 a) :

> On appelle **durée d'une réaction chimique** le temps t_f nécessaire à la consommation totale du réactif limitant.
> Pour $t = t_f$, l'avancement x a atteint sa valeur maximale x_{max}.

Lorsque la réaction est terminée, la quantité de matière d'au moins un des produits de la réaction n'évolue plus.

L'utilisation de la chromatographie sur couche mince (CCM) permet, dans certains cas, de repérer la disparition du réactif limitant et ainsi d'évaluer approximativement la durée de la réaction (**activité 3**).

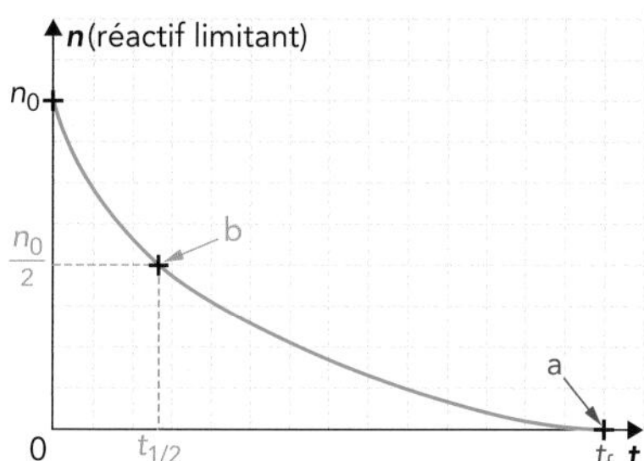

Doc. 16 a. Pour $t = t_f$, le réactif limitant a été entièrement consommé.
b. Pour $t = t_{1/2}$, la moitié du réactif limitant a été consommée.

4.4 Temps de demi-réaction

Lorsque le système évolue très lentement, il est souvent difficile de savoir à quel moment la réaction est terminée. Pour caractériser l'évolution d'un tel système, on considère alors le temps de **demi-réaction** (doc. 16 b).

> Le temps de demi-réaction, noté $t_{1/2}$, est la durée nécessaire pour que la moitié du réactif limitant soit consommée.
> Pour $t = t_{1/2}$, l'avancement, noté $x_{1/2}$, a atteint la moitié de sa valeur maximale x_{max} :
> $$x_{1/2} = \frac{x_{max}}{2}.$$

L'oxydation des ions iodure par le peroxyde d'hydrogène, étudiée par spectrophotométrie à l'**activité 4**, admet pour équation :

$$H_2O_2(aq) + 2\ I^-(aq) + 2\ H^+(aq) \longrightarrow I_2(aq) + 2\ H_2O(\ell)$$

Pour $t = t_{1/2} \approx 2$ min, l'absorbance a atteint la moitié de sa valeur maximale alors que l'absorbance n'évolue plus pour $t = t_f \approx 15$ min à 25 °C (doc. 17).

Il est facile de constater, pour cette réaction, que l'évolution n'est pas terminée pour une durée $t = 2\ t_{1/2}$ mais pour $t = t_f \approx 7\ t_{1/2}$.

> Le temps de demi-réaction fournit une échelle de temps caractéristique du système étudié.
> On admet qu'un système, siège d'une réaction chimique, cesse d'évoluer au bout d'une durée de l'ordre de quelques $t_{1/2}$.

Voir exercices 4, p. 241, et 13 et 14, p. 245.

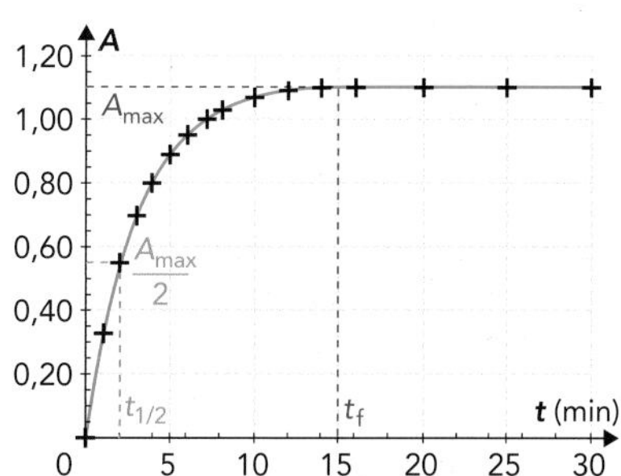

Doc. 17 Évolution de l'absorbance A lors de l'oxydation des ions iodure par le peroxyde d'hydrogène. Pour cette réaction : $t_f \approx 15$ min et $t_{1/2} \approx 2$ min.

Essentiel

Réaction rapide, réaction lente

- Une réaction est dite **rapide** lorsqu'elle semble achevée dès que les réactifs entrent en contact. Elle est dite **lente** lorsqu'elle dure de quelques secondes à plusieurs dizaines de minutes.

Facteurs cinétiques

- L'évolution d'un système chimique est d'autant plus rapide que les **concentrations des réactifs** sont élevées **(doc. 1)**.
- Le facteur cinétique essentiel correspondant à un réactif solide est l'étendue de sa **surface de contact** avec les autres réactifs : la réaction est d'autant plus rapide que cette surface est grande.
- L'évolution d'un système chimique est d'autant plus rapide que sa **température** est élevée.
- L'**éclairement**, le **solvant** ou des **catalyseurs** peuvent aussi être des facteurs cinétiques.

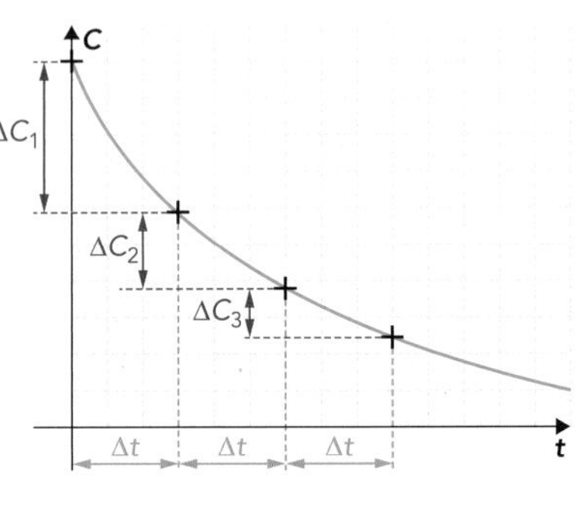

Doc. 1 $\Delta C_3 < \Delta C_2 < \Delta C_1$: la rapidité d'évolution d'un système diminue lorsque la concentration des réactifs diminue.

Catalyse et catalyseurs

- Un **catalyseur** est une espèce qui accélère une réaction chimique sans être consommée par celle-ci **(doc. 2)**; sa formule n'apparaît donc pas dans l'équation de la réaction.
- Lorsque le catalyseur appartient à la même phase que les réactifs, la catalyse est dite **homogène** ; elle est **hétérogène** dans le cas contraire. La catalyse est **enzymatique** si le catalyseur est une enzyme.
- En présence d'un catalyseur, la réaction globale, lente, est remplacée par plusieurs réactions plus rapides.
- Un catalyseur est **sélectif**; son action est **spécifique** : lorsqu'un système peut évoluer selon diverses réactions, un catalyseur permet d'accélérer spécifiquement l'une de ces réactions.

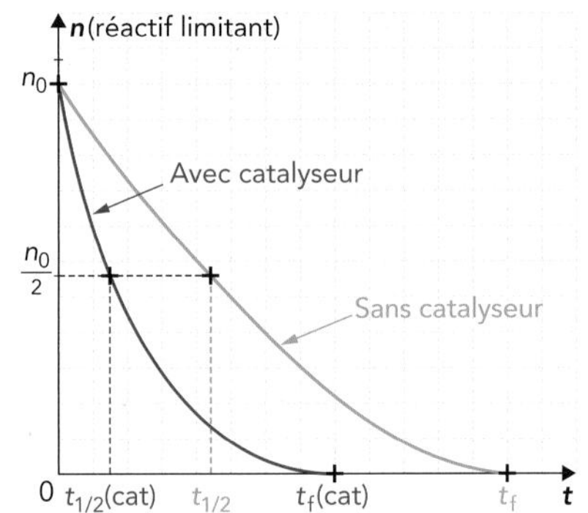

Doc. 2 En présence de catalyseur, l'évolution du système est plus rapide : la durée de la réaction et le temps de demi-réaction sont diminués.

Évolution temporelle d'un système

- L'étude de l'évolution temporelle d'un système consiste à déterminer expérimentalement la **relation** existant entre **l'avancement du système et le temps.**
- On appelle **durée d'une réaction chimique** le temps t_f nécessaire à la consommation totale du réactif limitant **(doc. 3a)**.

Pour $t = t_f$, l'avancement x a atteint sa valeur maximale x_{max}.

- Le **temps de demi-réaction**, noté $t_{1/2}$, est la durée nécessaire pour que la moitié du réactif limitant soit consommée **(doc. 3b)**.

Pour $t = t_{1/2}$, l'avancement, noté $x_{1/2}$, a atteint la moitié de sa valeur maximale x_{max} :

$$x_{1/2} = \frac{x_{max}}{2}$$

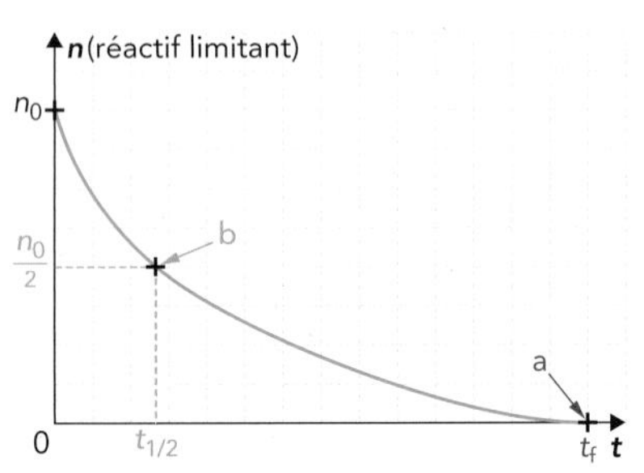

Doc. 3a. Durée t_f d'une réaction ; **b.** temps de demi-réaction $t_{1/2}$.

Pour chaque question, indiquer la (ou les) bonne(s) réponse(s).

Voir corrigés, p. 606.

1 Réaction rapide, réaction lente

	A	B	C
1. Les réactions chimiques suivantes sont rapides :	fermentation alcoolique des sucres.	combustion de l'essence dans un moteur thermique.	réaction entre les ions cuivre (II) $Cu^{2+}(aq)$ et les ions hydroxyde $HO^{-}(aq)$.
2. Les réactions chimiques suivantes sont lentes :	formation de la rouille.	précipitation du chlorure d'argent AgCl.	formation de stalactites dans les grottes.

Si erreur, revoir § 1, p. 234.

2 Facteurs cinétiques

	A	B	C
1. Généralement, la rapidité d'évolution d'un système augmente lorsque :	la concentration des produits croît.	la concentration des réactifs diminue.	la concentration des réactifs augmente.
2. Le dégagement de dihydrogène dans la réaction d'équation : $2\,H^{+}(aq) + Fe(s) \longrightarrow H_2(g) + Fe^{2+}(aq)$ est d'autant plus rapide, lorsque :	le métal fer est en poudre.	le métal fer est en plaque.	les ions $H^{+}(aq)$ sont concentrés.
3. Généralement, la rapidité d'évolution d'un système :	ne dépend pas de la température.	croît lorsque la température augmente.	diminue lorsque l'avancement du système croît.

Si erreur, revoir § 2, p. 235.

3 Catalyse et catalyseurs

	A	B	C
1. Un catalyseur :	accélère une réaction.	figure dans l'équation de la réaction.	diminue le temps de demi-réaction.
2. Les ions $Fe^{3+}(aq)$ et le platine Pt(s) catalysent la réaction d'équation : $2\,H_2O_2(aq) \longrightarrow 2\,H_2O(\ell) + O_2(g)$	La catalyse par le platine est une catalyse hétérogène.	La catalyse par les ions $Fe^{3+}(aq)$ est une catalyse hétérogène.	La catalyse par les ions $Fe^{3+}(aq)$ est une catalyse homogène.
3. L'amylase est une enzyme, présente dans la salive, qui accélère l'hydrolyse des sucres lents.	L'amylase est un catalyseur.	Il est nécessaire de connaître sa formule pour écrire l'équation de cette hydrolyse.	L'hydrolyse des sucres lents est impossible sans amylase.

Si erreur, revoir § 3, p. 236.

4 Évolution temporelle d'un système

	A	B	C
1. La durée t_f d'une réaction :	peut être définie en utilisant l'avancement.	nécessite de connaître le réactif limitant.	ne nécessite pas de connaître le réactif limitant.
2. Le temps de demi-réaction $t_{1/2}$ et la durée d'une réaction t_f sont généralement tels que :	$t_f \geqslant 2\,t_{1/2}$	$t_f = 2\,t_{1/2}$	$t_f < 2\,t_{1/2}$
3. Soit x_{max} l'avancement maximal d'un système ; pour $t = t_{1/2}$, l'avancement noté $x_{1/2}$ est tel que :	$x_{1/2} = 2\,x_{max}$	$x_{1/2} = \frac{x_{max}}{2}$	$x_{max} > 2\,x_{1/2}$

Si erreur, revoir § 4, p. 238.

Exercice résolu

COMPÉTENCES
- Exploiter des graphiques.
- Raisonner.

5 Déterminer une durée de réaction

Énoncé

Le document ci-contre présente l'évolution en fonction du temps, à 25 °C, des quantités de peroxyde d'hydrogène H_2O_2(aq), des ions iodure I^-(aq) et des ions hydrogène H^+(aq) pour la réaction d'équation :

$$H_2O_2(aq) + 2\ I^-(aq) + 2\ H^+(aq) \longrightarrow I_2(aq) + 2\ H_2O(\ell)$$

1. Quelle est la durée t_f de cette réaction ?
2. La comparer au temps de demi-réaction $t_{1/2}$.
3. Déterminer la quantité finale de diiode I_2(aq) obtenue.

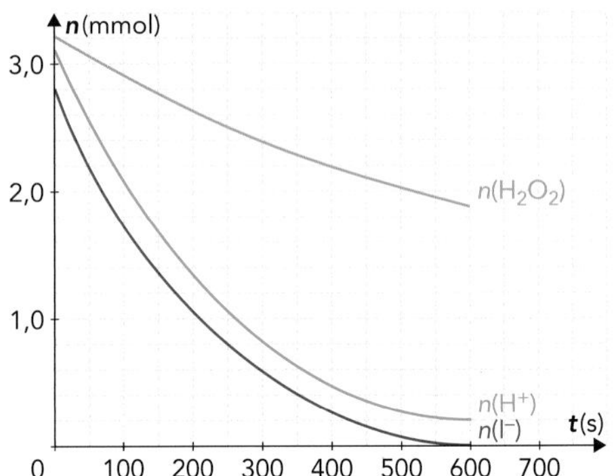

Conseils

Comment déterminer la durée t_f de la réaction étudiée ?

1. Il est nécessaire de connaître le réactif limitant (voir § **4.3**, p. 239), c'est-à-dire celui qui est entièrement consommé.

Comment comparer la durée t_f et le temps de demi-réaction $t_{1/2}$?

2. Il faut pour cela connaître $t_{1/2}$. Il faut donc trouver, à l'aide du graphique, la durée t au bout de laquelle la moitié du réactif limitant a été consommée.

Comment déterminer la quantité finale en diiode ?

3. On peut établir un tableau d'avancement en utilisant les valeurs lues sur le graphique. En exploitant le fait que les ions iodure constituent le réactif limitant, on détermine $n_f(I_2)$.

Solution rédigée

1. L'analyse des graphiques fournis montre que les ions iodure I^-(aq) constituent le réactif limitant. Ces ions sont entièrement consommés pour t = 600 s. La durée de la réaction est donc $\mathbf{t_f = 600\ s}$.

2. Sur le graphe, on peut lire : $n_0(I^-) = 2{,}8$ mmol.

Pour $t = t_{1/2}$: $\quad n(I^-)(t_{1/2}) = \dfrac{n_0(I^-)}{2} = 1{,}4$ mmol

Sur le graphique, lorsque $n(I^-) = 1{,}4$ mmol, on lit t = 140 s.
Le temps de demi-réaction vaut donc $\mathbf{t_{1/2} = 140\ s}$.
Pour cette réaction, on constate que $\mathbf{t_f \approx 5\ t_{1/2}}$.

3. À l'aide des valeurs lues sur le graphique, exprimées en mmol, on peut établir le tableau d'avancement suivant :

	H_2O_2(aq) +	$2\ I^-$(aq)	+ $2\ H^+$(aq) →	I_2(aq)	+ $2\ H_2O(\ell)$
$n_{initiale}$	3,2	2,8	3,1	0	Excès
$n_{en\ cours}$	$3{,}2 - x$	$2{,}8 - 2\ x$	$3{,}1 - 2\ x$	x	Excès
n_{finale}	$3{,}2 - x_{max}$	$2{,}8 - 2\ x_{max}$	$3{,}1 - 2\ x_{max}$	x_{max}	Excès

Les ions iodure constituent le réactif limitant, d'où $x_{max} = 1{,}4$ mmol.
On en déduit $\mathbf{n_f(I_2) = x_{max} = 1{,}4\ mmol}$.

Application immédiate

Le graphique ci-contre présente l'évolution, à 25 °C, de la concentration des ions cuivre (II) Cu^{2+}(aq), en fonction du temps lors de la réaction de ces ions avec le métal zinc en excès, selon l'équation :

$$Cu^{2+}(aq) + Zn(s) \longrightarrow Cu(s) + Zn^{2+}(aq)$$

1. Quelle est la durée t_f de cette réaction ?
2. La comparer au temps de demi-réaction $t_{1/2}$.
3. Déterminer la masse finale de cuivre obtenue, sachant que le volume de la solution est V = 50,0 mL.

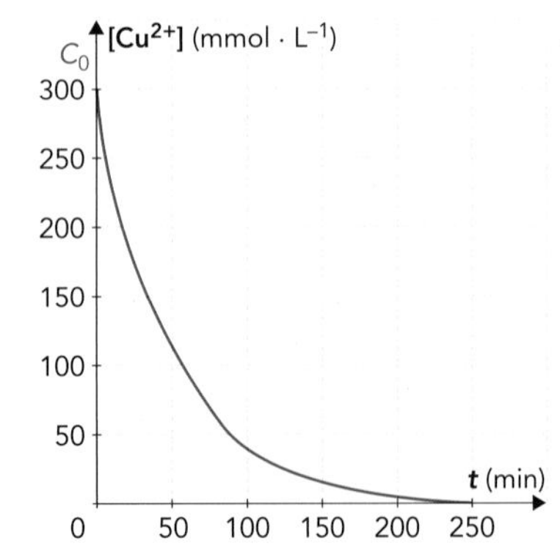

Voir corrigés, p. 606.

COMPÉTENCES
- Exploiter des graphiques.
- Raisonner.

6 Étudier des facteurs cinétiques

Énoncé

On s'intéresse à la réaction d'équation :

$$S_2O_8^{2-}(aq) + 2\ I^-(aq) \longrightarrow I_2(aq) + 2\ SO_4^{2-}(aq)$$

On étudie trois mélanges réactionnels α, β et γ tels que :

α : $[I^-]_0 = 2\ C_0$; $[S_2O_8^{2-}] = C_0$; θ = 25 °C.

β : $[I^-]_0 = 4\ C_0$; $[S_2O_8^{2-}] = C_0$; θ = 50 °C.

γ : $[I^-]_0 = 4\ C_0$; $[S_2O_8^{2-}] = C_0$; θ = 25 °C.

Les graphiques (a), (b) et (c) ci-contre présentent l'évolution au cours du temps de la concentration en diiode I_2(aq) pour les mélanges α, β et γ.

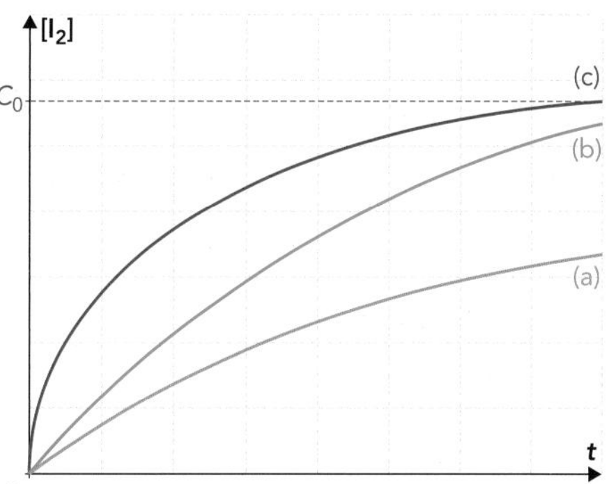

1. Quels facteurs cinétiques met en évidence cette étude ?
2. Associer à chaque graphique son expérience.

Conseils

Comment identifier les facteurs cinétiques étudiés ?

1. Il faut analyser les données relatives à chacune des expériences et observer leurs différences en prenant les expériences deux à deux.

Comment associer à chaque graphique son expérience ?

2. Il suffit de revoir quels sont les effets d'une augmentation de concentration des réactifs (voir **§2.1**, p. 235) ou d'une élévation de température (voir **§2.2**, p. 235).

Solution rédigée

1. Les expériences α et γ sont effectuées à la même température θ = 25 °C et ne diffèrent que par la concentration initiale en ions iodure. Les expériences α et γ permettent donc d'étudier l'influence de la **concentration** initiale en ion iodure $[I^-]_0$.

Les expériences β et γ mettent en jeu des systèmes identiques et ne diffèrent que par la température à laquelle elles sont réalisées. Ces expériences permettent donc d'étudier l'influence de la **température θ**.

2. Dans l'expérience γ, la concentration en ions iodure est le double de celle de l'expérience α ; l'évolution du système est donc plus rapide pour γ que pour α. Le graphique associé à α est en dessous de celui associé à γ.

Dans l'expérience β, la température est plus élevée que celle de l'expérience γ ; l'évolution du système est donc plus rapide pour β que pour γ. Le graphique associé à γ est donc en dessous de celui associé à β.

En conclusion il convient d'associer : le graphique (a) à l'expérience α, le graphique (b) à l'expérience γ et le graphique (c) à l'expérience β.

Application immédiate

Dans l'eau, l'urée se décompose selon une réaction d'équation :

$$(NH_2)_2CO(aq) \longrightarrow NH_4^+(aq) + CNO^-(aq)$$

L'uréase est un catalyseur de cette réaction.

On étudie trois mélanges réactionnels α, β et γ tels que :

α : $[(NH_2)_2CO]_0 = C_0$; θ = 25 °C ; avec uréase.

β : $[(NH_2)_2CO]_0 = C_0$; θ = 15 °C ; sans uréase.

γ : $[(NH_2)_2CO]_0 = C_0$; θ = 25 °C ; sans uréase.

Les graphiques (a), (b) et (c) ci-contre présentent l'évolution au cours du temps de la concentration en urée pour les mélanges α, β et γ.

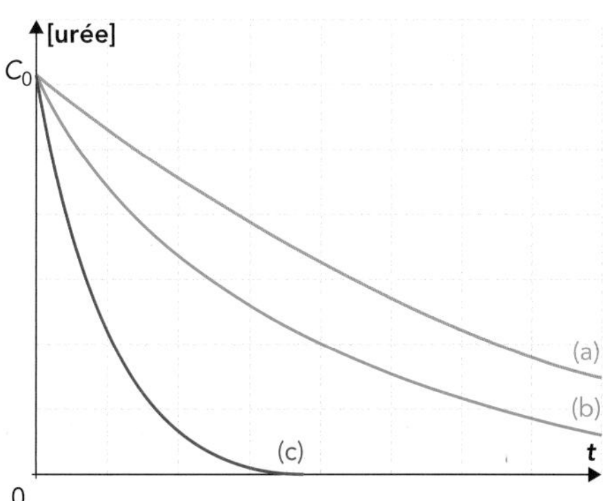

1. Quels facteurs cinétiques met en évidence cette étude ?
2. Associer à chaque graphique son expérience.

Voir corrigés, p. 606.

Compétences exigibles au baccalauréat

- ✔ *Mettre en œuvre une démarche expérimentale pour suivre dans le temps une synthèse organique par CCM et en estimer la durée.* activité 3
- ✔ *Mettre en œuvre une démarche expérimentale pour mettre en évidence quelques paramètres influençant l'évolution temporelle d'une réaction chimique : concentration, température, solvant.* activités 2A et 2B
- ✔ Déterminer un temps de demi-réaction. exercice 13
- ✔ *Mettre en œuvre une démarche expérimentale pour mettre en évidence le rôle d'un catalyseur.* activité 2C
- ✔ Extraire et exploiter des informations sur la catalyse, notamment en milieu biologique et dans le domaine industriel, pour en dégager l'intérêt. exercice 12

Pour commencer

Qu'est-ce qu'une réaction rapide ou lente ?

7 Classer des réactions chimiques

Compléter les phrases ci-dessous en choisissant les termes appropriés dans la liste suivante : *cinétique, rapide, chimique, lente, inerte, instantanée, évolution.*

a. L'impression d'un cliché lors d'une radiographie par rayons X met en jeu une réaction ...(1)... ou ...(2)... .

b. Du vin abandonné à l'air libre se transforme en vinaigre ; cette réaction est ...(3)... .

c. À 25 °C, la composition d'un mélange de dioxygène et de méthane reste constante ; ce mélange n'est le siège d'aucune ...(4)..., il est ...(5)... . En revanche, en présence d'une flamme ou d'une étincelle, ce mélange explose ; cette explosion est une réaction ...(6)... ou ...(7)... qu'il a fallu déclencher.

Quels sont les facteurs cinétiques d'une réaction ?

8 Analyser des facteurs cinétiques

La réaction des ions peroxodisulfate $S_2O_8^{2-}(aq)$ avec les ions iodure $I^-(aq)$ a pour équation :

$$S_2O_8^{2-}(aq) + 2\,I^-(aq) \longrightarrow I_2(aq) + 2\,SO_4^{2-}(aq)$$

Au fur et à mesure que la réaction se produit, on détermine, par titrage, la quantité de diiode $n(I_2)$ produite pendant des durées Δt_i identiques :

Δt_1 de 0 à 60 s, Δt_2 de 60 à 120 s, Δt_3 de 120 à 180 s.

Cette manipulation est réalisée avec deux mélanges initiaux (I) et (II) identiques, l'un pris à 20 °C et l'autre à 35 °C. Les résultats expérimentaux obtenus sont rassemblés dans le tableau ci-dessous :

		Δt_1	Δt_2	Δt_3
Expérience (I)	**$n(I_2)$ (mmol) à 20 °C**	30	23	19
Expérience (II)	**$n(I_2)$ (mmol) à 35 °C**	45	30	20

1. Montrer que les résultats obtenus avec le mélange (I) (ou le mélange (II)) mettent en évidence le rôle de la concentration des réactifs sur la rapidité d'évolution d'un système.

2. Justifier que les résultats de ces deux expériences permettent d'analyser le rôle de la température sur la cinétique de cette réaction.

9 Repérer des facteurs cinétiques

Une étiquette d'eau de Javel porte, entre autres, les recommandations suivantes :

> *À conserver au frais et à l'abri de la lumière.*

L'eau de Javel est une solution aqueuse de chlorure de sodium, $Na^+(aq) + Cl^-(aq)$, et d'hypochlorite de sodium, $Na^+(aq) + ClO^-(aq)$.

Les propriétés désinfectantes de l'eau de Javel sont dues à l'ion hypochlorite $ClO^-(aq)$. La concentration d'une eau de Javel est définie par le degré chlorométrique (°Chl) : plus le degré chlorométrique est élevé, plus la concentration en ions hypochlorite est grande.

Les ions hypochlorite réagissent en présence d'eau en milieu basique selon l'équation :

$$ClO^-(aq) \longrightarrow Cl^-(aq) + \frac{1}{2}\,O_2(g)$$

Le graphique suivant représente l'évolution du degré chlorométrique en fonction du temps :

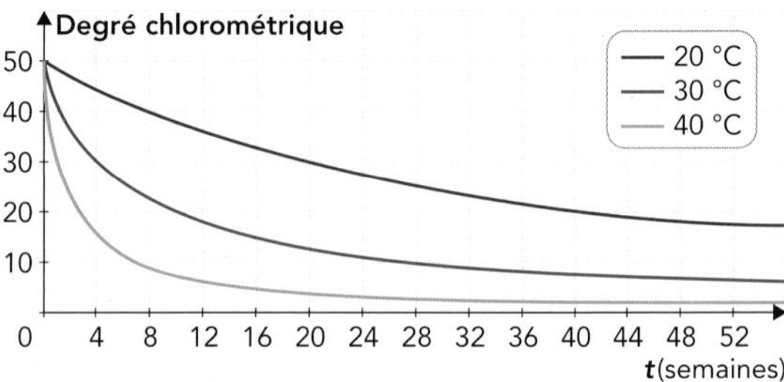

1. a. Un facteur cinétique est mis en évidence : lequel ?

b. La recommandation « *À conserver au frais* » vous semble-t-elle justifiée ?

2. Aucun délai d'utilisation ne figure sur les flacons d'eau de Javel (12 °Chl) contrairement aux berlingots (48 °Chl). Justifier cette différence. Quel facteur cinétique est alors mis en évidence ?

3. a. L'eau de Javel est commercialisée dans des récipients opaques. Pourquoi ?
b. Quel facteur cinétique est mis en évidence ici ?
c. Quelle recommandation mentionnée sur l'étiquette est en accord avec cette observation ?

10 Justifier une méthode expérimentale

Lorsque du diiode est formé par une réaction lente, il est possible de déterminer, à un instant donné, la concentration du diiode en réalisant le titrage d'un échantillon du système étudié. Pendant la durée du dosage, il est nécessaire de bloquer, dans l'échantillon, l'évolution de la réaction produisant le diiode.
Pour cela, on réalise une trempe en diluant l'échantillon à doser dans un grand volume d'eau et de glace pilée.
Justifier alors la méthode utilisée après avoir identifié les facteurs cinétiques mis en jeu.

Qu'est-ce qu'un catalyseur ?

11 Identifier un catalyseur

• Chauffé en présence d'ions hydrogène $H^+(aq)$, le propan-1-ol se déshydrate pour donner le propène et de l'eau, selon la réaction d'équation :

$$CH_3-CH_2-CH_2-OH \longrightarrow CH_3-CH=CH_2 + H_2O$$

• En ajoutant quelques gouttes d'une solution d'iodure de potassium à une solution d'iodate de potassium, le mélange obtenu jaunit très faiblement (a) par formation de diiode, selon la réaction d'équation :

$$IO_3^-(aq) + 5\,I^-(aq) + 6\,H^+(aq) \longrightarrow 3\,I_2(aq) + 3\,H_2O(\ell)$$

En présence d'ions hydrogène $H^+(aq)$, cette coloration devient rapidement très intense (b).

1. Pourquoi peut-on affirmer que les ions hydrogène $H^+(aq)$ ne jouent pas le même rôle dans ces deux réactions ?
2. Préciser leur rôle dans chaque cas.

12 Repérer des catalyseurs

Chauffé en présence de cuivre solide Cu(s), l'éthanol $C_2H_5OH(g)$ produit de l'éthanal $CH_3-CHO(g)$ et du dihydrogène $H_2(g)$.
Chauffé en présence d'alumine solide $Al_2O_3(s)$, l'éthanol $C_2H_5OH(g)$ produit de l'éthène $C_2H_4(g)$ et de l'eau $H_2O(g)$.
Chauffé en solution homogène en présence d'acide sulfurique concentré $H_2SO_4(\ell)$, l'éthanol $C_2H_5OH(\ell)$ produit de l'éthoxyéthane ou éther $(C_2H_5)_2O(\ell)$ et de l'eau $H_2O(\ell)$.

1. Écrire les équations des trois réactions mises en jeu. En déduire le rôle du cuivre, de l'alumine et de l'acide sulfurique.
2. Caractériser ces trois types de catalyse en utilisant les adjectifs *homogène* et *hétérogène*.
3. Quelle propriété des catalyseurs ces trois réactions réalisées à partir d'un même réactif illustrent-elles ?

Comment suivre l'évolution d'un système ?

13 Déterminer une durée de réaction et un temps de demi-réaction (I)

Le document ci-dessous donne l'évolution en fonction du temps des quantités de chloroéthane $C_2H_5-Cl(aq)$ et d'ions hydroxyde $HO^-(aq)$ au cours de la réaction d'équation :

$$C_2H_5-Cl(aq) + HO^-(aq) \longrightarrow C_2H_5-OH(aq) + Cl^-(aq)$$

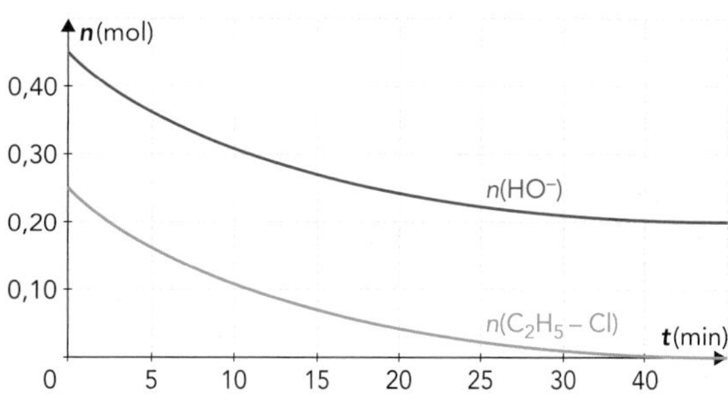

1. Quel est le réactif limitant ?
2. En déduire :
a. la durée de la réaction, t_f ;
b. le temps de demi-réaction, $t_{1/2}$.

Voir, si nécessaire, l'exercice résolu 5, p. 242.

14 Déterminer une durée de réaction et un temps de demi-réaction (II)

Le document ci-dessous donne l'évolution en fonction du temps des concentrations d'ions fer (II) $Fe^{2+}(aq)$ et argent (I) $Ag^+(aq)$ au cours de la réaction d'équation :

$$2\,Ag^+(aq) + Fe(s) \longrightarrow Fe^{2+}(aq) + 2\,Ag(s)$$

Le métal fer est en excès.

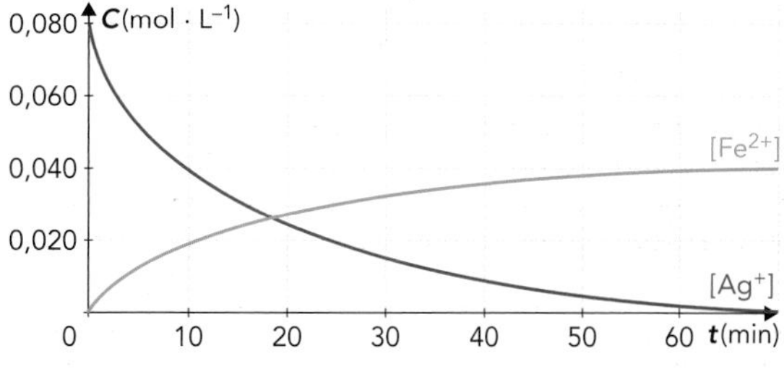

1. Déterminer la durée de la réaction, t_f.
2. La comparer au temps de demi-réaction, $t_{1/2}$.

Voir, si nécessaire, l'exercice résolu 5, p. 242.

Exercices

Pour s'entraîner

15 De la concentration au temps de demi-réaction

COMPÉTENCES Construire et exploiter un graphique.

Le tableau ci-dessous présente l'évolution de la concentration des ions permanganate $MnO_4^-(aq)$ lors de la réaction de ces ions avec l'acide oxalique $H_2C_2O_4(aq)$. L'équation de la réaction s'écrit :

$$2\,MnO_4^-(aq) + 5\,H_2C_2O_4(aq) + 6\,H^+(aq) \longrightarrow 2\,Mn^{2+}(aq) + 10\,CO_2(aq) + 8\,H_2O(\ell)$$

t (s)	0	20	40	60	70
$[MnO_4^-(aq)]$ (mmol·L^{-1})	2,00	1,92	1,68	1,40	0,95

t (s)	80	90	100	130	180
$[MnO_4^-(aq)]$ (mmol·L^{-1})	0,59	0,35	0,15	0,07	0

1. Proposer une méthode physique permettant de suivre l'évolution de cette réaction sachant que la coloration violette de la solution est due aux ions $MnO_4^-(aq)$.

2. Tracer le graphique $[MnO_4^-(aq)] = f(t)$.

3. Justifier que l'ion permanganate $MnO_4^-(aq)$ soit le réactif limitant de cette réaction.

4. a. En déduire la durée de la réaction, t_f, et le temps de demi-réaction, $t_{1/2}$.
b. Les comparer.

➜ Voir, si nécessaire, l'exercice résolu 5, p. 242.

16 Utilisation de la colorimétrie

COMPÉTENCES Calculer ; raisonner.

On étudie, à 20 °C, la réaction entre les ions iodure $I^-(aq)$ et le peroxyde d'hydrogène $H_2O_2(aq)$ en milieu acide, d'équation :

$$H_2O_2(aq) + 2\,I^-(aq) + 2\,H^+(aq) \longrightarrow I_2(aq) + 2\,H_2O(\ell)$$

Pour cela, on prépare un tube témoin dans lequel on verse une solution de diiode de concentration 1,5 mmol·L^{-1}.

On réalise ensuite les mélanges suivants à partir d'une solution d'eau oxygénée à 0,060 mol·L^{-1}, d'une solution d'iodure de potassium à 0,40 mol·L^{-1} et d'acide sulfurique à 0,40 mol·L^{-1} :

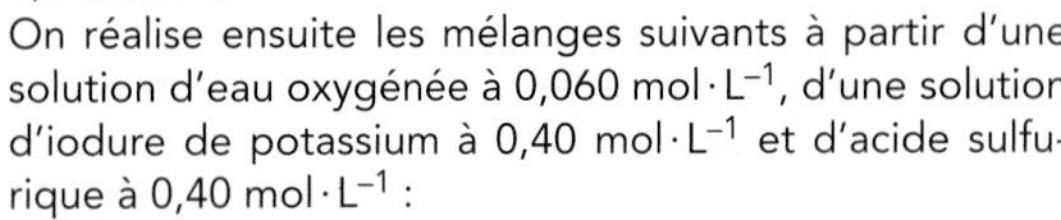

	$V(H_2O_2)$ (mL)	$V(H^+)$ (mL)	$V(H_2O)$ (mL)
Tube A	1,5	2,5	3,0
Tube B	2,5	2,5	2,0
Tube C	4,5	2,5	0,0

On verse alors dans chaque tube 3,0 mL d'iodure de potassium à 0,40 mol·L^{-1} et on relève le temps nécessaire pour que la coloration de chaque mélange coïncide avec la teinte du tube témoin :

	Tube A	Tube B	Tube C
t (s)	36	23	12

1. Pourquoi ajoute-t-on de l'eau dans les tubes A et B ?

2. Calculer les concentrations initiales $[H_2O_2]_0$ et $[I^-]_0$ dans chacun des tubes.

3. Quel facteur cinétique est mis en évidence ?

17 Utilisation de la volumétrie

COMPÉTENCES Calculer ; contruire et exploiter un graphique.

On étudie l'évolution temporelle de la décomposition du peroxyde d'hydrogène H_2O_2 en eau et dioxygène, en présence d'un catalyseur. À l'instant $t = 0$, la concentration en H_2O_2 est égale à 0,100 mol·L^{-1}.
La température du système est maintenue constante pendant toute la durée de l'opération. On mesure le volume $V(t)$ de dioxygène dégagé, sous une pression constante et égale à 101,3 kPa.
Pour un volume de solution V_s = 20,0 mL, on obtient les résultats suivants :

t (min)	0	5	10	15	20	30
$V(t)$ (mL)	0	6,2	10,9	14,6	17,7	21,0

1. Écrire l'équation de la réaction de décomposition du peroxyde d'hydrogène avec les nombres stœchiométriques entiers les plus petits possibles.

2. a. Établir un tableau d'avancement, puis déterminer l'avancement $x(t)$ de la réaction aux divers instants considérés dans le tableau ci-dessus.
b. Montrer que :

$$n(H_2O_2)(t) = n(H_2O_2)(0) - 2x(t)$$

3. Tracer sur papier millimétré, ou à l'aide d'un tableur, le graphique $n(H_2O)(t) = f(t)$ et en déduire le temps de demi-réaction $t_{1/2}$.

Donnée : Dans les conditions de l'expérience, une mole de gaz occupe un volume V_m = 24,0 L.

18 Exploitation de l'avancement

COMPÉTENCES Raisonner ; construire et exploiter un graphique.

À 25 °C, une solution contenant des ions peroxodisulfate $S_2O_8^{2-}(aq)$ et des ions iodure $I^-(aq)$ évolue lentement. Le tableau ci-après traduit l'évolution d'un système contenant initialement 10,0 mmol de peroxodisulfate d'ammonium et 50,0 mmol d'iodure de potassium.

t (min)	0	2,5	5	10	15	20	25	30
$n(S_2O_8^{2-})$ (mmol)	10,0	9,0	8,3	7,1	6,2	5,4	4,9	4,4
$x(t)$ (mmol)								

1. Écrire, avec les nombres stœchiométriques entiers les plus petits possibles, l'équation de la réaction sachant qu'elle fournit du diiode $I_2(aq)$ et des ions sulfate $SO_4^{2-}(aq)$.

2. Proposer une méthode physique permettant de suivre l'évolution du système.

3. a. Établir le tableau d'avancement.
b. Exprimer l'avancement $x(t)$ en fonction de $n(S_2O_8^{2-})$ et de $n_0(S_2O_8^{2-})$, puis compléter le tableau précédent après l'avoir recopié.
c. Tracer sur papier millimétré, ou à l'aide d'un tableur, le graphique $x = f(t)$ et en déduire le temps de demi-réaction $t_{1/2}$ après avoir rappelé sa définition.

19 À chacun son rythme

COMPÉTENCES Analyser ; raisonner ; rédiger.

Cet exercice est proposé à deux niveaux de difficulté. Dans un premier temps, essayer de résoudre l'exercice de niveau 2. En cas de difficultés, passer au niveau 1.

Dans un tube à essais contenant une solution de nitrate de potassium, $K^+(aq) + NO_3^-(aq)$, on introduit des copeaux de cuivre. Aucune réaction ne semble se produire.
On ajoute alors quelques gouttes d'une solution concentrée d'acide nitrique, $H^+(aq) + NO_3^-(aq)$. Un gaz se dégage et la solution bleuit progressivement.
Le gaz formé lors de cette réaction est du monoxyde d'azote NO. Au contact du dioxygène de l'air, il donne du dioxyde d'azote NO_2 roux.

Données : Couples mis en jeu $Cu^{2+}(aq)$ / $Cu(s)$ et $NO_3^-(aq)$ / $NO(g)$.

Niveau 2 (énoncé compact)

L'ion hydrogène $H^+(aq)$ est-il un catalyseur de cette réaction ?

Niveau 1 (énoncé détaillé)

1. Après avoir écrit les demi-équations d'oxydoréduction mises en jeu, écrire l'équation de la réaction qui se produit lors de l'ajout de la solution d'acide nitrique.
2. L'ion hydrogène $H^+(aq)$ est-il, ici, l'un des réactifs ?
3. En déduire son rôle dans cette réaction.

20 Synthèse chlorophyllienne

COMPÉTENCES Extraire et exploiter des informations ; rédiger.

La synthèse chlorophyllienne ou photosynthèse est la synthèse de la matière végétale de formule générale $[C_6H_{12}O_6]_n$ à partir d'eau et de dioxyde de carbone en présence de *chlorophylle* et sous l'action de la lumière.
L'équation de cette réaction s'écrit :

$$6\,n\,CO_2 + 6\,n\,H_2O \longrightarrow [C_6H_{12}O_6]_n + 6\,n\,O_2$$

La croissance des végétaux est très lente en hiver et très importante en été.

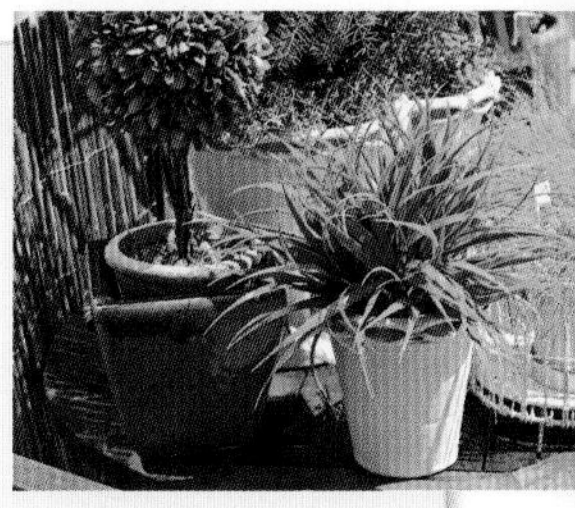

Des études ont montré que la photosynthèse est plus rapide si l'air est enrichi en dioxyde de carbone, si la température est proche de 30 °C et si l'éclairement est intense.
En revanche, elle est quasi nulle en l'absence de chlorophylle.

1. Quels facteurs cinétiques sont évoqués dans ce texte ?
2. Préciser leurs effets sur la photosynthèse.
3. Commenter la phrase : « La croissance des végétaux est très lente en hiver et très importante en été ».

21 Designer catalysts

COMPÉTENCES Extraire et exploiter des informations.

Biological and biomimetic catalysts
Enzymes, which are proteins, are nature's catalysts. Enzymes selectively speed up the reactions needed by living cells. Without enzymes, plants could not photosynthesize carbohydrates and animals could not metabolize the food they eat.
These last years there was a lot of effort to design manmade catalysts that can *match* the efficiency of natural enzymes. Called biomimetic catalysts because they mimic natural enzymes, they use nature's chemical *tricks* to speed reaction in human beings.

Copying Mother Nature
Enzymes, huge molecules containing thousands of atoms, have small catalytic center called "*binding pockets*" that act as *docking sites* for the desired reactants. The binding pockets match the exact shape of the molecule and are also lined with atoms of appropriate charge to attract and alter the reactant molecules. A typical biomimetic catalyst is a far smaller molecule that duplicates the enzyme's binding pocket. Chemists managed to mimic a certain group of enzymes found in plants, animals and bacteria. Biomimetic catalysts can help to address the Earth's growing energy and environmental problems.
For example, some of these biomimetic catalysts speed up the addition of hydroxyl group to an organic molecule and can be used to add OH to methane, ethane and propane which are the predominant molecules in natural gas, thus converting these molecules into the liquid alcohols methanol, ethanol and propanols which are much easier to transport than natural gas.
In another way, the enzyme, carbonic anhydrase, is the biological catalyst responsible for the interconversion of CO_2 and hydrogen carbonate HCO_3^- in living organisms. Biomimetic analogs of this enzyme can be used today *to trap* carbon dioxide from the air.

D'après Chem Matters.

Vocabulaire : *to match* : égaler ; *tricks* : astuces ; *binding pocket* : cavité ; *docking sites* : points de fixation ; *to trap* : piéger.

Exercices

1. Quelle caractéristique de la catalyse enzymatique la rapproche de la catalyse hétérogène ?

2. Préciser le mode d'action d'un « *binding pocket* » à l'aide de schémas.

3. Écrire les formules semi-développées des alcanes et des alcools cités dans ce texte.

4. Le dioxyde de carbone CO_2 est piégé par transformations en ion hydrogénocarbonate HCO_3^-, puis carbonate CO_3^{2-} sous l'action des ions hydroxyde HO^-. En présence d'ions calcium Ca^{2+}, il se forme alors un précipité de carbonate de calcium solide.
a. Écrire les équations des trois réactions permettant de passer du dioxyde de carbone au carbonate de calcium.
b. Pour quelle raison cherche-t-on à piéger le dioxyde de carbone ?
c. Quel est l'intérêt de le piéger sous forme de carbonate de calcium ?

5. @ Rechercher le rôle de *l'anhydrase carbonique* dans notre organisme.

22 La catalyse dans le domaine industriel

COMPÉTENCES Extraire et exploiter des informations.

Catalyse et pétrochimie

Les carburants performants à haut indice d'octane, les monomères des matières plastiques ou les hydrocarbures aromatiques utilisés en synthèse organique, sont des dérivés du pétrole. Ils ne se trouvent pas naturellement dans le pétrole, mais doivent être synthétisés : c'est le rôle du reformage et du craquage catalytique.
Dans ces réactions, les chaînes carbonées des hydrocarbures sont modifiées afin d'obtenir des alcanes ramifiés, des alcènes et des dérivés du benzène.
Ces réactions utilisent de nombreux catalyseurs tels que le nickel, le palladium ou le platine, déposés sur de l'alumine finement divisée ou des zéolithes.

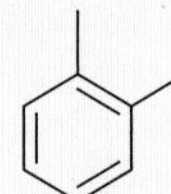
Ortho-xylène

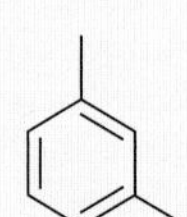
Méta-xylène

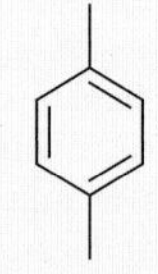
Para-xylène

Formule topologique des xylènes.

D'après *Fréquence Chimie : la catalyse*

Catalyse et dépollution

• Aujourd'hui, la plupart des véhicules sont équipés d'un pot d'échappement catalytique afin de dépolluer les gaz d'échappement. En plus de l'eau, du diazote, du dioxygène et du dioxyde de carbone, ces gaz contiennent du monoxyde de carbone CO, des oxydes d'azote NO et NO_2 et des hydrocarbures imbrûlés C_xH_y qu'il faut éliminer.
Avant d'être libérés dans l'atmosphère, les hydrocarbures imbrûlés et le monoxyde de carbone sont oxydés par le dioxygène en dioxyde de carbone et en eau. Les oxydes d'azote sont réduits en diazote par le monoxyde de carbone ou les hydrocarbures encore présents. Le catalyseur est constitué de platine, de palladium et de rhodium déposés sur de l'alumine Al_2O_3 de grande surface ($100\ m^2 \cdot g^{-1}$).

• Le dihydrogène nécessaire aux piles à combustible (PAC) peut être, entre autres, produit par la réaction d'équation :

$$CO\,(g) + H_2O\,(g) \longrightarrow CO_2 + H_2\,(g)$$

Le mélange gazeux obtenu contient alors des traces de monoxyde de carbone qui sont éliminées par la réaction d'équation :

$$2\,CO\,(g) + O_2\,(g) \longrightarrow 2\,CO_2\,(g)$$

Des nanoparticules d'or catalysent spécifiquement cette réaction, qui a lieu à température ambiante.

D'après *Textes et Documents pour la Classe : la chimie.*

Les zéolithes

Les zéolithes sont des minéraux naturels constitués de cristaux très poreux, sillonnés par une multitude de canaux très fins, de taille nanométrique, offrant ainsi une très grande surface de contact avec des réactifs gazeux.
Les chimistes ont réussi à synthétiser des zéolithes artificielles présentant des canaux de taille régulière et donc susceptibles de jouer le rôle de tamis.

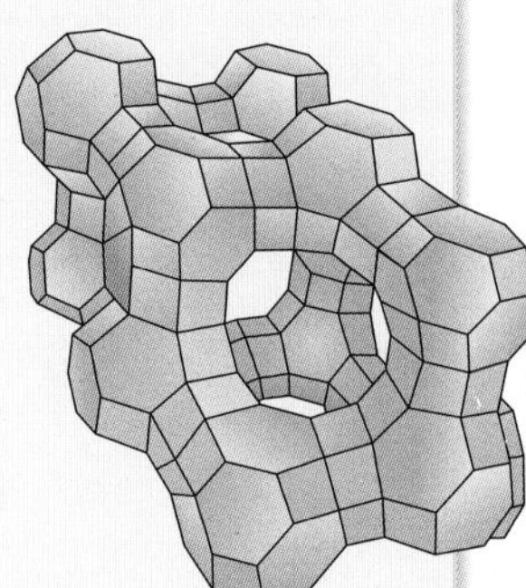
Cavités à l'origine des canaux des zéolithes.

La régularité de la taille des canaux et la possibilité de ceux-ci à fixer certains ions (H^+, Na^+, Co^{2+}, Fe^{3+}) sont à l'origine des propriétés catalytiques de ces matériaux : *les réactions chimiques se déroulent à l'intérieur des canaux.*

D'après *Minéraux et Fossiles : les zéolithes*, 1999.

1. @ Rechercher et justifier l'étymologie du mot zéolithe.

2. a. Écrire les formules topologiques des alcanes isomères de formules C_6H_{14}.
b. En s'aidant de schémas, justifier l'utilisation de zéolithes comme catalyseurs pour craquer des alcanes linéaires à longues chaînes, en molécules plus petites, sans craquer les alcanes ramifiés.

3. Le toluène $C_6H_5-CH_3$ peut, dans certaines conditions, se transformer en benzène, C_6H_6 et en xylènes $C_6H_4(CH_3)_2$.
Après avoir écrit les formules semi-développées des trois isomères du xylène, montrer qu'un choix judicieux de la taille des canaux des zéolithes utilisés pour catalyser cette réaction permet de favoriser la formation de l'isomère *para*-. Illustrer la réponse à l'aide de schémas.

4. En notant C_8H_{18} les hydrocarbures imbrûlés, écrire les équations des réactions permettant de « dépolluer » les gaz d'échappement à l'aide d'un pot catalytique.

5. Pourquoi est-il nécessaire d'utiliser un catalyseur très sélectif pour purifier, avec du dioxygène, un mélange contenant du monoxyde de carbone et du dihydrogène ?

6. Un catalyseur, favorisant une réaction d'addition de dihydrogène, favorise aussi la réaction d'élimination du dihydrogène. Montrer alors, sur l'exemple du but-2-ène, comment passer de l'isomère *Z* à l'isomère *E*.

7. Quel est le paramètre physique déterminant pour l'efficacité d'un catalyseur en catalyse hétérogène ? Justifier la réponse à l'aide des documents proposés.

8. a. Pourquoi est-il nécessaire de recycler les catalyseurs ?
b. Dans l'industrie, quel intérêt pratique présente la catalyse hétérogène par rapport à la catalyse homogène ?

23 Bac Fermentation malolactique du vin : suivi par dosage

COMPÉTENCES Calculer ; construire et exploiter un graphique.

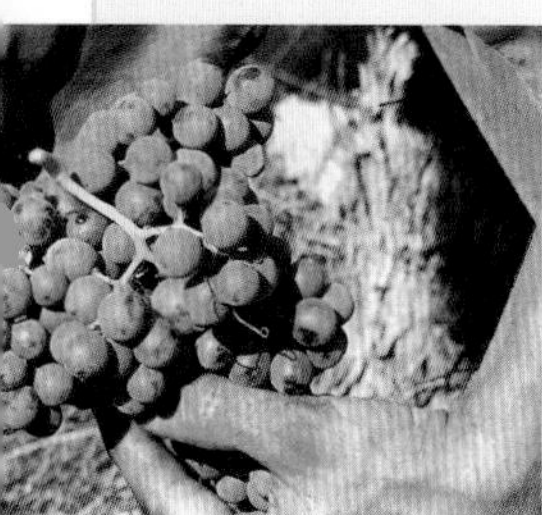

« Le vin est une boisson provenant exclusivement de la fermentation du raisin frais ou du jus de raisin frais ».
Telle est la définition légale du vin. En fait, derrière le terme « fermentation » se cachent des transformations que les chimistes ont mis des années à découvrir.
Dans les années 1960, on commença à s'intéresser à une autre fermentation, la fermentation malolactique, qui consiste en une transformation totale de l'acide malique présent dans le jus de raisin en acide lactique sous l'action de bactéries.
Cette fermentation, longtemps ignorée, a une influence reconnue sur la qualité gustative de certains vins à condition de la conduire convenablement.

L'équation de la fermentation malolactique est :

$$CO_2H-CH_2-CH(OH)-CO_2H(aq) \longrightarrow CH_3-CH(OH)-CO_2H(aq) + CO_2(g)$$

Un dosage enzymatique de l'acide malique restant dans le vin permet d'obtenir la concentration massique en acide malique $C_m(t)$ en fonction du temps, la température de fermentation étant maintenue à 20 °C :

t (jours)	0	4	8	12	16	20	28
C_m (g·L^{-1})	3,5	2,3	1,6	0,8	0,5	0,27	0
[acide malique](t) (mol·L^{-1})							
$x(t)$ (mol)							

1. a. Montrer que la concentration molaire en acide malique restant dans le vin à l'instant t s'exprime par :

$$[\text{acide malique}](t) = \frac{C_m(t)}{134}$$

b. En déduire la quantité initiale d'acide malique $n_{\text{ac. mal.}}(0)$ dans un litre de ce vin.

2. a. À l'aide d'un tableau descriptif de l'évolution de la réaction, montrer que l'avancement à l'instant t de cette réaction pour un litre de vin se met sous la forme :

$$x(t) = 2{,}6 \times 10^{-2} - n_{\text{ac. mal.}}(t)$$

b. Compléter le tableau ci-dessus après l'avoir recopié.

3. a. Tracer sur papier millimétré, ou à l'aide d'un tableur, le graphique $x(t) = f(t)$.
b. En déduire le temps de demi-réaction $t_{1/2}$.
Le comparer à la durée t_f de la réaction.

24 Bac Chimie et spéléologie : suivi volumétrique

COMPÉTENCES Calculer ; construire et exploiter un graphique.

Dans certaines grottes, les spéléologues risquent de rencontrer des nappes de dioxyde de carbone CO_2. À teneur élevée, ce gaz peut entraîner des évanouissements et même la mort. Le dioxyde de carbone est formé par action des eaux de ruissellement acides sur le carbonate de calcium $CaCO_3$ présent dans les roches calcaires. Cette réaction peut être étudiée au laboratoire.

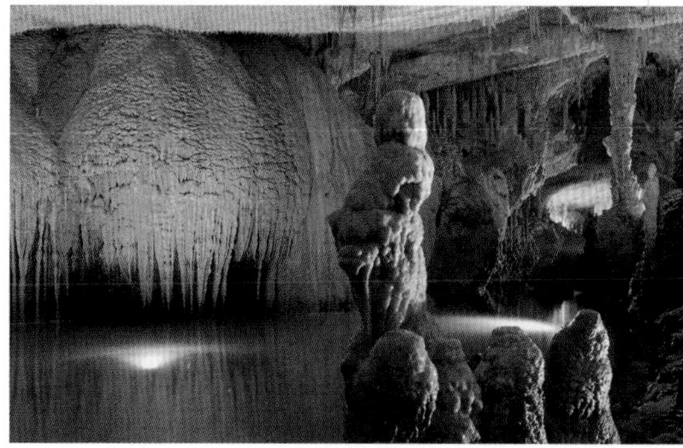

Dans un ballon, on réalise la réaction entre le carbonate de calcium $CaCO_3$(s) et l'acide chlorhydrique, H_3O^+(aq) + Cl^-(aq). Le dioxyde de carbone formé est recueilli par déplacement d'eau, dans une éprouvette graduée.
Un élève verse dans le ballon, un volume V_S = 100 mL d'acide chlorhydrique à 0,10 mol·L^{-1}.
À la date t = 0 s, il introduit rapidement dans le ballon 2,0 g de carbonate de calcium, $CaCO_3$(s), tandis qu'un camarade déclenche un chronomètre. Les élèves relèvent les valeurs du volume V_{CO_2} de dioxyde de carbone dégagé en fonction du temps. Elles sont reportées dans le tableau ci-après, p. 250. La pression du gaz est égale à la pression atmosphérique P_{atm} et la température est maintenue constante à 25 °C.

t (s)	0	20	40	60	80	100
V_{CO_2} (mL)	0	29	49	63	72	79
x(t) (mmol)						

t (s)	120	140	160	180	200	220
V_{CO_2} (mL)	84	89	93	97	100	103
x(t) (mmol)						

t (s)	240	260	280	300	320	340
V_{CO_2} (mL)	106	109	111	113	115	117
x(t) (mmol)						

t (s)	360	380	400	420	440
V_{CO_2} (mL)	118	119	121	121	121
x(t) (mmol)					

La réaction chimique étudiée a pour équation :

$CaCO_3(s) + 2\ H_3O^+(aq) \rightarrow Ca^{2+}(aq) + CO_2(g) + 3\ H_2O(\ell)$

1. Déterminer les quantités de matière initiales de chacun des réactifs.

2. Établir le tableau d'avancement de la réaction. En déduire la valeur x_{max} de l'avancement maximum. Quel est le réactif limitant ?

3. Comme ceci est précisé dans la **fiche n° 12**, p. 597, la pression P (en Pa), le volume V (en m^3), la quantité n (en mol) et la température T (en K) d'un gaz sont liés par la relation :

$$P \cdot V = n \cdot R \cdot T$$

avec R = 8,314 unités SI.

a. Exprimer l'avancement $x(t)$ de la réaction à une date t en fonction de V_{CO_2}, T, P_{atm} et R.
Recopier le tableau ci-dessus et le compléter avec les diverses valeurs de $x(t)$.

b. Tracer sur papier millimétré, ou à l'aide d'un tableur, le graphe $x(t) = f(t)$.

c. Calculer le volume maximum de gaz susceptible d'être recueilli dans les conditions de l'expérience. En déduire la durée t_f de la réaction.

d. Définir le temps de demi-réaction $t_{1/2}$. Le déterminer graphiquement.

4. La température de la grotte explorée est inférieure à 25 °C.

a. Quel est l'effet de cet abaissement de température sur la valeur de $t_{1/2}$?

b. Superposer l'allure de l'évolution de l'avancement en fonction du temps obtenu dans ce cas au graphe tracé à la question 3b.

Donnée : Pression atmosphérique à 25 °C (298 K) : $P_{atm} = 1{,}02 \times 10^5$ Pa.

25 Bac Suivi par spectrophotométrie

COMPÉTENCES **Effectuer des calculs ; tracer et exploiter un graphique.**

Les ions iodure I^- réagissent avec les ions peroxodisulfate $S_2O_8^{2-}(aq)$ selon la réaction d'équation :

$$2\ I^-(aq) + S_2O_8^{2-}(aq) \longrightarrow I_2(aq) + 2\ SO_4^{2-}(aq)$$

À l'instant $t = 0$, on réalise un mélange réactionnel S à partir d'un volume V_1 = 10,0 mL de solution aqueuse d'iodure de potassium, $K^+(aq) + I^-(aq)$, de concentration molaire $C_1 = 5{,}0 \times 10^{-1}$ mol·L^{-1} et d'un volume V_2 = 10,0 mL de solution aqueuse de peroxodisulfate de sodium, $2\ Na^+(aq) + S_2O_8^{2-}(aq)$, de concentration molaire $C_2 = 5{,}0 \times 10^{-3}$ mol·L^{-1}.
On étudie par spectrophotométrie, la formation, au cours du temps, du diiode, seule espèce colorée.
Les résultats des mesures d'absorbance en fonction du temps sont rassemblés dans le tableau ci-dessous :

t (min)	1	2	4	6	8	10	12	14
A(t)	0,08	0,13	0,23	0,31	0,39	0,45	0,50	0,55
$n(I_2)(t)$								

t (min)	16	18	20	30	40	50	60	90
A(t)	0,59	0,62	0,65	0,74	0,77	0,79	0,80	0,80
$n(I_2)(t)$								

1. La mesure de l'absorbance A de solutions aqueuses de diiode de différentes concentrations molaires C montre que A est proportionnelle à C. On détermine le coefficient de proportionnalité k à partir du couple de valeurs $C = 5{,}0 \times 10^{-3}$ mol·L^{-1} et $A = 1{,}60$.

a. Pourquoi dit-on que la solution étudiée suit la loi de Beer-Lambert ?

b. Déterminer la valeur de k en précisant son unité.

c. Montrer que, pour le mélange réactionnel S réalisé au début de l'étude, la quantité de matière de diiode formé à l'instant t s'exprime sous la forme :

$$n(I_2)(t) = A(t) \cdot \frac{V_1 + V_2}{k}$$

d. Calculer la quantité de matière (en µmol) de diiode formé à chaque instant et compléter le tableau ci-dessus après l'avoir recopié.

2. On note $x(t)$ l'avancement de la réaction à l'instant t.

a. Relier $n(I_2)(t)$ et $x(t)$.

b. Tracer, sur papier millimétré ou à l'aide d'un tableur, le graphique $x(t) = f(t)$.

c. Définir le temps de demi-réaction $t_{1/2}$.
Le déterminer graphiquement et le comparer à la durée de la réaction t_f.

Un pas vers l'enseignement supérieur

26 Saponification d'un ester : suivi conductimétrique

COMPÉTENCES Calculer ; tracer un graphique ; raisonner.

On réalise la saponification d'un ester, l'éthanoate d'éthyle, de formule $CH_3CO_2C_2H_5$ par de l'hydroxyde de sodium, $Na^+(aq) + HO^-(aq)$ ou soude. L'équation de cette réaction peut s'écrire :

$$CH_3CO_2C_2H_5 + HO^-(aq) \rightarrow CH_3CO_2^-(aq) + C_2H_5OH(aq)$$

À un instant choisi comme date $t = 0$, on introduit de l'éthanoate d'éthyle dans un bécher contenant une solution de soude. On obtient un volume $V = 100{,}0$ mL de solution, où les concentrations de l'ester, des ions $Na^+(aq)$ et des ions $HO^-(aq)$ valent toutes $C_0 = 1{,}00 \times 10^{-2}\ mol \cdot L^{-1}$. La température est maintenue égale à 30 °C. On plonge dans le mélange la sonde d'un conductimètre qui mesure, à chaque instant t, la conductivité σ de la solution. Le tableau ci-dessous regroupe quelques valeurs :

t (min)	0	5	9	13	20	27	t_∞
σ ($S \cdot m^{-1}$)	0,250	0,210	0,192	0,178	0,160	0,148	0,091

1. Soit $x(t)$ l'avancement de la réaction à un instant t. Établir un tableau d'avancement en s'intéressant aux instants $t = 0$, t et t_∞. Dans ce tableau, t_∞ correspond à un instant de date très grande où la transformation chimique est supposée terminée.

2. La conductivité σ (en $S \cdot m^{-1}$) de la solution s'exprime en fonction des conductivités molaires ioniques des ions λ_i (en $S \cdot m^2 \cdot mol^{-1}$) et de leurs concentrations C_i (en $mol \cdot m^{-3}$) par la relation :

$$\sigma = \lambda_1 \cdot C_1 + \lambda_2 \cdot C_2 + \ldots + \lambda_n \cdot C_n.$$

Les ions spectateurs contribuent à la conduction du courant électrique.

a. Quelles sont les espèces chimiques responsables du caractère conducteur de la solution ?

b. En analysant la nature des espèces consommées et formées, justifier que la conductivité diminue.

3. a. Exprimer σ_t valeur de la conductivité de la solution à un instant t en fonction de C_0, V, $x(t)$ et des conductivités molaires ioniques.

b. Les expressions de σ_0 et σ_∞, valeurs de la conductivité de la solution à l'instant $t = 0$ et au bout d'une durée très grande, sont :

$$\sigma_0 = (\lambda_{Na^+} + \lambda_{HO^-}) \cdot C_0 \quad \text{et} \quad \sigma_\infty = (\lambda_{Na^+} + \lambda_{CH_3-CO_2^-}) \cdot C_0$$

Justifier ces expressions.

c. Montrer que l'avancement $x(t)$ peut s'écrire :

$$x(t) = C_0 \cdot V \frac{\sigma_0 - \sigma_t}{\sigma_0 - \sigma_\infty}.$$

4. À l'aide de cette relation calculer les valeurs de l'avancement $x(t)$ à chaque instant. Tracer le graphique représentant l'évolution de l'avancement $x(t)$ en fonction du temps.

a. Calculer l'avancement maximal.

b. Définir le temps de demi-réaction. Trouver sa valeur à l'aide du graphique.

Données :
Conductivités molaires ioniques λ_i en $S \cdot m^2 \cdot mol^{-1}$:
- ion $Na^+(aq)$: $5{,}0 \times 10^{-3}$; ion $HO^-(aq)$: $2{,}0 \times 10^{-2}$;
- ion $CH_3CO_2^-(aq)$: $4{,}1 \times 10^{-3}$.

27 Étude d'un durcisseur de colle à bois

COMPÉTENCES Exploiter un graphique ; raisonner ; calculer.

Attention : Cet exercice ne pourra être résolu qu'après étude de la fonction exponentielle en mathématiques.

Le chlorure d'ammonium NH_4Cl est utilisé comme durcisseur dans des colles à bois à base de formol (résine urée-formol). En effet, au contact du formol, il libère des ions $H^+(aq)$ catalyseurs de la réaction de polymérisation mise en œuvre lors du collage. L'équation de la réaction, dont on se propose d'étudier la cinétique, est la suivante :

$$4\ NH_4Cl + 6\ CH_2O \longrightarrow 4\ H^+(aq) + 4\ Cl^-(aq) + (CH_2)_6N_4 + 6\ H_2O(\ell)$$

La courbe G_1 du document ci-dessous représente l'évolution de la concentration des ions $H^+(aq)$ en fonction du temps à $\theta_1 = 20$ °C.

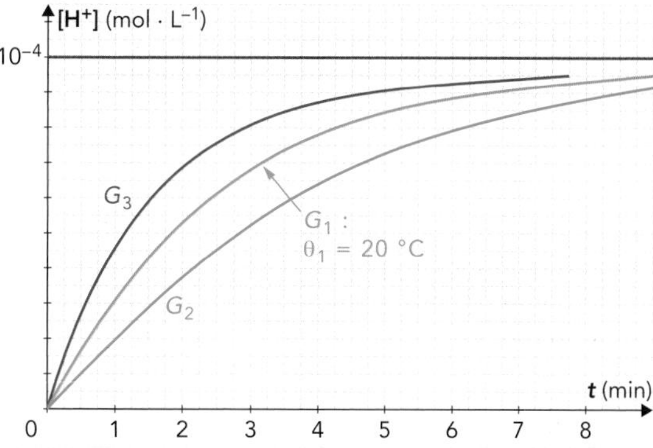

1. Après l'avoir défini, déterminer le temps de demi-réaction $t_{1/2}$ de cette réaction.

2. Les courbes G_2 et G_3 représentent l'évolution du même système réactionnel respectivement aux températures θ_2 et θ_3. Quelle courbe correspond à une température supérieure à $\theta_1 = 20$ °C ? Justifier la réponse.

3. L'évolution de la concentration en ions $H^+(aq)$ en fonction du temps peut être modélisée par une relation du type :

$$[H^+(aq)] = A\,(1 - \exp(-\,t/\tau))$$

dans laquelle $\exp(-\,t/\tau)$ représente la fonction exponentielle de la fonction $(-\,t/\tau)$. Dans cette expression A et τ sont des constantes, t est exprimé en minutes et $[H^+(aq)]$ en $mol \cdot L^{-1}$.

a. Que représente la constante A ?

b. En quelle unité τ doit-il être exprimé ? τ est-il plus grand ou plus petit que $t_{1/2}$?

c. En utilisant la courbe G_1, déterminer A et τ à $\theta_1 = 20$ °C en précisant les unités.

d. Les valeurs de A et de τ dépendent-elles de la température ?

Retour sur l'ouverture du chapitre

28 Des réactions d'oxydoréduction plus ou moins vives...

COMPÉTENCES **Extraire et exploiter des informations ; calculer.**

Propulsion de la fusée Ariane V

La propulsion de la fusée Ariane V est assurée grâce à la poussée produite par plusieurs réactions chimiques mettant toutes en jeu au moins un réducteur (le combustible) et un oxydant (le comburant) en formant une très grande quantité de gaz sous pression.

Le lancement repose sur les réactions s'effectuant dans les deux premiers étages de la fusée.

Le premier étage de la fusée ou *étage d'accélération à poudre* (EAP) contient 474 tonnes de propergol solide constitué en masse de 68 % de perchlorate d'ammonium NH_4ClO_4, 18 % d'aluminium Al et de 14 % d'un liant le polybutadiène $-\!\!(CH_2-CH=CH-CH_2)\!\!-_n$

Chauffé, le perchlorate d'ammonium se décompose spontanément pour donner du diazote N_2 (g), de l'eau H_2O (g), du dioxygène O_2 (g) et du chlorure d'hydrogène HCl (g). Une partie du dioxygène alors formé oxyde l'aluminium Al (s) en alumine Al_2O_3 (s), le reste brûlant partiellement le polybutadiène. L'ensemble de ces réactions dure 130 secondes.

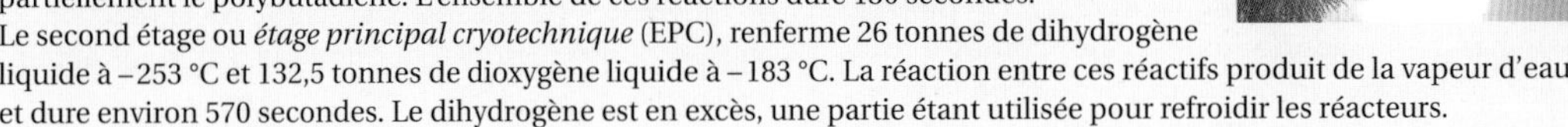

Le second étage ou *étage principal cryotechnique* (EPC), renferme 26 tonnes de dihydrogène liquide à −253 °C et 132,5 tonnes de dioxygène liquide à −183 °C. La réaction entre ces réactifs produit de la vapeur d'eau et dure environ 570 secondes. Le dihydrogène est en excès, une partie étant utilisée pour refroidir les réacteurs.

Formation de la rouille

La rouille est le produit de la corrosion du fer métallique, de l'acier ou de la fonte par le dioxygène de l'air en milieu humide. Sa formation est favorisée en milieu marin ou en présence de gaz polluants (dioxyde de soufre SO_2, dioxyde de carbone CO_2, etc.) susceptibles de se dissoudre dans l'eau pour donner des espèces ioniques.

Pour simplifier, on peut considérer que la rouille est principalement constituée d'oxyde de fer (III) trihydraté de formule $Fe_2O_3, 3\,H_2O$. C'est un matériau friable, poreux et perméable ; c'est la raison pour laquelle la corrosion du fer se poursuit tant qu'il reste du métal. La formation de la rouille peut être décomposée en trois étapes :

– oxydation du fer en hydroxyde de fer (II) par le dioxygène en présence d'eau :

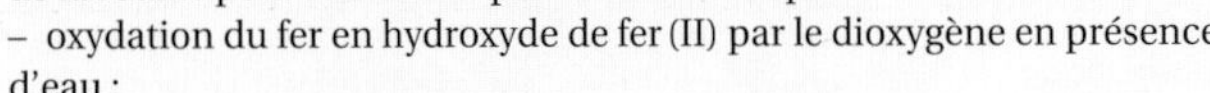

$$2\,Fe(s) + O_2(g) + 2\,H_2O(\ell) \longrightarrow 2\,Fe(OH)_2(s) \quad (1)$$

– oxydation de l'hydroxyde de fer (II) en hydroxyde de fer (III) par le dioxygène en présence d'eau :

$$4\,Fe(OH)_2(s) + O_2(g) + 2\,H_2O(\ell) \longrightarrow 4\,Fe(OH)_3(s) \quad (2)$$

– transformation de l'hydroxyde de fer (III) en oxyde de fer (III) trihydraté ou rouille :

$$2\,Fe(OH)_3 \longrightarrow Fe_2O_3, 3\,H_2O(s) \quad (3)$$

Alors que les réactions (2) et (3) sont relativement rapides, la première réaction est très lente. Le document ci-contre donne les courbes traduisant les pertes d'épaisseur et de masse d'une plaque de fer soumise à diverses atmosphères corrosives.

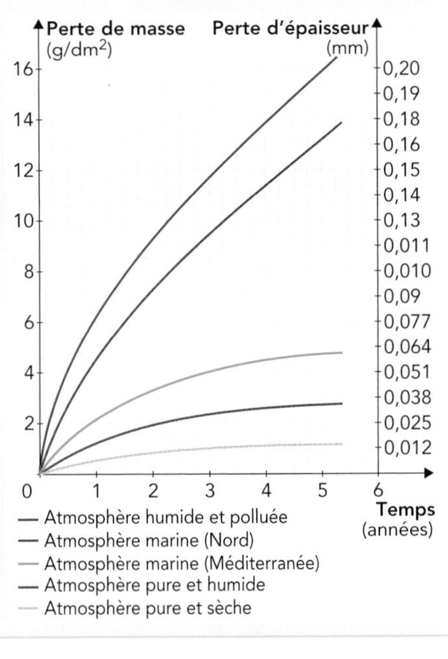

1. a. Compléter l'équation de la décomposition spontanée du perchlorate d'ammonium ci-après :

$$4\,NH_4ClO_4(s) \longrightarrow \ldots\,N_2(g) + \ldots\,H_2O(g) + \ldots\,O_2(g) + \ldots\,HCl(g)$$

b. Le perchlorate d'ammonium est un composé ionique de formule $NH_4^+ + ClO_4^-$. Vérifier que sa décomposition est une réaction d'oxydoréduction.

2. Vérifier que, dans l'*étage principal cryotechnique* (EPC), le dihydrogène est en excès.

3. Déterminer la masse de perchlorate d'ammonium réagissant par unité de temps dans l'EAP, puis celle de dioxygène réagissant par unité de temps dans l'EPC. Conclure.

4. Vérifier que les étapes (1) et (2) de la formation de la rouille sont des réactions d'oxydoréduction.

5. Observer à présent les courbes du document fourni.

a. En quelle unité est le temps en abscisse ? Conclure.

b. Quels paramètres, favorisant la formation de la rouille, ces courbes mettent-elles en évidence ?

c. Une tôle en acier d'épaisseur e = 25 μm est abandonnée à l'air. En combien de temps sera-t-elle entièrement rouillée en atmosphère humide et polluée ? En atmosphère pure et humide ? Conclure.

6. Quelle grandeur physique du fer est-il nécessaire de connaître pour passer de la perte de masse par unité de surface à la perte d'épaisseur ? Calculer une valeur approchée de cette grandeur.

Comprendre un énoncé

29 Décomposition d'une eau de Javel

L'eau de Javel est une solution aqueuse basique d'hypochlorite de sodium $Na^+(aq) + ClO^-(aq)$ et de chlorure de sodium $Na^+(aq) + Cl^-(aq)$. Elle se décompose lentement selon la réaction d'équation :

$$ClO^-(aq) \longrightarrow Cl^-(aq) + \tfrac{1}{2}\,O_2(g) \qquad (1)$$

Cette décomposition est en fait une réaction d'oxydoréduction.

Pour étudier la cinétique de la réaction (1), catalysée par les ions $Co^{2+}(aq)$, on utilise un volume V = 100 mL d'une solution S diluée d'eau de Javel.

On déclenche le chronomètre à l'instant où l'on introduit le catalyseur. Pour suivre l'évolution de la réaction on mesure le volume de dioxygène $V(O_2)$ formé à température et pression constantes.

Dans les conditions de l'expérience une mole de gaz occupe un volume V_m = 22,4 L.

Questions à se poser à la lecture de l'énoncé

- → L'équation est-elle ajustée ?
- → Quels sont les couples redox mis en jeu ?
- → Quel est le rôle d'un catalyseur ?
- → Pourquoi ces deux paramètres doivent-ils être constants ?
- → Existe-t-il une relation entre $V(O_2)$ et V_m ?

Dans le tableau ci-dessous le temps t est en seconde, $V(O_2)$ en mL et $[ClO^-]$ en mmol·L^{-1}.

t	0	30	60	90	120	150	180	210	240	270	300	330	360	390	420	t_∞
$V(O_2)$	0	42	74	106	138	171	189	212	231	246	255	269	278	286	295	295
$[ClO^-]$		220	190	160	140	110		70	56	43	35	23	15	8,0	0	0

Questions	Compétences à mobiliser	Si difficulté, revoir
1. Retrouver l'équation (1) sachant que les couples mis en jeu, en milieu basique, sont : $ClO^-(aq)/Cl^-(aq)$ et $O_2(g)/HO^-(aq)$	• Écrire une demi-équation redox en milieu basique. • Écrire une équation d'oxydoréduction.	Révisions, p. 126.
2. À partir de la mesure de $V(O_2)$ pour t_∞, déterminer la concentration en ion hypochlorite $[ClO^-]_0$ à t = 0 dans la solution S.	• Établir un tableau d'avancement.	Révisions, p. 126.
3. a. Établir l'expression littérale de la concentration en ions hypochlorite notée $[ClO^-]$ dans la solution S à chaque date t, en fonction de $[ClO^-]_0$, $V(O_2)$, V et V_m. **b.** Calculer $[ClO^-]$ à t = 180 s.	• Connaître et exploiter l'expression reliant quantité de matière et concentration molaire. • Effectuer des calculs*.	Révisions, p. 126.
4. a. Tracer le graphique $[ClO^-] = f(t)$. *Échelles :* 1 cm représente 30 s ; 1 cm représente 20 mmol. **b.** Déterminer, après l'avoir défini, le temps de demi-réaction $t_{1/2}$ de la réaction étudiée.	• Tracer un graphique*. • Déterminer un temps de demi-réaction.	Exercice résolu 5, p. 242.
5. Sur le graphique précédent, donner l'allure de la courbe représentant l'évolution de $[ClO^-]$ en fonction du temps en l'absence d'ions cobalt.	• Connaître le rôle d'un catalyseur. • Tracer un graphique*.	Essentiel doc. 2, p. 240.

* Compétence transversale.

Avoir les bons réflexes 

Si l'énoncé demande de...	il est nécessaire de...	Si difficulté	Pour réviser
Suivre l'évolution temporelle à l'aide d'une méthode physique.	● Établir la relation reliant la grandeur physique à l'avancement x à l'aide d'une loi (Beer-Lambert, etc.). ● Tracer la courbe $x = f(t)$.	Exercice 17, p. 246.	Exercice 25 p. 250.
Suivre l'évolution temporelle à l'aide d'une méthode chimique.	● Exploiter la réaction de dosage pour déterminer l'avancement x à divers instants. ● Tracer la courbe $x = f(t)$.	Chapitre 18. Exercice 23, p. 249.	Exercice 15 p. 246.
Reconnaître des facteurs cinétiques et analyser leurs effets.	● Rechercher les paramètres du système (concentration, température, éclairement, etc.) qui varient. ● Identifier l'effet de cette variation sur la rapidité d'évolution du système.	Exercice résolu 6, p. 243, et exercice 8, p. 244.	Exercice 9 p. 244.
Identifier un catalyseur et caractériser la catalyse.	● Rechercher la présence d'une espèce qui accélère l'évolution et qui ne figure pas dans l'équation de la réaction. ● Comparer son état physique à celui des réactifs.	Exercice 12, p. 245.	Exercice 11 p. 245.
Déterminer la durée d'une réaction	● Déterminer la valeur de l'avancement maximal x_{max} après avoir identifié le réactif limitant. ● Déterminer la durée t_f nécessaire pour que l'avancement atteigne cette valeur maximale.	Exercice résolu 5, p. 242, et exercice 13, p. 245.	Exercice 14 p. 245.
Déterminer le temps de demi-réaction	● Déterminer la valeur de l'avancement maximal x_{max} après avoir identifié le réactif limitant. ● Déterminer la durée $t_{1/2}$ nécessaire pour que l'avancement atteigne la moitié de cette valeur, soit : $x_{1/2} = \frac{x_{max}}{2}$	Exercice résolu 5, p. 242, et exercice 12, p. 245.	Exercice 18 p. 246.

Dans les conditions du baccalauréat

- **Avec aide :** Exercice 29 p. 253.
- **Sans aide :** Exercice 24 p. 249.

Représentation spatiale des molécules

Chapitre 10

Dessin des sels de l'acide tartrique, images l'un de l'autre dans un miroir.

Louis PASTEUR (1822-1895) dans son laboratoire.

En travaillant sur des cristaux de tartrate double de sodium et d'ammonium, PASTEUR découvrit la chiralité en 1848. **Comment procéda-t-il ?** **(Voir exercice 30, p. 276.)**

Qu'est-ce que la chiralité ?
Comment se manifeste-t-elle ?
Quelles en sont les conséquences ?

OBJECTIFS

→ Reconnaître une espèce chirale.
→ Utiliser la représentation de Cram.
→ Reconnaître si deux molécules sont identiques, énantiomères ou diastéréoisomères.

1 La chiralité

EN AUTONOMIE

La chiralité est un concept très important en chimie et en biochimie.
Qu'est-ce que la chiralité ? Comment et quand a-t-on découvert ce phénomène en chimie ?

A Une histoire de symétrie

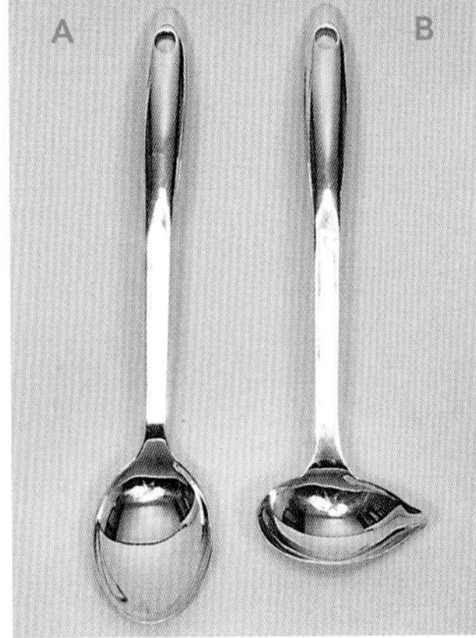

Doc. 1 Cuillère (A) et louchette (B).

1 Dessiner l'objet A et son image A' dans un miroir. Faire de même avec l'objet B et son image B'.

2 Les objets A et A' sont-ils superposables ? Même question pour les objets B et B'.

3 L'objet A possède-t-il un plan de symétrie ? Si oui, le faire figurer sur le dessin de la **question 1**. Même question pour B.

Un pas vers le cours...

4 Déduire, des questions précédentes, une condition à respecter pour qu'un objet ne soit pas superposable à son image dans un miroir.

B Un peu d'histoire

Les objets qui nous entourent peuvent être classés en deux catégories : soit ils sont superposables à leur image dans un miroir plan, soit ils ne le sont pas. Ainsi, un œuf ou un verre sont superposables à leur image contrairement à un gant ou à une vis (doc. 2). C'est à partir du nom grec χειρ (cheir) signifiant la main que Lord KELVIN a introduit, en 1904, le terme de « chiralité » pour désigner la propriété que possède un objet de ne pas être superposable à son image dans un miroir plan.
Les objets chiraux peuvent donc exister sous deux formes images l'une de l'autre dans un miroir plan. Si on répertorie ces formes pour chaque objet chiral naturel, on observe que si pour certains les deux formes sont présentes en quantités égales, pour d'autres, en revanche, l'une des deux formes prédomine majoritairement sinon exclusivement.
Louis PASTEUR a été le premier à pressentir, en 1848, que les molécules, pouvaient être chirales ou non chirales (achirales). C'est en travaillant sur des cristaux de sels de l'acide tartrique que le savant observa la présence de dissymétrie dans l'aspect de ces cristaux (doc. 3). Il émit alors l'hypothèse de la correspondance entre cette dissymétrie des formes cristallines et une dissymétrie interne de la molécule pouvant exister sous deux formes, images l'une de l'autre dans un miroir. On lui doit la première observation de la chiralité des molécules.

Doc. 2 Quelques objets courants, chiraux ou non.

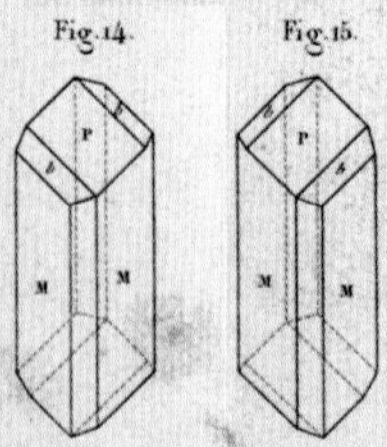

Doc. 3 Dessin des sels de l'acide tartrique réalisé par PASTEUR.

5 À l'aide du texte, trouver, parmi les objets du document 2, ceux qui sont chiraux.

6 Trouver des exemples de chiralité dans les domaines suivants : art, architecture, faune et flore.

7 @ Qu'est-ce que l'homochiralité ?

8 @ Rédiger un court texte expliquant le contexte dans lequel PASTEUR a mis en évidence la chiralité au niveau moléculaire.

2 Représentation de Cram EN AUTONOMIE

La feuille de papier est un espace à deux dimensions. Pour représenter les objets tridimensionnels que sont les molécules, on peut utiliser la représentation de Cram. Qu'est-ce que la représentation de Cram ?

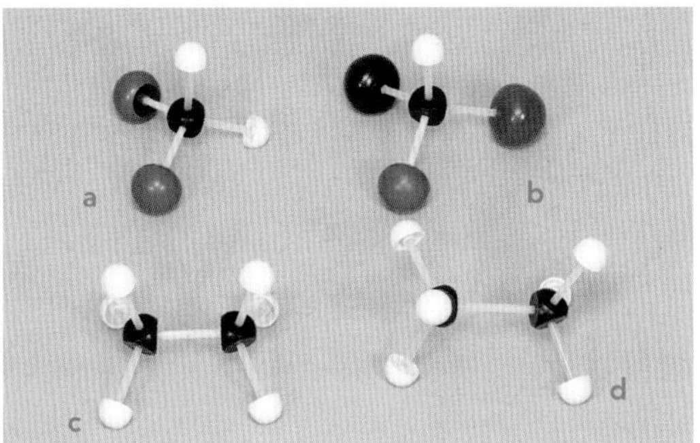

Doc. 4 Modèles moléculaires du dichlorométhane (a), du bromochloroiodométhane (b) et de l'éthane (c) et (d).

Info

Par convention, dans la représentation de Cram, la façon de dessiner des liaisons donne une indication sur l'organisation spatiale de la molécule :

A — B : liaison entre deux atomes A et B dans le plan de la feuille.

A ◄ B : liaison entre un atome A dans le plan et un atome B en avant de la feuille.

A ⦙⦙⦙ B : liaison entre un atome A dans le plan et un atome B en arrière de la feuille.

1 Dessiner en représentation de Cram les molécules du document 4.

2 Il existe une infinité de représentations de Cram, pour une même molécule, à cause de la libre rotation autour des liaisons simples. Cependant, pour des raisons pratiques on les représente souvent de la même façon.
Recopier, puis compléter en représentation de Cram les trois dessins :
a. du dichlorométhane ;
b. de l'éthane.

a. [trois dessins partiels : H–C–H ; H–C–H ; H–C–H]

b. [trois dessins partiels : H–C–C–H ; H–C–C–H ; H–C–C–H]

3 Les molécules chirales

Si certains objets familiers sont chiraux, c'est également le cas de nombreuses molécules. Comment repérer des molécules chirales ?

Info

Une molécule chirale est une molécule qui n'est pas superposable à son image dans un miroir plan.

◗ Soit les représentations de Cram suivantes :

A : C lié à Cl, H (en arrière), F (en avant), F

B : C lié à Cl, H (en arrière), Br (en avant), I

C : Cl(H)C=C(H)Cl

D : C(H, Br, Cl)–C(Cl, Cl, H)

1 À l'aide de la boîte de modèles moléculaires mise à disposition, identifier, parmi les molécules proposées, celles qui sont chirales (doc. 5).

2 Dessiner en représentation de Cram les images dans un miroir plan des molécules chirales.

Doc. 5 Un exemple de molécule non superposable à son image dans un miroir plan (molécule chirale).

Un pas vers le cours...

3 Trouver le point commun entre les molécules identifiées comme « chirales » dans cette activité.

4 Relations de stéréoisomérie entre molécules

**On peut classer des couples de stéréoisomères en deux sous-catégories.
Quelles sont-elles ? Comment procéder ?**

▸ À l'aide des modèles moléculaires mis à disposition, on souhaite déterminer, dans chaque lot, les molécules :
– qui sont identiques ;
– qui sont images l'une de l'autre dans un miroir plan sans être identiques ;
– qui ne sont ni identiques, ni images l'une de l'autre dans un miroir plan.

Lot 1

A : Cl, H_3C, H_5C_2, H autour de C
B : Cl, H_5C_2, H, CH_3 autour de C
C : Cl, H_3C, C_2H_5, H autour de C

Lot 2

A′ : Br, H, H_3C – C – C – H, CH_3, Br
B′ : Br, H, H_3C – C – C – H, CH_3, Br
C′ : Br, H, H_3C – C – C – CH_3, H, Br

Lot 3

A″ : Cl, H – C=C – H, Br
B″ : Br, H – C=C – H, Cl
C″ : Cl, H – C=C – Br, H

1 Reproduire et compléter le tableau ci-dessous avec les molécules des lots 1, 2 et 3.

Énantiomères	Diastéréoisomères	Molécules identiques

2 Parmi les neuf molécules ci-contre, repérer celles qui possèdent des atomes de carbone asymétriques, c'est-à-dire liés à quatre atomes ou groupes d'atomes différents.

Info

Deux molécules sont stéréoisomères lorsqu'elles correspondent à la même formule plane, mais elles ne sont pas superposables.
Lorsque deux molécules d'espèces stéréoisomères ne sont pas identiques, on distingue celles qui sont images l'une de l'autre dans un miroir (énantiomères) des autres (diastéréoisomères).

5 Comparaison des propriétés physiques de diastéréoisomères

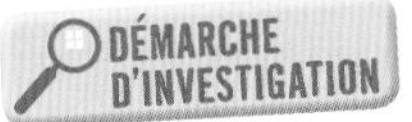

Comment mettre en évidence que deux diastéréoisomères ont des propriétés physiques différentes ?

Compétence exigible au baccalauréat
• *Pratiquer une démarche expérimentale pour mettre en évidence les propriétés physiques différentes de deux diastéréoisomères.*

On souhaite comparer quelques propriétés physiques des acides fumarique et maléique :

HOOC, H – C=C – H, COOH
Acide fumarique

HOOC, H – C=C – COOH, H
Acide maléique

1 Rappeler les définitions de l'isomérie *Z*/*E* d'une molécule polaire et d'une liaison hydrogène.

2 Justifier que ces deux molécules sont des diastéréoisomères.

3 Proposer deux protocoles, l'un permettant de comparer les solubilités de ces deux acides dans l'eau et l'autre leurs températures de fusion.
Après accord du professeur, les mettre en œuvre.

4 Montrer que le stéréoisomère *E* ne donne que des liaisons hydrogène intermoléculaires, alors que le *Z* peut donner des liaisons hydrogène inter- et intramoléculaires.

5 Montrer que l'un des deux stéréoisomères est apolaire et que l'autre est polaire.

6 Proposer une interprétation des résultats expérimentaux obtenus.

Un pas vers le cours...

7 Que peut-on dire des propriétés physiques de deux diastéréoisomères ?

6 Conformations de l'éthane et du butane

La libre rotation autour des liaisons simples permet d'envisager une infinité de formes, appelées conformations, pour une molécule. Certaines formes sont-elles plus stables que d'autres ?

Compétence exigible au baccalauréat
- *Visualiser, à partir d'un modèle moléculaire, les différentes conformations d'une molécule.*

1 Construire, à l'aide des modèles moléculaires, la molécule d'éthane. Sachant que les nuages électroniques des liaisons se repoussent, identifier, puis dessiner en représentation de Cram, la conformation la plus stable, puis la conformation la moins stable de l'éthane.

2 Dans le document 6, six conformations particulières du butane sont représentées.
À l'aide des modèles moléculaires, et en se basant toujours sur le principe de répulsion des nuages électroniques, classer ces six formes par stabilité croissante.

A B C D E F

Doc. 6 Représentation de Cram de six conformations particulières du butane.

7 Propriétés biologiques et stéréochimie

EN AUTONOMIE

La stéréoisomérie joue un rôle fondamental en biologie. Comment se manifeste-t-elle dans ce domaine ?

Compétence exigible au baccalauréat
- Extraire et exploiter des informations sur les propriétés biologiques et stéréoisomères et les conformations de molécules biologiques.

A Conformations de molécules biologiques

« L'activité biologique des protéines est étroitement dépendante de leur conformation.
Quand les liaisons hydrogène intramoléculaires prédominent, la protéine marque une tendance à l'organisation spontanée en hélice α, (a)tandis que la prédominance de liaisons intermoléculaires induit une organisation en feuillet plissé, dit feuillets β (b).
L'importance de la conformation sur les propriétés des protéines [a été] apportée par la protéine prion impliquée dans la tremblante du mouton (maladie de la vache folle). Cette protéine présente deux conformations différentes :
– l'une, qui est la forme cellulaire normale, présente une conformation de type hélice α et très peu de conformations de type feuillets β ;
– l'autre, pathogène, avec plus de 45 % de feuillets β s'accumule lentement, puis s'agglomère et se dépose dans les tissus cérébraux. »

Extrait de J. Drouin, *Introduction à la chimie organique*, Librairie du Cèdre, 2005.

Groupe alkyle, hydroxyle, etc.

a

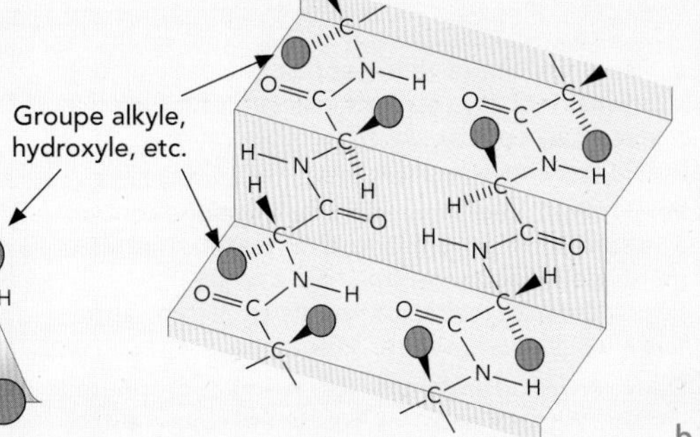

1 Écrire les formules semi-développées de deux molécules de glycine H_2N-CH_2-COOH. Y faire figurer les doublets non liants et toutes les liaisons hydrogène susceptibles de s'établir entre ces deux molécules.

2 Recopier les schémas de l'hélice α et des feuillets β ci-dessus et représenter les liaisons hydrogène évoquées dans le texte.

B Propriétés biologiques des stéréoisomères

« La configuration des molécules chirales, qui arrivent au contact d'un organisme, joue généralement un rôle important dans leurs interactions avec celui-ci.
Une fonction apparemment aussi triviale que l'odorat, qui dépend de récepteurs chiraux, est influencée par la configuration d'une molécule odorante, propriété qui résulte d'une complémentarité de forme avec l'un des types de récepteurs olfactifs. [...] La différence entre énantiomères ne se limite pas à la qualité de leurs odeurs : leurs pouvoirs odorants peuvent aussi différer très fortement (doc. 7) [...]
Les récepteurs du goût ne sont pas moins sensibles à la chiralité de leurs hôtes que ceux de l'odorat, [...] ainsi les trois stéréoisomères de l'aspartame (doc. 8), édulcorant au pouvoir sucrant 200 fois supérieur à celui du saccharose, sont amers. »

Extrait de J. Drouin, *op. cit.*, p. 64-66.

« La différence entre énantiomères revêt une importance encore plus grande en pharmacologie, l'un d'eux pouvant présenter une action désirable, et l'autre une action néfaste. [...] Le lévalbutérol [...] est commercialisé depuis plus de 40 ans sous forme d'un mélange [équimolaire des deux énantiomères] et prescrit pour lutter contre les bronchites et l'asthme. [...] [Il a été] montré que l'un des deux énantiomères qui réside plus longtemps dans l'organisme, car il est métabolisé dix fois plus lentement que l'autre, accroît la fréquence cardiaque et l'intensité des crises d'asthme ; il a donc un effet néfaste sur le malade. »

Extrait de J. Drouin, *op. cit.*, p. 84-85.

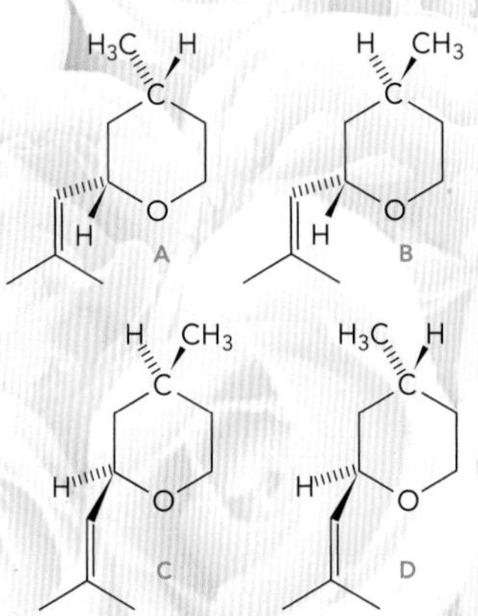

Stéréoisomère	Odeur	Seuil de perception (ppb)
A	de rose puissante et nette.	0,5
B	fruitée, herbacée, rose/citron.	80
C	de foin verte, lourde et terreuse.	50
D	herbacée, verte, mentholée, fruitée.	160

Doc. 7 Odeur dominante et seuil de détection olfactive des « oxydes de rose », composés importants en parfumerie.

3 a. Parmi les quatre représentations spatiales des « oxydes de rose », repérer les couples d'énantiomères et les couples de diastéréoisomères.
b. @ Que signifie le sigle ppb (doc. 7) ?

4 Vers 160 °C, une succession de réactions conduit à la formation progressive des quatre stéréoisomères de l'aspartame (doc. 8).
Représenter ces stéréoisomères en faisant apparaître les relations de stéréoisomérie.

5 Deux énantiomères ont les mêmes propriétés chimiques, sauf dans les réactions avec d'autres molécules chirales. À l'aide des deux extraits de texte, expliquer la raison pour laquelle on commercialise de plus en plus de médicaments avec des principes actifs constitués d'énantiomères purs.

6 Le blanc d'œuf est surtout constitué d'eau dans laquelle est dissoute l'albumine (mélange de protéines). Le chauffage de l'œuf entraîne la rupture des liaisons hydrogène maintenant les protéines dans leur conformation hélice α ou feuillet β, ce qui entraîne la coagulation du blanc d'œuf entre 56 et 61 °C.
Comparer cet intervalle de température à la température à partir de laquelle l'aspartame s'isomérise. Commenter cette différence.

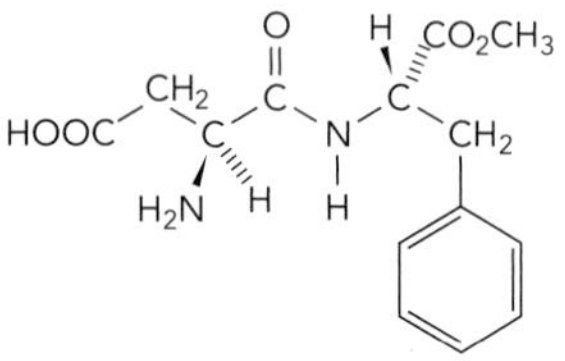

Doc. 8 Une représentation spatiale de la molécule d'aspartame.

1 Qu'est-ce que la chiralité ?

1.1 La chiralité

De très nombreux objets, naturels ou non, ne sont pas superposables à leur image dans un miroir : ils sont chiraux (doc. 1 et **activité 1. B**).

Un objet est **chiral** s'il n'est pas superposable, c'est-à-dire non identique, à son image dans un miroir plan. Un objet qui n'est pas chiral est dit **achiral**.

La chiralité est liée à l'absence de plan ou de centre de symétrie dans l'objet (**activité 1A**).

La chiralité qui, au départ, est un concept macroscopique, a été étendue aux molécules par PASTEUR en 1848 (**activité 1B**).

Doc. 1 La chiralité dans la nature : deux coquilles d'escargot non superposables, l'une avec un enroulement dans le sens des aiguilles d'une montre (b) et l'autre dans le sens inverse (a).
En moyenne, seulement un escargot sur 57 000 présente l'enroulement (a).

1.2 La chiralité au niveau moléculaire

La molécule de bromochloroiodométhane CHIBrCl (**activité 3** et doc. 2) est chirale.

Une **molécule** est **chirale** si elle n'est pas superposable à son image dans un miroir plan.

La chiralité joue un rôle crucial en biologie. Les acides α-aminés sont les constituants élémentaires des protéines.

Leur nom provient du fait qu'ils possèdent une fonction acide carboxylique ($-CO_2H$) et une fonction amine ($-NH_2$) liées à un même atome de carbone (le carbone α) (doc. 3).

Excepté la glycine, tous les **acides α-aminés** sont chiraux.

Voir exercices 1, p. 267, et 7 à 8, p. 270.

Doc. 2 La molécule de bromochloroiodométhane CHIBrCl n'est pas superposable à son image dans un miroir plan : elle est chirale.

2 Comment représenter les molécules organiques ?

2.1 Formules planes

Une molécule organique peut être représentée par ses formules développée, semi-développée et topologique (doc. 4).

Les règles d'écriture des formules topologiques, vues en Première S, sont rappelées dans les **Révisions**, p. 18.

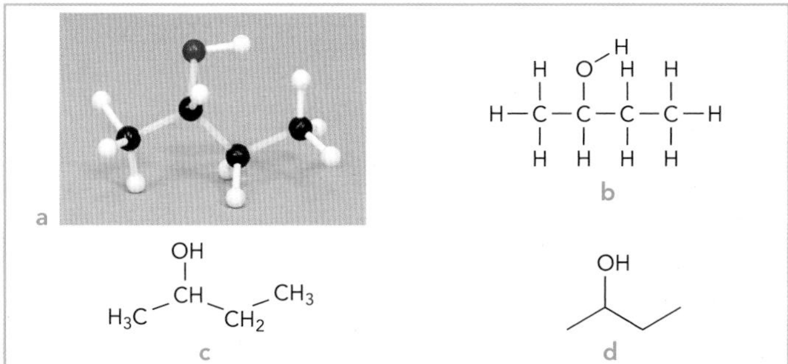

Doc. 4 Représentation du butan-2-ol : modèle moléculaire (a), formules développée (b), semi-développée (c) et topologique (d).

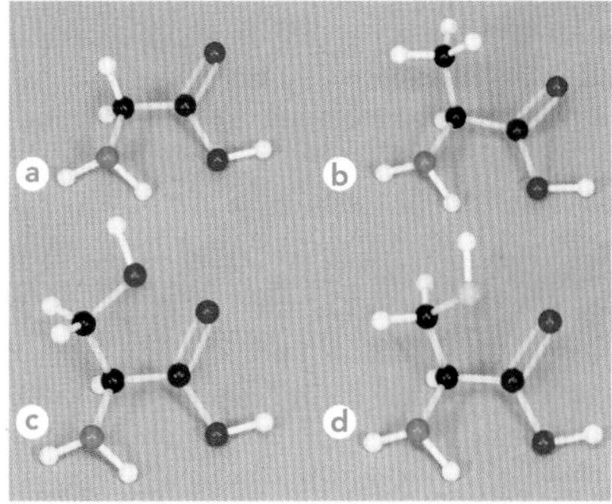

Doc. 3 Exemples d'acides α-aminés : glycine (a), alanine (b), serine (c) et cystéine (d). Seule la glycine est achirale.

2.2 Formules spatiales des molécules

La feuille de papier est un espace à deux dimensions alors qu'une molécule est, le plus souvent, un « objet » tridimensionnel. Plusieurs conventions permettent de représenter une molécule dans l'espace, dont la représentation de Cram (**activité 2** et doc. 5).

> Les molécules peuvent être représentées dans l'espace à l'aide des conventions de Cram :
> – un trait plein (A — B) représente une liaison entre deux atomes A et B situés dans le plan de la feuille ;
> – un triangle allongé plein (A ◄ B) représente une liaison entre un atome A situé dans le plan de la feuille et un atome B situé en avant de ce plan ;
> – A ıııı B représente une liaison entre un atome A situé dans le plan de la feuille et un atome B en arrière de ce plan.

Le document 6 montre les représentations de Cram usuelles ; l'angle existant entre deux liaisons voisines dans le plan doit être voisin de 109°.

Par ailleurs, la libre rotation autour des liaisons simples, entraîne l'existence d'une infinité de géométries conduisant à des représentations de Cram différentes.

Remarque :

La représentation A ıııı B pour une liaison située en arrière du plan de la feuille est celle recommandée par l'IUPAC (Union internationale de chimie pure et appliquée) depuis 1996. On peut cependant encore rencontrer un triangle allongé hachuré  ou un trait discontinu.

Voir exercices 2, p. 267, et 9 à 11, p. 270-271.

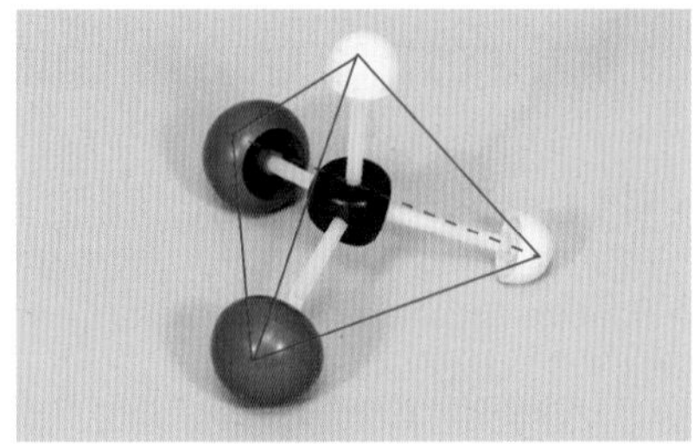

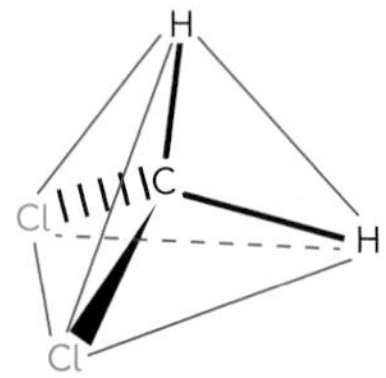

Doc. 5 Représentation du dichlorométhane à l'aide d'un modèle moléculaire (3D) (a) ou avec la représentation de Cram (2D) (b).
La représentation de Cram permet de rendre compte de la géométrie tétraédrique autour de l'atome de carbone.

3 Quelles sont les différentes relations de stéréoisomérie ?

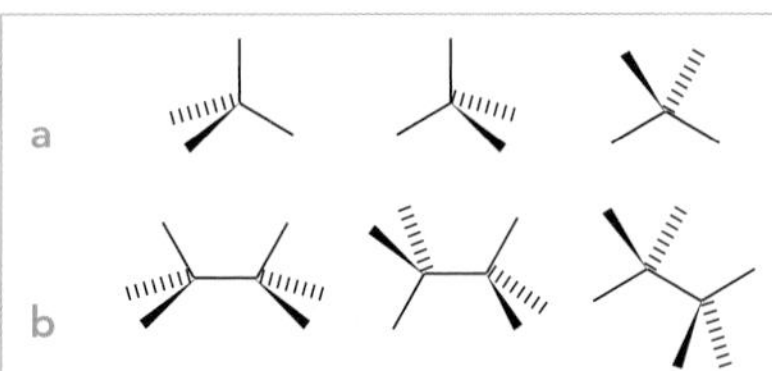

Doc. 6 Représentations de Cram usuelles pour un atome de carbone central (a) ou deux atomes de carbone (b).

3.1 Stéréoisomérie

De même qu'à une formule brute peuvent correspondre plusieurs formules semi-développées, à une même formule semi-développée peuvent correspondre plusieurs représentations spatiales.

> Deux molécules sont **stéréoisomères** lorsqu'elles correspondent à la même formule plane, mais ne sont pas superposables.

Ainsi, deux stéréoisomères diffèrent par la disposition de leurs atomes dans l'espace. Il existe deux types de stéréoisomères :
- les **stéréoisomères de conformation** ;
- les **stéréoisomères de configuration**.

On passe d'un **stéréoisomère de conformation** à un autre par rotation autour d'une liaison simple (doc 7a).

En revanche, pour passer d'un **stéréoisomère de configuration** à un autre, il est nécessaire de briser des liaisons chimiques (doc 7b).

Il ne faut pas confondre les deux termes **configuration** et **conformation** :

> Deux stéréoisomères de configuration sont deux molécules différentes, alors que deux stéréoisomères de conformation sont deux agencements spatiaux différents d'une même molécule.

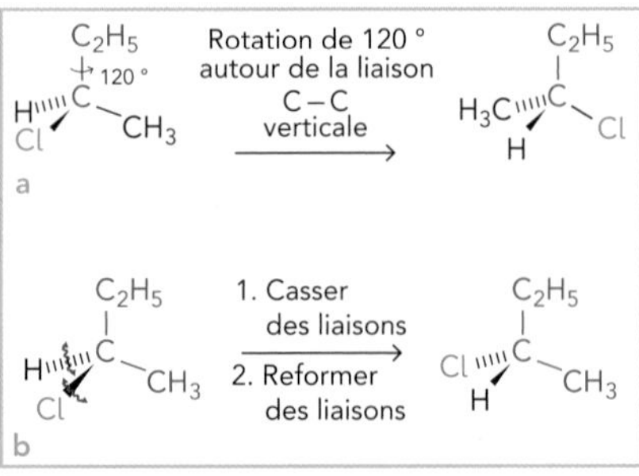

Doc. 7 Illustration de la différence entre :
– stéréoisomérie de conformation (a) ;
– stéréoisomérie de configuration (b).

3.2 Stéréoisomérie de configuration : cas des composés à un atome de carbone asymétrique

Parmi les molécules proposées dans l'**activité 3**, toutes les molécules chirales possèdent un atome de carbone relié à quatre atomes ou groupes d'atomes différents.

Par définition (doc. 8) :

> Un atome de **carbone asymétrique** est un atome de carbone tétraédrique lié à quatre atomes (ou groupes d'atomes) tous différents.
> On le note habituellement C*.
> Une molécule possédant un seul atome de carbone asymétrique est toujours **chirale**.

On rencontre de très nombreuses molécules chirales en chimie organique, comme l'acide lactique ou le butan-2-ol (doc. 9).

Ainsi la molécule de bromochloroiodométhane (**activité 3**), possède un atome de carbone asymétrique :

Cl
H C* I
Br

En effet, on peut vérifier que cette molécule (dessinée en bleu ci-dessous) est bien chirale car elle n'est pas superposable à son image (dessinée en rouge) dans un miroir plan :

180 °
Rotation
Non superposables

> Toute molécule possédant un atome de carbone asymétrique peut exister sous **deux configurations** différentes, images l'une de l'autre dans un miroir.
> Les stéréoisomères correspondant sont appelés **énantiomères**.
> L'**énantiomérie** est la relation existant entre deux stéréoisomères de configuration images l'un de l'autre dans un miroir plan.

Les molécules représentées en bleu et en rouge sur le schéma ci-dessus sont donc des énantiomères (**activité 4**) :

Énantiomères

> Un mélange contenant les deux énantiomères en proportions égales (mélange équimolaire) est appelé **mélange racémique**.

Les énantiomères présentent les mêmes caractéristiques physiques (température de changement d'état, masse volumique, etc.) et chimiques. Elles n'ont généralement pas les mêmes propriétés biochimiques (**activité 7** et doc. 10).

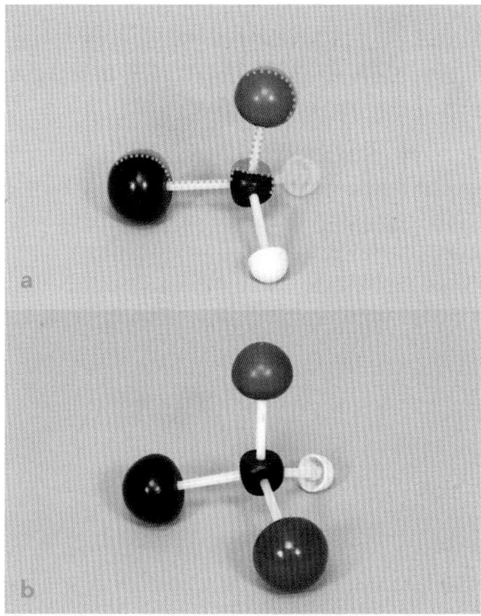

Doc. 8 Un seul atome de carbone asymétrique C* induit une absence de symétrie, donc la molécule (b) est chirale.

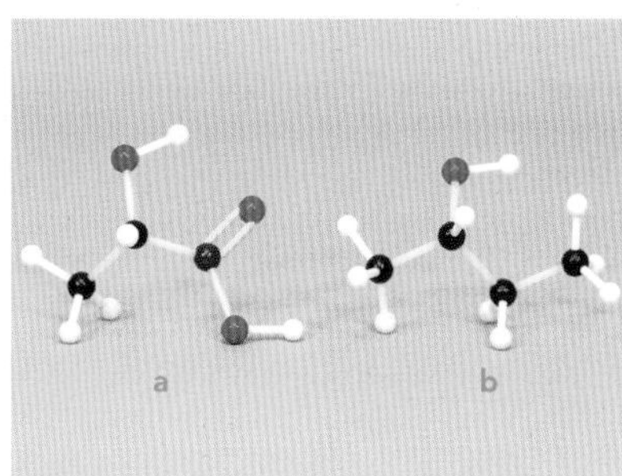

Doc. 9 Les molécules d'acide lactique (a) et de butan-2-ol (b) possèdent toutes deux un atome de carbone asymétrique ; elles sont donc chirales.

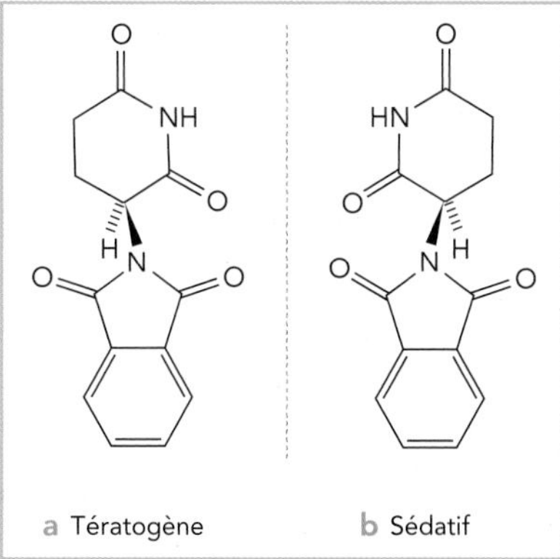

Doc. 10 Les deux énantiomères de la thalidomide ont des propriétés biochimiques différentes : l'énantiomère (a) est tératogène (provoque des graves malformations sur les fœtus) alors que l'énantiomère (b) est un sédatif (calmant).

3.3 Stéréoisomérie de configuration : cas des composés à deux atomes de carbone asymétriques

La molécule de 1-bromo-1,2-dichloro-2-fluoroéthane (doc. 11) comporte deux atomes de carbone asymétriques. Chacun de ces atomes de carbone asymétriques peut se trouver, indépendamment de l'autre, dans l'une des deux configurations possibles. Il existe ainsi quatre stéréoisomères de cette molécule.

A, B, C, D
ℰ Énantiomères
𝒟 Diastéréoisomères

Doc. 12 Relations de stéréoisomérie dans le cas d'une molécule possédant deux atomes de carbone asymétrique.

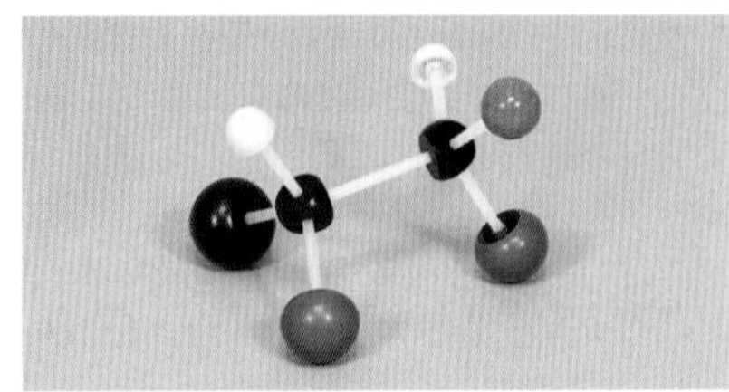

Doc. 11 Les deux atomes de carbone du 1-bromo-1,2-dichloro-2-fluoroéthane sont asymétriques.

Sauf cas particulier, une molécule possédant deux atomes de carbone asymétriques présente quatre stéréoisomères. (Voir exercice 30, p 276.)

Les molécules A et B, d'une part, puis C et D, d'autre part, sont images l'une de l'autre dans un miroir plan : ce sont des couples d'énantiomères. Tout autre couple envisagé est un couple de diastéréoisomères (doc. 12).

> Les **diastéréoisomères** sont des stéréoisomères de configuration qui ne sont pas énantiomères.
> Les diastéréoisomères présentent des **propriétés physiques** et **chimiques** différentes (doc. 13).

3.4 Stéréoisomérie de configuration : diastéréoisomérie *Z/E*

En classe de Première S il a été vu que l'absence de rotation possible autour de la double liaison C=C est cause de l'isomérie *Z/E* (doc. 14).

> Lorsque, de part et d'autre de la double liaison d'un composé de formule AHC=CHB, les groupements d'atomes A et B ne sont pas des atomes d'hydrogène H, il existe deux stéréoisomères de configuration appelés *Z* et *E* :
> – dans le **stéréoisomère *Z***, les deux atomes d'hydrogène se trouvent du même côté de la double liaison ;
> – dans le **stéréoisomère *E***, ils se trouvent de part et d'autre de la double liaison.
>
> **Isomère *Z*** **Isomère *E***

Les stéréoisomères *Z* et *E* d'une même molécule ne sont pas images l'un de l'autre dans un miroir plan : il s'agit donc d'un couple de diastéréoisomères.

> Deux isomères *Z* et *E* sont des **diastéréoisomères**.

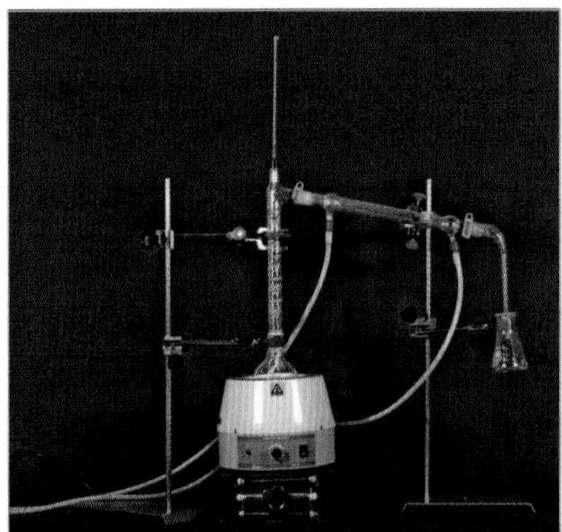

E : $T_{éb}$ = 48 °C *Z* : $T_{éb}$ = 60 °C

Doc. 13 Les stéréoisomères *Z* et *E* du 1,2-dichloroéthène peuvent être séparés par distillation, car ils ont des températures d'ébullition différentes.

Doc. 14 Rétinal-11-*Z* : le passage du rétinal « 11-*Z* » au rétinal « tout *E* » est à l'origine du processus de vision.

Deux diastéréoisomères *Z* et *E* ont des propriétés physiques et chimiques différentes (doc. 13 et 14). C'est ainsi le cas des acides fumarique et maléique (**activité 5**).

3.5 Stéréoisomérie de conformation

Soit le modèle éclaté de la molécule d'éthane (doc. 15). En bloquant l'un des groupes méthyle ($-CH_3$) et en faisant tourner l'autre groupement méthyle autour de la liaison C – C, la molécule passe par une infinité de structures appelées « **conformations** ». On dit qu'il y a libre rotation autour de la simple liaison C – C.

> On appelle **conformations d'une molécule** les différentes structures spatiales qu'elle peut prendre par suite de rotations autour de ses simples liaisons.

Pour l'éthane, traité dans l'**activité 6**, toutes les conformations ne sont pas équivalentes d'un point de vue énergétique, car les interactions répulsives entre les différents doublets de liaison ne sont pas les mêmes. Ces interactions sont d'autant plus intenses que les liaisons sont proches.

Les **conformations décalées**, où les liaisons C – H sont les plus éloignées possibles, sont plus stables que les **conformations éclipsées** où les liaisons C – H sont les unes en face des autres (doc. 15 et 17).

Pour le butane traité dans l'**activité 6**, l'interaction répulsive entre les gros substituants $-CH_3$, appelée « **interaction stérique** », dû à leur encombrement, fait que certaines conformations sont plus stables que d'autres.

La conformation la plus stable est celle où les deux substituants $-CH_3$ sont les plus éloignés possible l'un de l'autre. La conformation la moins stable est celle où les deux groupes $-CH_3$ sont les plus proches (doc. 16).

> La **conformation la plus stable** d'une molécule est celle pour laquelle les **interactions répulsives entre les doublets de liaisons** et les **interactions stériques**, dues à l'encombrement des gros substituants, sont **les plus faibles**.

Lorsque l'agitation thermique est suffisante, il est impossible d'isoler une molécule dans une conformation particulière. En effet, elle passe continûment d'une conformation à une autre ; c'est la raison pour laquelle qu'il y a **libre rotation** autour de la liaison C – C.

Voir exercices 3, p. 267, et 12 à 16, p. 271.

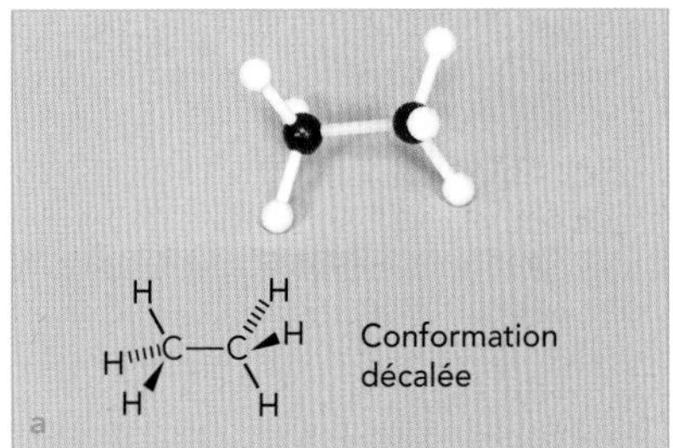

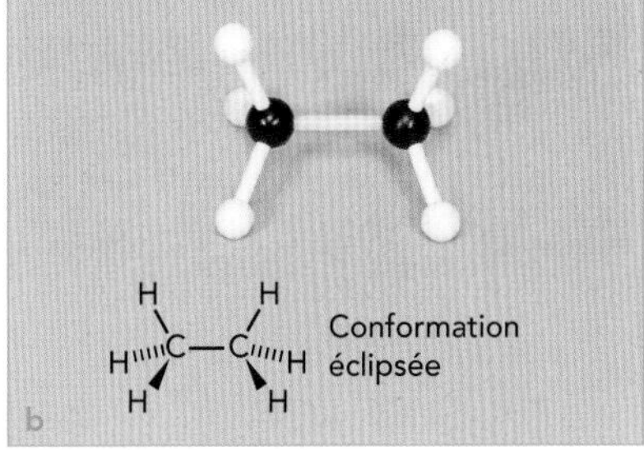

Doc. 15 Conformations décalée (a) et éclipsée (b) de l'éthane. Une rotation de 60° autour de la liaison C – C permet de passer de (a) à (b).

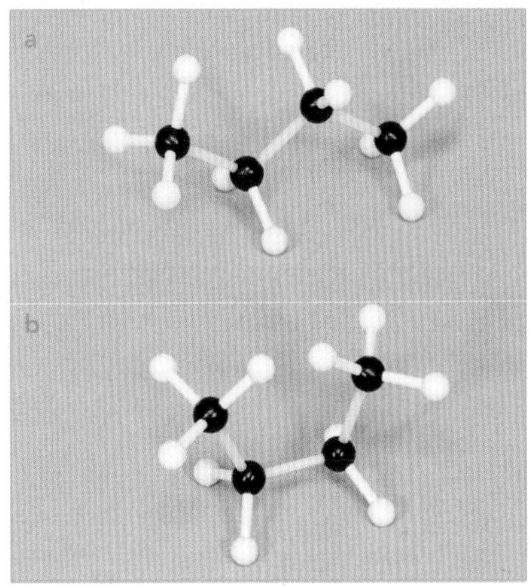

Doc. 16 Conformations la plus stable (a) et la moins stable (b) du butane.

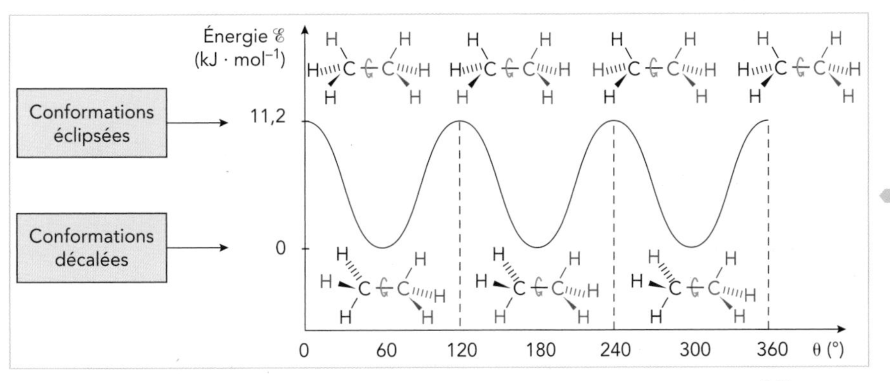

Doc. 17 Variations de l'énergie d'une mole d'éthane en fonction de l'angle θ d'un groupe méthyle par rapport à l'autre au cours de la rotation.

Essentiel

Chiralité

▸ Une molécule est chirale si elle n'est pas superposable à son image dans un miroir plan.

▸ Une molécule chirale ne présente pas de plan ou de centre de symétrie.

Représentation des molécules organiques

▸ La représentation de Cram permet de visualiser, sur une feuille, une molécule le plus souvent tridimensionnelle.

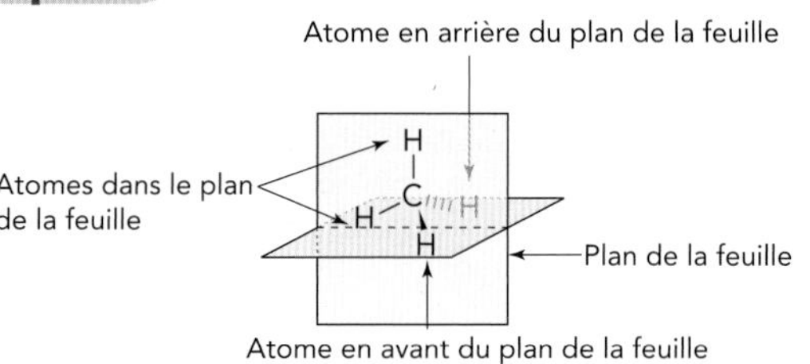

Relations d'isomérie

▸ Une molécule qui possède **un** atome de **carbone asymétrique**, c'est-à-dire un atome **de carbone tétraédrique** lié à quatre atomes ou groupes d'atomes tous différents, **est chirale**.

▸ **Relations d'isomérie** entre deux **molécules isomères**, c'est-à-dire ayant la même **formule brute** :

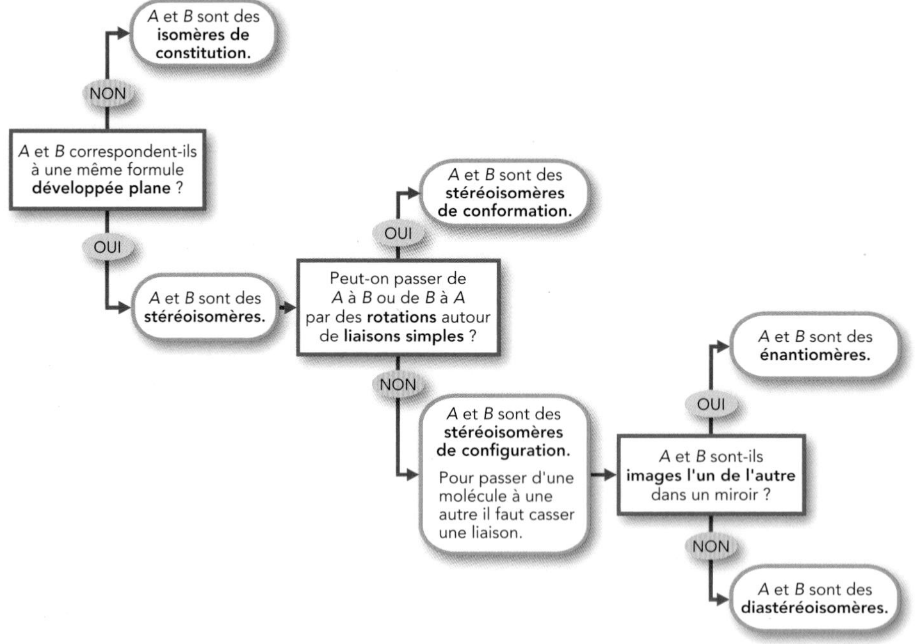

▸ Un **mélange racémique** est un mélange équimolaire de deux énantiomères.

▸ Deux **diastéréoisomères** présentent des propriétés physiques et chimiques différentes.

▸ Deux **énantiomères** ont des propriétés chimiques et des caractéristiques physiques identiques. En revanche, leurs propriétés biochimiques sont souvent différentes.

Pour chaque question, indiquer la (ou les) bonne(s) réponse(s).

Voir corrigés, p. 606.

1 Chiralité

	A	B	C
1. Lorsqu'une molécule est chirale :	elle est superposable à son image dans un miroir plan.	son image dans un miroir plan est une molécule chirale.	elle présente un plan de symétrie.
2. Soit les molécules A et B ci-dessous : A : C_2H_5 ; H ; C ; OH ; H_3C B : H, CH_3 ; C=C ; H_3C, H	elles sont toutes les deux chirales.	elles sont toutes les deux achirales.	A est chirale, B est achirale.

Si erreur, revoir § 1, p. 261.

2 Représentation des molécules organiques

	A	B	C
1. La formule topologique du butan-2-ol est :	OH	OH	OH
2. La molécule de méthane dessinée ci-contre selon les conventions de Cram est : H ; H—C ; H ; H	correctement dessinée.	mal dessinée, car les angles ne sont pas respectés.	mal dessinée, car les liaisons en avant et en arrière du plan sont inversées.

Si erreur, revoir § 2, p. 261.

3 Relations d'isométrie

	A	B	C
1. La molécule ci-contre comporte : H_3C, CH_2—Br ; H_3C ; C—C ; NH_2 ; H, H	zéro atome de carbone asymétrique.	un seul atome de carbone asymétrique.	deux atomes de carbone asymétriques.
2. Ces deux molécules ci-dessous constituent : OH ; C ; C_2H_5 ; H ; CH_3 — OH ; H ; C ; C_2H ; H_3C	un couple de molécules identiques.	un couple d'énantiomères.	un couple de diastéréoisomères.
3. La molécule de 1,2-dichloroéthène représentée ci-contre : H, Cl ; C=C ; Cl, H	est le stéréoisomère *Z*.	est le stéréoisomère *E*.	ne présente pas de stéréoisomérie *Z*/*E*.
4. Un mélange racémique est un mélange équimolaire :	de deux énantiomères.	de deux diastéréoisomères.	des deux stéréoisomères *Z* et *E*.
5. Deux diastéréoisomères ont :	généralement des températures d'ébullition différentes.	des formules semi-développées différentes.	obligatoirement un atome de carbone asymétrique chacun.
6. La (les) conformation(s) la (les) plus stable(s) du 1,2-dichloroéthane est (sont) :	Cl, Cl ; H C—C H ; H, H	Cl H, H ; C—C Cl ; H, H	H H ; Cl C, Cl ; C ; H H

Si erreur, revoir § 3, p. 262.

Exercice résolu

COMPÉTENCES
- Raisonner.
- Expliquer une démarche.

4 Identifier une molécule chirale et la représenter dans l'espace

Énoncé

L'acide lactique est naturellement présent dans le lait, le vin et dans certains fruits.
Sa formule topologique est donnée ci-contre.

1. Écrire les formules brute et semi-développée de l'acide lactique.

2. La molécule d'acide lactique est-elle chirale ? Si oui, dessiner, en représentation de Cram, les deux énantiomères de cette molécule.

OH, 3, 2, 1, OH, O

Conseils

Comment lire une formule topologique ?

1. Voir **Révisions**, p. 18.

Comment repérer si une molécule est chirale à partir de sa formule semi-développée ?

2. Rechercher si la molécule possède un seul atome de carbone asymétrique. Pour cela :
- repérer les atomes de carbone tétraédriques, c'est-à-dire ceux liés à leur voisins par quatre liaisons simples ;
- rechercher ceux qui portent quatre atomes ou groupes d'atomes différents.

Si ce n'est pas le cas, rechercher si la molécule, dans sa représentation de Cram, est superposable ou non à son image dans un miroir.

Comment représenter un couple d'énantiomères ?

Représenter le squelette de la molécule autour de l'atome de carbone asymétrique.
Imaginer ensuite un miroir plan et dessiner les deux molécules symétriques par rapport à ce miroir (a).
On peut aussi représenter un énantiomère et inverser deux substituants pour obtenir l'autre (b).

Solution rédigée

1. La formule brute de l'acide lactique est :

$$C_3H_6O_3$$

Sa formule semi-développée est :

$$H_3\overset{3}{C}-\overset{2}{C}H(OH)-\overset{1}{C}(=O)-OH$$

2. Seul, l'atome de carbone n° 2 est lié à quatre substituants différents :

$$-H \quad -CH_3 \quad -COOH \quad \text{et} \quad -OH$$

Il y a un seul atome de carbone asymétrique, donc la molécule est nécessairement **chirale**.

L'acide lactique existe donc sous la forme de deux **énantiomères** :

COOH, H, C*, HO, CH_3 | COOH, H_3C, C*, H, OH (a)

ou

COOH, H, C*, HO, CH_3 ⟶ COOH, HO, C*, H, CH_3 (b)

Application immédiate

1. Écrire les formules brute et semi-développée du butan-2-ol.

2. Cette molécule est-elle chirale ?
Si oui, dessiner, en représentation de Cram, les deux énantiomères de cette molécule.

Voir corrigés, p. 606.

COMPÉTENCES
- Raisonner.
- Mobiliser ses connaissances.

5 Reconnaître une relation d'isomérie

Énoncé

La préparation du β-bromostyrène (Produit 2) composé à l'odeur de jasmin se fait en deux étapes à partir de l'acide cinnamique :

Acide cinnamique $\xrightarrow[\text{CCl}_4\ (\text{solvant})]{Br_2}$ Produit 1 $\xrightarrow[\text{Acétone (solvant)}]{Na_2CO_3}$ Produit 2

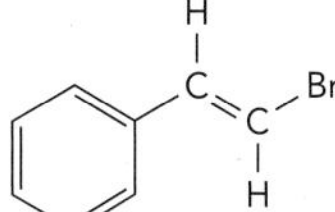

Acide cinnamique **Produit 1** **Produit 2**

1. Représenter l'énantiomère du produit **1**.
2. Quelle est la relation d'isomérie entre le produit **1** et le produit **3** dont la molécule est représentée ci-dessous ?

Produit 3

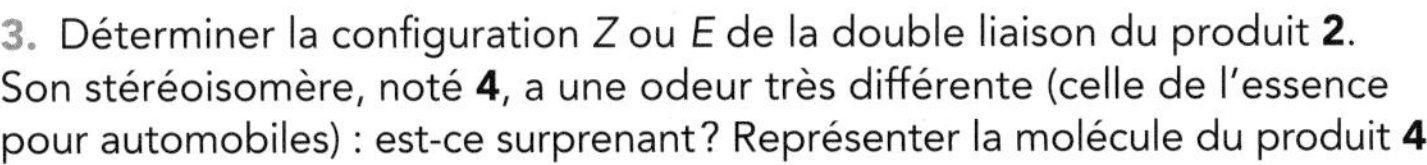

3. Déterminer la configuration *Z* ou *E* de la double liaison du produit **2**. Son stéréoisomère, noté **4**, a une odeur très différente (celle de l'essence pour automobiles) : est-ce surprenant ? Représenter la molécule du produit **4**.

Conseils

Comment dessiner l'énantiomère d'un produit ?

1. Repérer les atomes de carbone asymétriques dans la molécule de ce produit. Inverser la position de deux substituants sur chaque atome de carbone asymétrique.

Comment trouver une relation de stéréoisomérie entre deux molécules ?

2. Repérer les atomes de carbone asymétriques. Si tous les atomes de carbone asymétriques ont changé de configuration, il s'agit d'un couple d'énantiomères ; sinon, il s'agit d'un couple de diastéréoisomères.

Comment déterminer la conformation *Z* ou *E* d'une double liaison ?

3. Repérer les atomes d'hydrogène et regarder s'ils sont, ou non, du même côté de la double liaison.

Solution rédigée

1. L'**énantiomère** du produit 1 a pour représentation :

2. Lorsqu'on passe de la molécule du produit **1** à la molécule du produit **3**, un seul atome de carbone asymétrique sur les deux a changé de configuration ; il s'agit donc de deux **diastéréoisomères**.

3. Les deux atomes d'hydrogène sont de part et d'autre de la double liaison ; il s'agit donc du **stéréoisomère *E***.

Il n'est pas surprenant que les deux stéréoisomères n'aient pas la même odeur, car deux diastéréoisomères n'ont généralement pas les mêmes propriétés biochimiques. Le stéréoisomère *Z* a pour formule :

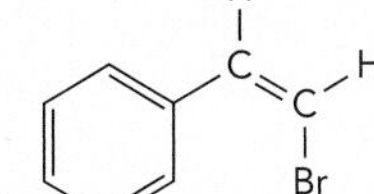

Produit 4

Application immédiate

1. Représenter l'énantiomère et un diastéréoisomère de la molécule d'acide tartrique représentée ci-contre.

2. Les deux énantiomères ont-ils, *a priori*, les mêmes propriétés physiques ? chimiques ? biochimiques ?

Voir corrigés, p. 606.

Exercices

Compétences exigibles au baccalauréat

- ✔ Reconnaitre des espèces chirales à partir de leur représentation. exercice 7
- ✔ Utiliser les représentations topologique et de Cram des molécules. exercices 8 et 9
- ✔ Identifier les atomes de carbone asymétrique d'une molécule. exercice 12
- ✔ À partir d'un modèle moléculaire ou d'une représentation de Cram, reconnaître si des molécules sont identiques, énantiomères ou diastéréoisomères. exercice 13
- ✔ *Pratiquer une démarche expérimentale pour mettre en évidence les propriétés physiques différentes de deux diastéréoisomères.* activité 5
- ✔ *Visualiser, à partir d'un modèle moléculaire ou d'un logiciel de simulation, les différentes conformations d'une molécule.* activité 6
- ✔ Extraire et exploiter des informations sur les propriétés biologiques des stéréoisomères et les conformations de molécules biologiques pour mettre en évidence l'importance de la stéréoisomérie dans la nature. activité 7 et exercice 25

Pour commencer

Qu'est-ce que la chiralité ?

6 Maîtriser le concept de chiralité

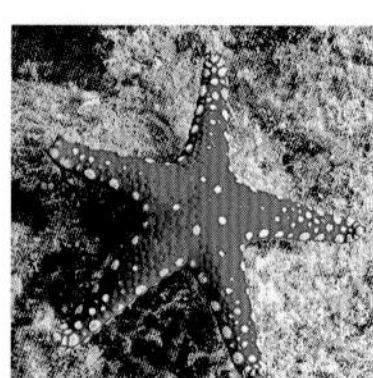

1. Donner la définition de la chiralité.

2. Parmi les objets suivants : une chaussure, une étoile de mer, une hélice de bateau, un crayon à papier, un tire-bouchon, un livre, quels sont ceux qui sont chiraux ?

7 Reconnaître une molécule chirale

Parmi les molécules représentées ci-dessous, repérer celles qui sont chirales :

A : carbone central lié à CH_3 (en haut), H (en arrière), Cl (en avant), Br

B : carbone central lié à Cl (en haut), H (en arrière), Br (en avant), H

C : Br(H)C=C(H)Br, avec Br et H sur le premier carbone, H et Br sur le second

D : carbone central lié à I (en haut), Br (en arrière), F (en avant), Cl

Comment représenter les molécules organiques ?

8 Utiliser la représentation topologique

1. Dessiner la représentation topologique de chacune des molécules ci-dessous.

A $H_3C-C(CH_3)_2-CH_2-CH_3$ (carbone central portant deux groupes CH_3)

B $H_3C-C(=O)-(CH_2)_5-CH_3$

C $H_3C-CH_2-C(CH_3)(OH)-CH_3$

2. a. Déterminer la formule brute des molécules dont les représentations topologiques sont dessinées ci-dessous.
b. Écrire leur formule semi-développée :

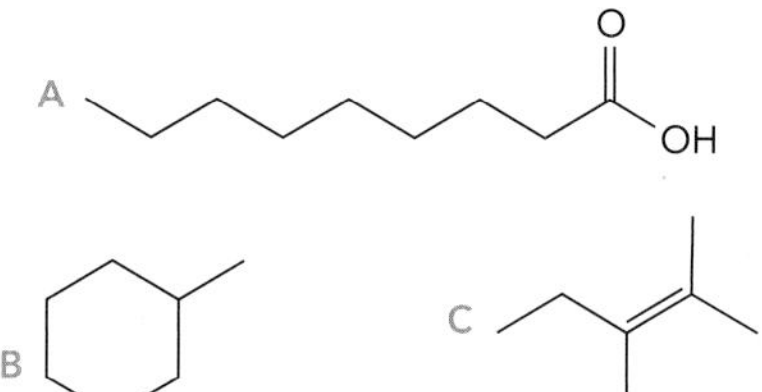

9 Utiliser la représentation de Cram

Dessiner en représentation de Cram, les molécules dont les modèles moléculaires sont donnés ci-dessous :

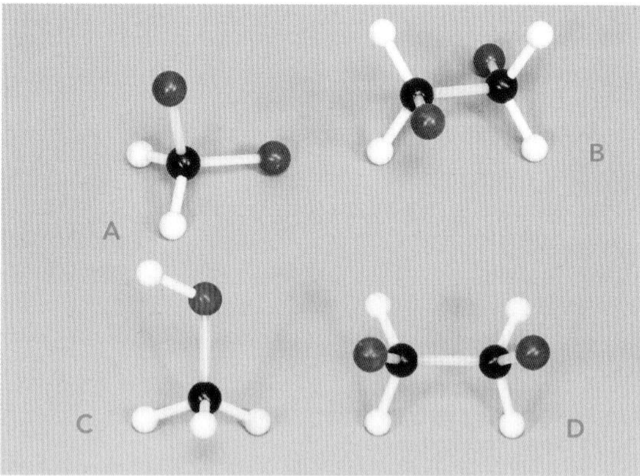

10 Établir une représentation de Cram

La glycine est le plus simple des acides α-aminés. Sa formule est représentée ci-contre.

$H-C(COOH)(NH_2)-H$ (carbone central lié à COOH en haut, H à gauche, H à droite, NH_2 en bas)

1. Établir la représentation de Cram de cette molécule en utilisant comme atome central celui qui est représenté en rouge.

2. La géométrie autour de l'atome de carbone central est tétraédrique.
Compléter le dessin et faire apparaître le tétraèdre dans lequel s'inscrivent cet atome de carbone et ses quatre plus proches voisins.

11 Identifier des représentations de Cram incorrectes

Identifier et corriger les représentations de Cram incorrectes parmi celles qui sont représentées ci-dessous :

A : H, H, H_3C, H — C

B : H, H, Cl, H — C

C : Cl, H, H, H, H, Cl — C–C

D : H, H, Cl, H — C

E : HO, H, Cl, OH, H, Cl — C–C

Quelles sont les différentes relations de stéréoisomérie ?

12 Identifier les atomes de carbone asymétriques

Recopier les formules topologiques données ci-dessous et repérer par un astérisque « * » les éventuels atomes de carbone asymétriques :

(formules topologiques : OH ; HO, OH ; OH, O, OH)

13 Reconnaître si des molécules sont identiques, énantiomères ou diastéréoisomères

1. Trouver la (ou les) molécule(s) identique(s) à la molécule A.

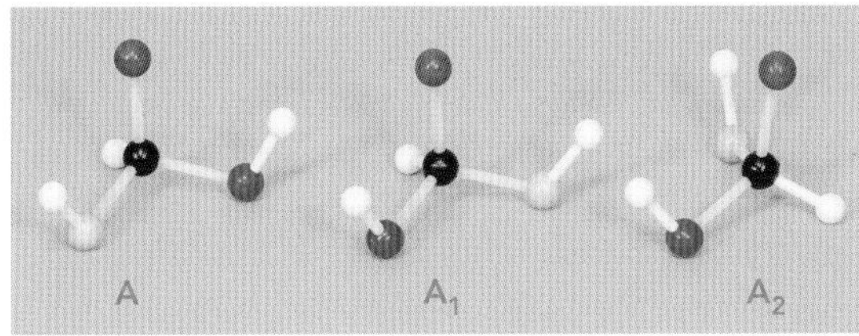

2. Trouver l'énantiomère de la molécule B.

B : Cl, H, Br, F — C

B_1 : Cl, F, Br, H — C

B_2 : Cl, F, H, Br — C

3. Ci-après sont représentés une molécule C, son énantiomère E, un de ses diastéréoisomères D et un stéréoisomère de conformation F. Associer chacun de ceux-ci aux représentations C_1, C_2 et C_3.

C : H_3C, H, Br, H, CH_3, OH — C–C

C_1 : H, HO, H_3C, H, CH_3, Br — C–C

C_2 : H, H_3C, HO, H, CH_3, Br — C–C

C_3 : H, Br, H_3C, H, CH_3, OH — C–C

14 Reconnaître une stéréoisomérie *Z/E*

1. Les molécules représentées ci-dessous présententelles l'isomérie *Z/E* ?
Si oui, représenter les deux diastéréoisomères.

A $CH_3-CH_2-CH=CH_2$

B $CH_3-CH_2-CH=CH-CH_3$

C $CH_3-CH_2-CH=C(CH_3)-CH_3$

2. Parmi les alcènes représentés ci-dessous, repérer ceux présentant l'isomérie *Z-E* et déterminer leur configuration :

A : H_3C-CH_2, H, H, H — C=C

B : H_5C_6, H, H, C_6H_5 — C=C

C : Br, CH_3, H, H — C=C

15 Représenter un couple d'énantiomères

L'alanine est un acide α-aminé dont la molécule est représentée ci-contre.

$$HOOC-CH(CH_3)-NH_2$$

1. Existe-t-il, dans la molécule d'alanine, un ou plusieur(s) atome(s) de carbone asymétrique(s) ?
Recopier sa formule développée ci-dessus et repérer par un astérisque « * » le(s) atome(s) de carbone asymétrique(s).

2. La molécule d'alanine est-elle chirale ?

3. Combien de stéréoisomères de configuration l'alanine présente-t-elle ?
Les dessiner à l'aide de la représentation de Cram.

Voir, si nécessaire, l'exercice résolu 4, p. 268.

16 Trouver la conformation la plus stable et la moins stable

Dessiner, en représentation de Cram, la conformation la plus stable et la conformation la moins stable pour chacune des molécules de formule topologique ci-dessous :

A

B : Cl, Cl

C

Exercices

Pour s'entraîner

17 De la formule semi-développée à la formule topologique

COMPÉTENCE **Réaliser un schéma.**

Pour les espèces chimiques, dont les formules semi-développées sont données ci-après, écrire la formule topologique.
Seul le stéréoisomère *E* sera dessiné dans le cas où une double liaison présenterait l'isomérie *Z*/*E*.

1. « Substance royale » produite par la reine des abeilles :

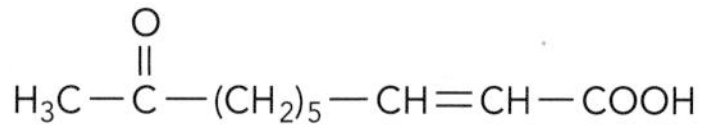

$$H_3C-\overset{\overset{\displaystyle O}{\|}}{C}-(CH_2)_5-CH=CH-COOH$$

2. Solvant pour « correcteur » : CCl_3-CH_3

3. Aldéhyde cinnamique, un des constituants odorant de la cannelle : $C_6H_5-CH=CH-CHO$

4. Nicotine :

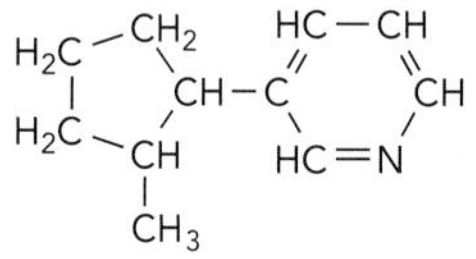

5. Linalol, principal constituant odorant de l'essence de bois de rose :

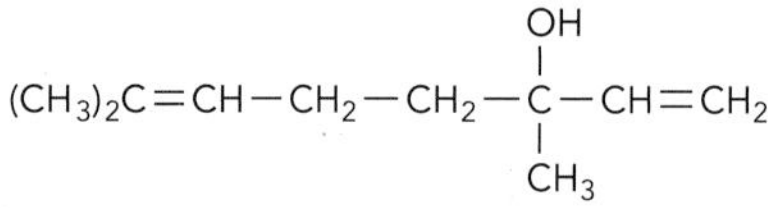

$$(CH_3)_2C=CH-CH_2-CH_2-\underset{\underset{\displaystyle CH_3}{|}}{\overset{\overset{\displaystyle OH}{|}}{C}}-CH=CH_2$$

6. Prostaglandine A_1 :

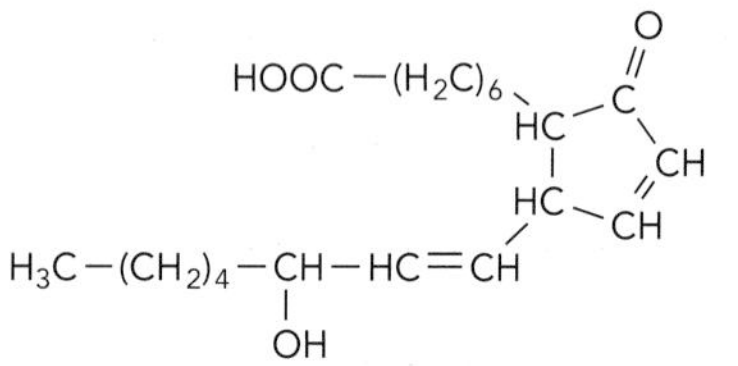

18 Reconnaître une molécule chirale

COMPÉTENCE **Raisonner.**

Parmi les composés représentés ci-dessous, indiquer ceux qui sont chiraux. Justifier.

A B

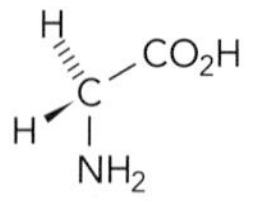

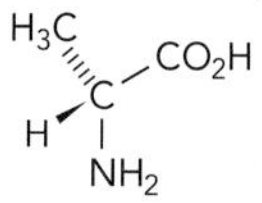

C 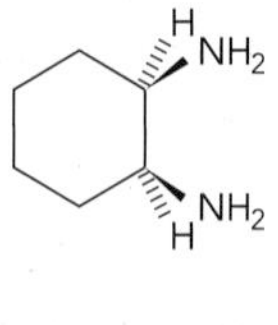 D

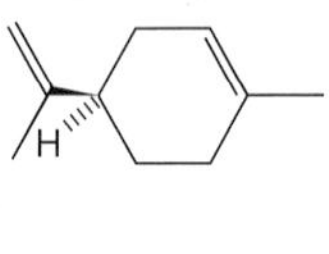

19 Un insecticide chiral

COMPÉTENCE **Mobiliser ses connaissances.**

La deltaméthrine est utilisée comme substance active dans la préparation d'insecticides à usages agricole, vétérinaire et ménager. Sa formule est :

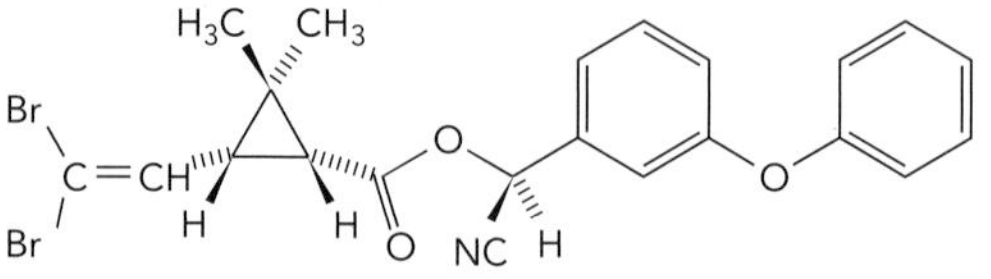

La synthèse industrielle de cette molécule fait intervenir divers intermédiaires, dont A, B et C :

A B

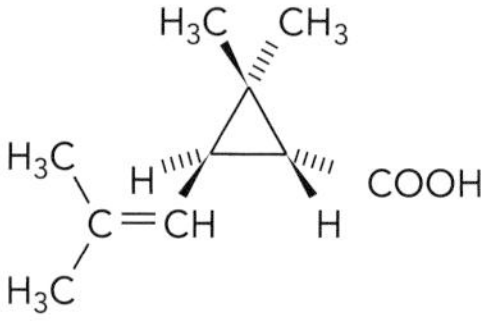

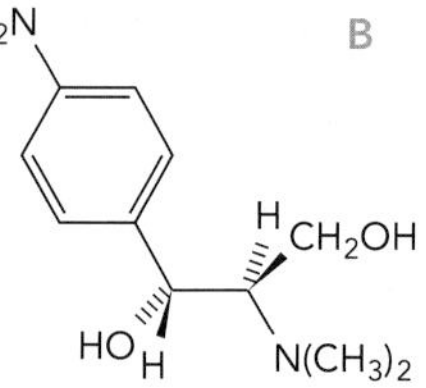

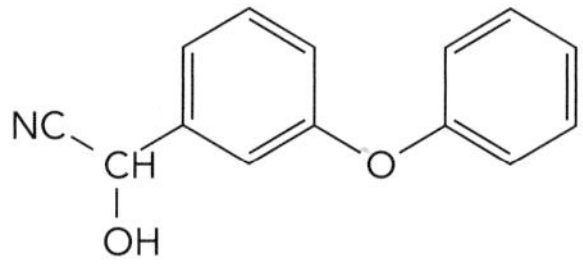

C

1. Recopier les formules des molécules A, B et C et celle de la deltaméthrine, puis repérer les atomes de carbone asymétriques.

2. La deltaméthrine présente-t-elle l'isomérie *Z*/*E*? (On ne tiendra pas compte des doubles liaisons présentes dans les cycles.)

20 Bac La vitamine C

COMPÉTENCE **Mobiliser ses connaissances.**

La molécule d'acide ascorbique (dont l'un des stéréoisomères de configuration est la vitamine C) est représentée ci-contre :

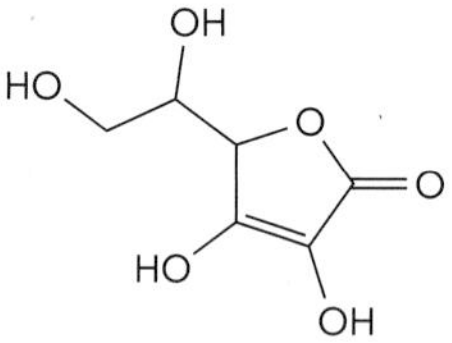

1. Comment appelle-t-on cette représentation? Déterminer la formule brute de l'acide ascorbique.

2. a. Existe-t-il, dans la molécule d'acide ascorbique, un (ou plusieurs) atome(s) de carbone asymétrique(s)?

b. Recopier la formule de la molécule et y repérer le(s) atome(s) de carbone asymétrique(s).

3. Combien de stéréoisomères de configuration la molécule d'acide ascorbique présente-t-elle?

4. La molécule d'acide ascorbique est-elle chirale? Justifier.

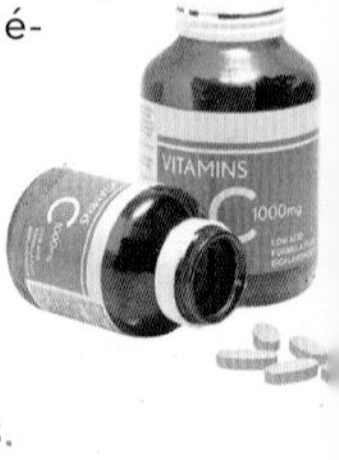

Voir, si nécessaire, l'exercice résolu 4, p. 268.

21 Relations de stéréoisomérie

COMPÉTENCE **Raisonner.**

Chacun des couples ci-dessous correspond-il à un couple de molécules identiques, un couple d'énantiomères ou un couple de diastéréoisomères ?

A, B, C, D, E (représentations de couples de molécules) et

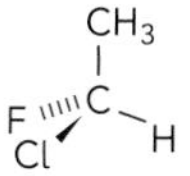

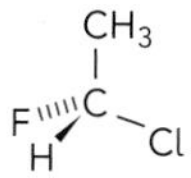

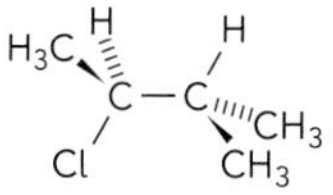

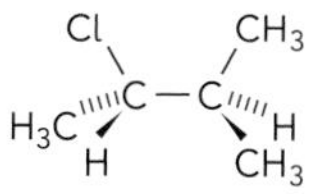

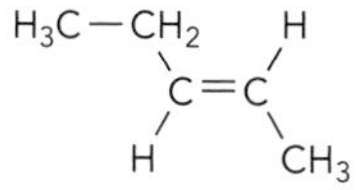

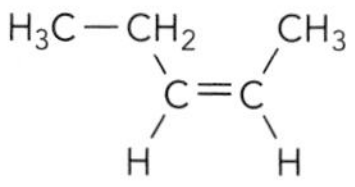

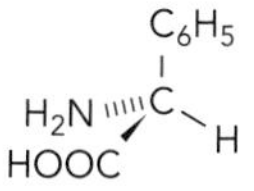

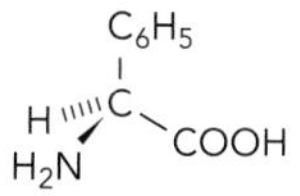

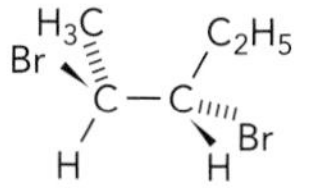

C : H_3C-CH_2, H, C=C, H, CH_3 et H_3C-CH_2, CH_3, C=C, H, H

D : C_6H_5, H_2N, HOOC, H et C_6H_5, H, H_2N, COOH

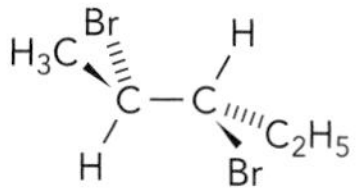

22 Bac Autour des acides α-aminés

COMPÉTENCES **Extraire l'information ; raisonner.**

Les acides α-aminés sont présents dans les protéines, utilisés dans de nombreux médicaments tels que les antibiotiques, et interviennent dans de nombreux processus réactionnels intercellulaires. Parmi ces acides α-aminés, on trouve la thréonine (dite essentielle à l'homme, c'est-à-dire non synthétisable par l'organisme) et la cystéine (indispensable aux moutons pour fabriquer leur laine).

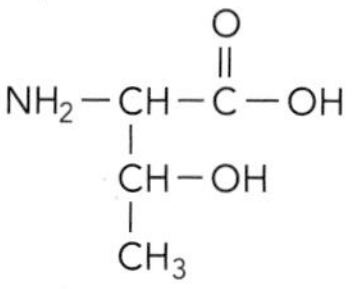

$NH_2-CH(CH(OH)-CH_3)-C(=O)-OH$ — Thréonine

$HS-CH_2-CH(NH_2)-C(=O)-OH$ — Cystéine

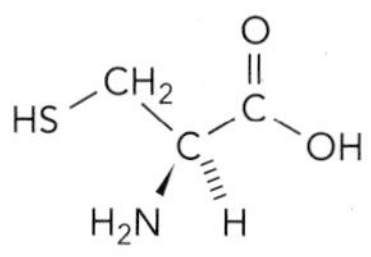

1. Identifier les groupes caractéristiques présents dans les molécules de thréonine et de cystéine (excepté le groupe –SH). Donner une définition d'un acide α-aminé.

2. La molécule de cystéine, représentée ici, est-elle chirale ? Justifier. Si oui, représenter son énantiomère.

3. La thréonine possède au moins un atome de carbone asymétrique.

a. Repérer la présence du (ou des) atome(s) de carbone asymétrique(s).

b. Représenter dans l'espace ses différents stéréoisomères de configuration.

Quelle(s) relation(s) stéréochimique(s) existe-t-il entre eux ?

Voir, si nécessaire, l'exercice résolu 5, p. 269.

23 Bac Les théories de l'odeur

COMPÉTENCES **Extraire et exploiter des informations.**

« L'architecture moléculaire, c'est-à-dire les propriétés d'isomérie, est le facteur le plus important en ce qui concerne les qualités d'une odeur. Deux isomères de constitution accusent de grandes différences pour l'ensemble de leurs propriétés et en particulier pour leurs propriétés olfactives.
Voici un exemple de couple d'isomères de constitution d'odeurs différentes :

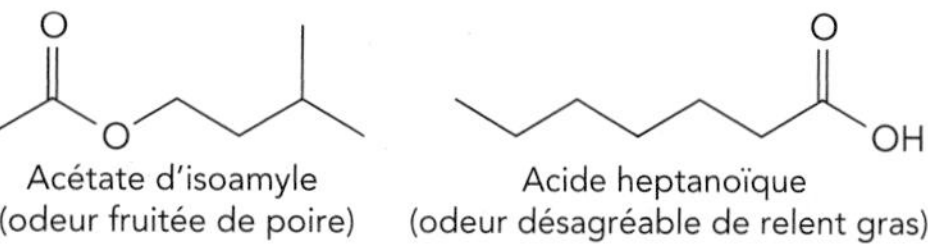

Acétate d'isoamyle (odeur fruitée de poire) — Acide heptanoïque (odeur désagréable de relent gras)

Quant à la stéréoisomérie, elle est considérée comme un facteur primordial en ce qui concerne l'activité physiologique d'un corps et en particulier son odeur et son goût. [Par exemple, l'énantiomère du limonène (représenté ci-dessous) possède une odeur d'orange, alors que son énantiomère possède une odeur de citron].
On peut en déduire que les récepteurs olfactifs sont chiraux puisqu'ils enregistrent des odeurs différentes avec les énantiomères de certaines paires. »

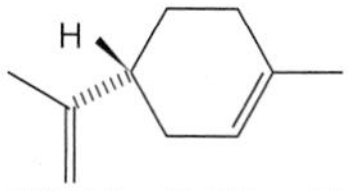

Extrait de C. Valette, V. Courilleau et M. Capon, *Chimie des odeurs et des couleurs*, Cultures et techniques, 1996.

1. À partir du premier exemple, définir l'isomérie de constitution.

2. Définir la stéréoisomérie en utilisant comme exemple le limonène.

3. Commenter la phrase en *italique*.

24 Former des couples

COMPÉTENCE **Mobiliser ses connaissances.**

1. Compléter le schéma ci-dessous afin que les deux molécules correspondent à un couple d'énantiomères.

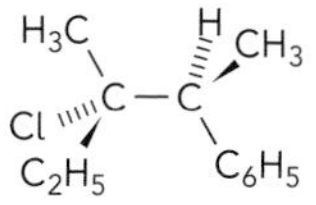

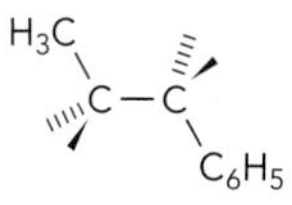

2. Compléter le schéma ci-dessous afin que les deux molécules correspondent à un couple de diastéréoisomères.

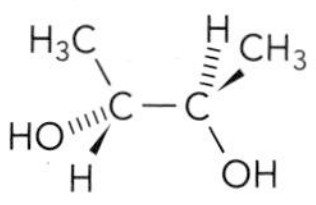

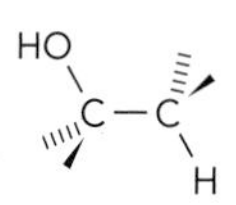

Exercices

25 Bac L'asparagine

COMPÉTENCES Extraire et exploiter des informations.

« Une coquille d'escargot, une montre à aiguilles, un dé à jouer, etc. ont une propriété commune : ils ne sont pas superposables à leur image dans un miroir. On dit qu'ils sont chiraux.
Cette propriété est très importante en chimie, car les deux formes inverses, appelées énantiomères, d'une molécule chirale n'ont pas, en général, les mêmes propriétés biologiques. En effet, les propriétés biologiques d'une molécule sont intimement liées à sa configuration spatiale. Par exemple, les deux molécules d'asparagine image l'une de l'autre dans un miroir, de même formule semi-développée (représentée ci-dessous), ont des propriétés différentes : la forme « droite » (D) de l'asparagine est sucrée alors que la forme « gauche » (L) est insipide.
Tant qu'il s'agit de goût, la question peut sembler de peu d'importance. Mais dans certains cas, la distinction est cruciale. La L-dopa, par exemple, est le médicament de base dans le traitement de la maladie de Parkinson, alors que la D-dopa est toxique.
Tout le génie de la chirotechnologie consiste à essayer de mettre au point des procédés permettant de produire, à l'échelle industrielle et à un coût raisonnable, l'énantiomère utile seul. En effet, lorsqu'elle est réalisée sans précautions particulières, la synthèse d'une molécule chirale donne un mélange racémique. »

O NH$_2$ OH H$_2$N O

Asparagine

Extrait de *Sciences et avenir*.

1. Identifier les goupes caractéristiques de l'asparagine.
2. Identifier l'atome de carbone responsable de la chiralité de l'asparagine et représenter les deux formes spatiales de cette molécule.
3. Donner la définition d'un mélange racémique, puis commenter la dernière phrase du texte.
4. En utilisant l'exemple de la L-dopa, expliquer pourquoi la commercialisation d'un médicament sous forme racémique est de plus en plus évitée.

Pour aller plus loin

26 Stereochemistry and drug

COMPÉTENCES Extraire et exploiter l'information.

You may considerate strange that it was necessary to market naproxen as a single enantiomer, in view of what we have said about enantiomer shaving identical properties.

The two enantiomers of naproxen do indeed have identical properties in the lab, but once they are inside a living system they, and any other chiral molecules, are differentiated by interactions with
the enantiomerically pure molecules they find there.
An analogy is that of a pair of gloves, the gloves weigh the same, are made of the same material, and have the same colour in these respects they are identical.
But when they interact with a chiral environment, such as a hand, they become differentiable because only one *fits*.
The way in which *drugs* interact with receptors mirrors this hand-and-glove analogy quite closely.
Drug receptors, into which drug molecules fit like hands in gloves, are nearly always protein molecules, which are enantiomerically pure because they are made up of just L-amino acids.
One enantiomer of a drug is likely to interact much better than the other, or perhaps in a different way altogether, so the two enantiomers of chiral drugs often have quite different pharmacological effects.
In the case of naproxen, the (S)-enantiomer is 28 times as effective as the (R). Ibuprofen®, on the other hand, is still marketed as a racemate because the two enantiomers have more or less the same *painkilling* effect.

H$_3$C H (H$_3$C)$_2$N O O — Darvon

H$_3$C H N(CH$_3$)$_2$ O O — Novrad

Sometimes, the enantiomers of a drug may have completely different therapeutic properties.
One example is Darvon®, which is a painkiller. Its enantiomer, known as Novrad®, is an *anticough* agent.
Notice how the enantiomeric relationship between these two drugs extends beyond their chemical structures!

Extrait de J. Clayden and *al.*, *Organic chemistry*, OUP, 2000.

Vocabulaire : *to fit* : convenir; *drug* : médicament; *painkilling* : analgésique; *anticough* : antitoux.

1. @ Rechercher ce qu'est un « L-amino-acid ».
2. Deux énantiomères ont les mêmes propriétés chimiques. Toutefois, après lecture du texte, expliquer pourquoi il est souvent nécessaire de commercialiser un médicament sous forme d'un seul énantiomère. Pour quelle raison cela n'est-il pas systématique ?
3. Identifier le (ou les) atome(s) de carbone asymétrique(s) responsable(s) de la chiralité du Darvon® et du Novrad®.
4. Par analogie avec la nomenclature *Z* et *E*, quelle peut être la signification des lettres (R) et (S) ?
5. En comparant les noms des deux énantiomères commenter la phrase en italique.

27 À chacun son rythme 

COMPÉTENCE **Raisonner.**

Cet exercice est proposé à deux niveaux de difficulté. Dans un premier temps, essayer de résoudre l'exercice de niveau 2. En cas de difficultés, passer au niveau 1.

L'acide ricinoléïque peut être obtenu à partir de l'huile de ricin. Il est utilisé dans la synthèse de biopolymères tels que le Rilsan®.
Sa formule semi-développée est donnée ci-dessous :

$$H_3C-(CH_2)_5-\underset{\displaystyle OH}{\underset{|}{CH}}-CH_2-CH{=}CH-(CH_2)_7-COOH$$

Niveau 2 (énoncé compact)

Représenter tous les stéréoisomères de configuration de cette molécule et donner les relations de stéréoisomérie qui les relient.

Niveau 1 (énoncé détaillé)

1. La molécule d'acide ricinoléïque possède-t-elle un ou plusieurs atome(s) de carbone asymétrique(s) ? Si oui, le (ou les) repérer.
2. La double liaison de l'acide ricinoléïque présente-t-elle l'isomérie Z/E ?
3. L'un des stéréoisomères de cet acide est représenté ci-dessous :

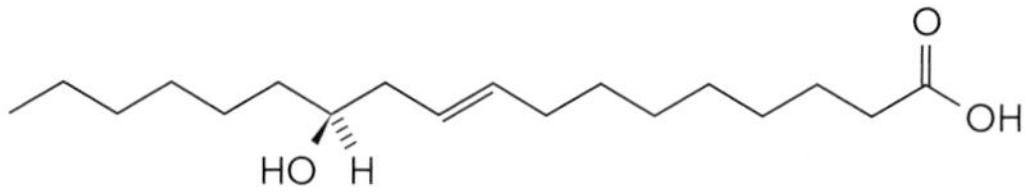

O, OH, HO, H

a. Représenter son énantiomère.
b. En déduire les représentations des autres stéréoisomères.
c. Donner les relations de stéréoisomérie qui les relient.

Voir, si nécessaire, l'exercice résolu 5, p. 269.

28 Phéromone sexuelle de coléoptère

COMPÉTENCE **Raisonner.**

La molécule représentée ci-dessous est celle d'une phéromone d'attraction sexuelle d'un parasite du tabac, la *lasioderma serricorne* ; cette phéromone est émise par la femelle pour attirer le mâle.

Lasioderma serricorne.

1. Déterminer la formule brute de cette molécule et identifier ses groupes caractéristiques. 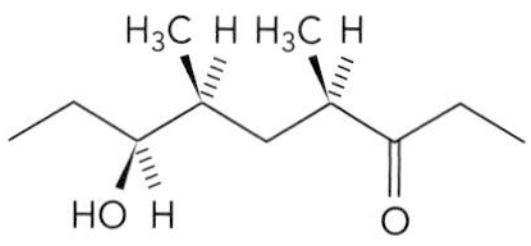
Quel nom peut-on lui donner en nomenclature systématique sachant qu'il s'agit d'une cétone substituée ?

H_3C H H_3C H, HO H, O

2. Recopier la formule de la molécule et repérer les atomes de carbone asymétriques. Combien de stéréoisomères de configuration présente-t-elle ?
3. On fait subir à la molécule de phéromone une oxydation ménagée et on obtient l'espèce chimique représentée ci-contre.

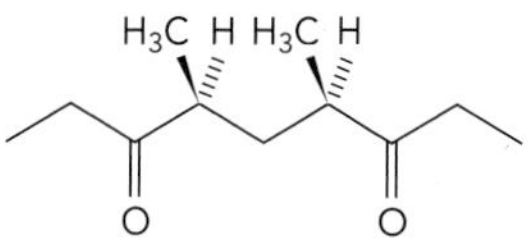

H_3C H H_3C H, O, O

Cette molécule comporte-t-elle un (ou plusieurs) atome(s) de carbone asymétrique(s) ? Si oui combien ? Cette molécule est-elle chirale ?

Un pas vers l'enseignement supérieur

29 Stéréochimie de quelques molécules 

COMPÉTENCES **Raisonner ; mobiliser ses connaissances.**

Partie A : Molécules chirales

1. Parmi les six molécules A, B, C, D, E et F représentées ci-dessous, lesquelles sont chirales ? On justifiera de manière brève, mais précise, la réponse.
2. Donner, pour les molécules A, B, C et D, le nombre de stéréoisomères de configuration possibles lorsqu'elles en possèdent.

A $CH_3-CHOH-CH_3$

B $CH_3-CHOH-CH_2-CH_3$

C O, H—C, CH_2OH, HO, C—C, OH, H, H

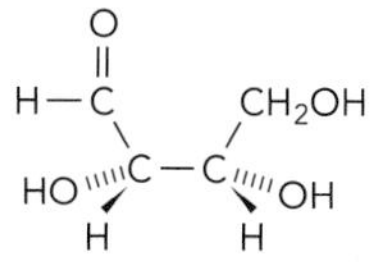

D HOH_2C, CH_2OH, HO, C—C, OH, H, H

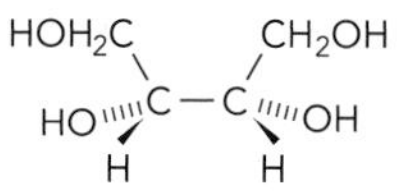

E H, OH, HO, H

F OH, H, HO, H

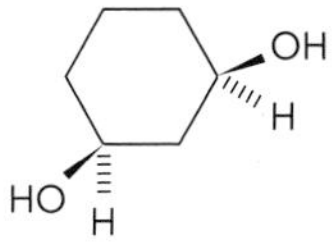

Partie B : Stéréochimie d'une prostaglandine

G O, CO_2CH_3, RO, OR

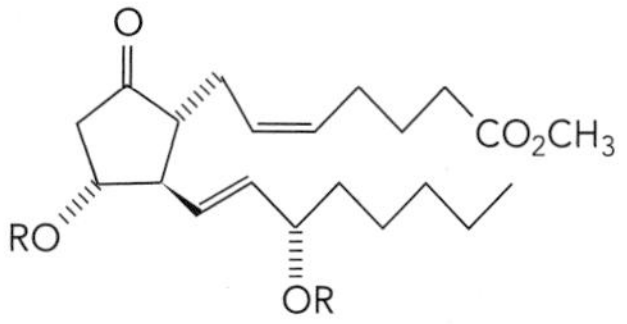

Les prostaglandines sont des molécules qui présentent des propriétés pharmacologiques variées. Elles possèdent, en particulier, une action de type hormone de contrôle. (R représente un groupe alkyle.)

1. ***Analyse stéréochimique de G***

a. Repérer les atomes de carbone asymétriques de G. Justifier.
b. Donner la configuration Z ou E des doubles liaisons de G.
c. Dessiner l'énantiomère et un diastéréoisomère de G.
d. Combien existe-t-il de stéréoisomères de configuration au total pour cette molécule ?

2. Étude des précurseurs de G

La synthèse de G se fait avec notamment les précurseurs H et I ci-dessous :

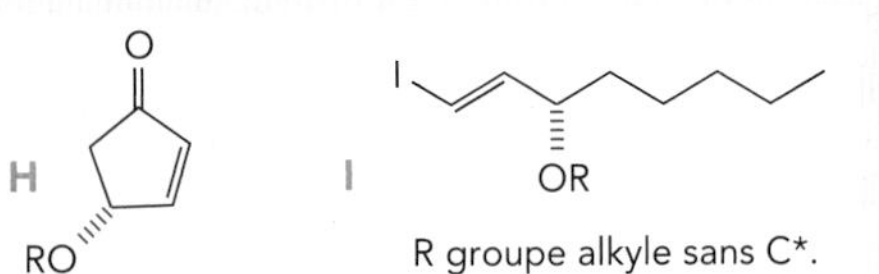

R groupe alkyle sans C*.

a. Quelles sont les formules brutes de H et I si R = C_5H_{11} ?

b. Ces molécules sont-elle chirales ? Justifier.

c. Quelle est la configuration Z/E des doubles liaisons dans ces deux molécules ?

➲ Voir, si nécessaire, l'exercice résolu 5, p. 269.

Retour sur l'ouverture du chapitre

30 Les stéréoisomères de l'acide tartrique

COMPÉTENCES Extraire des informations ; interpréter des résultats.

« L'acide tartrique existe sous trois formes, une paire d'énantiomères et un composé achiral, dit méso. Un des énantiomères de l'acide tartrique est largement répandu dans la nature, principalement dans diverses variétés de fruits (acide des fruits). Le sel monopotassique apparaît sous forme d'un dépôt lors de la fermentation du jus de raisin. L'autre énantiomère est rare tout comme le composé méso.

L'acide tartrique est important d'un point de vue historique, parce que c'est la première *molécule chirale* dont le *racémique* a été *dédoublé* en ses deux *énantiomères*. Ceci se passait en 1848, bien avant que l'on reconnaisse que le carbone puisse être tétraédrique au sein des molécules organiques. [...]

Le chimiste français Louis PASTEUR reçut un échantillon du sel [...] de cet acide et remarqua qu'il était composé de deux types de cristaux : une série de cristaux étaient l'*image spéculaire* de l'autre. En d'autres mots, ces cristaux étaient chiraux. PASTEUR tria manuellement les cristaux et put ainsi les séparer. [...] Après dissolution dans l'eau [...] Pasteur conclut que chacune des formes cristallines étaient composées de chacun des deux énantiomères de l'acide tartrique. Fait remarquable, la chiralité des molécules individuelles dans ce cas rare a engendré la propriété macroscopique qu'est la chiralité de tout le cristal. De son observation, PASTEUR déduisit que les molécules elles-mêmes devaient être chirales. »

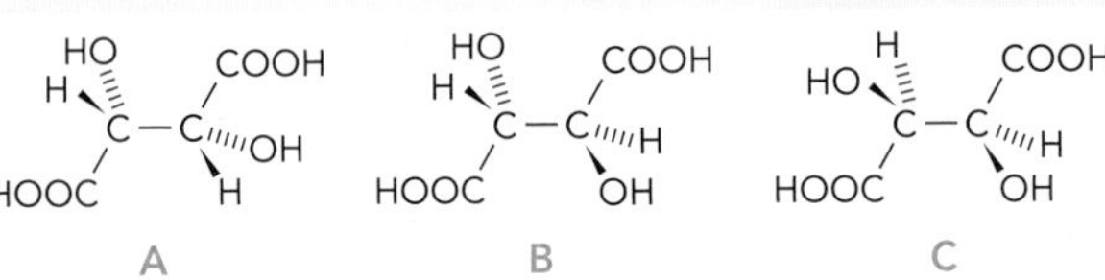

Stéréoisomères de l'acide tartrique

Extrait de P. C. Vollhardt et N. E. Schore, *Traité de chimie organique*, trad. P. Depovere, Ed. De Boeck, 2004, p. 186-187.

1. Donner la définition des termes en *italique* dans le texte.

2. Identifier les atomes responsables de la chiralité de l'acide tartrique. Identifier parmi les molécules A, B et C, le couple d'énantiomère et la molécule méso. Justifier.

3. Pour quelle raison la molécule, dite méso, est-elle achirale ?

4. Combien de stéréoisomères de configuration correspondent, généralement, à une molécule comportant deux atomes de carbone asymétriques ?
Pourquoi l'acide tartrique ne présente-t-il que trois stéréoisomères ?

5. On donne ci-dessous la masse volumique et la température de fusion des trois stéréoisomères de l'acide tartrique.
Associer ces caractéristiques physiques à chacun des stéréoisomères représentés ci-dessus. Peut-on répondre sans ambiguïté ?

Données :

(α) : T_{fus} = 168 °C-170 °C ; ρ = 1,7598 g·mL^{-1}.

(β) : T_{fus} = 168 °C-170 °C ; ρ = 1,7598 g·mL^{-1}.

(γ) : T_{fus} = 146 °C-148 °C ; ρ = 1,666 g·mL^{-1}.

Comprendre un énoncé

AP

31 Bac Les messagers chimiques chez les abeilles

Un bouquet phéromonal est un mélange, en proportions bien définies, de différentes phéromones. Ces molécules, secrétées par un individu (émetteur), agissent en quantités infinitésimales et provoquent, du fait de leur structure, une réaction comportementale spécifique lors de leur perception par un individu d'une même espèce (récepteur).

Chez l'abeille domestique, la phéromone royale A, émise par la reine, sert d'attractif aux mâles (faux bourdons) pendant le vol d'essaimage. Elle a pour formule topologique :

A 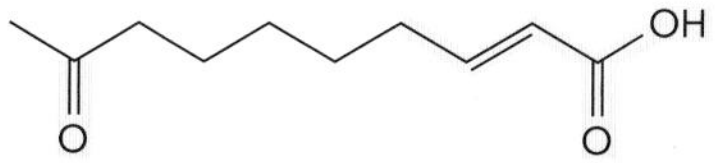

La substance royale contient également une phéromone B de rassemblement des abeilles domestiques, de nom acide (*E*)-9-hydroxydéca-2-ènoïque et de formule :

B
$$\begin{array}{l} \quad\quad\ \ \text{OH} \\ \quad\quad\quad | \\ \text{H}_3\text{C}-\text{CH}-(\text{CH}_2)_5-\text{CH}=\text{CH}-\text{COOH} \end{array}$$

L'étude des phéromones a mis en évidence l'importance de la stéréoisomérie dans la reconnaissance moléculaire ; le récepteur est en effet sensible uniquement à l'une des deux configurations des molécules de phéromone (signal messager).

Questions à se poser à la lecture de l'énoncé

- Quelles sont les règles utilisées pour la représentation topologique ?
- Quelles sont les spécificités de ces molécules (groupes caractéristiques, double liaison) ?
- Qu'est-ce qui justifie la présence de la lettre *E* dans le nom de l'acide **B** ?
- Ces molécules possèdent-elles des atomes de carbone asymétriques et des doubles liaisons présentant l'isomérie *Z*/*E* ?
- Qu'appelle-t-on configuration ?

Questions	Compétences à mobiliser	Si difficulté, revoir
1. a. Écrire la formule brute de la phéromone royale A ?	• Lire une formule topologique.	Révisions, p. 18. Exercice résolu 4, p. 268.
b. La phéromone royale A présente-t-elle l'isomérie *Z*/*E* ? Si oui, donner sa configuration.	• Reconnaître un alcène présentant l'isomérie *Z*/*E*. • Savoir déterminer la configuration d'un alcène.	Cours, § 3.4, p. 264. Exercice résolu 4, p. 268.
c. Dessiner l'autre stéréoisomère de la molécule de phéromone royale A. Peut-elle, *a priori*, véhiculer le même signal messager chez les abeilles ? Justifier.	• Savoir ce qui distingue deux diastéréoisomères au niveau de leurs propriétés.	Cours, § 3.4, p. 264. Exercice résolu 5, p. 269.
2. a. Montrer que la molécule de phéromone de rassemblement B des abeilles est une molécule chirale.	• Reconnaître une molécule chirale.	Cours, § 3.2, p. 263. Exercice résolu 4, p. 268.
b. Dessiner une représentation plane de B mettant en évidence la stéréoisomérie *E*.	• Représenter un stéréoisomère *Z*/*E*.	Cours, § 3.4, p. 264. Exercice résolu 5, p. 269.
c. Donner les deux représentations spatiales pour cette molécule dont la double liaison a la configuration *E*. Quelle est la relation d'isomérie entre ces deux représentations ?	• Dessiner une molécule en représentation de Cram. • Nommer les différentes relations entre deux stéréoisomères.	Cours, § 2.2, p. 262, et § 3.2, p. 263. Exercice résolu 4, p. 268.

Avoir les bons réflexes 

Si l'énoncé demande de...	il est nécessaire de...	Si difficulté	Pour réviser
Exploiter la représentation topologique.	● Repérer les atomes de carbone. ● Appliquer la règle de l'octet pour dénombrer les atomes d'hydrogène présents.	Exercice 8, p. 270	Exercice 17 p. 272.
Utiliser la représentation de Cram.	● Identifier le (ou les) atome(s) central(aux). ● Établir la représentation de la molécule en respectant les conventions de Cram.	Exercice 9, p. 270.	Exercice 11 p. 271.
Rechercher les atomes de carbone asymétriques.	● Repérer les atomes de carbone tétraédriques. ● Analyser leurs substituants.	Exercice 12, p. 271.	Exercice 19 p. 272.
Repérer une molécule chirale.	● Rechercher le (ou les) atome(s) de carbone asymétrique(s). ● Si la molécule en possède plusieurs, rechercher les plans ou centres de symétrie.	Exercice 7, p. 270	Exercice 18 p. 272.
Reconnaître si deux molécules sont identiques.	● Regarder si les deux molécules sont superposables. ● Envisager l'existence de conformations.	Exercice 13, p. 271.	Exercice 21 p. 273.
Reconnaître si deux molécules sont énantiomères ou diastéréoisomères.	Selon l'écriture fournie : ● regarder si elles sont images l'une de l'autre dans un miroir plan ou non ; ● comparer deux à deux les substituants des atomes de carbone asymétriques.	Exercice 13, p. 271.	Exercice 24 p. 273.

Dans les conditions du baccalauréat

- **Avec aide :** Exercice 31 p. 277.
- **Sans aide :** Exercice 25 p. 274.

Transformations en chimie organique : aspect macroscopique

Chapitre 11

Unité de craquage à Saint-Avold dans la Moselle.

Le benzène, issu du pétrole, est la matière première de nombreux produits. C'est le cas du styrène, monomère du polystyrène. **Quelles sont les réactions alors mises en jeu ?** **(Voir exercice 34, p. 298.)**

Quelles sont les principales modifications de structure réalisées en chimie organique ? Quelles sont les grandes catégories de réactions mises en jeu ?

OBJECTIFS

→ Reconnaître une modification de structure (chaîne ou groupe caractéristique).
→ Connaître les grandes catégories de réactions en chimie organique.

Activités — Étude documentaire et expérimentale

1 Modifications de structure chimique

Les réactions chimiques permettent de passer des réactifs à des produits de structures différentes.
Quelles modifications de structure sont couramment réalisées en chimie organique ?

A Modification de chaîne — EN AUTONOMIE

La distillation du pétrole conduit à des mélanges d'hydrocarbures. Certains sont directement utilisables, mais la plupart doivent être modifiés chimiquement pour répondre aux besoins du marché en carburants. Ainsi, le **reformage**, le **craquage catalytique** ou le **vapocraquage** permettent de modifier la structure de ces hydrocarbures.

Un mélange riche en hydrocarbures ramifiés et en composés aromatiques tels que le benzène ou le toluène (doc. 1) est ainsi obtenu.

Par ailleurs, l'industrie chimique a besoin de quantités importantes d'alcènes et de composés aromatiques pour synthétiser des polymères, des solvants, des produits pharmaceutiques, etc.

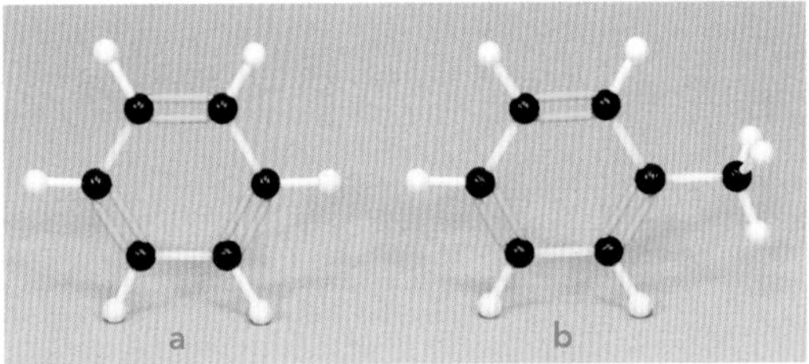

Doc. 1 Benzène C_6H_6 (a) et du toluène $C_6H_5CH_3$ (b).

On peut ainsi transformer :

- par **craquage catalytique**, l'hexane en :
  - butane et un autre produit organique ;
  - propène et un autre produit organique ;
- par **reformage catalytique**, l'heptane en :
  - 2,4-diméthylpentane ;
  - méthylcyclohexane comme seul produit organique ;
  - toluène comme seul produit organique ;
- par **vapocraquage**, le butane en :
  - éthène comme seul produit organique ;
  - propène et un autre produit organique.

1 Rappeler le rôle d'un catalyseur.

2 Écrire l'équation des sept réactions envisagées dans le texte en précisant, dans chaque cas, les modifications structurelles (chaîne ou groupe caractéristique) réalisées.

Un pas vers le cours...

3 Proposer une définition du craquage catalytique, du reformage et du vapocraquage en dégageant l'intérêt de ces opérations.

4 Le polyéthylène est un polymère synthétisé à partir d'éthène (ou éthylène) et de formule :
$$\text{--}CH_2-CH_2-CH_2-CH_2-CH_2-CH_2-CH_2-CH_2\text{--}$$
ou $-(CH_2-CH_2)_n-$ avec n entier très grand.

a. Écrire l'équation de la synthèse du polyéthylène par polymérisation de l'éthène. Justifier le préfixe « poly » dans le mot polyéthylène.

b. Quelle modification de structure a alors lieu ?

B Modification de groupe caractéristique — EN AUTONOMIE

La création de nouvelles espèces chimiques résulte souvent d'un changement de groupe caractéristique. Ainsi, en 1853, le chimiste français C.-F. GERHARDT (1816-1856)a synthétisé l'acide acétylsalicylique à partir de l'acide salicylique pour créer un principe actif de médicament plus performant et mieux toléré (doc. 2).

5 Identifier les groupes caractéristiques présents dans l'acide salicylique et dans l'acide acétylsalicylique.

6 @ Quel est le nom des médicaments contenant comme seul principe actif l'acide acétylsalicylique ?

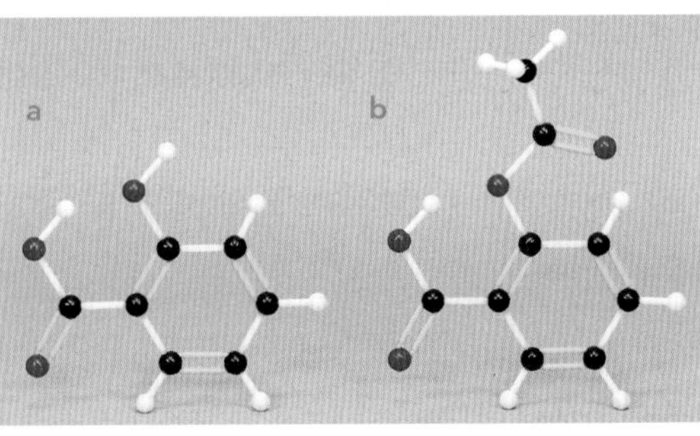

Doc. 2 Acide salicylique (a) et acide acétylsalicylique (b).

C Étude expérimentale

À partir du 2-méthylbut-2-ène

La réaction d'un alcène avec le dibrome a pour équation :

$$C_nH_{2n} + Br_2 \longrightarrow C_nH_{2n}Br_2$$

Chacun des atomes de brome se lient à l'un des deux atomes de carbone de la double liaison.

- Dans un tube à essais contenant 1 mL d'une solution aqueuse de dibrome, introduire deux gouttes de 2-méthylbut-2-ène à l'aide d'une pipette Pasteur.
- Agiter et observer.

7 a. Écrire les formules topologiques de l'alcène et du produit obtenu.
b. Quelle est la modification de structure mise en jeu ?
c. Écrire l'équation de la réaction entre le 2-méthybut-2-ène et le dibrome en utilisant des formules semi-développées.

Un pas vers le cours...

8 En utilisant un des trois termes, « addition », « substitution » ou « élimination », rédiger une phrase décrivant la nature de la réaction effectuée.

9 Cette réaction est caractéristique des alcènes et permet de les identifier. Rédiger un compte rendu présentant clairement ce test et son résultat.

À partir de la vaseline

L'huile de vaseline est un mélange d'alcanes à chaînes carbonées assez longues (entre 8 et 19 atomes de carbone).

- Dans un tube à essais T_1 contenant environ 1 mL d'eau de dibrome, ajouter quelques gouttes d'huile de vaseline.
- Agiter et observer.
- Introduire de la paille de fer dans un tube à essais T_2 contenant environ 1 mL d'huile de vaseline.

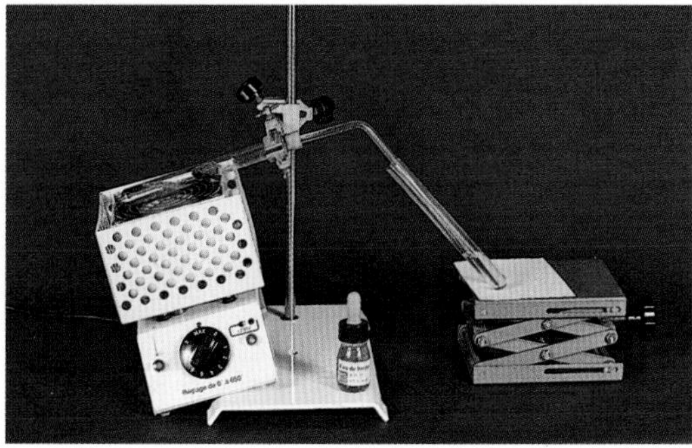

Doc. 3 Craquage de l'huile de vaseline.

- Adapter un tube à dégagement et plonger son extrémité dans une solution aqueuse de dibrome contenue dans un tube à essais T_3 (doc. 3).
- Chauffer la vaseline et la paille de fer du tube T_2 et observer.

10 Que peut-on déduire de l'observation du tube à essais T_3 ?

11 Une des réactions qui s'est produite a pour équation :

$$C_{18}H_{38} \longrightarrow C_{16}H_{34} + C_2H_4$$

a. La réaction qui a eu lieu dans le tube T_2 est-elle une réaction de craquage catalytique, de reformage catalytique ou de vapocraquage ? Justifier.
b. Quelle réaction peut alors se produire dans le tube T_3 ? Écrire son équation.

À partir du 2-chloro-2-méthylpropane

- Dans un tube à essais T_1, introduire 3 mL d'eau déminéralisée et ajouter quelques gouttes de 2-chloro-2-méthylpropane.
- Boucher avec un bouchon, agiter et laisser reposer. Localiser la phase aqueuse et la phase organique.
- Mesurer le pH de l'eau déminéralisée à l'aide d'un papier pH.
- Dans un tube à essais T_2, introduire 1 mL d'eau déminéralisée, puis ajouter 1 mL de solution de nitrate d'argent, $Ag^+(aq) + NO_3^-(aq)$. Observer.
- Dans un tube à essais T_3, prélever 1 mL de la phase aqueuse contenue dans le tube T_1. Mesurer son pH, puis introduire 1 mL de solution de nitrate d'argent. Observer.

12 Quelles espèces chimiques mettent en évidence les tests réalisés dans le tube T_3 ?
Comment expliquer leur apparition ?

13 Proposer une équation pour la réaction qui a eu lieu dans le tube à essais T_1.

14 Quelle modification de structure (chaîne ou groupe caractéristique) se produit au cours de cette réaction ?

Un pas vers le cours...

15 En utilisant un des trois termes, « addition », « substitution » ou « élimination », rédiger une phrase décrivant la nature de la réaction effectuée.

2 Reconnaissance de groupes caractéristiques

EN AUTONOMIE

Les composés organiques sont très variés et peuvent présenter différentes fonctions chimiques : alcool, aldéhyde, cétone, amine, etc. Quels sont les groupes caractéristiques correspondants ?

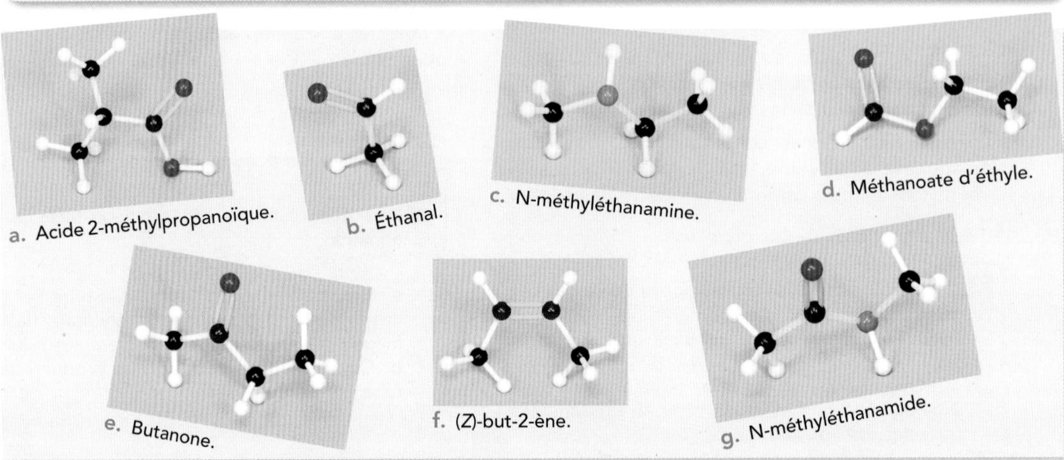

a. Acide 2-méthylpropanoïque. b. Éthanal. c. N-méthyléthanamine. d. Méthanoate d'éthyle. e. Butanone. f. (Z)-but-2-ène. g. N-méthyléthanamide.

1 Écrire les formules semi-développées et topologiques des composés de modèles moléculaires ci-dessus.
Reconnaître les groupes caractéristiques présents et nommer les fonctions correspondantes.

Un pas vers le cours...

2 Faire un tableau des groupes caractéristiques rencontrés en précisant leur formule, leur nom, ainsi que la partie du nom des composés organiques les contenant qui permet de les identifier.

3 Utilisation du nom systématique

EN AUTONOMIE

L'union internationale de chimie pure et appliquée (IUPAC) permet d'associer à chaque composé chimique un nom systématique. Quels renseignements peut-on tirer de ce nom ?

a. 3-méthylbutane-1,2-diol. b. 2-méthylpentanal. c. 2-méthylpent-4-ènal. d. 4-hydroxypentan-2-one.

e. Acide 3-méthylbutanoïque. f. Acide 3-oxobutanoïque. g. 3-méthylbutanoate de méthyle.

1 À l'aide des composés ci-dessus, expliquer comment le nom d'une espèce renseigne sur : a. sa chaîne carbonée ; b. ses groupes caractéristiques.

2 Donner la(les) fonction(s) puis la chaîne carbonée des espèces chimiques dont le nom suit :
a. propanamide ; b. acide 3-hydroxypentanoïque ; c. 2-méthylbutanamine ; d. 2-méthylbut-3-èn-1-ol.

Un pas vers le cours...

3 Proposer une démarche raisonnée permettant de déduire, du nom d'une espèce, ses groupes caractéristiques et sa chaîne carbonée.

4 Préparation d'un dérivé chloré

Les dérivés chlorés sont, entre autres, très utilisés comme intermédiaires de synthèse et solvants. Ils doivent être synthétisés industriellement. Comment préparer un dérivé chloré ?

Présentation

Le 2-méthylpropan-2-ol réagit avec l'acide chlorhydrique pour donner du 2-chloro-2-méthylpropane et de l'eau.

1 Repérer la (les) bande(s) d'absorption caractéristique(s) du réactif sur le spectre d'absorption (doc. 4) à l'aide de la **fiche n° 11**, p. 594.
Les molécules de 2-méthylpropan-2-ol sont-elles liées par des liaisons hydrogène ?

2 Écrire l'équation de la réaction. Comment est modifiée la structure au cours de la réaction ?

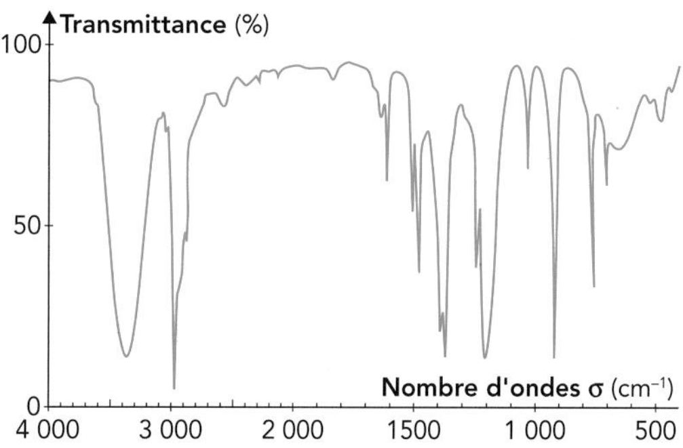

Doc. 4 Spectre infrarouge du 2-méthylpropan-2-ol.

	Densité	$T_{éb}$ (°C)
2-méthylpropan-2-ol	0,781	83
2-chloro-2-méthylpropane	0,836	51

Manipulation

◗ Observer les pictogrammes des réactifs utilisés. Rechercher les risques que peut présenter leur utilisation et s'organiser en conséquence (**rabat IV**).

◗ Dans un erlenmeyer contenant un barreau aimanté, introduire, à l'éprouvette graduée et avec précaution, 30 mL de solution concentrée d'acide chlorhydrique (11 $mol \cdot L^{-1}$), puis 15,0 mL de 2-méthylpropan-2-ol.

◗ Adapter un condenseur à air à l'erlenmeyer et placer l'ensemble sur un agitateur magnétique en fixant l'erlenmeyer à un support vertical. Agiter pendant 20 minutes.

◗ Retirer le barreau aimanté, puis transvaser avec précaution le mélange dans une ampoule à décanter. Identifier la phase aqueuse et l'évacuer.

◗ Ajouter à la phase organique 25 mL de solution concentrée d'hydrogénocarbonate de sodium, $Na^+(aq) + HCO_3^-(aq)$. Lorsque le dégagement de dioxyde de carbone cesse, boucher l'ampoule, la retourner en maintenant bien le bouchon et ouvrir le robinet pour dégazer. Agiter alors doucement. À la fin du dégagement gazeux, refermer l'ampoule, la replacer sur son support, la déboucher, puis évacuer la phase aqueuse.

◗ Ajouter à la phase organique 10 mL d'eau distillée, agiter comme précédemment, laisser décanter, puis évacuer la phase aqueuse. Éliminer l'eau de l'extrémité inférieure de l'ampoule à décanter avec du papier absorbant.

◗ Introduire deux spatules de sulfate de magnésium anhydre $MgSO_4(s)$ dans un erlenmeyer sec. Recueillir la phase organique, boucher et agiter pendant 5 minutes. Faire vérifier la qualité du séchage par le professeur (doc. 5).

◗ Filtrer le mélange en récupérant le filtrat dans un erlenmeyer sec pesé au préalable. Adapter un bouchon.

Si tout le solide s'est aggloméré, ajouter une spatule de sulfate de magnésium anhydre et agiter à nouveau.
Doc. 5

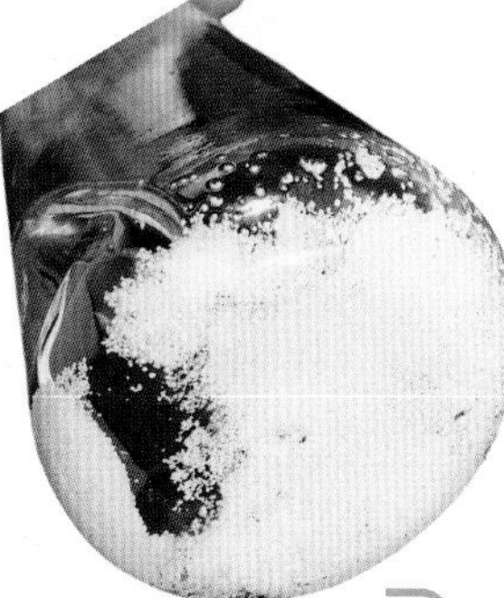

3 L'ion hydrogénocarbonate réagit avec les ions hydrogène $H^+(aq)$ pour donner du dioxyde de carbone et de l'eau. Écrire l'équation de la réaction.

4 Le sulfate de magnésium anhydre permet de sécher la phase organique grâce à la réaction d'équation :

$$MgSO_4(s) + 7\ H_2O(\ell) \rightarrow MgSO_4,\ 7\ H_2O(s)$$

En quoi consiste le séchage de cette phase ?

5 Quelles techniques permettraient de vérifier la nature du produit obtenu ?

6 Déterminer le rendement de la synthèse.

Un pas vers le cours...

7 En utilisant un des trois termes, « addition », « substitution » ou « élimination », rédiger une phrase décrivant la nature de la réaction de synthèse.

5 Déshydratation d'un alcool

Les alcools sont des intermédiaires de synthèse importants. Ils permettent d'obtenir des dérivés halogénés, des alcènes, etc. Comment obtenir un alcène à partir d'un alcool ?

Principe de la synthèse

En présence d'acide phosphorique, le chauffage du 2-méthylbutan-2-ol conduit majoritairement au 2-méthylbut-2-ène et à de l'eau.

	2-méthylbutan-2-ol	2-méthylbut-2-ène
Densité	0,806	0,66
$T_{éb}$ (°C)	102	38,5

Manipulation

- Observer les pictogrammes des réactifs utilisés. Rechercher les risques que peut présenter leur utilisation et s'organiser en conséquence (**rabat IV**).
- Dans un ballon contenant 3 grains de pierre ponce, introduire, à l'aide d'une éprouvette graduée, 25,0 mL de 2-méthylbutan-2-ol, puis, progressivement, 10 mL d'acide phosphorique.
- Placer le ballon dans un chauffe-ballon posé sur un support élévateur et réaliser un montage d'hydrodistillation (doc. 6). Porter à ébullition douce (la température en tête de colonne ne doit pas dépasser 55 °C). Arrêter de chauffer et baisser l'élévateur quand le débit du distillat devient négligeable.
- Transvaser le distillat dans une ampoule à décanter. Identifier la phase aqueuse, puis l'évacuer.
- Ajouter à la phase organique 20 mL d'une solution concentrée d'hydrogénocarbonate de sodium, $Na^+(aq) + HCO_3^-(aq)$. Lorsque le dégagement de dioxyde de carbone cesse, boucher l'ampoule, la retourner en maintenant bien le bouchon et ouvrir le robinet pour dégazer. Agiter alors délicatement. À la fin du dégagement gazeux, refermer l'ampoule, la replacer sur son support, la déboucher et laisser décanter. Évacuer la phase aqueuse tout en vérifiant qu'elle est basique.

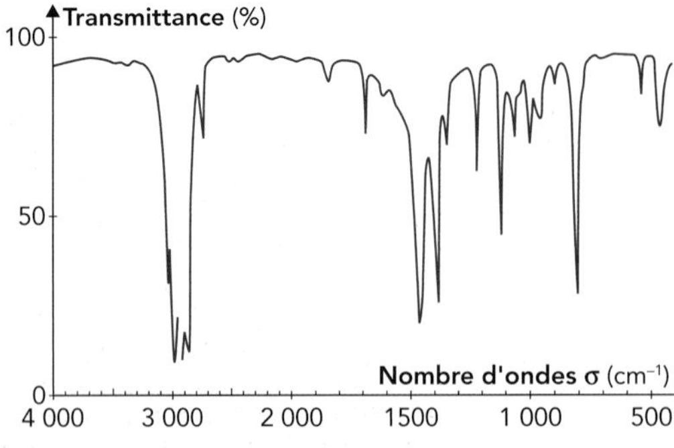

Doc. 7 Spectre infrarouge du produit obtenu.

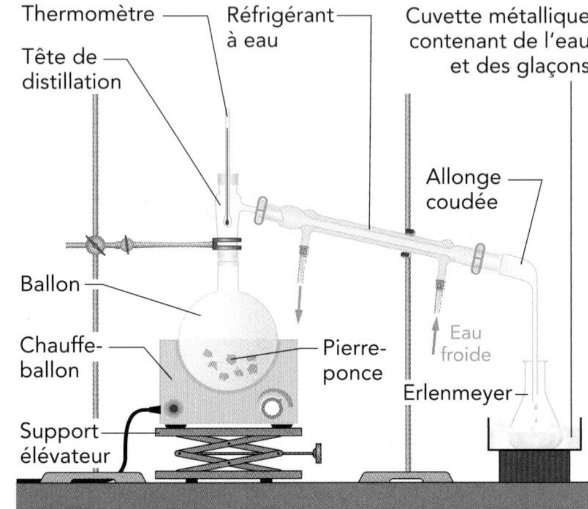

Doc. 6 Montage d'hydrodistillation.

- Introduire la phase organique restante dans un erlenmeyer sec contenant deux spatules de sulfate de magnésium anhydre. Boucher, puis agiter délicatement pendant 5 minutes. Faire vérifier la qualité du séchage par le professeur.
- Peser un erlenmeyer sec. Filtrer la phase séchée dans cet erlenmeyer. Repeser, puis boucher l'erlenmeyer.

Info Lorsqu'une phase organique est sèche, des grains de sulfate de magnésium non agglomérés existent encore dans le milieu.

1 Écrire l'équation de la réaction.

2 Quel est le rôle de l'acide phosphorique ?

3 Justifier la position respective des phases aqueuse et organique dans l'ampoule à décanter.

4 Déterminer le rendement de la synthèse.

5 Que permet de vérifier le spectre infrarouge du produit obtenu donné ci-contre (doc. 7) ?

6 Quel test peut être fait sur le produit obtenu ? Réaliser ce test après accord du professeur.

7 Écrire les formules développées du réactif et du produit. Justifier le titre de cette activité.

Un pas vers le cours...

8 En utilisant un des trois termes, « addition », « substitution » ou « élimination », rédiger une phrase décrivant la nature de la réaction de synthèse.

1 Comment modifier la structure d'une molécule ?

Pour fabriquer une grande partie des matériaux qui nous entourent, les carburants, les médicaments, etc., l'industrie chimique doit modifier les structures des espèces chimiques dont elle dispose en modifiant leur chaîne carbonée ou leurs groupes caractéristiques (doc. 1).

Doc. 1 Le pétrole est une matière première mondialement utilisée.

1.1 Modification de la chaîne carbonée

Raccourcissement de la chaîne carbonée

- Le craquage permet de fragmenter les molécules d'hydrocarbures. Le craquage de l'huile de vaseline en présence de fer comme catalyseur conduit à d'autres alcanes de chaîne carbonée plus courte et à des alcènes (**activité 1**).

> Le **craquage catalytique** consiste à casser, en présence de catalyseurs, les molécules d'hydrocarbures à longue chaîne carbonée en **molécules plus petites** dont certaines possèdent une double liaison.

Dans l'industrie, ce craquage est réalisé à la pression atmosphérique, vers 500 °C en présence de catalyseur (doc. 2).
Ainsi, le craquage de l'hexane peut donner du propane et du propène :

$$CH_3-CH_2-CH_2-CH_2-CH_2-CH_3 \longrightarrow CH_3-CH_2-CH_3 + CH_3-CH=CH_2$$

- Pour privilégier la transformation des alcanes en alcènes, la réaction est réalisée vers 800 °C, sous une pression voisine de la pression atmosphérique et en présence de vapeur d'eau : c'est le **vapocraquage**.
Le vapocraquage du butane conduit à l'éthène et au dihydrogène :

$$CH_3-CH_2-CH_2-CH_3 \longrightarrow 2\ H_2C=CH_2 + H_2$$

> Le **vapocraquage** est un craquage d'alcanes en présence de vapeur d'eau afin d'obtenir des **alcènes**.

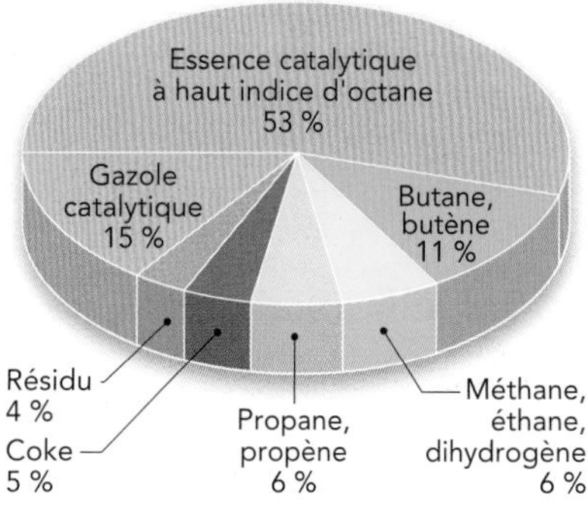

Doc. 2 Produits issus du craquage thermique d'une coupe gasoil de distillation du pétrole.

Modification de la structure de la chaîne carbonée

Ces modifications sont réalisées, à pression et température élevées en présence de catalyseurs, lors du **reformage.** Elles permettent d'obtenir, à partir d'hydrocarbures légers, des essences plus performantes (doc. 3), des dérivés benzéniques et du dihydrogène. C'est le cas des réactions d'isomérisation, de cyclisation et de déshydrocyclisation.

- L'**isomérisation** permet de transformer les alcanes linéaires en leurs isomères ramifiés. Ainsi le 2,2,4-triméthylpentane (indice d'octane IO = 100) est obtenu à partir de l'octane (IO = 0) :

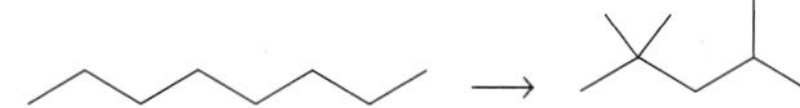

- La **cyclisation** permet d'obtenir des cyclanes, souvent ramifiés, et du dihydrogène. Le méthylcyclopentane (IO = 81) est ainsi obtenu à partir de l'hexane (IO = 0) :

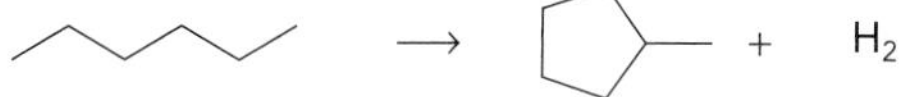

- La **déshydrocyclisation** permet d'obtenir des dérivés benzéniques et du dihydrogène. L'hexane (IO = 0) donne ainsi du benzène (IO = 107) :

$\longrightarrow$ + 4 H_2

Doc. 3 L'indice d'octane (IO) d'une essence mesure sa résistance à l'auto-inflammation dans un moteur thermique. Plus il est élevé, plus l'essence est performante.

Allongement de la chaîne carbonée

L'**alkylation** permet de rallonger la chaîne carbonée d'un alcane en le faisant réagir avec un alcène. Cette réaction, inverse du craquage, est utilisée pour produire des composés à haut indice d'octane.
Le 2,2,4-triméthylpentane peut ainsi être obtenu.

La **polyaddition** de molécules d'éthène (ou éthylène) conduit à un polymère, le polyéthylène (doc. 4 et **activité 1A**), selon :

$$... + H_2C{=}CH_2 + H_2C{=}CH_2 + H_2C{=}CH_2 + ...$$
$$\longrightarrow ... -CH_2-CH_2-CH_2-CH_2-CH_2-CH_2- ...$$

La **polymérisation** par **polyaddition** permet de rallonger la chaîne carbonée d'un composé organique comportant une double liaison C=C par réaction d'**addition**, les unes à la suite des autres, d'un grand nombre de ces molécules, appelées monomères.
Le produit de cette addition est une **macromolécule.**

Doc. 4 Le polyéthylène se ramollit par chauffage, ce qui permet de mouler les objets en polyéthylène, comme ce jeu de construction.

Détermination de la chaîne carbonée

La partie centrale du nom d'un composé organique indique la **longueur** de sa chaîne carbonée principale; les ramifications sont données par les préfixes.

Ainsi, la chaîne carbonée principale du 2-méthylhexan-1-ol a six atomes de carbone.

1.2 Modification de groupe caractéristique

Fonction chimique	Alcène	Alcool	Aldéhyde	Cétone	Acide carboxylique	Ester	Amine	Amide
Groupe caractéristique	>C=C<	–C(–)–OH hydroxyle	–C(H)=O carbonyle	C–C(C)=O carbonyle	–C(OH)=O carboxyle	–C(O–C)=O ester	–N(–)– amine	–C(=O)–N– amide
Terminaison	...ène	...ol	...al	...one	Acide ...oïque	...ate de ...yle	...amine	...amide
Préfixe		hydroxy...	formyl...	oxo...			amino...	

Le changement d'une structure peut être également dû à la modification d'un groupe caractéristique (**activités 1B et 3**). Les formules et les noms des principaux groupes caractéristiques (**activités 2 et 3**) et des fonctions correspondantes sont rappelés ci-dessus.

Dans le nom d'un composé organique, la présence d'un (de) **groupe(s) caractéristique(s)** est indiquée par sa **terminaison** (et par certains des préfixes).

Les propriétés chimiques d'une molécule organique sont dues à son (ses) groupe(s) caractéristique(s). Des réactions chimiques permettent de passer d'une **fonction chimique** à une autre en modifiant les groupes caractéristiques.
Il a été vu en Première S qu'un alcool primaire est oxydé en aldéhyde en présence d'un défaut d'oxydant, puis en acide carboxylique en présence d'un excès d'oxydant (doc. 5).
Les **activités 4 et 5** montrent d'autres exemples de modifications de groupe caractéristique.

Voir exercices 1, p. 289, et 5 à 14, p. 292 et p. 293.

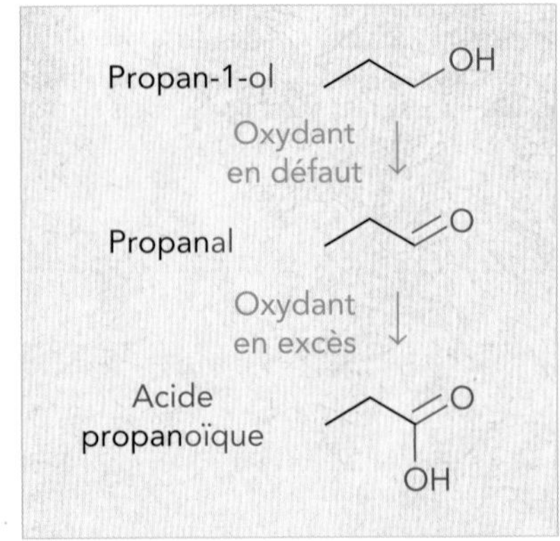

Doc. 5 Le propan-1-ol peut être oxydé en propanal ou en acide propanoïque.

2 Quelles sont les grandes catégories de réactions en chimie organique ?

2.1 Réactions de substitution

La réaction entre le 2-chloro-2-méthylpropane et l'eau, réalisée à l'**activité 1C**, a pour équation :

$$(CH_3)_3C-Cl(\ell) + H_2O(\ell) \rightarrow (CH_3)_3C-OH(aq) + H^+(aq) + Cl^-(aq)$$

L'atome de chlore du dérivé chloré est alors remplacé par un groupe hydroxyle OH : c'est un exemple de réaction de **substitution**.

Dans une réaction de **substitution**, un atome (ou un groupe d'atomes) est **remplacé** par un autre atome (ou groupe d'atomes).

De même, le nitrobenzène est synthétisé à partir du benzène et de l'acide nitrique par une réaction de substitution d'un atome d'hydrogène par le groupe nitro NO_2 (doc. 6) :

$$C_6H_5-H + HNO_3 \longrightarrow C_6H_5-NO_2 + H_2O$$

Doc. 6 Le nitrobenzène est un intermédiaire de synthèse qui peut conduire à des polyuréthanes utilisés comme isolants.

2.2 Réactions d'addition

Le dibrome et le 2-méthylbut-2-ène réagissent selon l'équation :

$$(CH_3)_2C=CH-CH_3 + Br_2 \longrightarrow (CH_3)_2CBr-CHBr-CH_3$$

Chaque atome de brome se lie à un des atomes de carbone trigonaux de la double liaison de l'alcène : on dit que le dibrome s'additionne sur la double liaison C=C (**activité 1C** et doc. 7).

Dans une réaction **d'addition**, des atomes, ou des groupes d'atomes, sont **ajoutés** aux atomes d'une **liaison multiple**.

Il existe de nombreuses réactions d'addition, comme la réaction d'addition du dihydrogène sur l'éthanal dont l'équation s'écrit :

$$CH_3-\underset{\displaystyle H}{\underset{|}{C}}=O + H_2 \longrightarrow CH_3-CH_2-OH$$

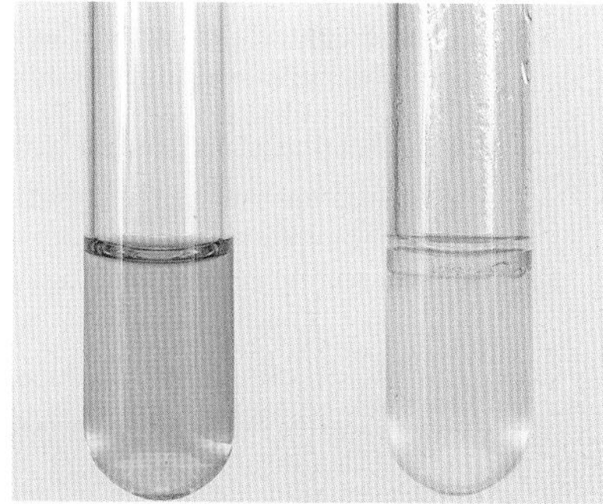

Doc. 7 La réaction d'addition du dibrome sur une double liaison C=C peut être mise en œuvre pour caractériser un alcène.

2.3 Réactions d'élimination

Le chauffage du 2-méthylbutan-2-ol en présence d'acide conduit à la formation de 2-méthylbut-2-ène et d'eau (**activité 5**) selon l'équation :

$$CH_3-\underset{\displaystyle HO}{\underset{|}{\overset{\displaystyle CH_3}{\overset{|}{C}}}}-\underset{\displaystyle H}{\underset{|}{CH}}-CH_3(\ell) \longrightarrow CH_3-\overset{\displaystyle CH_3}{\overset{|}{C}}=CH-CH_3(\ell) + H_2O(\ell)$$

Chaque molécule d'alcool perd le groupe hydroxyle et un atome d'hydrogène portés par deux atomes de carbone voisins. Il se forme une double liaison C=C et une molécule d'eau est éliminée. Cette réaction d'**élimination** d'une molécule d'eau est une déshydratation. D'autres molécules peuvent être éliminées (doc. 8).

Dans une réaction **d'élimination**, des atomes ou des groupes d'atomes, portés par des atomes adjacents, sont **éliminés** pour former **une liaison multiple**.

Il existe de nombreuses réactions d'élimination. Ainsi :

$$CH_3-\underset{\displaystyle H}{\underset{|}{C}}H-O-H \longrightarrow CH_3-\underset{\displaystyle H}{\underset{|}{C}}=O + H_2$$

Voir exercices 2, p. 289, et 15 à 19, p. 293 et 294.

Doc. 8 Le chloroprène, à la base de la synthèse du Néoprène® constituant la combinaison de cette surfeuse, est obtenu à partir du 1,2-dichlorobut-3-ène par l'élimination d'une molécule de chlorure d'hydrogène.

Modifications de structure

Modification de la chaîne carbonée d'une molécule organique

La chaîne carbonée peut être **raccourcie** par **craquage**, **allongée** par **alkylation** ou **polyaddition** ou **modifiée** sans changer le nombre de ses atomes de carbone par **reformage**.

+ / + + H_2
Alkylation — Craquage — Vapocraquage
Reformage
+ H_2 — + H_4

Polyaddition

$n H_2C=CH_2 \longrightarrow ... -CH_2-CH_2-CH_2-CH_2- ...$

soit : $-(CH_2-CH_2)_n-$

Nom d'un composé organique et longueur de chaîne

La **partie centrale du nom** d'un composé organique indique la **longueur de sa chaîne** carbonée principale ; les ramifications éventuelles sont données par les préfixes du nom.

Modification d'un groupe caractéristique d'un composé organique

Des réactions chimiques permettent de modifier le **groupe caractéristique** d'une molécule organique.
Dans le nom d'un composé organique, **la présence d'un (de) groupe(s) caractéristique(s)** est indiquée par **sa terminaison** (et par certains des préfixes).

Fonction chimique	Alcène	Alcool	Aldéhyde	Cétone	Acide carboxylique	Ester	Amine	Amide
Groupe caractéristique	>C=C<	−C−OH hydroxyle	−C=O, H carbonyle	C−C=O, C carbonyle	−C=O, OH carboxyle	−C=O, O−C ester	−N− amine	−C=O, −N− amide
Terminaison	...ène	...ol	...al	...one	Acide ...oïque	...ate de ...yle	...amine	...amide
Préfixe		hydroxy...	formyl...	oxo...			amino...	

Grandes catégories de réactions en chimie organique

Dans une réaction de **substitution**, un atome, ou un groupe d'atomes, est **remplacé** par un autre atome ou groupe d'atomes :

$-C-X + Y \longrightarrow -C-Y + X$; ainsi : $(CH_3)_3C-Cl + H_2O \longrightarrow (CH_3)_3C-OH + H^+(aq) + Cl^-(aq)$

Dans une réaction d'**addition**, des atomes, ou des groupes d'atomes, sont **ajoutés** de part et d'autre d'une **liaison multiple** :

$-C=A + X-Y \longrightarrow -CX-AY$; ainsi : $H_2C=CH_2 + Br_2 \longrightarrow H_2CBr-CH_2Br$

Dans une réaction d'**élimination**, des atomes, ou des groupes d'atomes, portés par des atomes adjacents, sont **éliminés** pour former une **liaison multiple** :

$-CX-AY \longrightarrow -C=A + XY$; ainsi : $CH_3-CH(OH)-CH_3 \longrightarrow CH_3-CH=CH_2 + H_2O$

Pour chaque question, indiquer la (ou les) bonne(s) réponse(s).

Voir corrigés, p. 606.

1 Modifications de structure

	A	B	C
1. La chaîne carbonée d'une molécule peut être raccourcie :	par craquage catalytique.	par distillation fractionnée.	par vapocraquage.
2. Le passage de l'octane au but-2-ène peut se faire par :	alkylation.	reformage.	craquage.
3. La molécule d'éthanoate de méthyle, dont le modèle moléculaire est donné ci-dessous, est :	un alcool.	un ester.	une cétone.
4. La molécule de 2,3-diméthylbutanamine possède :	une chaîne carbonée principale à quatre atomes de carbone.	quatre atomes de carbone.	un atome d'azote.
5. La molécule de propanoate de méthyle :	est un ester.	possède un seul atome d'oxygène.	possède quatre atomes de carbone.
6. Les molécules dont les formules topologiques sont données ci-contre : OH OH	n'ont pas la même chaîne carbonée principale.	n'ont pas le même groupe caractéristique.	ont la même formule brute.
7. Les molécules dont les formules topologiques sont données ci-dessous : OH O O OH	ont la même chaîne carbonée.	n'ont pas le même groupe caractéristique.	ont la même formule brute.

Si erreur, revoir § 1, p. 285-286.

2 Grandes catégories de réactions en chimie organique

	A	B	C
1. Une molécule qui subit une réaction de substitution :	gagne un groupe caractéristique supplémentaire.	peut perdre un groupe caractéristique.	perd certains atomes qui sont remplacés par d'autres.
2. Une molécule qui subit une réaction d'addition :	gagne une double liaison.	perd une double liaison.	perd une liaison multiple.
3. Une molécule qui subit une réaction d'élimination :	gagne un groupe caractéristique supplémentaire.	perd des atomes.	perd une liaison multiple.
4. La réaction d'équation : $CH_3-CH=CH_2 + H_2 \longrightarrow CH_3-CH_2-CH_3$ **est une réaction :**	de substitution.	d'addition.	d'élimination.
5. La réaction d'équation : $CH_3-I + HO^- \longrightarrow CH_3-OH + I^-$ **est une réaction :**	de substitution.	d'addition.	d'élimination.

Si erreur, revoir § 2, p. 287.

Exercice résolu 

3 Identifier une espèce chimique organique à partir de son nom

Énoncé

Le citronellal, ou 3,7-diméthyloct-6-ènal, est un des constituants de l'huile essentielle de citronnelle. Il permet de synthétiser le 6-hydroxy-3-méthylhexanoate de méthyle. Un intermédiaire de synthèse est le 6-formyl-3-méthylhexanoate de méthyle.

1. Quel(s) est (sont) le (s) groupe(s) caractéristique(s) présent(s) dans les molécules nommées ?

2. Associer à chacun des trois noms cités une des formules topologiques proposées ci-dessous :

HO — A

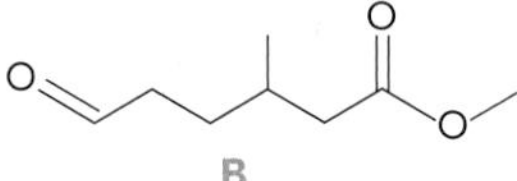

B

C

Conseils

Comment déterminer la nature des groupes caractéristiques et les fonctions correspondantes ?

1. Déterminer le groupe caractéristique principal à partir de la terminaison du nom.
Rechercher si des préfixes indiquent la présence d'autres groupes caractéristiques en s'aidant éventuellement du **tableau**, p. 286, pour déterminer leur nature.

Comment retrouver la formule topologique d'une espèce à partir de son nom ?

2. Prendre en compte :
- les groupes caractéristiques et leur localisation ;
- la (les) chaîne(s) carbonée(s) en considérant leur (sa) longueur ainsi que la présence de ramification(s) éventuelle(s).

Solution rédigée

1. La terminaison « **oate d'alkyle** » est caractéristique de la fonction **ester**. Excepté le citronellal, toutes les espèces considérées comportent le groupe ester ci-contre : —C(=O)—O—C
Le 6-**hydroxy**-3-méthylhexanoate de méthyle comporte également un groupe **hydroxyle** **—OH**.
Le 6-**formyl**-3-méthylhexanoate de méthyle comporte un groupe **carbonyle** **C=O** correspondant à la fonction **aldéhyde** comme le 3,7-diméthyloct-6-è**nal**. Ce dernier comporte également **une double liaison C=C**.

2. Outre le groupe C=O, le 3,7-di**méthyloct**-6-è**nal** comporte une chaîne carbonée à **huit** atomes de carbone avec **une double liaison** entre les atomes de carbone 6 et 7 de la chaîne numérotée à partir de l'atome de carbone du groupe carbonyle ainsi que deux groupes **méthyle** portés par les atomes de carbone 3 et 7 : il s'agit de la formule **C**.

Le 6-**hydroxy**-3-**méthylhexanoate** de méth**yle** comporte le **groupe ester** et un groupe **hydroxyle**. Sa chaîne carbonée, comportant l'atome de carbone du groupe ester, est longue de **six** atomes de carbone avec un groupe **méthyle** porté par l'atome de carbone 3 et le groupe **hydroxyle** sur l'atome de carbone 6. Son autre chaîne carbonée a un unique atome de carbone : il s'agit de la formule **A**.

Le 6-**formyl**-**3-méthylhexanoate** de méth**yle** possède les mêmes chaînes carbonées que le 6-hydroxy-**3-méthylhexanoate** de **méthyle**. Il possède aussi un **groupe carbonyle** au bout de sa chaîne carbonée principale : il s'agit de la formule **B**.

Application immédiate

L'acide 2-aminoéthanoïque, l'acide 2-amino-4-méthylpentanoïque et l'acide 2-amino-3-hydroxypropanoïque sont des acides α-aminés.

1. Quels sont les groupes caractéristiques présents dans les molécules nommées ?

2. Associer à chacun des trois noms cités une des formules topologiques proposées ci-contre.

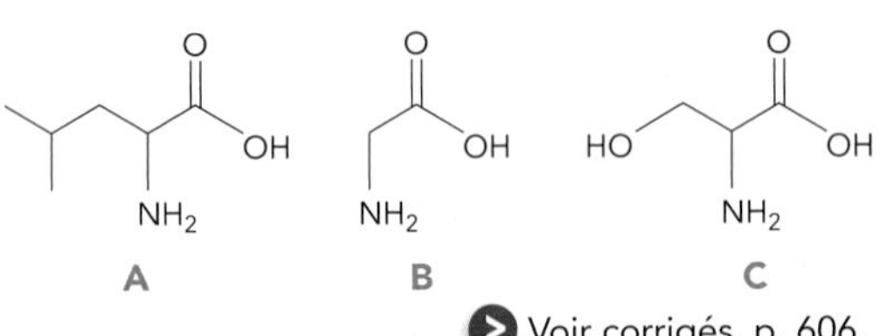

Voir corrigés, p. 606.

COMPÉTENCES
- Mobiliser ses connaissances.
- Extraire des informations.

4 Déterminer la catégorie d'une réaction

Énoncé

Le MTBE, ou **m**éthyl **t**ertio **b**utyl **e**ther, est utilisé comme additif dans les essences pour améliorer leurs performances.

Sa synthèse au laboratoire peut se faire selon la réaction d'équation :

$$(CH_3)_3C-O^- + CH_3Cl \longrightarrow (CH_3)_3C-O-CH_3 + Cl^- \qquad (1)$$

Sa synthèse industrielle est réalisée à partir du méthanol et du méthylpropène selon l'équation :

$$CH_3OH + (CH_3)_2C=CH_2 \longrightarrow (CH_3)_3C-O-CH_3 \qquad (2)$$

Pour purifier le méthylpropène, obtenu par vapocraquage, on l'hydrate selon l'équation :

$$(CH_3)_2C=CH_2 + H_2O \longrightarrow (CH_3)_3C-OH \qquad (3)$$

L'alcool obtenu est isolé puis le méthylpropène est régénéré selon l'équation :

$$(CH_3)_3C-OH \longrightarrow (CH_3)_2C=CH_2 + H_2O \qquad (4)$$

À quelle catégorie appartient chacune des réactions considérées ci-dessus ?

Conseils

Comment déterminer la catégorie à laquelle appartient une réaction (substitution, addition ou élimination) ?

Examiner la structure des réactifs et des produits en écrivant leur formule semi-développée.
Comparer ensuite les formules des réactifs et des produits et rechercher si :
- une double liaison disparaît dans un des réactifs ;
- une double liaison apparaît dans un des produits ;
- un des atomes, ou un groupe d'atomes, d'un des réactifs a été remplacé par un atome, ou un groupe d'atomes, de l'autre réactif.

Solution rédigée

- Lors de la réaction (1) :

$$(CH_3)_3C-O^- + CH_3Cl \longrightarrow (CH_3)_3C-O-CH_3 + Cl^-$$

l'atome de chlore du chlorométhane est remplacé par un autre groupe d'atomes : la réaction (1) est donc une réaction de **substitution**.

- Lors de la réaction (2) :

$$CH_3OH + \begin{array}{c} CH_3 \\ | \\ CH_3-C=CH_2 \end{array} \longrightarrow \begin{array}{c} CH_3 \\ | \\ CH_3-C-CH_2 \\ |\quad\ | \\ CH_3O\ \ H \end{array}$$

la double liaison présente dans le méthylpropène disparaît : la réaction (2) est une réaction **d'addition**.

- Il en est de même de la réaction (3) au cours de laquelle une double liaison C=C disparaît :

$$\begin{array}{c} CH_3 \\ | \\ CH_3-C=CH_2 \end{array} + HOH \longrightarrow \begin{array}{c} CH_3 \\ | \\ CH_3-C-CH_2 \\ |\quad\ | \\ HO\ \ H \end{array}$$

- Lors de la réaction (4) :

$$\begin{array}{c} CH_3 \\ | \\ (CH_3)_2C-OH \end{array} \longrightarrow (CH_3)_2C=CH_2 + H_2O$$

une double liaison C=C se forme : c'est une réaction **d'élimination**.

Application immédiate

L'hexaméthylène diamine est l'un des réactifs de la synthèse industrielle du nylon 6-6. Il est obtenu, à partir du butadiène, par les deux réactions successives dont les équations sont données ci-dessous :

$$H_2C=CH-CH=CH_2 + 2\,HC\equiv N \longrightarrow N\equiv C-CH_2-CH_2-CH_2-CH_2-C\equiv N \qquad (1)$$

$$N\equiv C-CH_2-CH_2-CH_2-CH_2-C\equiv N + 4\,H_2 \longrightarrow H_2N-CH_2-CH_2-CH_2-CH_2-CH_2-CH_2-NH_2 \qquad (2)$$

Le butadiène peut être obtenu à partir du butane en présence de catalyseur selon l'équation :

$$C_4H_{10} \longrightarrow H_2C=CH-CH=CH_2 + 2\,H_2 \qquad (3)$$

À quelles catégories appartiennent ces réactions ?

Voir corrigés, p. 606.

Exercices

Compétences exigibles au baccalauréat 

- ✔ Reconnaître les groupes caractéristiques dans les alcool, aldéhyde, cétone, acide carboxylique, ester, amine, amide. ▸ activité 2
- ✔ Utiliser le nom systématique d'une espèce chimique organique pour en déterminer les groupes caractéristiques et la chaîne carbonée. ▸ activité 3 ▸ exercice 3
- ✔ Distinguer une modification de chaîne d'une modification de groupe caractéristique. ▸ activité 1 ▸ exercice 13
- ✔ Déterminer la catégorie d'une réaction (substitution, addition, élimination) à partir de l'examen de la nature des réactifs et des produits. ▸ exercices 4 et 18

Pour commencer

Comment modifier la structure d'une molécule ?

5 Étudier un craquage

Le craquage d'un alcane A de chaîne carbonée linéaire peut se faire selon deux réactions : la première donne du propène et un alcane B ; la seconde donne du pent-2-ène et du dihydrogène.

1. Déterminer le nom et la formule des alcanes A et B.
2. Écrire les équations de ces deux réactions.
3. La chaîne carbonée est-elle modifiée dans chacune de ces réactions ?

6 Étudier un vapocraquage

Le vapocraquage privilégie la transformation des alcanes en alcènes. Quels alcènes peuvent être obtenus par vapocraquage du butane ? Écrire les équations des réactions correspondantes, et nommer les produits obtenus.

7 Étudier une modification de structure

Sous pression et en présence de platine, l'hexane peut réagir de deux façons différentes : il peut donner du 2,2-diméthylbutane ou du méthylcyclopentane.

1. Écrire les équations des deux réactions considérées.
2. Quelle modification de structure a lieu lors de la première réaction ? S'agit-il d'un reformage ?
3. Quelle modification de structure a lieu lors de la seconde réaction ? S'agit-il d'un reformage ?

8 Modifier une chaîne carbonée

Compléter les équations de réaction suivantes et préciser, dans chacun des cas proposés, la modification de structure qui a été réalisée. Les réactifs ont tous une chaîne carbonée linéaire.

a. $CH_3-(CH_2)_7-CH_3 \longrightarrow CH_3-CH_2-CH=CH_2 + A$

b. $CH_3-(CH_2)_5-CH_3 \longrightarrow C_6H_5-CH_3 + n\,B$

c. $C \longrightarrow CH_3-CH(CH_3)-CH_2-CH(CH_3)-CH_3$

d. $... + F_2C=CF_2 + F_2C=CF_2 + F_2C=CF_2 + ... \longrightarrow D$

9 Reconnaître des groupes caractéristiques

Reconnaître les groupes caractéristiques présents dans les principes actifs de médicament dont les formules topologiques sont représentées ci-dessous. Associer chacun d'eux à une fonction chimique.

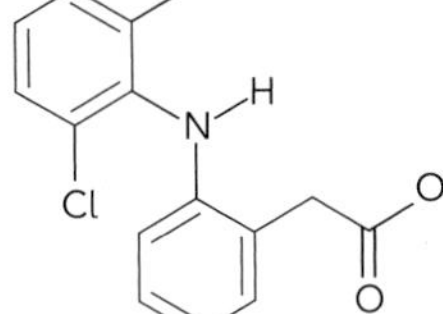

a. Phénylalanine

b. Éphédrine

c. Diclofénac

d. Paracétamol

e. Simvastatine

10 Utiliser le nom d'une espèce chimique

L'hexanoate de prop-2-ényle, à odeur d'ananas, est un arôme alimentaire.

1. Quel(s) est (sont) le(s) groupe(s) caractéristique(s) présent(s) ?
2. Identifier sa formule topologique parmi celles proposées ci-dessous :

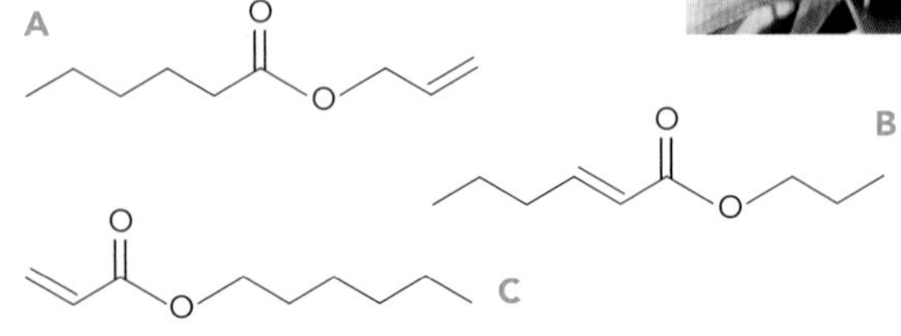

▸ Voir, si nécessaire, l'exercice résolu 3, p. 290.

11 Déterminer une structure chimique

Le 2-méthylprop-2-ènamide, ou méthacrylamide, est un précurseur du méthacrylate de méthyle (PMMA).

1. Quels sont les groupes caractéristiques présents ?
2. Identifier la formule topologique de cette espèce parmi celles proposées ci-dessous :

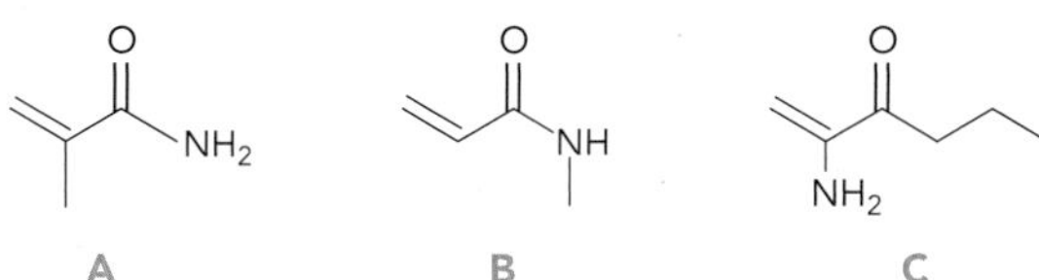

A B C

➲ Voir, si nécessaire, l'exercice résolu 3, p. 290.

12 Utiliser des noms systématiques

Le 3-méthylbut-2-èn-1-ol peut être synthétisé par une suite de réactions faisant intervenir les espèces intermédiaires :
- acide 3-méthylbut-2-ènoïque ;
- 4-méthyl-4-hydroxypentan-2-one ;
- 4-méthylpent-3-èn-2-one.

Les formules des quatres espèces organiques citées sont données ci-dessous. Associer un nom à chaque formules.

A : $CH_3-C(OH)(CH_3)-CH_2-C(=O)-CH_3$

B : $(CH_3)_2C=CH-C(=O)-CH_3$

C : $(CH_3)_2C=CH-CH_2-OH$

D : $(CH_3)_2C=CH-C(=O)-OH$

13 Distinguer une modification de chaîne d'une modification de groupe caractéristique

On donne les équations de trois réactions :

$H_3C-(CH_2)_5-CH_3 \longrightarrow C_3H_6 + C_4H_{10}$ (1)

$C_6H_5-CH_2OH + O_2 \longrightarrow C_6H_5-CO_2H + H_2O$ (2)

$C_6H_5-CH=CH_2 + HCl \longrightarrow C_6H_5-CHCl-CH_3$ (3)

1. Les modifications observées sont-elles des modifications de chaînes ou des modifications de groupes caractéristiques ?
2. Lorsque le changement de structure est dû à un changement de groupe caractéristique, préciser la nature des groupes caractéristiques mis en jeu.

14 Distinguer une modification de groupe caractéristique d'une modification de chaîne

On donne les équations de trois réactions :

$n\,H_3C-CH=CH_2 \longrightarrow -(CH(CH_3)-CH_2)_n-$ (1)

$CH_3-CH_2OH + SOCl_2 \longrightarrow CH_3-CH_2Cl + SO_2 + HCl$ (2)

$CH_3-C(=O)-OH + NH_3 \longrightarrow CH_3-C(=O)-NH_2 + H_2O$ (3)

1. Les modifications observées sont-elles des modifications de chaînes ou de groupes caractéristiques ?
2. Lorsqu'il y a un changement de groupe caractéristique, préciser la nature des groupes alors mis en jeu.

Quelles sont les grandes catégories de réaction en chimie organique ?

15 Étudier des réactions

Le chloroéthane est utilisé comme solvant, fluide réfrigérant, etc. Il peut être obtenu par réaction entre le chlorure d'hydrogène HCl et l'éthanol ou par réaction entre l'éthène (éthylène) et le chlorure d'hydrogène.

1. Écrire l'équation de ces deux réactions.
2. À quelle catégorie appartient chacune des réactions ?

16 Étudier les réactifs et produits d'une réaction

Certains mille-pattes de la famille des Polydesmides se défendent de leurs prédateurs, les fourmis, en leur projetant de l'acide cyanhydrique HCN produit selon la réaction d'équation :

$$C_6H_5-CH(OH)-CN \longrightarrow C_6H_5-C(=O)-H + HCN$$

À quelle catégorie appartient cette réaction ?

17 Rechercher la catégorie d'une réaction

Le dichlorométhane CH_2Cl_2 est un solvant industriel très utilisé. Il est synthétisé à partir du méthane et du dichlore. Le chlorure d'hydrogène HCl alors formé est valorisé en le faisant réagir avec du méthanol pour donner du chlorométhane et de l'eau. Le chlorométhane ainsi obtenu réagit avec le dichlore pour donner du dichlorométhane.

1. Écrire l'équation de chaque réaction envisagée.
2. À quelle(s) catégorie(s) appartiennent ces réactions ?

18 Analyser des réactifs et des produits

Dans l'industrie, la propanone, ou acétone, est un solvant et une matière première permettant la synthèse d'un grand nombre de produits. Elle peut être synthétisée à partir du propane selon les réactions d'équation :

$CH_3-CH_2-CH_3 \longrightarrow CH_2=CH-CH_3 + H_2$ (1)

$CH_2=CH-CH_3 + H_2O \longrightarrow CH_3-CH(OH)-CH_3$ (2)

$CH_3-CH(OH)-CH_3 \rightarrow CH_3-C(=O)-CH_3 + H_2$ (3)

Déduire de la nature des réactifs et des produits la catégorie de ces réactions.

Exercices

19 Déterminer la catégorie d'une réaction

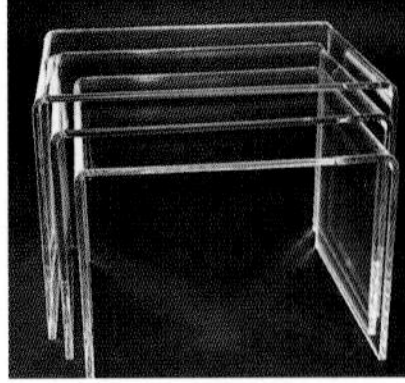

Le méthacrylate de méthyle conduit au polyméthacrylate de méthyle, commercialisé sous le nom de plexiglas.
Sa synthèse, à partir de la propanone, met en jeu plusieurs réactions. Les équations de deux de ces réactions sont données ci-dessous :

$$CH_3-\overset{\overset{O}{\|}}{C}-CH_3 + HCN \longrightarrow CH_3-\underset{\underset{CN}{|}}{\overset{\overset{OH}{|}}{C}}-CH_3 \qquad (1)$$

$$H_2C=\underset{\underset{CH_3}{|}}{C}-\overset{\overset{O}{\|}}{C}-NH_2 + H_2SO_4 + CH_3OH$$

$$\longrightarrow H_2C=\underset{\underset{CH_3}{|}}{C}-\overset{\overset{O}{\|}}{C}-OCH_3 + NH_4HSO_4 \qquad (2)$$

À quelle catégorie appartient chacune de ces réactions ?

Pour s'entraîner

20 Parfums

COMPÉTENCES Mobiliser ses connaissances.

Le méthanoate de 3,7-diméthyloct-6-ényle à l'odeur de rose est utilisé dans des parfums.

1. Déterminer son (ou ses) groupe(s) caractéristique(s).
2. Déterminer sa (ou ses) chaîne(s) carbonée(s).
3. En déduire sa formule semi-développée.

21 Polymères

COMPÉTENCES Mobiliser ses connaissances ; raisonner.

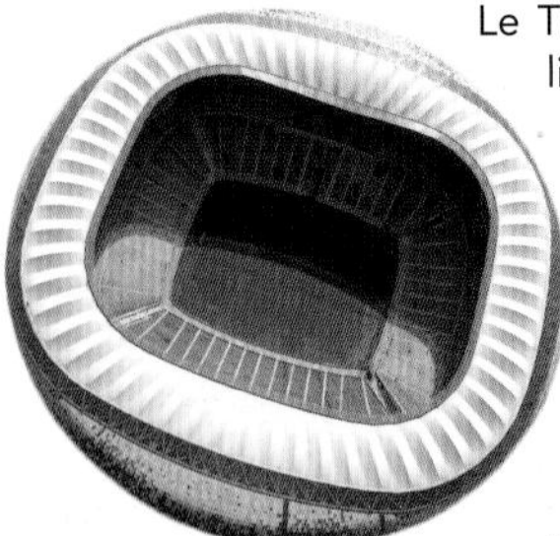

Le Téflon® est un polymère utilisé pour son inertie chimique et son pouvoir antiadhésif.
Utilisé comme revêtement d'ustensiles de cuisine ou protection de textile, il recouvre le toit du stadium Soccer City de Johannesburg ci-contre. Il est obtenu à partir du tétrafluoroéthène par polyaddition.

1. Que signifie l'expression « inertie chimique » ?
2. Établir la formule de ce polymère et préciser la modification de chaîne qui a lieu lors de sa synthèse.

22 À chacun son rythme 

COMPÉTENCES Mobiliser ses connaissances ; calculer.

Cet exercice est proposé à deux niveaux de difficulté. Dans un premier temps, essayer de résoudre l'exercice de niveau 2. En cas de difficultés, passer au niveau 1.

On traite une masse m = 25,9 g de butan-2-ol par un volume V = 50 mL de solution d'acide iodhydrique, $H^+(aq) + I^-(aq)$, de concentration C = 7,50 mol·L^{-1}. Après réaction, séparation des produits et distillation, on obtient une masse m' = 39,9 g de 2-iodobutane.

Niveau 2 (énoncé compact)

1. À quelle catégorie appartient cette réaction ?
2. Déterminer le rendement de la synthèse.

Niveau 1 (énoncé détaillé)

1. a. Écrire l'équation de la réaction de synthèse.
b. Déduire de la formule des réactifs et des produits la catégorie à laquelle appartient cette réaction.
2. a. Déterminer les quantités initiales d'ions iodure et de butan-2-ol utilisées.
b. Identifier le réactif limitant à l'aide d'un tableau d'avancement.
c. Le rendement de la synthèse est défini par le quotient de la quantité de produit obtenu par la quantité maximale de produit qui aurait pu être obtenu.
Déterminer le rendement de la réaction étudiée

23 Des molécules biologiques SVT

COMPÉTENCES Mobiliser ses connaissances.

Les acides α-aminés sont des espèces chimiques nécessaires à la synthèse des protéines.
Ainsi, l'isoleucine, ou acide 2-amino-3-méthylpentanoïque, est un acide α-aminé essentiel chez l'homme.
L'acide lactique, ou acide 2-hydroxypropanoïque, est présent dans le lait. Il intervient aussi dans le métabolisme humain lors de la glycolyse en cas d'efforts intenses.

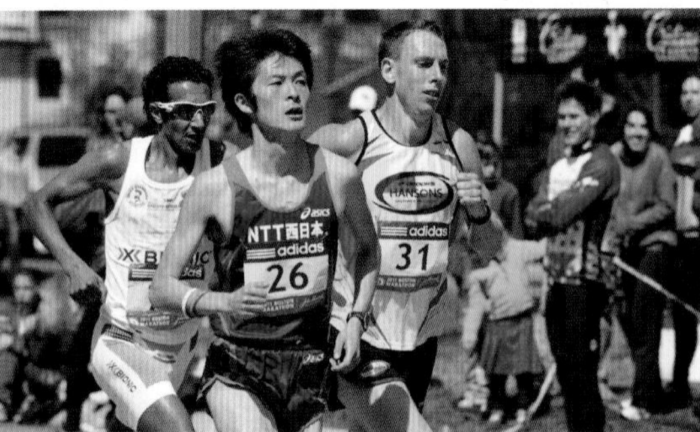

1. @ Qu'est-ce que la glycolyse ?
2. Déterminer le (ou les) groupe(s) caractéristique(s) de l'isoleucine et de l'acide lactique.
3. Déterminer leur chaîne carbonée.
4. En déduire leur formule semi-développée.

24 Déshydratation d'alcools

COMPÉTENCES Mobiliser ses connaissances; raisonner.

La déshydratation est une réaction d'élimination d'une molécule d'eau.

1. Donner les formules semi-développée et topologique de tous les alcènes qui peuvent être obtenus lors de la déshydratation des alcools suivants :
a. butan-2-ol; b. 2-méthylpentan-3-ol;
c. 3-méthylhexan-3-ol.

2. Donner les formules semi-développée et topologique du (des) alcool(s) qui peuvent donner l'un des alcènes ci-dessous par déshydratation :
a. propène; b. méthylpropène; c. (*E*)-but-2-ène.

25 Hydrohalogénation des alcènes

COMPÉTENCES Mobiliser ses connaissances; raisonner.

L'hydrohalogénation des alcènes est une réaction d'addition d'un halogénure d'hydrogène HX.

1. Donner la formule semi-développée de tous les dérivés bromés qui peuvent être obtenus lors de l'hydrobromation des alcènes suivants :
a. éthène; b. but-1-ène; c. (*Z*)-4-méthylpent-2-ène.

2. Préciser si les dérivés bromés obtenus possèdent un (des) atome(s) de carbone asymétrique(s) et les repérer sur leur formule.

26 Catégories de réactions

COMPÉTENCES Mobiliser ses connaissances; raisonner.

Compléter les équations des réactions données ci-dessous en identifiant les espèces A, B, etc. et préciser, dans chaque cas, s'il s'agit d'une réaction de substitution, d'addition ou d'élimination :

$$CH_3-CH_2-CH_2-OH \longrightarrow CH_3-CH=CH_2 + A \quad (1)$$

$$CH_3-CH_2-OH + B \longrightarrow CH_3-CH_2-I + H_2O \quad (2)$$

$$CH_3-\underset{\displaystyle |}{\overset{\displaystyle OH}{}}\!\!CH-CH_3 \longrightarrow CH_3-\overset{\displaystyle O}{\overset{\|}{C}}-CH_3 + C \quad (3)$$

$$CH_3-CH_2-CH=CH_2 + D \longrightarrow CH_3-CH_2-CHI-CH_3 \quad (4)$$

$$CH_3O^- + CH_3-CH_2-CH_2-Cl \longrightarrow E + Cl^- \quad (5)$$

$$CH_3O^- + CH_3-CH_2-CH_2-Cl \longrightarrow F + Cl^- + CH_3OH \quad (6)$$

27 Petrochemistry  

COMPÉTENCES Extraire des informations; rédiger.

Read this introduction to the petrochemistry published on the website of association of petrochemicals producers in Europe.
« The job of the refinery is to produce physical and chemical changes in *crude oil* and natural gas, through an arrangement of extremely specialized manufacturing processes.
One of these processes is distillation, ie the separation of heavy crude oil into lighter groups (called fractions) of hydrocarbons.

Two of these fractions are familiar to consumers. One, fuel oil, is used for heating or for diesel fuel in automotive applications. Another one is naphtha, used in gasoline and also as the primary source from which petrochemicals are derived.
As far as petrochemistry is concerned, refining is where the job of the oil industry stops, and this is where the job of the petrochemical industry takes over.
Petrochemistry gets its raw material from the refinery : naphtha, components of natural gas such as butane, and some of the *by-products* of oil refining processes, such as ethane and propane. These *feedstocks* are then processed through an operation that is known as cracking.
Cracking is simply the process of breaking down heavy oil molecules into lighter, more valuable fractions.
In steam cracking, high temperatures are used; when a catalyst is used it is known as catalytic cracking. [...]
Once these operations are concluded, new products are obtained, the building blocks of the petrochemical industry : olefins – *ie* mainly ethylene, propylene, and the so-called C4 derivatives, including butadiene – and aromatics, so called because of their distinctive perfumed smell, *ie* mainly benzene, toluene and the xylenes. »

Vocabulaire : *crude oil* : pétrole brut; *ie* : c'est-à-dire; *by-products* : sous-produits; *feedstocks* : charges ou matières premières.

1. a. Commenter les deux phrases en *italique* noire.
b. La distillation est-elle une transformation physique ou chimique?
c. Les opérations de la pétrochimie sont-elles des transformations physiques ou chimiques?

2. Le naphta correspond à la fraction généralement composée d'hydrocarbures comportant entre 5 et 10 atomes de carbone.
Citer des opérations de l'industrie pétrochimique et en donner des exemples en utilisant l'hexane comme hydrocarbure de départ.
Quelles sont les modifications de structure alors réalisées?

3. Quelle est la différence entre le craquage catalytique et le vapocraquage dont il est question dans le texte?

4. Quelles sont toutes les oléfines citées dans le texte? Donner leur formule topologique.

5. @ Citer deux produits synthétisés à partir des hydrocarbures issus de la pétrochimie.

28 Bac Déshydratation

COMPÉTENCES **Mobiliser ses connaissances; calculer.**

Une masse m = 17,6 g de pentan-1-ol passe sur de l'alumine chauffée vers 400 °C. Le volume de gaz obtenu vaut V = 3,2 L dans des conditions telles que le volume occupé par une mole de gaz vaut V_m = 25,2 L.

A

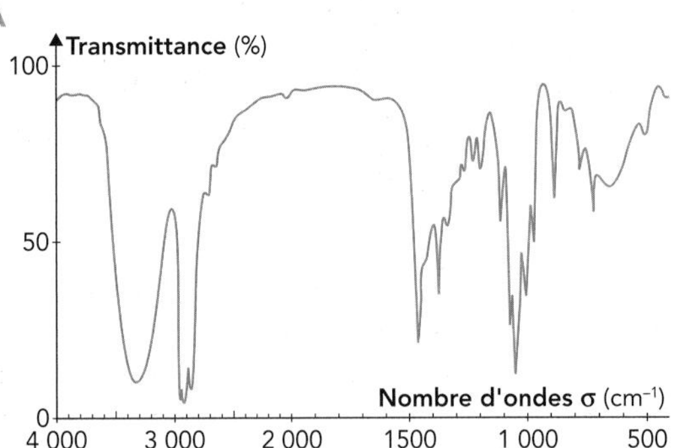

B

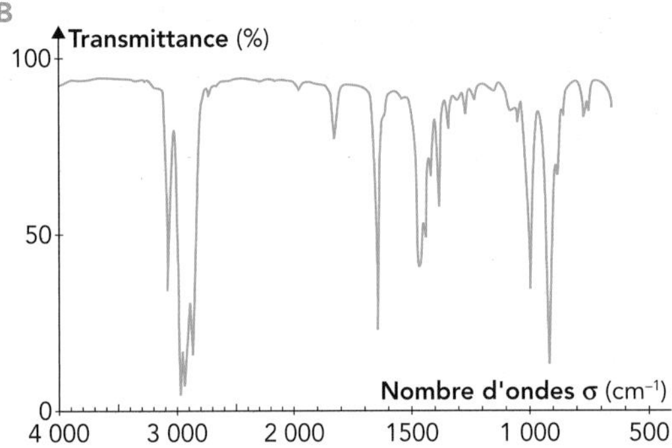

1. À l'aide des spectres infrarouge A du réactif et B du produit donnés ci-dessus, déterminer la nature de la réaction qui a eu lieu. Écrire son équation.
2. Quel est le rôle joué par l'alumine?
3. Déterminer le rendement de cette synthèse.

Pour aller plus loin

29 Identification d'un alcène

COMPÉTENCES **Exploiter une relation; raisonner.**

Un alcène A a pour masse molaire M_A = 56,0 g·mol^{-1}.

1. Quelle est la formule brute d'un alcène possédant n atomes de carbone? En déduire la formule brute de A.
2. Représenter et nommer tous les isomères de A.
3. L'addition de chlorure d'hydrogène HCl sur A conduit au seul mélange racémique de B et B'.
a. Écrire l'équation de la réaction correspondante. Quelle est la modification de structure réalisée?
b. En déduire la formule semi-développée de A, puis celle de B ou B'. La structure de A est-elle totalement déterminée?
c. Repérer l'atome de carbone asymétrique de B et B'. Quelle relation de stéréoisomérie existe entre B et B'?

30 Identification

COMPÉTENCES **Mobiliser ses connaissances; raisonner.**

On réalise l'hydratation (addition d'eau) du pent-1-ène en présence de traces d'acide sulfurique; on isole deux alcools A et B que l'on sépare par distillation.

1. Faire un schéma légendé du montage utilisé pour la distillation.
2. a. Écrire l'équation de la réaction d'hydratation.
b. Donner la formule semi-développée et le nom des alcools qui peuvent être obtenus.
Lequel de ces alcools est chiral?
c. Quel est le rôle de l'acide sulfurique dans l'hydratation du pent-1-ène?
3. Le spectre RMN de l'alcool B présente un doublet à 1,2 ppm correspondant à trois atomes d'hydrogène. Montrer que ce doublet permet d'identifier l'alcool B correspondant. En déduire la nature de A.

31 Bac Préparation de l'aniline

COMPÉTENCES **Mobiliser ses connaissances; calculer.**

L'aniline $C_6H_5-NH_2$ permet la synthèse de très nombreux colorants jaunes, orangés, ou rouges. Elle est obtenue par réduction, en milieu acide, du nitrobenzène $C_6H_5-NO_2$ par du fer.
Le nitrobenzène résulte de l'action de l'acide nitrique HNO_3 sur le benzène C_6H_6.
Dans un ballon, on introduit les masses m_1 = 30,0 g de limaille de fer et m_2 = 15,0 g de nitrobenzène, quelques grains de pierre ponce, puis de l'acide chlorhydrique en excès et on chauffe à reflux pendant deux heures.
Après refroidissement, extraction et purification, on obtient une masse m' = 7,52 g d'aniline.

1. Quelles précautions doit-on prendre pour manipuler l'aniline?
2. Écrire l'équation de la réaction de synthèse du nitrobenzène sachant qu'il se forme également de l'eau. À quelle catégorie appartient cette réaction?
3. À quelle famille organique appartient l'aniline?
4. Dans le protocole présenté ci-dessus, il se forme, dans un premier temps, l'ion anilinium $C_6H_5-NH_3^+$.
La soude introduite en fin de réaction permet d'éliminer les ions hydrogène H^+(aq) en excès et de transformer les ions anilinium en molécules d'aniline.
a. Écrire les demi-équations redox des couples :
$C_6H_5-NO_2(\ell)/C_6H_5-NH_3^+(aq)$ et $Fe^{2+}(aq)/Fe(s)$.
b. En déduire l'équation de la réaction qui se produit en milieu acide entre le fer et le nitrobenzène.
5. Vérifier que le nitrobenzène est le réactif limitant.
6. Calculer le rendement de cette synthèse.

Données :
Pictogrammes de sécurité correspondant à l'aniline :

32 Bac Synthèse de l'ibuprofène

COMPÉTENCES **Extraire l'information ; raisonner.**

L'ibuprofène est un principe actif aux propriétés antipyrétiques et anti-inflammatoires de formule topologique :

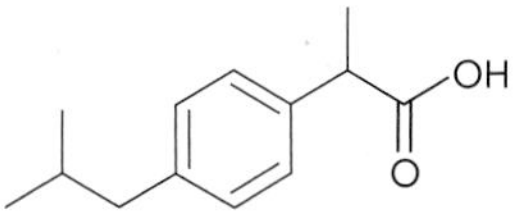

L'une des synthèses de l'ibuprofène fait intervenir de nombreuses étapes. Les équations de quelques-unes de ces étapes sont données ci-dessous :

$$C_6H_6 + CH_3-\underset{\begin{array}{c}|\\ CH_3\end{array}}{CH}-\overset{\begin{array}{c}O\\ \|\end{array}}{C}-Cl \xrightarrow{AlCl_3} CH_3-\underset{\begin{array}{c}|\\ CH_3\end{array}}{CH}-\overset{\begin{array}{c}O\\ \|\end{array}}{C}-C_6H_5 + HCl \quad (1)$$

$$CH_3-\underset{\begin{array}{c}|\\ CH_3\end{array}}{CH}-CH_2-C_6H_4-\overset{\begin{array}{c}O\\ \|\end{array}}{C}-CH_3 + HCN$$

$$\longrightarrow CH_3-\underset{\begin{array}{c}|\\ CH_3\end{array}}{CH}-CH_2-C_6H_4-\overset{\begin{array}{c}OH\\ |\end{array}}{\underset{\begin{array}{c}|\\ CN\end{array}}{C}}-CH_3 \quad (2)$$

$$CH_3-\underset{\begin{array}{c}|\\ CH_3\end{array}}{CH}-CH_2-C_6H_4-\overset{\begin{array}{c}OH\\ |\end{array}}{\underset{\begin{array}{c}|\\ C=O\\ |\\ NH_2\end{array}}{C}}-CH_3$$

$$\longrightarrow CH_3-\underset{\begin{array}{c}|\\ CH_3\end{array}}{CH}-CH_2-C_6H_4-\underset{\begin{array}{c}|\\ C=O\\ |\\ NH_2\end{array}}{C}=CH_2 + H_2O \quad (3)$$

$$CH_3-\underset{\begin{array}{c}|\\ CH_3\end{array}}{CH}-CH_2-C_6H_4-\underset{\begin{array}{c}|\\ C=O\\ |\\ NH_2\end{array}}{C}=CH_2 + H_2$$

$$\xrightarrow{Ni} CH_3-\underset{\begin{array}{c}|\\ CH_3\end{array}}{CH}-CH_2-C_6H_4-\underset{\begin{array}{c}|\\ C=O\\ |\\ NH_2\end{array}}{CH}-CH_3 \quad (4)$$

$$CH_3-\underset{\begin{array}{c}|\\ CH_3\end{array}}{CH}-CH_2-C_6H_4-\underset{\begin{array}{c}|\\ C=O\\ |\\ NH_2\end{array}}{CH}-CH_3 + H_3O^+$$

$$\longrightarrow CH_3-\underset{\begin{array}{c}|\\ CH_3\end{array}}{CH}-CH_2-C_6H_4-\underset{\begin{array}{c}|\\ C=O\\ |\\ OH\end{array}}{CH}-CH_3 + NH_4^+ \quad (5)$$

1. Qu'est-ce qu'un médicament antipyrétique ?
2. Le principe actif correspond à un seul des stéréoisomères de l'ibuprofène.
Recopier la formule topologique de l'ibuprofène et y repérer le(s) atome(s) de carbone asymétrique(s).
La molécule est-elle chirale ?
Si oui, combien possède-t-elle de stéréoisomères de configuration ? 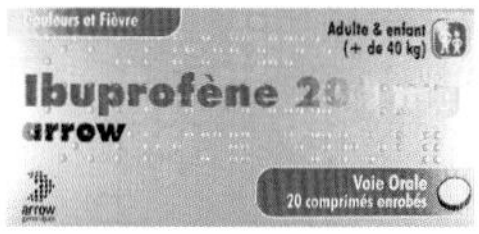
3. Une des étapes mises en jeu est une réaction d'oxydoréduction qui a lieu en milieu acide et qui met en jeu les couples redox :
   - $Zn^{2+}(aq)/Zn(s)$
   - $C_6H_5-CO-CH(CH_3)_2(s)/C_6H_5-CH_2-CH(CH_3)_2(\ell)$

   Établir l'équation de cette réaction.
4. Dans les étapes (2), (3), (4) et (5), reconnaître les groupes caractéristiques présents dans les espèces organiques mises en jeu.
5. Pour les cinq réactions présentées, déterminer :
   a. la catégorie à laquelle elles appartiennent ;
   b. la modification de structure (chaîne ou groupe caractéristique) réalisée.
6. Quel est le rôle du nickel, Ni, dans l'étape (4) ?

Un pas vers l'enseignement supérieur

33 Modifications de structures

COMPÉTENCES **Extraire l'information ; raisonner ; calculer.**

Pour chacune des expériences 1 et 2 décrites ci-après, noter le numéro de l'expérience suivi de la (ou des) lettre(s) correspondant à la (ou aux) bonne(s) affirmation(s) la concernant.

Expérience 1

Lors d'un craquage du pentane, les seuls produits obtenus sont le propane, l'éthène, le cyclopentane et le dihydrogène.
Tous ces produits sont gazeux.
On prélève un volume V = 1,0 L du mélange obtenu. On ajoute progressivement au mélange, agité en permanence, une solution de dibrome Br_2 de concentration $C = 4{,}5 \times 10^{-2}$ mol·L^{-1}. Il faut ajouter un volume V' = 420 mL pour que cesse la décoloration de la solution de dibrome ajoutée.

Donnée : dans les conditions de l'expérience, une mole de gaz occupe le volume V_m = 24 L.

A. Il faut écrire les équations de trois réactions pour expliquer la nature des produits obtenus lors du craquage.
B. La quantité de gaz prélevée est égale à 50,1 mmol.
C. Le dibrome réagit selon une réaction de substitution.
D. Le dibrome réagit avec l'éthène.
E. La quantité d'éthène obtenu est égale à 18,9 mmol.

Expérience 2

Lors d'une synthèse, un volume V = 25,0 mL de butan-1-ol est mis à réagir avec un volume V' = 60 mL d'une solution concentrée d'acide chlorhydrique (de concentration C = 11 mol·L^{-1}) $H^+(aq) + Cl^-(aq)$.

Une masse m = 18,2 g de 1-chlorobutane est obtenue.

Donnée : densité du butan-2-ol : d = 0,80.

A. Lors de la synthèse, un changement de groupe caractéristique se produit.

B. La réaction qui se produit est une réaction de substitution.

C. Le butan-1-ol est une molécule apolaire.

D. La quantité de butan-1-ol utilisée vaut 0,15 mol.

E. La quantité d'acide chlorhydrique mise en jeu est égale à 66 mmol.

F. Le rendement de la synthèse est égal à 73 %.

Retour sur l'ouverture du chapitre

34 Une matière première importante : le benzène

COMPÉTENCES Extraire l'information ; raisonner.

Le styrène a été obtenu pour la première fois en 1835 par le pharmacien allemand E. SIMON à partir de styrax, résine du liquidambar. Par chauffage, il conduit à une nouvelle substance dont l'identification a été longue. En 1845, *le chimiste anglais J. BLYTH et le chimiste allemand A. W. VON HOFMANN ont montré que cette substance avait la même composition que le styrène.*

En 1866, le chimiste français M. BERTHELOT a montré que cette substance était constituée de macromolécules de polystyrène.

Actuellement, le polystyrène est un polymère très employé dans l'industrie du bâtiment, de l'emballage, etc.

La synthèse de son monomère, le styrène, est réalisée à partir du benzène. La formule topologique du benzène est donnée ci-contre.

Le benzène est un intermédiaire de synthèse très important, car il permet de préparer de nombreuses espèces chimiques. Ainsi, en 2010, 8 398 kt de benzène ont été consommées en Europe. Il peut être obtenu par reformage d'une coupe de distillation des pétroles, le naphta, contenant notamment de l'hexane.

Pour pouvoir fabriquer le polystyrène, le benzène est transformé en éthylbenzène, ce qui constitue près de 50 % de la consommation du benzène. Cette synthèse peut être réalisée par réaction entre le benzène et l'éthylène en présence de zéolithes.

Le styrène peut ensuite être obtenu par réaction de déshydrogénation de l'éthylbenzène, en présence d'oxyde de magnésium ou d'oxyde de zinc, à haute température, selon l'équation :

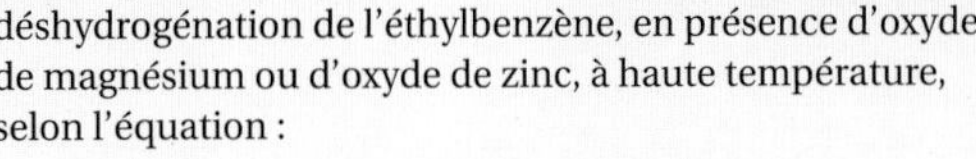

La polymérisation du styrène conduit au polystyrène de formule :

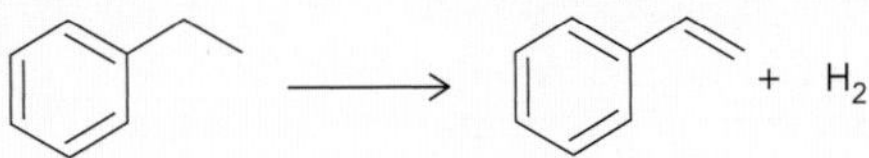

1. @ Qu'est-ce que le liquidambar ? Que sont les zéolithes ?

2. @ Rechercher les pictogrammes de sécurité relatifs au benzène. Quelles précautions doivent être prises lors de la manipulation du benzène ?

3. Quelle modification de structure peut se produire lors du reformage ? Écrire l'équation de la réaction de reformage de l'hexane en benzène ; justifier alors le nom de déshydrocyclisation donné à cette réaction.

4. a. Écrire l'équation de la réaction de synthèse de l'éthylbenzène à partir du benzène.
b. À quelle catégorie appartient-elle ?
c. Quelle est la modification de structure (chaîne ou groupe caractéristique) alors réalisée pour chaque réactif ?

5. a. À quelle catégorie appartient la réaction de déshydrogénation de l'éthylbenzène ?
b. Quel est le rôle des oxydes de magnésium ou de zinc ?

6. a. Déterminer le pourcentage massique en carbone du styrène.
b. Expliquer la phrase écrite en *italique*. En déduire le pourcentage massique en carbone du polystyrène.

7. a. Écrire l'équation de polymérisation du styrène.
b. À quelle catégorie appartient cette réaction ?
c. Pourquoi peut-on dire que le polystyrène est constitué de macromolécules ?

Comprendre un énoncé 

35 Bac Déshydratation d'un alcool

On chauffe à reflux pendant trente minutes un mélange constitué d'un volume $V(\text{ol}) = 30{,}0$ mL de 3,3-diméthylbutan-1-ol et de 5 mL d'acide sulfurique concentré. On obtient un alcène.
Le mélange alors obtenu est introduit dans une ampoule à décanter. La phase aqueuse est éliminée ; la phase organique est lavée, puis séchée par du sulfate de magnésium anhydre. Après filtration, on obtient une masse $m' = 11{,}6$ g d'alcène.

Données : Densité de l'alcool $d_{\text{ol}} = 0{,}812$.

Masse volumique de l'eau : $\rho = 1{,}00\ \text{g} \cdot \text{mL}^{-1}$.

L'alcène est insoluble dans l'eau, sa densité est inférieure à 1.
Masses molaires atomiques (en $\text{g} \cdot \text{mol}^{-1}$) : H : 1,0 ; C : 12,0 ; O : 16,0.

Questions à se poser à la lecture de l'énoncé

- → Quel est le rôle du chauffage à reflux ?
- → Quelle est la formule de cet alcool ?
- → Quel peut être le rôle de l'acide sulfurique ?
- → Quelle réaction conduit à un alcène à partir d'un alcool ?
- → Pourquoi utilise-t-on une ampoule à décanter ?
- → À quelle grandeur donnent accès ces données ?

Questions	Compétences à mobiliser	Si difficulté, revoir
1. Faire un schéma légendé du montage à reflux utilisé lors de la synthèse. Quel est le rôle du chauffage à reflux ?	• Réaliser un schéma*. • Connaître les caractéristiques d'un chauffage à reflux.	Fiche 10, p. 593. Chapitre 9, §2, p. 235.
2. Comment vérifier expérimentalement que l'espèce B obtenue est un alcène ?	• Connaître des techniques expérimentales permettant de vérifier la présence d'une double liaison C=C.	Cours, §2.2, p. 287. Chapitre 4, §3.3, p. 96.
3. Pourquoi utilise-t-on une ampoule à décanter ? Légender le schéma ci-contre. (schéma : … ; …)	• Connaître les techniques de séparation des constituants d'un mélange. • Savoir identifier des phases.	Activité 5, p. 284.
4. a. À quelle catégorie appartient la réaction ? b. Donner la formule et le nom de l'alcène obtenu. c. Écrire l'équation de sa formation.	• Utiliser les règles de nomenclature. • Utiliser la catégorie de la réaction mise en jeu. • Déterminer la formule et le nom de l'alcène obtenu. • Écrire une équation de réaction.	Chapitre 4, §2, p. 94. Cours, §2, p. 287. Exercice 18, p. 293.
5. Quel est le rôle de l'acide sulfurique ?	• Exploiter l'équation d'une réaction • Connaître les facteurs cinétiques.	Chapitre 9, §2 et 3, p. 235-236.
6. Déterminer le rendement de cette synthèse.	• Connaître les relations liant masse volumique, densité, masse, volume, quantité de matière, masse molaire. • Connaître la définition du rendement et savoir l'utiliser.	Exercice 22, p. 294.

* Compétence transversale.

Avoir les bons réflexes 

Si l'énoncé demande de...	il est nécessaire de...	Si difficulté	Pour réviser
Reconnaître les groupes caractéristiques.	● Connaître les noms et les formules des groupes caractéristiques au programme : alcène, alcool, aldéhyde, cétone, acide carboxylique, ester, amine, amide.	Fiche 11, p. 594, et exercice 9, p. 292.	Exercice 11 p. 293.
Utiliser le nom systématique d'une espèce organique pour en déterminer la chaîne carbonée et les groupes caractéristiques.	● Déterminer le nombre d'atomes de carbone de la chaîne carbonée principale à partir de la partie centrale du nom. ● Déterminer et localiser les ramifications éventuelles à partir des préfixes. ● Reconnaître le groupe caractéristique principal à partir de la terminaison du nom et les autres groupes à partir de certains des préfixes présents.	Exercice résolu 3, p. 290, et exercice 12, p. 293.	Exercice 20 p. 294.
Écrire une équation de réaction.	● Déterminer les formules des (ou de certains) réactifs et des (ou de certains) produits ou reconnaître le type de réaction. ● Vérifier la conservation des éléments pour déterminer, si nécessaire, la nature et la formule des espèces non citées.	Exercice 5, p. 292.	Exercice 25 p. 295.
Distinguer une modification de chaîne d'une modification de groupe caractéristique.	● Déterminer les formules semi-développées ou topologiques du réactif et du produit considérés. ● Comparer l'enchaînement de leurs atomes de carbone et leur(s) groupe(s) caractéristique(s).	Exercice 13, p. 293.	Exercice 32 p. 297.
Déterminer la catégorie d'une réaction (substitution, addition ou élimination).	● Examiner la structure des réactifs et des produits en recherchant si : – une double liaison apparaît ou disparaît; – un atome, ou un groupe d'atomes, est remplacé par un autre atome ou groupe d'atomes.	Exercice résolu 4, p. 291, et exercice 18, p. 293.	Exercice 26 p. 295.
Déterminer un rendement.	● Rechercher le réactif limitant. En déduire la quantité maximale du produit qui aurait pu être formé. ● Utiliser la définition du rendement.	Exercice 22, p. 294.	Exercice 28 p. 296.

Dans les conditions du baccalauréat

● **Avec aide :** Exercice 35 p. 299.

● **Sans aide :** Exercice 31 p. 296.

Transformations en chimie organique : aspect microscopique

Chapitre 12

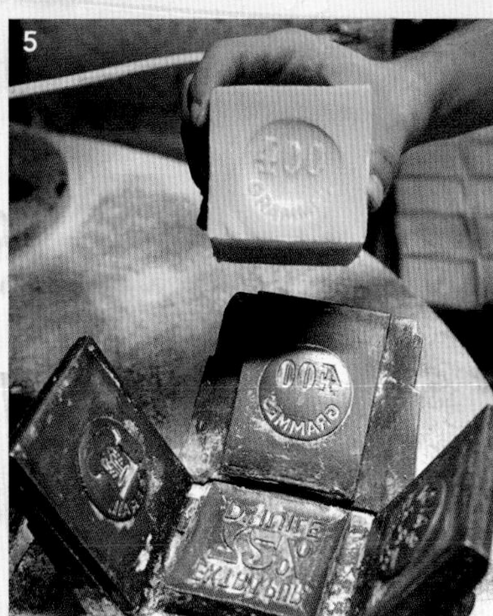

1. Le maître savonnier mélange, avec une longue rame, dans un chaudron de grande contenance, des matières grasses végétales et de la soude en les chauffant.
2. Un contremaître vérifie la pâte qui sort de la centrifugeuse.
3. Les blocs de savon sont déposés sur la table de la découpeuse qui, mécaniquement, donne naissance aux cubes traditionnels du savon de Marseille.
4. Un ouvrier grave, à l'aide d'une presse, les indications de poids et de marque sur les savons fraichement moulés.
5. Il aura fallu près de quatre jours pour fabriquer ce bloc de savon.

Le savon est un mélange de sels d'acide gras obtenu par saponification de diverses huiles ou graisses. **Qu'est-ce qu'une réaction de saponification ? Comment se déroule-t-elle à l'échelle microscopique ? (Voir exercice 25, p. 320.)**

Comment expliquer les modifications de structure qui se produisent à l'échelle microscopique lors d'une réaction en chimie organique ?

OBJECTIFS

→ Déterminer la polarisation de liaisons.
→ Identifier un site donneur ou accepteur de doublet d'électrons.
→ Étudier les interactions entre sites donneur et accepteur de doublet d'électrons.

Activités Étude documentaire

1 Polarisation de liaison

EN AUTONOMIE

Une liaison covalente établie entre deux atomes différents est généralement polarisée.
Qu'est-ce qu'une liaison polarisée ? Comment prévoir la polarisation d'une liaison ?

1 Rechercher, dans Révisions, p. 126, le sens des mots ou expressions : « électronégativité » ; « liaison covalente polarisée ».

2 À l'aide des valeurs fournies dans la classification périodique des éléments (**rabat VI**), préciser comment évolue l'électronégativité :
- dans une période de la classification ;
- dans une colonne de la classification.

3 On considère une molécule diatomique A-B dans laquelle le doublet liant les atomes A et B est statistiquement plus proche de l'atome B.
a. Quel est alors l'atome le plus électronégatif ?
b. Ce partage dissymétrique du doublet de liaison entre A et B provoque l'apparition d'une charge électrique positive q sur un atome et d'une charge électrique négative q' sur l'autre atome. Quelle relation relie q et q' ? Quel atome porte la charge électrique négative ? Justifier.
c. Cette molécule constitue un dipôle électrique. Justifier cette appellation.

4 a. À quelle famille chimique appartiennent les éléments chlore Cl et iode I ? Où se situent-ils dans la classification périodique ?
b. Établir la représentation de Lewis de la molécule de chlorure d'hydrogène HCl. En déduire celle de la molécule d'iodure d'hydrogène HI.
c. Pour HCl : $q_1 = + 2{,}8 \times 10^{-20}$ C.
Pour HI : $q_2 = + 9{,}2 \times 10^{-21}$ C.
Positionner les charges q_1 et q'_1 (respectivement q_2 et q'_2) sur les atomes des représentations de Lewis de ces molécules.
d. Justifier la relation d'ordre $q_1 > q_2$.

5 Déterminer alors la polarisation des liaisons suivantes et indiquer le signe des charges éventuellement portées par les atomes :

a. $-\overset{|}{\underset{|}{C}}-O-$; b. $-\overset{|}{\underset{|}{C}}-Cl$; c. $\langle O=O \rangle$

Un pas vers le cours...

6 Rédiger un texte décrivant la méthode à suivre pour déterminer la polarisation d'une liaison covalente. Illustrer cette méthode à l'aide d'un exemple judicieusement choisi.

2 Site accepteur ou donneur de doublet d'électrons

EN AUTONOMIE

En chimie organique, lors des réactions de substitution, d'addition ou d'élimination, des interactions se produisent entre certains atomes. Comment interpréter ces interactions à l'échelle microscopique ?

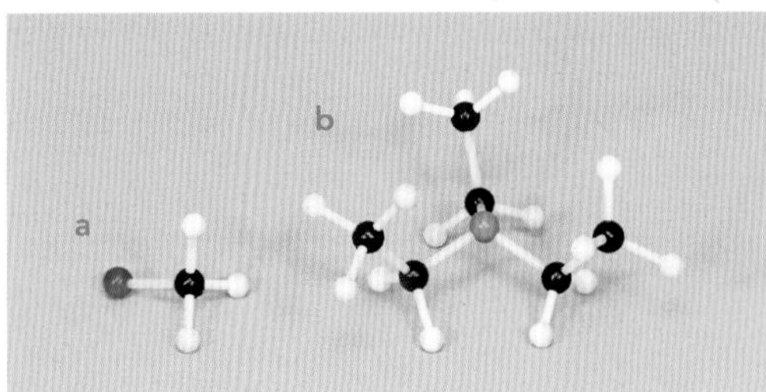

Doc. 1 Modèles moléculaires du chlorométhane (a) et de la N,N-diéthyléthanamine ou triéthylamine (b).

La réaction entre la N,N-diéthyléthanamine et le chlorométhane conduit à un précipité de chlorure de triéthylméthylammonium. Son équation décrit ce qui se passe entre les réactifs à l'échelle microscopique :

$$(C_2H_5)_3N + CH_3Cl \longrightarrow (C_2H_5)_3\overset{\oplus}{N}-CH_3 + Cl^{\ominus}$$

1 À quelle grande catégorie appartient cette réaction ?

2 Établir les représentations de Lewis des deux réactifs et du cation obtenu sachant que les atomes autres que l'hydrogène vérifient la règle de l'octet (doc. 1).

3 À l'aide de la classification périodique (**rabat VI**), déterminer la polarisation des liaisons C – N et C – Cl et indiquer, sur les représentations de Lewis des réactifs, le signe des charges portées par les atomes N et C.
On négligera les effets dus aux liaisons C – H.

Un pas vers le cours...

4 L'atome d'azote de l'amine est un site donneur d'électrons ; l'atome de carbone du chlorométhane est un site accepteur d'électrons. Justifier.

5 Rédiger une phrase décrivant l'interaction qui permet d'interpréter la réaction.

3 Synthèse de l'aspirine

La synthèse de l'acide acétylsalicylique, principe actif de l'aspirine, peut être réalisée au laboratoire à partir d'acide salicylique et d'anhydride éthanoïque.
Quelles interactions permettent d'interpréter le déroulement de cette réaction ?

A Présentation

La réaction de synthèse a pour équation :

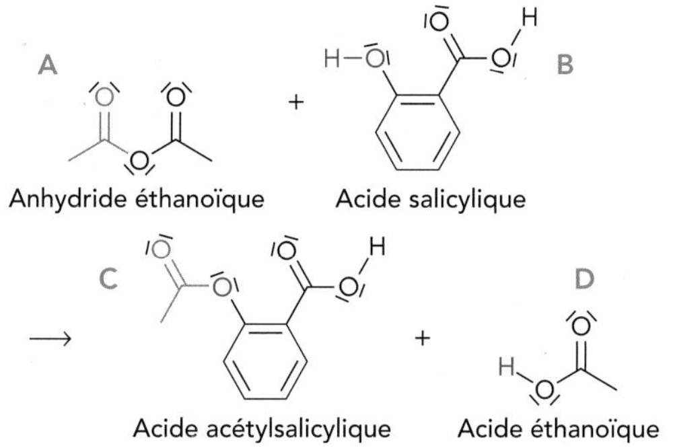

A (Anhydride éthanoïque) + B (Acide salicylique) ⟶ C (Acide acétylsalicylique) + D (Acide éthanoïque)

1 a. À quelle catégorie appartient cette réaction ?
b. Quelles différences essentielles présentent :
– les spectres de RMN de B et C ?
– les spectres IR de A et D ?

2 En fait, la réaction se fait en plusieurs étapes. La première de ces étapes a pour équation :

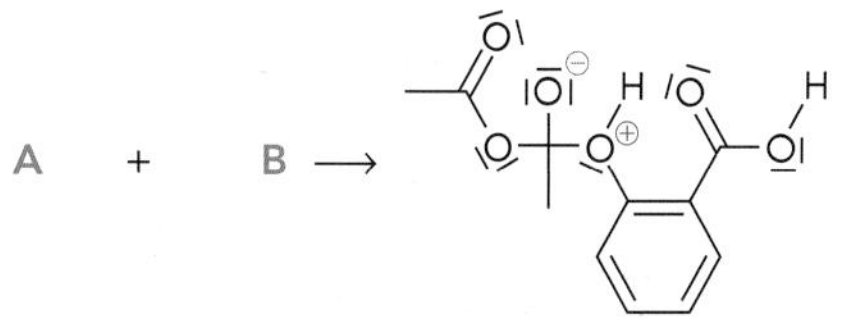

A + B ⟶

À quelle catégorie de réaction appartient-elle ?

Un pas vers le cours…

3 a. Repérer le site donneur et le site accepteur de doublet d'électrons qui interagissent. Justifier leur caractère accepteur ou donneur de doublet d'électrons.
b. Recopier l'équation de cette réaction. À l'aide de deux flèches courbes, représenter le mouvement des doublets d'électrons mis en jeu pour expliquer les modifications de liaisons observées.

B Manipulation

- Observer les pictogrammes des réactifs utilisés. Rechercher les risques que peut présenter leur utilisation et s'organiser en conséquence (**rabat IV**).
- Dans un erlenmeyer sec fixé à un support et placé dans un cristallisoir, introduire un barreau aimanté, une masse m = 5,5 g d'acide salicylique, puis, avec précaution, à l'aide d'une éprouvette graduée, 10 mL d'anhydride éthanoïque ainsi que 3 gouttes d'acide sulfurique concentré.
- Adapter un réfrigérant à air sur l'erlenmeyer et introduire de l'eau chaude à 50 °C dans le cristallisoir placé sur un agitateur magnétique chauffant.
- Chauffer entre 50 et 60 °C en agitant pendant une quinzaine de minutes.
- Cesser de chauffer, sortir l'erlenmeyer du cristallisoir et retirer le réfrigérant.
- Ajouter immédiatement, mais progressivement, environ 30 mL d'eau distillée glacée afin de détruire l'excès d'anhydride éthanoïque.
- À l'aide d'un agitateur en verre, gratter les parois de l'erlenmeyer afin de favoriser l'apparition des cristaux. Ajouter encore 20 mL d'eau glacée et placer l'erlenmeyer dans un bain eau-glace pendant une dizaine de minutes.
- Filtrer le mélange sous pression réduite (voir **fiche n° 13A**, p. 598)
- Essorer les cristaux et les récupérer entre deux morceaux de papier-filtre, pour commencer à les sécher. Les placer dans un verre de montre, pesé au préalable, et les mettre à l'étuve à environ 80 °C.
- Peser les cristaux après séchage.

4 Déterminer le rendement de la synthèse.

5 Pour vérifier la pureté du produit obtenu, on peut réaliser une CCM avec, comme éluant, un mélange de 6 mL d'éthanoate de butyle, 4 mL de cyclohexane et 1 mL d'acide méthanoïque. Rédiger le protocole correspondant.

- Mettre en œuvre ce protocole, après accord du professeur, et conclure.

4 Saponification du benzoate d'éthyle

La réaction entre un ester et les ions hydroxyde HO^- est appelée saponification, car elle est à la base de la synthèse des savons. Quelles interactions permettent d'interpréter le déroulement de cette réaction ?

A Présentation

La saponification du benzoate d'éthyle $C_6H_5CO_2C_2H_5$ donne des ions benzoate $C_6H_5CO_2^-$ et de l'éthanol.

1 Écrire l'équation de la réaction.

2 À l'échelle microscopique, la réaction se fait en plusieurs étapes. La première de ces étapes a pour équation :

```
    H     H
     \   /
      C=C      _
     /   \    /O\
H—C       C—C                 ⊖ _
    \\   //   \             + |O—H
      C—C      \O—CH2—CH3       ‾
     /   \      ‾
    H     H

                  H     H    _ ⊖
                   \   /    |O|
                    C=C      |
                   /   \     |   _
        ⟶   H—C       C—C—O\
                  \\   //    |     \
                    C—C     /O      CH2—CH3
                   /   \     ‾ \
                  H     H       H
```

À quelle catégorie de réaction appartient-elle ?

Un pas vers le cours...

3 a. Repérer, en justifiant, les sites donneur et accepteur de doublet d'électrons qui interagissent.
b. Recopier l'équation de cette réaction
c. À l'aide de flèches courbes, représenter le mouvement des doublets d'électrons mis en jeu expliquant les modifications de liaisons.

B Manipulation

- Observer les pictogrammes des réactifs utilisés. Rechercher les risques que peut présenter leur utilisation et s'organiser en conséquence (**rabat IV**).
- Dans un ballon, introduire V = 5,0 mL de benzoate d'éthyle et V' = 25 mL de solution d'hydroxyde de sodium, $Na^+(aq) + HO^-(aq)$, de concentration C' = 4 mol·L^{-1} et quelques grains de pierre ponce.
Chauffer à reflux jusqu'à disparition de la phase organique surnageante (**fiche n° 10**, p. 593).
- Baisser le support. Laisser refroidir le ballon d'abord à l'air libre, en laissant la circulation d'eau, puis dans un bain d'eau froide.
- Ôter le réfrigérant, puis, en retenant les grains de pierre ponce avec une spatule, verser la solution dans un erlenmeyer placé dans un bain eau-glace.
- Ajouter progressivement, tout en agitant avec une baguette de verre, une solution d'acide chlorhydrique à la concentration C = 4 mol·L^{-1} jusqu'à ce que le pH, testé avec du papier pH, soit voisin de 1.
- Filtrer le mélange sous pression réduite (doc. 2).
- Rincer les cristaux avec de l'eau distillée froide, les essorer et les récupérer entre deux morceaux de papier-filtre, pour commencer à les sécher. Les placer dans un verre de montre, *pesé au préalable*, et les mettre à l'étuve environ à 80 °C.
- Peser les cristaux après séchage.

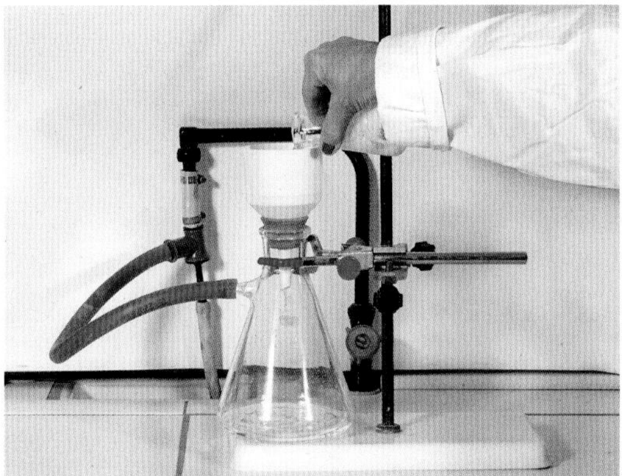

Doc. 2 Filtration du mélange sous pression réduite.

4 Déterminer le rendement de la synthèse.

5 Le spectre de RMN du produit obtenu est donné ci-dessous. Montrer, à l'aide de la **fiche n° 11C**, p. 595, qu'il s'agit bien d'acide benzoïque.

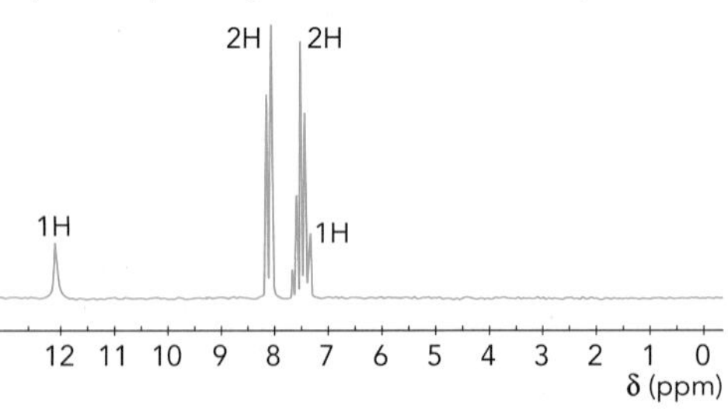

6 Rédiger le protocole permettant d'identifier le produit obtenu par CCM (éluant : 6 mL de cyclohexane et 3 mL de propanone). Le mettre en œuvre après accord du professeur.

7 Quelle autre méthode d'identification aurait-on pu utiliser au lycée ?

Donnée : masse volumique du benzoate d'éthyle ρ = 1,05 g·mL^{-1}.

5 Réduction de la benzophénone

Le tétrahydruroborate de sodium $NaBH_4$ réduit les cétones en alcools.
Quelles interactions permettent d'interpréter le déroulement de cette réaction ?

A Présentation

La réaction entre le tétrahydruroborate de sodium et la benzophénone a pour équation :

$$4\,C_6H_5-\overset{\overset{\displaystyle O}{||}}{C}-C_6H_5 + NaBH_4 + 4\,C_2H_5-OH$$

$$\longrightarrow 4\,C_6H_5-\overset{\overset{\displaystyle OH}{|}}{CH}-C_6H_5 + NaB(OC_2H_5)_4$$

1 À quelle catégorie de réaction appartient-elle ?

2 À l'échelle microscopique, la réaction se fait en plusieurs étapes. La première étape a pour équation :

$$\overline{H}^{\ominus} + C_6H_5-\overset{\overset{\displaystyle C_6H_5}{|}}{C}=\overline{O} \longrightarrow C_6H_5-\underset{\underset{\displaystyle H}{|}}{\overset{\overset{\displaystyle C_6H_5}{|}}{C}}-\overline{\underline{O}}|^{\ominus}$$

À quelle catégorie de réaction appartient-elle ?

Un pas vers le cours...

3 Pour cette étape :
a. repérer, en justifiant, les sites donneur et accepteur de doublet d'électrons qui interagissent ;
b. recopier l'équation, puis, à l'aide de flèches courbes, représenter le mouvement des doublets d'électrons mis en jeu expliquant les modifications de liaisons observées.

B Manipulation

- Observer les pictogrammes des réactifs utilisés. Rechercher les risques que peut présenter leur utilisation et s'organiser en conséquence (**rabat IV**).
- Dans un ballon sec contenant un barreau aimanté, introduire une masse m = 2,0 g de benzophénone et un volume V = 20 mL d'éthanol à 95 %.
- Introduire le ballon dans un bain d'eau à environ 50 °C, placé sur un agitateur magnétique posé sur un support élévateur. Agiter jusqu'à dissolution du solide.
- Laisser refroidir à l'air libre, puis dans un bain d'eau froide pendant 5 minutes.
- Sortir le ballon du bain.
- Introduire une masse m' = 0,40 g de tétrahydruroborate de sodium dans le ballon en rinçant la coupelle avec très peu d'éthanol.
- Adapter un réfrigérant à eau, faire circuler l'eau, puis agiter pendant 10 minutes.
- Par le haut du réfrigérant, ajouter 2 grains de pierre ponce et 20 mL d'eau distillée. Chauffer à reflux, à l'aide d'un chauffe-ballon. Porter le mélange à ébullition douce pendant 10 minutes.
- Laisser refroidir à l'air, puis ajouter 40 mL d'eau distillée par le haut du réfrigérant. Laisser cristalliser dans un bain d'eau glacée.
- Filtrer le mélange sous pression réduite (voir **fiche n° 13A**, p. 598). Rincer avec de l'eau distillée froide.
- Essorer les cristaux et les récupérer entre deux morceaux de papier-filtre, pour commencer à les sécher. Les placer dans un verre de montre, *pesé au préalable*, et les mettre à l'étuve à environ 50 °C.
- Peser les cristaux après séchage.

4 Déterminer le rendement de la synthèse.

5 Deux spectres IR et de RMN sont donnés ci-dessous. À l'aide des **fiches n°s 11B et 11C**, p. 594 et 595, attribuer, en justifiant, chacun de ces spectres au diphénylméthanol et à la benzophénone.

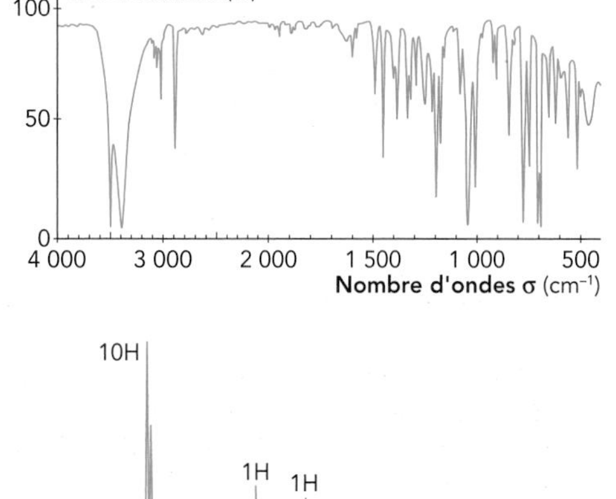

6 Rédiger le protocole permettant d'identifier le produit obtenu par CCM (éluant : 10 mL de cyclohexane et 2 mL d'éthanoate d'éthyle). Le mettre en œuvre après accord du professeur.

1 Comment déterminer la polarisation d'une liaison ?

1.1 Électronégativité d'un élément chimique

L'électronégativité est une grandeur relative qui traduit l'aptitude d'un atome A à attirer à lui le doublet d'électrons qui l'associe à un autre atome B par une liaison covalente.

Il existe plusieurs échelles d'électronégativités. La valeur de l'électronégativité de Pauling (doc. 1) de la plupart des atomes est fournie dans la classification périodique (**rabat VI**).

Les résultats obtenus avec ces valeurs dans l'**activité 1** se généralisent, si l'on exclut les gaz nobles.

Dans la classification périodique, l'électronégativité augmente de la gauche vers la droite d'une période (ou ligne) et du bas vers le haut d'une colonne.

Doc. 1 Linus Carl PAULING (1901-1994) est un physicien et chimiste américain, lauréat du prix Nobel de chimie (1954), pour ses travaux sur la liaison chimique, et du prix Nobel de la paix (1962).

1.2 Polarisation d'une liaison

- Dans une **molécule de dihydrogène H – H**, le doublet d'électrons liant les deux atomes d'hydrogène est équitablement partagé entre les deux atomes d'hydrogène : **la liaison n'est pas polarisée.**
- Dans une **molécule de chlorure d'hydrogène H – Cl** (activité 1), le doublet d'électrons liant les atomes de chlore et d'hydrogène n'est pas équitablement partagé entre les deux atomes. En effet, l'atome de chlore, plus électronégatif que celui d'hydrogène, attire plus vers lui les électrons de la liaison.

Ce partage dissymétrique du doublet d'électrons liant provoque l'apparition d'une charge positive $q = 2{,}8 \times 10^{-20}$ C sur l'atome d'hydrogène et d'une charge négative $q' = -q = -2{,}8 \times 10^{-20}$ C sur l'atome de chlore : **la liaison est polarisée** (doc. 2).

La **charge q** est **inférieure à la charge élémentaire e** $= 1{,}6 \times 10^{-19}$ C.

Elle peut être exprimée en fraction de cette charge élémentaire. On l'appelle pour cela **charge partielle** :

$$\frac{q}{e} = \frac{2{,}8 \times 10^{-20}}{1{,}6 \times 10^{-19}} = 0{,}18 \quad \text{soit } q = 0{,}18 \cdot e \text{ que l'on peut noter } \delta \cdot e.$$

La polarisation de la liaison peut alors être décrite par la donnée des charges partielles :

$+\delta \cdot e$ portée par l'atome le moins électronégatif et notée $\delta^{\oplus}$;

$-\delta \cdot e$ portée par l'atome le plus électronégatif et notée $\delta^{\ominus}$:

$$\overset{\delta^{\oplus}}{\text{H}} - \overset{\delta^{\ominus}}{\text{Cl}}$$

Remarque : il a été vu en classe de Première S que ces deux charges, égales en valeur absolue et de signes opposés, constituent un dipôle électrique caractérisé par son moment dipolaire $\vec{p}$ (doc. 3).

Les résultats de l'**activité 1** se généralisent (doc. 4, p. 307) :

Une liaison entre deux atomes A et B est polarisée si les électronégativités de ces deux atomes sont différentes.
La détermination de la polarisation d'une liaison A – B se fait en attribuant à l'atome le plus électronégatif une charge partielle négative $\delta^{\ominus}$ et à l'atome le moins électronégatif une charge partielle positive $\delta^{\oplus}$. Plus la différence d'électronégativité entre les atomes liés est importante, plus la liaison est polarisée et plus les charges partielles portées par les atomes liés sont élevées.

Doc. 2 La liaison HCl est polarisée : la molécule de chlorure d'hydrogène est polaire.

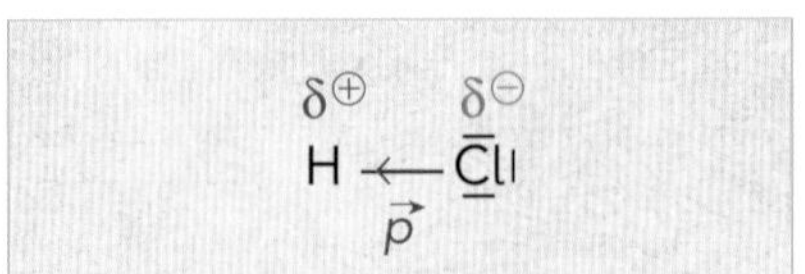

Doc. 3 Le moment dipolaire caractérisant la liaison polarisée est colinéaire à la liaison et orienté de l'atome chargé négativement vers l'atome chargé positivement.

Les électronégativités des atomes de carbone et d'hydrogène sont assez voisines. Aussi, en chimie organique :

> Les liaisons C – H sont considérées comme non polarisées.

Voir exercices 1, p. 311, et 5 à 7, p. 313.

$\delta^{\oplus}\ \delta^{\ominus}$
A – B
A moins électronégatif que B

$\delta^{\oplus}\ \delta^{\ominus}$
C – $\overline{\underline{\text{Cl}}}|$
C moins électronégatif que Cl

$\delta^{\ominus}$ – C – Mg $\delta^{\oplus}$
C plus électronégatif que Mg

Doc. 4 Détermination de la polarisation d'une liaison en fonction de l'électronégativité des atomes liés.

2 Comment identifier un site donneur ou accepteur de doublet d'électrons ?

2.1 Site donneur de doublet d'électrons

Dans **l'ion hydroxyde HO^-**, l'atome d'oxygène respecte la règle de l'octet : il possède **trois doublets non liants** (doc. 5a) et porte une charge électrique négative –e. Site riche en électrons, **l'atome d'oxygène** est susceptible de donner un de ses doublets d'électrons non liants : il constitue un **site donneur de doublet d'électrons**.

Dans **la molécule d'eau**, l'atome d'oxygène respecte la règle de l'octet et porte deux doublets non liants (doc. 5b). L'atome d'oxygène étant plus électronégatif que celui d'hydrogène, les deux liaisons H – O sont polarisées : chaque atome d'hydrogène porte une charge partielle positive $+\delta \cdot e$ notée $\delta^{\oplus}$ et l'atome d'oxygène porte une charge partielle négative $-2\delta \cdot e$ notée $2\delta^{\ominus}$.
L'atome d'oxygène constitue un site riche en électrons : c'est un **site donneur de doublet d'électrons**.

Dans **l'éthène** $H_2C=CH_2$, la **double liaison C=C** est un site riche en électrons, elle constitue également un **site donneur de doublet d'électrons**.
Plus généralement* (doc. 6) :

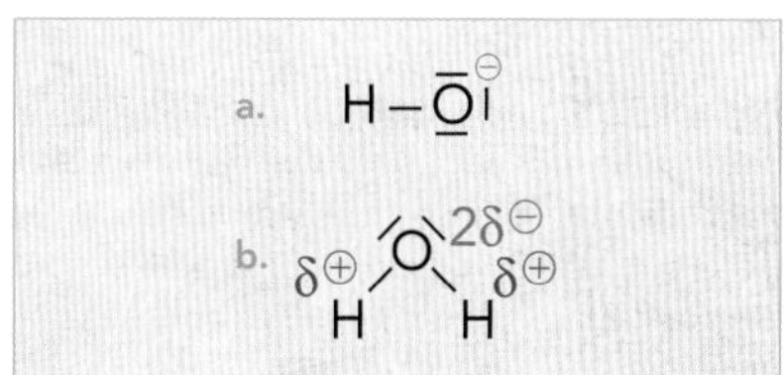

Doc. 5 L'atome d'oxygène est un site donneur de doublet d'électrons dans l'ion hydroxyde (a) et dans la molécule d'eau (b).

> Dans un édifice, un atome porteur de doublet(s) non liant(s) ou porteur d'une charge électrique négative constitue un site donneur de doublet d'électrons.
> Une liaison multiple constitue également un site donneur de doublet d'électrons.

Les signes des charges sont entourés pour éviter de les confondre avec des doublets non liants.

Sont ainsi des sites donneurs de doublet d'électrons :

$-\bar{N}^{\delta\ominus}-$, $-\bar{P}^{\delta\ominus}-$, $-\bar{\underline{O}}^{\delta\ominus}-$, $-\bar{\underline{S}}^{\delta\ominus}-$, $-C^{\delta\ominus}-Mg^{\delta\oplus}-$, $>C=C<$, $>C^{\delta\oplus}=O^{\delta\ominus}$

* Un site donneur de doublet d'électrons est appelé site nucléophile.

2.2 Site accepteur de doublet d'électrons

L'ion hydrogène H^+ ne possède pas d'électron et porte une charge positive : c'est un site accepteur de doublet d'électrons.

Dans le **chlorométhane $ClCH_3$**, l'atome de carbone vérifie la règle de l'octet. Le chlore étant plus électronégatif que le carbone, la liaison C – Cl est polarisée. Les liaisons C – H sont considérées comme non polarisées. Ainsi, l'atome de carbone porte une charge partielle positive $+\delta \cdot e$, notée $\delta^{\oplus}$, et l'atome de chlore une charge partielle négative $-\delta \cdot e$, notée $\delta^{\ominus}$ (doc. 6).
L'atome de carbone est donc appauvri en électrons et constitue un **site accepteur de doublet d'électrons**. L'atome de chlore est un site donneur de doublet d'électrons.

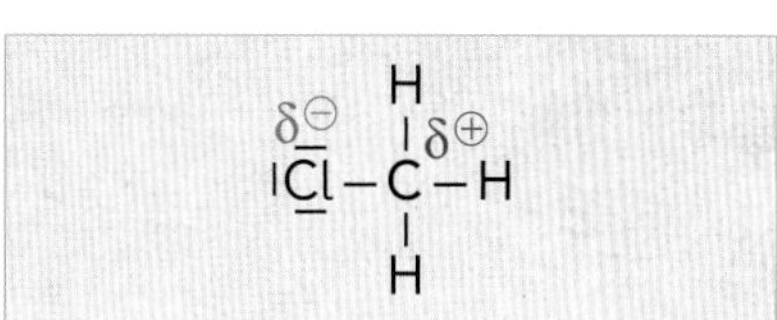

Doc. 6 Site donneur de doublet d'électrons et site accepteur de doublet d'électrons dans le chlorométhane.

Plus généralement* (doc. 6) :

> Dans un édifice, un atome porteur d'une charge électrique positive élémentaire constitue un site accepteur de doublet d'électrons.

* Un site accepteur de doublet d'électrons est appelé site électrophile.

Sont ainsi des sites accepteurs de doublet d'électrons :

$$H^+,\quad Li^+,\quad -\overset{|\,\delta\oplus}{\underset{|}{C}}-\overset{\delta\ominus}{\underline{\bar{O}}}-H,\quad -\overset{|\,\delta\oplus}{\underset{|}{C}}-\overset{\delta\ominus}{\underline{\bar{Cl}}},\quad \overset{\delta\oplus}{>C}=\overset{\delta\ominus}{\bar{O}}$$

Voir exercices 2, p. 311, et 8 à 10, p. 313.

3 Comment interagissent les sites donneur et accepteur de doublet d'électrons ?

3.1 Mécanisme d'une réaction

Les équations des réactions de substitution, d'addition ou d'élimination étudiées au **chapitre 11** permettent de décrire l'évolution macroscopique des systèmes chimiques. Cependant, pour la plupart, elles n'indiquent pas comment les réactifs interagissent à l'échelle microscopique.

À l'échelle microscopique, le passage des réactifs aux produits peut nécessiter plusieurs réactions, ou étapes. Ces étapes constituent le **mécanisme réactionnel** (doc. 7). L'étude de l'interaction entre sites donneur et accepteur de doublet d'électrons permet d'interpréter les étapes d'un mécanisme réactionnel.

$$H_3C-\bar{O}-H + H^{\oplus} \longrightarrow H_3C-\overset{H}{\overset{|}{O}}{}^{\oplus}-H$$

$$H_3C-\overset{H}{\overset{|}{O}}{}^{\oplus}-H + H_3C-\bar{O}-H \longrightarrow H_3C-\overset{H}{\overset{|}{O}}{}^{\oplus}-CH_3 + H-\bar{O}-H$$

$$H_3C-\overset{H}{\overset{|}{O}}{}^{\oplus}-CH_3 \longrightarrow H_3C-\bar{O}-CH_3 + H^{\oplus}$$

Doc. 7 Mécanisme de la réaction de synthèse du méthoxyméthane d'équation globale :

$$2\,H_3COH \rightarrow H_3C-O-CH_3 + H_2O$$

3.2 Étude de quelques réactions

Alkylation des amines

La réaction entre la N,N-diéthyléthanamine et le chlorométhane, étudiée lors de l'**activité 2**, se produit en une seule étape d'équation :

$$(C_2H_5)_3N + CH_3-Cl \longrightarrow (C_2H_5)_3\overset{\oplus}{N}CH_3 + Cl^{\ominus}$$

L'examen des produits montre que l'atome d'azote de l'amine interagit avec l'atome de carbone du chlorométhane :

– l'**atome d'azote** de l'amine possède un doublet non liant (doc. 9). Il constitue le **site donneur de doublet d'électrons**;

– **l'atome de carbone** du chlorométhane, lié à un atome plus électronégatif que lui, est le **site accepteur de doublet d'électrons** (doc. 6).

La réaction qui se produit résulte de l'interaction entre le site donneur de doublet d'électrons et le site accepteur de doublet d'électrons :

$$CH_3-CH_2-\underset{\underset{CH_3}{|}}{\underset{CH_2}{|}}{\bar{N}}-CH_2-CH_3 + H-\overset{H}{\overset{|}{\underset{\underset{H}{|}}{C}}}-\bar{\underline{Cl}}| \rightarrow CH_3-CH_2-\overset{CH_3}{\overset{|}{\underset{\underset{CH_3}{|}}{\underset{CH_2}{|}}{N}}}{}^{\oplus}-CH_2-CH_3 + |\bar{\underline{Cl}}|^{\ominus}$$

La **flèche courbe**, orientée du doublet non liant de l'atome d'azote vers l'atome de carbone du chlorométhane, représente le mouvement du doublet d'électrons mis en jeu lors de l'interaction entre le site donneur de doublet d'électrons et le site accepteur de doublet d'électrons. Elle permet d'expliquer la **formation de la nouvelle liaison** C – N dans le cation obtenu.

L'atome de carbone devant respecter la règle de l'octet, la formation de la liaison N – C entraîne nécessairement la **rupture de la liaison** C – Cl. La **flèche courbe** orientée du doublet liant C – Cl vers l'atome de chlore représente le mouvement du doublet d'électrons correspondant; elle explique la formation de l'ion chlorure Cl^-.

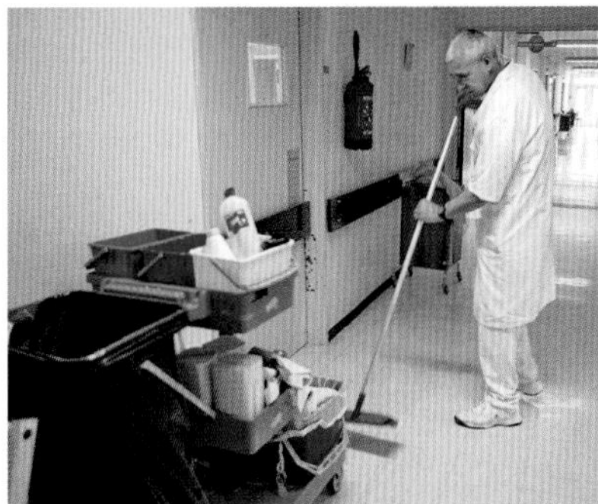

Doc. 8 Les chlorure de tétra-alkylammonium ont des propriétés bactéricides et fongicides. Ils sont pour cela utilisés comme désinfectants en milieu hospitalier.

$$CH_3-\overset{\delta\oplus}{CH_2}-\overset{3\delta\ominus}{\bar{N}}-\overset{\delta\oplus}{CH_2}-CH_3 \quad (\text{N lié à } \overset{\delta\oplus}{CH_2}-CH_3)$$

Doc. 9 L'atome d'azote porte un doublet non liant et les trois liaisons N – C sont polarisées. Lorsque les réactifs comportent plusieurs sites donneurs ou accepteurs de doublet d'électrons : c'est l'examen de la structure des produits qui permet d'identifier les sites qui interagissent lors de l'étape.

Saponification des esters

La saponification du benzoate d'éthyle (**activité 4**) a pour équation :

$$C_6H_5-CO_2-C_2H_5 + HO^- \longrightarrow C_6H_5-CO_2^- + C_2H_5-OH$$

Le mécanisme de cette réaction comporte plusieurs étapes. La première de ces étapes est une réaction d'addition de l'ion hydroxyde sur l'ester. L'examen des réactifs montre que :

– **l'ion hydroxyde**, porteur de trois doublets d'électrons non liants, est un **site donneur de doublet d'électrons** ;

– **l'atome de carbone** du groupe ester porte une charge partielle positive car il est lié à deux atomes d'oxygène plus électronégatifs que lui : c'est un **site accepteur de doublet d'électrons** (doc. 10).

Ces deux sites interagissent lors de la réaction selon :

$$C_6H_5-\overset{\overset{\overline{O}^{\delta\ominus}}{\|\,\delta''\oplus}}{C}-\underline{\overline{O}}^{\delta'\ominus}-C_2H_5 + H-\overline{\underline{O}}|^{\ominus} \longrightarrow C_6H_5-\overset{|\overline{\underline{O}}|^{\ominus}}{\underset{|\underline{O}-H}{C}}-\underline{\overline{O}}-C_2H_5$$

$$C_6H_5-\overset{\overline{O}^{\delta\ominus}}{\overset{\|\,\delta''\oplus}{C}}-\underline{\overline{O}}^{\delta'\ominus}-C_2H_5$$

Doc. 10 Identification des sites donneurs et du site accepteur de doublet d'électrons dans le benzoate d'éthyle.

La **flèche courbe** orientée d'un des doublets non liants de l'ion hydroxyde vers l'atome de carbone du groupe ester représente le mouvement du doublet correspondant à la **formation de la liaison** C–O. L'atome de carbone du groupe ester devant respecter la règle de l'octet, la formation de cette liaison entraîne **le basculement de l'un des doublets de la double liaison** C=O **vers l'atome d'oxygène** : ce mouvement est représenté par la seconde **flèche courbe**.

Réduction de la benzophénone

La réduction de la benzophénone par l'ion tétrahydruroborate, réalisée lors de l'**activité 5**, a pour équation :

$$4\,C_6H_5-\overset{\overset{O}{\|}}{C}-C_6H_5 + \overset{\ominus}{B}H_4 + 4\,C_2H_5OH \rightarrow 4\,C_6H_5-\overset{\overset{OH}{|}}{C}H-C_6H_5 + \overset{\ominus}{B}(OC_2H_5)_4$$

Dans une des étapes du mécanisme réactionnel, l'ion hydrure $H^{\ominus}$, généré par l'ion tétrahydruroborate, interagit avec le site accepteur d'électrons de la cétone (doc. 11) selon l'équation :

$$\overline{H}^{\ominus} + C_6H_5-\overset{\overset{C_6H_5}{|}}{\underset{\delta\oplus}{C}}=\underset{\delta\ominus}{\overline{O}} \longrightarrow C_6H_5-\overset{\overset{C_6H_5}{|}}{\underset{\underset{H}{|}}{C}}-\overline{\underline{O}}|^{\ominus}$$

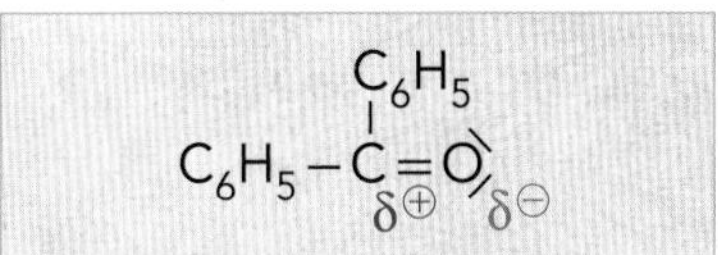

Doc. 11 Identification des sites donneur et accepteur de doublet d'électrons dans la benzophénone.

Les deux flèches courbes tracées permettent d'expliquer la **formation de la liaison** C–H et la **rupture d'une des deux liaisons du groupe** C=O.

On peut procéder de même pour les étapes de la synthèse de l'aspirine (**activité 3**). Plus généralement (doc. 12) :

> Lors d'une transformation, l'ensemble des réactions qui se produisent au niveau microscopique constitue **le mécanisme réactionnel**.
> Chacune de ces réactions est une étape du mécanisme réactionnel et résulte de l'interaction entre un site donneur et un site accepteur de doublet d'électrons.
> Le mouvement de ce doublet d'électrons peut être représenté par une flèche courbe, reliant le site donneur au site accepteur de doublet d'électrons. Ces flèches courbes permettent d'expliquer la formation ou la rupture des liaisons au cours de ces réactions.

Voir exercices 3, p. 311, et 11 à 13, p. 314.

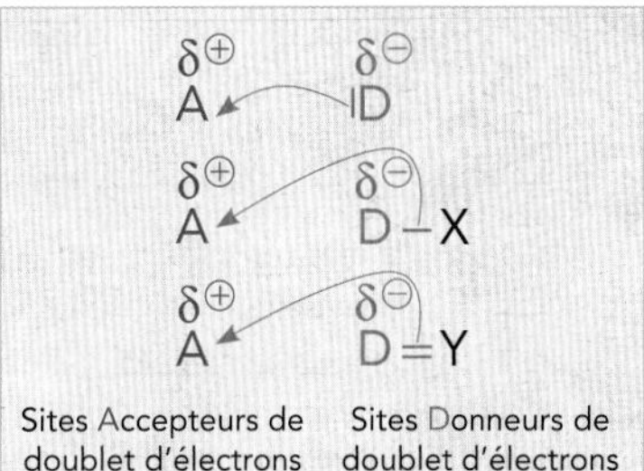

Doc. 12 Le doublet d'électrons d'un site donneur de doublet peut être un doublet non liant ou le doublet liant d'une liaison simple ou multiple. La flèche courbe annonce la formation d'une liaison entre A et D.

Polarisation d'une liaison

▸ **L'électronégativité** est une grandeur relative qui traduit l'aptitude d'un atome A à attirer à lui le doublet d'électrons qui l'associe à un autre atome B par une liaison covalente.

▸ Une **liaison** entre deux atomes A et B est **polarisée** si les électronégativités de ces deux atomes sont différentes :

$\overset{\delta\oplus}{A}-\overset{\delta\ominus}{B}$ La liaison A – B est polarisée.

A moins électronégatif que B

Plus la différence d'électronégativité entre les atomes liés est importante, plus la liaison est polarisée et plus les charges partielles portées par les atomes liés sont élevées.

▸ Les liaisons C – H sont considérées comme non polarisées.

Identification de site donneur ou accepteur de doublet d'électrons

▸ Dans un édifice, un atome porteur de doublet(s) non liant(s) ou porteur d'une charge électrique négative constitue un site donneur de doublet d'électrons. Une liaison multiple constitue également un site donneur de doublet d'électrons.

L'ion hydrure H^-, l'atome d'azote de l'ammoniac, l'atome d'oxygène de l'eau, l'atome de carbone du méthyllithium et la double liaison C = C de l'éthène constituent des sites donneurs de doublet d'électrons :

$\bar{H}^{\ominus}$; $H-\bar{N}-H$ (avec H) : N plus électronégatif que H ; $H-\underline{\bar{O}}-H$: O plus électronégatif que H ; $\overset{\delta\ominus}{H_3C}-\overset{\delta\oplus}{Li}$: C plus électronégatif que Li ; $H_2C=CH_2$

▸ Dans un édifice, un atome porteur d'une charge électrique positive constitue un site accepteur de doublet d'électrons.

L'ion hydrogène H^+, l'atome de carbone du chlorométhane et celui du groupe carbonyle C = O du méthanal constituent des sites accepteurs de doublet d'électrons ;

$H^{\oplus}$; $H_3\overset{\delta\oplus}{C}-\overset{\delta\ominus}{\underline{\overline{Cl}}}|$: C moins électronégatif que Cl ; $H-\overset{\delta\oplus}{C}(=\overset{\delta\ominus}{O})-H$: C moins électronégatif que O

Interaction entre sites donneur et accepteur de doublet d'électrons

▸ Lors d'une réaction chimique, l'ensemble des réactions qui se produisent à l'échelle microscopique constitue le mécanisme réactionnel.

▸ Chacune de ces réactions constitue une étape du mécanisme réactionnel et résulte de l'**interaction** entre un **site donneur** et un **site accepteur** de doublet d'électrons. Le mouvement d'un doublet d'électrons peut être représenté par une flèche courbe reliant le site donneur au site accepteur de doublet d'électrons. Ces **flèches courbes** permettent d'expliquer la formation ou la **rupture** des liaisons au cours de ces réactions.

$\overset{\delta\oplus}{A} \leftarrow \overset{\delta\ominus}{|D}$; $\overset{\delta\oplus}{A} \leftarrow \overset{\delta\ominus}{D}-X$; $\overset{\delta\oplus}{A} \leftarrow \overset{\delta\ominus}{D}=Y$

$H-\underline{\bar{O}}|^{\ominus} + H_3\overset{\delta\oplus}{C}-\overset{\delta\ominus}{\underline{\overline{Br}}}| \rightarrow H_3C-\underline{\bar{O}}-H + |\underline{\overline{Br}}|^{\ominus}$

Pour chaque question, indiquer la (ou les) bonne(s) réponse(s).

Voir corrigés, p. 606.

Données :

Élément	H	Li	C	N	O	Cl
Nom	Hydrogène	Lithium	Carbone	Azote	Oxygène	Chlore
Électronégativité	2,2	1,0	2,5	3,0	3,4	3,2

1 Polarisation d'une liaison

	A	B	C
1. L'électronégativité d'un atome traduit son aptitude à :	former une liaison avec un autre atome.	attirer à lui le doublet d'électrons qui le lie à un autre atome.	porter des charges partielles négatives.
2. Les polarisations données ci-contre sont-elles correctes ?	$\delta^{\ominus}C-N^{\delta\oplus}$	$\delta^{\ominus}C-Cl^{\delta\oplus}$	$\delta^{\oplus}C-O^{\delta\ominus}$
3. Les polarisations des liaisons multiples ci-contre sont-elles correctes ?	$H_2C^{\delta\oplus}=C^{\delta\ominus}H_2$	$H_2C^{\delta\oplus}=\overline{O}^{\delta\ominus}$	$CH_3-C^{\delta\ominus}\equiv N^{\delta\oplus}\vert$

Si erreur, revoir § 1, p. 306.

2 Identification de site donneur ou accepteur de doublet d'électrons

	A	B	C
1. Parmi les atomes de carbone représentés ci-contre, identifier les atomes accepteurs de doublet d'électrons :	$-\overset{\vert}{\underset{\vert}{C}}-Cl$	$-\overset{\vert}{\underset{\vert}{C}}-Li$	$\rangle C=O$
2. L'ion hydrogène H^+ est un site :	donneur de doublet d'électrons.	accepteur de doublet d'électrons.	ni donneur ni accepteur de doublet d'électrons.
3. L'ion hydrure $\overline{H}^{\ominus}$ est un site :	donneur de doublet d'électrons.	accepteur de doublet d'électrons.	ni donneur ni accepteur de doublet d'électrons.

Si erreur, revoir § 2, p. 307.

3 Interaction entre sites donneur et accepteur de doublet d'électrons

	A	B	C
1. Les flèches courbes tracées dans l'équation d'une étape d'un mécanisme réactionnel :	représentent le mouvement d'un doublet d'électrons.	vont du site donneur au site accepteur de doublet d'électrons.	vont du site accepteur au site donneur de doublet d'électrons.
2. La représentation correcte de la première étape du mécanisme de saponification du méthanoate d'éthyle est :	$H-C(=\overline{O})-\overline{O}-CH_3 + {}^{\ominus}\vert\overline{O}-H \rightarrow H-C(\vert\overline{O}\vert^{\ominus})(\vert\overline{O}-H)-\overline{O}-CH_3$	$H-C(=\overline{O})-\overline{O}-CH_3 + {}^{\ominus}\vert\overline{O}-H \rightarrow H-C(\vert\overline{O}\vert^{\ominus})(\vert\overline{O}-H)-\overline{O}-CH_3$	$H-C(=\overline{O})-\overline{O}-CH_3 + {}^{\ominus}\vert\overline{O}-H \rightarrow H-C(\vert\overline{O}\vert^{\ominus})(\vert\overline{O}-H)-\overline{O}-CH_3$
3. L'ion cyanure ${}^{\ominus}\vert C\equiv N\vert$ réagit en une seule étape avec le méthanal pour donner $N\equiv C-CH_2-O^{\ominus}$. Cette étape peut s'écrire :	$\vert N\equiv C\vert^{\ominus} + H_2C=\overline{O}$	$\vert N\equiv C\vert^{\ominus} + H_2C=\overline{O}$	$\vert N\equiv C\vert^{\ominus} + H_2C=\overline{O}$

Si erreur, revoir § 3, p. 308.

Exercice résolu

COMPÉTENCES
- Mobiliser ses connaissances.
- Raisonner et modéliser.

4 Expliquer la formation et la rupture de liaisons

Énoncé

L'éthylcellulose est un excipient pharmaceutique et un additif alimentaire obtenu à partir de cellulose et de choroéthane. Le chloroéthane peut être obtenu par addition du chlorure d'hydrogène sur l'éthène. Cette addition se fait en deux étapes. L'équation de la première étape est :

$$H_2C=CH_2 + H-Cl \longrightarrow H_3C-C^{\oplus}H_2 + |\overline{\underline{Cl}}|^{\ominus}$$

1. Identifier les sites donneurs et les sites accepteurs de doublet d'électrons.

2. Représenter, par des flèches courbes, les mouvements des doublets d'électrons mis en jeu. Expliquer la formation ou la rupture de liaisons alors observée.

Donnée : l'électronégativité du chlore est supérieure à celle de l'hydrogène.

Conseils

Comment identifier les sites donneurs ou accepteurs de doublet d'électrons ?

1. Utiliser la représentation de Lewis des réactifs. Rechercher la présence de sites riches en électrons (double liaison, atome porteur de doublet(s) non liant(s), etc.) pour les sites donneurs de doublet d'électrons. Rechercher des atomes appauvris en électrons (atomes porteurs d'une charge électrique positive) pour les sites accepteurs de doublet d'électrons.

Comment expliquer la formation ou la rupture de liaisons ?

2. Lorsqu'il y a plusieurs sites donneurs, ou accepteurs, de doublet d'électrons, analyser la structure du(des) produit(s) pour identifier le site mis en jeu.
Relier le site donneur de doublet d'électrons au site accepteur par une flèche.
Traduire la formation d'une liaison entre deux atomes par la mise en place d'un doublet liant ces deux atomes.
Traduire une rupture de liaison entre deux atomes par le départ du doublet les liant.

Solution rédigée

1. Dans la réaction étudiée :
- La double liaison C=C de l'éthène, site riche en électrons constitue un site donneur de doublet d'électrons.
- L'atome de chlore est plus électronégatif que celui d'hydrogène : la liaison entre ces atomes est polarisée.

$$\overset{\delta\oplus}{H}-\overset{\delta\ominus}{|\overline{\underline{Cl}}|}$$

L'atome de chlore porte des doublets non liants : il constitue un site donneur de doublet d'électrons.
- L'atome d'hydrogène porte une charge partielle positive et constitue donc un site accepteur de doublet d'électrons.

2. La liaison C–H formée provient d'un des doublets de la double liaison C=C de l'alcène. Lors de la rupture de la liaison entre l'atome de chlore et celui d'hydrogène, le doublet liant a basculé sur l'atome de chlore et constitue l'un des doublets non liants de l'ion chlorure.

$$H_2C=CH_2 + H-|\overline{\underline{Cl}}| \longrightarrow H-\underset{H}{\overset{H}{C}}-C^{\oplus}H_2 + |\overline{\underline{Cl}}|^{\ominus}$$

Application immédiate

La réaction entre l'éthanol et l'acide bromhydrique H–Br conduit au bromoéthane.
Le mécanisme de cette réaction comporte deux étapes dont les équations sont données ci-dessous :

$$CH_3-CH_2-\overline{\underline{O}}-H + H-|\overline{\underline{Br}}| \longrightarrow CH_3-CH_2-\underset{H}{\overset{\oplus}{\overline{O}}}-H + |\overline{\underline{Br}}|^{\ominus} \quad (1)$$

$$CH_3-CH_2-\underset{H}{\overset{\oplus}{\overline{O}}}-H + |\overline{\underline{Br}}|^{\ominus} \longrightarrow CH_3-CH_2-Br + H-\overline{\underline{O}}-H \quad (2)$$

Identifier le site donneur et le site accepteur de doublet d'électrons, sachant que l'électronégativité du brome est supérieure à celle de l'hydrogène. Représenter, par des flèches courbes, les mouvements des doublets d'électrons mis en jeu et expliquer la formation ou la rupture de liaisons alors observée.

Voir corrigés, p. 606.

Compétences exigibles au baccalauréat

- ✔ Déterminer la polarisation des liaisons en lien avec l'électronégativité (table fournie). ➜ activité 1 ➜ exercice 15
- ✔ Identifier un site donneur, un site accepteur de doublet d'électrons. ➜ activité 2 ➜ exercice 10
- ✔ Pour une ou plusieurs étapes d'un mécanisme réactionnel donné, relier par une flèche courbe les sites donneur et accepteur en vue d'expliquer la formation ou la rupture de liaisons. ➜ activités 3, 4 et 5 ➜ exercice 17

Pour commencer

Comment déterminer la polarisation d'une liaison ?

5 Utiliser une table d'électronégativités

1. Parmi les liaisons C – Li, C – N et C – S, quelles sont celles qui sont polarisées ?
2. Dans le cas des liaisons polarisées, déterminer le signe des charges partielles portées par chacun des atomes liés.

Données : électronégativité : C : 2,5 ; Li : 1,0 ; N : 3,0 ; S : 2,6.

6 Déterminer la polarisation d'une liaison

On considère les molécules dont les formules sont données ci-dessous :

a. hydrure de lithium Li – H ; b. phosphine H – P – H (avec un H lié à P) ; c. sulfure de dihydrogène H – S – H.

```
H–P–H
  |
  H
```

1. Quelles sont les liaisons polarisées ?
2. Lorsque les liaisons sont polarisées, déterminer le signe des charges partielles des atomes liés, puis recopier la formule des molécules correspondantes en indiquant les charges portées par chacun des atomes.
3. Quelle est la liaison la plus polarisée ? Justifier.

Données : électronégativité : H : 2,2 ; Li : 1,0 ; P : 2,2 ; S : 2,6.

7 Rechercher des liaisons polarisées

Le modèle moléculaire de la molécule d'acide éthanoïque est donné ci-contre :

1. Considère-t-on généralement que les liaisons C – H sont polarisées ?
2. Quelles sont les liaisons polarisées présentes dans la molécule ? Justifier.
3. Écrire la formule développée de la molécule ; y indiquer les charges électriques éventuelles des atomes.

Données : électronégativité : O : 3,4 ; C : 2,5 ; H : 2,2.

Comment identifier un site donneur ou accepteur de doublet d'électrons ?

8 Identifier des sites donneurs ou accepteurs

On donne les représentations de Lewis de :

– l'éthanal

```
 δ⊖ O   H
    ||  |
H – C – C – H
   δ⊕   |
        H
```

– l'éthanamine

```
δ⊕   δ'⊖   H   H
           |δ''⊕|
   H – N – C – C – H
       |   |   |
       H   H   H
      δ⊕
```

Dans chacune de ces molécules, identifier en justifiant :

1. le (ou les) sites donneur(s) de doublet d'électrons ;
2. le (ou les) sites accepteur(s) de doublet d'électrons.

9 Rechercher des sites donneurs ou accepteurs

On donne les représentations de Lewis de :

– l'éthanoate de méthyle

```
        δ⊖
    H   O        H
    |   ||  δ''⊖ |
H – C – C – O – C – H
    |  δ'⊕       |
    H            H
```

– l'éthanamide

```
        δ⊖
    H   O
    |   ||  δ''⊖  δ'''⊕
H – C – C – N – H
    |  δ'⊕  |
    H       H δ'''⊕
```

1. a. Justifier le signe des charges partielles des atomes.
b. Les autres atomes de carbone de l'éthanoate d'éthyle portent-ils des charges partielles ? Pourquoi ?
2. Pour chacune de ces molécules, identifier :
a. le (ou les) sites donneur(s) de doublet d'électrons ;
b. le (ou les) sites accepteur(s) de doublet d'électrons.

10 Localiser des sites donneurs ou accepteurs

On donne les représentations de Lewis :

– de l'iodoéthane

```
    H   H
    |   |
H – C – C – I
    |   |
    H   H
```

– du méthanol

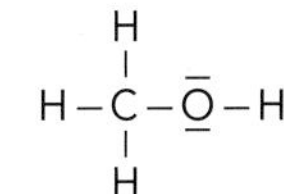

```
    H
    |
H – C – O – H
    |
    H
```

1. Quelles sont les liaisons polarisées ?
2. Déterminer le signe des charges partielles éventuelles des atomes.
3. Identifier le(s) site(s) donneur(s) ou accepteur(s) de doublet d'électrons.

Données : liaison C – H non polarisée.
électronégativité : H : 2,2 ; C : 2,5 ; O : 3,4 ; I : 2,7.

Exercices

Comment interagissent les sites donneurs et accepteurs de doublet d'électrons ?

11 Choisir une représentation de mouvement des doublets d'électrons

On s'intéresse à l'une des étapes du mécanisme de l'hydratation du propène.
Choisir la proposition correcte parmi les trois données ci-dessous. Justifier le choix fait.

Proposition I :

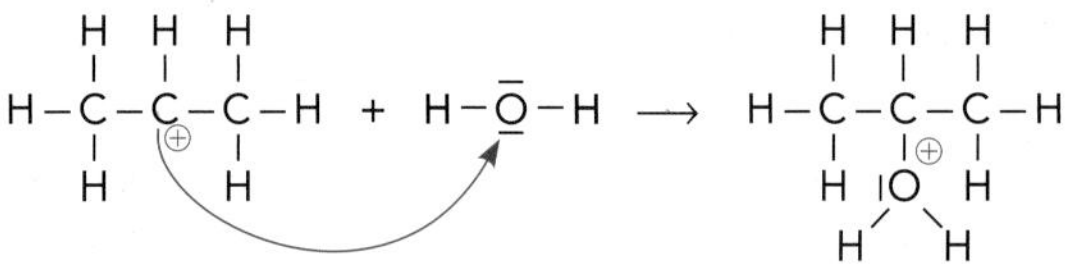

```
   H  H  H                               H  H  H
   |  |  |                _              |  |  |
H–C–C–C–H  +  H–O–H  ⟶  H–C–C–C–H
   |  ⊕ |                ‾              |  |⊕ |
   H     H                               H |O  H
                                           /  \
                                          H    H
```

Proposition II

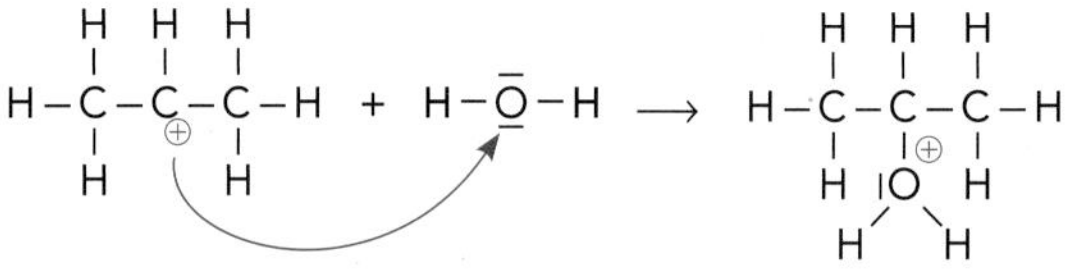

```
   H  H  H                               H  H  H
   |  |  |                _              |  |  |
H–C–C–C–H  +  H–O–H  ⟶  H–C–C–C–H
   |  ⊕ |                ‾              |  |⊕ |
   H     H                               H |O  H
                                           /  \
                                          H    H
```

Proposition III

```
   H  H  H                               H  H  H
   |  |  |                _              |  |  |
H–C–C–C–H  +  H–O–H  ⟶  H–C–C–C–H
   |  ⊕ |                ‾              |  |⊕ |
   H     H                               H |O  H
                                           /  \
                                          H    H
```

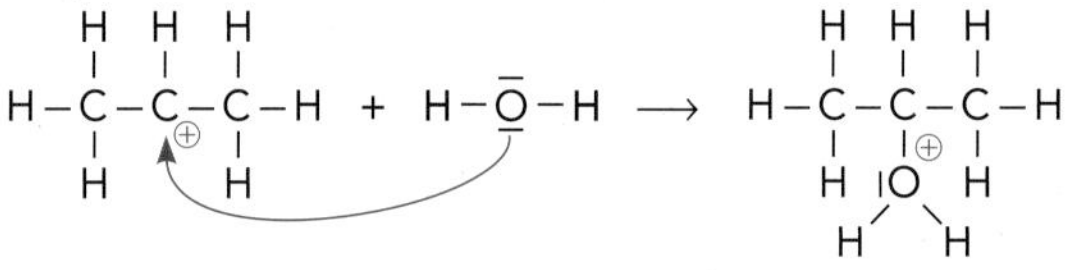

12 Représenter le mouvement des doublets d'électrons

La réaction entre l'ion méthanolate $CH_3-O^{\ominus}$ et le chloroéthane se fait en une étape d'équation :

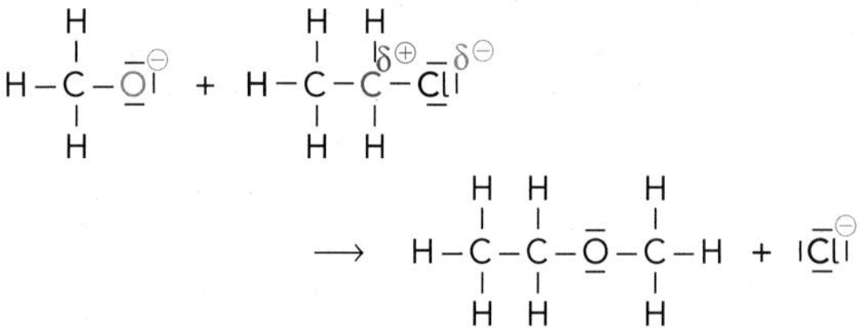

```
   H             H  H
   |    _⊖       |  |δ⊕ _δ⊖
H–C–O|   +   H–C–C–Cl|
   |    ‾        |  |   ‾
   H             H  H

                 H  H     H
                 |  |  _  |           _⊖
         ⟶  H–C–C–O–C–H  +  |Cl|
                 |  |  ‾  |           ‾
                 H  H     H
```

Recopier cette équation et représenter, par des flèches courbes, le mouvement des doublets d'électrons expliquant la formation et la rupture des liaisons.

13 Expliquer la formation et la rupture de liaisons

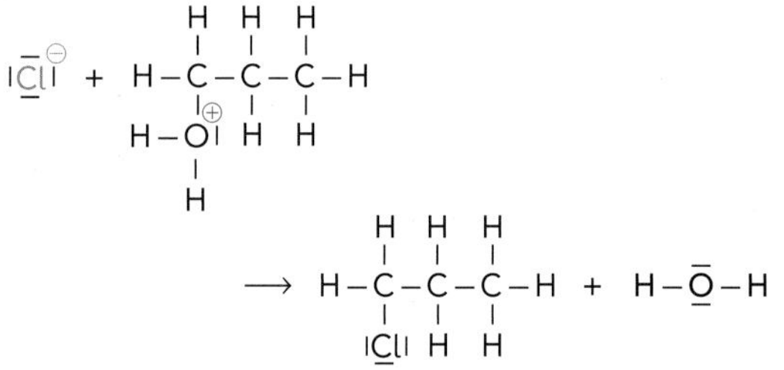

Le mécanisme de la réaction entre le propan-1-ol et l'acide chlorhydrique est donné ci-après dans les équations (1) et (2).

Recopier les équations de ces étapes.
Représenter par des flèches courbes le mouvement des doublets d'électrons expliquant la formation et la rupture des liaisons.

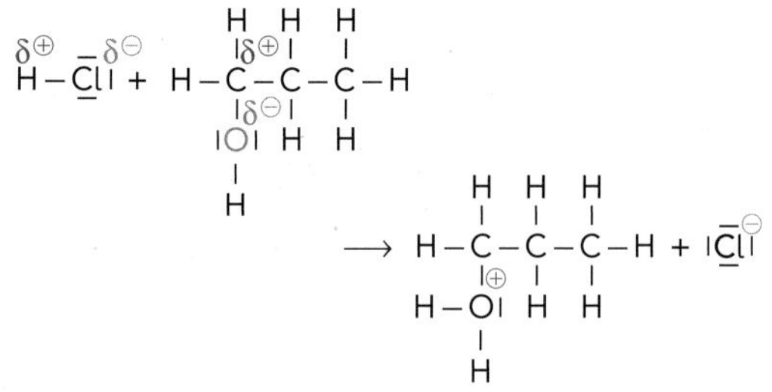

```
                   H  H  H
δ⊕  _δ⊖           |δ⊕|  |
H–Cl| +  H–C–C–C–H
    ‾              |δ⊖|  |
                  |O| H  H
                   |
                   H
                                  H  H  H
                                  |  |  |          _⊖
                         ⟶  H–C–C–C–H + |Cl|   (1)
                                  |⊕ |  |          ‾
                               H–O| H  H
                                  |
                                  H

_⊖         H  H  H
|Cl|  +  H–C–C–C–H
‾          |⊕ |  |
        H–O| H  H
           |
           H
                          H  H  H
                          |  |  |          _
                 ⟶  H–C–C–C–H  +  H–O–H   (2)
                          |  |  |          ‾
                        |Cl| H  H
                         ‾
```

Pour s'entraîner

14 À chacun son rythme

COMPÉTENCES **Raisonner ; modéliser ; rédiger.**

Cet exercice est proposé à deux niveaux. Dans un premier temps, essayer de résoudre l'exercice de niveau 2. En cas de difficultés, passer au niveau 1.

La réaction entre l'éthanol et le chlorure de zinc $ZnCl_2$, en présence d'acide chlorhydrique, se fait en plusieurs étapes et permet de préparer du chloroéthane.
La première étape a pour équation :

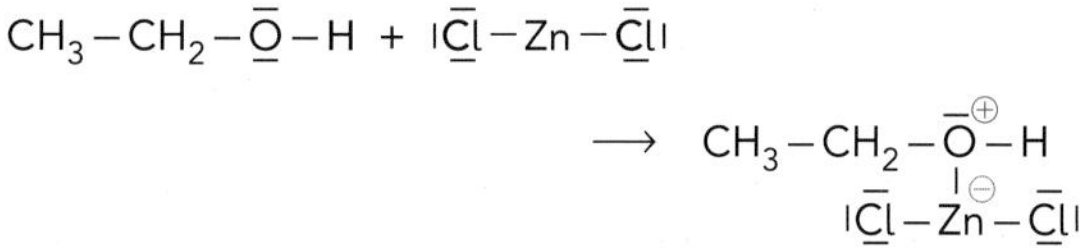

```
          _          _      _
CH3–CH2–O–H  +  |Cl–Zn–Cl|
          ‾          ‾      ‾
                              _⊕
              ⟶  CH3–CH2–O–H
                              |⊖
                           |Cl–Zn–Cl|
```

Niveau 2 (énoncé compact)

À l'aide de flèches courbes, justifier les modifications de liaisons qui ont lieu.

Niveau 1 (énoncé détaillé)

1. Quelles sont les liaisons polarisées dans les deux réactifs ?

2. Déterminer les signes des charges partielles portées par les atomes formant ces liaisons.

3. Identifier le site donneur et le site accepteur mis en jeu dans les réactifs.

4. Représenter, par une (des) flèche(s) courbe(s), le mouvement du (des) doublet(s) d'électrons permettant d'expliquer la (les) modification(s) de liaison(s) observée(s).

Données :
électronégativités : H : 2,2 ; C : 2,5 ; O : 3,4 ; Cl : 3,2 ; Zn : 1,7.

Voir, si nécessaire, l'exercice résolu 4, p. 312.

15 Test à la 2,4-DNPH

COMPÉTENCES **Raisonner; modéliser.**

Le test à la 2,4-DNPH, notée $R-NH-NH_2$, est caractéristique des aldéhydes et des cétones. La réaction se fait en plusieurs étapes.

Avec l'éthanal comme composé carbonylé, les équations des deux premières étapes sont les suivantes :

$$H_3C-\overset{\overset{\displaystyle \langle O \rangle}{\|}}{C}-H \quad + \quad H^{\oplus} \quad \longrightarrow \quad H_3C-\overset{\overset{\displaystyle H-|O^{\oplus}}{\|}}{C}-H \qquad (1)$$

$$R-\underset{-}{\overset{H}{N}}-\underset{-}{\overset{H}{N}}-H \;+\; H_3C-\overset{\overset{\displaystyle H-|O^{\oplus}}{\|}}{C}-H \;\longrightarrow\; H_3C-\overset{\overset{\displaystyle H-|\overline{O}|}{|}}{C}-H \;\text{ avec } C-\overset{\oplus}{N}H_2-\overline{N}H-R \qquad (2)$$

Pour chacune des étapes ci-dessus :

1. Identifier les sites donneurs et accepteurs de doublet d'électrons dans les réactifs.

2. Recopier l'équation, puis représenter, par des flèches courbes, le mouvement des doublets d'électrons permettant d'expliquer la formation et la rupture des liaisons.

Données : électronégativités :
H : 2,2; C : 2,5; O : 3,4; N : 3,0.

➜ Voir, si nécessaire, l'exercice résolu 4, p. 312.

16 Un nouveau type de solvant

COMPÉTENCES **Extraire l'information; raisonner; modéliser.**

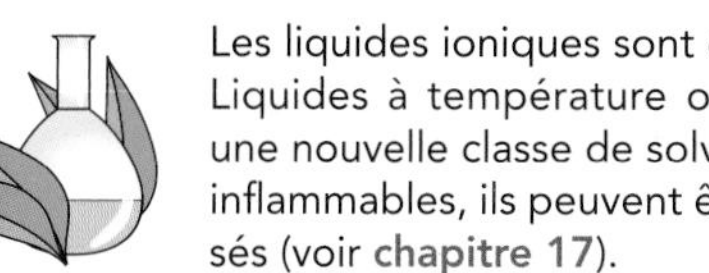

Les liquides ioniques sont des composés ioniques. Liquides à température ordinaire, ils constituent une nouvelle classe de solvant. Non volatils et non inflammables, ils peuvent être recyclés, puis réutilisés (voir **chapitre 17**).

Un de ces solvants, l'hexafluorophosphate de 1-butyl-3-méthylimidazolium a pour formule simplifiée $bmim^+ + PF_6^-$. Le cation $bmim^+$ peut être obtenu à partir du 1-méthylimidazole et du 1-bromobutane selon la réaction d'équation :

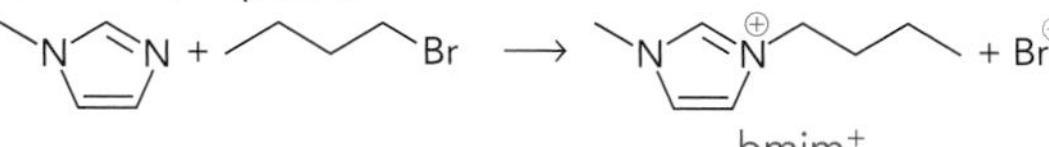

$bmim^+$

1. a. Écrire l'équation de la réaction en utilisant les formules semi-développées des espèces mises en jeu.
b. Tous les atomes, autres que l'atome d'hydrogène, vérifient la règle de l'octet.
Quels sont les atomes qui portent des doublets non liants dans les réactifs?
Représenter le(s) doublet(s) non liant(s) portés par ces atomes dans les formules semi-développées du a.

2. a. Identifier, en justifiant, les sites donneur et accepteur de doublet d'électrons mis en jeu dans la réaction.
b. Représenter, par des flèches courbes, le mouvement des doublets d'électrons permettant d'expliquer la formation et la rupture des liaisons.

3. a. Citer deux solvants utilisés en chimie organique.
b. Quel est l'intérêt des liquides ioniques en tant que solvant?

Données :
électronégativités : H : 2,2; C : 2,5; N : 3,0; Br : 3,0.

17 Biocarburant du futur?

COMPÉTENCES **Raisonner; modéliser.**

Des essais grandeur nature d'utilisation du méthoxyméthane, ou diméthyléther DME, de formule CH_3OCH_3, comme carburant pour des camions, sont menés en Suède depuis 2011.

Le DME, obtenu à partir de la biomasse, est qualifié de biocarburant. Au laboratoire, il peut être synthétisé par chauffage du méthanol en présence d'acide sulfurique. Les étapes constituant le mécanisme de la réaction sont données ci-dessous :

$$H_3C-\overline{\underline{O}}-H \;+\; H^{\oplus} \;\longrightarrow\; H_3C-\underset{\oplus}{\overset{H}{\underline{O}}}-H \qquad (1)$$

$$H_3C-\underset{\oplus}{\overset{H}{\underline{O}}}-H \;+\; H_3C-\overline{\underline{O}}-H \;\longrightarrow\; H_3C-\overset{H}{\underline{O}^{\oplus}}-CH_3 \;+\; H-\overline{\underline{O}}-H \qquad (2)$$

$$H_3C-\overset{H}{\underline{O}^{\oplus}}-CH_3 \;\longrightarrow\; \dots \qquad (3)$$

1. Pour les étapes (1) et (2) :
a. Identifier les sites donneurs et accepteurs de doublet d'électrons des réactifs. Justifier.
b. Recopier l'équation, puis représenter, par des flèches courbes, le mouvement des doublets d'électrons permettant d'expliquer la formation et la rupture des liaisons.

2. Quels sont les produits formés lors de l'étape (3)? Recopier et compléter son équation.

3. @ Qu'est-ce que la biomasse? Qu'est-ce qu'un biocarburant? Quel est son intérêt?

Données : électronégativités : H : 2,2; C : 2,5; O : 3,4.

Pour aller plus loin

*Les électronégativités sont données dans la classification périodique (**rabat VI**).*

18 Bac Hydratation de l'hex-1-ène

COMPÉTENCES **Extraire des informations; raisonner; calculer; modéliser.**

On chauffe à reflux un mélange obtenu en ajoutant un volume V = 20 mL d'hex-1-ène à une solution aqueuse d'acide sulfurique.

Après lavage, séchage et distillation, une masse $m = 8{,}22$ g d'hexan-2-ol est obtenue.

1. a. Écrire l'équation de la réaction entre l'eau et l'hex-1-ène.
b. À quelle catégorie de réactions appartient-elle ?
c. Quelle modification de structure s'est produite au cours de cette réaction ?

2. Les spectres IR de l'hex-1-ène et du produit obtenu sont donnés ci-dessous. Comment permettent-ils de vérifier que l'alcène de départ a été hydraté ?

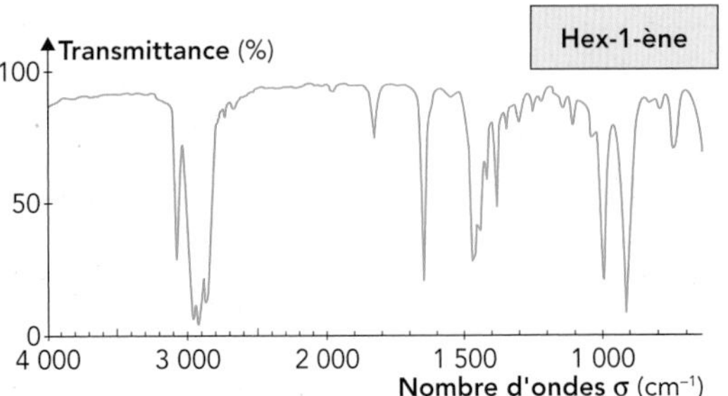

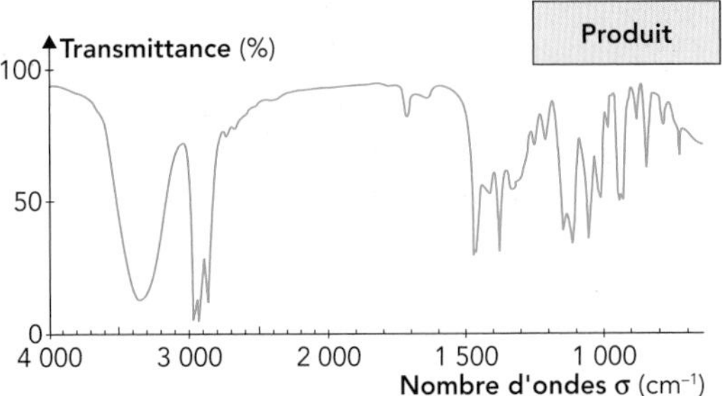

3. Le mécanisme réactionnel de l'hydratation de l'hex-1-ène est donné ci-dessous :

$$C_4H_9-\underset{H}{C}=\underset{H}{C}-H + H^{\oplus} \longrightarrow C_4H_9-\overset{\oplus}{\underset{H}{C}}-CH_3 \qquad (1)$$

$$C_4H_9-\overset{\oplus}{\underset{H}{C}}-CH_3 + H-\underline{O}-H \longrightarrow C_4H_9-\overset{H-\overset{\oplus}{\overline{O}}-H}{\underset{H}{C}}-CH_3 \qquad (2)$$

$$C_4H_9-\overset{H-\overset{\oplus}{\overline{O}}-H}{\underset{H}{C}}-CH_3 \longrightarrow C_4H_9-\overset{|\overline{O}-H}{\underset{H}{C}}-CH_3 + H^{\oplus} \qquad (3)$$

Pour les étapes (1) et (2) :
a. Identifier les sites donneurs et accepteurs de doublet d'électrons dans les réactifs.
b. Recopier l'équation, puis représenter, par des flèches courbes, le mouvement des doublets d'électrons permettant d'expliquer la formation et la rupture de liaisons observées.
c. Représenter la flèche courbe qui permet d'expliquer la rupture de liaison qui a lieu lors de l'étape (3).

4. Quel est le rôle joué par les ions hydrogène apportés par l'acide sulfurique ?

5. L'hexan-2-ol est-il chiral ? Si oui, donner la représentation de Cram de ses deux énantiomères.

6. Déterminer le rendement de cette synthèse.

Données : densité de l'hex-1-ène : $d = 0{,}67$;
fiche n° 11B, p. 594.

19 Hydratation du chloral

COMPÉTENCES **Extraire des informations ; raisonner ; modéliser ; rédiger.**

L'hydrate de chloral est encore utilisé comme sédatif dans certains pays. Il est obtenu par hydratation en milieu acide du chloral selon la réaction d'équation :

$$Cl_3C-\overset{H}{C}=O \quad + \quad H-O-H \quad \longrightarrow \quad Cl_3C-\overset{H}{\underset{O-H}{C}}-O-H$$

1. a. À quelle catégorie de réactions appartient-elle ?
b. Quelle modification de structure s'est produite au cours de cette réaction ?

2. Le spectre IR du produit obtenu est donné ci-dessous :

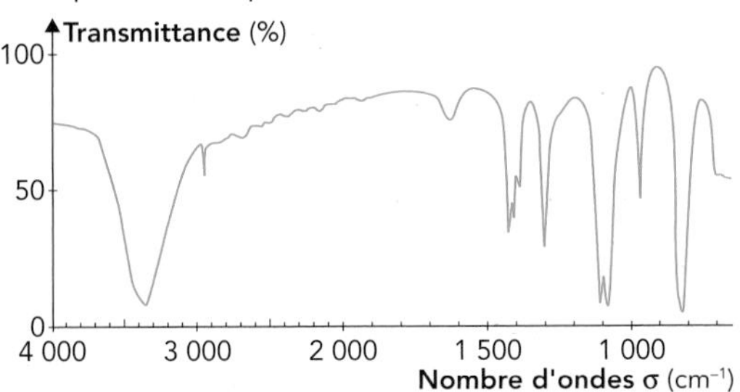

a. Montrer qu'il permet de vérifier que le chloral a été hydraté.
b. Combien observera-t-on de signaux dans le spectre de RMN de l'hydrate de chloral. Quelle sera leur multiplicité ?

Le mécanisme réactionnel correspondant à cette hydratation est donné ci-dessous :

$$|\overline{Cl}-\overset{|\overline{Cl}|}{\underset{|\underline{Cl}|}{C}}-\overset{H}{C}=\overline{O} + H^{\oplus} \longrightarrow |\overline{Cl}-\overset{|\overline{Cl}|}{\underset{|\underline{Cl}|}{C}}-\overset{H}{C}=\overset{\oplus}{\underline{O}}-H \qquad (1)$$

$$Cl_3C-\overset{H}{C}=\overset{\oplus}{\underline{O}}-H + H-\overline{O}-H \longrightarrow Cl_3C-\overset{H}{\underset{H-\overset{\oplus}{\underline{O}}-H}{C}}-\overline{O}-H \qquad (2)$$

$$Cl_3C-\overset{H}{\underset{H-\overset{\oplus}{\underline{O}}-H}{C}}-\overline{O}-H \longrightarrow \ldots \qquad (3)$$

3. Pour l'étape (1) :
a. Identifier les sites donneurs et accepteurs de doublet d'électrons dans les réactifs.
b. Recopier l'équation, puis représenter, par des flèches courbes, le mouvement des doublets d'électrons expliquant la formation et la rupture des liaisons observées.

4. Rédiger un texte expliquant les flèches courbes tracées pour l'étape (2).

5. Quels sont les produits formés lors de l'étape (3)? Recopier et compléter son équation.

6. Quel est le rôle joué par les ions hydrogène présents dans le milieu acide?

Donnée : **fiche n° 11B**, p. 594.

➲ Voir, si nécessaire, l'exercice résolu 4, p. 312.

20 Bac Synthèse de l'éthanamide

COMPÉTENCES Raisonner; modéliser.

L'éthanamide entre dans la composition de la chitine, constituant essentiel de l'exosquelette des crustacés, insectes, coléoptères (ci-contre), etc. Au laboratoire, l'éthanamide peut être obtenu par réaction entre l'ammoniac NH_3 et l'anhydride éthanoïque

$$H_3C-C(=O)-O-C(=O)-CH_3.$$

1. a. Quelle est la formule semi-développée de l'éthanamide? Quelle est sa fonction chimique?
b. Écrire l'équation de la réaction sachant qu'il se forme aussi de l'acide éthanoïque.
c. À quelle catégorie de réaction appartient-elle?

2. Le spectre IR de l'éthanamide est donné ci-dessous :

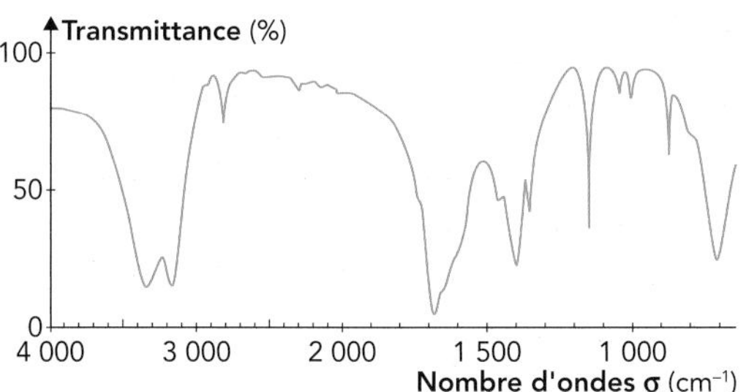

a. Le spectre IR permet-il de vérifier la présence du groupe caractéristique du produit?
b. Combien observera-t-on de signaux dans le spectre de RMN de l'éthanamide et quelle sera leur multiplicité?

3. Les étapes du mécanisme réactionnel sont données ci-dessous :

$$H_3C-C(=O)-\overline{O}-C(=O)-CH_3 + \overline{N}H_3 \longrightarrow H_3C-C(-O^{\ominus})(-\overset{\oplus}{N}H_3)-\overline{O}-C(=O)-CH_3 \quad (1)$$

$$H_3C-C(-O^{\ominus})(-\overset{\oplus}{N}H_3)-\overline{O}-C(=O)-CH_3 \longrightarrow H_3C-C(=O)-\overset{\oplus}{N}H_3 + {}^{\ominus}|\overline{O}-C(=O)-CH_3 \quad (2)$$

$$H_3C-C(=O)-\overset{\oplus}{N}H(H)-H + {}^{\ominus}|\overline{O}-C(=O)-CH_3 \longrightarrow \dots \quad (3)$$

Pour les étapes (1) et (2) :

a. Identifier les sites donneurs et accepteurs de doublet d'électrons dans les réactifs.
b. Recopier l'équation, puis représenter, par des flèches courbes, le mouvement des doublets d'électrons expliquant la formation et la rupture des liaisons observées.

4. Quels sont les produits formés lors de l'étape (3)? Recopier et compléter son équation.

5. a. À quelle catégorie de réaction appartient la réaction de l'étape (2) ?
b. Pourquoi qualifie-t-on souvent la réaction de synthèse étudiée de réaction d'addition-élimination?

Données : **fiche n° 11**, p. 594-595.

21 Electron donnors and electron acceptors

COMPÉTENCES Extraire des informations ; raisonner ; rédiger.

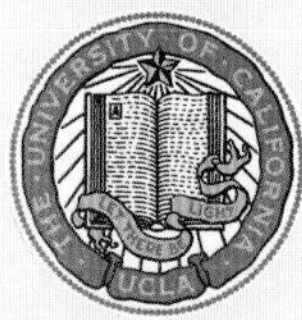

Because of the *ubiquity* of electron pair *sharers* and acceptors in organic reactions, we assign special and distinct terms to these species.

A molecule or ion that accepts a pair of electrons to make a new covalent bond is called an *electrophile (from the Greek for "electron loving")*.
[...] Any molecule, ion or atom that is electron deficient in some way can behave as an electrophile. [...]

Typical electrophiles :

$H-\overset{\oplus}{C}H_2$	$H-BH_2$	$\overset{\delta\oplus}{H}-\overset{\delta\ominus}{Cl}$
Methyl carbocation	Borane	Hydrogen chloride
Carbon has a formal positive charge	*Boron has an open octet*	*Hydrogen bears a δ⊕ charge*

A molecule or ion that donates a pair of electrons to form a new covalent bond is called a *nucleophile (from the Greek for "nucleus loving")*.
[...] Any molecule, ion or atom that has electrons that can be *shared* can be a nucleophile. [...]

Typical nucleophiles :

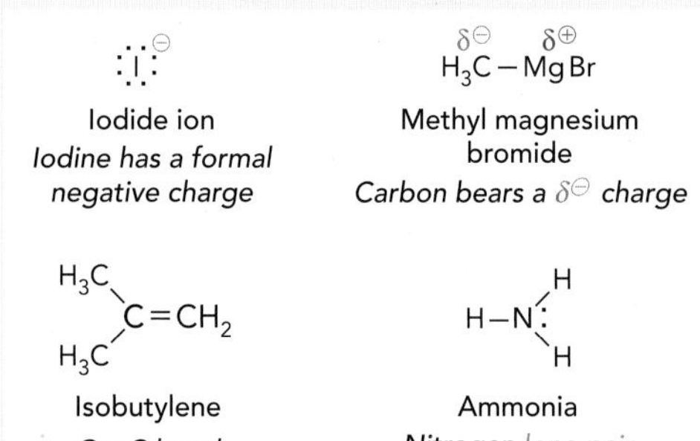

The study of reaction mechanisms is central to the study of organic chemistry at any level. Therefore identification of electrophiles and nucleophiles is a critical organic chemistry survival *skill*. Examination of a structure … is one way to identify how a molecule or ion might *behave* in a reaction. Another way is by considering the *curved arrows*. *Because electrons flow from an electron source to a place of electron deficiency, a curved arrow points away from a nucleophile and to an electrophile.*

Extract from a tutorial posted on the website of the University of Los Angeles.

Vocabulaire : *ubiquity* : omniprésence ; *sharers* : donneurs ; *shared* : partagé ; *lone pair* : doublet non liant ; *skill* : compétence ; *behave* : se comporter ; *curved arrows* : flèches courbes.

1. a. Quels sont les atomes qui respectent la règle de l'octet dans les électrophiles cités ?
Que signifient « · · » dans les représentations ?
b. Quels sont les sites accepteurs d'électrons dans le « *méthyl carbocation* » et dans le « *borane* » ?
c. Que peut-on dire de la liaison entre les atomes de chlore et d'hydrogène dans la molécule HCl ?
Comparer leurs électronégativités.
d. Commenter le premier extrait en *italique*.

2. a. Les liaisons N – H sont-elles polarisées ? Le cas échéant, quels sont les signes des charges partielles portées par les atomes de la molécule d'ammoniac ?
b. Identifier les sites donneurs de doublet d'électrons dans les nucléophiles donnés en exemples.
c. Commenter le deuxième extrait en *italique*.

3. Quelles sont les méthodes proposées pour identifier les sites accepteurs et donneurs de doublet d'électrons ? Commenter le troisième extrait en *italique*.

22 Bac Synthèse d'un arôme

COMPÉTENCES **Raisonner ; modéliser ; calculer.**

L'éthanoate de butyle est utilisé comme arôme alimentaire. Il peut être obtenu par réaction entre le butan-1-ol et l'acide éthanoïque.

1. a. Quelle est la fonction chimique de l'éthanoate de butyle ?
b. Écrire les formules des espèces mises en jeu dans la réaction, puis l'équation de la réaction sachant qu'il se forme également de l'eau.
c. À quelle catégorie de réaction appartient-elle ?

2. On fait réagir des quantités d'alcool (ol) et d'acide éthanoïque (ac) telles que : $n_0(\text{ol}) = n_0(\text{ac}) = 0{,}10$ mol.
On obtient un volume $V = 9{,}9$ mL d'éthanoate de butyle. Quel est le rendement de la synthèse ?

3. Les spectres IR et de RMN de l'éthanoate de butyle sont donnés ci-dessous :

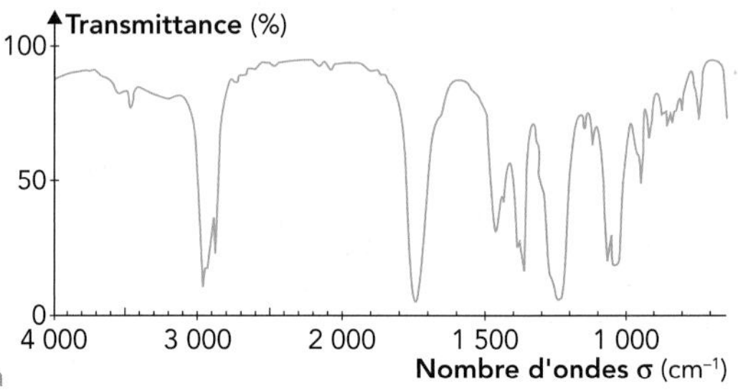

a

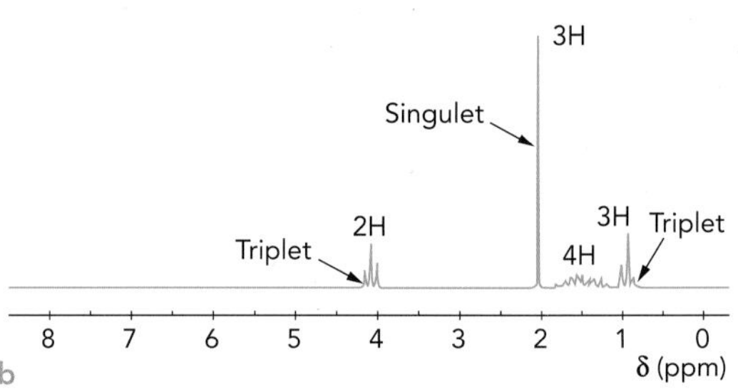

b

a. Le spectre IR permet-il de justifier que le produit obtenu est celui attendu ?
b. Attribuer les signaux du spectre de RMN.

4. Pour les deux premières étapes du mécanisme réactionnel données ci-dessous :

$$\mathrm{H_3C-C(=\overline{\underline{O}})-\overline{\underline{O}}-H + H^{\oplus} \longrightarrow H_3C-C(=\overline{O}^{\oplus}-H)-\overline{\underline{O}}-H} \quad (1)$$

$$\mathrm{H_3C-C(=\overline{O}^{\oplus}-H)-\overline{\underline{O}}-H + C_3H_7-CH_2-\overline{\underline{O}}-H \longrightarrow H-\overline{\underline{O}}-C(CH_3)(\overline{O}^{\oplus}H-CH_2-C_3H_7)-\overline{\underline{O}}-H} \quad (2)$$

a. Identifier les sites donneurs et accepteurs de doublet d'électrons dans les réactifs.
b. Recopier l'équation, puis représenter, par des flèches courbes, le mouvement des doublets d'électrons intervenant dans ce mécanisme.

Données : Éthanoate de butyle : densité $d = 0{,}88$;
Fiche n° 11, p. 594 et 595.

Un pas vers l'enseignement supérieur

23 Réduction du benzile 

COMPÉTENCES Trouver des informations ; raisonner ; modéliser ; calculer.

Une masse m_0 = 2,00 g de benzile, ou 1,2-diphényl-éthanedione, noté **A**, est dissoute dans un volume V = 20 mL d'éthanol. Une masse m = 0,40 g de tétra-hydruroborate de sodium $NaBH_4$ est ajoutée lentement tout en agitant. Il se produit une réaction d'équation :

$$2\,C_6H_5-\underset{}{\overset{O}{\overset{\|}{C}}}-\overset{O}{\overset{\|}{C}}-C_6H_5 + NaBH_4 + 4\,C_2H_5-OH$$
$$\longrightarrow 2\,C_6H_5-\overset{OH}{\overset{|}{CH}}-\overset{OH}{\overset{|}{CH}}-C_6H_5 + NaB(OC_2H_5)_4$$

Après séparation et purification, une masse m' = 1,60 g d'hydrobenzoïne, noté **B**, est obtenue. La température de fusion de ce produit vaut θ_{fus} = 136 °C.

1. a. Identifier le produit **B** obtenu lors de la réduction.
b. Ce produit est-il chiral ?

2. Déterminer le rendement de la synthèse.

3. Montrer que le benzile a été réduit.

4. L'ion tétrahydruroborate génère des ions hydrure H^- dans le milieu réactionnel. L'une des étapes du mécanisme a pour équation :

$$C_6H_5-\overset{\langle\overline{O}\rangle}{\overset{\|}{C}}-\overset{\langle\overline{O}\rangle}{\overset{\|}{C}}-C_6H_5 + \overline{H}^{\ominus} \longrightarrow C_6H_5-\overset{|\overline{\underline{O}}|^{\ominus}}{\overset{|}{CH}}-\overset{\langle\overline{O}\rangle}{\overset{\|}{C}}-C_6H_5$$

a. Identifier les sites donneurs et accepteurs de doublet d'électrons dans les réactifs.
b. Recopier cette équation, puis représenter, par des flèches courbes, le mouvement des doublets d'électrons intervenant dans cette étape.

5. Attribuer les spectres IR (a) et de RMN (b) au benzile ou à l'hydrobenzoïne.

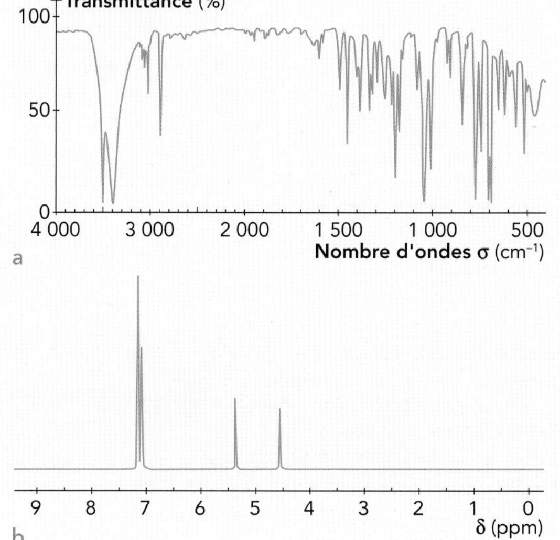

Données : **fiche n° 11**, p. 594-595

Espèce	Benzile	B_1	B_2
θ_{fus}	95 °C	136 °C	120 °C

24 Composés organométalliques

COMPÉTENCES Mobiliser ses connaissances ; raisonner ; trouver des informations.

Noter le numéro **1**, **2** ou **3** suivi de la (ou des) lettre(s) correspondant à la (ou aux) affirmation(s) correcte(s).

1. On considère les deux composés organiques ci-dessous :

$$CH_3-CH_2-\overline{\underline{Cl}}| \qquad CH_3-CH_2-Mg-\overline{\underline{Cl}}|$$

a. Les charges partielles, portées par les atomes de carbone, repérés en rouge, ont le même signe.
b. Les charges partielles, portées par les atomes de chlore, ont le même signe.
c. La liaison entre un atome de magnésium et un atome de chlore est plus polarisée que la liaison entre un atome de carbone et un atome de chlore.
d. L'atome de carbone lié à l'atome de magnésium constitue un site donneur d'électrons.

2. Le chloroéthane réagit avec le chlorure d'éthylmagnésium $CH_3-CH_2-Mg-Cl$ pour donner du butane.
a. La réaction est une réaction de substitution.
b. Le mécanisme de la réaction peut s'écrire :

$$CH_3-CH_2-\overline{\underline{Cl}}| + CH_3-CH_2-Mg-\overline{\underline{Cl}}|$$
$$\longrightarrow CH_3-CH_2-CH_2-CH_3 + |\overline{\underline{Cl}}-Mg-\overline{\underline{Cl}}|$$

c. Le mécanisme de la réaction peut s'écrire :

$$CH_3-CH_2-\overline{\underline{Cl}}| + CH_3-CH_2-Mg-\overline{\underline{Cl}}|$$
$$\longrightarrow CH_3-CH_2-CH_2-CH_3 + |\overline{\underline{Cl}}-Mg-\overline{\underline{Cl}}|$$

3. Le chlorure d'éthylmagnésium $CH_3-CH_2-Mg-Cl$ peut réagir avec l'éthanal, selon :

$$CH_3-CH_2-Mg-\overline{\underline{Cl}}| + CH_3-\underset{H}{\underset{|}{C}}=\overline{O}\rangle$$

a. L'éthanal possède un groupe carboxyle.
b. Le produit $C_2H_5-CH(CH_3)-\overline{\underline{O}}-Mg-\overline{\underline{Cl}}|$ est obtenu.
c. Cette réaction est une substitution.

Exercices

Retour sur l'ouverture du chapitre

25 Histoire du savon

COMPÉTENCES Extraire et exploiter des informations ; raisonner.

Au Ier siècle, Pline l'Ancien écrit dans son encyclopédie *Histoire naturelle* :
« Le savon inventé dans les Gaules pour rendre les cheveux blonds. [...] Il se fait avec du suif et des cendres ; le meilleur est fait des cendres de hêtres et du suif de chèvre. Il y en a deux sortes, épais et liquide. [...] »

La fabrication du savon est très ancienne. Il y a 4 500 ans, les Sumériens en fabriquaient à partir de graisse et de carbonate de potassium, tout comme les Égyptiens. Les Romains le découvrent grâce aux Gaulois.
Les Arabes utilisent les cendres de plantes maritimes, *al qali*, contenant de la soude et des corps gras. En Europe, dès le VIIe siècle, la fabrication se fait à partir de corps gras et d'oxyde de calcium. Au XIIIe siècle, Marseille devient un centre très important de fabrication du savon à partir de l'huile d'olive. Enfin, en 1823, le chimiste E. CHEVREUL définit la saponification et en décrit les caractéristiques. Le savon est actuellement toujours synthétisé à partir de corps gras et d'hydroxyde de sodium, ou de potassium.

« La saponification est une opération par laquelle, au moyen d'un alcali, on obtient, de certains corps gr non acides, des corps gras acides. La potasse réduit [cette graisse] en glycérine e acide stéarique, margarique et oléique. [...] »
E. CHEVREUL, *Recherche chimique sur les corps gras d'origine animale*, F. G. Levrault, 1823

Équation d'une réaction de synthèse de savon

$$\begin{array}{l} R-C(=O)-O-CH_2 \\ R'-C(=O)-O-CH \\ R''-C(=O)-O-CH_2 \end{array} + 3\,Na^{\oplus} + 3\,HO^{\ominus}$$

$$\longrightarrow \begin{array}{l} R-C(=O)-O^{\ominus} + Na^{\oplus} \\ R'-C(=O)-O^{\ominus} + Na^{\oplus} \\ R''-C(=O)-O^{\ominus} + Na^{\oplus} \end{array} + \begin{array}{l} CH_2-OH \\ CH-OH \\ CH_2-OH \end{array}$$

Mécanisme de la réaction de saponification

$$R-C(=\overline{\underline{O}})-\overline{\underline{O}}-R' + H-\overline{\underline{O}}|^{\ominus} \longrightarrow R-C(-|\overline{\underline{O}}|^{\ominus})(-|\overline{O}-H)-\overline{\underline{O}}-R' \quad (1)$$

$$R-C(-|\overline{\underline{O}}|^{\ominus})(-|\overline{O}-H)-\overline{\underline{O}}-R' \longrightarrow R-C(=\overline{\underline{O}})-\overline{\underline{O}}-H + R'-\overline{\underline{O}}|^{\ominus} \quad (2)$$

$$R-C(=\overline{\underline{O}})-\overline{\underline{O}}-H + R'-\overline{\underline{O}}|^{\ominus} \longrightarrow R-C(=\overline{\underline{O}})-\overline{\underline{O}}|^{\ominus} + R'-\overline{\underline{O}}-H \quad (3)$$

1. @ Qu'est-ce que le suif ? Pourquoi utilisait-on des cendres mélangées à de l'eau pour fabriquer le savon ?

2. L'acide margarique est un mélange d'acides stéarique et palmitique. La glycérine est le propane-1,2,3-triol.
a. @ Rechercher les formules de l'acide stéarique, de l'acide palmitique et de l'acide oléique.
b. Proposer une formule pour la graisse dont E. CHEVREUL donne les produits de saponification en supposant R différent de R' et de R''.
c. Quelle masse de savon obtient-on par traitement d'une masse m = 1,0 kg de cette graisse par un excès d'hydroxyde de sodium ?

3. Justifier le caractère acide des acides carboxyliques. Commenter et illustrer la définition de la saponification donnée par E. CHEVREUL.

4. Pourquoi Marseille est-il devenu un centre important de production de savon ?

5. a. Pour chacune des trois étapes du mécanisme de la saponification, identifier le site donneur et le site accepteur de doublet d'électrons mis en jeu.
b. Recopier l'équation, puis représenter, par des flèches courbes, le mouvement des doublets d'électrons intervenant dans ce mécanisme.

6. L'ion carboxylate présent dans un savon est schématisé ci-contre.
a. Les liaisons du groupe alkyle sont-elles polarisées ?
b. Les liaisons du groupe carboxylate sont-elles polarisées ?
c. Pourquoi l'ion carboxylate a-t-il des affinités avec les molécules d'eau, d'une part, et avec les chaînes carbonées des graisses, d'autre part ?
d. Ces propriétés permettent-elles d'expliquer l'utilisation du savon comme détergent ?

Comprendre un énoncé

26 Bac Synthèse du 1-chlorobutane

On fait réagir un volume $V(\text{ol}) = 25{,}0$ mL de butan-1-ol et un volume $V(\text{ac}) = 70$ mL d'acide chlorhydrique concentré (à 11 mol·L^{-1}). Après séparation et traitement des produits obtenus, on obtient une masse $m = 17{,}5$ g de 1-chlorobutane.
Le mécanisme de la réaction comporte deux étapes d'équation :

$$C_3H_7-CH_2-\overline{\underline{O}}-H \;+\; H-\overline{\underline{Cl}}| \longrightarrow C_3H_7-CH_2-\underset{\oplus}{\overset{\overset{\displaystyle H}{|}}{\underline{O}}}-H \;+\; |\overline{\underline{Cl}}|^{\ominus} \qquad (1)$$

$$C_3H_7-CH_2-\underset{\oplus}{\overset{\overset{\displaystyle H}{|}}{\underline{O}}}-H \;+\; |\overline{\underline{Cl}}|^{\ominus} \longrightarrow C_3H_7-CH_2-\overline{\underline{Cl}}| \;+\; H-\overline{\underline{O}}-H \qquad (2)$$

Données : masse volumique de l'alcool : $\rho = 0{,}80$ g·mL^{-1} ;
électronégativité : H : 2,2 ; C : 2,5 ; Cl : 3,2 ; O : 3,4 ;
masses molaires atomiques (en g·mol^{-1}) : H : 1,0 ; C : 12,0 ; O : 16,0 ;
fiche n° 11B, p. 594.

Questions à se poser à la lecture de l'énoncé

- Quels sont les réactifs ?
- Quelles sont les formules des composés intervenant dans cette réaction ?
- À quoi correspond un mécanisme de réaction ?
- Quelles sont les liaisons formées ou rompues lors de ces deux étapes ?
- À quelles grandeurs donnent accès les données fournies ?

<table>
<tr><th>Questions</th><th>Compétences à mobiliser</th><th>Si difficulté, revoir</th></tr>
<tr><td>1. Écrire l'équation de la réaction.</td><td>• Extraire des informations*.
• Utiliser les règles de nomenclature.</td><td>Révisions, p. 126.</td></tr>
<tr><td>2. Le spectre IR du butan-1-ol est le suivant :
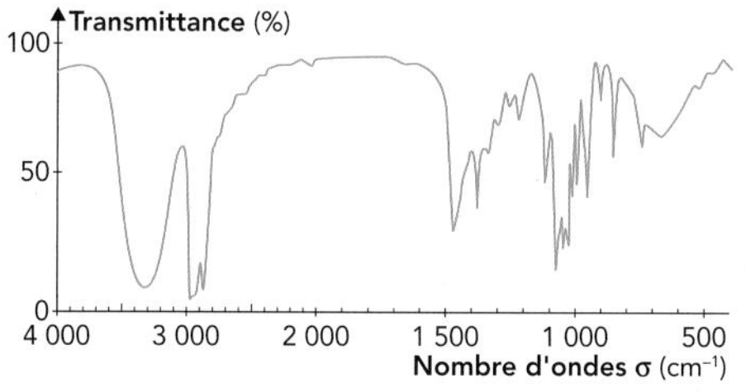

</td><td>• Extraire des informations*.
• Exploiter un spectre IR.</td><td>Chapitre 4, § 3, p. 95.</td></tr>
<tr><td>a. Quelles sont les bandes d'absorption caractéristiques du butan-1-ol ?
b. Comment suivre l'évolution de la réaction à l'aide de tracés de spectre IR ?</td><td>• Raisonner*.</td><td></td></tr>
<tr><td>3. À quelle catégorie appartient la réaction ?</td><td>• Identifier la catégorie de la réaction mise en jeu.</td><td>Chapitre 11, § 2, p. 287.</td></tr>
<tr><td>4. a. Comment est polarisée la liaison entre l'atome de chlore et celui d'hydrogène ?
b. Comment sont polarisées les liaisons établies par l'atome d'oxygène ?</td><td>• Utiliser l'électronégativité.
• Déterminer le signe des charges partielles portées par les atomes liés.</td><td>Cours §1, p. 306.
Exercice 4, p. 312.</td></tr>
<tr><td>5. a. Quels sont les sites donneur et accepteur de doublet d'électrons des réactifs de (1) et (2) ?
b. Recopier l'équation, puis représenter, par des flèches courbes, le mouvement des doublets d'électrons intervenant dans ce mécanisme.</td><td>• Identifier un site donneur ou accepteur de doublet d'électrons.
• Relier par une flèche courbe les sites mis en jeu.</td><td>Cours § 2, p. 307.
Cours § 3, p. 308.</td></tr>
<tr><td>6. Déterminer le rendement de cette synthèse.</td><td>• Connaître les relations liant masse volumique, masse, volume, quantité de matière, masse molaire.
• Connaître la définition du rendement et l'utiliser.</td><td>Révisions, p. 126.
Exercice 23, p. 319.</td></tr>
</table>

* Compétence transversale.

Avoir les bons réflexes 

Si l'énoncé demande de...	il est nécessaire de...	Si difficulté	Pour réviser
Déterminer la polarisation des liaisons d'une molécule.	● Établir la représentation de Lewis de la molécule lorsqu'elle n'est pas donnée. ● Connaître la définition de l'électronégativité. ● Utiliser les tables ou les valeurs d'électronégativité fournies. ● Savoir que la polarisation des liaisons C – H ne doit pas être prise en compte.	Exercices 6 et 7, p. 313.	**Exercice 5 p. 313.**
Identifier un site donneur ou un site accepteur de doublet d'électrons.	● Déterminer les charges partielles portées par les atomes en utilisant les électronégativités respectives des atomes liés. ● Rechercher, pour les sites donneurs : – les atomes porteurs de doublet(s) non liant(s) ou porteurs d'une charge électrique négative ; – les liaisons multiples. ● Rechercher, pour les sites accepteurs, les atomes porteurs d'une charge électrique positive.	Exercice résolu 4, p. 312, et exercices 10, p. 313, et 15, p. 315.	**Exercice 9 p. 313.**
Représenter le mouvement d'un doublet d'électrons lors d'une étape d'un mécanisme réactionnel.	● Tracer une flèche courbe allant du doublet d'électrons du site donneur vers le site accepteur de doublet d'électrons.	Exercice résolu 4, p. 312, et exercice 12, p. 314.	**Exercice 13 p. 314.**
Expliquer la formation ou la rupture de liaisons.	● Identifier les sites donneurs ou accepteurs de doublet d'électrons. ● Repérer, dans les réactifs et les produits, les doublets mis en jeu lors de la formation et de la rupture des liaisons. ● Pour la formation d'une liaison, tracer une flèche courbe partant du doublet d'électrons du site donneur et allant vers l'atome auquel le doublet va s'attacher. ● Pour la rupture d'une liaison, tracer une flèche courbe partant du doublet correspondant à la liaison rompue et allant vers l'atome sur lequel bascule ce doublet d'électrons.	Exercice résolu 4, p. 312, et exercice 15, p. 315.	**Exercice 16 p. 315.**

Dans les conditions du baccalauréat

● **Avec aide :** **Exercice 26 p. 321.**

● **Sans aide :** **Exercice 22 p. 318.**

Réaction chimique par échange de proton

Chapitre 13

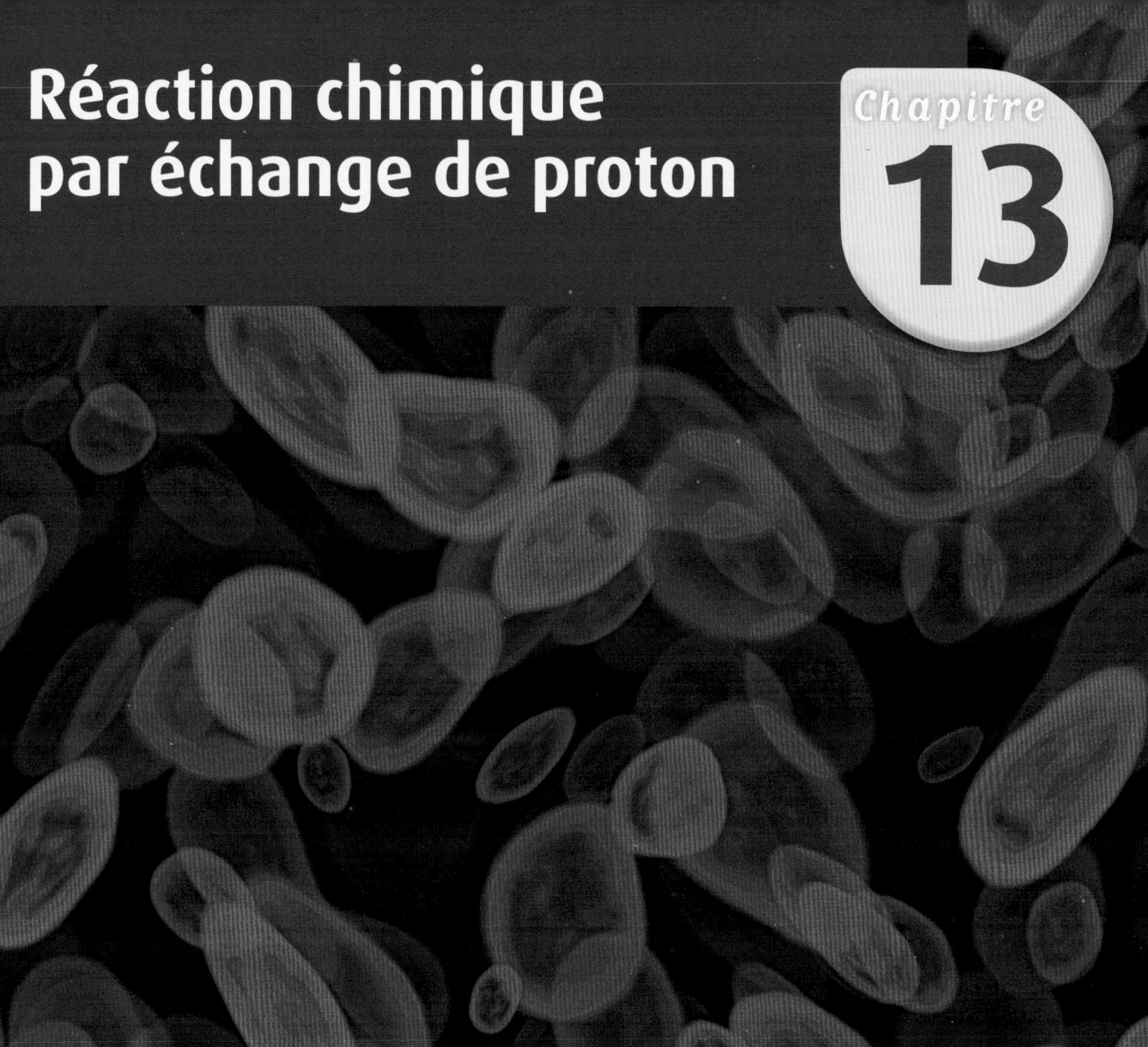

Le sang peut être assimilé à une solution aqueuse dont le pH a une valeur voisine de 7,4. Le maintien de la valeur du pH du sang est dû à des échanges de protons entre des espèces chimiques régulatrices dont CO_2, H_2O et HCO_3^-. **Comment ces espèces permettent-elles le maintien de la valeur du pH du sang ? (Voir exercice 33, p. 346.)**

Qu'est-ce qu'une réaction chimique par échange de proton ?

OBJECTIFS

→ Définir et mesurer le pH d'une solution aqueuse.
→ Savoir qu'une réaction chimique peut conduire à un état d'équilibre.
→ Définir un acide et une base selon la théorie de Brönsted.
→ Définir et utiliser la constante d'acidité d'un couple acide / base.
→ Calculer le pH d'une solution aqueuse d'acide fort ou de base forte.

Activités — Étude expérimentale

Compétence exigible au baccalauréat
- *Mesurer le pH d'une solution aqueuse.*

1 Mesures de pH de solutions aqueuses

Il est souvent nécessaire de mesurer précisément le pH d'une solution aqueuse. Pour cela, on utilise un appareil appelé pH-mètre. Comment mesurer le pH d'une solution aqueuse avec un pH-mètre ?

A Solutions aqueuses d'acides

1. Solution aqueuse d'acide éthanoïque

▸ Placer un bécher sur un agitateur magnétique et y verser 100 mL d'eau distillée. Mesurer le pH de l'eau distillée avec le pH-mètre (**fiche n° 12**, p. 596 et doc. 1).

▸ Avec précaution, ajouter quelques gouttes d'acide éthanoïque pur. Agiter, puis mesurer le pH de la solution aqueuse d'acide éthanoïque obtenue.

Info
Par définition :
$pH = -\log [H_3O^+]$ soit $[H_3O^+] = 10^{-pH}$.

1 Une réaction chimique a-t-elle eu lieu lors de l'ajout de l'acide éthanoïque pur à l'eau distillée ? Pourquoi ?

2 Calculer les concentrations $[H_3O^+]$ des solutions avant et après ajout de l'acide éthanoïque pur.

▸ La réaction entre l'acide éthanoïque et l'eau est instantanée. Son équation s'écrit :

$$CH_3CO_2H(aq) + H_2O(\ell) \rightleftharpoons CH_3CO_2^-(aq) + H_3O^+(aq)$$

On considère une solution aqueuse S_1 d'acide éthanoïque $CH_3CO_2H(aq)$ de concentration en soluté apporté $C_1 = 1{,}0 \times 10^{-2}$ mol·L^{-1} et de volume $V_1 = 100$ mL.

▸ Mesurer le pH de la solution S_1.

3 Reproduire et compléter le tableau d'avancement ci-dessous associé à la solution S_1 :

Équation	$CH_3CO_2H(aq)$ +	$H_2O(\ell) \rightleftharpoons$	$CH_3CO_2^-(aq)$ +	$H_3O^+(aq)$
État initial (x = 0)	$C_1 \cdot V_1$	Solvant	......	......
État intermédiaire (x)	......	Solvant	......	......
État final (x_f)	......	Solvant	......	......

4 Déterminer la valeur de l'avancement maximal x_{max}.

5 Déterminer la concentration finale $[H_3O^+]_f$.

6 Déterminer la valeur de l'avancement final, noté x_f.

7 Comparer x_f et x_{max}. Conclure.

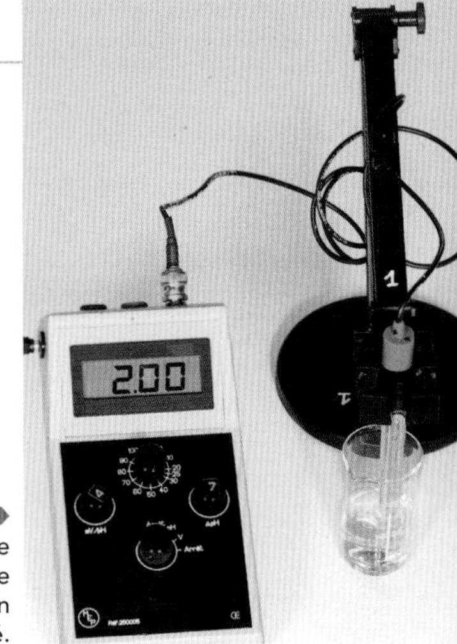

Doc. 1. Mesure du pH d'une solution aqueuse quelconque avec un pH-mètre étalonné.

2. Solution aqueuse d'acide chlorhydrique

▸ Une solution aqueuse d'acide chlorhydrique résulte de la mise en solution dans l'eau du chlorure d'hydrogène selon la réaction d'équation :

$$HCl(g) + H_2O(\ell) \longrightarrow H_3O^+(aq) + Cl^-(aq)$$

On dispose d'une solution S_2 aqueuse d'acide chlorhydrique, $H_3O^+(aq) + Cl^-(aq)$, de concentration en soluté apporté $C_2 = 1{,}0 \times 10^{-2}$ mol·L^{-1} et de volume $V_2 = 100$ mL.

▸ Mesurer le pH de la solution S_2.

8 Reproduire et compléter le tableau d'avancement ci-dessous associé à la solution S_2 :

Équation	$HCl(g)$ +	$H_2O(\ell) \longrightarrow$	$H_3O^+(aq)$ +	$Cl^-(aq)$
État initial (x = 0)	$C_2 \cdot V_2$	Solvant	......	......
État intermédiaire (x)	......	Solvant	......	......
État final (x_f)	......	Solvant	......	......

9 Répondre aux questions 4 à 7 pour cette réaction.

Un pas vers le cours...

10 La réaction entre le chlorure d'hydrogène et l'eau est dite totale alors que celle entre l'acide éthanoïque et l'eau ne l'est pas. Quelle propriété associée à chacune de ces réactions justifie ces appellations ?

B Notion d'équilibre ; sens d'évolution d'un système chimique

Info La réaction entre l'acide éthanoïque et l'eau n'étant pas totale, le système chimique atteint un **état d'équilibre** dans l'état final, caractérisé par la coexistence des réactifs et des produits dans le mélange réactionnel.
Pour traduire cet équilibre, l'équation de la réaction s'écrit avec une **double flèche** $\rightleftharpoons$:
$CH_3CO_2H(aq) + H_2O(\ell) \rightleftharpoons CH_3CO_2^-(aq) + H_3O^+(aq)$

- Dans deux béchers identiques, verser 20 mL de la solution S_1. Mesurer le pH initial, noté pH_i.
- Dans le bécher 1, ajouter, environ 0,5 g d'éthanoate de sodium $CH_3CO_2Na(s)$.
- Dans le bécher 2, verser, avec précaution, deux gouttes d'acide éthanoïque pur.
- Agiter, puis mesurer les pH des solutions obtenues, notés respectivement pH_1 et pH_2.

On suppose que les volumes des solutions n'ont pas varié lors des expériences.

11 a. Comment évolue le pH dans le bécher 1 ? Comment varie alors la concentration $[H_3O^+]$?
b. Dans quel sens le système chimique a-t-il évolué : sens direct $\longrightarrow$ ou sens inverse $\longleftarrow$ de l'équation de la réaction ?

12 Répondre aux mêmes questions pour l'expérience réalisée dans le bécher 2.

Un pas vers le cours...

13 Comment évolue un système chimique lorsqu'on ajoute une des espèces chimiques intervenant dans l'équation de la réaction ?

2 Réaction entre un acide fort et une base forte*

Certaines réactions chimiques s'accompagnent d'échange thermique. Qu'en est-il de la réaction entre un acide fort et une base forte ?

Compétence exigible au baccalauréat
- *Mettre en évidence l'influence des quantités de matière mises en jeu sur l'élévation de la température observée.*

L'acide chlorhydrique, $H_3O^+(aq) + Cl^-(aq)$, et l'hydroxyde de sodium, $Na^+(aq) + HO^-(aq)$, réagissent selon une réaction totale d'équation :

$$H_3O^+(aq) + HO^-(aq) \longrightarrow 2\,H_2O(\ell)$$

- Observer les pictogrammes des réactifs utilisés. Rechercher les risques associés à leur utilisation et s'organiser en conséquence (**rabat IV**).
- Dans un premier bécher de 250 mL, verser 100 mL d'une solution d'acide chlorhydrique de concentration en soluté apporté $1{,}0\ mol \cdot L^{-1}$.
- Dans un second bécher de 250 mL, verser 100 mL d'une solution d'hydroxyde de sodium, de concentration en soluté apporté $1{,}0\ mol \cdot L^{-1}$.
- Mesurer la température initiale θ_i des deux solutions.
- Avec précaution, verser le contenu de l'un des béchers dans l'autre et agiter.
- Mesurer la température finale θ_f du mélange réactionnel.
- Recommencer l'expérience précédente avec des solutions d'acide chlorhydrique et d'hydroxyde de sodium diluées dix fois.

1 Comparer les températures finales atteintes par les deux mélanges réactionnels aux températures initiales.

2 Lors de la réaction étudiée, le système chimique absorbe-t-il ou cède-t-il de l'énergie thermique ?

3 Quelle est l'influence des concentrations des solutions sur l'élévation de température observée ?

En travaillant rapidement les pertes d'énergie vers l'extérieur sont négligeables devant l'énergie thermique $\mathscr{E}_{th}$ libérée par la réaction. On considère les mesures de température de la première expérience.

4 Calculer l'énergie thermique $\mathscr{E}_{th}$ libérée par la réaction sachant que $\mathscr{E}_{th} = m \cdot c \cdot (\theta_f - \theta_i)$.
Données : on assimile la masse m du mélange réactionnel à la masse d'un même volume d'eau et on suppose que : $c \approx c_{eau} = 4{,}18\ J \cdot g^{-1} \cdot °C^{-1}$.

5 Calculer les quantités d'acide et de base utilisées lors de cette expérience.

6 En déduire la valeur de l'avancement maximal x_{max} de la réaction.

7 Quelle serait la valeur de l'énergie thermique $\mathscr{E}_{th}$ si l'avancement était égal à une mole ?

8 La valeur de référence de l'énergie thermique $\mathscr{E}_{th}$, donnée dans les tables, est $\mathscr{E}_{th} = 57\ kJ \cdot mol^{-1}$. Évaluer l'incertitude relative sur la valeur trouvée.

* Activité nécessitant les connaissances du cours de ce chapitre.

3 Intérêt du contrôle du pH dans un milieu biologique*

EN AUTONOMIE

SVT

Compétence exigible au baccalauréat

- Extraire et exploiter des informations pour montrer l'importance du contrôle du pH dans un milieu biologique.

Les liquides biologiques sont des solutions aqueuses dans lesquelles se produisent de nombreuses réactions chimiques. La plupart d'entre elles nécessite, entre autre, que le pH soit maintenu constant.
Comment le pH d'un milieu biologique est-il stabilisé ? Quelles peuvent être les conséquences d'une variation trop importante de sa valeur ?

Des ions oxonium H_3O^+ dans l'organisme

« Il existe, dans l'organisme, un très important recyclage des protons, libérés par certaines réactions, utilisés par d'autres, et la concentration de H_3O^+ reste à peu près constante dans les conditions physiologiques. Dans ce « cycle des protons », il faut distinguer :
- d'une part, les voies métaboliques qui aboutissent, dans les conditions physiologiques, à un état stationnaire, sans production apparente de protons : c'est le cas, par exemple, du métabolisme glucidique [...] ;
- d'autre part, le catabolisme de certains aliments qui conduit à la libération de protons. [...]

De nombreux autres facteurs tendent à perturber l'équilibre acido-basique des fluides extra- et intracellulaires, ainsi :
- la production de liquides digestifs acides (estomacs) ou alcalins (intestin) ;
- la libération métabolique d'une quantité importante de CO_2 [...], qui doit être éliminée par les poumons. »

Extrait de J.-C. Chotard, J.-C. Depezay et J.-P. Leroux, *Chimie fondamentale. Études biologiques et médicales*, Hermann, 1998.

pH des liquides biologiques

L'organisme est constitué de différents liquides, solutions aqueuses de compositions différentes, dont le pH est étroitement régulé :
- le pH du liquide intracellulaire est voisin de 7,0 ;
- le pH du sang veineux et du liquide interstitiel sont très voisins de 7,35 ;
- le pH du sang artériel varie entre 7,35 et 7,45.

Si le pH du sang artériel n'est pas compris entre ces deux valeurs, le fonctionnement des cellules de l'organisme est perturbé. On parle d'acidose quand le pH du sang artériel est inférieur à 7,35 et d'alcalose quand il est supérieur à 7,45.

La régulation de la concentration sanguine des ions H_3O^+ est réalisée par :
- les systèmes tampons chimiques du sang qui compensent les variations dès les premières secondes ;
- les poumons, par adaptation de la fréquence et de l'amplitude respiratoire, qui compensent en quelques minutes ;
- le rein, régulateur très puissant, qui agit plus lentement (de plusieurs heures à plusieurs jours).

Étendue de variation du pH compatible avec la vie

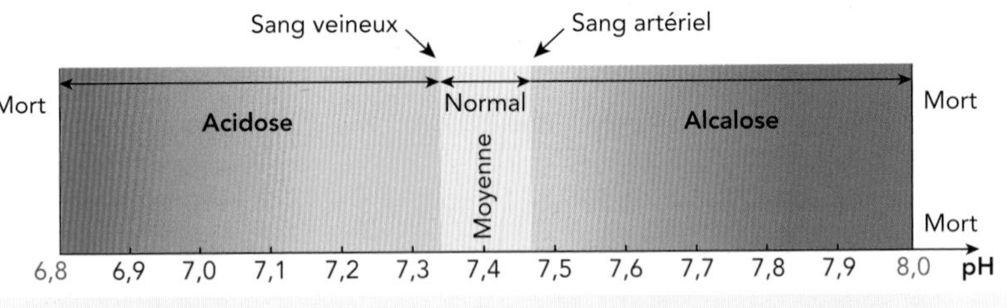

Le « tampon phosphate »

Le système « tampon phosphate » est formé par le couple acide / base ion dihydrogénophosphate / ion hydrogénophosphate $H_2PO_4^-(aq) / HPO_4^{2-}(aq)$.
C'est un système tampon très efficace mais sa concentration dans le liquide extracellulaire est trop faible pour qu'il puisse y jouer un rôle important.

Par contre, les ions $H_2PO_4^-(aq)$ et $HPO_4^{2-}(aq)$ sont très abondants dans les cellules. Ce système tampon est donc l'un des principaux systèmes tampons du liquide intracellulaire.
Sa réaction avec le couple $H_3O^+(aq) / H_2O(\ell)$ est traduite par la réaction d'équation :
$H_2PO_4^-(aq) + H_2O(\ell) \rightleftharpoons HPO_4^{2-}(aq) + H_3O^+(aq)$

* Activité nécessitant les connaissances du cours de ce chapitre.

Le « tampon bicarbonate »

Le principal système tampon des liquides extracellulaires, et donc du plasma humain, est le « tampon bicarbonate » formé par le couple acide / base dioxyde de carbone dissous / ions hydrogénocarbonate : $CO_2, H_2O\,(aq) / HCO_3^-(aq)$.
C'est un système tampon très efficace car chacune des espèces étant très abondante dans le liquide extracellulaire, sa réaction en cas de variation de pH est très rapide. Par ailleurs, la concentration de chacune des deux espèces est elle-même régulée par le rein pour l'ion HCO_3^- et par les poumons pour $CO_2, H_2O\,(aq)$. Ce système tampon participe à une réaction acido-basique avec le couple $H_3O^+(aq) / H_2O(\ell)$ selon la réaction d'équation :
$CO_2, H_2O\,(aq) + H_2O(\ell) \rightleftharpoons HCO_3^-(aq) + H_3O^+(aq)$
La valeur du pH d'une solution contenant ce système tampon est donnée par :

$$pH = pK_A + \log\frac{[HCO_3^-]}{[CO_2, H_2O]}$$

avec $pK_A = 6{,}1$ à 37 °C.
Ainsi, pour que le pH du sang soit maintenu constant, le rapport $R = \frac{[HCO_3^-]}{[CO_2, H_2O]}$ ne doit quasiment pas varier.

Les calculs urinaires

Les calculs urinaires sont des concrétions minérales qui se forment dans les voies urinaires.
La formation des calculs dépend de prédispositions génétiques, mais surtout de l'alimentation et d'une insuffisance d'apport hydrique. Ainsi, un pH acide favorise l'apparition de cristaux d'acide urique. Ces cristaux peuvent être dissous dans les voies urinaires en buvant chaque jour 1 à 2 L d'une eau de type « eau de Vichy ».

SOURCE ROYALE
COMPOSITION MOYENNE en mg/l :

Bicarbonates	4368	Sodium	1708
Chlorures	322	Potassium	132
Sulfates	174	Calcium	90
Fluorures	1	Magnésium	11

Minéralisation totale, extrait sec à 180°C : 4774 mg/l-pH : 6,6

Composition de l'eau de Vichy Saint-Yorre.

Calcul d'acide urique.

De l'importance du pH dans la formation des calculs

Le rôle du pH urinaire est essentiel dans la formation des calculs d'acide urique.
En effet, si le pH de l'urine est voisin de 7, alors 95 % de l'acide urique est sous forme d'ion urate soluble en solution aqueuse.
En revanche, si son pH est voisin de 5, alors tout l'acide urique est présent à l'état non ionisé insoluble.
Ainsi, tout facteur favorisant l'acidité des urines va favoriser la formation de calculs d'acide urique.

1 Quelle est la différence entre métabolisme et catabolisme ? Pourquoi parle-t-on de métabolisme du glucose ?

2 @ Rechercher les noms des différents liquides (sucs) produits au cours de la digestion ainsi que leur caractère acide ou basique.

3 Qu'est-ce qu'une « solution tampon » ?

4 Pourquoi les liquides des organismes vivants doivent-ils contenir des systèmes chimiques « tampons » ?

5 La dissolution de dioxyde de carbone dans une solution aqueuse provoque une acidification de la solution. Justifier alors que le pH du sang veineux est inférieur à celui du sang artériel.

6 a. Pour un pH du sang égal à 7,4 à 37 °C, calculer la valeur du rapport $\frac{[HCO_3^-]}{[CO_2, H_2O]}$.
b. Quelle espèce chimique du « tampon bicarbonate » prédomine alors dans le sang ?

7 Pour le « tampon phosphate », le pK_A du couple à 37 °C est égale à 6,9.
a. Par analogie avec l'expression du pH donnée dans le texte « Le tampon bicarbonate », écrire l'expression du pH d'une solution contenant les ions $H_2PO_4^-(aq)$ et $HPO_4^{2-}(aq)$ à 37 °C.
b. Dans un liquide intracellulaire, on suppose que les concentrations initiales en ions dihydrogénophosphate $H_2PO_4^-$ et en ions hydrogénophosphate HPO_4^{2-} sont telles que :

$$[H_2PO_4^-(aq)]_i = [HPO_4^{2-}(aq)]_i = 80\ \text{mmol}\cdot\text{L}^{-1}.$$

Quel est le pH initial de la solution ?
c. Une réaction enzymatique fournit 20 mmol·L^{-1} d'ions oxonium H_3O^+. Ces ions réagissent totalement avec l'ion hydrogénophosphate $HPO_4^{2-}(aq)$. Calculer le pH final après la réaction. Justifier alors l'appellation « tampon phosphate ».

8 a. Quelle est l'espèce ionique majoritaire dans l'eau de Vichy ?
b. L'équation de la réaction entre l'acide urique et l'ion hydrogénocarbonate est :

$$C_5H_4N_4O_3(s) + HCO_3^-(aq) \rightleftharpoons C_5H_3N_4O_3^-(aq) + CO_2, H_2O\,(aq)$$

Comment la consommation d'eau de Vichy peut-elle aider à la dissolution d'un calcul d'acide urique ?

4 Détermination d'une constante d'acidité K_A*

Un couple acide / base est caractérisé par sa constante d'acidité K_A.
Comment déterminer cette constante ?

Compétence exigible au baccalauréat
• *Mettre en œuvre une démarche expérimentale pour déterminer une constante d'acidité.*

A Détermination de concentrations d'ions par conductimétrie

▸ Étalonner le conductimètre (**fiche n° 12**, p. 596).

▸ Mesurer la conductivité σ d'une solution aqueuse S d'acide méthanoïque $HCO_2H(aq)$ de concentration molaire en soluté apporté $C = 5{,}0 \times 10^{-2}$ mol · L^{-1} (doc. 2).

1 Convertir la conductivité σ en S · m^{-1}.

2 Écrire l'équation de la réaction entre l'acide méthanoïque et l'eau sachant que les couples acide / base mis en jeu sont $HCO_2H(aq) / HCO_2^-(aq)$ et $H_3O^+(aq) / H_2O(\ell)$ et qu'elle conduit instantanément à un état d'équilibre.

3 Reproduire et compléter le tableau d'avancement de la réaction donné ci-dessous :

Équation	.... + ... $\rightleftharpoons$ .... + ...			
État initial ($x = 0$)	$n_0 = C \cdot V$	Solvant	......	......
État intermédiaire (x)	......	Solvant	......	......
État final ($x_f = x_{éq}$)	......	Solvant	......	......

4 a. Quelle relation a-t-on entre les quantités d'ions $n(HCO_2^-)_{éq}$ et $n(H_3O^+)_{éq}$ dans l'état d'équilibre ?
b. En déduire une relation entre les concentrations $[HCO_2^-]_{éq}$ et $[H_3O^+]_{éq}$ dans l'état d'équilibre.

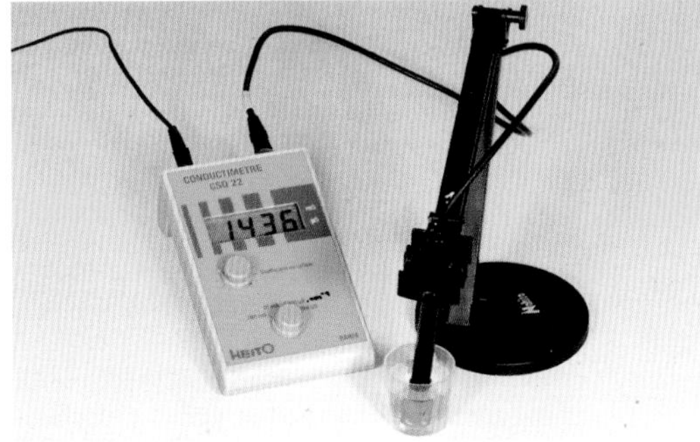

Doc. 2 Mesure de la conductivité σ d'une solution.

5 En s'aidant de la **fiche 12**, p. 596, exprimer la conductivité σ en fonction des concentrations des ions dans l'état d'équilibre et des conductivités ioniques molaires :
$\lambda_1 = \lambda(HCO_2^-) = 5{,}46 \times 10^{-3}$ S · m² · mol^{-1} ;
$\lambda_2 = \lambda(H_3O^+) = 35{,}0 \times 10^{-3}$ S · m² · mol^{-1}.

6 a. Déduire des résultats précédents, l'expression de la concentration $[H_3O^+]_{éq}$. Préciser les unités de chacune des grandeurs.
b. Calculer la concentration $[H_3O^+]_{éq}$ en mol · m^{-3} puis la convertir en mol · L^{-1}.
c. En déduire la valeur de la concentration $[HCO_2^-]_{éq}$ en mol · L^{-1}.

B Constante d'acidité K_A du couple $HCO_2H(aq) / HCO_2^-(aq)$

7 Exprimer la constante d'acidité K_A associée au couple $HCO_2H(aq) / HCO_2^-(aq)$.

8 a. À partir du tableau d'avancement, exprimer la quantité d'acide méthanoïque $n(HCO_2H)_{éq}$ dans l'état d'équilibre en fonction de n_0 et de $n(H_3O^+)_{éq}$.
b. En déduire une relation entre les concentrations $[HCO_2H]_{éq}$, C et $[H_3O^+]_{éq}$.

9 Exprimer la constante d'acidité K_A uniquement en fonction de C et de $[H_3O^+]_{éq}$.

10 Calculer la valeur de K_A pour le couple étudié.

11 a. Mettre en commun l'ensemble des résultats obtenus par les n groupes de la classe, puis calculer la valeur moyenne K_{Amoy} après suppression des résultats manifestement aberrants.
b. Déterminer l'incertitude de répétabilité $U(K_A)$, puis écrire le résultat du mesurage sous la forme $K_{Amoy} \pm U(K_A)$ (**fiche n° 3**, p. 584).
c. À 25 °C, le K_A du couple $HCO_2H(aq) / HCO_2^-(aq)$, donné par les tables, est $K_A = 1{,}58 \times 10^{-4}$.
Cette valeur appartient-elle à l'intervalle de confiance déterminé expérimentalement ?
Conclure quant à la qualité des mesures effectuées.

▸ Diluer dix fois la solution S. Soit S' la solution diluée de concentration molaire en soluté apporté, notée C'.

12 Reprendre entièrement l'étude précédente pour la solution S'.

Un pas vers le cours...

13 Pour un couple acide/base donné, la constante d'acidité K_A du couple dépend-elle de l'état initial du système chimique étudié ?

* Activité à effectuer après avoir étudié le paragraphe 4 du cours.

1 Comment définir et mesurer le pH ?

1.1 Définition du pH

Toute solution aqueuse contient des **ions oxonium $H_3O^+(aq)$.** La valeur de la concentration molaire $[H_3O^+]$ peut varier entre quelques $mol \cdot L^{-1}$ et 10^{-14} $mol \cdot L^{-1}$. En 1909, le chimiste danois S. SØRENSEN (doc. 1) proposa une grandeur plus facile à manipuler, le pH :

> Pour une solution aqueuse diluée, $[H_3O^+] \leqslant 0{,}05$ $mol \cdot L^{-1}$, le pH est défini par :
>
> $$pH = -\log[H_3O^+].$$

Le pH est une grandeur **sans unité**. Dans cette relation, $[H_3O^+]$ représente **le nombre** qui mesure la concentration molaire en ions H_3O^+ exprimée en $\mathbf{mol \cdot L^{-1}}$. Inversement, la connaissance du pH permet de calculer la concentration molaire en ions H_3O^+ :

> $$[H_3O^+] = 10^{-pH}.$$

Le pH augmente d'une unité lorsque la concentration $[H_3O^+]$ est divisée par 10 (doc. 2). Plus généralement :

> Le pH **augmente** lorsque la concentration $[H_3O^+]$ **diminue.**
> Le pH **diminue** lorsque la concentration $[H_3O^+]$ **augmente.**

1.2 Mesure du pH

Le pH d'une solution aqueuse est mesuré avec **un pH-mètre (activité 1).**

> Pour indiquer une valeur fiable du pH d'une solution, un pH-mètre doit être préalablement étalonné avec des solutions étalons de pH connu.

La précision de la mesure du pH dépend de nombreux facteurs : fraicheur des solutions étalons (doc. 3), température, état de la sonde et qualité de l'étalonnage (**fiche 12**, p.596). L'incertitude sur la mesure d'un pH est de l'ordre de 0,05 unité. Une telle incertitude sur la valeur du pH correspond à une incertitude relative importante (de l'ordre de 10 %) sur la valeur de $[H_3O^+]$. Ainsi :

> Toute concentration $[H_3O^+]$ déduite d'une mesure de pH doit être exprimée avec, au plus, deux chiffres significatifs.

Par exemple, si pour une solution aqueuse, $pH_{mesuré} = 3{,}18$, alors :

$$pH_{solution} = 3{,}18 \pm 0{,}05 \quad \text{et} \quad [H_3O^+] = (6{,}6 \pm 0{,}8) \times 10^{-4}\ mol \cdot L^{-1}.$$

Voir exercices 1, p. 337, et 8 à 9, p. 340.

2 Qu'est-ce qu'un équilibre chimique ?

2.1 Étude expérimentale

On considère la solution S_1 d'acide éthanoïque, de concentration en soluté apporté $C_1 = 1{,}0 \times 10^{-2}$ $mol \cdot L^{-1}$ et de volume $V_1 = 100{,}0$ mL, étudiée lors de l'**activité 1A**. Son pH est 3,4.

Doc. 1 Søren SØRENSEN (1868-1939), chimiste danois, proposa en 1909 le concept de pH, facilitant ainsi l'étude des propriétés acido-basiques des solutions. La notation pH est l'abréviation de l'expression « potentiel Hydrogène ».

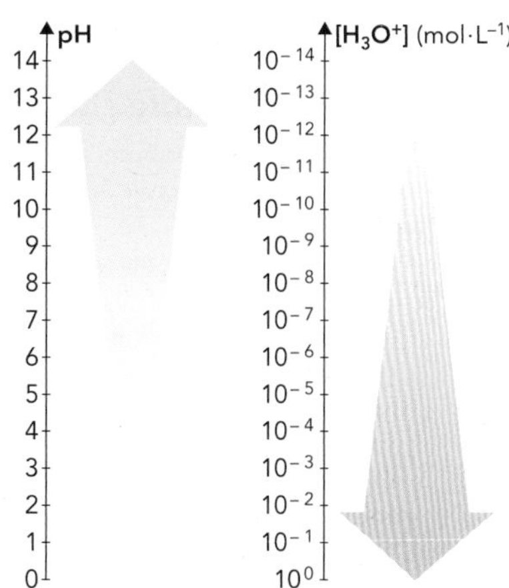

Doc. 2 Le pH et la concentration $[H_3O^+]$ varient en sens inverses.

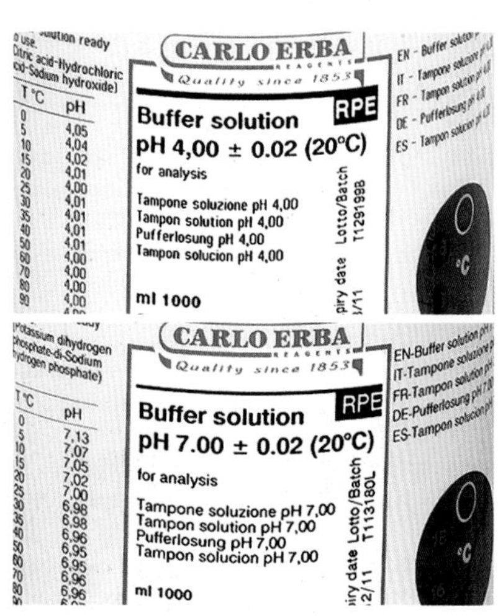

Doc. 3 Exemples de solutions étalon utilisées pour l'étalonnage d'un pH-mètre.

Le tableau d'avancement associé à la réaction étudiée s'écrit :

Équation	$CH_3CO_2H(aq) + H_2O(\ell) \rightleftharpoons CH_3CO_2^-(aq) + H_3O^+(aq)$			
État initial $x = 0$	$C_1 \cdot V_1$	Solvant	0	0
État intermédiaire x	$C_1 \cdot V_1 - x$	Solvant	x	x
État final x_f	$C_1 \cdot V_1 - x_f$	Solvant	x_f	x_f

L'**avancement maximal x_{max}** serait atteint si l'acide éthanoïque était totalement consommé : $C_1 \cdot V_1 - x_{max} = 0$, soit $x_{max} = C_1 \cdot V_1$;

$$x_{max} = 1{,}0 \times 10^{-2} \times 100{,}0 \times 10^{-3} = \mathbf{1{,}0 \times 10^{-3}\ mol}.$$

D'après le tableau d'avancement, **l'avancement final x_f** est :

$$x_f = n_f(H_3O^+), \quad \text{soit } x_f = [H_3O^+]_f \cdot V_1 = 10^{-pH} \cdot V_1$$

d'où : $x_f = 10^{-3,4} \times 100{,}0 \times 10^{-3} = \mathbf{4{,}0 \times 10^{-5}\ mol}$.

On constate que $x_f < x_{max}$. La réaction entre l'acide éthanoïque et l'eau étant instantanée, cette réaction **n'est donc pas totale***. Le réactif limitant n'ayant pas totalement réagi, les réactifs et les produits coexistent, à l'état final, dans le milieu réactionnel (doc. 4).

Espèce chimique	État initial	État final
CH_3CO_2H	100×10^{-5}	96×10^{-5}
H_2O	Solvant	Solvant
$CH_3CO_2^-$	0	4×10^{-5}
H_3O^+	0	4×10^{-5}

Doc. 4 Quantités de matière, en mol, des espèces chimiques du système étudié, dans l'état initial et dans l'état final.

* Lors d'une réaction **totale**, le réactif limitant est totalement consommé :

$$x_f = x_{max}$$

L'équation de la réaction s'écrit avec une simple flèche $\longrightarrow$

2.2 Notion d'équilibre chimique

À partir de l'état final précédent, l'ajout, à volume constant :
- de quelques gouttes d'acide éthanoïque pur provoque une diminution du pH de la solution ;
- d'éthanoate de sodium solide provoque une augmentation du pH (**activité 1B** et doc. 5).

Dans le premier cas, la diminution du pH résulte d'une augmentation de la concentration $[H_3O^+]$. Le volume n'ayant pas varié, la quantité $n(H_3O^+)$ a donc augmenté. Des ions H_3O^+ se sont formés. Le système chimique a évolué dans le sens direct de l'équation, ce qui tend à consommer l'acide apporté :

$$CH_3CO_2H(aq) + H_2O(\ell) \xrightarrow{\text{Sens direct}} CH_3CO_2^-(aq) + H_3O^+(aq)$$

Dans le second cas, l'augmentation du pH résulte d'une diminution de la concentration $[H_3O^+]$. Le volume n'ayant pas varié, la quantité $n(H_3O^+)$ a donc diminué et des ions H_3O^+ ont été consommés. Le système chimique a évolué dans le sens inverse de l'équation, ce qui tend à consommer les ions éthanoate apportés :

$$CH_3CO_2H(aq) + H_2O(\ell) \xleftarrow{\text{Sens inverse}} CH_3CO_2^-(aq) + H_3O^+(aq)$$

Le système chimique peut donc évoluer dans les deux sens.

L'état final est un **état d'équilibre** entre les différentes espèces chimiques**. Pour traduire cet équilibre, l'équation de la réaction ne s'écrit pas avec une flèche $\longrightarrow$, mais avec une **double flèche** $\rightleftharpoons$:

$$CH_3CO_2H(aq) + H_2O(\ell) \rightleftharpoons CH_3CO_2^-(aq) + H_3O^+(aq)$$

Un système chimique atteint un **état d'équilibre** lorsque, dans l'état final, les réactifs et les produits sont simultanément présents.
L'équation de la réaction s'écrit alors avec une **double flèche** $\rightleftharpoons$ qui traduit le fait que deux réactions, inverses l'une de l'autre, peuvent se produire simultanément dans le système.

Remarque : par ajout de réactif ou de produit, il est possible de modifier un état d'équilibre. Le système évolue alors dans le sens correspondant à la consommation de l'espèce ajoutée.

Voir exercices 2, p. 337, et 10 à 11, p. 340.

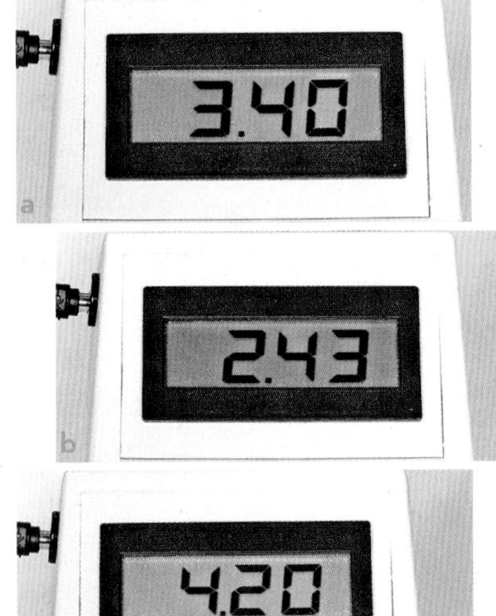

Doc. 5 Mesures du pH des solutions :
a. solution S_1 seule ;
b. solution S_1 + quelques gouttes d'acide éthanoïque pur ;
c. solution S_1 + éthanoate de sodium solide.

** Lors d'une réaction chimique conduisant à un **équilibre**, les réactifs et les produits coexistent :

$$x_f < x_{max}$$

L'équation s'écrit avec une double flèche $\rightleftharpoons$

3 Que sont un acide et une base dans la théorie de Brönsted ?

3.1 Acide et base au sens de Brönsted

Selon la théorie du chimiste danois J. BRÖNSTED (1879-1947) :

> Un **acide** est une espèce chimique capable de **céder** au moins un proton H^+ (ou ion hydrogène).

*Exemple** : $CH_3CO_2H(aq) \longrightarrow CH_3CO_2^-(aq) + H^+$
Acide éthanoïque — Ion éthanoate — Proton

L'espèce formée est une base. En notant HA l'**acide** et A^- sa **base conjuguée**, le **transfert de proton** peut s'écrire formellement :

$$HA \longrightarrow A^- + H^+$$

> Une **base** est une espèce chimique capable de **capter** au moins un proton H^+.

Exemple : $CH_3CO_2^-(aq) + H^+ \longrightarrow CH_3CO_2H(aq)$

L'espèce formée est un acide. Formellement, le **transfert de proton** s'écrit :

$$A^- + H^+ \longrightarrow HA$$

* On note simplement H^+ le proton libéré, car il sera capté par une base présente dans la solution, cette base pouvant être l'eau (voir § 3.2 et 3.3).

3.2 Couple acide/base

Pour l'acide éthanoïque, la demi-équation acido-basique traduit la possibilité de passer de l'acide éthanoïque à l'ion éthanoate et réciproquement :

$$CH_3CO_2H(aq) \rightleftharpoons CH_3CO_2^-(aq) + H^+$$

Le signe $\rightleftharpoons$ traduit le fait que la réaction peut se faire dans les deux sens, direct $\longrightarrow$ ou inverse $\longleftarrow$ de la demi-équation. L'acide $CH_3CO_2H(aq)$ et la base conjuguée $CH_3CO_2^-(aq)$ forment alors un **couple acide/base** noté $CH_3CO_2H(aq)/CH_3CO_2^-(aq)$.
Ce résultat est général (doc. 6 et **activité 3**) :

> Un couple acide/base HA/A^-, est défini par la **demi-équation acido-basique** :
> $$HA \rightleftharpoons A^- + H^+$$
> L'acide HA et la base A^- sont dits conjugués l'un de l'autre.

Il existe aussi des couples écrit sous la forme BH^+/B dont la demi-équation acido-basique est :

$$BH^+ \rightleftharpoons B + H^+.$$

C'est le cas du couple $NH_4^+(aq)/NH_3(aq)$ (doc. 7).
L'acide et la base d'un même couple sont dits conjugués l'un de l'autre.

3.3 Les couples de l'eau

L'eau appartient à deux couples acido-basiques :

$H_3O^+(aq)/H_2O(\ell)$ et $H_2O(\ell)/HO^-(aq)$.

$H_3O^+(aq) \rightleftharpoons H_2O(\ell) + H^+$ et $H_2O(\ell) \rightleftharpoons HO^-(aq) + H^+$

> L'eau est la base du couple $H_3O^+(aq)/H_2O(\ell)$ et l'acide du couple $H_2O(\ell)/HO^-(aq)$. On dit que l'eau est un **ampholyte**.

Acide	Base conjuguée
HCO_2H Acide méthanoïque ou acide formique	HCO_2^- Ion méthanoate ou ion formiate
CH_3CO_2H Acide éthanoïque ou acide acétique	$CH_3CO_2^-$ Ion éthanoate ou ion acétate
$C_6H_5CO_2H$ Acide benzoïque	$C_6H_5CO_2^-$ Ion benzoate
CO_2, H_2O Dioxyde de carbone dissous dans l'eau	HCO_3^- Ion hydrogéno-carbonate
NH_4^+ Ion ammonium	NH_3 Ammoniac

Doc. 6 Quelques couples acide/base courants.

Doc. 7 Le nitrate d'ammonium ou « ammonitrate » est un engrais de formule $NH_4NO_3(s)$. Dissous dans l'eau, il forme des ions nitrate $NO_3^-(aq)$ et ammonium $NH_4^+(aq)$. Les ions ammonium réagissent avec l'eau selon la réaction d'équation :

$$NH_4^+(aq) + H_2O(\ell) \rightleftharpoons NH_3(aq) + H_3O^+(aq)$$

3.4 Réaction acido-basique et transfert de proton

La réaction entre l'acide éthanoïque et l'eau met en jeu les deux couples $CH_3CO_2H(aq)/CH_3CO_2^-(aq)$ et $H_3O^+(aq)/H_2O(\ell)$ selon :

$$CH_3CO_2H(aq) \rightleftharpoons CH_3CO_2^-(aq) + H^+ \quad (1)$$

$$H_2O(\ell) + H^+ \rightleftharpoons H_3O^+(aq) \quad (2)$$

$$CH_3CO_2H(aq) + H_2O(\ell) \rightleftharpoons CH_3CO_2^-(aq) + H_3O^+(aq) \quad (1) + (2)$$

La **double flèche** $\rightleftharpoons$ signifie que la réaction peut se produire dans les **deux sens**. Un **transfert de protons*** a lieu entre les deux couples acide/base.

* Une réaction **acido-basique** est un transfert de **protons**. L'expérience montre que les réactions acido-basiques sont **instantanées**.
Une réaction d'**oxydoréduction** est un transfert d'**électrons**.

3.5 Acide faible – base faible

▸ **L'activité 1A** a montré que l'acide éthanoïque CH_3CO_2H ne réagit pas totalement avec l'eau : c'est un acide faible.
Plus généralement :

> Un acide HA est **faible** si sa réaction avec l'eau n'est **pas totale** :
> $$HA(aq) + H_2O(\ell) \rightleftharpoons A^-(aq) + H_3O^+(aq)$$
> Les **acides carboxyliques** sont des acides faibles dans l'eau.

Les ions méthanoate $HCO_2^-(aq)$, éthanoate $CH_3CO_2^-(aq)$ et benzoate $C_6H_5CO_2^-(aq)$ sont des exemples de bases faibles. Certaines molécules, comme l'ammoniac NH_3, l'éthylamine CH_3NH_2 et l'aniline $C_6H_5NH_2$ sont aussi des bases faibles.
Plus généralement :

> Une **base** A^- est **faible** si sa réaction avec l'eau n'est pas **totale** :
> $$A^-(aq) + H_2O(\ell) \rightleftharpoons HA(aq) + HO^-(aq)$$
> Les **ions carboxylate** et les **amines** sont des **bases faibles** dans l'eau.

▸ Un acide α-aminé contient les groupes caractéristiques carboxyle $-CO_2H$ et amine $-NH_2$ portés par le même atome de carbone (doc. 8 et 9).
En solution aqueuse, un acide α-aminé existe essentiellement sous la forme d'ions dipolaires appelés **amphions** ou **zwitterions**.

```
      R
      |
H–N–CH–C(=O)–O–H
  |
  H
```

Doc. 8 Formule générale d'un acide α-aminé. La molécule contient les groupes caractéristiques amine et carboxyle.

> Un amphion résulte du **transfert interne d'un proton** H^+ du groupe carboxyle vers le groupe amine d'un acide α-aminé.
> Ce transfert est une **réaction acido-basique intramoléculaire**.
>
> ```
>       R                       H  R
>       |                     ⊕|  |
> H–N–CH–C(=O)–O–H   ⟶   H–N–CH–C(=O)–O⊖
>   |                         |
>   H                         H
> ```
>
> Acide α-aminé ⟶ Amphion ou zwitterion

L'amphion est un ampholyte, comme l'eau. En solution aqueuse, l'amphion peut être considéré comme :

– l'acide du couple amphion/anion, capable de céder un proton :

$$\underset{\text{Amphion}}{H_3N^+-CHR-CO_2^-(aq)} \rightleftharpoons \underset{\text{Anion}}{H_2N-CHR-CO_2^-(aq)} + H^+$$

– la base du couple cation/amphion, capable de capter un proton :

$$\underset{\text{Cation}}{H_3N^+-CHR-CO_2H(aq)} \rightleftharpoons \underset{\text{Amphion}}{H_3N^+-CHR-CO_2^-(aq)} + H^+$$

➲ Voir exercices 3, p. 337, et 12 à 14, p. 340 et p. 341.

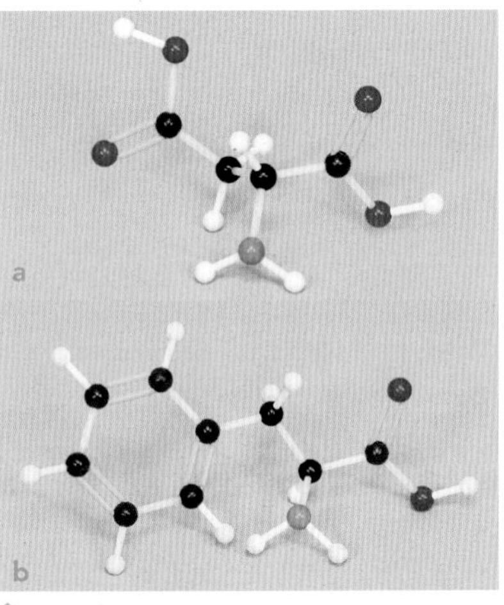

Doc. 9 L'aspartame est un édulcorant artificiel. Son métabolisme conduit à la formation de deux acides α-aminés, l'acide aspartique (a) et la phénylalanine (b).

4 Qu'est-ce qu'une constante d'acidité ?

4.1 Produit ionique de l'eau, K_e

L'eau est un ampholyte : il existe donc une réaction entre l'acide $H_2O(\ell)$ et la base $H_2O(\ell)$ appartenant aux deux couples de l'eau :

> La réaction d'équation :
> $$H_2O(\ell) + H_2O(\ell) \rightleftharpoons HO^-(aq) + H_3O^+(aq)$$
> est appelée **autoprotolyse de l'eau**.

La démonstration de l'exercice 16, p. 341 , montre que :

> L'autoprotolyse de l'eau est **très limitée** dans le sens direct $\longrightarrow$ de l'équation de la réaction.

L'autoprotolyse de l'eau a lieu dans toutes les solutions aqueuses. Toute solution aqueuse contient des ions $H_3O^+(aq)$ et $HO^-(aq)$ dont les concentrations $[H_3O^+]_{éq}$ et $[HO^-]_{éq}$ sont reliées par le produit ionique de l'eau.

> Le produit ionique de l'eau est défini par $K_e = [H_3O^+]_{éq} \cdot [HO^-]_{éq}$.
> Les concentrations doivent être exprimées en $mol \cdot L^{-1}$.
> K_e n'a pas d'unité et ne dépend que de la température.
> À 25 °C, pour toute solution aqueuse : $\mathbf{K_e = 1,0 \times 10^{-14,0}}$.
> On définit aussi le pK_e :
> $$\mathbf{pK_e = -\log K_e} \quad \text{soit } \mathbf{K_e = 10^{-pK_e}}; \quad \mathbf{\text{à 25 °C, } pK_e = 14,0.}$$

4.2 Solutions neutre, acide, basique

Par définition, pour une solution neutre : $[H_3O^+]_{éq} = [HO^-]_{éq}$, donc :

$$[H_3O^+]^2_{éq} = K_e \text{ d'où } -\log([H_3O^+]^2_{éq}) = -2 \cdot \log[H_3O^+]_{éq} = -\log K_e$$

et $$-\log[H_3O^+]_{éq} = -\frac{1}{2}\log K_e; \quad \text{ainsi } pH = \frac{1}{2}pK_e.$$

Pour une solution acide : $[H_3O^+]_{éq} > [HO^-]_{éq}$ (doc. 10) :

$$[H_3O^+]^2_{éq} > K_e \text{ d'où } -\log([H_3O^+]^2_{éq}) < -2\log K_e, \text{ soit } pH < \frac{1}{2}pK_e.$$

Pour une solution basique : $[H_3O^+]_{éq} < [HO^-]_{éq}$. Par un calcul similaire au précédent, on montre qu'alors $pH > \frac{1}{2}pK_e$. Finalement :

> Solution neutre : $[H_3O^+]_{éq} = [HO^-]_{éq}$, $pH = \frac{1}{2}pK_e$. À 25 °C, pH = 7,0.
>
> Solution acide : $[H_3O^+]_{éq} > [HO^-]_{éq}$, $pH < \frac{1}{2}pK_e$. À 25 °C, pH < 7,0.
>
> Solution basique : $[H_3O^+]_{éq} < [HO^-]_{éq}$, $pH > \frac{1}{2}pK_e$. À 25 °C, pH > 7,0.

Le pH au quotidien

Substance	pH approximatif
Acide chlorhydrique molaire	0
Drainage minier acide (DMA)	< 1,0
Batterie acide	< 1,0
Acide gastrique	2,0
Jus de citron	2,4
Cola	2,5
Vinaigre	2,9
Jus d'orange ou de pomme	3,5
Bière	4,5
Café	5,0
Thé	5,5
Pluie acide	< 5,6
Lait	6,5
Eau pure	7,0
Salive humaine	6,5 – 7,4
Sang	7,35 – 7,45
Eau de mer	8,0
Savon	9,0 – 10,0
Ammoniaque	11,5
Hydroxyde de calcium	12,5
Hydroxyde de sodium molaire	14,0

Doc. 10 pH de quelques solutions acides ou basiques :
– à 37 °C pour les solutions biologiques (acide gastrique, salive et sang);
– à 25 °C pour les autres solutions.

4.3 Constante d'acidité K_A et pK_A

> Soit un couple $HA(aq)/A^-(aq)$, dont l'acide réagit avec l'eau selon la réaction d'équation : $HA(aq) + H_2O(\ell) \rightleftharpoons A^-(aq) + H_3O^+(aq)$
> La constante d'acidité K_A du couple $HA(aq)/A^-(aq)$ est la **valeur numérique** du quotient* : $K_A = \frac{[A^-]_{éq} \cdot [H_3O^+]_{éq}}{[HA]_{éq}}$.
>
> Par définition : $\mathbf{pK_A = -\log K_A}$ **soit** $\mathbf{K_A = 10^{-pK_A}}$

* Les concentrations sont exprimées en $mol \cdot L^{-1}$, mais la constante d'acidité K_A **n'a pas d'unité** et ne dépend que de la température.
L'eau $H_2O(\ell)$ n'intervient pas dans l'expression de K_A.

L'**activité 4** permet de déterminer une valeur expérimentale de la constante d'acidité K_A du couple associé à l'acide méthanoïque :

$$K_A = 1{,}8 \times 10^{-4}, \quad \text{soit } pK_A \approx 3{,}7.$$

Cette valeur est indépendante de l'état initial du système étudié.

4.4 Échelle des pK_A dans l'eau

Le pK_A caractérise l'aptitude d'un acide à céder un proton ou celle d'une base à l'accepter.

> Pour une même concentration en soluté apporté :
> – un acide est d'autant plus fort qu'il cède facilement un proton et donc que le pK_A du couple auquel il appartient est petit ;
> – une base est d'autant plus forte qu'elle capte facilement un proton et donc que le pK_A du couple auquel elle appartient est grand.

Les valeurs extrêmes de l'échelle des pK_A sont celles des pK_A des couples de l'eau (doc. 11). En solution aqueuse, l'acide le plus fort est l'ion H_3O^+(aq) et la base la plus forte est l'ion HO^-(aq). L'acide méthanoïque HCO_2H(aq) est un acide plus fort que l'acide éthanoïque CH_3CO_2H(aq). En revanche, l'ion éthanoate $CH_3CO_2^-$(aq) est une base plus forte que l'ion méthanoate HCO_2^-(aq).

Un amphion étant un ampholyte, à chaque acide α-aminé sont associées deux valeurs de pK_A, l'une pour le couple cation/amphion et l'autre pour le couple amphion/anion (doc. 12).

Doc. 11 Valeurs de pK_A à 25 °C pour quelques couples acide/base dans l'eau.

Acide α-aminé	pK_{A_1} cation/amphion	pK_{A_2} amphion/anion
Glycine	2,4	9,8
Alanine	2,4	9,9
Valine	2,3	9,4

Doc. 12 pK_{A_1} et pK_{A_2} de quelques acides α-aminés.

4.5 Domaines de prédominance

Pour tout couple HA / A^-, on peut écrire :

$$pK_A = -\log K_A = -\log \frac{[A^-]_{éq} \cdot [H_3O^+]_{éq}}{[HA]_{éq}} = -\log \frac{[A^-]_{éq}}{[HA]_{éq}} - \log\,[H_3O^+]_{éq}.$$

Or $pH = -\log[H_3O^+]$, donc $pK_A = -\log \frac{[A^-]_{éq}}{[HA]_{éq}} + pH$ et finalement :

> $pH = pK_A + \log \frac{[A^-]_{éq}}{[HA]_{éq}}$; plus généralement : $pH = pK_A + \log \frac{[\text{base}]_{éq}}{[\text{acide}]_{éq}}$

L'expression précédente montre que :

> Si $pH = pK_A$, alors $[HA]_{éq} = [A^-]_{éq}$: aucune espèce ne prédomine.
> Si $pH < pK_A$, alors $[HA]_{éq} > [A^-]_{éq}$: HA prédomine sur A^-.
> Si $pH > pK_A$, alors $[HA]_{éq} < [A^-]_{éq}$: A^- prédomine sur HA.

Le diagramme de prédominance (doc. 13) illustre les résultats précédents pour un couple HA/A^- caractérisé par son pK_A.

Dans le cas d'un acide α-aminé, caractérisé par deux pK_A, le diagramme de prédominance présente trois domaines (doc. 14).

Doc. 13 Diagramme de prédominance d'un couple acide/base HA/A^-.

Doc. 14 Diagramme de prédominance de la glycine.

4.6 Contrôle du pH ; solution tampon

> Une **solution tampon** est une solution dont la composition est telle que le pH varie peu par ajout de petites quantités d'acide ou de base ou par dilution.

Les solutions étalon utilisées pour étalonner les pH-mètres sont souvent des solutions tampons.

Les organismes vivants contiennent des liquides biologiques dont le pH est maintenu constant grâce à des systèmes tampons (**activité 3**).

Voir exercices 4, p. 337, et 15 à 20, p. 341 et p. 342.

5 Que sont un acide fort et une base forte dans l'eau ?

5.1 Acide fort – base forte

L'**activité 1A** a montré que la réaction entre le chlorure d'hydrogène et l'eau est totale : le chlorure d'hydrogène est un **acide fort** (doc. 15). C'est aussi le cas de l'acide nitrique, $HNO_3(\ell)$.
Dans une solution d'acide fort, de concentration en soluté apporté C, on a : $C = [H_3O^+]$ et $pH = -\log[H_3O^+] = -\log C$

Un acide HA est **fort** dans l'eau si sa réaction avec l'eau est **totale**. L'équation de cette réaction s'écrit alors avec une **simple flèche** :

$$HA + H_2O(\ell) \longrightarrow A^-(aq) + H_3O^+(aq)$$

Le pH d'une solution diluée **d'acide fort**, de concentration C en soluté apporté, est **pH = –log *C*.**

Les ions amidure NH_2^- et éthanolate $C_2H_5O^-$ sont des exemples de bases fortes dans l'eau.

Une **base** A^- est **forte** dans l'eau si sa réaction avec l'eau est **totale**. L'équation de la réaction s'écrit alors avec une **simple flèche** :

$$A^- + H_2O(\ell) \longrightarrow HA(aq) + HO^-(aq)$$

Une solution d'hydroxyde de sodium (doc. 15) est obtenue par dissolution totale du solide NaOH (s) dans l'eau :

$$NaOH(s) \xrightarrow{Eau} Na^+(aq) + HO^-(aq).$$

Une solution d'hydroxyde de sodium est une solution de base forte.

Pour cette solution, de concentration en soluté apporté C : $C = [HO^-]$.
Or $K_e = [H_3O^+]\cdot[HO^-]$, donc $[H_3O^+] = \frac{K_e}{[HO^-]} = \frac{K_e}{C}$ et $pH = -\log[H_3O^+]$,

donc : $pH = -\log \frac{K_e}{C} = -\log K_e + \log C = pK_e + \log C.$

Le pH d'une solution diluée de base forte, de concentration en soluté apporté C, est : $pH = pK_e + \log C$. À 25 °C : **pH = 14 + log *C*.**

5.2 Réaction entre un acide fort et une base forte

L'équation de la réaction entre un acide fort et une base forte s'écrit :

$$H_3O^+(aq) + HO^-(aq) \longrightarrow 2\,H_2O(\ell) \qquad (3)$$

L'équation (3) est l'équation de la réaction inverse de la réaction d'autoprotolyse de l'eau. Cette dernière étant très limitée dans le sens direct, la réaction (3) est très avancée dans le sens direct : elle est donc considérée comme **totale** et peut s'écrire avec une flèche $\longrightarrow$.

L'équation de la réaction entre un acide fort et une base forte est :

$$H_3O^+(aq) + HO^-(aq) \longrightarrow 2\,H_2O(\ell)$$

L'**activité 2** a montré que :

La réaction entre un acide fort et une base forte libère de l'énergie thermique et s'acccompagne donc d'une élévation de température. L'énergie thermique libérée par la réaction est d'autant plus grande que les quantités de matière mises en jeu sont importantes*.

Voir exercices 5, p. 337, et 21 à 23, p. 342.

Doc. 15 Les solutions commerciales d'acide chlorhydrique et d'hydroxyde de sodium sont très corrosives. Leur manipulation nécessite de porter une blouse des gants et des lunettes de protection.
H 314 : provoque des brûlures de la peau et des lésions oculaires graves.

À 25 °C, pour une concentration C en soluté apporté telle que :
$10^{-6}\ mol\cdot L^{-1} < C < 5 \times 10^{-2}\ mol\cdot L^{-1}$
- pH d'une solution d'acide fort diluée : **pH = –log *C*.**
- pH d'une solution de base forte diluée : **pH = 14 + log *C*.**

* Lorsque les quantités de matière mises en jeu sont identiques, mais contenues dans des volumes de solution différents, l'énergie thermique libérée est la même, mais l'élévation de température est différente.

Essentiel

Le pH et sa mesure

- Le pH d'une solution aqueuse diluée est : $\mathbf{pH = -\log [H_3O^+]}$
- Réciproquement : $\mathbf{[H_3O^+] = 10^{-pH}}$

Notion d'équilibre chimique

- Soit une réaction chimique est **totale**, soit elle conduit à un **état d'équilibre**.
- Un système chimique atteint un état d'équilibre lorsque, dans l'état final, les réactifs et les produits sont **simultanément présents**. L'équation de la réaction s'écrit alors avec une double flèche $\rightleftharpoons$.

Par exemple : $CH_3CO_2H(aq) + H_2O(\ell) \rightleftharpoons CH_3CO_2^-(aq) + H_3O^+(aq)$

Acide et base au sens de Brönsted

- Un **acide** est une espèce chimique capable de **céder** au moins un proton H^+.
- Une **base** est une espèce chimique capable de **capter** au moins un proton H^+.
- Un **couple acide/base**, HA/A^-, est défini par la **demi-équation acido-basique** : $HA \rightleftharpoons A^- + H^+$.
- Un acide HA est **faible** si sa réaction avec l'eau n'est pas totale :

$$HA(aq) + H_2O(\ell) \rightleftharpoons A^-(aq) + H_3O^+(aq)$$

- Une base A^- est **faible** si sa réaction avec l'eau n'est pas totale :

$$A^-(aq) + H_2O(\ell) \rightleftharpoons HA(aq) + HO^-(aq)$$

Constante d'acidité K_A et pK_A

- La réaction d'**autoprotolyse de l'eau** est **très limitée :** $H_2O(\ell) + H_2O(\ell) \rightleftharpoons HO^-(aq) + H_3O^+(aq)$
- **Le produit ionique de l'eau** est défini par $\mathbf{K_e = [H_3O^+]_{éq} \cdot [HO^-]_{éq}}$.

À 25 °C, pour toute solution aqueuse :

$K_e = 1{,}0 \times 10^{-14{,}0}$ et $\mathbf{pK_e = -\log K_e = 14{,}0}$.

- Soit un couple $HA(aq)/A^-(aq)$ associé à la réaction d'équation :

$HA(aq) + H_2O(\ell) \rightleftharpoons A^-(aq) + H_3O^+(aq)$

On définit la constante d'acidité K_A :

$$K_A = \frac{[A^-]_{eq} \cdot [H_3O^+]_{éq}}{[HA]_{éq}}; \quad pK_A = -\log K_A \quad \text{et} \quad K_A = 10^{-pK_A}.$$

La relation entre le pH et le pK_A est $pH = pK_A + \log \dfrac{[A^-]_{éq}}{[HA]_{éq}}$.

pH	
	A^- prédomine $[HA]_{éq} < [A^-]_{éq}$
pK_A	$[HA]_{éq} = [A^-]_{éq}$
	$[HA]_{éq} > [A^-]_{éq}$ HA prédomine

Acide fort – base forte

- Un acide HA est **fort** dans l'eau si sa réaction avec l'eau est **totale** : $HA + H_2O(\ell) \rightarrow A^-(aq) + H_3O^+(aq)$

Pour une solution diluée d'acide fort de concentration C : $\mathbf{pH = -\log C}$.

- Une base A^- est **forte** dans l'eau si sa réaction avec l'eau est **totale** : $A^- + H_2O(\ell) \rightarrow HA(aq) + HO^-(aq)$

Pour une solution diluée de base forte de concentration C : $\mathbf{pH = pK_e + \log C}$ et **pH = 14 + log *C* à 25 °C.**

- L'équation de la réaction entre un acide fort et une base forte est : $H_3O^+(aq) + HO^-(aq) \rightarrow 2\,H_2O(\ell)$
- La réaction entre un acide fort et une base forte libère de l'énergie thermique et s'accompagne donc d'une élévation de température. L'énergie thermique libérée par la réaction est d'autant plus grande que les quantités de matière mises en jeu sont importantes.

Pour chaque question, indiquer la (ou les) bonne(s) réponse(s).

Voir corrigés, p. 606.

1 Le pH et sa mesure

	A	B	C
1. Le pH et la concentration $[H_3O^+]$ sont reliés par :	$[H_3O^+] = 10^{-pH}$	$pH = \log[H_3O^+]$	$pH = -\log[H_3O^+]$
2. Une solution d'acide méthanoïque a un pH égal à 2,6. La concentration $[H_3O^+]$ dans la solution est :	$[H_3O^+] = 10^{-2,6}\ mol \cdot L^{-1}$.	$[H_3O^+] = 10^{2,6}\ mol \cdot L^{-1}$.	$[H_3O^+] = 2,5\ mmol \cdot L^{-1}$.

Si erreur, revoir § 1, p. 329.

2 Notion d'équilibre chimique

	A	B	C
La réaction entre l'acide méthanoïque HCO_2H et l'eau conduit à un équilibre chimique. L'équation de la réaction est :	$HCO_2H(aq) + H_2O(\ell) \rightarrow HCO_2^-(aq) + H_3O^+(aq)$	$HCO_2H(aq) + H_2O(\ell) \rightleftharpoons HCO_2^-(aq) + H_3O^+(aq)$	$HCO_2^-(aq) + H_3O^+(aq) \rightarrow HCO_2H(aq) + H_2O(\ell)$

Si erreur, revoir § 2, p. 329.

3 Acide et base au sens de Brönsted

	A	B	C
1. L'ammoniac NH_3 est une base au sens de Brönsted. L'ammoniac :	peut capter un proton H^+.	a pour acide conjugué NH_2^-.	appartient au couple acide/base NH_4^+/NH_3.
2. La réaction acido-basique d'équation : $HNO_2(aq) + H_2O(\ell) \rightleftharpoons NO_2^-(aq) + H_3O^+(aq)$ correspond à un transfert :	d'un proton de $HNO_2(aq)$ vers $NO_2^-(aq)$.	d'un proton de $HNO_2(aq)$ vers $H_2O(\ell)$.	d'un électron de $HNO_2(aq)$ vers $NO_2^-(aq)$.

Si erreur, revoir § 3, p. 331.

4 Constante d'acidité K_A et pK_A

	A	B	C
1. À 25 °C, la concentration des ions hydroxyde $HO^-(aq)$ d'une solution aqueuse est $1,3 \times 10^{-5}\ mol \cdot L^{-1}$. La solution :	a une concentration en ions $H_3O^+(aq)$ égale à $3,6 \times 10^{-4}\ mol \cdot L^{-1}$.	a un pH égal à 9,1.	est acide.
2. La constante d'acidité K_A du couple $HClO/ClO^-$, dont le pK_A vaut 7,5 à 25 °C, est :	$K_A = \frac{[ClO^-]_{éq} \cdot [H_3O^+]_{éq}}{[HClO]_{éq}}$	$K_A = \frac{[HClO]_{éq} \cdot [H_3O^+]_{éq}}{[ClO^-]_{éq}}$	égale à $K_A = 10^{7,5}$.
3. L'aniline $C_6H_5NH_2$ est la base du couple $C_6H_5NH_3^+/C_6H_5NH_2$ de pK_A = 4,6. Dans une solution aqueuse d'aniline, telle que :	pH = 6,0, l'aniline prédomine.	pH = 3,0, l'ion anilinium prédomine.	pH = 4,6, aucune espèce ne prédomine.

Si erreur, revoir § 4, p. 333.

5 Acide fort – base forte

	A	B	C
1. Le pH d'une solution d'acide fort de concentration C est :	$pH = \log C$.	$pH = pK_e + \log C$.	$pH = -\log C$.
2. La réaction entre un acide fort et une base forte :	libère de l'énergie thermique.	a pour équation $H_3O^+(aq) + HO^-(aq) \rightarrow 2\ H_2O(\ell)$	a pour équation $2\ H_2O(\ell) \rightarrow H_3O^+(aq) + HO^-(aq)$

Si erreur, revoir § 5, p. 335.

Exercice résolu

COMPÉTENCES
- Expliquer une démarche.
- Effectuer des calculs.

6 Montrer qu'un acide est faible dans l'eau

Énoncé

L'acide ascorbique, ou vitamine C, est présent dans de nombreux fruits. Une solution aqueuse d'acide ascorbique de volume V_a = 100 mL est obtenue en dissolvant une masse m_a = 0,88 g d'acide ascorbique $C_6H_8O_6(s)$ dans le volume d'eau nécessaire. Le pH de la solution préparée est égal à 2,7.

1. Calculer l'avancement final x_f de la réaction entre l'acide ascorbique dissous $C_6H_8O_6(aq)$ et l'eau.
2. En déduire que l'acide ascorbique est un acide faible dans l'eau.

Donnée : masse molaire de l'acide ascorbique $M_a = 176\ g \cdot mol^{-1}$.

Conseils

Comment calculer l'avancement final de la réaction ?

1. Écrire l'équation de la réaction acido-basique.
Établir le tableau d'avancement de la réaction.
Déduire, de la valeur du pH, la valeur de l'avancement final x_f.

Comment montrer que l'acide ascorbique est un acide faible dans l'eau ?

2. Calculer l'avancement maximal x_{max} de la réaction.
Le comparer à l'avancement final x_f et conclure.

Solution rédigée

1. Lors de la dissolution dans l'eau, l'acide ascorbique réagit avec l'eau selon la réaction d'équation :

$$C_6H_8O_6(aq) + H_2O(\ell) \rightleftharpoons C_6H_7O_6^-(aq) + H_3O^+(aq)$$

La quantité n_a d'acide ascorbique dissous est :

$$n_a = \frac{m_a}{M_a} = \frac{0,88}{176} = 5,0 \times 10^{-3}\ \text{mol} = 5,0\ \text{mmol}.$$

L'eau, en tant que solvant, est l'espèce chimique en excès.
Le tableau d'avancement, **en mmol**, s'écrit :

Équation	$C_6H_8O_6(aq)$ +	$H_2O(\ell)$ $\rightleftharpoons$	$C_6H_7O_6^-(aq)$ +	$H_3O^+(aq)$
État initial (x = 0)	5,0	Solvant	0	0
État intermédiaire (x)	5,0 – x	Solvant	x	x
État final (x_f)	5,0 – x_f	Solvant	x_f	x_f

Les réactions acido-basiques sont instantanées : l'avancement final x_f est déjà atteint lorsqu'on mesure le pH de la solution.

On a : $x_f = [H_3O^+]_f \cdot V_a$ et $[H_3O^+]_f = 10^{-pH}$.

Donc $x_f = 10^{-pH} \cdot V_a$, soit $\mathbf{x_f} = 10^{-2,7} \times 100 \times 10^{-3} = 2,0 \times 10^{-4}$ mol = **0,20 mmol**.

2. L'avancement maximal est atteint lorsque le réactif limitant, l'acide ascorbique, est entièrement consommé. On en déduit :

$$5,0 - x_{max} = 0, \quad \text{soit } \mathbf{x_{max} = 5,0\ mmol}.$$

Comme $x_f < x_{max}$, la réaction entre l'acide ascorbique et l'eau **n'est pas totale**.
L'acide ascorbique est donc un **acide faible dans l'eau**.

Application immédiate

L'acide perchlorique $HClO_4$ est utilisé, entre autres, pour produire du perchlorate d'ammonium qui entre dans la composition de propergols solides, utilisés en astronautique comme carburants des fusées.
Une solution aqueuse S d'acide perchlorique, de volume V_a = 20,0 mL, a une concentration molaire en soluté apporté $C_a = 7,94 \times 10^{-3}\ mol \cdot L^{-1}$.
Le pH de la solution S est égal à 2,1.

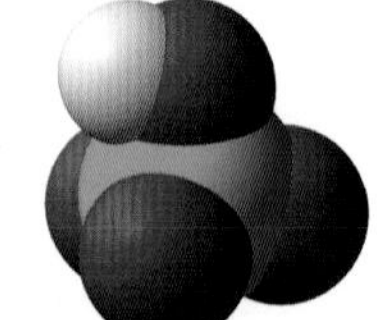

Modèle moléculaire de l'acide perchlorique.

1. Calculer l'avancement final x_f de la réaction entre l'acide perchlorique et l'eau.
2. L'acide perchlorique est-il un acide faible ou un acide fort dans l'eau ?

Voir corrigés, p. 606.

COMPÉTENCES
- Exploiter une relation.
- Effectuer un calcul.

7 Identifier une espèce prédominante

Énoncé

L'hydroxylamime NH_2OH est une espèce chimique dérivée de l'ammoniac. L'hydroxylamine est une base faible au sens de Brönsted : elle appartient au couple ion hydroxylammonium/hydroxylamine, $NH_3OH^+(aq)/NH_2OH(aq)$. Le pK_A de ce couple à 25 °C est pK_A = 6,1. Une solution *S* d'hydroxylamine a un pH égal à 9,5.

1. Écrire l'équation de la réaction entre l'hydroxylamine et l'eau.
2. Exprimer, puis calculer la constante d'acidité K_A associée au couple $NH_3OH^+(aq)$ / $NH_2OH(aq)$.
3. a. Identifier l'espèce prédominante dans la solution S.
4. b. Retrouver ce résultat en calculant le quotient $\dfrac{[NH_2OH]_{éq}}{[NH_3OH^+]_{éq}}$.

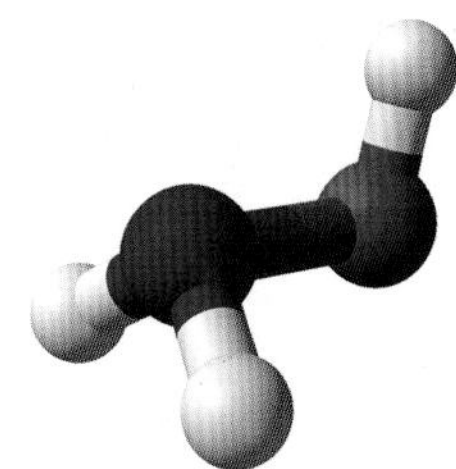

Modèle moléculaire de l'hydroxylamine.

Conseils

Comment établir l'équation de la réaction ?

1. Exploiter l'énoncé : l'hydroxylamine étant une base faible dans l'eau, elle conduit à un équilibre chimique.

Comment exprimer, puis calculer la constante d'acidité K_A ?

2. Revoir la définition de la constante d'acidité K_A associée à un couple acide/base (voir **§ 4.3** ou Essentiel). Utiliser la valeur du pK_A du couple.

Comment calculer le quotient $\dfrac{[NH_2OH]_{éq}}{[NH_3OH^+]_{éq}}$?

3. Utiliser l'expression de K_A et isoler le quotient demandé. Utiliser l'expression du pH puis les valeurs numériques du pH et du pK_A.

Solution rédigée

1. L'hydroxylamine est une base faible dans l'eau : elle ne réagit donc pas totalement avec l'eau. L'équation de la réaction s'écrit alors :

$$NH_2OH(aq) + H_2O(\ell) \rightleftharpoons NH_3OH^+(aq) + HO^-(aq)$$

2. La constante d'acidité du couple $NH_3OH^+(aq)/NH_2OH(aq)$ est :

$$K_A = \frac{[NH_2OH]_{éq} \cdot [H_3O^+]_{éq}}{[NH_3OH^+]_{éq}} = 10^{-pK_A}, \quad \text{donc } \boldsymbol{K_A} = 10^{-6,1} = \mathbf{7{,}9 \times 10^{-7}}.$$

3. a. On compare les valeurs du pH et du pK_A : pH = 9,5 et pK_A = 6,1. Comme pH > pK_A, l'espèce prédominante dans la solution S est l'hydroxylamine, $NH_2OH(aq)$.

b. De l'expression de la constante d'acidité K_A, il vient :

$$\frac{[NH_2OH]_{éq}}{[NH_3OH^+]_{éq}} = \frac{10^{-pK_A}}{[H_3O^+]_{éq}}$$

Par définition du pH : $[H_3O^+]_{éq} = 10^{-pH}$, donc $\dfrac{[NH_2OH]_{éq}}{[NH_3OH^+]_{éq}} = \dfrac{10^{-pK_A}}{10^{-pH}}$,

soit $$\frac{[NH_2OH]_{éq}}{[NH_3OH^+]_{éq}} = \frac{10^{-6,1}}{10^{-9,5}} = \mathbf{2{,}5 \times 10^3}.$$

Comme $\dfrac{[NH_2OH]_{éq}}{[NH_3OH^+]_{éq}} > 1$, l'espèce prédominante dans la solution S est l'hydroxylamine, $NH_2OH(aq)$.

Application immédiate

Contenus dans certaines boissons « light », l'acide benzoïque $C_6H_5CO_2H(aq)$ et sa base conjuguée, l'ion benzoate $C_6H_5CO_2^-(aq)$, jouent le rôle de conservateurs (codes E 210 et E 211). L'ion benzoate est une base faible au sens de Brönsted. À 25 °C, le pK_A du couple vaut 4,2. Une solution S contenant des ions benzoate a un pH égal à 3,6.

1. Écrire l'équation de la réaction entre l'ion benzoate et l'eau.
2. Exprimer, puis calculer la constante d'acidité K_A associée au couple étudié.
3. a. Identifier l'espèce prédominante dans la solution S.

b. Retrouver ce résultat en calculant le quotient $\dfrac{[C_6H_5CO_2^-]_{éq}}{[C_6H_5CO_2H]_{éq}}$.

Voir corrigés, p. 606.

Exercices

Compétences exigibles au baccalauréat

- ✔ *Mesurer le pH d'une solution aqueuse.* ➜ activité 1
- ✔ Reconnaître un acide, une base dans la théorie de Brönsted. ➜ exercices 12 et 13
- ✔ Utiliser les symbolismes $\longrightarrow$, $\longleftarrow$ et $\rightleftharpoons$ dans l'écriture des réactions chimiques pour rendre compte des situations observées. ➜ exercices 11 et 14
- ✔ Identifier l'espèce prédominante d'un couple acide/base connaissant le pH du milieu et le pK_a du couple. ➜ exercice 18
- ✔ *Mettre en œuvre une démarche expérimentale pour déterminer une constante d'acidité.* ➜ activité 4
- ✔ Calculer le pH d'une solution aqueuse d'acide fort ou de base forte de concentration usuelle. ➜ exercices 20 et 21
- ✔ *Mettre en évidence l'influence des quantités de matière mises en jeu sur l'élévation de température observée.* ➜ activité 2
- ✔ Extraire et exploiter des informations pour montrer l'importance du contrôle du pH dans un milieu biologique. ➜ activité 3

Pour commencer

Comment définir et mesurer le pH ?

8 Utiliser la définition du pH

1. Rappeler les expressions permettant de calculer :
– le pH à partir de la concentration $[H_3O^+]$;
– la concentration $[H_3O^+]$ à partir du pH.

2. On dispose de quatre solutions A, B, C et D telles que :

Solution	A	B	C	D
$[H_3O^+]$ ($mol \cdot L^{-1}$)	$1{,}0 \times 10^{-3}$	……	$4{,}8 \times 10^{-5}$	……
pH	……	3,4	……	9,8

Recopier puis compléter le tableau ci-dessus.

3. Comment varie la concentration $[H_3O^+]$ lorsque le pH augmente ?

9 Associer pH et concentration $[H_3O^+]$

On considère trois solutions A, B et C de pH respectifs $pH_A = 3{,}2$, $pH_B = 5{,}6$ et $pH_C = 8{,}3$.
Sans utiliser de calculatrice, attribuer à chaque solution la valeur correcte de la concentration $[H_3O^+]$ exprimée en $mol \cdot L^{-1}$: $5{,}0 \times 10^{-9}$, $6{,}3 \times 10^{-4}$ et $2{,}5 \times 10^{-6}$.

Qu'est-ce qu'un équilibre chimique ?

10 Étudier un équilibre chimique

Pour se défendre, les fourmis utilisent deux moyens : leurs mandibules, qui immobilisent l'ennemi, et la projection d'acide formique qui provoque des brûlures.
L'acide formique, ou acide méthanoïque, HCO_2H, donne lieu à un équilibre chimique avec l'eau. L'équation de la réaction, associée à cet équilibre, est :

$$HCO_2H(aq) + H_2O(\ell) \rightleftharpoons HCO_2^-(aq) + H_3O^+(aq)$$

Le pH d'une solution d'acide formique de volume $V = 50{,}0$ mL et de concentration molaire apportée $C = 1{,}0 \times 10^{-3}$ $mol \cdot L^{-1}$ vaut 3,5.

1. Établir le tableau d'avancement de la réaction.
2. Déterminer l'avancement maximal x_{max}.
3. Calculer l'avancement final x_f de la réaction.
4. Comparer x_f et x_{max}. Conclure.
5. Calculer les quantités de matières des espèces chimiques dans l'état d'équilibre final.

➜ Voir, si nécessaire, l'exercice résolu 6, p. 338.

11 Montrer qu'une réaction est totale

Une solution aqueuse S d'acide bromhydrique est obtenue en faisant réagir du bromure d'hydrogène avec de l'eau, selon la réaction d'équation :

$$HBr(g) + H_2O(\ell) \longrightarrow Br^-(aq) + H_3O^+(aq)$$

Le pH de la solution S, sa concentration molaire en soluté apporté et son volume valent respectivement :

$pH = 2{,}6$, $C = 2{,}51 \times 10^{-3}$ $mol \cdot L^{-1}$ et $V = 50{,}0$ mL.

1. Établir le tableau d'avancement de la réaction.
2. Calculer l'avancement maximal x_{max}, puis l'avancement final x_f de la réaction.
3. La réaction étudiée est-elle totale ? Comment cela se traduit-il dans l'écriture de l'équation de la réaction ?

➜ Voir, si nécessaire, l'exercice résolu 6, p. 338.

Que sont un acide et une base dans la théorie de Brönsted ?

12 Rechercher des couples acide/base

Les espèces chimiques suivantes sont des acides ou des bases dans la théorie de Brönsted : $C_6H_5CO_2H$, HCO_2^-, HO^-, NH_4^+, H_2O, NH_3, $C_6H_5CO_2^-$ et HCO_2H.

1. Définir un acide et une base dans la théorie de Brönsted.

2. Former les couples acide/base.

3. Écrire les demi-équations acido-basiques correspondant aux couples formés.

4. a. L'eau appartient à un autre couple acide/base. Lequel ?
b. Comment nomme-t-on une telle espèce chimique ?

13 Reconnaître deux couples acide/base

L'aniline réagit avec l'eau selon la réaction d'équation :

$$C_6H_5NH_2(aq) + H_2O(\ell) \rightleftharpoons C_6H_5NH_3^+(aq) + HO^-(aq)$$

1. Identifier les deux couples acide/base associés à la réaction.

2. L'aniline est-elle un acide faible ou une base faible dans l'eau ?

3. Montrer que la réaction acido-basique précédente s'interprète comme l'échange d'un proton entre deux espèces appartenant à deux couples acide/base différents.

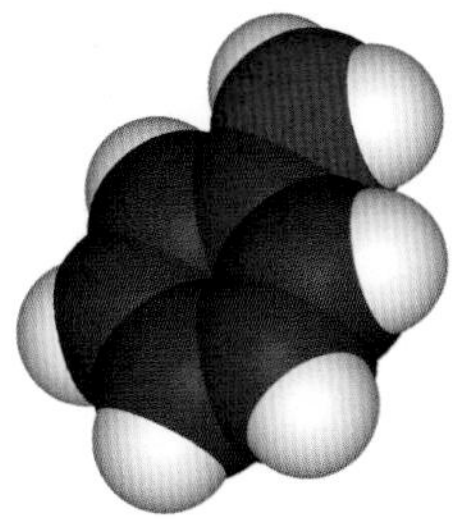

14 Étudier des réactions acido-basiques

Un comprimé effervescent d'aspirine contient, entre autres, de l'acide acétylsalicylique (ou aspirine), $C_9H_8O_4$, et de l'hydrogénocarbonate de sodium, $NaHCO_3$.
L'aspirine, $C_9H_8O_4$(aq), est un acide faible dans l'eau et l'ion hydrogénocarbonate, HCO_3^-(aq), est une base faible dans l'eau.

1. Écrire l'équation de la réaction qui se produit entre l'aspirine et l'eau.

2. Écrire l'équation de la dissolution de l'hydrogénocarbonate de sodium dans l'eau, en la considérant comme totale.

3. L'acide conjugué de l'ion hydrogénocarbonate HCO_3^-(aq) est le dioxyde de carbone dissous CO_2, H_2O(aq).
Écrire l'équation de la réaction qui se produit entre l'ion hydrogénocarbonate et l'aspirine.

4. Justifier l'effervescence observée lors de la dissolution du comprimé dans l'eau.

Qu'est-ce qu'une constante d'acidité ?

15 Utiliser le produit ionique de l'eau

À 37 °C, le produit ionique de l'eau vaut $K_e = 2{,}4 \times 10^{-14}$.

1. Définir le produit ionique de l'eau.

2. Calculer la valeur du pK_e à 37 °C.

3. Quel serait le pH d'une solution aqueuse neutre à cette température ?

4. À 37 °C, le pH de la salive vaut 6,85. La salive est-elle une solution acide ou une solution basique à cette température ?

16 Démo Vérifier que l'autoprotolyse de l'eau est une réaction très limitée

La réaction d'autoprotolyse de l'eau a lieu dans toute solution aqueuse et notamment dans l'eau pure. Des mesures précises réalisées en laboratoire ont montré qu'à 25 °C le pH de l'eau pure est égal à 7,0.
On considère un volume $V = 1{,}0$ L d'eau pure à 25 °C.

1. Reproduire et compléter le tableau d'avancement ci-dessous, associé à la réaction d'autoprotolyse de l'eau :

Équation	$2\,H_2O(\ell)$	$\rightleftharpoons H_3O^+(aq)$	$+ HO^-(aq)$
État Initial (x = 0)	n_0	0	0
État intermédiaire (x)	.....	......	......
État final (x_f)	......	......	......

2. Calculer la quantité initiale d'eau notée n_0.

3. Calculer la valeur de l'avancement maximal x_{max}.

4. Déduire du pH, la valeur de l'avancement final x_f.

5. Comparer x_f et x_{max}. Conclure.

Donnée : masse volumique de l'eau $\mu_{eau} = 1\,000\ g \cdot L^{-1}$.

Voir, si nécessaire, l'exercice résolu 6, p. 338.

17 Calculer une constante d'acidité

L'acide salicylique $C_7H_6O_3$, extrait notamment de l'écorce de saule, donne lieu à un équilibre chimique avec l'eau.

1. Écrire l'équation de la réaction correspondante.

2. Écrire l'expression de la constante d'acidité K_A associée au couple de l'acide salicylique.

3. Pour un état d'équilibre donné, on a :

$$[C_7H_5O_3^-]_{éq} = [H_3O^+]_{éq} = 1{,}8 \times 10^{-3}\ mol \cdot L^{-1} ;$$
$$[C_7H_6O_3]_{éq} = 3{,}2 \times 10^{-3}\ mol \cdot L^{-1}.$$

Calculer la valeur de la constante d'acidité K_A.

4. En déduire la valeur du pK_A associée au couple de l'acide salicylique.

Voir, si nécessaire, l'exercice résolu 7, p. 339.

18 Tracer un diagramme de prédominance

L'ammoniac NH_3(aq) est une base faible dans l'eau. Le couple ion ammonium/ammoniac a pour constante d'acidité $K_A = 6{,}3 \times 10^{-10}$ à 25 °C.

1. Calculer le pK_A associé au couple acide/base.
2. Tracer le diagramme de prédominance correspondant.
3. Le pH d'une solution aqueuse d'ammoniac vaut 10,6.
a. Quelle est l'espèce prédominante dans la solution?
b. Calculer la valeur du quotient $\frac{[NH_3]_{éq}}{[NH_4^+]_{éq}}$.
c. Le résultat obtenu est-il en accord avec la réponse à la question 3a?

Voir, si nécessaire, l'exercice résolu 7, p. 339.

19 Établir le diagramme de prédominance d'un acide α-aminé

L'alanine est un acide α-aminé dont la formule topologique est donnée ci-contre.

H_2N — OH, O

1. Identifier les deux groupes caractéristiques de cette molécule.
2. En solution aqueuse, un transfert intramoléculaire d'un proton a lieu du groupe carboxyle vers le groupe amine : il se forme alors un amphion.

Écrire la formule de l'amphion formé.

3. L'amphion est un ampholyte. Déterminer les deux couples acide/base auxquels il appartient.
4. L'alanine est caractérisée par deux valeurs de pK_A associés aux deux couples précédents :
- pK_{A1} = 2,4 associé au couple cation/amphion;
- pK_{A2} = 9,9 associé au couple amphion/anion.

Établir le diagramme de prédominance de l'alanine.

Que sont un acide fort et une base forte dans l'eau ?

20 Calculer le pH d'une solution d'acide fort

L'acide nitrique $HNO_3(\ell)$ est un acide fort dans l'eau. On considère une solution aqueuse S d'acide nitrique de concentration molaire en soluté apporté $C = 2{,}5 \times 10^{-3}$ mol·L^{-1}.

1. Définir un acide fort dans l'eau.
2. Écrire l'équation de la réaction entre l'acide nitrique $HNO_3(\ell)$ et l'eau.
3. Calculer le pH de la solution S.
4. On dilue dix fois la solution S : on obtient une solution S'. Quel est le pH de la solution S'?

21 Calculer le pH d'une solution de base forte

Une solution aqueuse S d'hydroxyde de sodium est préparée par dissolution totale du solide NaOH(s).
La solution obtenue est une solution de base forte, de concentration molaire en soluté apporté $C = 5{,}0 \times 10^{-2}$ mol·L^{-1}.

1. Écrire l'équation de la dissolution.
2. Calculer le pH de la solution S.
3. On dilue dix fois la solution S : on obtient une solution S'. Quel est le pH de la solution S'?

22 Établir l'équation de la réaction entre un acide fort et une base forte

On mélange une solution aqueuse d'acide perchlorique, H_3O^+(aq) + ClO_4^-(aq), acide fort dans l'eau, avec une solution aqueuse d'hydroxyde de potassium, K^+(aq) + HO^-(aq), base forte dans l'eau. Les ions perchlorate ClO_4^-(aq) et potassium K^+(aq) étant spectateurs, les seuls couples acide/base mis en jeu sont les deux couples de l'eau.

1. Écrire les deux couples de l'eau et leurs demi-équations acido-basiques associées.
2. En déduire l'équation de la réaction entre la solution d'acide fort et la solution de base forte.
3. Quel est l'effet thermique produit par cette réaction?

Pour s'entraîner

23 Poisson au court-bouillon

COMPÉTENCE Expliquer une démarche.

La plupart des poissons contiennent des amines volatiles, comme la N,N-diméthyl-méthanamine, $(CH_3)_3N$, dont l'odeur est particulièrement désagréable. Elle est peu soluble dans l'eau. En revanche, son acide conjugué est soluble dans l'eau et non volatil. Afin de limiter les odeurs désagréables lors de la cuisson du poisson dans l'eau, on ajoute souvent quelques gouttes de vinaigre qui contient de l'acide éthanoïque CH_3CO_2H.

1. Écrire la demi-équation acido-basique associée au couple de la N,N-diméthylméthanamine.
2. Écrire la demi-équation acido-basique associée au couple de l'acide éthanoïque.
3. Expliquer pourquoi on ajoute du vinaigre dans le court-bouillon du poisson.

24 Mesure d'un pH et incertitudes

COMPÉTENCES Effectuer des calculs; raisonner.

Le pH d'une solution aqueuse S, mesuré avec un pH-mètre, est pH$_{mesuré}$ = 2,52.

1. a. Quel réglage du pH-mètre doit-on réaliser avant de mesurer le pH de la solution?

b. Comment nomme-t-on les solutions permettant de réaliser ce réglage ?

2. Sachant que l'incertitude de la mesure donnée par le pH-mètre est de 0,05 unité de pH, écrire le résultat de la mesure sous la forme $pH_{solution} = pH_{mesuré} \pm U(pH)$.

3. En déduire un encadrement de la concentration $[H_3O^+]_{solution}$ correspondante et l'incertitude $U([H_3O^+])$.

4. Calculer l'incertitude relative $\frac{U([H_3O^+])}{[H_3O^+]_{solution}}$ et l'exprimer en pourcentage.

5. Pourquoi la concentration $[H_3O^+]_{solution}$, déduite d'une mesure de pH, doit-elle s'exprimer avec, au plus, deux chiffres significatifs ?

25 À chacun son rythme 

COMPÉTENCES **Raisonner ; effectuer des calculs.**

Cet exercice est proposé à deux niveaux de difficulté. Dans un premier temps, essayer de résoudre l'exercice de niveau 2. En cas de difficultés, passer au niveau 1.

L'acide propanoïque est un acide faible dans l'eau. Une solution aqueuse d'acide propanoïque, $C_3H_6O_2(aq)$, a une concentration molaire en soluté apporté $C = 2{,}0 \times 10^{-3}$ mol · L^{-1} et un volume V.
À 25 °C, la conductivité de la solution est :

$$\sigma = 6{,}20 \times 10^{-3}\ S \cdot m^{-1}.$$

Données : conductivités ioniques molaires à 25 °C :
- ion oxonium $H_3O^+(aq)$: $\lambda_1 = 35{,}0 \times 10^{-3}$ S · m² · mol^{-1} ;
- ion propanoate $C_3H_5O_2^-(aq)$: $\lambda_2 = 3{,}58 \times 10^{-3}$ S · m² · mol^{-1}.

Voir la **fiche n° 12**, p. 596.

Niveau 2

1. Calculer la concentration molaire $[H_3O^+]_{éq}$ dans la solution à l'équilibre.

2. Déterminer la valeur de la constante d'acidité K_A associée au couple acide / base de l'acide propanoïque.

Niveau 1

1. a. Écrire l'équation de la réaction entre l'acide propanoïque et l'eau et établir le tableau d'avancement.
b. En déduire une relation entre les concentrations molaires $[H_3O^+]_{éq}$ et $[C_3H_5O_2^-]_{éq}$ à l'équilibre.
c. Exprimer la conductivité σ en fonction de la concentration $[H_3O^+]_{éq}$ et des conductivités ioniques molaires λ_1 et λ_2.
d. Calculer la concentration molaire $[H_3O^+]_{éq}$ en mol · m^{-3} puis en mol · L^{-1}.

2. a. Écrire l'expression de la constante d'acidité K_A.
b. Déduire, du tableau d'avancement, la valeur de la concentration $[C_3H_6O_2]_{éq}$ à l'équilibre.
c. Déterminer la valeur de la constante d'acidité K_A associée au couple acide / base de l'acide propanoïque.

26 Solution aqueuse d'éthanamine

COMPÉTENCES **Effectuer un calcul ; exploiter une relation.**

L'éthanamine $C_2H_5NH_2(aq)$ est une base faible dans l'eau. À 25 °C, le pH d'une solution aqueuse d'éthanamine, de concentration en soluté apporté $C = 1{,}0 \times 10^{-2}$ mol · L^{-1} et de volume $V = 250$ mL, vaut 11,3.

1. Écrire l'équation de la réaction entre l'éthanamine et l'eau.

2. Calculer la concentration $[H_3O^+]_{éq}$ dans la solution à l'équilibre.

3. En déduire la concentration $[HO^-]_{éq}$ dans la solution.

4. On pose $\tau = \frac{x_f}{x_{max}}$. À partir du tableau d'avancement de la réaction, montrer que $\tau = \frac{[HO^-]_{éq}}{C}$.

5. Calculer la valeur de τ. Que peut-on en conclure ?

6. Si l'éthanamine était une base forte dans l'eau :
a. quelle serait la valeur de τ ?
b. quel serait le pH de la solution à 25 °C ?

Donnée : à 25 °C, $K_e = 1{,}0 \times 10^{-14}$.

Pour aller plus loin

27 Diagramme de distribution d'un indicateur coloré

COMPÉTENCES **Exploiter un graphique ; expliquer une démarche.**

Un indicateur coloré acido-basique est un couple acido-basique noté HInd / Ind$^-$, dont les espèces conjuguées ont des teintes différentes.
On considère une solution aqueuse de bleu de bromophénol, indicateur coloré acido-basique, de concentration molaire en soluté apporté $C = 20$ mmol · L^{-1}.
La teinte de la forme acide HInd est jaune, celle de la forme basique Ind$^-$ est bleue. Une étude expérimentale permet de tracer le diagramme de distribution des formes acide et basique de l'indicateur coloré. Ce diagramme indique les pourcentages des formes HInd et Ind$^-$ en fonction du pH :

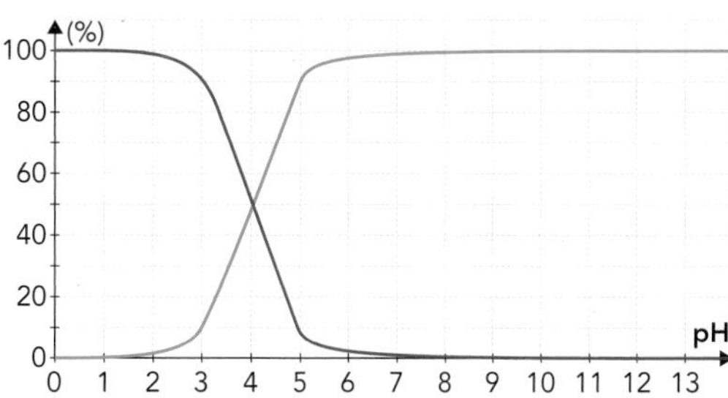

1. Identifier le graphe correspondant à la forme acide HInd et celui qui correspond à la forme basique Ind$^-$.

2. En justifiant la démarche, déterminer, à partir du graphe, le pK_A du couple acido-basique HInd/Ind$^-$ associé à l'indicateur coloré.

3. Tracer le diagramme de prédominance du couple HInd / Ind$^-$.

4. Quelle est la teinte de l'indicateur coloré dans une solution dont le pH prend successivement les valeurs 2, 4, puis 9 ?

5. Exprimer les pourcentages $P(\text{HInd})$ et $P(\text{Ind}^-)$ en fonction de C, [HInd] et $[\text{Ind}^-]$.

6. En déduire les valeurs des concentrations [HInd] et $[\text{Ind}^-]$ lorsque le pH de la solution aqueuse vaut 3,5.

7. On admet que l'indicateur coloré prend :

– sa teinte acide, donnée par HInd, si $\dfrac{[\text{Ind}^-]}{[\text{HInd}]} < \dfrac{1}{10}$;

– sa teinte basique, donnée par Ind^-, si $\dfrac{[\text{Ind}^-]}{[\text{HInd}]} > 10$;

– sa teinte sensible si $\dfrac{1}{10} < \dfrac{[\text{Ind}^-]}{[\text{HInd}]} < 10$.

Pour quel domaine de pH l'indicateur coloré prend-il sa teinte acide ? sa teinte basique ? sa teinte sensible ?

28 Solution d'acide sulfurique

COMPÉTENCES Établir et exploiter une relation.

L'acide sulfurique $H_2SO_4(\ell)$ peut être considéré comme un diacide fort dans l'eau. La réaction entre l'acide sulfurique et l'eau libère deux protons.
On considère une solution d'acide sulfurique de concentration molaire en soluté apporté $C = 5{,}0 \times 10^{-2}$ mol·L^{-1}.

1. Écrire l'équation de la réaction entre l'acide sulfurique et l'eau.

2. Établir une relation entre $[H_3O^+]$ et C.

3. Calculer le pH de la solution d'acide sulfurique.

4. Comparer le pH trouvé avec le pH d'une solution aqueuse d'acide chlorhydrique, $H_3O^+(aq) + Cl^-(aq)$, acide fort dans l'eau, de même concentration C.

29 Dioxyde de carbone et pH de l'eau de mer

COMPÉTENCES Exploiter un graphe ; utiliser une relation.

Le dioxyde de carbone CO_2 est un gaz faiblement soluble dans l'eau. Les organismes marins respirent et rejettent donc du dioxyde de carbone. De plus, une partie du dioxyde de carbone atmosphérique se dissout dans l'eau de mer. La dissolution dans l'eau du dioxyde de carbone s'accompagne de la formation de l'ion hydrogénocarbonate $HCO_3^-(aq)$ qui appartient à deux couples acido-basiques :

$$CO_2, H_2O(aq)/HCO_3^-(aq) \quad (pK_{A1}),$$
$$HCO_3^-(aq)/CO_3^{2-}(aq) \quad (pK_{A2}).$$

L'eau de mer contient donc, entre autres, les espèces chimiques suivantes :

$$CO_2, H_2O(aq), \quad HCO_3^-(aq) \quad \text{et} \quad CO_3^{2-}(aq).$$

1. Écrire l'équation de la réaction du dioxyde de carbone dissous avec l'eau, puis la relation entre pH et pK_{A1}.

2. Écrire l'équation de la réaction de l'ion hydrogénocarbonate avec l'eau, puis la relation entre pH et pK_{A2}.

3. Le graphe ci-après représente, à 25 °C, les variations de trois rapports en fonction du pH :

$$r_1 = \frac{[CO_2, H_2O]}{C_T}, \quad r_2 = \frac{[HCO_3^-]}{C_T} \quad \text{et} \quad r_3 = \frac{[CO_3^{2-}]}{C_T}$$

avec $C_T = [CO_2, H_2O] + [HCO_3^-] + [CO_3^{2-}]$ le carbone inorganique total.

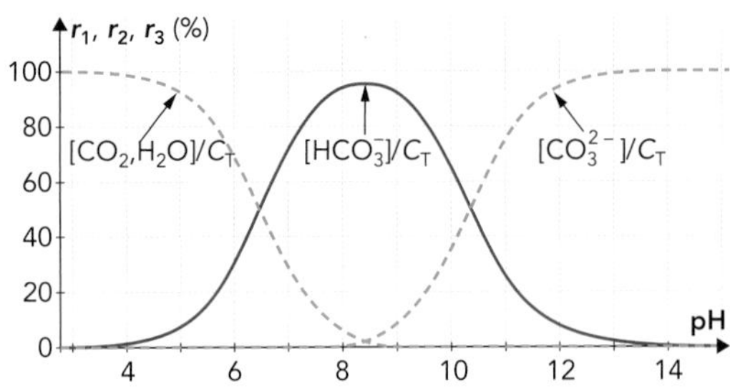

a. Utiliser le graphique pour déterminer les valeurs de pK_{A1} et de pK_{A2}.

b. Placer sur un diagramme les domaines de prédominance des espèces CO_2, $H_2O(aq)$, $CO_3^{2-}(aq)$ et $HCO_3^-(aq)$.

4. Le pH idéal de l'eau de mer est voisin de 8,2 à 25 °C. Or, l'augmentation du dioxyde de carbone atmosphérique provoque une diminution du pH de l'eau de mer qui pourrait être égal à 7,8 à la fin du XXIe siècle.
Quel est l'effet de cette « acidification des océans » sur les organismes marins qui construisent leur coquille ou leur squelette à partir du carbonate de calcium $CaCO_3(s)$?

30 Leucine  

COMPÉTENCES Trouver des informations ; argumenter.

An α-amino acid is a molecule containing an amino and a carboxylic acid functional groups, the amino group is attached to the carbon immediately adjacent to the carboxylic acid group. Acid group $(-CO_2H)$ can lose a proton to become negative carboxylate group $(-CO_2^-)$. Amino group $(-NH_2)$ can gain a proton to become positive α-ammonium group $(-NH_3^+)$.
So, an α–amino acid exists in aqueous solution in the form of an amphion. Leucine is the most common amino acid in human proteins.
It's an essential α-amino acid whose systematic name is 2-amino-4-methylpentanoic acid. Leucine is used in the *liver*, *adipose tissue*, and muscle tissue. It's also a food additive, E 641, used as a flavor *enhancer*.

Vocabulaire : *liver* : foie ; *adipose tissue* : tissus adipeux ; *enhancer* : exhausteur.

1. @ What is an essential α-amino acid?

2. Write the chemical formula of leucine.

3. Deduce the formulas of:
a. amphion of leucine;
b. cationic form of leucine;
c. anionic form of leucine.

4. Write the two acid-base pairs.

5. *Data :* cation/amphion $pK_{A1} = 2{,}33$;
amphion/anion $pK_{A2} = 9{,}74$.
Establish the pattern predominance of leucine.

6. Justify that there is an asymmetric carbon atom in leucine.

7. Write configurational stereoisomers of leucine.

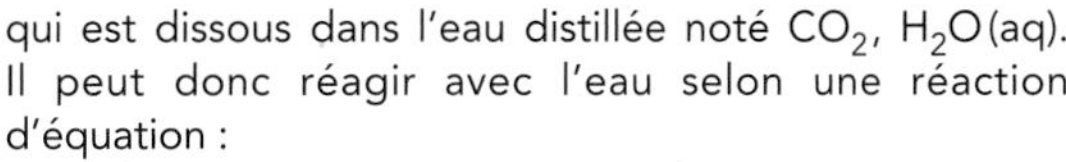

31 Bac L'eau distillée et son pH

COMPÉTENCES Mobiliser ses connaissances ; effectuer des calculs ; exploiter un diagramme.

A. pH de l'eau pure à 25 °C

1. Écrire l'équation d'autoprotolyse de l'eau.

2. Écrire l'expression du produit ionique de l'eau, K_e.
À 25 °C, des mesures de conductivité électrique montrent que pour de l'eau pure :

$$[H_3O^+]_{éq} = [HO^-]_{éq} = 1{,}0 \times 10^{-7}\ mol \cdot L^{-1}.$$

3. Calculer la valeur de K_e à 25 °C.
En déduire la valeur du pH de l'eau pure à 25 °C.

B. Eau distillée laissée à l'air libre

De l'eau fraîchement distillée dans le distillateur ci-dessous et laissée quelque temps à l'air libre dans un bécher, à 25 °C, voit son pH diminuer puis se stabiliser à la valeur 5,7.
La dissolution, lente et progressive, dans l'eau distillée du dioxyde de carbone présent dans l'air permet d'expliquer cette diminution du pH. Un équilibre s'établit entre le dioxyde de carbone présent dans l'air et celui qui est dissous dans l'eau distillée noté $CO_2, H_2O(aq)$. Il peut donc réagir avec l'eau selon une réaction d'équation :

$$CO_2, H_2O(aq) + H_2O(\ell) \rightleftharpoons HCO_3^-(aq) + H_3O^+(aq)$$

4. Écrire les couples acido-basiques mis en jeu.

5. Exprimer la constante d'acidité K_A associée à l'équation précédente. En déduire la relation :

$$pH = pK_A + \log\left(\frac{[HCO_3^-]_{éq}}{[CO_2, H_2O]_{éq}}\right)$$

6. Sachant que $pK_A = 6{,}4$, calculer la valeur du quotient $\frac{[HCO_3^-]_{éq}}{[CO_2, H_2O]_{éq}}$ pour de l'eau distillée de pH = 5,7. Quelle espèce prédomine dans cette eau distillée ?

7. Tracer le diagramme de prédominance des espèces $CO_2, H_2O(aq)$ et $HCO_3^-(aq)$.

8. On note V le volume considéré d'eau distillée et C la concentration molaire apportée en dioxyde de carbone de l'eau distillée. Établir et compléter littéralement le tableau d'avancement de la réaction entre le dioxyde de carbone dissous et l'eau.

9. Quelle est la relation entre $[HCO_3^-]_{éq}$ et $[H_3O^+]_{éq}$? En déduire la valeur de $[HCO_3^-]_{éq}$.

10. Déterminer la valeur de $[CO_2, H_2O]_{éq}$.

11. En déduire la valeur de la concentration C.

Un pas vers l'enseignement supérieur

32 Point isoélectrique de la glycine

COMPÉTENCES Raisonner ; argumenter ; expliquer une démarche.

La glycine est l'acide α-aminé le plus simple. Le modèle moléculaire de la glycine est représenté ci-contre.

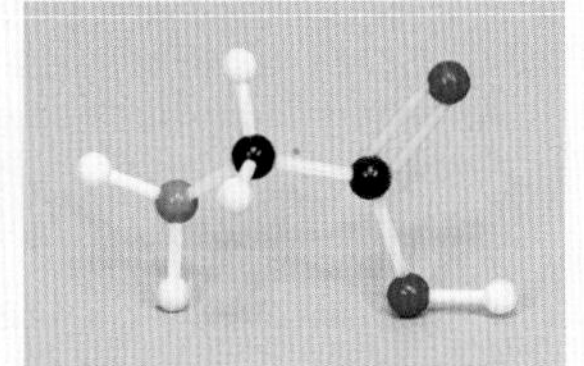

Dans un volume $V = 1{,}00$ L d'eau, on dissout 1,50 g de glycine. Par addition de solutions concentrées d'acide chlorhydrique ou d'hydroxyde de sodium, on peut faire varier le pH de la solution sans modifier notablement son volume.

La glycine est caractérisée par deux pK_A :

$$pK_{A1} = 2{,}4 \quad \text{et} \quad pK_{A2} = 9{,}8.$$

1. a. Écrire les formules semi-développée et topologique de la glycine.
b. Cette molécule comporte-t-elle un atome de carbone asymétrique ? Si oui, représenter ses stéréoisomères.
c. Reprendre les questions 1a et 1b pour l'alanine de formule $H_2N-CH(CH_3)-CO_2H$.

2. Écrire la formule semi-développée de l'amphion associé à la glycine en solution aqueuse.

3. L'amphion est un ampholyte : écrire la formule des couples acide/base auquel il appartient.

4. Tracer le diagramme de prédominance de la glycine. On note respectivement :
AH_2^+ le cation, $AH^{\pm}$ l'amphion et A^- l'anion, associés à la glycine.

5. Soit C la concentration en soluté apporté de la glycine. Justifier que pour tout pH :

$$C = [AH_2^+] + [AH^{\pm}] + [A^-]$$

6. On fixe successivement le pH de la solution à 1,0 ; 8,0 ; 11,0.
a. Placer ces valeurs sur le diagramme de prédominance.
b. Calculer la concentration de l'espèce prédominante en indiquant, dans chaque cas, l'espèce négligée.

7. Établir l'expression littérale du produit $K_{A1} \cdot K_{A2}$.

8. Le point isoélectrique d'un acide α-aminé correspond à une solution dont le pH est :

$$pH = \frac{1}{2}(pK_{A1} + pK_{A2}).$$

À quelle condition obtient-on cette relation à partir de l'expression du produit $K_{A1} \cdot K_{A2}$?

9. En déduire la valeur du pH du point isoélectrique de la glycine.

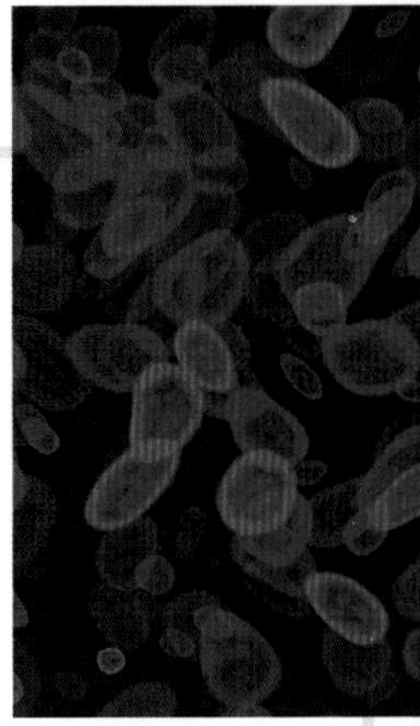

Retour sur l'ouverture du chapitre

33 Bac pH du sang lors d'un effort

COMPÉTENCES Extraire et exploiter des informations ; effectuer des calculs.

Métabolisme basal
L'énergie nécessaire pour le métabolisme basal de l'homme provient de la transformation, en milieu oxygéné, du glucose en dioxyde de carbone et eau. Le dioxyde de carbone est transporté par le sang jusqu'aux poumons où il est alors éliminé par ventilation.
Lors d'un effort physique intense, les besoins énergétiques des muscles augmentent : le métabolisme basal augmente ainsi que la ventilation. Lorsque la ventilation est insuffisante, il se forme, dans la cellule musculaire, de l'acide lactique qui, lorsqu'il passe dans le sang, provoque une diminution locale de son pH. Cette diminution du pH sanguin déclenche des ordres hypothalamiques qui vont amplifier la ventilation.

Régulation du pH du sang
Le sang est un liquide plasmatique qui peut être assimilé à une solution aqueuse ionique dont le pH, d'une valeur voisine de 7,4, est quasiment constant et ne peut subir que de très faibles fluctuations. Le maintien de la valeur du pH se fait par différents processus :
– l'un met en œuvre un ensemble d'espèces chimiques régulatrices dont notamment le couple acide / base $CO_2, H_2O\,(aq) / HCO_3^-(aq)$ grâce à l'équilibre :

$$CO_2, H_2O\,(aq) + H_2O\,(\ell) \rightleftharpoons HCO_3^-(aq) + H_3O^+(aq) \quad (1)$$

– le second est la respiration.
À une température de 37 °C, on donne :
– pH d'un sang artériel « normal » : 7,4 ;
– $pK_A(CO_2, H_2O / HCO_3^-) = 6{,}1$.

Hémoglobine et respiration
Pour éviter toute variation du pH du sang lors d'un effort physique, l'hémoglobine, contenue dans ce dernier, et la respiration interviennent pour éliminer l'excès de dioxyde de carbone. Le transport des gaz dissous dans le sang peut être modélisé par l'équilibre :

$$HbO_2 + CO_2 \rightleftharpoons HbCO_2 + O_2 \quad (2)$$

où Hb représente l'hémoglobine du sang.

Acide lactique et variation locale du pH sanguin en l'absence des processus de maintien
L'acide lactique a pour formule $CH_3-CHOH-CO_2H$.
Sa base conjuguée est l'ion lactate $CH_3-CHOH-CO_2^-$.
Si l'effort physique est très intense et l'apport en dioxygène insuffisant, la combustion complète du glucose est impossible. Il se produit alors de l'acide lactique. Celui-ci s'accumule d'abord dans la cellule, puis passe la membrane cellulaire et se retrouve dans le sang. L'acide lactique réagit alors avec les ions hydrogénocarbonate selon la réaction acido-basique d'équation :

$$CH_3-CHOH-CO_2H\,(aq) + HCO_3^-(aq) \longrightarrow CH_3-CHOH-CO_2^-(aq) + CO_2, H_2O\,(aq) \quad (3)$$

Avant l'effort, à 37 °C, les concentrations, dans le sang, des ions hydrogénocarbonate $HCO_3^-(aq)$ et du dioxyde de carbone dissous $CO_2, H_2O\,(aq)$ sont :
$[HCO_3^-]_i = 2{,}7 \times 10^{-2}\ mol \cdot L^{-1}$;
$[CO_2, H_2O]_i = 1{,}4 \times 10^{-3}\ mol \cdot L^{-1}$
Après l'effort, et avant que ne se produise la réaction (3), la concentration, dans le sang, de l'acide lactique est $[C_3H_6O_3] = 3{,}0 \times 10^{-3}\ mol \cdot L^{-1}$.

1. Écrire l'expression de la constante d'acidité K_{A1} associée au couple régulateur de la réaction (1).
En déduire la relation entre le pH et le pK_{A1} du couple $CO_2, H_2O(aq)/HCO_3^-(aq)$.

2. Calculer alors la valeur du rapport $\dfrac{[HCO_3^-]}{[CO_2, H_2O]}$ dans le sang artériel normal.

3. Lors d'un effort physique, la concentration en dioxyde de carbone dissous dans le sang, au voisinage du muscle, augmente.
Comment devrait varier alors le pH du sang ?

4. En considérant la réaction (2), répondre qualitativement aux questions suivantes :
a. Au voisinage du muscle, la quantité de CO_2 dissoute dans le sang augmente. Dans quel sens évolue l'équilibre associé à la réaction (2) ?
b. Au voisinage du poumon la quantité de dioxygène O_2 dissoute dans le sang augmente. Dans quel sens évolue l'équilibre associé à la réaction (2) ?
c. Expliquer comment la respiration permet de maintenir constante la valeur du pH sanguin.

5. Définir un acide dans la théorie de Brönsted.

6. Écrire l'équation de la réaction entre l'acide lactique et l'eau.

7. L'acide lactique est noté HA, sa base conjuguée A^-. On considère un volume $V = 100$ mL de sang « après effort » dans lequel se trouve la quantité $n_0 = 0{,}30$ mmol d'acide lactique.
Établir un tableau d'avancement pour la réaction (3) supposée totale.

8. Calculer les concentrations $[HCO_3^-]_f$ et $[CO_2, H_2O]_f$ dans le sang après effort.

9. En utilisant la relation établie à la question 1, calculer le pH local du sang après effort.
Conclure.

Comprendre un énoncé

34 Bac Étude du pH d'un mélange

Le pH d'une solution aqueuse d'acide nitreux, HNO_2(aq), de concentration en soluté apporté C_1 = 0,20 mol · L^{-1}, a pour valeur pH_1 = 2,0. Le pH d'une solution aqueuse de méthanoate de sodium, $HCOO^-$(aq) + Na^+(aq), de concentration en soluté apporté C_2 = 0,40 mol · L^{-1}, a pour valeur pH_2 = 8,7.
On mélange un même volume V = 200 mL de chacune des deux solutions précédentes.
On note n_1 et n_2 respectivement les quantités d'acide nitreux et de méthanoate de sodium introduites dans le mélange réactionnel.
Le système chimique atteint rapidement un état d'équilibre caractérisé par l'avancement final $x_f = 3{,}3 \times 10^{-2}$ mol.
On cherche la valeur du pH du mélange des deux solutions de pH connus.

Données à 25 °C : pK_{A1} (HNO_2/NO_2^-) = 3,3 ;
pK_{A2} ($HCOOH/HCOO^-$) = 3,8.

Questions à se poser à la lecture de l'énoncé

→ Quels sont les couples acide / base mis en jeu ?

→ À quelle grandeur le pH permet-il d'accéder ?

→ Comment calculer les quantités initiales des réactifs ?

→ Comment exploiter la valeur de l'avancement final ?

→ Comment relier le pH au pK_A ?

Questions	Compétences à mobiliser	Si difficulté, revoir
A. Étude des deux solutions 1. a. Écrire l'équation de la réaction entre l'acide nitreux et l'eau. b. Donner l'expression de la constante d'acidité associée au couple de l'acide nitreux. 2. Écrire l'équation de la réaction entre l'ion méthanoate et l'eau.	• Identifier les couples mis en jeu. • Écrire une réaction acido-basique. • Connaître l'expression de la constante d'acidité K_A pour un couple acide / base.	Cours § 3.2 et § 3.4, p. 331 et p. 332, et § 4.3, p. 333.
3. a. Sur un axe horizontal de pH, placer les domaines de prédominance des deux couples acide / base mis en jeu. b. Préciser l'espèce prédominante dans chacune des deux solutions précédentes.	• Tracer le diagramme de prédominance d'un couple dont on connaît le pK_A. • Identifier l'espèce prédominante d'un couple acide / base connaissant le pH du milieu et le pK_A du couple. • Extraire et exploiter des informations*.	Cours § 4.5, p. 334.
B. Étude du mélange des deux solutions 4. Écrire l'équation de la réaction entre l'acide nitreux et l'ion méthanoate.	• Écrire une réaction acido-basique connaissant les couples mis en jeu.	Cours § 3.4, p. 332.
5. a. Calculer les quantités initiales n_1 et n_2 des réactifs. b. Établir le tableau d'avancement de la réaction.	• Relier quantité de matière, concentration et volume. • Construire un tableau d'avancement.	Révisions, p. 126, et Cours § 2.1, p. 329.
6. Calculer les concentrations des différentes espèces chimiques présentes à l'équilibre.	• Exploiter un avancement final. • Relier quantité de matière, concentration et volume.	Révisions, p. 126.
7. Vérifier que la valeur du pH du mélange est proche de pH_3 = 4,0.	• Exploiter la relation liant le pH et le pK_A d'un couple acide / base. • Extraire et exploiter des informations*.	Cours § 4.5, p. 334.

* Compétence transversale.

Avoir les bons réflexes

Si l'énoncé demande de...	il est nécessaire de...	Si difficulté	Pour réviser
Reconnaître un acide ou une base au sens de Brönsted.	● Connaître les définitions d'un acide ou d'une base au sens de Brönsted. ● Repérer si un proton H^+ peut être capté ou cédé par les espèces chimiques.	Exercices 12 et 13, p. 340 et p. 341.	Exercice 14 p. 341.
Écrire l'équation d'une réaction acido-basique.	● Écrire les couples acide/base mis en jeu et les demi-équations acido-basiques associées. ● En déduire l'équation demandée. ● Savoir que l'équation s'écrit avec une double flèche $\rightleftharpoons$ si la réaction conduit à un état d'équilibre et avec une simple flèche $\longrightarrow$ si la réaction est totale.	Exercices résolus 6 et 7, p. 338 et p. 339.	Exercices 14 p. 341 et 22 p. 342.
Identifier l'espèce prédominante d'un couple acide/base.	● Tracer le diagramme de prédominance du couple. ● Comparer les valeurs du pH et du pK_A du couple.	Exercice résolu 7, p. 339, et exercice 18, p. 342.	Exercice 19 p. 342.
Calculer la constante d'acidité et/ou le pK_A, d'un couple acide/base.	● Connaître l'expression de la constante d'acidité K_A d'un couple. ● Savoir déterminer les concentrations des espèces chimiques intervenant dans l'expression de K_A. ● Connaître la relation entre K_A et pK_A.	Exercice résolu 7, p. 339, et exercice 17, p. 341.	Exercice 25 p. 343.
Calculer la valeur du pH d'une solution aqueuse.	● Connaître les définitions du pH et du produit ionique de l'eau K_e. ● Pour un acide fort ou une base forte, savoir relier le pH et la concentration en soluté apporté C. ● S'il s'agit d'un acide ou d'une base faible, connaître la relation liant le pH et le pK_A.	Exercices 8, p. 340, et 20, p. 342.	Exercice 28 p. 344.
Montrer qu'une réaction acido-basique est totale ou non.	● Établir le tableau d'avancement de la réaction. ● Calculer l'avancement maximal x_{max}, puis l'avancement final x_f et comparer x_f et x_{max}.	Exercice résolu 6, p. 338, et exercice 10, p. 340.	Exercice 11 p. 340.

Dans les conditions du baccalauréat

● **Avec aide :** Exercice 34 p. 347.

● **Sans aide :** Exercice 31 p. 345.

Transferts macroscopiques d'énergie

Chapitre 14

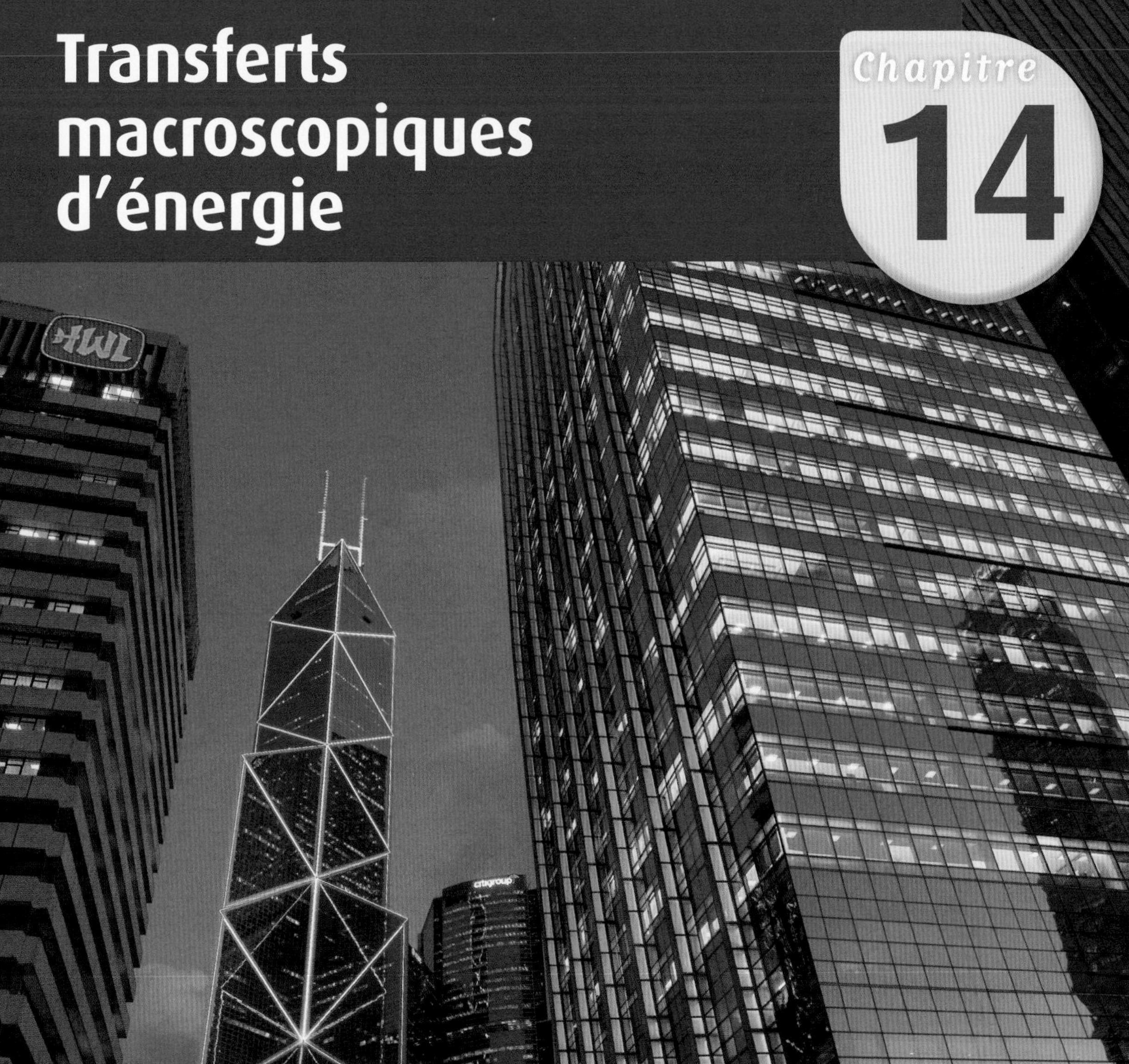

Certaines villes, par manque de place, se sont agrandies verticalement. Le béton apparent et massif des façades de certaines tours est maintenant souvent remplacé par des mètres carrés de vitrage. **Les architectes à l'origine de ces ouvrages ont-ils tenu compte de l'isolation thermique ?** **(Voir exercice 37, p. 372.)**

Par suite des échanges avec l'extérieur, comment varie l'énergie d'un système ?

OBJECTIFS

- → Connaître les ordres de grandeur relatifs aux domaines microscopique et macroscopique.
- → Connaître l'énergie interne et calculer ses variations en fonction de la température.
- → Étudier qualitativement et quantitativement les transferts thermiques.
- → Établir un bilan d'énergie.

Activités Étude documentaire

1 Du macroscopique au microscopique

Les atomes et les molécules appartiennent au monde microscopique. À l'échelle macroscopique, leur nombre est gigantesque, et les chimistes les regroupent en mole pour les dénombrer. La constante d'Avogadro fait le lien entre les échelles microscopique et macroscopique.
Comment les scientifiques ont-ils pu déterminer cette constante ?

Dès l'Antiquité, DÉMOCRITE évoque le fait que la matière est composée de petites particules indivisibles.
Au début du XIXe siècle, le physicien J. DALTON (1766-1844) postule que les atomes sont immuables et indestructibles, mais qu'ils peuvent se combiner en structures plus complexes.
En 1811, le chimiste italien A. AVOGADRO (1776-1856) indique que des volumes égaux de gaz moléculaires, pris dans les mêmes conditions de pression et de température, contiennent le même nombre de molécules. Il n'a cependant aucune idée de la valeur de ce nombre.
La constante qui relie le monde macroscopique au monde microscopique porte son nom. La mole, unité de comptage au même titre que la douzaine ou la centaine, renferme environ $6{,}02 \times 10^{23}$ entités (ions, molécules, etc.).
En 1827, le botaniste R. BROWN (1773-1858) observe des grains de pollen dispersés dans de l'eau (doc. 1). Ces grains de pollen sont soumis à un mouvement continuel et irrégulier, appelé aujourd'hui mouvement brownien. En 1905, A. EINSTEIN (1879-1955) explique ce mouvement brownien. Selon lui, une augmentation de température témoigne d'une augmentation de l'énergie cinétique des molécules de liquide (ici l'eau) et provoque un mouvement désordonné des particules (ici des grains de pollen).

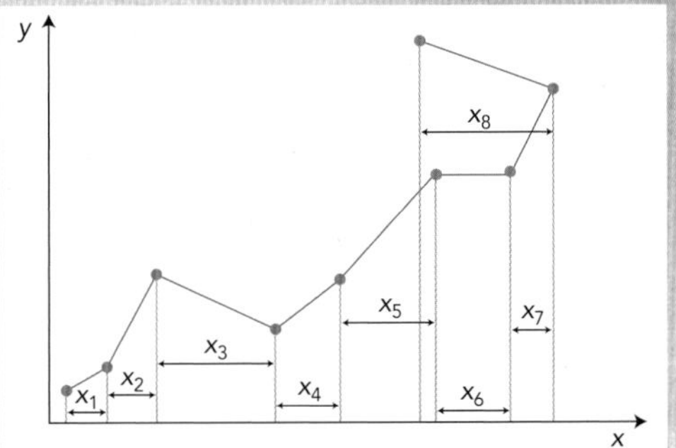

Doc. 1 Positions successives d'un grain de pollen repérées, dans un plan horizontal, à des intervalles de temps égaux. Les déplacements sur l'axe des abscisses sont x_1, x_2, etc.

Au début du XXe siècle, de nombreux scientifiques ont cherché à déterminer expérimentalement la constante d'Avogadro. Un film du Palais de la Découverte présente les travaux du physicien français J. PERRIN (1870-1942) (doc. 2) sur ce sujet.

Doc. 2 Jean PERRIN.

▸ Visionner le film : *Jean Perrin et le mouvement Brownien* sur canal-u.tv avant de répondre aux questions suivantes.

1 Proposer une explication du mouvement brownien.

2 J. PERRIN a déterminé l'activité du mouvement brownien d'un grain : $\frac{\overline{x^2}}{t}$ (doc. 3).
Que représente $\overline{x^2}$? Comment a-t-il été calculé ? Que représente t ?

3 D'après J. PERRIN, l'activité du mouvement brownien est-elle proportionnelle ou inversement proportionnelle à la constante d'Avogadro ? De quels autres paramètres dépend-elle ?

$$\frac{\overline{x^2}}{t} = \frac{R \cdot T}{N_A} \cdot \frac{1}{4\pi r^3 \eta}$$

Doc. 3 Expression de l'activité du mouvement brownien. Dans cette expression, R est une constante, T est la température exprimée en Kelvin, N_A est la constante d'Avogadro, r est le rayon d'un grain et η est la viscosité du liquide.

4 Quels paramètres a-t-il modifié au cours de sa première expérience ?

5 Comment J. PERRIN a-t-il déterminé le rayon des grains ?

6 La valeur admise en 2011 pour la constante d'Avogadro est $6{,}022\,141\,29 \times 10^{23}$ mol^{-1} avec une incertitude de 27×10^{15}.
Écrire cette valeur sous forme d'un encadrement.
Les résultats trouvés par J. PERRIN sont-ils en accord avec la valeur actuelle ?

Un pas vers le cours...

7 Expliquer la phrase de J. PERRIN : « Le mouvement brownien constitue l'intermédiaire entre l'agitation moléculaire invisible et notre échelle d'observation. »

2 Énergies microscopiques

Un système macroscopique peut emmagasiner de l'énergie sous la forme d'énergie potentielle et d'énergie cinétique (vu en Première S et au chapitre 7).
L'énergie existe-t-elle également au niveau microscopique ?

Doc. 4 Lorsqu'un archer tend son arc, celui-ci se déforme. Lorsqu'il lâche la corde, la flèche est mise en mouvement et l'arc reprend sa forme initiale.

Doc. 5 Dans un four à micro-ondes, des champs électromagnétiques de hautes fréquences provoquent l'échauffement des aliments.

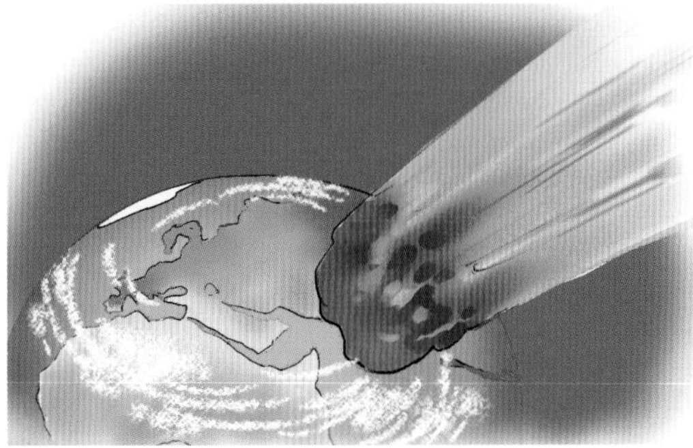

Doc. 6 Lorsqu'une météorite entre dans l'atmosphère, elle s'échauffe au point d'émettre suffisamment de lumière pour être visible, de nuit, depuis le sol : c'est une « étoile » filante.

Doc. 7 Sous l'effet du rayonnement solaire, la sculpture de glace fond.

1 Que fournit l'archer à l'arc pour le déformer (doc. 4) ?

2 Qu'est-ce qui montre que l'arc déformé a stocké de l'énergie ? Sous quelle forme cette énergie a-t-elle été stockée ?

3 Qu'est ce qui est modifié au niveau microscopique lorsque l'arc est déformé ?
Cette modification correspond à une variation d'énergie microscopique. S'agit-il d'énergie potentielle ou cinétique ?

4 Lorsque l'on chauffe un aliment dans un four à micro-ondes, l'agitation des molécules d'eau augmente (doc. 5). Cette modification correspond-elle à une variation d'énergie potentielle ou cinétique ?

5 À quelle forme d'énergie microscopique est dû l'échauffement de la météorite (doc. 6) ?

6 Que fournit le Soleil à la sculpture de glace pour la faire fondre (doc. 7) ?

7 Qu'est-ce qui est modifié au niveau microscopique lorsque la scupture fond ?

Un pas vers le cours...

8 En classe de Première S, on a vu que l'énergie potentielle d'un système à l'échelle macroscopique comprend, entre autres, l'énergie potentielle de pesanteur, qui dépend de sa position par rapport à une référence. Son énergie cinétique macroscopique est due à son mouvement d'ensemble.
L'énergie interne d'un système est définie par la somme de son énergie cinétique microscopique et de son énergie potentielle microscopique. Expliquer.

3 Constante solaire et transfert thermique

Un corps exposé au soleil voit sa température augmenter tant qu'il ne change pas d'état. L'énergie fournie par le Soleil est caractérisée par la constante solaire *F*, puissance du rayonnement solaire qui atteindrait, sans atmosphère terrestre, une surface perpendiculaire aux rayons solaires de 1 m² sur la Terre.
Comment déterminer la constante solaire ?

Rappel de Première S

L'énergie Q mise en jeu lors d'un transfert thermique d'un corps avec l'extérieur, sans changement d'état, est :

$$Q = m \cdot c \cdot \Delta T$$

- Q : énergie en J
- c : capacité thermique massique en J·Kg⁻¹·°C⁻¹
- m : masse en kg
- ΔT : variation de température en °C ou en K

Si la température du corps augmente, cette énergie Q est reçue par le corps; inversement, si sa température diminue, le corps fournit de l'énergie Q à l'extérieur.

Remarque : *c* est une caractéristique du corps étudié.

Un objet exposé au rayonnement solaire reçoit de l'énergie. On note φ_S la puissance du rayonnement solaire reçu par unité de surface perpendiculaire à ce rayonnement.

- Placer un pyromètre (doc. 8) face au Soleil tout en notant la température initiale T_i.
- Déclencher le chronomètre, puis laisser évoluer la température pendant une dizaine de minutes.
- Relever la température finale T_f et la durée Δt de l'expérience.

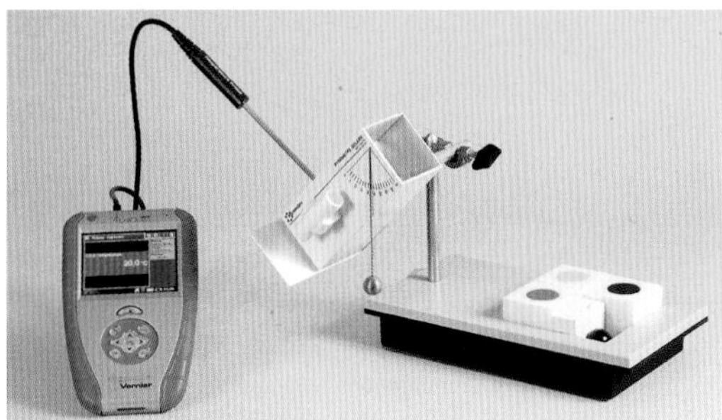

Doc. 8 Un pyromètre solaire permet de déterminer φ_S par la mesure de l'évolution de la température d'un bloc de métal de capacité thermique massique *c*, de masse *m* et de surface *S* connues.

1 Quelle est la masse *m* du bloc d'aluminium ?

2 Quelle est l'unité de φ_S ?

3 En supposant que toute l'énergie issue du rayonnement solaire est convertie en énergie thermique stockée dans le métal, trouver la relation entre *m*, *c*, ΔT, φ_S, *S* et Δt. Vérifier l'homogénéité de la relation obtenue. Calculer φ_S.

4 On considère que 30 % de la puissance solaire est absorbée par l'atmosphère.
En déduire la valeur de la constante solaire *F*.
Donnée : $c_{Al} = 897$ J·kg⁻¹·°C⁻¹.

Au cours de l'expérience précédente, l'énergie n'a pas été transférée du Soleil jusqu'au métal par travail, mais par transfert thermique. Il existe trois modes de transfert thermique :

Transfert par conduction thermique	Transfert par convection thermique	Transfert par rayonnement
L'agitation thermique se transmet de proche en proche dans la matière, mais sans déplacement d'ensemble de celle-ci.	L'agitation thermique se transmet de proche en proche dans la matière et avec déplacement d'ensemble de celle-ci.	L'énergie transportée par rayonnement et reçue par le système accentue l'agitation thermique de la matière. Ce tranfert s'effectue même dans le vide.

Un pas vers le cours...

5 Quels sont les différents modes de transferts thermiques mis en jeu, depuis le Soleil jusqu'au thermomètre ?

4 La résistance thermique

Un sac isotherme permet de ralentir le réchauffement des aliments surgelés. Un vêtement en fourrure polaire permet de se protéger du froid. Ces objets sont constitués de matériaux conçus pour limiter les transferts thermiques. Comment se comportent des matériaux lors de transferts thermiques ?

Lorsqu'un corps n'a pas une température homogène, il y a un transfert thermique de la partie la plus chaude de ce corps vers sa partie la plus froide. La capacité d'un matériau à réaliser plus ou moins rapidement ce transfert est liée à sa résistance thermique, notée R_{th}.

On considère un matériau dont les deux faces parallèles numérotées 1 et 2, de même surface S, sont à des températures différentes T_1 et T_2 (doc. 9).
Si la température T_1 de la face 1 est supérieure à la température T_2 de la face 2, l'énergie Q est transférée de la face 1 vers la face 2 pendant une durée Δt.
Le flux thermique φ (phi) traversant ce matériau est alors défini par :

$$\varphi = \frac{Q}{\Delta t}$$

Dans cette relation, Q s'exprime en joule (J) et Δt en seconde (s).

Si l'écart de température $T_1 - T_2$ est maintenu constant, le flux thermique s'exprime aussi par :

$$\varphi = \frac{T_1 - T_2}{R_{th}}$$

On se propose de mesurer la résistance thermique R_{th} de divers matériaux (doc. 10).

Un échantillon plan du matériau étudié est placé entre les deux plaques d'aluminium de l'appareil, maintenues à des températures différentes.
Une des faces est refroidie à une température constante et inférieure à la température ambiante. L'autre face est chauffée à l'aide d'un conducteur ohmique afin de la maintenir à la température ambiante.
Pour cela, ce conducteur est soumis à une tension U ; il est alors traversé par un courant électrique d'intensité I. La puissance électrique qu'il reçoit est $\mathcal{P} = U \cdot I$.
Pendant une durée Δt, l'énergie électrique reçue est $\mathcal{E} = U \cdot I \cdot \Delta t$; elle est convertie en énergie thermique par effet Joule. On admet que cette énergie est totalement transférée à la plaque froide au travers de l'échantillon du matériau étudié.
Lorsque l'écart de température $T_1 - T_2$ est constant, l'appareil indique notamment T_1, T_2, I, U, $\mathcal{P}$ et R_{th}.

- Mesurer la résistance thermique de plusieurs matériaux d'égales dimensions.
- Mesurer la résistance thermique de deux matériaux accolés.

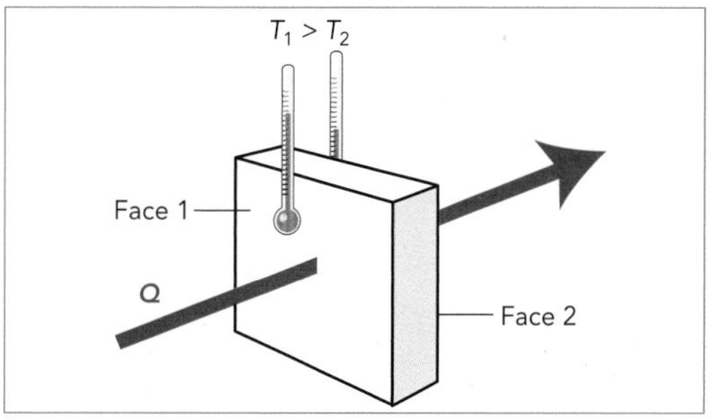

Doc. 9 Transfert thermique à travers une paroi.

Doc. 10 Appareil de mesure de résistance thermique et exemples d'échantillons (verre, plâtre, etc.).

1 À l'aide d'une analyse dimensionnelle (voir **fiche n° 5**, p. 588) :
a. Montrer que le flux thermique φ a la dimension d'une puissance.
b. Déterminer l'unité de la résistance thermique R_{th}.

2 Pour chaque mesure, à partir des valeurs de T_1, T_2 et $\mathcal{P}$ indiquées par l'appareil, calculer la résistance thermique R_{th} du matériau.
La comparer à celle indiquée par l'appareil.

3 Identifier différentes sources d'erreur lors de la mesure de la résistance thermique d'un matériau.

Un pas vers le cours...

4 a. Un matériau ayant une résistance thermique élevée est-il un bon isolant thermique ? Justifier.
b. Quelle est la résistance thermique totale de plusieurs matériaux accolés ?

5 Ça refroidit dedans et ça chauffe dehors

Un réfrigérateur permet de conserver les aliments plus longtemps en abaissant leur température. On peut facilement constater que, si l'intérieur d'un réfrigérateur est froid, d'autres parties sont chaudes, notamment l'arrière. Quels sont les transferts d'énergie à l'œuvre dans un réfrigérateur ?

Produire du froid est avant tout une histoire de... chaleur, qu'il faut évacuer ! Un phénomène à l'œuvre dans nos cuisines avec nos réfrigérateurs, dans nos maisons climatisées ou dans notre propre corps via la transpiration .

La réfrigération

LE PRINCIPE

Le réfrigérateur est un dispositif qui transporte la chaleur d'un endroit à un autre. Dans les modèles domestiques, elle est véhiculée par un fluide appelé frigorigène qui subit une succession de transformations thermodynamiques. Ce processus repose sur deux principes : pour s'évaporer, un liquide a besoin de chaleur ; en se condensant, un gaz la libère.

LE FRIGORIGÈNE

Le frigorigène est un fluide particulier dont la propriété est de pouvoir absorber beaucoup de chaleur lorsqu'il s'évapore.
Au XVIIIe siècle, on produisait de la glace avec de l'éther qui s'évapore beaucoup plus vite que l'eau. Hautement inflammable, il est remplacé par de l'ammoniac, mais celui-ci étant toxique, il est abandonné dans les années 1930. Les réfrigérateurs utilisent alors des composés fluoro-chlorés CFC, interdits en 1997 au profit des hydro-fluoro-carbones HFC, beaucoup moins néfastes pour l'environnement.

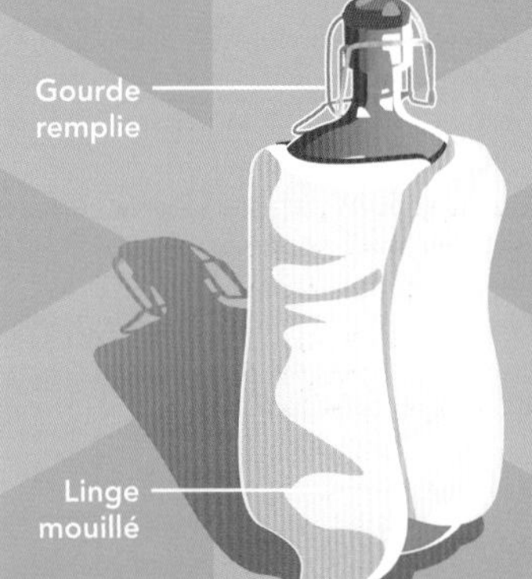

FRIGO DE FORTUNE

Expérience à réaliser un jour de grosse chaleur : remplir une gourde d'eau tiède et l'entourer avec un linge mouillé. Placer le tout à l'ombre. Au contact de l'air ambiant, l'eau du linge s'évapore lentement en prélevant la chaleur de l'eau de la gourde, ainsi rafraîchie.

Au CEA

Le CEA est un leader mondial en cryogénie.
Les chercheurs du service des basses températures développent, notamment pour l'industrie spatiale, selon des procédés différents, des petits réfrigérateurs qui peuvent atteindre des températures proches du zéro absolu (0 K = –273,15 °C), de l'ordre de 0,3 K (–272,8 °C).

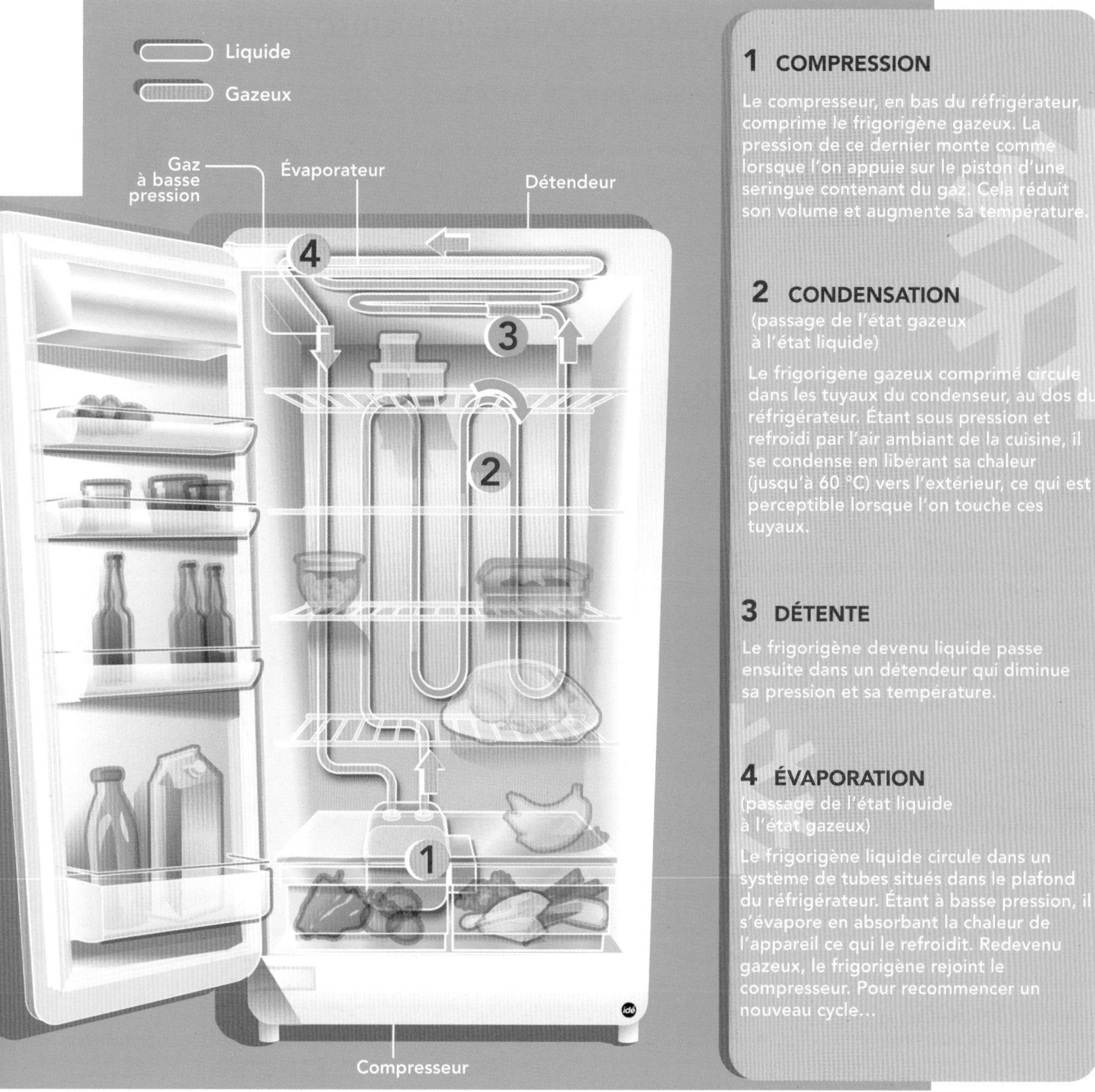

1 Pour le système {frigorigène}, quel est le signe du travail échangé avec le compresseur ?

2 On qualifie d'exothermique une transformation (comme un changement d'état) s'accompagnant d'une libération d'énergie thermique, ou chaleur, vers l'extérieur. Au contraire, une transformation est dite endothermique s'il faut fournir de l'énergie thermique pour qu'elle se réalise.
Préciser pour chacun des changements d'état physique que subit l'agent frigorigène s'il est exothermique ou endothermique.

3 On s'intéresse à l'étape de condensation (étape 2).
a. Quel est le principal mode de transfert thermique entre l'agent frigorigène et l'extérieur ?
b. Dans quel sens s'effectue ce transfert ?

4 Lors de l'étape d'évaporation, ou vaporisation, (étape 4), montrer que la température de l'intérieur du réfrigérateur peut être abaissée.

5 Si, au cours d'un cycle, le transfert thermique réalisé entre le système et 4,1 L d'eau liquide contenus dans l'armoire vaut 4,75 kJ, de combien de degrés la température de cette eau peut-elle baisser ?

Données pour l'eau liquide :
$c = 4{,}18\ \text{kJ} \cdot \text{kg}^{-1} \cdot \text{K}^{-1}$ et $\rho = 1{,}00\ \text{kg} \cdot \text{L}^{-1}$.

1 Comment passer du macroscopique au microscopique ?

Au début du XXᵉ siècle, des scientifiques comme le français J. PERRIN (**activité 1**) cherchent à relier les échelles humaine et atomique. Ils déterminent expérimentalement la constante d'Avogadro N_A (doc. 1 et 2), qui représente le nombre d'entités contenues dans une mole.

La **constante d'Avogadro** fait le lien entre les échelles microscopique et macroscopique.

Voir exercices 1, p. 361, et 7 et 8, p. 364.

Doc. 1 Le physicien et chimiste italien Amedeo AVOGADRO (1776-1856) et la valeur approchée de la constante N_A qui porte son nom.

	Ion Cu^{2+}	Mole d'ions Cu^{2+}
Masse (g)	$1{,}05 \times 10^{-22}$	63,5
Charge (C)	$3{,}2 \times 10^{-19}$	$1{,}9 \times 10^{5}$

$\times 6{,}02 \times 10^{23}$

Doc. 2 Ordres de grandeur du macroscopique et du microscopique.

2 Comment varie l'énergie interne d'un système ?

2.1 Énergie interne

- Les particules d'un système, quel que soit son état physique, sont en mouvement désordonné. Ce mouvement, appelé **agitation thermique**, est mesuré à l'échelle macroscopique par la température.
- Plus la température d'un corps est élevée, plus l'agitation thermique des particules qui le constituent est importante et plus leur **énergie cinétique microscopique** est grande (doc. 3).
- L'**énergie potentielle microscopique** (**activité 2**) est due aux interactions gravitationnelle, électromagnétique, forte et faible entre les particules qui constituent le système. On distingue les énergies potentielles microscopiques chimique, électrique, magnétique et nucléaire.

L'**énergie interne** U d'un système macroscopique résulte de contributions microscopiques : l'énergie cinétique microscopique et l'énergie potentielle microscopique.

L'énergie mécanique $\mathscr{E}_m$ d'un système macroscopique résulte de contributions macroscopiques : l'énergie cinétique macroscopique et l'énergie potentielle macroscopique (**chapitre 7**).

L'**énergie totale** d'un système est la somme de son énergie interne et de son énergie mécanique : $\mathscr{E}_{tot} = U + \mathscr{E}_m$.

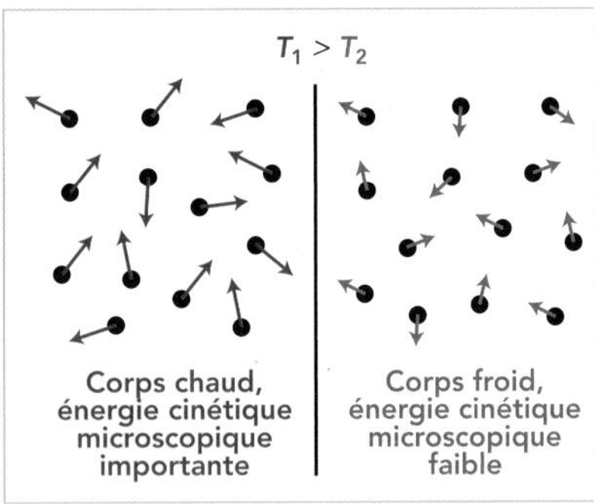

Doc. 3 Plus la température est grande et plus l'agitation thermique est grande.

2.2 Variation d'énergie d'un système

La **variation** d'énergie totale du système est la somme de la variation de son énergie interne et de la variation de son énergie mécanique.
Lorsque l'énergie mécanique du système est constante, la variation d'énergie totale est uniquement due à la variation d'énergie interne.
Le travail et le transfert thermique sont des modes de transfert d'énergie; leur signe dépend du sens du transfert entre le système et l'extérieur (doc. 4).

La **variation d'énergie interne** ΔU d'un système est la conséquence d'échanges d'énergie avec l'extérieur par travail W ou par transfert thermique Q. Si l'énergie mécanique du système est constante :

$$\Delta U = W + Q$$

Par convention, le travail et le transfert thermique sont comptés positivement s'ils sont reçus par le système et négativement s'ils sont cédés par le système.

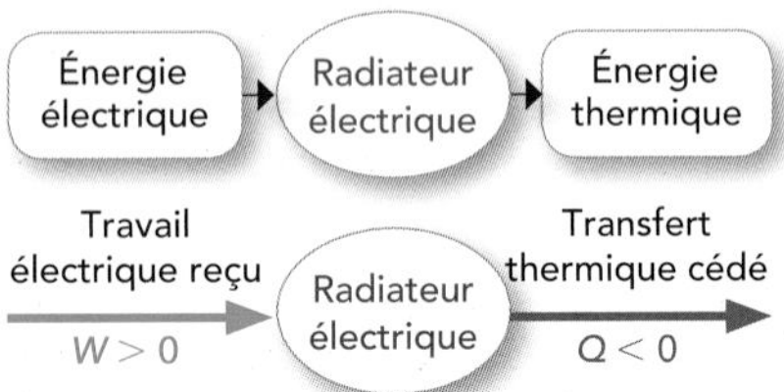

Doc. 4 Un radiateur électrique convertit de l'énergie électrique en énergie thermique. Pour cela, il reçoit un travail électrique $W > 0$ et cède un transfert thermique $Q < 0$.

2.3 Capacité thermique

Lorsque l'on chauffe de l'eau liquide jusqu'à ébullition, sa température augmente. L'énergie interne de l'eau, et plus précisément son énergie cinétique microscopique, augmente. On peut calculer l'énergie $\mathscr{E}$ reçue par l'eau à partir de la variation de température qu'elle subit.

La capacité thermique C d'un corps est l'énergie thermique que doit recevoir ce corps pour élever sa température d'un degré Celsius ou d'un kelvin (doc. 5). Elle dépend du corps, de son état physique, de sa masse m.

On utilise souvent la capacité thermique massique c, avec $c = \frac{C}{m}$.

c ne dépend que de la nature du corps et de son état physique ; elle s'exprime en $J \cdot K^{-1} \cdot kg^{-1}$ ou en $J \cdot °C^{-1} \cdot kg^{-1}$ (doc. 6).

Lorsque la température d'un corps de masse m dans un état condensé, c'est-à-dire à l'état solide ou liquide, passe de T_i à T_f, sa **variation d'énergie interne** ΔU a pour expression :

$$\Delta U = m \cdot c \cdot (T_f - T_i) = m \cdot c \cdot \Delta T$$

avec ΔU en joule (J), m en kilogramme (kg), ΔT en kelvin (K) ou en degré celsius (°C).

c est appelée la **capacité thermique massique** du corps et s'exprime en joule par kilogramme et par kelvin ($J \cdot kg^{-1} \cdot K^{-1}$) ou en joule par kilogramme et par degré Celsius ($J \cdot kg^{-1} \cdot °C^{-1}$).

Selon le signe de ΔT, cette variation d'énergie interne est positive ou négative.

Remarque : en toute rigueur, les valeurs de c et C dépendent de la température T, mais on pourra les considérer indépendantes de T dans toutes les applications du chapitre.

Voir exercices 2, p. 361, et 9 à 13, p. 364-365.

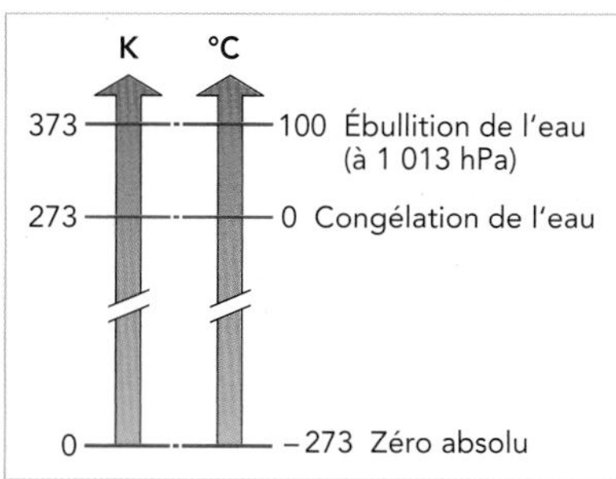

Doc. 5 Deux échelles de température.

Matériau	c ($J \cdot K^{-1} \cdot kg^{-1}$)
Aluminium (s)	897
Plomb (s)	130
Éthanol (ℓ)	$2{,}43 \times 10^3$
Eau (ℓ)	$4{,}18 \times 10^3$

Doc. 6 Capacités thermiques massiques c de quelques corps à la température ambiante.

Comment s'effectuent les transferts thermiques ?

Un système peut échanger de l'énergie avec l'extérieur par transfert thermique de plusieurs manières (**activité 3**).

3.1 Différents modes de transferts

La conduction

Elle a lieu principalement dans des corps à l'état solide. Lorsqu'un corps n'a pas une température homogène, l'énergie cinétique microscopique des particules qui constituent le corps est plus importante dans la région chaude que dans la région froide. Par collisions, les particules de la partie chaude augmentent de proche en proche l'agitation thermique de celles de la partie froide (doc. 7). Il y a un transfert thermique de la partie chaude vers la partie froide sans déplacement macroscopique de matière.

La convection

Elle se produit dans un fluide, c'est-à-dire un corps à l'état liquide ou à l'état gazeux. Si sa température n'est pas homogène, la zone chaude, moins dense que la zone froide à cause du phénomène de dilatation*, s'élève et laisse la place à du fluide plus froid (doc. 8).

Au contraire de la conduction, la convection correspond à un déplacement macroscopique de la matière.

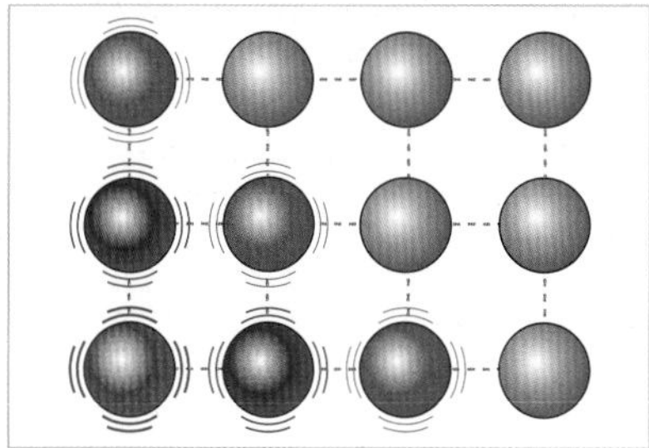

Doc. 7 Conduction thermique à l'échelle microscopique, de la partie chaude vers la partie froide. Les particules sont représentées symboliquement par des sphères.

* La **dilatation** est l'augmentation du volume d'un corps lorsque sa température augmente.

Doc. 8 Mouvements de convection dans l'eau chauffée.

Le rayonnement

Tout corps, en raison de sa température, émet des rayonnements thermiques (doc. 9); il en absorbe également.
Le rayonnement ne nécessite pas de milieu matériel, car les ondes électromagnétiques peuvent se déplacer dans le vide.

Un **transfert thermique** s'effectue suivant plusieurs modes :
- Par **conduction** : l'agitation thermique se transmet de proche en proche dans la matière, mais sans déplacement d'ensemble de celle-ci. Elle se produit principalement dans les solides.
- Par **convection** : l'agitation thermique se transmet de proche en proche dans la matière et avec déplacement d'ensemble de celle-ci. Elle se produit dans les fluides.
- Par **rayonnement** : l'absorption ou l'émission de rayonnement modifie l'agitation thermique. Ce mode de transfert s'effectue même dans le vide.

Doc. 9 Table de cuisson à rayonnement.

Transfert par conduction thermique	Transfert par convection thermique	Transfert par rayonnement

3.2 Flux et résistance thermique

Une paroi plane, dont deux faces sont à des températures différentes T_1 et T_2, est le siège d'un transfert thermique par conduction (doc. 10 et **Activité 4**).
Si l'énergie thermique Q est transférée à travers cette paroi pendant la durée Δt, on définit le flux thermique φ à travers cette paroi par :

$$\varphi = \frac{Q}{\Delta t}$$

avec φ en watt (W), Q en joule (J) et Δt en seconde (s).

Le **flux thermique** est l'énergie transférée à travers une paroi par unité de temps. Ce transfert se fait spontanément de la source chaude vers la source froide; il est naturellement **irréversible***.

Lorsque les températures T_1 et T_2 sont constantes au cours du temps, le flux s'exprime aussi par :

$$\varphi = \frac{T_1 - T_2}{R_{th}}$$

avec T_1 et T_2 en kelvin (K) ou en degré Celsius (°C) et $T_1 > T_2$.
R_{th} est appelée la résistance thermique de la paroi et s'exprime en $K \cdot W^{-1}$ ou $°C \cdot W^{-1}$.
Afin de travailler avec des flux positifs, on écrira dans la suite :

$$\varphi = \frac{|T_1 - T_2|}{R_{th}}$$

- Pour un même écart de température entre les deux faces d'une paroi, plus la **résistance thermique** de la paroi est grande et plus le flux thermique est faible.
- Une paroi de grande résistance thermique est un bon isolant thermique.

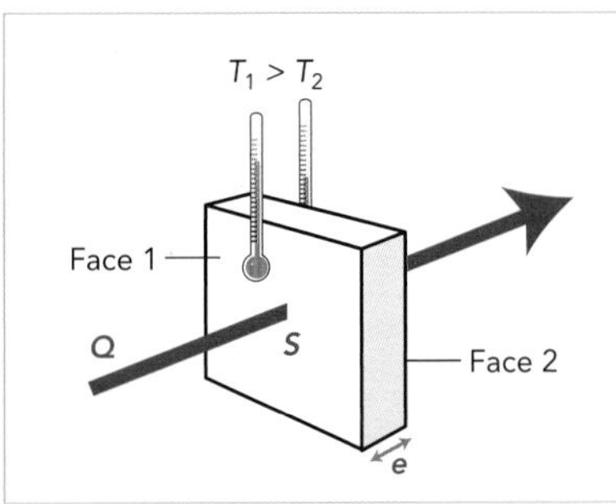

Doc. 10 Transfert thermique par conduction à travers une paroi d'épaisseur e et de surface S.

* Une transformation est qualifiée d'**irréversible** si elle ne peut pas repasser naturellement de l'état final à l'état initial. Par exemple, un transfert thermique ne peut pas se faire naturellement d'une source froide vers une source chaude.

La résistance thermique R_{th} d'une paroi plane dépend de la conductivité thermique λ du matériau, de son épaisseur e et de la surface S traversée par le flux (doc. 10). Elle est proportionnelle à e et inversement proportionnelle à λ et à S :

$$R_{th} = \frac{e}{\lambda \cdot S}$$

avec e en m, S en m², λ en $W \cdot m^{-1} \cdot K^{-1}$ et R_{th} en $K \cdot W^{-1}$ (ou en $°C \cdot W^{-1}$).

La conductivité thermique caractérise un matériau (doc. 11).

Lorsque plusieurs parois sont accolées, la résistance thermique totale est égale à la somme des résistances thermiques de chaque paroi.
On peut écrire :

$$\varphi = \frac{|T_1 - T_2|}{R_{th\_tot}}$$

avec $R_{th\_tot} = R_{th1} + R_{th2} + R_{th3} + \ldots$

Les fabricants d'isolant indiquent en général la valeur de la résistance thermique ramenée à une surface de 1 m²; elle est alors notée R et exprimée en $m^2 \cdot K \cdot W^{-1}$, mais cette unité est souvent omise (doc. 12).
Le flux thermique φ s'exprime alors en $W \cdot m^{-2}$. Dans ce cas, il représente l'énergie transférée par unité de temps et par unité de surface de l'isolant.

Voir exercices 3, p. 361, et 14 à 18, p. 365.

Matériau	$\lambda (W \cdot m^{-1} \cdot K^{-1})$
Cuivre	400
Aluminium	250
Verre	1
Béton	1
Bois	0,1

Doc. 11 Conductivité thermique λ de quelques matériaux, à la température ambiante. Pour les matériaux comme le verre, le béton ou le bois, la valeur dépend de la composition du matériau; les valeurs indiquées sont des moyennes.

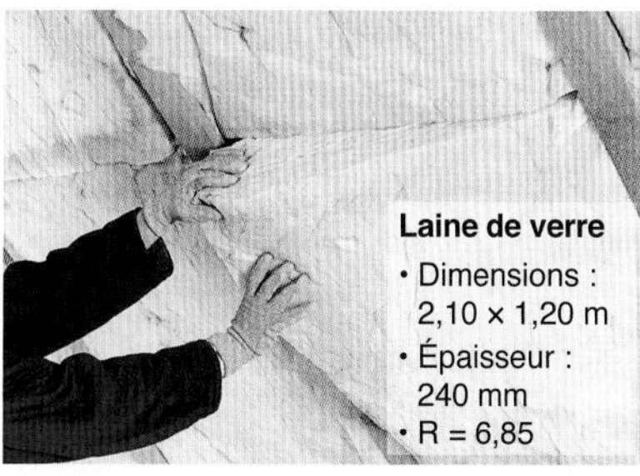

Doc. 12 Dans le secteur de l'isolation des bâtiments, les différentes grandeurs sont habituellement ramenées à une surface de 1 m².

4 Comment établir un bilan d'énergie ?

Pour établir un **bilan énergétique**, il faut :
- définir le système macroscopique étudié;
- relever la nature des transferts énergétiques (par travail ou par transfert thermique) entre ce système et l'extérieur;
- repérer le sens de ces transferts et leur attribuer un signe positif si le système reçoit de l'énergie ou négatif s'il en perd.

Le café chaud contenu dans une tasse (doc. 13) transfère de l'énergie vers l'extérieur. En effet, la boisson chaude transfère de l'énergie thermique par conduction à la tasse qui la contient et à l'air environnant car elle est plus chaude qu'eux. Elle transfère également de l'énergie thermique par rayonnement, car tout corps chaud émet des rayonnements électromagnétiques. Elle reçoit aussi de l'énergie par rayonnement du milieu extérieur, mais, en général, ce rayonnement reçu est négligeable devant les autres transferts d'énergie.
Les principaux transferts correspondent donc à des pertes, ils sont négatifs : l'énergie interne du café diminue, sa température aussi.

Une capsule spatiale entrant dans l'atmosphère (doc. 14) est soumise à des forces de frottement dont le travail a pour conséquence d'augmenter sa température. Elle reçoit donc un travail, compté positivement. Elle transfère alors de l'énergie vers l'extérieur par conduction et par rayonnement. Ces deux transferts sont comptés négativement.
Globalement, l'énergie interne de la capsule augmente puisque sa température augmente.

Voir exercices 4, p. 361, et 19, p. 365.

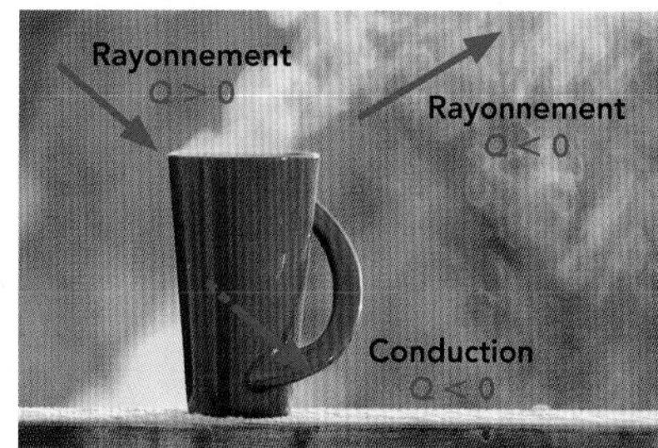

Doc. 13 Échanges énergétiques d'un café chaud.

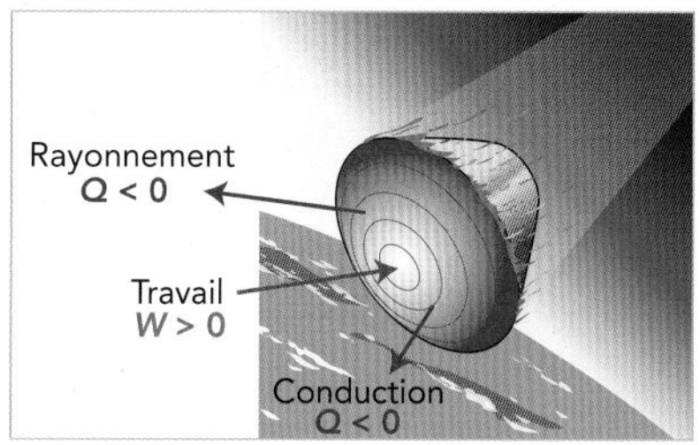

Doc. 14 Échanges énergétiques d'une capsule spatiale entrant dans l'atmosphère.

Essentiel

Du macroscopique au microscopique

La constante d'Avogadro permet de dénombrer le nombre d'entités contenues dans une mole :

$$N_A = 6{,}02 \times 10^{23} \text{ mol}^{-1}.$$

Elle lie les mondes macroscopique et microscopique.

Variation de l'énergie interne d'un système

L'énergie interne U d'un système macroscopique résulte de contributions microscopiques. Elle est égale à la somme de l'énergie cinétique microscopique et de l'énergie potentielle microscopique.

La variation d'énergie interne ΔU d'un système dont l'énergie mécanique est constante est la conséquence d'échanges d'énergie avec l'extérieur par travail W ou par transfert thermique Q :

$$\Delta U = W + Q$$

Le travail et le transfert thermique sont des modes de transfert d'énergie. Ils sont comptés positivement s'ils sont reçus par le système et négativement s'ils sont cédés par le système.

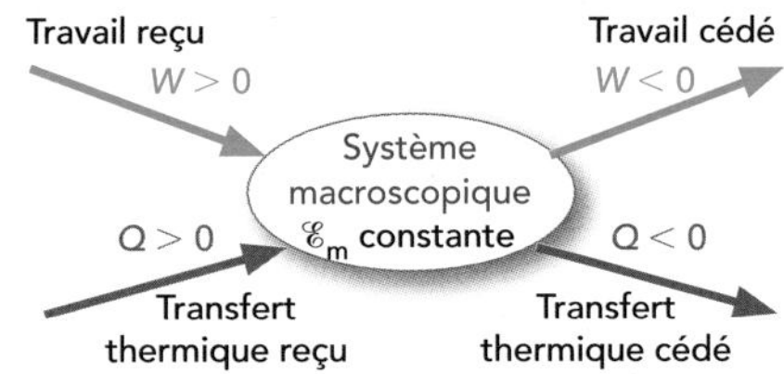

La variation d'énergie interne d'un corps de masse m dans un état condensé, passant de la température initiale T_i à la température finale T_f, est :

$$\Delta U = m \cdot c \cdot (T_f - T_i)$$

$$\Delta U = m \cdot c \cdot \Delta T$$

ΔU en joule (J) ; m en kilogramme (kg) ; ΔT en kelvin (K) ou en degré Celsius (°C)

c est la capacité thermique massique de ce corps et s'exprime en joule par kilogramme et par kelvin ($\text{J} \cdot \text{kg}^{-1} \cdot \text{K}^{-1}$) ou en joule par kilogramme et par degré Celsius ($\text{J} \cdot \text{kg}^{-1} \cdot °\text{C}^{-1}$).

Transferts thermiques

Un transfert thermique s'effectue suivant plusieurs modes :

- Par **conduction** : l'agitation thermique se transmet de proche en proche dans la matière, mais sans déplacement d'ensemble de celle-ci. Elle se produit principalement dans les solides.
- Par **convection** : l'agitation thermique se transmet de proche en proche dans la matière et avec déplacement d'ensemble de celle-ci. Elle se produit dans les fluides dont la température n'est pas homogène.
- Par **rayonnement** : l'absorption ou l'émission de rayonnement modifie l'agitation thermique. Ce mode de transfert s'effectue même dans le vide.

Le **flux thermique** est l'énergie transférée à travers une paroi par unité de temps. Ce transfert se fait spontanément de la source chaude vers la source froide ; il est naturellement **irréversible**. Il s'exprime en watt.
Pour un même écart de température entre les deux faces, plus le flux thermique est faible, plus la résistance thermique de la paroi est élevée. On dit alors que la paroi est un bon isolant thermique.
La **résistance thermique** d'une paroi s'exprime en $\text{K} \cdot \text{W}^{-1}$ ou $°\text{C} \cdot \text{W}^{-1}$.

Bilan d'énergie

Pour établir un bilan énergétique, il faut :
– définir le système macroscopique étudié ;
– repérer les modes de transfert d'énergie et leur affecter un signe positif si le système reçoit de l'énergie et négatif s'il en cède au milieu extérieur.

Pour chaque question, indiquer la (ou les) bonne(s) réponse(s).

Voir corrigés, p. 606.

1 Du macroscopique au microscopique

	A	B	C
1. L'ordre de grandeur du nombre de molécules dans une mole est :	10^{-23}.	10^{23}.	1.

Si erreur, revoir § 1, p. 356.

2 Variation d'énergie interne d'un système

	A	B	C
1. L'énergie interne d'un système macroscopique résulte :	de contributions microscopiques.	de contributions microscopiques et macroscopiques.	de contributions macroscopiques.
2. L'énergie interne d'un système macroscopique :	peut varier suite à des transferts thermiques avec l'extérieur.	peut varier suite à des travaux échangés avec l'extérieur.	peut ne pas varier.
3. Deux échantillons d'un kilogramme de fer solide sont à des températures différentes.	Le plus froid possède davantage d'énergie interne que le plus chaud.	Les deux ont la même énergie interne.	Le plus chaud possède davantage d'énergie interne que le plus froid.

Si erreur, revoir § 2, p. 356.

3 Transferts thermiques

	A	B	C
1. Les trois modes de transfert thermique entre un système et l'extérieur sont :	la conductivité, la convection et le rayonnement.	la conduction, la convection et le rayonnement.	la conduction, la convection et le travail.
2. Les trois modes de transfert thermique entre un système et l'extérieur :	peuvent avoir lieu simultanément.	nécessitent tous un support matériel.	contribuent à la variation d'énergie interne du système.
3. Le flux thermique à travers une paroi plane :	est l'énergie transférée à travers la paroi.	est l'énergie transférée à travers la paroi par unité de temps.	correspond à un transfert d'énergie de la source chaude vers la source froide.
4. Le flux thermique à travers une paroi de résistance thermique R_{th} s'exprime par $\varphi = \dfrac{\lvert T_1 - T_2 \rvert}{R_{th}}$.	Plus l'écart de température est grand, plus le flux thermique est grand.	Plus l'écart de température est grand, plus le flux thermique est petit.	Le flux est deux fois plus grand si T_1 est doublée pour un même T_2.

Si erreur, revoir § 3, p. 357.

Au cours du fonctionnement d'un moteur de voiture, le mélange gazeux d'air et d'essence reçoit par transfert thermique 36,1 kJ et cède un travail de 19,4 kJ à l'extérieur, ces deux transferts d'énergie sont les seuls à prendre en compte.

4 Bilan d'énergie

	A	B	C
1. Pour ce mélange gazeux :	$W = -16{,}7$ kJ.	$W = -19{,}4$ kJ.	$Q = -36{,}1$ kJ.
2. Pour ce mélange gazeux :	$\Delta U > 0$	$\Delta U < 0$	$\Delta U = 0$

Si erreur, revoir § 4, p. 359.

Exercice résolu

COMPÉTENCES
- Calculer.
- Extraire des informations.

5 Interpréter des transferts thermiques

Énoncé

Un igloo est construit en superposant des blocs de neige compacte. Malgré une température extérieure de –40 °C, la température intérieure peut être maintenue à 0 °C.

On considère un bloc de neige parallélépipédique de 1,0 m de longueur, 40 cm de hauteur et 20 cm d'épaisseur.

1. Quelles sont les températures des faces extérieure et intérieure du bloc de neige ?

2. Les températures des deux faces du bloc étant constantes, calculer la valeur du flux thermique qui traverse ce bloc.

3. a. Sur un schéma, représenter un bloc de neige et le sens du transfert d'énergie correspondant à ce flux. Justifier.
b. Comment devrait évoluer la température à l'intérieur de l'igloo ? Quelle source énergétique permet de maintenir une température intérieure constante et égale à 0 °C ?

Données : La résistance thermique d'une paroi de neige compacte d'une surface de 0,40 m² et d'une épaisseur de 20 cm est $R_{th\_neige} = 3,3\ K \cdot W^{-1}$.

Le flux thermique à travers une paroi plane a pour expression $\varphi = \dfrac{Q}{\Delta t} = \dfrac{|T_1 - T_2|}{R_{th}}$.

Conseils

1. On peut considérer que les faces du bloc de neige sont à la température de l'air ambiant.

2. Utiliser l'expression du flux thermique et l'adapter aux notations du texte. Relever dans le texte les valeurs données utiles pour le calcul du flux thermique.

3. a. Préciser sur le schéma les positions de l'intérieur et l'extérieur de l'igloo.
b. Il faut traduire en termes de variation de température la perte d'énergie de l'air à l'intérieur de l'igloo.

Solution rédigée

1. La face intérieure du bloc de neige est à une température $\mathbf{T_1 = 0\ °C}$, la face extérieure à une température $\mathbf{T_2 = -40\ °C}$.

2. Avec les notations du texte, le flux thermique s'écrit :

$$\varphi = \frac{|T_i - T_e|}{R_{th\_neige}}, \quad \text{donc, } \varphi = \frac{|0 - (-40)|}{3,3} = 12\ W.$$

Le flux thermique qui traverse ce bloc est de 12 W.

3. a.

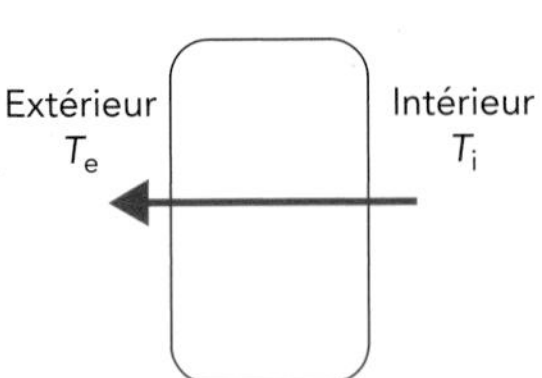

Le transfert d'énergie s'effectue toujours de la zone chaude vers la zone froide.
b. Le transfert d'énergie est dirigé de l'intérieur vers l'extérieur. L'air à l'intérieur de l'igloo perd de l'énergie, sa température devrait donc diminuer.
La seule source d'énergie provient des personnes qui se trouvent à l'intérieur.

Application immédiate

Pour isoler les murs d'une maison, on peut utiliser des panneaux en bois dont la résistance thermique, pour une surface de 0,40 m², s'exprime en fonction de l'épaisseur e utilisée par $R_{th\_bois} = 16 \times e\ K \cdot W^{-1}$, avec e exprimé en mètre.
Quelle est l'épaisseur du panneau de bois nécessaire pour obtenir un flux thermique de 12 W si la différence de température entre les deux faces est de 30 °C ?

Voir corrigés, p. 606.

COMPÉTENCES
- Extraire des informations.
- Analyser.
- Exploiter une relation.

6 Faire un bilan d'énergie

Énoncé

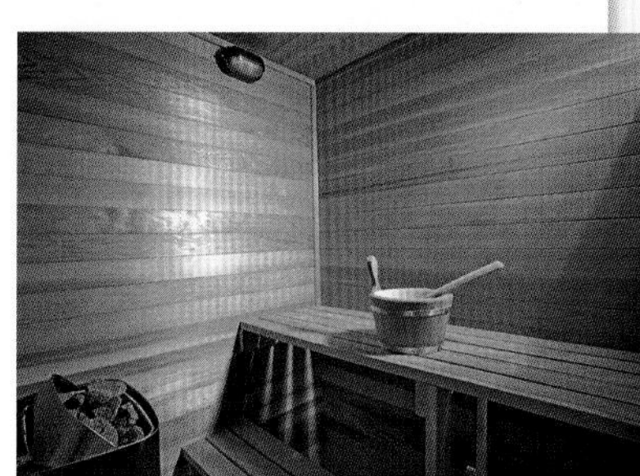

La chaleur sèche d'une cabine de sauna provoque l'évaporation de l'eau liquide obtenue par transpiration à la surface de la peau. Ceci permet au corps de maintenir une température T_0 = 37 °C.
Une cabine et l'air qu'elle contient sont chauffés par un radiateur électrique. Les pertes thermiques entre la cabine et l'air extérieur, de température T_e = 20 °C, sont caractérisées par le flux thermique φ. De même, le flux thermique entre la cabine et une personne s'y trouvant s'exprime par φ'. Dans ces conditions de fonctionnement, la température constante à l'intérieur de la cabine est T_1 = 80 °C.
On étudie le système {cabine + radiateur + air intérieur}. Une personne est dans la cabine.

1. Quel travail est échangé entre ce système et le milieu extérieur? Préciser son signe.
2. Quel(s) transfert(s) thermique(s) est (sont) échangé(s) entre ce système et le milieu extérieur? Préciser le signe de ce(s) transfert(s).
3. Représenter le bilan énergétique pour ce système à l'aide d'un schéma.
4. Comment varie, dans ces conditions, l'énergie interne du système? Interpréter le résultat.

Conseils

1. Le radiateur, qui fait partie du système, échange du travail avec le système extérieur par son câble d'alimentation électrique. Le signe dépend du sens du transfert.

2. La personne dans la cabine ne fait pas partie du système étudié. Le sens d'un transfert thermique dépend de la température du système et de celle de l'extérieur.

3. Dans un bilan énergétique, il ne faut oublier aucun transfert énergétique et indiquer le signe de chacun d'eux, ce qui renseigne sur le sens des échanges.

4. La variation d'énergie interne est reliée à la variation de température.

Solution rédigée

1. Le système échange du travail électrique avec le milieu extérieur. Ce travail est reçu par le système, donc $W > 0$.

2. Le système échange de l'énergie thermique avec l'extérieur.
• Comme l'air extérieur est plus froid que le système, le système perd de l'énergie et donc $Q < 0$.
• Comme la personne est à une température inférieure à celle du système, le système lui cède de l'énergie et donc $Q' < 0$.

3. Le bilan fait apparaître trois transferts entre le système et l'extérieur.

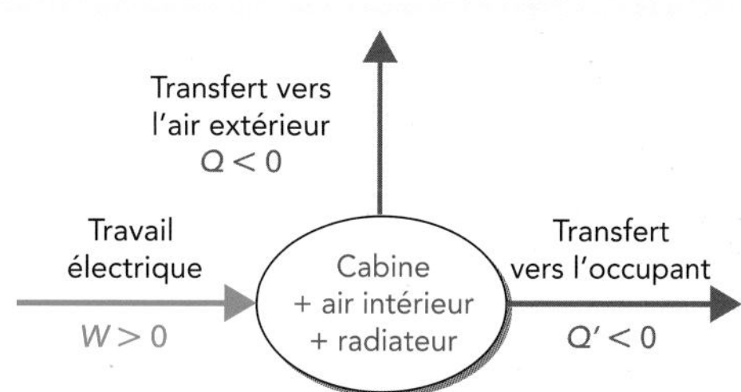

4. Puisque la température du système, T_1, est maintenue constante, son énergie interne est constante : $\Delta U = 0$.
Par ailleurs, $\Delta U = W + Q + Q'$, d'où $W = -(Q + Q')$.
Dans les conditions décrites, les pertes d'énergie du système par transfert thermique sont compensées par l'apport d'énergie par travail.

Application immédiate

Le radiateur de la cabine s'éteint suite à une coupure électrique.

1. Représenter le bilan énergétique pour le système précédent juste après la coupure.
2. Comment varie, dans ces conditions, l'énergie interne du système? Interpréter le résultat.

Voir corrigés, p. 606.

Exercices

Compétences exigibles au baccalauréat

- ✔ Évaluer des ordres de grandeurs relatifs aux domaines microscopique et macroscopique. activité 1 exercice 8
- ✔ Savoir que l'énergie interne d'un système macroscopique résulte de contributions microscopiques. exercice 9
- ✔ Connaître et exploiter la relation entre la variation d'énergie interne et la variation de température pour un corps dans un état condensé. activité 3 exercice 12
- ✔ Interpréter les transferts thermiques dans la matière à l'échelle microscopique. exercice 14
- ✔ Exploiter la relation entre le flux thermique à travers une paroi plane et l'écart de température entre ses deux faces. activité 4 exercices 17 et 29
- ✔ Établir un bilan énergétique faisant intervenir transfert thermique et travail. exercices 19 et 31

Pour commencer

Comment passer du macroscopique au microscopique ?

7 Connaître l'intérêt de la constante d'Avogadro

1. Que représente la constante d'Avogadro N_A ?
2. Entre quels mondes la constante d'Avogadro crée-t-elle un lien ?

8 Prendre conscience de la valeur de N_A 

La dune du Pyla, située en Gironde, est la plus haute dune d'Europe. Avec 2700 m de long, 500 m de large et plus de 100 m de haut en moyenne, elle contient environ 60×10^6 m^3 de sable.

1. Évaluer le nombre de grains de sable contenus dans cette dune, sachant que le volume moyen d'un grain de sable est de l'ordre de 0,05 mm^3 et que l'on néglige l'espace entre les grains.
2. Exprimer en moles le nombre de grains de sable contenus dans la dune du Pyla.
3. Combien de dunes du Pyla faudrait-il pour avoir une mole de grains de sable ?

Donnée : on prendra $N_A = 6 \times 10^{23}$ mol^{-1}.

Comment varie l'énergie interne d'un système ?

9 Savoir définir l'énergie interne

Expliquer la phrase : « l'énergie interne d'un système macroscopique résulte de contributions microscopiques ».

10 Comprendre la variation d'énergie interne d'un système

1. Quelles sont les causes possibles d'une variation de l'énergie interne d'un système ?
2. Quelle est la signification du signe de la variation de l'énergie interne d'un système ?

11 Connaître la relation entre ΔU et c

On considère un corps de masse m dans un état condensé. Il passe de la température T_i à la température T_f sans changer d'état.

1. Quand dit-on qu'un corps est dans un état condensé ?
2. Qu'appelle-t-on la capacité thermique massique c d'un corps ? Quelle est son unité ?
3. Quelle est la relation entre la variation d'énergie interne et la variation de température pour un corps dans un état condensé ? On indiquera les unités des différentes grandeurs.

12 Calculer la variation d'énergie interne d'un système

Un bain-marie utilisé en chimie contient 1,7 L d'eau initialement à une température T_1 = 20 °C.
Au bout de quelques minutes, la résistance chauffante du bain-marie permet d'obtenir ce même volume d'eau à une température T_2 = 64 °C.
Calculer la variation de l'énergie interne de ce volume d'eau.

Données : $c_{eau} = 4{,}18 \times 10^3$ J·kg^{-1}·K^{-1} ; ρ_{eau} = 1,00 kg·L^{-1}.

13 Calculer une variation d'énergie interne 

On considère un système qui échange de l'énergie avec l'extérieur. On a représenté sur le schéma ci-dessous ces transferts.

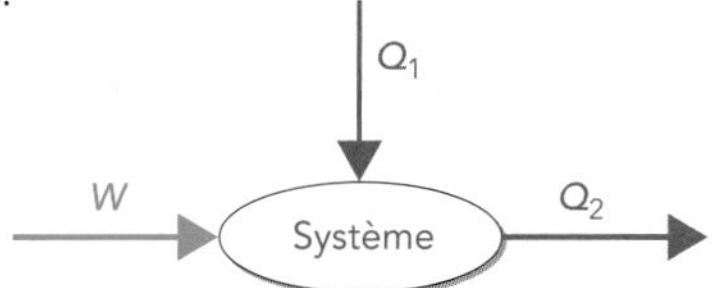

On donne $|W| = 120$ J, $|Q_1| = 100$ J et $|Q_2| = 200$ J.

1. Quelles sont les causes possibles d'une variation de l'énergie interne d'un système ?

2. Préciser les signes des transferts d'énergie W, Q_1 et Q_2. Justifier la réponse.

3. Quelle est la variation de l'énergie interne du système ?

Comment s'effectuent les transferts thermiques ?

14 Identifier des modes de transferts thermiques

Certaines douches solaires sont constituées d'un sac plastique noir dans lequel on place de l'eau et que l'on expose au Soleil.

Identifier le mode de transfert thermique :

a. du Soleil vers le sac plastique ;

b. du sac plastique vers l'eau qu'il contient ;

c. dans l'eau contenue dans le sac plastique.

15 Illustrer des modes de transferts thermiques

En été et par beau temps, l'eau d'une piscine est à la température de 25 °C. La température de l'air est de 30 °C et celle du sol qui entoure la piscine est de 17 °C.

Dans cette situation, donner un exemple où un transfert thermique a lieu :

a. par conduction ;

b. par convection ;

c. par rayonnement.

16 Reconnaître un mode de transfert

Lors de la découpe d'une plaque métallique à l'aide d'une scie à métaux, on constate un échauffement important de la plaque et de la scie.

1. Comment varie l'énergie interne de la plaque métallique lors du découpage ?

2. Par quel mode de transfert subit-elle cette variation d'énergie interne ?

17 Calculer et exploiter un flux thermique

On peut trouver sur le marché des casseroles en aluminium et d'autres en cuivre.

Pour déterminer lequel de ces deux matériaux est celui qui transfère l'énergie thermique le plus rapidement, Marc utilise deux plaques de mêmes dimensions, l'une en cuivre et l'autre en aluminium.

Il maintient un écart de température constant et égal à 5,0 °C entre les deux faces planes et parallèles de la plaque de cuivre. Le transfert thermique, pendant une durée de 15 min, entre les deux faces est $Q_{Cu} = 4{,}4 \times 10^6$ J.

Ensuite, il procède de même avec la plaque d'aluminium dont la résistance thermique est $R_{th\_Al} = 1{,}7 \times 10^{-2}$ K·W^{-1}.

Donnée :

Le flux thermique a pour expression :

$$\varphi = \frac{Q}{\Delta t} = \frac{|T_1 - T_2|}{R_{th}}$$

1. Quel est le flux thermique qui traverse :

a. la plaque de cuivre ?

b. la plaque d'aluminium ?

2. Pour des dimensions identiques, quel est le matériau qui transfère le plus rapidement l'énergie thermique ?

18 Calculer une énergie thermique transférée 

La fenêtre d'une chambre est constituée d'un simple vitrage.

La température de la chambre est $T_i = 19$ °C et la température extérieure $T_e = -1$ °C.

Ces températures sont considérées constantes.

1. Schématiser la situation en précisant le sens du transfert thermique à travers la vitre.

2. Calculer la valeur du flux thermique à travers la vitre.

3. Quelle est l'énergie thermique transférée en 1,25 h ?

Données :

Le flux thermique s'écrit $\varphi = \frac{Q}{\Delta t} = \frac{|T_1 - T_2|}{R_{th}}$.

La résistance thermique de cette vitre est $R_{th\_vitre} = 5{,}0 \times 10^{-3}$ K·W^{-1}.

Exercices

Comment établir un bilan d'énergie ?

19 Établir un bilan énergétique

Un cumulus électrique est une réserve d'eau chauffée par un conducteur ohmique. En l'absence de chauffage, la température de l'eau chaude qu'il contient diminue au fil des heures.
On souhaite faire le bilan énergétique de l'eau contenue dans le cumulus.

1. Définir le système étudié.
2. Relever la nature des transferts énergétiques entre ce système et l'extérieur.
3. Repérer le sens de ces transferts et leur attribuer un signe.
4. Présenter le bilan énergétique à l'aide d'un schéma.

Pour s'entraîner

20 Des nombres astronomiques à l'échelle microscopique !

COMPÉTENCES Calculer; faire preuve d'esprit critique.

En 2011, on dénombre 7,0 milliards d'êtres humains sur Terre. Le nombre d'étoiles de la Voie lactée est évalué à 234 milliards et celui d'étoiles dans l'Univers à 7×10^{22}.

1. Que représente la constante d'Avogadro ?
2. Convertir en moles les nombres cités ci-dessus.
3. Pourquoi avoir introduit la quantité de matière en chimie ?

Donnée : $N_A = 6{,}02 \times 10^{23}$ mol^{-1}.

21 Chacun son domaine et les unités seront bien gardées !

COMPÉTENCES Extraire des informations; calculer.

Suivant que le système étudié est défini à l'échelle microscopique ou à l'échelle macroscopique, on n'utilise pas toujours les mêmes grandeurs ou les mêmes unités. Par exemple, la constante de Boltzmann k_B et la constante molaire des gaz parfaits R sont utiles notamment pour modéliser le comportement d'un gaz. La charge élémentaire e et la constante de Faraday F permettent d'exprimer des charges électriques.

De même, l'unité de masse atomique, de symbole u, et le gramme, g, permettent d'exprimer des masses. L'unité de masse atomique est définie comme le douzième de la masse d'un atome de carbone 12.

1. Quel est le facteur de proportionnalité entre :
a. la constante molaire des gaz parfaits et la constante de Boltzmann ?
b. la constante de Faraday et la charge élémentaire ?
c. le gramme et l'unité de masse atomique ?
2. Dans un tableau, regrouper les grandeurs et les unités relatives au domaine microscopique et celles relatives au domaine macroscopique.
3. Quel est l'intérêt de définir des unités hors du Système International comme l'unité de masse atomique ?

Données : $e = 1{,}60 \times 10^{-19}$ C ; $F = 9{,}65 \times 10^4$ C·mol^{-1} ;
$k_B = 1{,}38 \times 10^{-23}$ J·K^{-1} ; $R = 8{,}31$ J·mol^{-1}·K^{-1} ;
$M(^{12}C) = 12{,}0$ g·mol^{-1} ; $N_A = 6{,}02 \times 10^{23}$ mol^{-1}.

22 Calculer une variation de température

COMPÉTENCES Raisonner; calculer.

Dans un radiateur à bain d'huile, des conducteurs ohmiques chauffent l'huile qu'il contient. En refroidissant, cette huile transfère de l'énergie thermique à la pièce dans laquelle se trouve le radiateur.
On considère un radiateur contenant 5,0 L d'huile portée à une température de 50 °C. On coupe l'alimentation du radiateur. Au bout d'un certain temps, l'huile est à la température de la pièce. L'énergie thermique transférée est de $2{,}2 \times 10^2$ kJ.

Données : $c_{huile} = 2{,}0 \times 10^3$ J·kg^{-1}·K^{-1} ;
$d_{huile} = 0{,}81$; $\rho_{eau} = 1{,}00$ kg·L^{-1}.

1. Quel est le signe de la variation de l'énergie interne de l'huile ?
2. Quelle est la température de l'huile du radiateur lorsqu'elle atteint celle de la pièce ?

23 Une ou plusieurs couches ?

COMPÉTENCES Raisonner; argumenter.

Le tableau ci-dessous indique les résistances thermiques de plusieurs matériaux ayant une surface de 1,0 m² et une épaisseur de 2,0 mm.

Matériau	Résistance thermique en K·W^{-1}
Nylon	$8{,}0 \times 10^{-3}$
Cuir	$1{,}1 \times 10^{-2}$
Feutre	$5{,}5 \times 10^{-2}$

1. Quel est le matériau le mieux adapté pour un vêtement d'hiver ? Justifier.
2. Quelle est la résistance thermique totale de plusieurs matériaux accolés les uns contre les autres ?
3. a. Qu'y a-t-il entre deux vêtements superposés ?
b. Pourquoi conseille-t-on de mettre plusieurs vêtements fins plutôt qu'un seul épais pour se préserver du froid ?

Donnée : la résistance thermique d'une surface de 1 m² d'air d'épaisseur égale à 2 mm a pour valeur
$R_{th\_air} = 7{,}6 \times 10^{-2}$ K·W^{-1}.

24 Mesure d'une résistance thermique

COMPÉTENCES Calculer ; estimer une incertitude

Pour déterminer la résistance thermique d'un échantillon, on le place entre deux plaques d'aluminium de résistances thermiques négligeables. En serrant l'échantillon, on obtient une température homogène sur chaque face de l'échantillon.
En réglant la puissance électrique d'un conducteur ohmique chauffant, on maintient :
– la face supérieure de l'échantillon à la température ambiante T_1 ;
– la face inférieure de l'échantillon à une température T_2, inférieure à la température T_1.
La puissance électrique du conducteur ohmique chauffant est égale au flux thermique.

On souhaite mesurer la résistance thermique d'une surface plane de polystyrène.
On impose sur la face inférieure de la plaque de polystyrène une température $T_2 = 8{,}0$ °C. La face supérieure est maintenue à la température ambiante $T_1 = 20{,}0$ °C. Le flux affiché par l'appareil de mesure est $\varphi = 0{,}100$ W.

1. Calculer la résistance thermique R_{th} de la plaque de polystyrène.

2. Le flux thermique mesuré par l'appareil est celui qui traverse la plaque supérieure d'aluminium, le polystyrène et la plaque inférieure d'aluminium.
a. Pourquoi la résistance thermique des plaques d'aluminium doit-elle être faible ?
b. On évalue la résistance thermique de chaque plaque d'aluminium à $R'_{th} = 3{,}2 \times 10^{-3}$ K·W^{-1}.
Est-elle négligeable comme l'indique la notice ?

3. L'appareil mesure les températures T_1 et T_2 à deux dixièmes de degré près. On estime à 6 % l'incertitude relative sur la mesure du flux thermique.
a. Quelle est l'incertitude de mesure sur le flux thermique φ traversant la plaque ? Donner un encadrement de φ.
b. L'incertitude de mesure $U(\Delta T)$ sur l'écart de température $\Delta T = T_1 - T_2$ a pour expression :

$$U(\Delta T) = \sqrt{U(T_1)^2 + U(T_2)^2}.$$

Évaluer cette incertitude et donner un encadrement de ΔT.
c. Lorsqu'une grandeur A a pour expression $A = \frac{B}{C}$ l'incertitude de mesure $U(A)$ sur A peut être évaluée par :

$$U(A) = A \cdot \sqrt{\left(\frac{U(B)}{B}\right)^2 + \left(\frac{U(C)}{C}\right)^2}$$

$U(B)$ et $U(C)$ étant respectivement les incertitudes sur B et C.
Donner l'expression de l'incertitude $U(R_{th})$ sur la valeur de la résistance thermique de la plaque.
Donner un encadrement de R_{th} et écrire sa valeur associée à son incertitude.

Donnée :
Le flux thermique s'écrit $\varphi = \frac{Q}{\Delta t} = \frac{|T_1 - T_2|}{R_{th}}$.

25 Bac Four à micro-ondes

COMPÉTENCES Mobiliser ses connaissances ; calculer.

Dans un four à micro-ondes, le magnétron émet des ondes de 2 450 MHz dans la cavité du four où sont placés les aliments. Ces ondes sont absorbées par les molécules d'eau des aliments, soit directement, soit après réflexion sur les parois de la cavité. Cela provoque une oscillation de ces molécules d'eau qui entraîne une augmentation de la température des aliments. Les parties solides ou n'absorbant pas les micro-ondes chauffent au contact des parties chauffées directement par ces ondes.

1. Vérifier que les ondes décrites appartiennent bien au domaine des micro-ondes. On s'aidera du spectre des ondes électromagnétiques, p. 16.

2. Quels sont les modes de transfert thermique principalement mis en jeu lors du chauffage d'un aliment avec un four à micro-ondes ?

3. Avec un four de puissance 750 W, on chauffe 500 g d'eau liquide. En 1 min 30 s, la température de l'eau varie de 18,2 °C à 40,8 °C.
a. Calculer la variation d'énergie interne de l'eau liquide.
b. Calculer l'énergie consommée par le four au cours de son fonctionnement.
c. Calculer le rendement de conversion du four.

Donnée : $c(H_2O(\ell)) = 4{,}18$ kJ·kg^{-1}·K^{-1}.

Rappel de Première S : le rendement de conversion est le rapport de l'énergie exploitable en sortie sur l'énergie utilisée en entrée.

26 Chauffage à reflux

COMPÉTENCES Mobiliser ses connaissances ; rédiger.

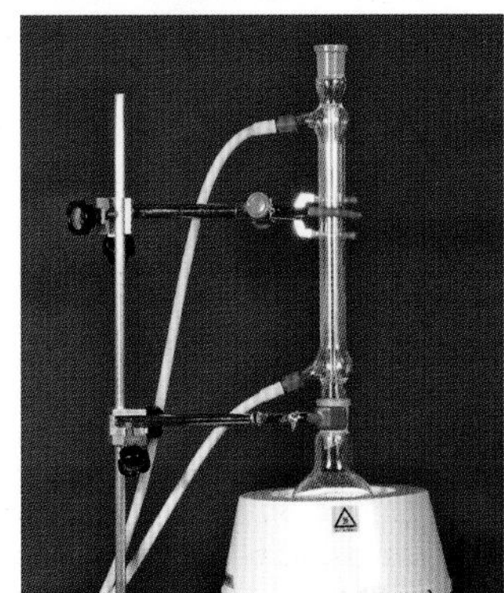

L'estérification de l'acide salicylique en aspirine se fait en présence d'anhydride éthanoïque et à chaud. Comme pour de nombreuses synthèses organiques, on réalise un chauffage à reflux de solvant.

1. Schématiser et légender le montage de chauffage à reflux.

2. Décrire les transferts thermiques et les phénomènes microscopiques mis en jeu.

3. Quel est l'intérêt d'un tel montage par rapport à un simple chauffage ?

27 À chacun son rythme 

COMPÉTENCES Calculer ; raisonner ; exploiter une relation.

Cet exercice est proposé à deux niveaux de difficulté. Dans un premier temps, essayer de résoudre l'exercice de niveau 2. En cas de difficultés, passer au niveau 1.

Pour conserver une boisson au frais pendant un repas, les restaurateurs proposent de plus en plus à leurs clients un sac plastique avec de l'eau froide plutôt qu'un seau en acier. L'intérêt n'est-il qu'esthétique ?
Pour répondre à cette question, on s'intéresse à un sac en plastique et à un seau en acier de mêmes dimensions et contenant la même quantité d'eau froide à la température de 2 °C.
On se place dans des conditions où on pourra négliger le transfert thermique par rayonnement.
La température ambiante est de 22 °C.
Dans ces conditions, le flux thermique à travers la surface du sac en plastique est de 200 W.

Données :
Flux thermique $\varphi = \frac{Q}{\Delta t} = \frac{|T_1 - T_2|}{R_{th}}$.
La résistance thermique du seau en acier étudié a pour valeur $R_{th\_acier} = 2{,}4 \times 10^{-4}\ K \cdot W^{-1}$.

Niveau 2 (énoncé compact)

1. Quels sont les modes de transfert thermique entre l'eau froide et l'extérieur ?

2. Le sac en plastique conserve-t-il mieux au frais une bouteille qu'un seau en acier ayant les mêmes dimensions ?

Niveau 1 (énoncé détaillé)

1. a. On considère le système constitué de l'eau froide. Avec quoi ce système est-il en contact ?
b. Quels sont les modes de transfert thermique entre ce système et l'extérieur ?

2. a. Calculer la résistance thermique du sac en plastique.
b. Comparer les résistances thermiques du sac en plastique et du sceau en acier.
c. Le sac en plastique conserve-t-il mieux au frais une bouteille qu'un seau en acier ayant les mêmes dimensions ?

28 Coup de chaud au bureau

COMPÉTENCES Mobiliser ses connaissances ; raisonner.

L'amélioration des performances des processeurs d'ordinateur repose notamment sur l'augmentation du nombre de composants électroniques qu'ils contiennent. Si dans les années soixante-dix ces composants se comptaient par milliers, dans les années 2010, ils se comptent en milliards grâce une miniaturisation de plus en plus poussée.
Par effet Joule, un processeur peut chauffer bien plus qu'un fer à repasser ! Un radiateur à ailettes, en contact avec le processeur, associé à un ventilateur, est nécessaire pour éviter la détérioration du processeur.

1. Expliquer comment un radiateur à ailettes permet de refroidir un processeur.

2. Pourquoi le refroidissement est-il plus efficace quand la surface des ailettes est importante et quand un ventilateur est associé au radiateur ?

3. Certains constructeurs testent des modèles de processeurs à l'intérieur desquels de l'eau peut circuler. Justifier ce choix.

29 Bac Un isolant, la laine de verre

COMPÉTENCES Calculer ; extraire des informations ; exploiter une relation.

On peut utiliser de la laine de verre pour isoler la toiture d'une maison. Plusieurs épaisseurs sont proposées par les fabricants.
Paul et Olivia décident de déterminer la résistance thermique R_{th1} d'une surface $S_1 = 1{,}0\ m^2$ d'une laine de verre 1 d'épaisseur $e_1 = 60$ mm et la résistance thermique R_{th2} d'une surface $S_2 = 1{,}5\ m^2$ d'une laine de verre 2 d'épaisseur $e_2 = 240$ mm.
Paul mesure un flux thermique de 10 W lorsque la différence de température entre les deux faces de la laine de verre 1 est de 15 °C.
Olivia soumet l'une des faces de la laine de verre 2 à une température $T_A = 10$ °C et l'autre face à une température $T_B = 30$ °C. Elle mesure une énergie transférée de 36 kJ à travers la laine de verre 2 pendant une durée de 2,0 h.

1. Calculer la résistance thermique R_{th1} de la laine de verre 1.

2. Calculer la résistance thermique R_{th2} de la laine de verre 2.

Lorsqu'on parle d'isolation thermique, on indique souvent la valeur de la conductivité thermique λ d'un matériau. Cette grandeur est liée à la résistance thermique d'une paroi plane de surface S et d'épaisseur e par :

$$\lambda = \frac{e}{S \cdot R_{th}}$$

avec e en m, S en m^2 et R_{th} en $°C \cdot W^{-1}$.

3. a. Quelle est l'unité de la conductivité thermique ?
b. Calculer les conductivités thermiques respectives λ_1 et λ_2 des laines de verre 1 et 2.

4. Pourquoi la conductivité thermique caractérise-t-elle un matériau ?

5. Exprimer le flux thermique traversant une paroi en fonction de λ, S, e et de l'écart de température entre les faces.

6. Comment le flux thermique évolue-t-il lorsque l'on double la surface S de laine de verre ?

7. Comment le flux thermique évolue-t-il lorsque l'on double l'épaisseur e de laine de verre ?

8. Quels conseils peut-on donner à un particulier faisant construire sa maison afin de limiter les pertes d'énergie par la toiture ?

Donnée : flux thermique $\varphi = \dfrac{Q}{\Delta t} = \dfrac{|T_1 - T_2|}{R_{th}}$.

30 Identifier des transferts d'énergie

COMPÉTENCES Raisonner ; argumenter ; calculer.

Joachim a oublié, en plein soleil, sa canette de soda qui sortait du réfrigérateur à la température de 5 °C. La température ambiante est de 25 °C. Après environ une heure, la température de la canette se stabilise à 36 °C.

1. Décrire les différents transferts d'énergie subis par la boisson au cours de son réchauffement.

2. Lorsque la température est stabilisée, les transferts ont-ils cessés ? Justifier.

3. La canette est en aluminium, sa masse est m_{Al} = 14 g. Les 300 mL de boisson qu'elle contient peuvent être assimilés à de l'eau.
Calculer la variation d'énergie interne de la canette et du liquide entre sa sortie du réfrigérateur et la stabilisation de sa température.

Données :
$c_{eau} = 4{,}18 \times 10^3\ J \cdot K^{-1} \cdot kg^{-1}$;
$c_{Al} = 897\ J \cdot K^{-1} \cdot kg^{-1}$;
$\rho_{eau} = 1{,}00\ kg \cdot L^{-1}$.

31 Stop !

COMPÉTENCES Raisonner ; calculer.

Une voiture de masse m = 1 150 kg roule à 130 km·h^{-1}. Le conducteur freine brutalement pour éviter un obstacle. La voiture s'arrête au bout de 145 m. Ce freinage provoque un fort échauffement des freins.

1. Quelle est la conversion d'énergie qui se produit lors du freinage ?

2. Quelle est la valeur de l'énergie transférée au niveau du système de freinage en négligeant tous les autres transferts ?

3. Si toute cette énergie était transférée à une masse m = 5,0 kg d'eau, quelle serait l'élévation de température de cette eau ?

Données :
$c_{eau} = 4{,}18 \times 10^3\ J \cdot kg^{-1} \cdot K^{-1}$;
$\rho_{eau} = 1{,}00\ kg \cdot L^{-1}$.

Pour aller plus loin

32 Bac Récupérer de l'énergie gratuite dans la nature

COMPÉTENCES Mobiliser ses connaissances ; faire preuve d'esprit critique.

L'installation de pompes à chaleur (PAC) pour chauffer des habitations individuelles ou collectives est encouragée par l'ADEME (Agence de l'environnement et de la maîtrise de l'énergie). Ce type de machine thermique permet d'exploiter l'énergie thermique de l'air environnant (aérothermie), du sous-sol (géothermie) ou de nappes d'eau souterraines (hydrothermie).

On souhaite chauffer, à l'aide d'une pompe à chaleur aérothermique, une habitation qui, en trois heures, perd 874 J par transfert thermique avec l'extérieur.

Au cours d'un cycle de fonctionnement, la pompe à chaleur est alimentée par le biais d'une prise de courant et reçoit un travail W. L'air extérieur est à la température T_{ext}, la pompe à chaleur y puise une énergie thermique Q_{ext}.

L'intérieur de l'habitation, que l'on souhaite maintenir à la température T_{int}, reçoit de la part de la pompe à chaleur un transfert thermique Q_{int}.

1. Pour le système {pompe à chaleur}, établir le bilan énergétique durant un cycle de fonctionnement.

2. Le coefficient de performance (COP) de la pompe à chaleur est défini comme la valeur absolue du rapport de la puissance thermique fournie par la machine et de la puissance électrique nécessaire à son alimentation. Exprimer le coefficient de performance de la pompe à chaleur en fonction des différentes grandeurs apparues dans le bilan énergétique.

3. Quelle énergie électrique consomme une pompe à chaleur dont le coefficient de performance vaut 4 lors du chauffage pendant 3 heures de l'habitation décrite ?

4. Pourquoi l'ADEME encourage-t-elle l'installation de pompes à chaleur ?

Exercices

33 SVT Convection in Earth's mantle  Ap

COMPÉTENCES Extraire des informations.

Contained fluids heated from below spontaneously organize into convection cells when sufficiently far from conductive equilibrium. [...] At mantle conditions rocks are generally treated as fluids. [...] Mantle convection is quite different from the usual pot-on-a-*stove* metaphor. [...] The missing element in laboratory and kitchen experiments, and most computer simulations, is pressure. The mantle is heated from within, cooled from above [...]. All of these effects drive convective motions.

Extrait de http://www.mantleplumes.org/Convection.html

Vocabulaire : *stove* : cuisinière.

1. Quels sont les différents modes de transfert thermique ?
2. Lequel de ces modes est principalement mis en jeu dans le cas d'une casserole pleine d'eau chauffée et dans celui du manteau terrestre ?
3. Quel phénomène physique est à l'origine du chauffage interne des roches mantelliques ?
4. Le modèle du fluide chauffé dans une casserole est-il adapté à la description des transferts thermiques dans le manteau terrestre ?

34 Que calor !

COMPÉTENCES Mobiliser ses connaissances ; raisonner ; faire preuve d'esprit critique.

La calorimétrie est l'ensemble des techniques de mesure de transferts thermiques. Elle permet de déterminer des énergies de changement d'état et des capacités thermiques. Un calorimètre à vase de Dewar est un récipient métallique muni d'un couvercle et d'un système d'agitation, dans lequel est placé un vase à double paroi dont les parois sont en verre, argentées et séparées par du vide. Ce vase est appelé vase de Dewar. *On peut considérer que le contenu du vase est thermiquement isolé de l'extérieur.*

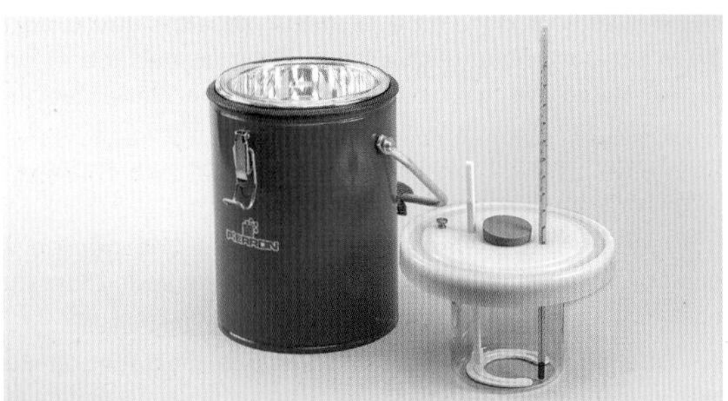

Dans le but de déterminer la capacité thermique massique c_2 du cuivre solide, on place dans un calorimètre une masse $m_1 = 80{,}1$ g d'eau liquide. À l'équilibre thermique, la température à l'intérieur du calorimètre est $T_1 = 16{,}4$ °C.
Dans une étuve, on chauffe un bloc de cuivre solide de masse $m_2 = 62{,}3$ g, sa température est $T_2 = 75{,}0$ °C. Très rapidement, on place ce bloc dans l'eau du calorimètre que l'on referme. Quand le nouvel état d'équilibre thermique est atteint, la température à l'intérieur du calorimètre est $T_f = 20{,}4$ °C.

1. Justifier la phrase du texte en italique.
2. Exprimer la variation d'énergie interne du système {cuivre} en fonction des températures.
3. Établir le bilan énergétique pour ce système. Quel est le signe des différentes grandeurs qui y apparaissent ?
4. En déduire l'expression de la capacité thermique massique c_2 du cuivre et la calculer. On notera C_{cal} la capacité thermique du calorimètre et de ses accessoires (agitateur, thermomètre, etc.).
5. La valeur de c_2 lue dans les tables thermodynamiques est $0{,}390$ J·g^{-1}·°C^{-1}. Identifier toutes les sources d'erreur lors de sa détermination. Comment améliorer le résultat ?

Données : pour l'eau liquide $c_1 = 4{,}18$ J·g^{-1}·°C^{-1} ;
pour le calorimètre et ses accessoires $C_{cal} = 8{,}5$ J·°C^{-1}.

35 Bac Centrale électronucléaire

COMPÉTENCES Mobiliser ses connaissances ; raisonner ; calculer.

En France, en 2011, environ 75 % de la production d'électricité est réalisée dans des centrales électronucléaires. L'énorme énergie libérée par la fission de l'uranium 235 ne peut techniquement pas être entièrement convertie en énergie électrique. Pour évacuer l'énergie non convertie, la centrale doit être équipée d'un circuit d'eau de refroidissement. Les centrales électronucléaires sont donc construites à proximité de rivières, fleuves, mers ou océans. Ce circuit de refroidissement est un élément crucial pour la sécurité, car, s'il n'est plus alimenté en eau, la température peut augmenter jusqu'à la fusion du cœur du réacteur. C'est ce qui s'est passé lors de l'accident nucléaire de Fukushima en mars 2011.
Le fonctionnement d'une centrale électronucléaire est modélisé par la chaîne énergétique suivante :

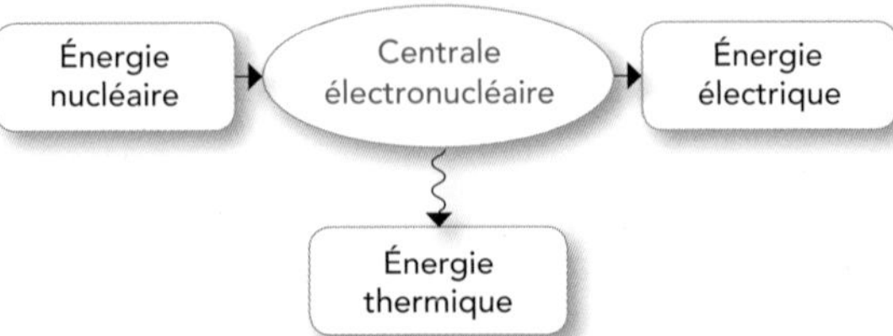

Le cœur du réacteur fournit à la centrale une énergie thermique Q. L'eau du circuit de refroidissement est à la température initiale $T = 16$ °C et la centrale lui fournit une énergie thermique Q'. Le travail électrique fourni par la centrale au réseau électrique est noté W. Le rendement de conversion de la centrale vaut 33 %.

1. Établir le bilan énergétique de la centrale en précisant le signe des grandeurs qui interviennent.

2. Comment se traduit la conservation de l'énergie lors du fonctionnement de cette centrale ?

3. Définir le rendement de conversion ρ de cette centrale électronucléaire.

4. Déduire de ce qui précède l'expression du transfert thermique entre la centrale et l'eau du circuit de refroidissement en fonction de *W* et ρ.

5. Quelle est la conséquence pour l'eau du circuit de refroidissement de ce transfert thermique ?

6. Ce circuit de refroidissement a un débit massique de $4{,}2 \times 10^4$ kg·s^{-1}.

a. Exprimer la masse d'eau correspondant au fonctionnement de la centrale pendant 10 min.

b. Quelle est l'élévation de la température de cette masse d'eau au cours de cette durée sachant que le travail électrique fourni par la centrale est de $5{,}4 \times 10^{11}$ J ?

7. Quel est l'effet d'une augmentation du débit de l'eau dans le circuit de refroidissement sur la température de cette eau ?

Donnée : pour l'eau liquide $c = 4{,}18$ kJ·kg^{-1}·K^{-1}.

Un pas vers l'enseignement supérieur

36 Moteur de stirling (AP)

COMPÉTENCES Extraire des informations ; exploiter une relation.

Le moteur de Stirling, inventé en 1816, est un moteur très efficace qui fonctionne avec une source chaude externe.
Dans une unité de production électrique « Dish-Stirling », un miroir parabolique concentre les rayons solaires vers un absorbeur. Cet absorbeur (source chaude) permet au moteur de fonctionner en lui fournissant de l'énergie.
Ce moteur entraîne une génératrice de courant électrique tout en se refroidissant au contact de l'air ambiant (source froide). Les grands déserts tels celui du Sahara en Afrique du Nord ou du Mojave aux États-Unis sont des endroits idéaux pour implanter des telles unités.

Dans un moteur de Stirling, un gaz subit, sans perte de matière, un cycle de transformations entre quatre états :

• Passage de l'état 1 à l'état 2 : détente isotherme (à température constante), à la température T_C de la source chaude, du volume initial V_A au volume final V_B.

• Passage de l'état 2 à l'état 3 : refroidissement isochore (à volume constant) de la température T_C à la température T_F de la source froide. Cette étape se déroule dans un dispositif qui stocke l'énergie thermique échangée.

• Passage de l'état 3 à l'état 4 : compression isotherme du volume V_B au volume V_A.

• Passage de l'état 4 à l'état 1 : réchauffement isochore dans le dispositif qui a stocké précédemment l'énergie.

Le comportement du gaz de ce moteur est modélisé par l'équation d'état du gaz parfait reliant quatre paramètres : sa pression (*P*), son volume (*V*), sa quantité de matière (*n*) et sa température (*T*) :

$$P \cdot V = n \cdot \mathrm{R} \cdot T$$

où R est la constante molaire des gaz parfaits.

On admet que, pour ce cycle, lors du passage d'un état initial i à un état final f, le travail échangé entre le système et l'extérieur, et dû aux forces de pression, s'exprime par :

$$W_{\text{if}} = \int_{V_i}^{V_f} -P \cdot dV$$

1. a. Lors du passage de l'état 1 à l'état 2, quels paramètres du gaz parfait sont variables ? Quels paramètres sont constants ?

b. Montrer que lors de ce passage, on a :

$$W_{12} = -n \cdot \mathrm{R} \cdot T_C \int_{V_A}^{V_B} \frac{1}{V} dV$$

c. On montre en mathématiques que :

$$\int_{x_A}^{x_B} \frac{1}{x} dx = [\ln x]_{x_A}^{x_B} = \ln \frac{x_B}{x_A}$$

Dans cette expression, ln est la fonction logarithme népérien (étudiée en mathématiques).

En déduire l'expression du travail W_{12} en fonction de *n*, T_C, V_A et V_B.

d. Exprimer la variation d'énergie interne du système ΔU_{12} en fonction du travail W_{12} et du transfert thermique Q_{12}.

e. La variation d'énergie interne d'un gaz parfait dont la température varie de ΔT s'écrit :

$$\Delta U = n \cdot C_V \cdot \Delta T$$

Dans cette relation, C_V est la capacité thermique molaire du gaz parfait.

En déduire l'expression de Q_{12} en fonction de *n*, T_C, V_A et V_B.

2. Pour le passage de l'état 2 à l'état 3, donner les expressions de W_{23}, ΔU_{23}, Q_{23} en fonction de *n*, C_V, T_C et T_F.

3. Au cours d'un cycle de fonctionnement, le gaz d'un moteur de Stirling échange avec l'extérieur un travail $W = -790$ J.

Quelle est la puissance de ce moteur de Stirling s'il effectue 1 080 cycles par minute ?

4. Quel mode de transfert thermique permet d'alimenter l'absorbeur d'une installation Dish-Stirling ?

Retour sur l'ouverture du chapitre

37 Bac Double ou simple vitrage ?

COMPÉTENCES Exploiter un graphique ; calculer.

Le vitrage d'une fenêtre d'immeuble a une surface $S = 2,4$ m². Il est constitué de deux vitres d'une épaisseur $e_1 = 4,0$ mm chacune, séparées par une couche d'air d'épaisseur $e_2 = 16$ mm.

Le graphique ci-dessous représente l'évolution de la température dans un double vitrage en fonction de la distance x mesurée depuis la face extérieure. Les températures des deux faces externes du double vitrage sont constantes au cours du temps ; la valeur φ du flux thermique qui traverse l'ensemble est de 62,2 W.

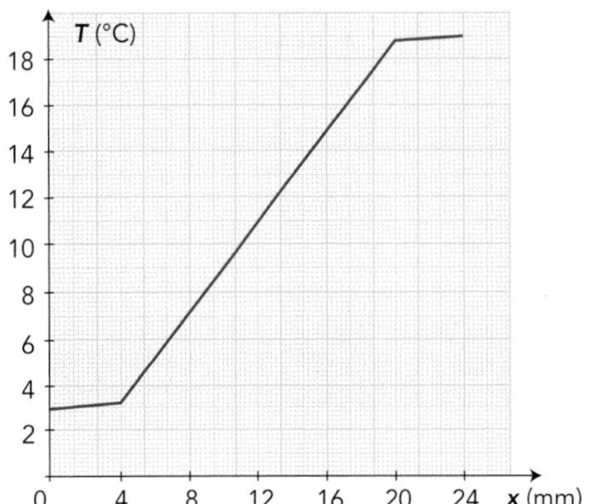

Un double vitrage est un dispositif qui améliore l'isolation thermique d'une habitation. Il permet de réduire la sensation de paroi froide et la condensation en hiver. Un double vitrage est une paroi vitrée constituée de deux vitres séparées par de l'air. Cet air est parfois remplacé par des gaz rares qui améliorent ses performances isolantes, comme l'argon ou le krypton.

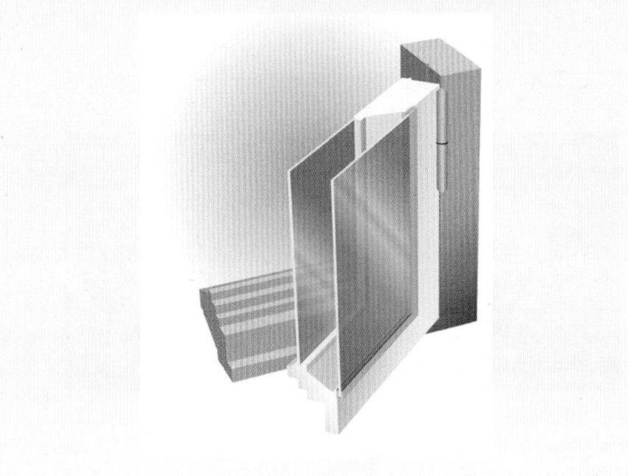

1. Quelle est la température de l'air extérieur et celle de l'air contenu dans l'immeuble ?

2. Calculer la température de la face intérieure de la vitre en contact avec l'air extérieur à l'immeuble. La courbe confirme-t-elle ce résultat ?

3. Calculer la résistance thermique de la paroi vitrée.

4. a. On remplace le double vitrage par un simple vitrage d'épaisseur $e_3 = 24$ mm.
Dans les mêmes conditions de températures extérieure et intérieure à l'immeuble, calculer le flux thermique qui traverse ce vitrage.
b. Quel est l'intérêt du double vitrage par rapport au simple vitrage ?

5. Comparer la résistance thermique de la paroi en double vitrage avec celle du mur en béton de même surface et de 20 cm d'épaisseur. Conclure.

Données :

- Flux thermique : $\varphi = \dfrac{Q}{\Delta t} = \dfrac{|T_1 - T_2|}{R_{th}}$.
- Résistance thermique d'une paroi de 2,4 m² :

Matériau	R_{th} ($K \cdot W^{-1}$)
Vitre de 4 mm d'épaisseur	$1,4 \times 10^{-3}$
Vitre de 24 mm d'épaisseur	$8,3 \times 10^{-3}$
Béton de 20 cm d'épaisseur	$8,3 \times 10^{-2}$

Comprendre un énoncé

38 Bac Thermographie et isolation

 **Mobiliser ses connaissances, calculer.**

Selon l'ADEME (Agence de l'environnement et de la maîtrise de l'énergie), 25 à 30 % des pertes thermiques d'un bâtiment se font par le toit. Aussi, de nombreuses communautés de communes ont lancé des campagnes de thermographie aérienne dans le but de sensibiliser le public à ces pertes. Une caméra thermique préalablement étalonnée mesure des flux de rayonnement. Sur la carte thermographique, une couleur est attribuée à chaque toit en fonction du flux mesuré. En tenant compte de la nature du matériau et de la température extérieure, il est de plus possible de calculer la température du toit.

Données :
- Le flux thermique φ, en watt, d'une paroi plane de surface S et de résistance thermique R_{th} est donné par la relation :

$$\varphi = \frac{|T_{ext} - T_{int}|}{R_{th}}$$

où T_{ext}, T_{int} sont les températures de part et d'autre de la paroi, exprimées en kelvin (K) ou en degré Celsius (°C).
- λ(laine) = 0,04 $W \cdot m^{-1} \cdot K^{-1}$.

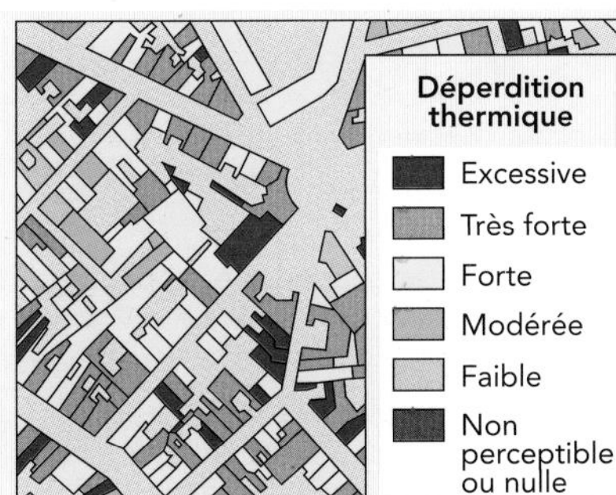

Questions à se poser à la lecture de l'énoncé

→ Comment calculer le flux thermique traduisant ces pertes ?

→ Y a-t-il d'autres modes de transfert thermique mis en jeu ici ?

→ Que représentent les différentes zones colorées sur la carte ?

→ Quelle information peut-on déduire de cette carte ?

Questions	Compétences à mobiliser	Si difficulté, revoir
1. Quel mode de transfert thermique permet la mesure de flux thermique par la caméra embarquée dans l'avion ?	• Extraire des informations*.	Cours § 3, p. 357. Exercice 14, p. 365.
2. Dans le quartier du Jardin botanique de Bordeaux, les mesures thermographiques (voir carte ci-dessus) ont été réalisées la nuit en février 2009. Pourquoi les toits mal isolés sont-ils plus chauds que l'air environnant l'extérieur ?	• Mobiliser ses connaissances*.	Cours § 3, p. 357, Exercice 18, p. 365.
3. On mesure pour un toit en tuiles, d'épaisseur 10 mm et de surface 100 m^2, un flux thermique de 170 kW. Calculer la résistance thermique R_{th_toit} de ce toit en tuiles pour une température intérieure de 16 °C et une température extérieure de –1 °C.	• Exploiter la relation entre le flux thermique à travers une paroi plane et l'écart de température entre ses deux faces.	Cours § 3, p. 357. Exercice résolu 5, p. 362.
4. On désire réduire ce flux d'un facteur 200 en posant une couche isolante de laine de verre. **a.** Quelle est la résistance thermique du système {laine de verre + tuile} ainsi constitué ? **b.** Sachant que la résistance d'une paroi d'épaisseur e et de conductivité thermique λ est donnée par $R_{th} = \frac{e}{\lambda \cdot S}$, quelle épaisseur de laine de verre doit-on poser pour isoler ce toit ?	• Mobiliser ses connaissances*. • Raisonner, calculer*.	Exercice résolu 5, p. 362, et exercice 37, p. 372.

* Compétence transversale.

Avoir les bons réflexes 

Si l'énoncé demande de...	il est nécessaire de...	Si difficulté	Pour réviser
Évaluer des ordres de grandeur relatifs aux domaines microscopique et macroscopique.	● Déterminer l'ordre de grandeur de la grandeur physique étudiée. ● Utiliser la constante d'Avogadro pour passer d'un domaine à l'autre.	Exercice 8, p. 364.	Exercice 21 p. 366.
Calculer la variation de l'énergie interne d'un système macroscopique.	● Relever tous les échanges énergétiques entre le système et l'extérieur. ● Appliquer la formule $\Delta U = W + Q$ en attribuant un signe positif ou négatif à Q et à W suivant le sens du transfert. ● Relever la variation de température du système à l'état condensé et appliquer la formule $\Delta U = m \cdot c \cdot \Delta T$.	Exercices 12, p. 364, et 13, p. 365.	Exercices 25 et 30 p. 367 et 369.
Identifier les mode de transfert thermique.	● Relever l'état physique des systèmes mis en jeu. La conduction a principalement lieu dans les solides, la convection dans les fluides. ● Savoir que tout corps chaud émet des rayonnements. ● Savoir décrire macroscopiquement ou microscopiquement un mode transfert.	Exercice 14, p. 365.	Exercices 26 et 31 p. 367 et 369.
Exploiter la relation du flux thermique φ à travers une paroi plane et l'écart de température entre ses deux faces.	● Savoir qu'un flux thermique est une énergie transférée par unité de temps. ● Connaître la signification de chacun des termes qui interviennent dans l'expression du flux thermique φ, $\varphi = \frac{Q}{\Delta t}$ ainsi que leurs unités. ● Savoir que la relation $\varphi = \frac{\lvert \Delta T \rvert}{R_{th}}$ n'est utilisable que lorsque l'écart de températures est constant au cours du temps.	Exercices 17 et 18, p. 365.	Exercices 27 et 29 p. 368.
Faire un bilan énergétique.	● Définir le système macroscopique. ● Relever tous les transferts énergétiques par travail ou transfert thermique. ● Attribuer à chacun des transferts un signe positif si le système gagne de l'énergie ou négatif s'il en perd.	Exercice 19, p. 366.	Exercice 32 p. 369.

Dans les conditions du baccalauréat

● **Avec aide :** Exercice 38 p. 373.

● **Sans aide :** Exercice 35 p. 370-371.

Transferts quantiques d'énergie et dualité onde-particule

Chapitre 15

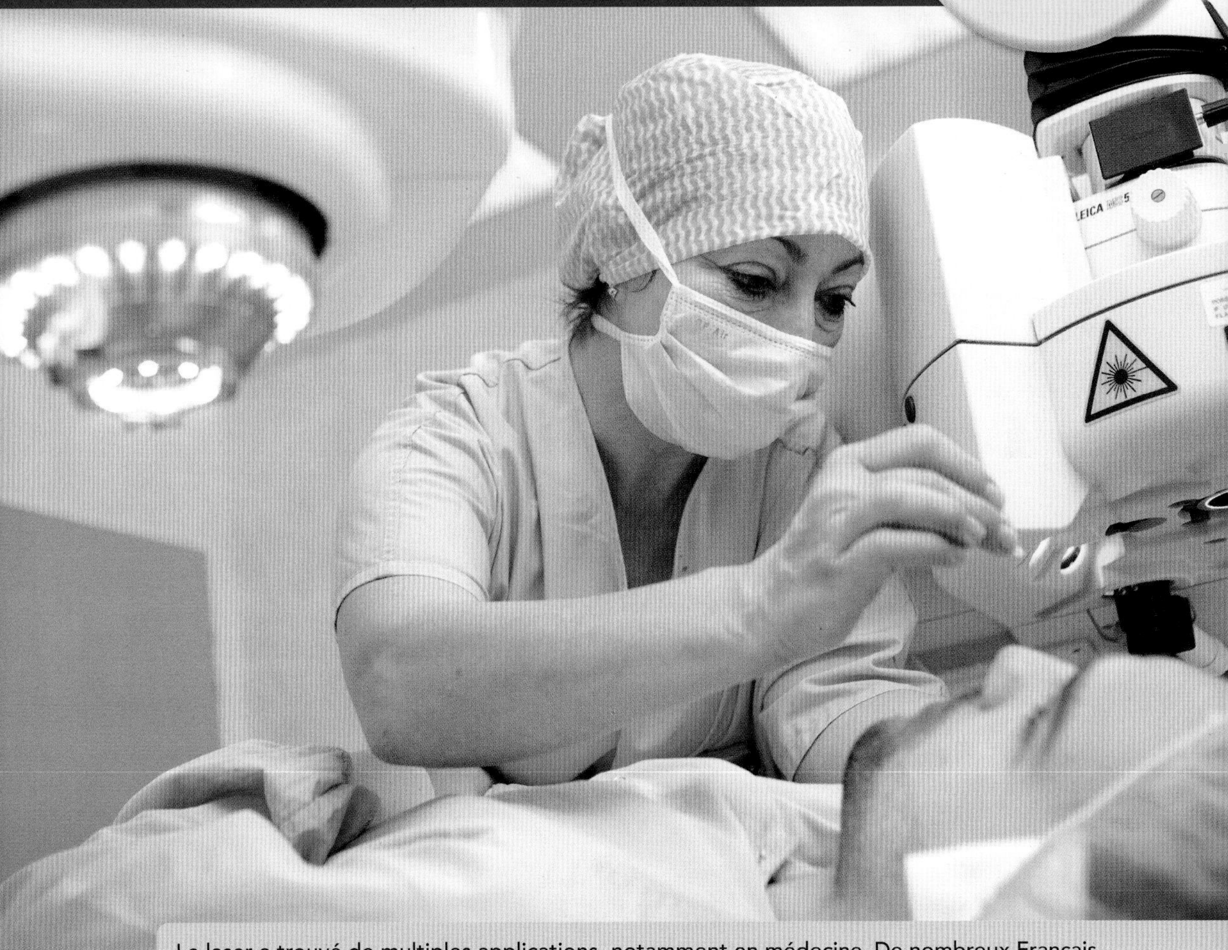

Le laser a trouvé de multiples applications, notamment en médecine. De nombreux Français subissent chaque année une intervention chirurgicale au laser pour corriger leur myopie. **Quelles sont les propriétés du laser mises en jeu lors de ces interventions ? (Voir exercice 30, p. 397.)**

Comment la matière se comporte-t-elle à l'échelle microscopique ?

OBJECTIFS

→ Connaître la dualité onde-particule et la relation $p = \frac{h}{\lambda}$.
→ Connaître le principe de fonctionnement du laser et ses propriétés.
→ Associer un domaine spectral à la nature d'une transition énergétique.

Activités Étude documentaire

1 Ondes ou particules ? Les physiciens n'y voient pas clair au début du XXe siècle

La nature ondulatoire ou particulaire de la lumière est une préoccupation centrale de la physique du début du XXe siècle.
Comment décrire la lumière ?

Compétence exigible au baccalauré
• Extraire et exploiter des informatio sur la dualité onde-particule.

Du particulaire à l'ondulatoire
Après de nombreuses théories au sujet de la lumière, le Britannique Isaac NEWTON (1642-1727) impose son modèle de la lumière au XVIIe siècle. Pour lui, il s'agit d'un jet de particules qui diffèrent suivant la couleur de la lumière. On parle de « modèle particulaire ». Cependant, ce modèle ne permet pas d'expliquer les phénomènes d'interférences (voir chapitre 3).
Pour les interpréter, le modèle ondulatoire est élaboré au XIXe siècle à la suite des travaux du Britannique Thomas YOUNG (1773-1829) et du Français Augustin FRESNEL (1788-1827). Très vite, ce modèle prédomine pour atteindre son apogée en 1864 avec les travaux de l'Écossais James MAXWELL (1831-1879).
Pourtant, à la fin du XIXe siècle, la découverte de l'effet photoélectrique, par l'Allemand Heinrich HERTZ (1857-1894), ne peut s'expliquer par le caractère ondulatoire de la lumière.

L'effet photoélectrique
Lorsqu'un métal est éclairé par un rayonnement ultraviolet (doc. 1), des électrons sont arrachés de sa surface.
En revanche, si on utilise *un rayonnement de plus grande longueur d'onde, donc de moins grande énergie*, les électrons ne sont pas arrachés, même avec une durée d'exposition plus longue.

De l'ondulatoire au particulaire
Cette dernière observation va avoir de grandes conséquences sur la modélisation de la lumière.
D'après le modèle ondulatoire, l'énergie transférée par rayonnement au système dépend de la durée d'exposition. Ainsi, une exposition prolongée du métal à un rayonnement devrait permettre d'accumuler suffisamment d'énergie pour arracher un électron quelle que soit la longueur d'onde du rayonnement.
Le modèle ondulatoire ne permet donc pas d'expliquer l'effet photoélectrique.

En 1905, pour expliquer cet effet, Albert EINSTEIN (1879-1955) postule qu'un rayonnement est constitué de particules transportant des quanta d'énergie. En 1926, l'Américain Gilbert LEWIS (1875-1946) les nomme « photons ». Lors de l'effet photoélectrique, pour qu'un électron soit arraché, il faut que l'énergie du photon incident soit suffisante. Si ce n'est pas le cas, l'électron n'est pas arraché, quel que soit le nombre de photons incidents.

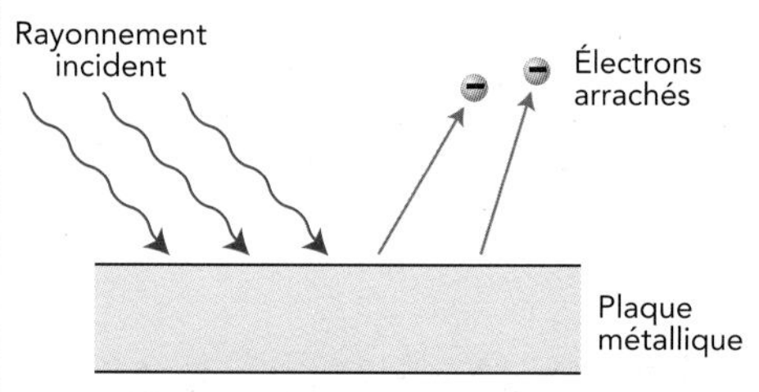

Doc. 1 Schématisation de l'effet photoélectrique.

La dualité onde-particule
Actuellement, suite aux travaux du Français Louis DE BROGLIE (1892-1987) en 1923, la lumière, et plus généralement les ondes électromagnétiques, sont décrites comme des flux de photons. Un photon se comporte soit comme une onde, soit comme une particule, suivant le contexte expérimental considéré. On parle de dualité onde-particule.
Un photon n'est ni une onde ni une particule. C'est un objet quantique.
En 1921, A. EINSTEIN reçoit le prix Nobel de Physique pour ses travaux sur l'effet photoélectrique.
En 1929, L. DE BROGLIE le reçoit pour sa découverte de la nature ondulatoire des électrons.

1 La modélisation de la lumière a évolué dans le temps. D'après le texte ci-dessus, quelles ont été les différentes contributions à cette modélisation ?

2 Quelles observations s'expliquent par :
a. l'aspect particulaire de la lumière ?
b. l'aspect ondulatoire de la lumière ?

3 Résumer la démarche scientifique associée à l'évolution de cette modélisation.

Un pas vers le cours...

4 Quels sont les deux aspects de la lumière ?

5 a. Rappeler l'expression de l'énergie transportée par un photon. Rechercher en quoi cette relation fait apparaître les deux aspects de la lumière.
b. Justifier l'expression écrite en italique dans le texte.

2 De la dualité onde-particule à l'aspect probabiliste de la mécanique quantique

Compétence exigible au baccalauréat
- Extraire et exploiter des informations sur les phénomènes quantiques pour mettre en évidence leur aspect probabiliste.

Le phénomène d'interférences est expliqué par le caractère ondulatoire de la lumière. L'expérience des fentes d'Young en est une illustration. On observe sur le document 2 des interférences constructives représentées par des franges brillantes et des interférences destructives repérées par des franges sombres. Que se passe-t-il si on réalise l'expérience d'Young en envoyant un seul photon à la fois ou une seule particule de matière à la fois ?

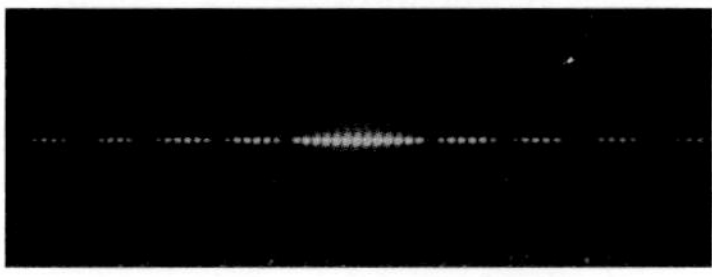

Doc. 2 Figure d'interférences obtenue avec des fentes d'Young éclairées par une lumière monochromatique.

L'expérience des fentes d'Young (voir **chapitre 3**) consiste à envoyer sur une plaque percée de deux fentes parallèles une onde électromagnétique, de longueur d'onde dans le vide λ, issue d'une source lumineuse.
En diminuant suffisamment l'intensité lumineuse de la source, on peut considérer que les photons sont émis un par un.
On enregistre au cours du temps la position de l'impact de chacun des photons sur un capteur, après la traversée des fentes d'Young.
Pour une durée d'expérience très longue, le nombre de photons détectés est grand. Le résultat est représenté sur le **document 3**. Chaque point blanc représente l'impact d'un photon.

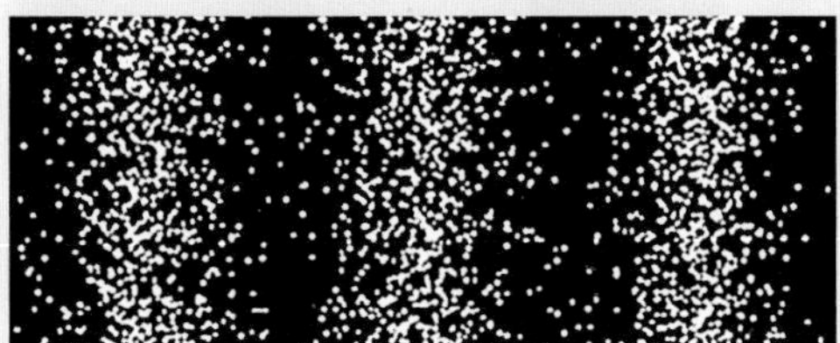

Doc. 3 Figure d'interférences obtenue avec des fentes d'Young bombardées photon par photon.

On distingue des zones brillantes (là où beaucoup d'impacts se produisent) qui alternent avec des zones sombres (là où peu d'impacts se produisent même après une longue durée d'expérience).
Cette figure est comparable à celle obtenue avec une source lumineuse monochromatique (**doc. 2**).

Si on procède de manière similaire, mais en envoyant des particules de matière, de masse non nulle, telles que des électrons, on observe une distribution identique à celle obtenue avec les photons (**doc. 4**).
Les premiers impacts semblent être désordonnés, puis, lorsque leur nombre augmente, ils se répartissent de manière plus organisée. Tous les électrons sont émis dans les mêmes conditions, mais sont détectés en des points différents.

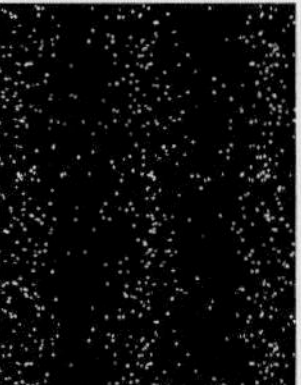
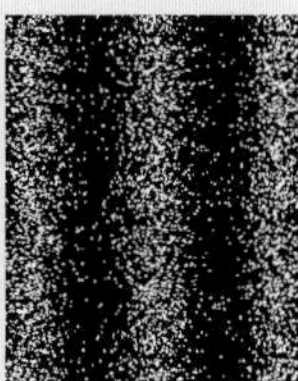

Doc. 4 Figure d'interférences électron par électron. La durée de l'expérience et donc le nombre d'électrons sont croissants de gauche à droite. Les impacts électroniques sur l'écran apparaissent en blanc.

Dans ce type d'expériences, on est incapable de reconstituer la trajectoire de la particule (photon ou électron) puisqu'on ne sait pas par quelle fente elle est passée.
Si on réalise l'expérience en fermant alternativement, l'une ou l'autre des fentes, on n'observe plus de figure d'interférences, mais une distribution d'impacts centrée sur l'une ou l'autre des fentes.
Cela a permis de mettre en évidence *l'aspect probabiliste* des phénomènes quantiques.

1 Quelles conditions expérimentales permettent d'obtenir les figures des **documents 2, 3** et **4** ?

2 Dans l'expérience décrite avec les photons, quels aspects des photons sont mis en évidence ?

3 Dans l'expérience décrite avec les électrons, quels aspects des électrons sont mis en évidence ?

4 a. Quelles sont les propriétés différenciant les électrons et les photons ?
b. Pourquoi, à l'inverse de l'électron, le photon n'est-il pas appelé « particule de matière » ?

Un pas vers le cours...

5 Expliquer l'expression écrite en italique dans le texte en s'appuyant sur des observations expérimentales.

3 Le laser, outil d'investigation et transmetteur d'information

Le laser est devenu un outil de choix pour mesurer des distances, même très petites. Il permet également de transmettre des informations, y compris sur de grandes distances. Comment utiliser un laser pour mesurer des longueurs ou pour transmettre des informations ?

Compétence exigible au baccalauréat

- *Mettre en œuvre un protocole expérimental utilisant un laser comme outil d'investigation ou pour transmettre de l'information.*

Sécurité Pour éviter toute lésion oculaire, ne jamais regarder directement le faisceau et ne pas le pointer vers une personne. Faire attention aux réflexions du faisceau.

A Mesure de la distance entre deux sillons d'un CD ou d'un DVD

Une figure d'interférences obtenue avec un laser va permettre de mesurer la distance entre deux sillons consécutifs d'un CD, puis entre ceux d'un DVD.

▸ Réaliser le montage du document 5a et observer la figure d'interférences obtenue sur l'écran après réflexion de la lumière sur le disque.

1 a. Quelles sont les sources secondaires responsables des interférences observées ?
b. Quel type d'interférences permet d'observer des taches brillantes sur l'écran ?

2 La distance x entre les deux premières taches de part et d'autre de la tache centrale (ou taches d'ordre 1, doc. 5b et 5c), la distance d entre le disque et l'écran et la distance a entre deux sillons consécutifs sont reliées par :

$$a = \lambda\sqrt{1 + \frac{4 \cdot d^2}{x^2}}$$

λ est la longueur d'onde de la radiation lumineuse émise par le laser.
a. Vérifier l'homogénéité de cette expression (voir **fiche n° 5**, p. 588).
b. Sur la notice du laser, relever la longueur d'onde de la lumière émise.
Réaliser les mesures nécessaires et calculer a pour un CD, puis pour un DVD.

3 a. Identifier, dans l'expression de a, les grandeurs pour lesquelles on peut avoir une incertitude de mesure.
b. Évaluer les incertitudes sur la mesure de x et sur celle de d (voir **fiche n° 3**, p. 584).
c. On peut montrer que l'incertitude sur a est donnée par :

$$U(a) = a\sqrt{\left(\frac{U(\lambda)}{\lambda}\right)^2 + \left(\frac{4\lambda^2 \cdot d \cdot U(d)}{a^2 \cdot x^2}\right)^2 + \left(\frac{4\lambda^2 \cdot d^2 \cdot U(x)}{a^2 \cdot x^3}\right)^2}$$

En prenant $U(\lambda) = 0$, calculer $U(a)$.
d. Exprimer le résultat de la mesure de la distance entre deux sillons consécutifs de chaque disque étudié.
e. Comment pourrait-on améliorer la précision de la mesure ?

4 Conclure en comparant la distance séparant deux sillons d'un CD de celle séparant deux sillons d'un DVD.

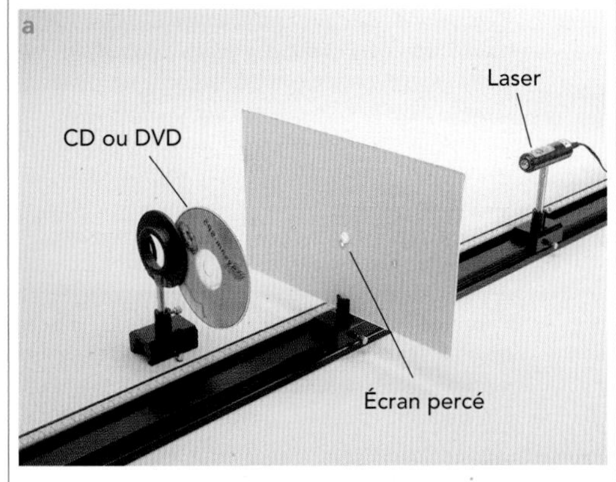

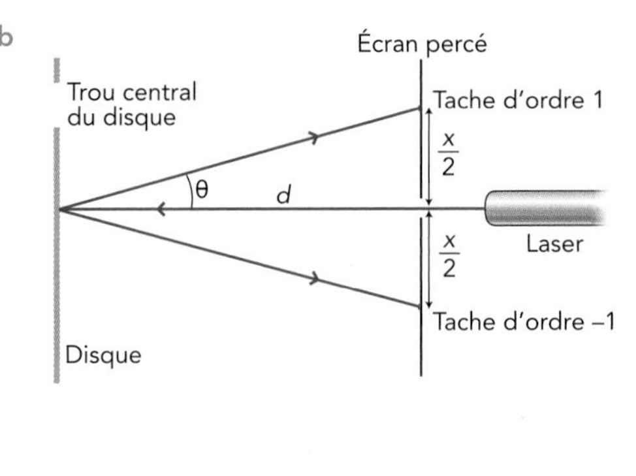

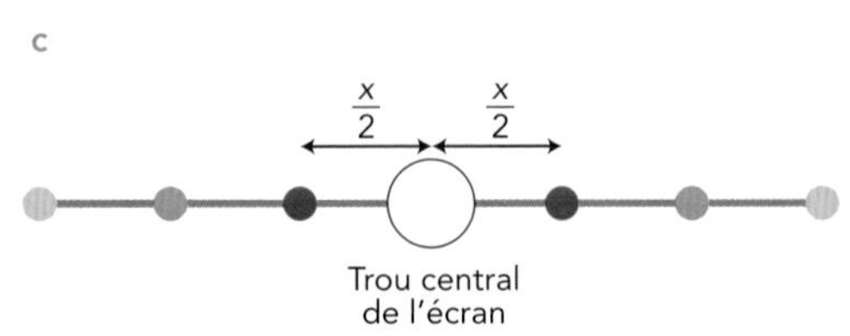

Doc. 5 a. Photo du montage. b. Schéma du montage. c. Schématisation de l'observation sur l'écran (la tache centrale se trouverait au niveau du trou de l'écran).

B Utilisation d'un laser pour transmettre une information à distance

Un faisceau laser va permettre de transmettre sur plusieurs mètres une information sonore. La source sonore est un générateur de mélodie. Un haut-parleur permet d'écouter la mélodie directement ou après transmission via le faisceau laser et réception par le montage récepteur du document 6.

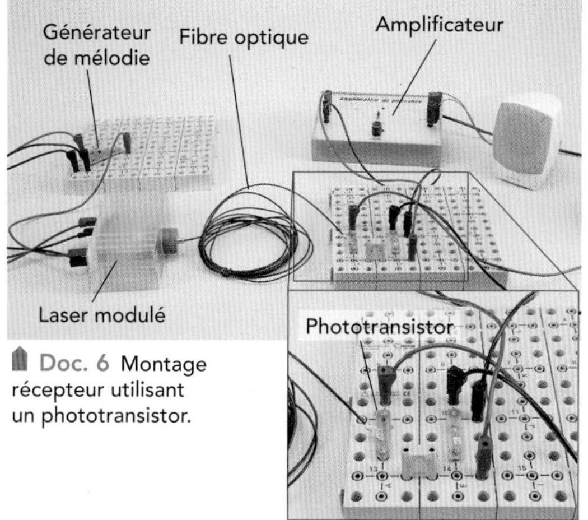

Doc. 6 Montage récepteur utilisant un phototransistor.

- Relier un générateur de mélodie à un haut-parleur et écouter la mélodie.
- Réaliser le **montage récepteur** (doc. 7).
- Relier le conducteur ohmique de 1 kΩ à l'entrée d'un système d'acquisition.
- Réaliser une acquisition de la tension aux bornes du conducteur ohmique pendant une durée de plusieurs secondes. Durant cette acquisition, le phototransistor sera tour à tour éclairé ou dans l'obscurité.
- Réaliser le **montage émetteur** (doc. 7) en reliant la sortie du générateur de mélodie à l'entrée *modulation* d'une diode laser. Ceci permet de faire varier l'intensité lumineuse du faisceau laser de la même manière que la tension délivrée par le générateur.
- Éloigner le montage émetteur et le montage récepteur de quelques mètres.
- Diriger le faisceau laser vers le phototransistor afin d'entendre la mélodie. Utiliser éventuellement une fibre optique pour guider la lumière.
- Réaliser alors une acquisition simultanée des signaux émis par le générateur de mélodie et reçus par le conducteur ohmique (doc. 8).

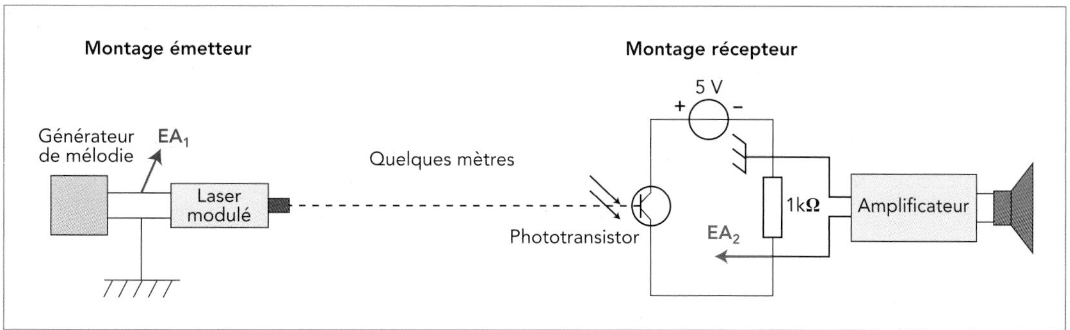

Doc. 7 Schéma des montages émetteur et récepteur. EA signifie « entrée acquisition ».

5 Qu'observe-t-on en ce qui concerne la tension aux bornes du conducteur ohmique :
a. lorsque le phototransistor est éclairé ?
b. lorsqu'il est dans l'obscurité ?

6 Comparer les fréquences des signaux émis et reçu.

7 En l'abscence de la fibre optique, comment doivent-être disposés le laser et le phototransistor ?
Quelle propriété du laser est ainsi mise en évidence ?

8 Sous quelle(s) forme(s) l'information a-t-elle été transmise entre le montage émetteur et le montage récepteur ?
Quels sont les avantages de ce mode de transmission ?

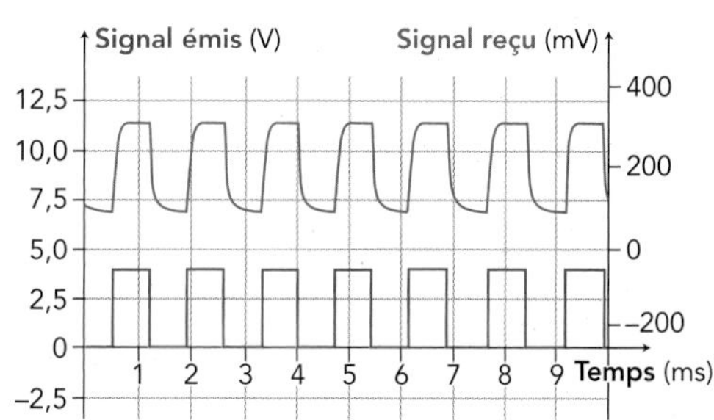

Doc. 8 Comparaison des signaux émis et reçu.

Activités Étude documentaire

4 Le microscope électronique

Compétence exigible au baccalauréat

- Extraire et exploiter des informations sur un dispositif expérimental permettant de visualiser les atomes et les molécules.

Pour mieux comprendre le monde, les scientifiques doivent pouvoir l'observer à différentes échelles. L'invention au XXe siècle d'un nouveau type de microscope a permis de repousser les limites de l'observation de l'infiniment petit. Sur quels principes repose la microscopie électronique ?

On situe l'apparition du microscope optique au XVIIe siècle. Le Néerlandais Antonie VAN LEEUWENHOEK (1632-1723) en fabrique plusieurs centaines et réalise des observations détaillées d'insectes et même de bactéries. Un de ses microscopes encore en état de nos jours aurait permis de distinguer des détails d'un micromètre de longueur.
Au milieu du XIXe siècle, les physiciens sont confrontés à la limite du microscope optique : son pouvoir de résolution.

Pouvoir de résolution
C'est la capacité d'un instrument d'optique à obtenir deux images séparées de deux points distincts de l'objet observé. Ce pouvoir de résolution est limité par le phénomène de diffraction de la lumière par l'ouverture circulaire du dispositif optique. Théoriquement, deux points séparés d'une distance inférieure à la longueur d'onde de la lumière qui les éclaire ne peuvent pas être distingués.

En 1931, deux ingénieurs allemands, Max KNOLL (1897-1969) et Ernst RUSKA (1906-1988), construisent le premier microscope électronique. La lumière est remplacée par un faisceau d'électrons et les lentilles par des bobines qui, traversées par un courant électrique, créent un champ magnétique.
Cinq ans auparavant, le physicien français Louis DE BROGLIE a attribué à des particules de matière une longueur d'onde λ telle que $\lambda = \frac{h}{p}$ avec p la valeur de la quantité de mouvement de la particule et h la constante de Planck. Pour des vitesses de valeurs très inférieures à celle de la lumière dans le vide, la valeur de la quantité de mouvement s'exprime par $p = m \cdot v$.
La longueur d'onde associée aux électrons utilisés dans les microscopes électroniques est inférieure au nanomètre. Le pouvoir de résolution est donc nettement meilleur que celui d'un microscope optique. En accélérant les électrons, on améliore le pouvoir de résolution.
Dans un microscope électronique en transmission (MET), le faisceau d'électrons traverse l'objet étudié. Cela a pour contrainte de n'étudier qu'une fine coupe de cet objet. Le pouvoir de résolution est de 0,2 nm pour les meilleurs modèles.

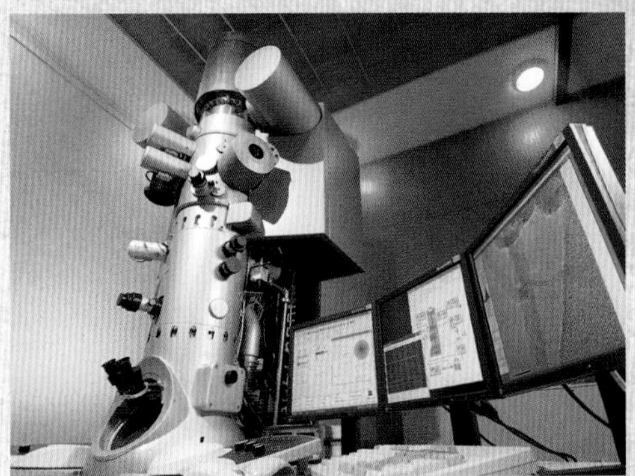

Microscope électronique à transmission.

Claude COHEN-TANNOUDJI.

La dualité
Lors d'une de ses conférences, C. COHEN-TANNOUDJI, physicien français, prix Nobel de physique en 1997 à la suite de ses travaux sur « le développement de méthodes pour refroidir et piéger des atomes avec des faisceaux laser », a présenté les éléments de la diapositive ci-contre.

Ordre de grandeur pour un électron
À un électron accéléré par un potentiel de 10 keV*, on associe une onde de matière de longueur d'onde $\lambda = 1{,}2 \times 10^{-11}$ m.

Pour un atome
La masse M d'un atome est beaucoup plus élevée.
Pour que $\lambda = \frac{h}{M \cdot v}$ reste appréciable,
il faut que l'atome ait une vitesse v très faible.
Le comportement ondulatoire des atomes n'est donc visible qu'à très basse température.

* Cet électron possède alors une énergie cinétique égale à 10 keV.

Le microscope électronique à balayage

En exploitant les interactions des électrons avec la matière, le microscope électronique à balayage (MEB) peut restituer une vision directe de la surface d'un objet avec une résolution nanométrique. Il s'agit de balayer cette surface avec un flux focalisé d'électrons et de détecter les particules émises lors de cette interaction.

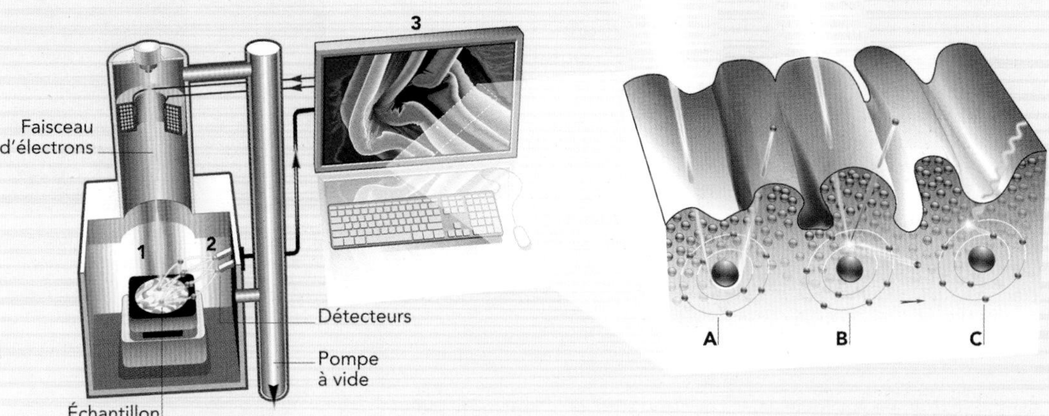

1. Balayage électronique

L'objet à étudier (mesurant du micron au centimètre) est placé sous vide dans la chambre du microscope. Le canon à électrons et le système d'optique électronique du MEB produisent un faisceau d'électrons primaire qui bombarde point par point la surface de l'objet. L'interaction des électrons avec les atomes rencontrés induit principalement trois types de particules : l'électron rétrodiffusé, l'électron secondaire et le rayon X.

2. Détection des interactions

Les particules émises dans la proche surface de l'objet sont analysées par des détecteurs du MEB. Elles permettent de former différents types d'images : les électrons rétrodiffusés et les rayons X renseignent sur la nature chimique des atomes rencontrés, les électrons secondaires donnent des images en relief permettant de caractériser la morphologie de la surface (topographie).

3. Formation de l'image

Les images résultent du balayage point par point de l'objet et de la détection synchronisée des particules réémises. Plus la zone balayée est petite, plus sa représentation est grossie, jusqu'à un million de fois. En pratique, ce grandissement maximum est limité par la résolution du MEB (environ 1 nm). Un intérêt du MEB est la très grande profondeur de champ, liée à la faible convergence du faisceau d'électrons, qui permet d'obtenir une image nette, même lorsque l'objet présente un relief important.

A. Électron rétrodiffusé

Il s'agit d'un électron du faisceau primaire qui, après avoir interagi avec le champ électrique du noyau d'un atome, change de direction. En fonction de cette nouvelle direction, il peut ressortir de l'objet.

B. Électron secondaire

Il s'agit d'un électron « arraché » à l'orbite d'un atome par un électron primaire. Cet atome devient ionisé et l'électron arraché de faible énergie, peut ressortir s'il provient de la proche surface de l'objet.

C. Rayon X

Il s'agit d'un photon de haute énergie, libéré lors du retour à l'état stable de l'atome ionisé.

D'après « Le microscope électronique à balayage », *Défis du CEA*, n° 144, octobre 2009.

1 Quel phénomène physique limite la résolution ?

2 Pourquoi le pouvoir de résolution d'un microscope électronique est-il meilleur que celui d'un microscope optique ? Justifier.

3 Retrouver par le calcul la longueur d'onde évoquée par C. COHEN-TANNOUDJI sachant que 1 eV = $1{,}60 \times 10^{-19}$ J et que la masse d'un électron est $m_e = 9{,}11 \times 10^{-31}$ kg.

4 Comparer les avantages et les inconvénients d'un microscope électronique à balayage à ceux d'un microscope électronique à transmission.

5 a. Sur quels comportements des électrons et des rayons X le schéma illustrant les interactions électron-matière insiste-t-il ?
b. Le terme d'« orbite » est-il approprié pour le mouvement d'un électron dans un atome ?

6 Comment le comportement ondulatoire des atomes peut-il être mis en évidence ? Quelles conditions, sur la longueur d'onde de l'onde associée à des atomes et sur la valeur de leur vitesse, cela entraîne-t-il ?

7 Quelle grandeur permet d'affirmer qu'à l'échelle macroscopique le comportement ondulatoire de la matière n'est pas perceptible ?

1 Ondes ou particules ?

1.1 La lumière

Les phénomènes de diffraction et d'interférences de la lumière s'expliquent par ses propriétés ondulatoires (**chapitre 3** et doc. 1).
Pourtant, en 1905, Albert EINSTEIN (1879-1955) postule que l'énergie de la lumière est transportée par des grains d'énergie. Il explique ainsi théoriquement l'effet photoélectrique mis en évidence en 1887 par l'expérience de l'Allemand Heinrich HERTZ (1857-1894) (**activité 1** et doc. 2).
Actuellement, la lumière et plus généralement les ondes électromagnétiques sont décrites comme des flux de photons. Un photon est une particule non chargée, de masse nulle et se déplaçant à la vitesse de la lumière.

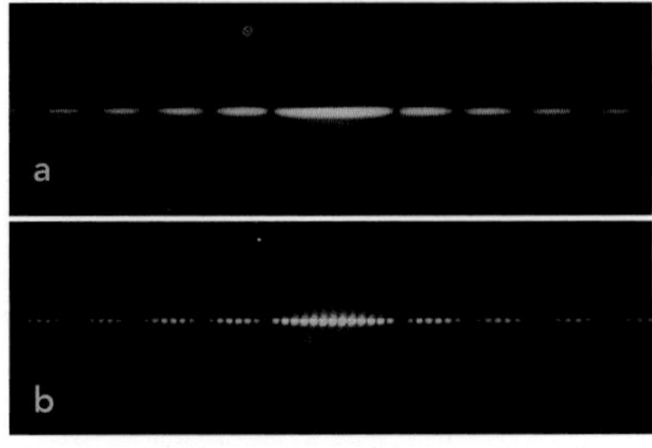

Doc. 1 Figures de diffraction (a) et d'interférences (b) de la lumière.

> L'énergie de la lumière est transportée par des photons qui présentent un aspect **particulaire** et **ondulatoire**.
> L'énergie d'un photon est :
> $$\mathcal{E} = h \cdot \nu$$
> avec $\mathcal{E}$ exprimée en joule (J), h la constante de Planck en joule-seconde (J·s) et ν la fréquence de l'onde en hertz (Hz).

L'énergie $\mathcal{E}$ représente l'aspect particulaire du photon et la fréquence ν, son aspect ondulatoire (**activité 1**). Dans le vide, l'onde associée au photon a une longueur d'onde λ, exprimée en mètre, et on a :

$$\mathcal{E} = h \cdot \nu = \frac{h \cdot c}{\lambda}$$

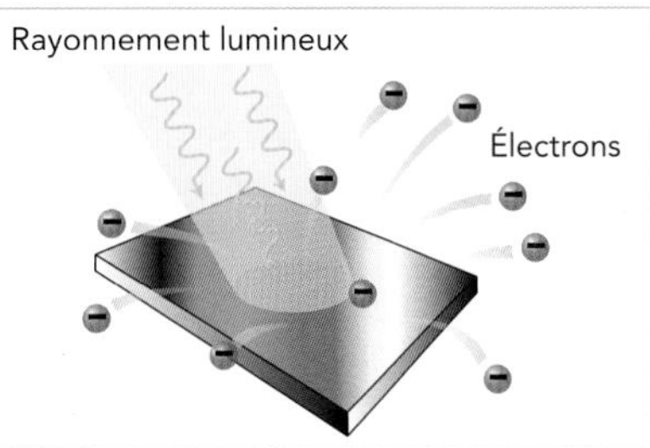

Doc. 2 Schématisation de l'effet photoélectrique.

1.2 La matière

À toute particule matérielle, c'est-à-dire ayant une masse m, animée d'une vitesse de valeur v très inférieure à la célérité c de la lumière, on associe une grandeur appelée quantité de mouvement (**chapitre 6**), dont la valeur, notée p, est définie par :

$$p = m \cdot v$$

p s'exprime en kilogramme-mètre par seconde (kg·m·s^{-1}), m en kilogramme (kg) et v en mètre par seconde (m·s^{-1}).
En 1923, le physicien français Louis DE BROGLIE (doc. 3) propose que la dualité onde-particule de la lumière s'applique aussi à toute particule matérielle (**activité 1**).

> **Rappel**
> La constante de Planck vaut environ :
> h = 6,63 × 10^{-34} J·s.

> La **dualité onde-particule** conduit à associer une onde de longueur d'onde λ à toute particule, matérielle ou non, de quantité de mouvement de valeur p telle que :
> $$p = \frac{h}{\lambda}$$
> Dans cette relation, appelée relation de de Broglie, p s'exprime en kilogramme-mètre par seconde (kg·m·s^{-1}), h en joule seconde (J·s) et λ en mètre (m).

Cette relation implique $\lambda = \frac{h}{p}$. Pour que l'aspect ondulatoire de la matière se manifeste, la masse de la particule doit être relativement peu élevée. C'est le cas pour les particules microscopiques comme l'électron, le proton et le neutron (**activité 2**).
Dans le cas contraire, la longueur d'onde de l'onde associée est tellement faible qu'il n'existe aucun obstacle ou ouverture suffisamment petit pour pouvoir diffracter l'onde. L'aspect ondulatoire de cette particule de matière ne peut donc pas se manifester.

Doc. 3 Louis de BROGLIE (1892-1987).

1.3 Interférences particule par particule

On éclaire des fentes d'Young avec une source lumineuse (doc. 4). Un écran placé derrière les fentes repère l'impact des photons. Quand on diminue suffisamment l'intensité de la lumière, les photons arrivent un par un sur les fentes. En raison de cette discontinuité, on parle de **phénomène quantique**.

On ne peut pas prévoir le lieu d'impact des photons sur l'écran (doc. 5a, b et c), mais on peut établir la probabilité de les observer à un endroit précis. Pour un très grand nombre d'impacts (doc. 5d), cette probabilité est maximale à certains endroits et minimale à d'autres. L'**aspect probabiliste** du phénomène est ainsi mis en évidence.

Les **phénomènes quantiques** présentent un **aspect probabiliste** : on peut au mieux établir la probabilité de présence d'une particule à un endroit donné.

Voir exercices 1, p. 387, et 6 à 10, p. 390.

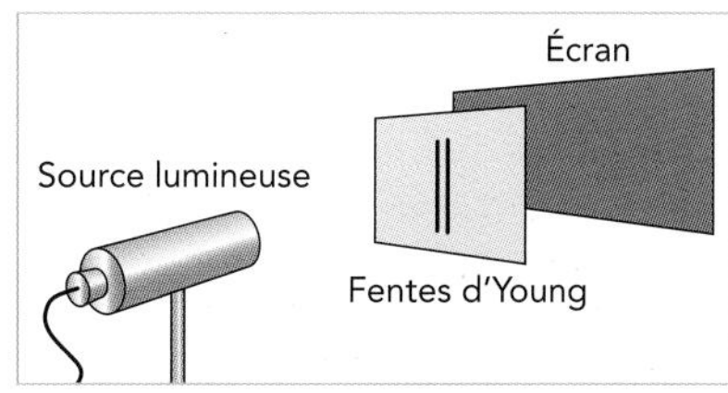

Doc. 4 Montage permettant d'observer des interférences lumineuses avec des fentes d'Young.

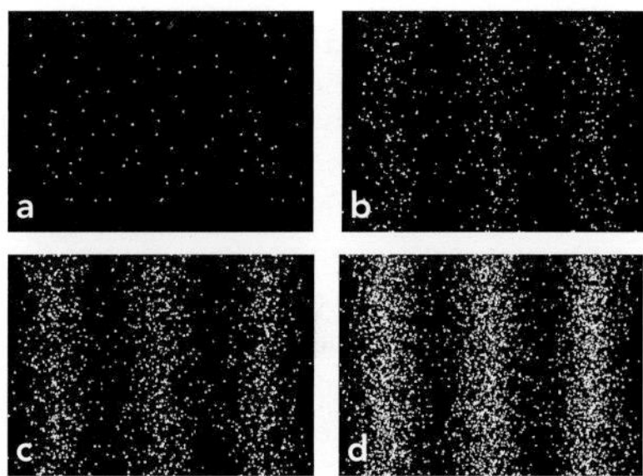

Doc. 5 Impacts, en blanc, des photons après traversée des fentes d'Young. De a à d, la durée de l'expérience et donc le nombre de photons sont croissants.

2 Comment fonctionne un laser?

Le terme laser est l'acronyme de *Light* ***Amplification*** *by* ***Stimulated Emission*** *of Radiation* signifiant « **amplification** lumineuse par **émission stimulée** de rayonnement ».

2.1 Émission spontanée de photons

On a vu, en classe de Première S, qu'un atome peut émettre spontanément un photon quand il passe d'un niveau d'énergie $\mathscr{E}_p$ à un niveau d'énergie inférieur $\mathscr{E}_n$ (doc. 6). L'énergie quantifiée de ce photon est telle que que $\mathscr{E} = |\mathscr{E}_p - \mathscr{E}_n| = h \cdot \nu$.

Cette émission a lieu de manière aléatoire, dans n'importe quelle direction de l'espace.

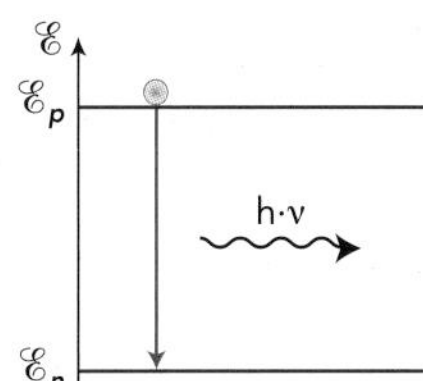

Doc. 6 Transition énergétique d'un atome (représenté symboliquement par une sphère) avec émission **spontanée** d'un photon d'énergie :

$$\mathscr{E} = \mathscr{E}_p - \mathscr{E}_n = h \cdot \nu$$

2.2 Émission stimulée

En 1917, Albert EINSTEIN prévoit un autre mode d'émission : **l'émission stimulée**. Un photon incident d'énergie $\mathscr{E} = h \cdot \nu$ peut forcer un atome, initialement dans l'état excité d'énergie $\mathscr{E}_p$, à passer au niveau d'énergie inférieur $\mathscr{E}_n$. Ce passage s'accompagne de l'émission d'un second photon de même énergie, de mêmes direction et sens de propagation et de même phase (voir **chapitre 2**) que le photon incident (doc. 7).

Lors d'une **émission stimulée**, un photon incident interagit avec un atome initialement excité et provoque l'émission d'un second photon par cet atome. L'énergie du photon incident doit être égale à la différence d'énergie entre deux niveaux d'énergie de cet atome. Deux photons sont obtenus après émission stimulée : le photon émis et le photon incident. Ces deux photons ont même fréquence, mêmes direction et sens de propagation et sont en phase.

Ces photons peuvent à leur tour stimuler d'autres émissions.

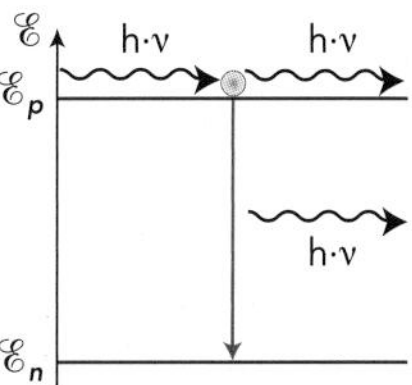

Doc. 7 Transition énergétique d'un atome (représenté symboliquement par une sphère) avec émission **stimulée** d'un photon d'énergie :

$$\mathscr{E} = \mathscr{E}_p - \mathscr{E}_n = h \cdot \nu$$

2.3 L'inversion de population

Pour augmenter le nombre d'émissions stimulées, il faut qu'il y ait plus d'atomes dans un état excité que dans l'état fondamental, qui est l'état stable des atomes.

Dans la matière, une majorité d'atomes étant dans l'état stable, on leur transfère de l'énergie pour créer une **inversion de population**.

Le document 8 représente la répartition d'une population d'atomes lors de cette inversion. L'apport d'énergie permet aux atomes de passer du niveau fondamental (**1**) à un niveau excité (**3**). Les atomes ne restent pas sur ce niveau, mais redescendent spontanément et très rapidement au niveau (**2**) où ils s'accumulent. La transition du niveau (**2**) au niveau (**1**) pourra alors se produire lors d'une émission spontanée ou stimulée.

L'émission stimulée est favorisée par **l'inversion de population** qui consiste à maintenir plus d'atomes dans un état excité que dans l'état fondamental. Cette situation est obtenue grâce à un apport d'énergie.

Lorsque l'énergie est apportée par des sources lumineuses, on parle de pompage optique.

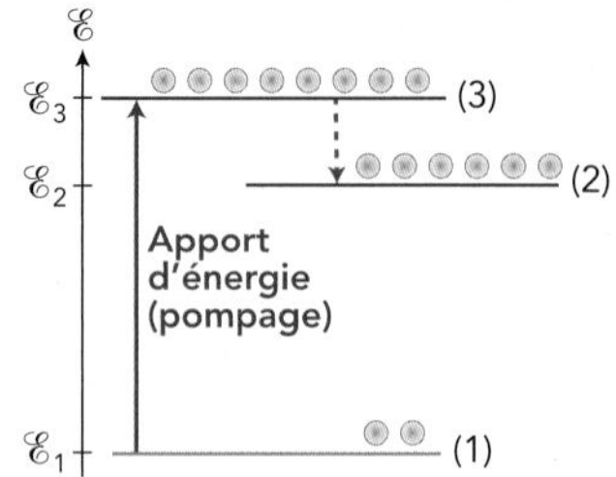

Doc. 8 Répartition des atomes (représentés symboliquement par des sphères) dans les niveaux d'énergie avec inversion de population.

2.4 L'amplification

Les atomes capables d'émettre des photons par émission stimulée constituent le milieu laser. Sa composition chimique et son état physique varie selon le modèle de laser (doc. 9).
Ce milieu est placé entre deux miroirs disposés face à face qui imposent des allers-retours aux photons. Cela permet d'augmenter le nombre d'interactions photon-atome et donc le nombre de photons produits par émission stimulée. L'ensemble constitue l'oscillateur laser (doc. 10).
Une source d'énergie crée et entretient l'inversion de population dans le milieu laser.
Lors de leurs allers-retours, les ondes associées aux photons vont interférer entre elles. Afin qu'il n'y ait pas perte d'intensité lumineuse, les interférences doivent être constructives. Pour cela, dans le cas d'un milieu laser d'indice $n \approx 1$, la distance aller-retour entre les miroirs doit être un multiple entier de la longueur d'onde (chapitre 3).

Dans l'oscillateur laser, limité par deux miroirs, les émissions stimulées successives font augmenter le nombre de photons qui ont même fréquence, mêmes direction et sens de propagation et qui sont en phase. C'est l'**amplification par effet laser**.

L'un des deux miroirs étant partiellement transparent, une partie du rayonnement produit sort de l'oscillateur. On obtient un faisceau laser (doc. 10) qui, selon les modèles, est émis en continu ou par impulsions.

Type de laser	Milieu laser	Couleur du faisceau
Laser hélium-néon	Gaz hélium-néon	Rouge
Diode laser	Solide semi-conducteur arséniure de gallium	Rouge, infrarouge
Laser à colorant	Colorant dans un solvant	Différentes couleurs
Laser Nd-YAG	Solide grenat d'aluminium et d'yttrium dopé au néodyme	Infrarouge

Doc. 9 Différents types de laser.

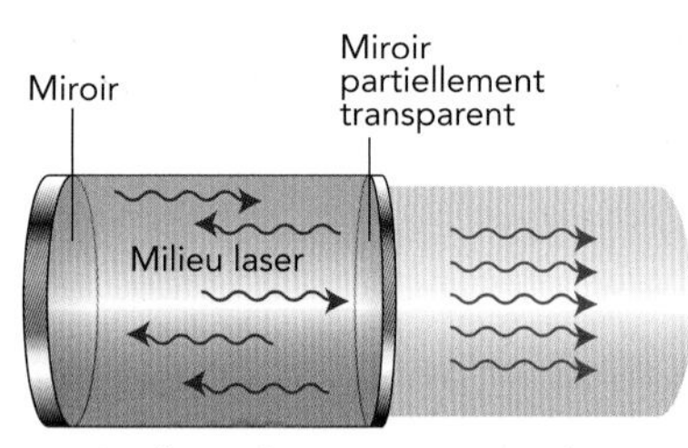

Doc. 10 Oscillateur laser.

2.5 Principales propriétés du laser

Tous les photons émis par le laser ont la même fréquence. Un laser produit donc un faisceau lumineux **monochromatique**.
Ces photons sont aussi en phase. Un laser produit donc un faisceau lumineux **cohérent**.
Ces photons ont la même direction. Un laser produit donc un faisceau lumineux **directif**.
Le document 11 montre que la puissance du faisceau, donc l'énergie, est beaucoup plus **concentrée dans l'espace** dans le cas d'un laser que dans celui d'une lampe à incandescence. De plus, un laser à impulsions permet de **concentrer dans le temps** l'énergie grâce à des émissions de très courte durée.

Un laser émet un faisceau lumineux **monochromatique**. Il est très **directif**, ce qui permet une **concentration spatiale de l'énergie**. Les lasers à impulsion permettent de plus une **concentration temporelle de l'énergie**.

	Éclairement ($W \cdot cm^{-2}$)	Nature de l'émission
Laser à impulsion	10^9	Impulsions ultra-courtes
Lampe à incandescence	10^2	Continue

Doc. 11 Caractéristiques comparées d'un laser et d'une lampe à incandescence de même puissance.

Avec des puissances allant du milliwatt au térawatt, le champ d'application des lasers est très vaste (**activité 3**). On les utilise pour la lecture des codes-barres ou des disques optiques (CD, DVD et Blu-ray Disc), le transport des informations par fibre optiques, la détermination de distances, le nettoyage de surfaces, la chirurgie, etc.

Voir exercices 2, p. 387, et 11 à 13, p. 390-391.

3 Quel domaine spectral pour quelle transition d'énergie ?

3.1 Énergie dans une molécule

Une molécule est constituée d'atomes qui vibrent les uns par rapport aux autres (doc. 12). Elle possède donc de l'énergie vibratoire en plus de l'énergie électronique liée à la répartition des électrons comme il a été vu en Première S. Ces deux énergies sont quantifiées, c'est-à-dire qu'elles ne peuvent prendre que certaines valeurs particulières. On parle de valeurs discrètes.
Comme pour l'atome, on définit des niveaux d'énergie électronique de la molécule. À chaque niveau d'énergie électronique correspondent des sous-niveaux d'énergie vibratoire (doc. 13).

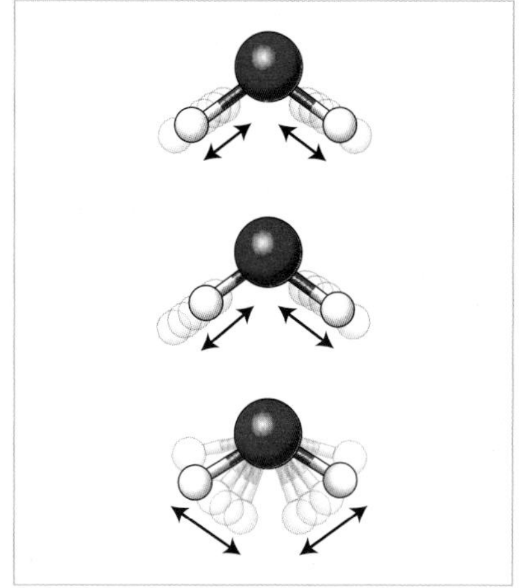

Doc. 12 Schématisation de différents modes de vibration de la molécule d'eau.

3.2 Transitions énergétiques

Par absorption d'un quantum d'énergie, une molécule peut passer d'un niveau d'énergie inférieur à un niveau d'énergie supérieur. Elle peut revenir à un niveau d'énergie inférieur en émettant un photon. Ces transitions énergétiques sont des transferts quantiques d'énergie.

La nature de la transition est différente suivant l'ordre de grandeur du quantum d'énergie. L'énergie mise en jeu lors d'une transition d'énergie électronique est plus grande que celle mise en jeu lors d'une transition vibratoire (doc. 13).
Un domaine spectral est associé à chacune de ces transitions.

> Une transition d'énergie **électronique** est associée à une radiation ultraviolette ou visible.
> Une transition d'énergie **vibratoire** est associée à une radiation infrarouge.

Les transitions énergétiques en spectroscopie de RMN nécessitent beaucoup moins d'énergie. Les domaines spectraux associés sont ceux des micro-ondes et des ondes radio.
Ces transitions sont utilisées par exemple en analyse spectrale (voir **chapitre 4** et doc. 14).

Voir exercices 3, p. 387, et 14 et 15, p. 391.

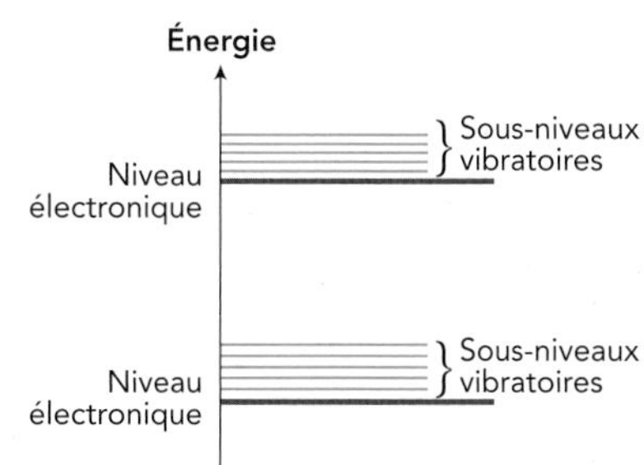

Doc. 13 Deux niveaux d'énergie électroniques d'une molécule et leurs sous-niveaux vibratoires.

Énergie du photon absorbé	Domaine spectral	Nature de la transition mise en jeu	Analyse spectrale correspondante
1,5 eV - 10 eV	Visible, ultraviolet	Transition entre niveaux d'énergie électronique	Spectroscopie UV-visible
0,003 eV - 1,5 eV	Infrarouge	Transition entre niveaux d'énergie vibratoire	Spectroscopie IR

Doc. 14 Ordres de grandeur caractéristiques et application en spectroscopie des transitions énergétiques.

Essentiel

Dualité onde-particule

- L'énergie de la lumière est transportée par des photons qui présentent un aspect ondulatoire et particulaire.

L'énergie d'un photon est :

$$\mathscr{E} = h \cdot \nu$$

$\mathscr{E}$ en joule (J) ; ν en hertz (Hz)

où h est la constante de Planck.

- La dualité onde-particule conduit à associer une onde de longueur d'onde λ à toute particule, matérielle ou non, de quantité de mouvement de valeur *p*.

λ et *p* sont liées par la relation de de Broglie :

$$p = \frac{h}{\lambda}$$

$h = 6{,}63 \times 10^{-34}$ J·s ; p en kilogramme-mètre par seconde ($kg \cdot m \cdot s^{-1}$) ; λ en mètre (m)

- Les phénomènes quantiques présentent un aspect probabiliste : on peut au mieux établir la probabilité de présence d'une particule à un endroit donné.

En faisant passer un petit nombre de particules une par une à travers des fentes d'Young, le lieu de leur impact sur l'écran n'est pas prévisible.

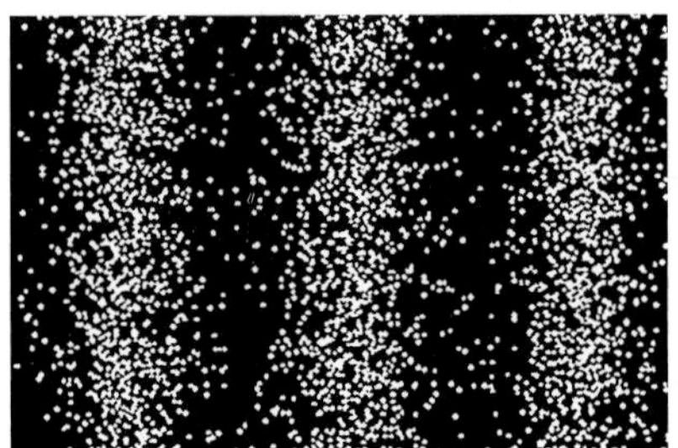

En faisant passer un grand nombre de particules une par une à travers des fentes d'Young, une figure d'interférences se dessine. Les impacts sont plus probables en certaines zones de l'écran qu'en d'autres.

Le laser

- La désexcitation spontanée d'un atome s'accompagne de l'émission d'un photon d'énergie $\mathscr{E} = h \cdot \nu$.
- Une émission stimulée par un atome excité est induite par un photon incident dont l'énergie est égale à la différence d'énergie entre deux niveaux énergétiques de cet atome. Le photon émis et le photon incident ont mêmes fréquence, mêmes direction et sens de propagation et ils sont en phase.
- L'inversion de population consiste à maintenir plus d'atomes dans un état excité que dans leur état fondamental grâce à un apport d'énergie.
- Un oscillateur laser contient des atomes qui subissent une inversion de population. Dans cet oscillateur, on observe une augmentation du nombre de photons émis. Ils ont même fréquence, mêmes direction et sens de propagation et ils sont en phase.

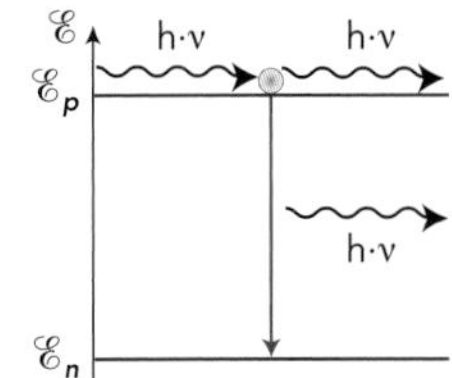

Transition énergétique d'un atome avec émission stimulée.

- Un laser émet un faisceau lumineux monochromatique et très directif, ce qui permet une concentration spatiale de l'énergie. Les lasers à impulsion permettent de plus une concentration temporelle de l'énergie.

Domaine spectral et transition d'énergie

La nature de la transition est différente suivant l'ordre de grandeur du quantum d'énergie transféré.

Domaine spectral	Nature de la transition mise en jeu
Visible, ultraviolet	Transition entre niveaux d'énergie électronique
Infrarouge	Transition entre niveaux d'énergie vibratoire

Pour chaque question, indiquer la (ou les) bonne(s) réponse(s).

Données : $m_e = 9,11 \times 10^{-31}$ kg ; $h = 6,63 \times 10^{-34}$ J·s ; 1 eV = $1,60 \times 10^{-19}$ J.

Voir corrigés, p. 606.

1 Dualité onde-particule

	A	B	C
1. La valeur *p* de la quantité de mouvement d'une particule est liée à sa longueur d'onde λ par la relation :	$p = \frac{h}{\lambda}$	$p = h \cdot \lambda$	$p = \frac{\lambda}{h}$
2. Les ondes de matière associées à un électron ou à un proton en mouvement ont la même longueur d'onde.	Les deux particules ont des quantités de mouvement de même valeur.	La valeur de la vitesse de l'électron est plus importante que celle de la vitesse du proton.	Les deux particules ont des vitesses de même valeur.
3. Une lumière monochromatique constituée de photons d'énergie 2,5 eV se situe :	dans le domaine des infrarouges.	dans le domaine du visible.	dans le domaine des ultraviolets.
4. Dans un microscope électronique, la dimension du plus petit objet observable correspond à la longueur d'onde du rayonnement utilisé. Un faisceau d'électrons se déplaçant à $4,0 \times 10^5$ m·s^{-1} permet d'observer des détails de :	$2,4 \times 10^{-58}$ m.	$5,5 \times 10^{8}$ m.	$1,8 \times 10^{-9}$ m.
5. L'image ci-contre représente une figure d'interférences photon par photon.	Cette figure illustre l'aspect probabiliste d'un phénomène quantique.	Cette figure ne permet pas de connaître le lieu d'impact de chaque photon.	Cette figure met en évidence la dualité onde-particule.

Si erreur, revoir § 1, p. 382.

2 Le laser

	A	B	C
1. Lors d'une émission stimulée, un photon d'énergie $\mathscr{E}$ est émis :	spontanément par un atome dans un état excité.	lorsqu'un photon d'énergie $\mathscr{E}$ est absorbé par un atome dans l'état fondamental.	lorsqu'un photon d'énergie $\mathscr{E}$ entre en interaction avec un atome dans un état excité.
2. Une inversion de population est réalisée :	lorsque plus d'atomes sont dans un état excité que dans leur état fondamental.	lorsque plus d'atomes sont dans leur état fondamental que dans un état excité.	lorsqu'aucun atome n'est dans un état excité.
3. Le laser émet une lumière monochromatique :	directive.	sélective.	cohérente.

Si erreur, revoir § 2, p. 383.

3 Domaine spectral et transition d'énergie

	A	B	C
1. L'énergie mise en jeu lors d'une transition électronique est :	supérieure à celle mise en jeu lors d'une transition vibratoire.	égale à celle mise en jeu lors d'une transition vibratoire.	inférieure à celle mise en jeu lors d'une transition vibratoire.
2. Une transition d'énergie vibratoire est associée à une radiation :	ultraviolette.	visible.	infrarouge.

Si erreur, revoir § 3, p. 385.

Exercice résolu

COMPÉTENCES
- Extraire des informations.
- Raisonner.
- Calculer.

4 Interpréter l'expérience de Davisson et Germer

Énoncé

En 1926, les physiciens américains C. DAVISSON (1881-1958) et L. GERMER (1896-1971) dirigent un canon à électrons en direction d'un cristal de nickel. Ils constatent que les électrons sont diffractés par le cristal dans des directions bien précises. Ils observent une figure de diffraction lorsque les électrons ont une énergie cinétique comprise entre 60 eV et 80 eV.

1. Quelle observation faite par C. DAVISSON et L. GERMER permet d'associer à l'électron un caractère ondulatoire ?

2. Rappeler la relation de de Broglie qui illustre le caractère ondulatoire de la matière.

3. a. Exprimer la longueur d'onde λ des ondes associées aux électrons utilisés par C. DAVISSON et L. GERMER en fonction de h, m_e et de leur énergie cinétique $\mathscr{E}_c$.
b. Entre quelles valeurs sont comprises les longueurs d'onde de ces ondes de matière ?

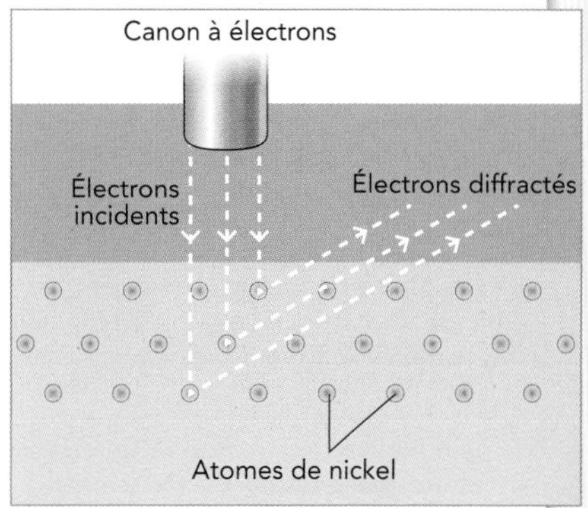

Diffraction des électrons par un cristal de nickel.

Données : 1 eV = $1{,}60 \times 10^{-19}$ J ; $m_e = 9{,}11 \times 10^{-31}$ kg ; h = $6{,}63 \times 10^{-34}$ J·s ; on considère que la valeur de la vitesse des électrons est très inférieure à celle de la lumière dans le vide.

Conseils

1. Il faut rechercher une propriété des ondes dans le texte.

2. Il faut préciser la signification des notations utilisées.

3. a. Écrire l'expression de la valeur de la quantité de mouvement p pour un électron dont la valeur de la vitesse est très inférieure à celle de la lumière dans le vide.
Exprimer la valeur de la vitesse v d'un électron en fonction de son énergie cinétique $\mathscr{E}_c$.
En déduire l'expression littérale de la longueur d'onde λ associée à l'électron en fonction de h, m_e et $\mathscr{E}_c$.
b. Faire l'application numérique en respectant les unités et les chiffres significatifs.

Solution rédigée

1. C. DAVISSON et L. GERMER observent une **figure de diffraction**, qui est caractéristique d'un comportement ondulatoire.

2. La relation de de Broglie est $\mathbf{p = \frac{h}{\lambda}}$.
p est la valeur de la quantité de mouvement de la particule de masse m, h est la constante de Planck et λ la longueur d'onde de l'onde de matière associée.

3. a. De la relation de de Broglie, on tire $\lambda = \frac{h}{p}$ (1).
La valeur de la vitesse des électrons est très inférieure à celle de la lumière dans le vide, donc $p = m_e \cdot v$, avec $v = \sqrt{\frac{2\mathscr{E}_c}{m_e}}$ puisque $\mathscr{E}_c = \frac{1}{2} m_e \cdot v^2$.
L'énergie cinétique $\mathscr{E}_c$ de l'électron est exprimée en joule.
L'égalité (1) devient :

$$\lambda = \frac{h}{m_e \cdot \sqrt{\frac{2\mathscr{E}_c}{m_e}}} = \frac{\mathbf{h}}{\sqrt{\mathbf{2\,m_e \cdot \mathscr{E}_c}}}$$

b. Pour un électron d'énergie cinétique égale à 60 eV :

$$\lambda_1 = \frac{6{,}63 \times 10^{-34}}{\sqrt{2 \times 9{,}11 \times 10^{-31} \times 60 \times 1{,}60 \times 10^{-19}}} = 1{,}6 \times 10^{-10} \text{ m.}$$

Pour un électron d'énergie cinétique égale à 80 eV :

$$\lambda_2 = 1{,}4 \times 10^{-10} \text{ m.}$$

Les ondes associées aux électrons utilisés par C. DAVISSON et L. GERMER ont **une longueur d'onde comprise entre 0,14 nm et 0,16 nm**.

Application immédiate

La valeur de la vitesse d'un électron est égale à $2{,}4 \times 10^6$ m·s^{-1}.
Calculer la longueur d'onde de l'onde de matière associée à cet électron. Voir corrigés, p. 606.

Ap **Exercice résolu**

5 Schématiser l'effet laser

COMPÉTENCES
- Exploiter des informations.
- Faire un schéma.
- Calculer.

Énoncé

En 1960, T. MAIMAN met au point le premier laser, un laser à rubis, c'est-à-dire à oxyde d'aluminium contenant des ions chrome (III) Cr^{3+}. Son principe de fonctionnement est illustré à l'aide d'un diagramme énergétique à trois niveaux. Par pompage optique, la majorité des ions Cr^{3+} initialement à l'état fondamental $\mathscr{E}_1$ sont excités vers le niveau d'énergie $\mathscr{E}_3$. Une transition rapide vers le niveau de moindre énergie $\mathscr{E}_2$ a alors lieu spontanément. Les ions Cr^{3+} s'accumulent dans cet état énergétique. Enfin, un photon stimule la transition de cet état excité vers l'état fondamental, 1,79 eV plus bas.

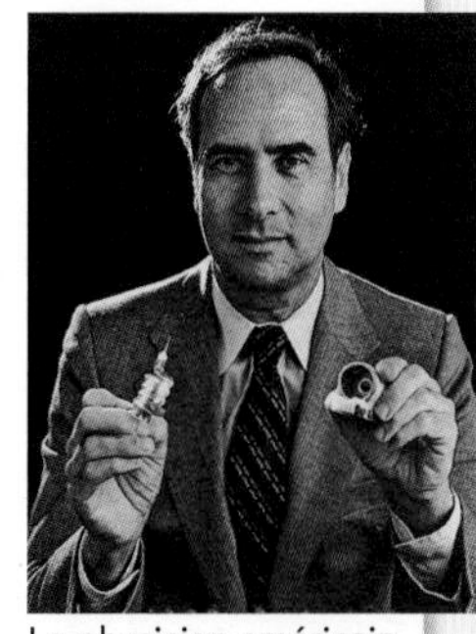

Le physicien américain T. MAIMAN (1927-2007) est l'inventeur du laser à rubis.

1. Représenter le diagramme énergétique des ions Cr^{3+} et y faire apparaître les transitions citées dans le texte.
2. Compléter le diagramme de manière à illustrer l'inversion de population des ions Cr^{3+} que l'on pourra représenter par de petites sphères.
3. Quelle est la longueur d'onde dans le vide des photons émis par le laser à rubis ? Dans quel domaine du spectre électromagnétique se situe-t-elle ?
4. Un laser de ce type, de puissance 20 kW, émet des impulsions brèves de durée $\Delta t = 0{,}5$ ms. Calculer l'énergie $\mathscr{E}_e$ émise lors d'une impulsion.

Données : 1 eV = $1{,}60 \times 10^{-19}$ J ; h = $6{,}63 \times 10^{-34}$ J·s ; c = $3{,}00 \times 10^{8}$ m·s^{-1}.

Conseils

1. L'état fondamental est le plus bas en énergie, les états excités correspondent à des niveaux d'énergie plus élevés. Identifier si les transitions décrites correspondent à une absorption ou à une émission.
2. Repérer les niveaux d'énergie concernés pour appliquer la définition d'une inversion de population.
3. Exprimer l'énergie du photon en joule pour calculer la longueur d'onde λ en mètre.
4. Il faut identifier les trois grandeurs citées dans la question et se souvenir de la relation qui les lie.

Solution rédigée

1. Avec les notations de l'énoncé, on peut construire le diagramme a ci-contre. L'émission stimulée correspond à la transition depuis le niveau d'énergie 2 vers le niveau d'énergie 1 représentée en rouge ci-contre.
2. L'inversion de population se traduit par un niveau d'énergie $\mathscr{E}_2$ plus peuplé que le niveau d'énergie $\mathscr{E}_1$. On complète le diagramme précédent et on obtient le diagramme b ci-contre.
3. L'énergie $\mathscr{E}$ du photon émis est égale à l'écart entre les énergies des deux niveaux concernés par la transition :

$$\mathscr{E} = \mathscr{E}_2 - \mathscr{E}_1 = h \cdot \nu = h \cdot \frac{c}{\lambda}, \quad \text{d'où } \lambda = \frac{h \cdot c}{\mathscr{E}_2 - \mathscr{E}_1}.$$

Donc $\lambda = \dfrac{6{,}63 \times 10^{-34} \times 3{,}00 \times 10^{8}}{1{,}79 \times 1{,}60 \times 10^{-19}} = 6{,}95 \times 10^{-7}$ m.

Cette longueur d'onde égale à **695 nm** correspond à des ondes du domaine du visible (rouge).

4. La relation entre puissance, énergie et durée de fonctionnement s'écrit :

$$\mathscr{E}_e = \mathscr{P} \cdot \Delta t$$
$$\mathscr{E}_e = 20 \times 10^{3} \times 0{,}5 \times 10^{-3} = \mathbf{10\ J}.$$

Application immédiate

Un laser titane-saphir émet des photons de longueur d'onde dans le vide 1,06 μm.

1. Dans quel domaine du spectre électromagnétique ce laser émet-il ?
2. Représenter sur un diagramme énergétique la transition en précisant l'écart énergétique (en eV) entre les deux niveaux mis en jeu.

Voir corrigés, p. 606.

Exercices

Compétences exigibles au baccalauréat

- ✔ Savoir que la lumière présente des aspects ondulatoire et particulaire. ➲ exercice 6
- ✔ Extraire et exploiter des informations sur les ondes de matière et sur la dualité onde-particule. ➲ activité 1 ➲ exercices 16 et 29
- ✔ Connaître et utiliser la relation $p = \frac{h}{\lambda}$. ➲ exercice 9
- ✔ Identifier des situations physiques où le caractère ondulatoire de la matière est significatif. ➲ exercice 16
- ✔ Extraire et exploiter des informations sur les phénomènes quantiques pour mettre en évidence leur aspect probabiliste. ➲ exercice 10
- ✔ Extraire et exploiter des informations sur un dispositif expérimental permettant de visualiser les atomes et les molécules. ➲ activité 4
- ✔ Connaître le principe de l'émission stimulée et les principales propriétés du laser (directivité, monochromaticité, concentration spatiale et temporelle de l'énergie). ➲ exercices 12 et 13
- ✔ *Mettre en œuvre un protocole expérimental utilisant un laser comme outil d'investigation ou pour transmettre de l'information.* ➲ activité 3
- ✔ Associer un domaine spectral à la nature de la transition mise en jeu. ➲ exercice 15

Pour commencer

Ondes ou particules ?

6 Connaître les aspects de la lumière

Quels sont les deux aspects de la lumière ?

7 Mettre en évidence une onde de matière

En 1926, C. Davisson et L. Germer ont envoyé un faisceau d'électrons sur un cristal de nickel. Ils ont alors observé une figure de diffraction similaire à celle que l'on obtient en éclairant ce même cristal avec des rayons X.

1. Quelle propriété physique est caractérisée par le phénomène de diffraction ?

2. Que prouve l'expérience de Davisson et Germer ?

8 Créer une onde de matière avec un électron

Un électron animé d'une vitesse de valeur v très inférieure à celle de la vitesse de la lumière dans le vide possède une quantité de mouvement de valeur notée p.

1. Quelle est la relation entre p et v ?
Indiquer les unités des différentes grandeurs.

2. Une particule matérielle en mouvement a des propriétés ondulatoires. On note λ la longueur d'onde associée à cette onde de matière.
Quelle est la relation entre p et λ ?
Indiquer les unités des différentes grandeurs.

9 Calculer la longueur d'onde d'une onde de matière

Un électron a une vitesse de valeur $v = 3{,}00 \times 10^4\ \text{m}\cdot\text{s}^{-1}$ à la sortie d'un canon à électrons.

1. Calculer de manière approchée la valeur p de la quantité de mouvement de cet électron.

2. Estimer la longueur d'onde λ de l'onde de matière associée à cette particule en mouvement.

Données : $m_e = 9{,}11 \times 10^{-31}$ kg ; $h = 6{,}63 \times 10^{-34}$ J · s.

10 Connaître l'aspect probabiliste

On fait passer des photons un par un à travers des fentes d'Young verticales. Une cellule photosensible placée à la sortie des fentes repère l'impact de chaque photon. La **figure 1** est le résultat de l'impact (en blanc) de quelques photons. La **figure 2** est obtenue pour un très grand nombre d'impacts.

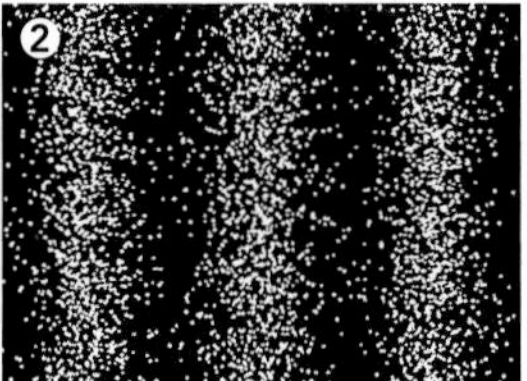

1. Peut-on prévoir le lieu de l'impact d'un photon d'après la **figure 1** ?

2. Quels sont les endroits où l'impact d'un photon a le plus de chance de se produire d'après la **figure 2** ?

3. Que peut-on alors dire de ce phénomène quantique ?

Comment fonctionne un laser ?

11 Utiliser un diagramme énergétique

Le schéma ci-contre représente l'émission spontanée d'un photon.

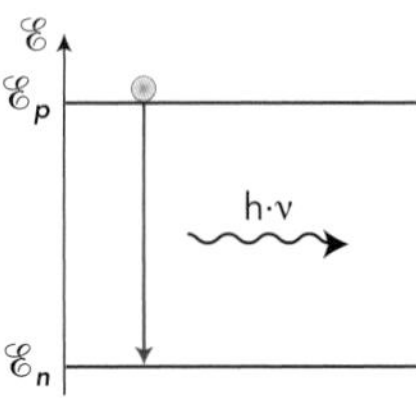

1. Que représentent $\mathscr{E}_n$ et $\mathscr{E}_p$?

2. Que symbolise la flèche rouge ?

3. Que symbolise la flèche noire ?

4. a. Que représente l'expression $h \cdot \nu$?
b. Quelle relation existe-t-il entre $h \cdot \nu$, $\mathscr{E}_n$ et $\mathscr{E}_p$?

12 Décrire une émission stimulée

1. Dans quelles conditions y a-t-il émission stimulée de photons ?

2. Sur un diagramme énergétique annoté, représenter l'émission stimulée d'un photon.

13 Connaître quelques propriétés d'un laser

Quelles sont, parmi les expressions suivantes, celles qui qualifient un laser ?
- source monochromatique ;
- source polychromatique ;
- faisceau peu divergent ;
- faisceau divergent ;
- source cohérente ;
- source dont l'énergie est concentrée dans l'espace ;
- source dont l'énergie est dispersée dans tout l'espace ;
- source dont l'énergie est concentrée dans le temps.

Quel domaine spectral pour quelle transition d'énergie ?

14 Associer transition et radiation

1. Citer deux types de transitions énergétiques existant dans une molécule.

2. Un photon est émis lors d'une transition. La radiation associée à ce photon se situe dans l'infrarouge. À quel type de transition est associée cette émission ?

15 Étudier une transition

Un photon d'énergie 10,0 eV est émis, dans l'air, lors d'une transition entre deux niveaux énergétiques d'une molécule.

1. a. Calculer la longueur d'onde de la radiation associée.
b. À quel domaine spectral appartient cette radiation ?

2. Quel est le type de transition mis en jeu ?

Données :
$c = 3{,}00 \times 10^{8}\ m \cdot s^{-1}$; $1\ eV = 1{,}60 \times 10^{-19}\ J$;
$h = 6{,}63 \times 10^{-34}\ J \cdot s$.

Pour s'entraîner

16 Dualité ou non dualité

COMPÉTENCES **Calculer ; faire preuve d'esprit critique.**

On s'intéresse à trois systèmes en mouvement dont les caractéristiques sont regroupées dans le tableau suivant :

Système	*m* (kg)	*v* ($km \cdot h^{-1}$)
Boule de bowling	7,3	25
Moustique	$2{,}0 \times 10^{-6}$	2,4
Électron de l'atome d'hydrogène	$9{,}1 \times 10^{-31}$	$2{,}2 \times 10^{3}$

1. Calculer pour chaque système la longueur d'onde de l'onde de matière associée.

2. a. Justifier que l'électron est le seul système dont le caractère ondulatoire peut se manifester.
b. Que peut-on dire de la masse d'une particule pour laquelle le caractère ondulatoire est observable ?

Données :
Les distances entre les nucléons d'un noyau atomique sont de l'ordre de 10^{-16} à 10^{-15} m.
$h = 6{,}63 \times 10^{-34}\ J \cdot s$.

Voir, si nécessaire, l'exercice résolu 4, p. 388.

17 De la mécanique classique à la mécanique quantique

COMPÉTENCES **Extraire des informations ; argumenter.**

Les découvertes de la fin du XIXe siècle et du début du XXe siècle ont conduit à proposer un modèle dit planétaire pour l'atome d'hydrogène.
Dans ce modèle, l'unique électron de l'atome tourne autour du noyau comme les planètes autour de leur étoile.
Ce modèle classique, mis en défaut par l'expérience, est remplacé par un modèle quantique élaboré par le physicien danois N. BOHR (1885-1962) en 1913.
En mécanique quantique, la notion de trajectoire est abandonnée, car elle perd son sens à cette échelle subatomique : on peut seulement évaluer la probabilité de présence de l'électron autour du noyau. Dans le cas de l'atome d'hydrogène dans son état fondamental, la probabilité de trouver l'électron est la même dans toutes les directions autour du noyau, elle est maximale pour une distance de 52,9 pm du noyau.

1. Associer les deux représentations de l'atome d'hydrogène ci-dessous aux modèles classique et quantique. Justifier.

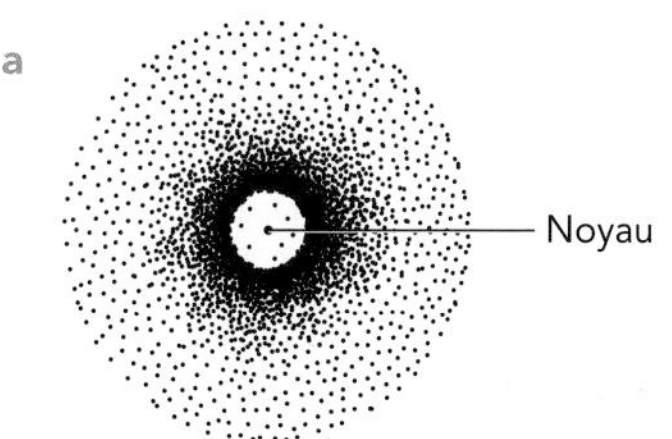

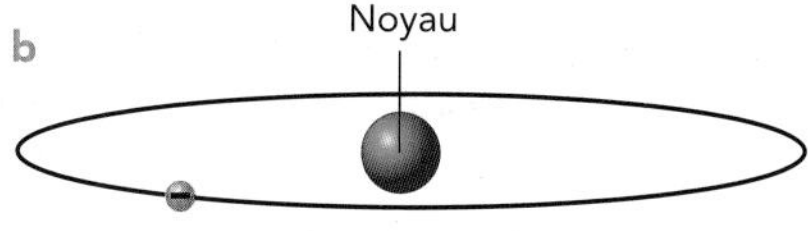

L'échelle n'est pas respectée sur ce schéma.

2. Donner un exemple de phénomène où l'aspect probabiliste a été mis en évidence.

18 Absorption ou émission

COMPÉTENCES **Exploiter un graphique ; raisonner.**

On a représenté trois transitions électroniques :

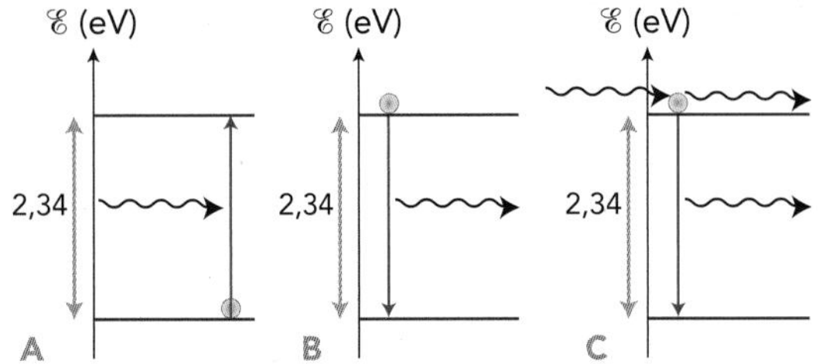

1. Quel(s) schéma(s) représente(nt) :
a. une absorption ?
b. une émission stimulée ?
c. une émission spontanée ?

2. Dans le cas de l'émission stimulée, calculer la longueur d'onde du photon incident.

3. Quelles sont les caractéristiques du photon émis par émission stimulée ?

Données : h = $6{,}63 \times 10^{-34}$ J·s ; c = $3{,}00 \times 10^{8}$ m·s^{-1} ;
1 eV = $1{,}60 \times 10^{-19}$ J.

19 Laser hélium-néon 

COMPÉTENCES **Calculer ; argumenter.**

Le laser hélium-néon (He-Ne) émet une lumière monochromatique de longueur d'onde dans le vide égale à 632,8 nm.

1. Quelle est l'énergie d'un photon émis par ce laser ? On donnera une estimation de cette énergie en joule et en électron-volt.

2. Quelle doit être l'énergie d'un photon incident dans le milieu laser afin de provoquer une émission stimulée ?

Données : h = $6{,}63 \times 10^{-34}$ J·s ; c = $3{,}00 \times 10^{8}$ m·s^{-1} ;
1 eV = $1{,}60 \times 10^{-19}$ J.

20 Fonctionnement du laser hélium-néon

COMPÉTENCES **Extraire des informations ; exploiter un graphique ; raisonner.**

Le milieu laser d'un laser hélium-néon est un mélange gazeux d'hélium et de néon sous très faible pression. Lorsque le laser fonctionne, les atomes d'hélium sont excités par décharge électrique. Ces atomes entrent en collision avec des atomes de néon dans leur état fondamental. Ces derniers se retrouvent dans un état excité d'énergie $\mathscr{E}_4$ dit de longue vie. Des émissions spontanées entre les niveaux d'énergie $\mathscr{E}_4$ et $\mathscr{E}_3$ amorcent des émissions stimulées entre ces deux mêmes niveaux. Les atomes de néon subissent ensuite deux désexcitations spontanées et rapides vers les niveaux d'énergie $\mathscr{E}_2$, puis $\mathscr{E}_1$.

Toutes ces étapes sont représentées sur le schéma ci-dessous :

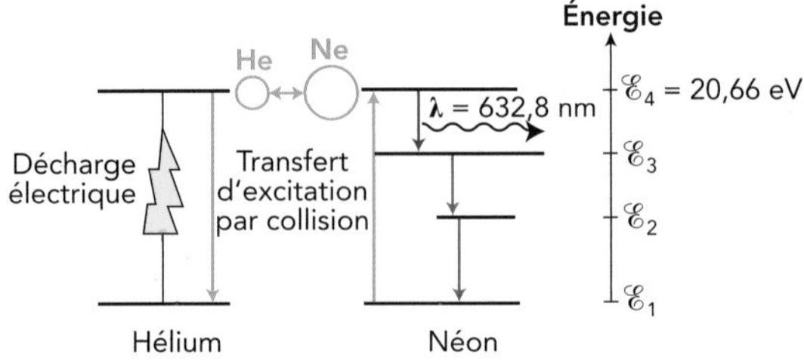

1. Comment excite-t-on :
a. les atomes d'hélium ?
b. les atomes de néon ?

2. Comment est initiée l'émission stimulée ?

3. a. Au cours de quelle transition des photons de longueur d'onde 632,8 nm sont-ils émis ?
b. Quelle est l'énergie d'un photon émis ?
c. En déduire l'énergie du niveau $\mathscr{E}_3$.

Données : h = $6{,}63 \times 10^{-34}$ J·s ; c = $3{,}00 \times 10^{8}$ m·s^{-1} ;
1 eV = $1{,}60 \times 10^{-19}$ J.

Voir, si nécessaire, l'exercice résolu 5, p. 389.

21 Milieu laser solide ou gazeux

COMPÉTENCES **Mobiliser ses connaissances ; extraire des informations.**

Les lasers diffèrent par la nature de leur milieu laser.

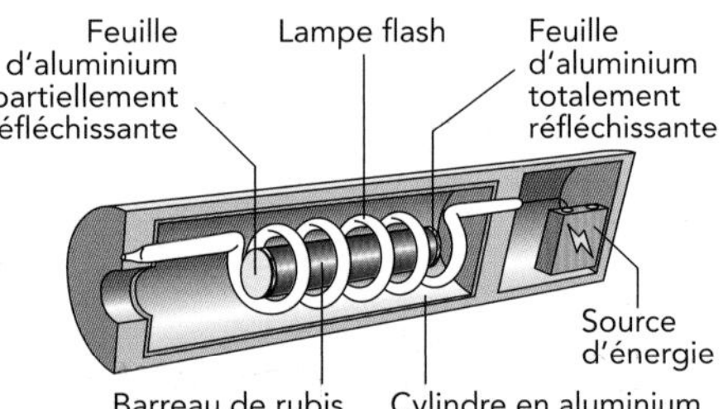

Dans un laser à solide comme le laser à rubis, un éclair lumineux excite les ions Cr^{3+} d'un barreau cylindrique de rubis. Il y a alors émission stimulée de photons. Les extrémités de ce barreau sont recouvertes de feuilles d'aluminium jouant le rôle de miroirs.
Dans un laser à gaz comme le laser He-Ne, une décharge électrique excite les atomes du gaz, principalement ceux d'hélium, cinq fois plus concentrés que ceux de néon. Par collision, les atomes d'hélium excitent à leur tour les atomes de néon qui vont pouvoir émettre des photons par émission stimulée. Deux miroirs sont placés aux extrémités de l'ampoule de verre contenant le mélange.
Dans les deux cas, il y a amplification de la lumière émise avec une longueur d'onde de 694 nm pour le laser à rubis, de 633 nm pour le laser hélium-néon.

1. Rappeler le principe d'une émission stimulée.

2. Dans quel but réalise-t-on une inversion de population ?

3. Identifier pour chaque cas :
a. le milieu laser ;
b. le moyen utilisé pour exciter les entités du milieu laser.

4. Quel est le rôle respectif des feuilles d'aluminium et des miroirs dans ces lasers ?

5. Dans quel laser le photon transporte-t-il le plus d'énergie ?

22 Applications des lasers

COMPÉTENCES Mobiliser ses connaissances ; raisonner.

Les lasers sont utilisés dans de nombreux domaines aussi bien scientifiques que techniques.

1. Rappeler les principales propriétés du laser.

2. Identifier la propriété du laser essentiellement utilisée par chacune des applications suivantes.
a. Les lasers sont utilisés en médecine pour inciser ou cautériser certains tissus sans toucher les tissus voisins.

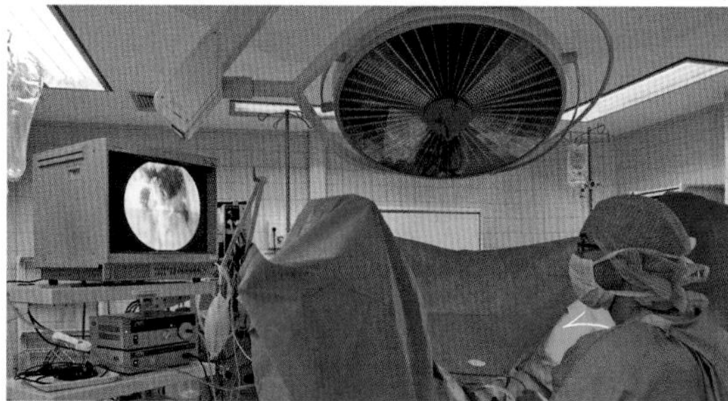

b. Les lasers sont utilisés pour la séparation isotopique : la fréquence d'un photon permettant d'arracher un électron à un atome n'est pas tout à fait la même selon l'isotope de l'élément considéré.
c. Les lasers sont utilisés dans l'industrie pour découper ou percer des matériaux durs comme des aciers.

d. Les lasers sont utilisés en altimétrie et en télémétrie pour mesurer des distances comme la distance Terre-Lune : des réflecteurs de petites dimensions, déposés sur notre satellite naturel par la mission Apollo 11, sont visés depuis la Terre par un faisceau laser. On mesure la durée d'un aller-retour pour en déduire la distance.
e. Afin de repérer des défauts sur les surfaces d'objets, on analyse la figure d'interférences obtenue à partir d'une lumière laser.

23 La télémétrie laser et la Lune

COMPÉTENCES Extraire des informations ; raisonner.

La télémétrie laser est une technique de mesure de distances séparant un observateur terrestre de réflecteurs placés à bord de satellites ou sur la Lune. Des réflecteurs ont été déposés sur la Lune lors des missions Apollo et Luna entre 1969 et 1973.
Une station de télémétrie comprend :
– un laser de forte puissance qui envoie un faisceau vers le réflecteur ;
– un télescope chargé de recueillir la lumière réfléchie ;
– un système de chronométrage mesurant la durée d'un aller-retour de la lumière. Un laser émet dans le vert à une longueur d'onde de 532 nm. Ce laser envoie 10 impulsions par seconde, possédant chacune une énergie de 200 mJ.
Le faisceau laser a un diamètre initial de 2,0 m, la tache de ce faisceau à la surface de la Lune a un diamètre de 10 à 14 km.
Un réflecteur lunaire, de surface de l'ordre du mètre carré, ne recueille donc qu'une infime partie de l'énergie émise par le laser. Après réflexion, une partie encore plus infime est collectée par le télescope au sol. Pour améliorer la valeur des résultats, il faut pouvoir collecter un grand nombre de photons. Pour cela, il faut disposer au sol de télescopes possédant un grand miroir.
La distance Terre-Lune, d'environ 384 500 km, est aujourd'hui mesurée avec une incertitude de l'ordre du millimètre.

D'après le site de l'Observatoire de la Côte d'Azur.

1. Calculer l'énergie d'un photon émis par le laser.
En déduire le nombre de photons par impulsion.

2. Pour 6 000 impulsions émises, on considère que moins de 100 photons sont collectés sur Terre.
Comparer l'énergie émise par le laser et celle reçue par le télescope.

3. Quelle doit être la plus petite durée mesurable pour obtenir une mesure de la distance Terre-Lune au millimètre près.

Données : $h = 6{,}63 \times 10^{-34}$ J·s ; $c = 299\,792\,458$ m·s^{-1} ;
1 eV = $1{,}60 \times 10^{-19}$ J.

Exercices

24 The Leptons' family... 

COMPÉTENCES Mobiliser ses connaissances; extraire des informations; calculer.

> Electrons and muons are elementary particles from the family of leptons (particles that can establish weak interactions but no strong interactions). They are both negatively charged, but muons are approximately 200 times as heavy as electrons and split spontaneously with an average lifetime of 2.2 µs.

Considering that $h = 6.63 \times 10^{-34}$ J · s and $m_e = 9.11 \times 10^{-31}$ kg:

1. Say what the wave-particle duality is.
2. Write the corresponding literal equation.
3. What is the quotient of the wavelengths associated with an electron and a muon moving with the same speed?

25 À chacun son rythme 

COMPÉTENCES Raisonner; extraire des informations.

Cet exercice est proposé à deux niveaux de difficulté. Dans un premier temps, essayer de résoudre l'exercice au niveau 2. En cas de difficultés, passer au niveau 1.

L'uranium 238 est un émetteur α : par désintégration radioactive, il se transforme en thorium 234 en émettant un noyau d'hélium 4 (particule α).
Le cobalt 60 est un émetteur β^- : par désintégration radioactive, il se transforme en nickel 60 en émettant un antineutrino et un électron (particule β^-), environ 7 300 fois moins lourd qu'une particule α.
La longueur d'onde de l'onde de matière associée à cette particule α vaut $1{,}04 \times 10^{-14}$ m et celle associée à cette particule β^- vaut $2{,}43 \times 10^{-11}$ m.

Donnée : $m_e = 9{,}1 \times 10^{-31}$ kg.

Niveau 2 (énoncé compact)

Comparer les énergies cinétiques de ces particules.

Niveau 1 (énoncé détaillé)

1. Exprimer la relation entre la longueur d'onde de l'onde de matière associée à une particule matérielle et la valeur de sa quantité de mouvement.
2. Calculer les valeurs des vitesses des particules α et β^-.
3. a. Exprimer l'énergie cinétique d'une particule en fonction de sa masse et de la valeur de sa vitesse.
b. Calculer puis comparer les énergies cinétiques de ces particules.

26 Les alcools en spectroscopie

COMPÉTENCES Faire un schéma; exploiter un graphique; calculer.

Le groupe hydroxyle est caractéristique des alcools. Ce groupe peut être mis en évidence par des tests chimiques, mais aussi par spectroscopie.

1. Lorsqu'un alcool absorbe un photon de longueur d'onde convenable, il peut y avoir une transition entre deux niveaux d'énergie électronique.
a. Définir le groupe hydroxyle.
b. Représenter le schéma illustrant cette transition énergétique.
c. À quel domaine spectral correspond une telle transition ?
d. Confirmer cette prévision en calculant la longueur d'onde du photon associé à cette transition sachant que, dans le cas du méthanol, les deux niveaux d'énergie sont séparés de 7,02 eV, .

2. Il est aisé de repérer la présence d'un groupe hydroxyle sur un spectre infrarouge d'alcool pur. Un signal large et intense est observé pour un nombre d'onde compris entre 3 200 cm^{-1} et 3 600 cm^{-1}. Les alcools présentent aussi un signal intense, mais plus fin, repérable entre 1 000 cm^{-1} et 1 200 cm^{-1} et caractéristique de la liaison carbone-oxygène.

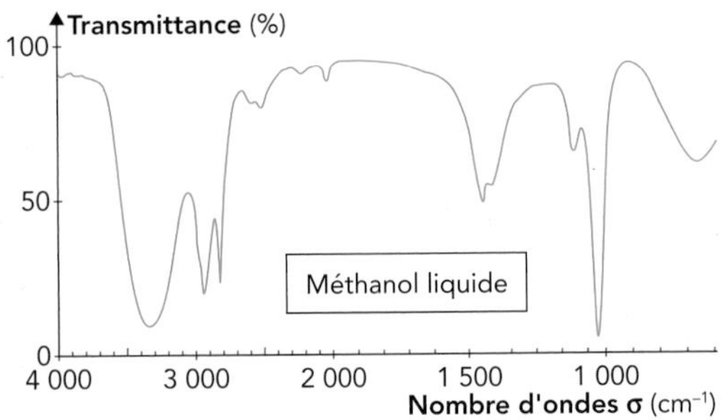

a. Quelles sont, pour le méthanol, les longueurs d'onde dans le vide des photons correspondant aux deux transitions décrites ?
b. Quelle est la nature des transitions énergétiques correspondant à ces signaux ?
c. Comparer les énergies mises en jeu dans ces deux transitions.

Données : $h = 6{,}63 \times 10^{-34}$ J · s; $c = 3{,}00 \times 10^{8}$ m · s^{-1};
1 eV = $1{,}60 \times 10^{-19}$ J.
Rappel : le nombre d'ondes σ est l'inverse de la longueur d'onde λ.

Pour aller plus loin

27 Valse laser à trois ou quatre temps

COMPÉTENCES Mobiliser ses connaissances; extraire des informations; faire un schéma.

Le fonctionnement d'un laser à trois niveaux peut être illustré par le diagramme énergétique ci-contre où la transition du niveau $\mathscr{E}_3$ au niveau $\mathscr{E}_2$ est spontanée et rapide.

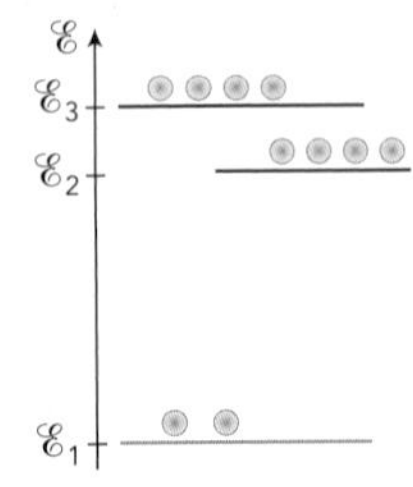

1. Repérer les états fondamental et excités de cette population d'atomes.

2. a. À quelles transitions sont associées l'étape de pompage optique pour l'inversion de population et l'étape d'émission stimulée ?
b. Recopier le schéma et représenter ces transitions par des flèches.

3. L'inconvénient de ce type de laser est l'entretien permanent de l'inversion de population : un grand nombre d'atomes doit être excité afin que le niveau (2) reste plus peuplé que le niveau (1). Il peut y avoir surchauffe lors du fonctionnement continu d'un tel laser.
Dans un laser à quatre niveaux, l'émission stimulée ramène les atomes dans un état intermédiaire (1'), initialement non peuplé.
Puis spontanément et rapidement a lieu une transition (1') → (1) si bien que ce niveau (1') reste quasiment toujours non peuplé. Ainsi, toute population de l'état (2) correspondra à une inversion de population de l'état (1') sans que l'on soit en permanence obligé de dépeupler le niveau (1).
Représenter le diagramme énergétique correspondant à ce type de laser.

4. Symboliser par des flèches la transition laser et la transition permettant de maintenir l'inversion de population autrement que par pompage optique.

5. Quel avantage offre ce fonctionnement à quatre niveaux par rapport au fonctionnement à trois niveaux ?

Un pas vers l'enseignement supérieur

28 Effet photoélectrique 

COMPÉTENCES **Extraire des informations; mobiliser ses connaissances; calculer.**

En 1887, le physicien allemand H. HERTZ met au point un oscillateur hautes fréquences. Grâce à des étincelles produites entre deux petites sphères en laiton très proches, le dispositif émet des ondes électromagnétiques.

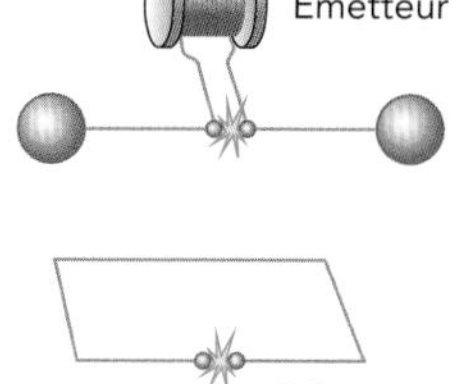

H. HERTZ réceptionne à quelques mètres de là ces ondes à l'aide d'un fil conducteur en forme de boucle ou de rectangle ouvert avec également deux boules en laiton à chacune de ses extrémités.
Il observe des étincelles de faible intensité lumineuse entre les boules de laiton du récepteur.
Cette expérience couronne la théorie de l'Écossais J. C. MAXWELL établie en 1865 sur le comportement ondulatoire des ondes électromagnétiques.
Afin de mieux voir les étincelles au niveau du récepteur, H. HERTZ place le récepteur dans l'obscurité. Il constate alors que l'intensité lumineuse des étincelles est encore plus faible. Il en déduit que la lumière émise par les étincelles de l'émetteur, plus précisément les rayonnements ultraviolets, a un impact sur les étincelles du récepteur.
H. HERTZ vient de mettre en évidence l'effet photoélectrique.

Dans les années qui suivent l'expérience de H. HERTZ, différents travaux consistent à éclairer un métal par un rayonnement ultraviolet. On obtient les résultats suivants :
– les rayonnements ultraviolets arrachent des particules négatives que l'on appellera des électrons;
– le nombre d'électrons arrachés est proportionnel à l'intensité lumineuse du rayonnement;
– l'énergie cinétique des électrons arrachés est indépendante de l'intensité lumineuse du rayonnement;
– leur énergie cinétique augmente lorsque la fréquence de la lumière incidente augmente.

En 1905, pour expliquer l'effet photoélectrique, A. EINSTEIN propose un aspect particulaire pour la lumière.
Chaque particule possède une énergie $\mathscr{E} = h \cdot \nu$. Cette particule sera appelée photon quelques années plus tard.
A. EINSTEIN explique que l'énergie du photon sert en partie à arracher l'électron de l'atome, le reste étant emporté par l'électron sous forme d'énergie cinétique. Ce résultat sera démontré expérimentalement par le physicien américain R. MILLIKAN (1868-1953) onze ans plus tard et la communauté scientifique mettra quelques années de plus à accepter la notion d'aspect particulaire de la lumière.
En 1921, A. EINSTEIN obtiendra le prix Nobel de physique pour cette découverte.

1. En quoi la formule $\mathscr{E} = h \cdot \nu$ illustre les aspects ondulatoire et particulaire de la lumière ?

2. Traduire, par une formule mathématique, la phrase écrite en italique. On appellera $\mathscr{E}_1$ l'énergie nécessaire pour arracher un électron. Pour un métal donné, cette énergie est constante.

3. Pourquoi l'énergie cinétique d'un électron augmente-t-elle lorsque la fréquence de la lumière incidente augmente ?

4. L'énergie $\mathscr{E}_1$ permettant d'arracher un électron d'un atome de cuivre vaut $\mathscr{E}_1(\text{Cu}) = 4{,}70$ eV.
Quelle est la longueur d'onde de la radiation permettant d'arracher un électron d'un atome de cuivre avec une valeur de vitesse nulle ?
Mettre en relation ce résultat et les observations expérimentales décrites dans le texte.

5. On observe que l'effet photoélectrique ne se produit pas pour des radiations incidentes situées dans le visible et dans les infrarouges quelles que soient l'intensité du rayonnement et la durée d'exposition.
Pourquoi ce résultat met-il en défaut la théorie ondulatoire ?

Exercices

29 Bac Le laser brûleur devient refroidisseur

COMPÉTENCES Extraire des informations; raisonner; calculer.

Le texte ci-dessous est extrait d'une revue scientifique.

N'en déplaise aux « mordus » de la guerre des étoiles, le laser n'est pas seulement une arme redoutable qui brûle tout sur son passage : il peut aussi jouer le rôle de simple refroidisseur d'atomes. L'immense énergie développée par un faisceau laser va empêcher les atomes de vibrer à leur rythme propre... Un second faisceau laser, qui fait face au premier, vient figer définitivement les atomes, pris entre les deux bras de lumière, comme s'ils étaient bloqués entre deux murs. Ce dispositif de faisceaux lasers croisés est monté dans les trois directions spatiales : le groupe d'atomes cible se trouve donc à l'intersection de six faisceaux lasers. Les voilà coincés dans toutes les directions : ils ne peuvent plus ni s'échapper ni vibrer! Ils deviennent lents, c'est-à-dire froids : les scientifiques appellent cette boule d'atomes refroidis une « mélasse optique ».
La description est cependant quelque peu réductionniste au regard de ce qui se passe « réellement » à l'échelle atomique, car, entre le faisceau laser et l'atome, un incessant échange d'énergie s'instaure. L'atome absorbe un photon du laser, ce qui le freine. Après un laps de temps infime, il émet à son tour un autre photon, ce qui le fait « reculer », à l'image d'une arme à feu qui vient de tirer son projectile. C'est ce qu'on appelle l'effet de recul.
Pour qu'il puisse être absorbé, le photon doit être « au goût » de l'atome, car tous les photons n'ont pas la même « saveur » : certains sont rouges, d'autres bleus, jaunes, etc. Leur couleur dépend de leur énergie. Plus le photon est énergétique, plus sa couleur tendra vers l'ultra-violet. Ainsi, pour un type d'atomes (par exemple le césium ou l'hélium), il faudra utiliser un laser d'une couleur bien déterminée pour que les photons puissent être absorbés.
Piégée entre six rayons lasers, la mélasse optique voit sa température tomber à un millième de degré au dessus du zéro absolu (qui se situe à environ –273 °C). Les atomes n'en continuent pas moins de vibrer quelque peu!
En 1988, une équipe de l'ENS, notamment composée de Claude COHEN-TANNOUDJI et d'Alain ASPECT, triompha du défi en faisant passer la température d'une mélasse optique dans le domaine des millionièmes de degré au-dessus du zéro absolu.
Et, en juin 1995, l'équipe d'Éric CORNELL et Carl WIEMAN franchit un nouveau pas : elle atteint 20 milliardièmes de degré au-dessus du zéro absolu.
Or, à cette température, les atomes ont tendance à abandonner leurs oripeaux de matière pour devenir des ondes comme la lumière!

1. Expliquer la phrase « plus le photon est énergétique, plus sa couleur tend vers l'ultraviolet ».

2. Soient $\mathscr{E}_1$, $\mathscr{E}_2$, etc. les niveaux d'énergie de l'atome « à refroidir ».

a. Quelle relation doit vérifier la longueur d'onde λ d'un photon pour qu'il soit « au goût » de l'atome et donc absorbé?

b. Quelle propriété du laser est mise en avant dans la phrase : « il faudra utiliser un laser d'une couleur bien déterminée » ?

c. Quelle propriété du laser est nécessaire pour piéger les atomes au milieu des six faisceaux lasers?

3. À une température proche du zéro absolu, l'aspect ondulatoire de l'atome prédomine sur son aspect particulaire. La lumière possède aussi ces deux aspects.

Comment, expérimentalement, mettre en évidence chacun de ces deux aspects?

4. Quelques niveaux d'énergie de l'atome de sodium sont représentés sur le diagramme ci-contre.

Un jet d'atomes de sodium, dans l'état fondamental $\mathscr{E}_1$, se déplaçant à la vitesse de valeur $v = 3{,}0 \times 10^3$ m·s^{-1} est stoppé par un faisceau laser à la suite de plusieurs chocs successifs.

a. Les photons jaunes émis par le laser utilisé ont pour longueur d'onde $\lambda = 589$ nm et percutent les atomes de sodium.

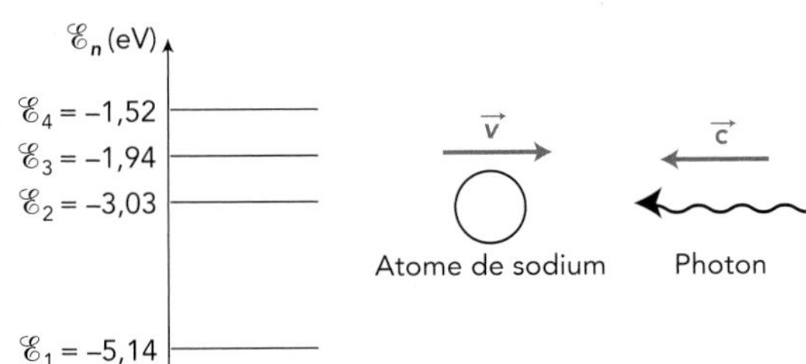

Pourquoi peut-on dire que ces photons sont « au goût » de l'atome?

Quelle est l'énergie d'un atome de sodium juste après l'absorption d'un photon?

b. La valeur de la vitesse de l'atome est alors diminuée de $\frac{h}{\lambda \cdot m}$, où m représente la masse de l'atome de sodium.

Vérifier par une analyse dimensionnelle que cette expression a la dimension d'une vitesse (voir **fiche n° 5**, p. 588).

c. Calculer le nombre de chocs identiques que doit subir l'atome pour s'arrêter.

d. Pourquoi ne peut-on pas utiliser un laser bleu (laser émettant une lumière de longueur d'onde 488 nm) pour stopper le jet d'atomes de sodium?

Données : h = 6 ,63 × 10^{-34} J·s; c = 3,00 × 10^8 m·s^{-1}; 1 eV = 1,60 × 10^{-19} J; masse d'un atome de sodium : $m = 3{,}82 \times 10^{-26}$ kg.

Retour sur l'ouverture du chapitre

30 Un scalpel hors normes

COMPÉTENCES **Extraire et exploiter les informations ; raisonner.**

L'utilisation de laser pour corriger la myopie
La correction de la myopie par chirurgie laser consiste à raboter la cornée. Le chirurgien découpe dans un premier temps une fine épaisseur de la cornée à l'aide d'un laser à impulsion femtoseconde.
Il utilise ensuite un autre laser pour remodeler la surface interne de la cornée. Il replace enfin la fine épaisseur de cornée découpée en début d'intervention.
Un laser à impulsion, émet toutes les 500 femtosecondes de brèves impulsions de lumière. *Chaque impulsion a une grande puissance et une faible énergie.*
Cela permet de sublimer la matière de façon très locale en créant des bulles de gaz sans altérer les tissus limitrophes. En répétant cette opération, le laser crée dans la cornée des milliers de microbulles de 2 à 3 µm de diamètre, ce qui permet de la découper.

Un laser à impulsion émet une lumière dont la longueur d'onde dans le vide est égale à 1,060 µm.
Il délivre une énergie de 1,0 µJ lors de chaque impulsion.

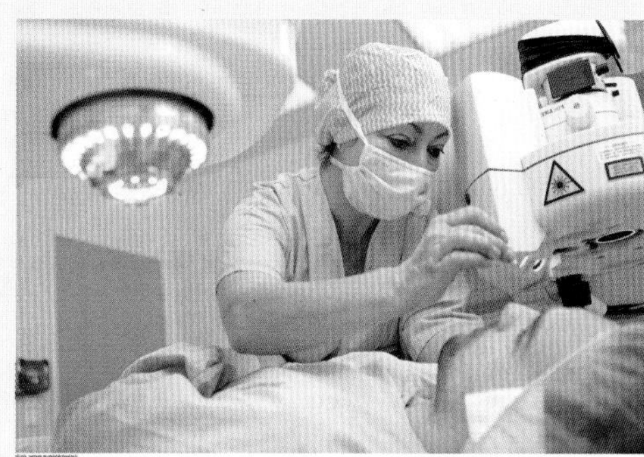

D'autres applications en médecine
Les lasers ont de nombreuses autres applications en médecine. Comme pour le traitement de la myopie, elles sont liées à la conversion d'énergie lumineuse en énergie thermique lorsque la lumière entre en contact avec les tissus.
Suivant la nature de l'intervention à réaliser, le médecin choisit la longueur d'onde de la radiation utilisée, la puissance du rayonnement, le temps d'exposition et la nature de l'émission (en continu ou par intermittence). Ces réglages permettent de porter les tissus traités à une température pour laquelle il y aura coagulation des vaisseaux ou volatilisation des tissus.

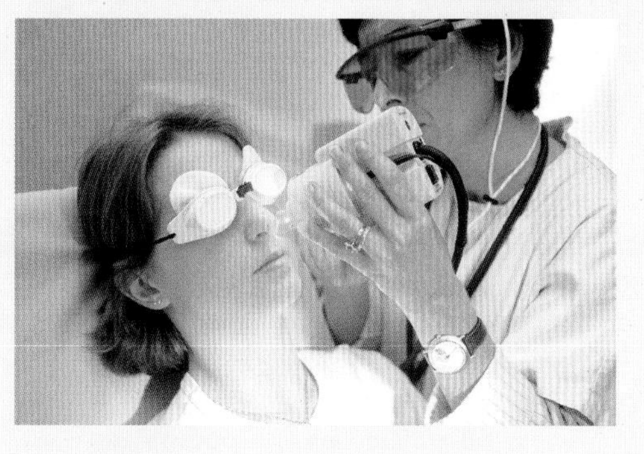

1. Quelles propriétés du laser sont utilisées en chirurgie ?
2. Dans quel domaine des ondes électromagnétiques le laser à impulsion décrit dans le texte émet-il ?
3. Justifier la phrase du texte écrite en italique.
4. a. Donner l'expression de l'énergie d'un photon. Préciser la signification des termes de cette expression.
b. En déduire le nombre de photons émis par le laser lors d'une impulsion.

Données :
1 femtoseconde (fs) = 10^{-15} s ;
$h = 6{,}63 \times 10^{-34}$ J·s ;
$c = 3{,}00 \times 10^{8}$ m·s^{-1}.

Comprendre un énoncé 

31 Bac Le microscope électronique

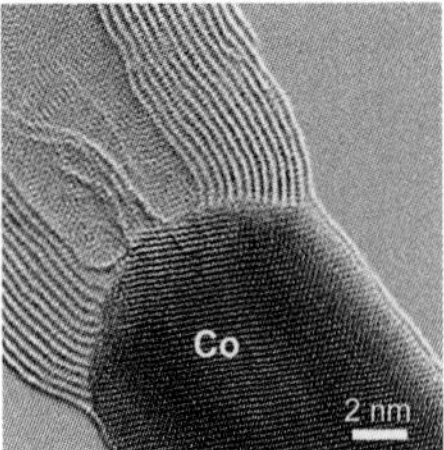

Croissance d'un nanotube de carbone sur un cristal de cobalt observée au microscope électronique.

Le premier microscope électronique est construit en 1931 par deux ingénieurs allemands E. RUSKA et M. KNOLL. Cet appareil utilise les propriétés ondulatoires d'un faisceau d'électrons pour éclairer l'objet à observer. On focalise le faisceau d'électrons à l'aide d'un champ magnétique créé par des bobines électriques traversées par un courant. Ces bobines se comportent comme des lentilles.

L'intérêt d'un instrument d'optique comme le microscope est d'observer l'infiniment petit.

Les performances d'un instrument sont notamment limitées par son pouvoir de résolution lié au phénomène de diffraction de la lumière. Le pouvoir de résolution représente la distance minimale séparant deux points distincts à partir de laquelle on peut les discerner. Le pouvoir de résolution d'un microscope est voisin de la longueur d'onde de la radiation qui éclaire l'objet observé.

Avec une radiation de longueur d'onde λ = 500 nm, on ne peut pas distinguer des détails séparés d'une distance inférieure à $5{,}0 \times 10^{-7}$ m. **Les électrons utilisés dans un microscope électronique ont des longueurs d'onde très inférieures à celles de la lumière visible.** Le pouvoir de résolution d'un tel instrument en est donc meilleur.

Données : $h = 6{,}63 \times 10^{-34}$ J·s ; $m_e = 9{,}11 \times 10^{-31}$ kg.

Questions à se poser à la lecture de l'énoncé

→ Quelles sont les caractéristiques d'un électron mises en jeu dans un microscope électronique ?

→ Qu'est-ce que la diffraction ?

→ Pourquoi les microscopes optiques doivent-ils être remplacés par des microscopes électroniques ?

→ À quel domaine appartiennent ces radiations ?

→ Quel est le rapport entre le pouvoir de résolution et le choix des électrons ?

Questions	Compétences à mobiliser	Si difficulté, revoir
1. À quel aspect physique de la lumière associe-t-on le phénomène de diffraction ?	• Mobiliser ses connaissances*.	Chapitre 3, cours §1, p. 67.
2. Quelles radiations électromagnétiques pourrait-on utiliser afin d'améliorer le pouvoir de résolution d'un microscope optique ?	• Extraire les informations*. • Argumenter.*	Révisions, p. 16.
3. a. Quelle est l'expression de la longueur d'onde associée à une particule de quantité de mouvement de valeur p ? b. Quelle est l'expression littérale de la valeur de la quantité de mouvement de l'électron lorsque la valeur de sa vitesse est très inférieure à celle de la lumière ?	• Connaître l'expression de la quantité de mouvement : – associée à la dualité onde-particule ; – associée au mouvement d'une particule.	Cours §1, p. 382. Chapitre 5, cours, p. 138.
c. Justifier quantitativement la phrase du texte écrite en gras pour des électrons animés d'une vitesse de valeur $v = 1{,}0 \times 10^{7}$ m·s^{-1}.	• Calculer*. • Argumenter*.	
4. Comparer la longueur d'onde associée à ces électrons et l'ordre de grandeur de la dimension d'un atome. Ce résultat est-il en accord avec la photographie ?	• Connaître les ordres de grandeur des dimensions des structures organisées. • Extraire et exploiter des informations*.	Cours de 1re S.

* Compétence transversale.

Avoir les bons réflexes

Si l'énoncé demande de...	il est nécessaire de...	Si difficulté	Pour réviser
Caractériser les propriétés de la lumière.	● Savoir que la lumière présente des aspects ondulatoire et particulaire.	Cours § 1, p. 382.	Exercice 29 p. 396.
Caractériser une onde de matière.	● Connaître la relation de de Broglie pour calculer la longueur d'onde de cette onde. ● Rechercher la masse et la valeur de la vitesse de la particule concernée pour calculer la valeur de sa quantité de mouvement.	Exercice résolu 4, p. 388.	Exercice 24 p. 394.
Identifier une situation où le caractère ondulatoire de la matière est significatif.	● Calculer la longueur d'onde de l'onde associée et critiquer son ordre de grandeur.	Cours § 1, p. 382, et activité 4, p. 380.	Exercice 16 p. 391.
Mettre en évidence l'aspect probabiliste des phénomènes quantiques.	● Savoir qu'on peut au mieux établir la probabilité de présence d'une particule quantique à un endroit donné. ● Rechercher si les phénomènes peuvent être étudiés en physique classique.	Exercice 10, p. 390-391.	Exercice 17 p. 391.
Étudier qualitativement une transition énergétique.	● Repérer s'il s'agit d'émission ou d'absorption. ● Dans le cas d'une émission, dire s'il s'agit d'une émission spontanée ou stimulée.	Exercices 11 et 12, p. 390-391.	Exercice 18 p. 392.
Étudier quantitativement une transition énergétique.	● Connaître la relation $\mathscr{E} = h \cdot \nu = h \cdot \frac{c}{\lambda}$. ● Savoir exploiter cette relation pour calculer un écart d'énergie, une fréquence ou une longueur d'onde.	Exercice résolu 5, p. 389.	Exercice 18 p. 392.
Justifier l'utilisation d'une source laser.	● Connaître les propriétés d'un faisceau laser et les mettre en rapport avec l'utilisation qui en est faite.	Cours § 2, p. 383.	Exercice 22 p. 395.
Associer un domaine spectral à la nature d'une transition d'énergie.	● Identifier grâce aux informations de l'énoncé s'il s'agit d'une transition entre niveaux d'énergie électronique ou vibratoire. ● Associer la nature d'une transition à l'ordre de grandeur de l'énergie mise en jeu et au domaine spectral correspondant.	Cours § 3, p. 385.	Exercice 26 p. 394.

Dans les conditions du baccalauréat

- **Avec aide :** Exercice 31 p. 398.
- **Sans aide :** Exercice 29 p. 396.

1 Le lactate d'éthyle

Applications du lactate d'éthyle

Le lactate d'éthyle est un ester hydroxylé liquide, peu volatil, combustible, soluble dans l'eau et les solvants organiques, que l'on retrouve naturellement dans plusieurs aliments et boissons. En plus d'une utilisation comme additif alimentaire, le lactate d'éthyle trouve un usage accru, souvent sous forme de mélange avec d'autres solvants, dans le décapage de pièces peintes, le nettoyage de presses d'imprimerie, la fabrication de semi-conducteurs, ainsi que le dégraissage de pièces métalliques. Le lactate d'éthyle peut être jugé comme ayant des effets peu prononcés sur l'environnement. Au total, le lactate d'éthyle semble constituer un produit de remplacement acceptable pour plusieurs solvants toxiques ou inflammables.

L'acide lactique est transformé en **l**actate d'**é**thyle (LE) par estérification avec de l'éthanol, lequel peut être obtenu à partir de ressources renouvelables.

La fabrication du LE à partir d'un acide lactique obtenu par synthèse chimique produit un mélange racémique de lactate d'éthyle. Sa fabrication à partir d'acide lactique obtenu par fermentation du glucose produit un seul des stéréoisomères de configuration du lactate d'éthyle. Ce stéréoisomère est celui qui est le plus répandu actuellement dans le commerce.

D'après *Rapport 069*, site IRSST (Institut de recherche Robert-Sauvé en santé et en sécurité du travail, Montréal).

Synthèse du lactate d'éthyle

Le lactate d'éthyle est produit par estérification de l'acide lactique (noté R-CO_2H) par l'éthanol en milieu acide :

$$R-\overset{\overset{\displaystyle O}{\|}}{C}-O-H + CH_3-CH_2-O-H \rightleftharpoons R-\overset{\overset{\displaystyle O}{\|}}{C}-O-CH_2-CH_3 + H_2O$$

L'acide lactique est obtenu par fermentation du glucose, issu de l'hydrolyse de l'amidon du maïs par exemple, par une souche de bactéries de type *Lactobacillus* en présence d'eau, de divers éléments minéraux et d'une source d'azote organique, dans un fermenteur. Il est nécessaire de neutraliser l'acide lactique formé afin de maintenir un pH de l'ordre de 5 et de permettre l'action des bactéries *Lactobacillus*.

Mécanisme de la réaction d'estérification

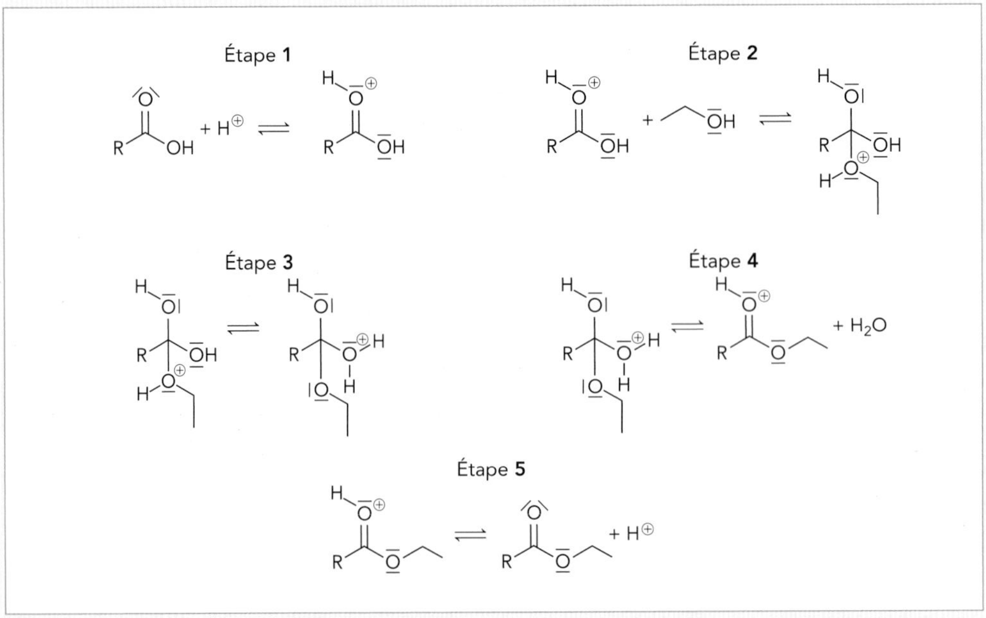

Étape **1**

Étape **2**

Étape **3**

Étape **4**

Étape **5**

A. Le lactate d'éthyle

1. Rédiger un texte court expliquant en quoi le lactate d'éthyle peut s'inscrire dans le cadre de la chimie verte.

2. Pourquoi dit-on que le lactate d'éthyle est un ester hydroxylé ?

3. a. Le lactate d'éthyle est-il chiral ? Justifier la réponse.

b. Représenter tous les stéréoisomères de configuration du lactate d'éthyle.
Préciser leurs relations de stéréoisomérie.

4. Qu'est-ce qu'un mélange racémique ?
Quel est l'intérêt de synthétiser le lactate d'éthyle à partir d'acide lactique obtenu par fermentation ?

B. Synthèse du réactif acide lactique

1. Influence du pH

a. Pourquoi le pH de la solution dans le fermenteur doit-il être contrôlé ?

b. Quelle est, de l'acide lactique ou de sa base conjuguée, l'ion lactate, l'espèce qui prédomine à pH = 5 ?
Justifier la réponse à l'aide d'un diagramme de prédominance.

2. L'acide lactique est l'acide 2-hydroxypropanoïque.

a. Quels sont ses groupes caractéristiques ?

b. Donner, en la justifiant, sa formule topologique.

C. Synthèse du lactate d'éthyle

1. À quelle grande catégorie de réaction appartient la réaction de synthèse du lactate d'éthyle ?

2. Lors de cette synthèse, on utilise une masse $m_1 = 1,30 \times 10^4$ kg d'éthanol et une masse $m_2 = 8,50 \times 10^3$ kg d'acide lactique. La masse de lactate d'éthyle alors synthétisée est égale à $m = 1,06 \times 10^4$ kg.
Déterminer le rendement de la synthèse.

3. Pour caractériser le produit obtenu, on réalise un spectre IR. Comment peut-on vérifier, grâce au spectre obtenu et reproduit ci-dessous, que la réaction a bien eu lieu ?

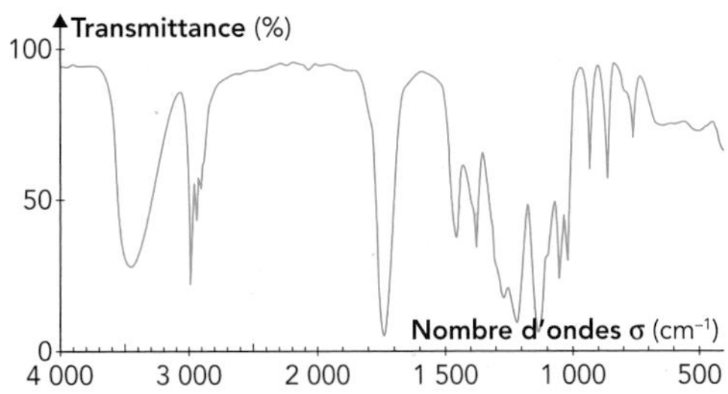

4. Pour les étapes **2** et **4** du mécanisme de la synthèse du lactate d'éthyle :

a. préciser à quelle grande catégorie de réaction appartient chacune d'elles ;

b. identifier les sites donneur et accepteur de doublet d'électrons mis en jeu ;

c. expliquer, à l'aide de flèches courbes, les modifications de liaisons observées.

5. Quel est le rôle du milieu acide lors de l'estérification ?

Données :
– formule topologique du lactate d'éthyle :
– pK_A(acide lactique / ion lactate) = 3,9 ;
– masses molaires atomiques ($g \cdot mol^{-1}$) : H : 1,0 ; C : 12,0 ; O : 16,0 ;
– électronégativités : hydrogène H : 2,2 ; carbone C : 2,5 ; oxygène O : 3,4.

Bandes d'absorption de quelques liaisons en infrarouge

Liaison	Nombre d'ondes σ (cm^{-1})	Intensité
$O-H_{libre}$	3580-3650	F ; fine
$O-H_{lié}$	3200-3400	F ; large
$C_{tri}-H$	3000-3100	M
$C_{tét}-H$	2800-3000	F

Liaison	Nombre d'ondes σ (cm^{-1})	Intensité
$C=O_{ester}$	1700-1740	F
$C=O_{aldéh.\ cétone}$	1650-1730	F
$C=O_{acide}$	1680-1710	F
$C_{tét}-H$	1415-1470	F

2 Refroidissement d'atomes par laser

À partir d'un article publié dans une revue scientifique (doc. 1), une société de développement informatique souhaite concevoir une simulation pédagogique interactive sur le refroidissement des atomes par laser. Peu expert en physique, le programmeur demande de l'aide pour comprendre les phénomènes et lois qu'il aura à modéliser dans la simulation.

Des recherches complémentaires lui permettent de collecter les documents 2, 3, 4 et 5.

En utilisant l'ensemble des documents, répondre, en argumentant, aux questions du programmeur.

1. L'article scientifique à l'origine de la simulation

Les lasers peuvent être utilisés pour refroidir des atomes à des températures extrêmement basses, proches du zéro absolu qui vaut –273,15 °C. La température traduit le degré d'agitation thermique des atomes, lié à leur mouvement désordonné à l'échelle microscopique. Si l'on réduit la valeur de leur vitesse, la température diminue. La technique la plus « simple » consiste en un transfert de quantité de mouvement entre un photon et un atome se déplaçant dans la même direction, mais en sens opposés. Lorsqu'un photon est absorbé par l'atome, il lui transfère sa quantité de mouvement, ce qui se traduit par une diminution de la valeur de la vitesse de l'atome. On parle de recul. De même, l'émission d'un photon par un atome s'accompagne d'un recul de cet atome. Avec un seul photon, la variation de vitesse de l'atome est infime, mais avec un grand nombre de photons de direction convenable le bombardant, l'atome sera ralenti petit à petit. Le mouvement d'agitation thermique des atomes étant aléatoire, comment choisir la direction des photons incidents ? L'effet Doppler apporte une réponse. On utilise deux faisceaux lasers de même direction, de sens opposés et de même fréquence f fixée précisément à une valeur légèrement inférieure à la fréquence f_0 d'absorption/émission de l'atome.

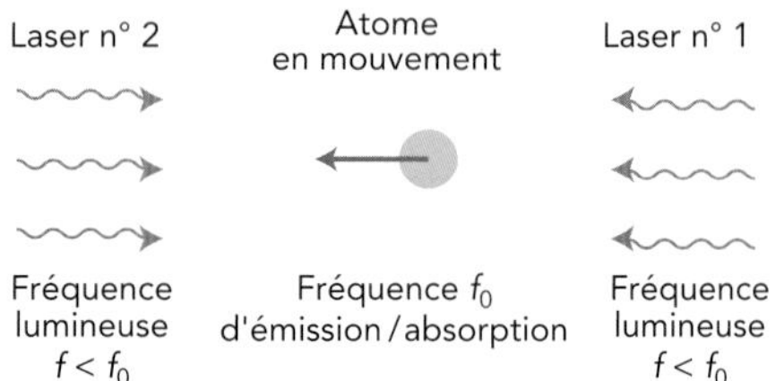

Les atomes se dirigeant vers un des deux lasers perçoivent des photons de fréquence supérieure à f et égale à f_0. De l'autre laser, ils perçoivent des photons de fréquence inférieure à f. Seuls les photons de fréquence perçue f_0 peuvent être absorbés, ce qui permet de ralentir les atomes. Avec un jeu de six lasers, on pourra ainsi refroidir l'échantillon jusqu'à des températures de l'ordre de –273 °C. On ne peut cependant pas immobiliser complètement les atomes, car, après avoir absorbé un photon, l'atome se désexcite : il subit un effet de recul. Le photon étant émis dans une direction aléatoire, il subsiste un mouvement chaotique des atomes, ce qui correspond à une température légèrement supérieure au zéro absolu.

2. La physique du froid

La définition la plus simple qu'on puisse donner du froid est l'absence de chaleur. Cette définition n'a de sens que si l'on sait mesurer la chaleur, en ajouter ou en retrancher à un objet. La thermodynamique statistique, dont les bases ont été posées par le physicien autrichien Ludwig BOLTZMANN dans les années 1870, montre que la chaleur contenue dans un objet n'est rien d'autre que l'énergie d'agitation désordonnée des molécules de cet objet : plus il est chaud, plus ses molécules s'agitent ; moins elles bougent, plus il est froid. L'immobilité absolue correspond alors au zéro de l'échelle de température.

Extrait de J. Matricon et G. Waysand, « Froid, physique », *Encyclopédie Universalis*.

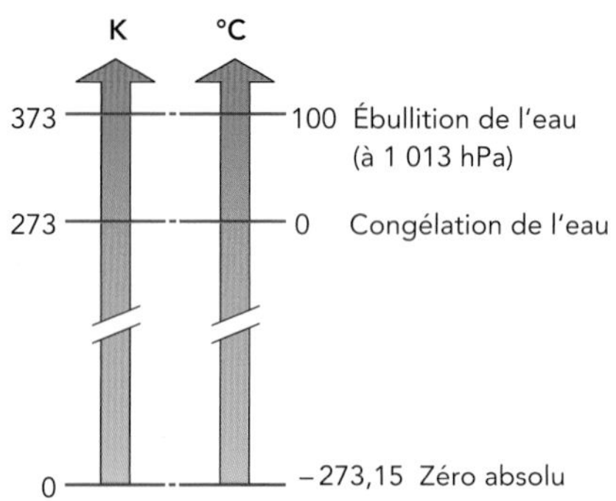

3. Rubidium 87

Le rubidium 87 est souvent utilisé dans les recherches sur les atomes froids. La longueur d'onde dans le vide de la transition mise en jeu est $\lambda_0 = 780$ nm. À température ambiante, la valeur de la vitesse d'un atome dans un gaz est de l'ordre de $150 \text{ m}\cdot\text{s}^{-1}$.

4. Système atome-photon

Lors de l'émission ou de l'absorption d'un photon par un atome, le système atome-photon peut être considéré comme isolé.
La somme vectorielle des quantités de mouvement du système à l'état final est donc égale à la somme vectorielle des quantités de mouvement à l'état initial.

5. L'effet Doppler

L'effet Doppler, qui fait entendre la sirène d'un véhicule d'urgence plus aiguë lorsqu'il s'approche et plus grave lorsqu'il s'éloigne, est également observé avec les ondes lumineuses.
La fréquence lumineuse $f_{\text{perçue}}$ perçue par un atome mobile à la vitesse de valeur v est reliée à la fréquence émise $f_{\text{émise}}$ par une source lumineuse fixe (ici le laser) par la relation :

si l'atome se rapproche de la source :	si l'atome s'éloigne de la source :
$f_{\text{perçue}} = f_{\text{émise}} \times \dfrac{\sqrt{c+v}}{\sqrt{c-v}}$	$f_{\text{perçue}} = f_{\text{émise}} \times \dfrac{\sqrt{c-v}}{\sqrt{c+v}}$

Dans ces relations, c est la valeur de la vitesse de la lumière dans le vide.

1. À propos de la température

a. Peut-on comparer le processus de refroidissement des atomes par les photons à celui mis en œuvre à l'échelle des molécules lors du refroidissement d'une quantité d'eau chaude par mélange avec de l'eau froide ?

b. Comment justifier le fait que l'on ne puisse pas atteindre le zéro absolu avec la technique de refroidissement des atomes par laser ?

2. À propos de la lumière laser

a. Qu'est-ce qu'un photon ? Pourquoi lui associe-t-on une fréquence ?

b. Comment s'exprime la quantité de mouvement d'un photon de fréquence f ?

c. Quel est l'ordre de grandeur de la quantité de mouvement d'un photon de longueur d'onde dans le vide égale à $\lambda_0 = 780$ nm ?

d. Quelles sont les propriétés de la lumière laser utilisées pour mettre en œuvre cette technique de refroidissement des atomes ?

e. Sur le schéma de l'article scientifique, quel laser permet de ralentir l'atome ?

3. À propos du ralentissement des atomes

a. Quelle est la valeur de la quantité de mouvement d'un atome de rubidium se déplaçant à la vitesse de valeur $150 \text{ m}\cdot\text{s}^{-1}$?

b. Comment vérifier, en utilisant les relations de l'effet Doppler, si la longueur d'onde de la radiation que doivent émettre les lasers est plus petite ou plus grande que λ_0 ?
Est-ce en accord avec les informations du texte ?

c. Pourquoi parle-t-on de « recul » de l'atome lors de l'émission d'un photon ?

4. À propos de l'effet Doppler

Les relations indiquées dans le **document 5** sont celles de l'effet Doppler relativiste. Lorsqu'un observateur se rapproche d'une source avec une vitesse de valeur v très faible devant celle de l'onde, l'expression de la fréquence de l'onde lumineuse perçue se simplifie en :

$$f_{\text{perçue}} = f_{\text{émise}} \times \frac{c+v}{c}$$

a. Cette expression simplifiée est-elle homogène ?

b. Si $v = 150 \text{ m}\cdot\text{s}^{-1}$, l'application numérique de l'expression simplifiée conduit-elle à la même fréquence perçue que l'expression correspondante du **document 5** ?

5. À propos de la relativité restreinte

Lorsqu'un observateur se rapproche d'une source avec une vitesse de valeur v, la dilatation du temps permet d'écrire que la période de l'onde lumineuse perçue est liée à celle de l'onde émise par :

$$T_{\text{perçue}} = T_{\text{émise}} \times \gamma \times \left(1 - \frac{v}{c}\right)$$

a. Pourquoi ne précise-t-on pas le référentiel lorsque l'on donne la valeur de la vitesse de la lumière dans le vide ?

b. Le coefficient gamma s'écrit :

$$\gamma = \frac{1}{\sqrt{1 - \frac{v^2}{c^2}}} = \frac{1}{\sqrt{1 + \frac{v}{c}}} \times \frac{1}{\sqrt{1 - \frac{v}{c}}}$$

Comment la relation entre T_{percue} et $T_{\text{émise}}$ permet-elle de retrouver l'expression correspondante du **document 5** ?

Données :
– constante de Planck : $h = 6{,}63 \times 10^{-34} \text{ J}\cdot\text{s}$;
– masse d'un atome de rubidium 87 : $m = 1{,}44 \times 10^{-25}$ kg ;
– valeur de la vitesse de la lumière dans le vide : $c = 3{,}00 \times 10^{8} \text{ m}\cdot\text{s}^{-1}$.

1 Une loi de Kepler pour « peser » Jupiter

A Contexte du sujet

Ne vous êtes-vous jamais demandé comment déterminer la masse d'une étoile ou d'une planète ? C'est grâce à la troisième loi de Kepler ! Il suffit que l'astre à « peser » dispose de satellites.

L'objectif de cette épreuve est de retrouver la masse *M* de Jupiter à l'aide du simulateur spatial Celestia®.

B Documents mis à la disposition

■ Jupiter et ses satellites dans le plan de leur trajectoire dans le référentiel lié au centre de Jupiter

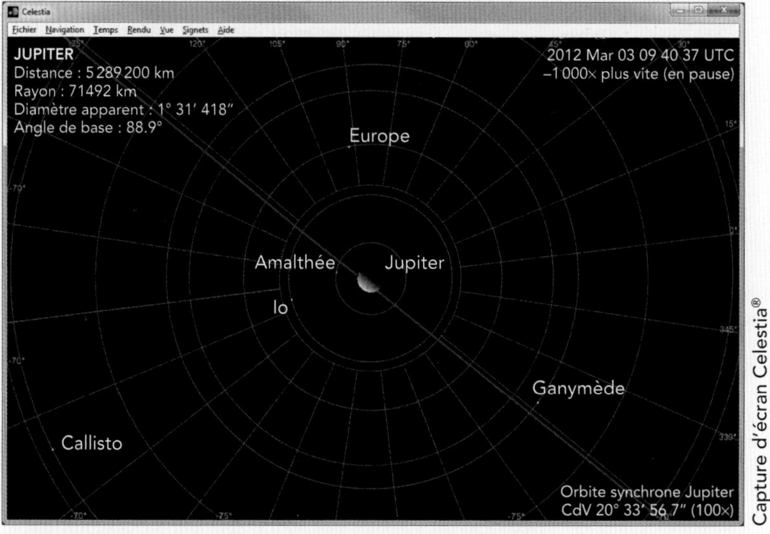

Capture d'écran Celestia®

L'échelle de cette image est donnée par le diamètre de Jupiter : $D = 142\,984$ km.
La ligne rouge représente une portion de la trajectoire de Jupiter autour du Soleil.

■ Troisième loi de Kepler

Le carré de la période de révolution *T* d'un satellite est proportionnel au cube du demi-grand axe *a* de sa trajectoire elliptique autour de l'astre qui l'attire :

$$\frac{T^2}{a^3} = \text{constante}$$

La constante dépend de la masse *M* de l'astre attracteur. Elle vaut $\frac{4\pi^2}{GM}$.

G est la constante universelle de gravitation :

$$G = 6{,}67 \times 10^{-11}\ \text{m}^3 \cdot \text{kg}^{-1} \cdot \text{s}^{-2}.$$

■ Les options d'affichages de Celestia® (menu ***Rendu / Options***)

Afficher : ☐ Galaxies ☐ Amas globulaires ☐ Amas ouverts ☐ Nébuleuses ☐ Étoiles ☑ Planètes ☐ Atmosphères ☐ Nuages ☐ Ombres des nuages ☐ Ombres des anneaux ☐ Ombres des éclipses ☐ Lumières nocturnes ☐ Queues des comètes
☐ Marqueurs ☑ Orbites ☐ Ligne de l'écliptique
Grilles : ☐ Équatoriale ☐ Horizontale ☐ Galactique ☑ Écliptique
Orbites et noms : ☐ ☐ Étoiles ☑ ☑ Planètes ☐ ☐ Planètes naines ☑ ☑ Lunes ☐ ☐ Lunes mineures ☐ ☐ Astéroïdes ☐ ☐ Comètes ☐ ☐ Astronefs
Noms (ciel profond) : ☐ Galaxies ☐ Amas globulaires ☐ Amas ouverts ☐ Nébuleuses
Constellations : ☐ Lignes ☐ Limites ☐ Noms ☐ Noms en latin
Texte d'information : ○ Aucun ◉ Concis ○ Complet
Filtrer les étoiles : Distance 1000000
OK Annuler

Matériel disponible
– Ordinateur muni du logiciel Celestia® et d'un tableur ;
– double décimètre.

C Travail à effectuer

1. **Exploiter des informations.** (10 min*)

a. ANALYSER Dans le cas où les trajectoires des satellites sont assimilées à des cercles, comme c'est le cas pour les satellites de Jupiter, que représente la grandeur *a* donnée dans le texte sur la troisième loi de Kepler ?

....

....

b. ANALYSER En analysant le texte sur le troisième loi de Kepler, identifier les grandeurs à mesurer pour accéder à la masse *M* de Jupiter.

....

....

c. ANALYSER Quelles doivent être les unités des grandeurs mesurées pour exprimer une masse *M* en kg ?

....

....

Appel n° 1 **Appeler le professeur pour lui présenter les résultats ou en cas de difficulté.**

2. **Configurer un logiciel.** (5 min)

RÉALISER Configurer le logiciel Celestia® pour observer Jupiter et ses satellites dans le plan de leur trajectoire à l'instar du modèle de la capture d'écran de Celestia®.

Info
Aide à l'utilisation de Celestia®
- On se place dans le référentiel lié au centre de Jupiter en sélectionnant Jupiter et en suivant l'astre sélectionné (menu ***Navigation***).
- On zoome et on dézoome à l'aide de la molette de la souris.
- On modifie le plan d'observation en déplaçant la souris tout en maintenant le clic droit enfoncé. Jupiter doit être au centre, repéré par une croix, de la grille écliptique.
- Le simulateur spatial permet aussi d'accélérer, de ralentir, d'arrêter l'écoulement du temps et même d'inverser le sens de l'écoulement du temps (menu ***Temps***).
- Il permet enfin d'accéder à la date julienne (en jour décimal) de façon à réaliser facilement des mesures de durée (menu ***Temps / Régler l'heure***, etc.).

3. **Formuler et mettre en œuvre un protocole expérimental.** (30 min)

ANALYSER Proposer une démarche pour déterminer, à l'aide de l'image de la trajectoire de Jupiter et du logiciel Celestia®, les grandeurs identifiées dans la question 1b.

....

....

Appel n° 2 **Appeler le professeur pour lui présenter la configuration du logiciel et la démarche ou en cas de difficulté.**

RÉALISER Mettre en œuvre le protocole pour trois satellites au choix. Consigner les grandeurs mesurées dans un tableur. On prendra soin d'indiquer, dans le tableur, les noms et unités des grandeurs consignées.

4. **Exploiter les résultats.** (15 min)

VALIDER Utiliser le tableur pour évaluer l'incertitude relative sur la mesure de la masse *M* de Jupiter :

$\frac{|M - M_J|}{M_J}$ M_J étant la valeur actuellement admise : $M_J = 1{,}8986 \times 10^{27}$ kg.

Le fichier devra être enregistré dans le dossier ECE disponible sur le bureau de l'ordinateur, en lui donnant comme nom de fichier, votre nom.

Appel n° 3 **Appeler le professeur pour lui présenter le fichier enregistré ou en cas de difficulté.**

Fermer les logiciels avant de quitter la salle.

* Toutes les durées indiquées sont des durées conseillées.

2 Emmagasiner de l'énergie thermique

A Contexte du sujet

Une des possibilités pour réaliser des économies d'énergie en hiver est de capter, durant la journée, le rayonnement solaire et de stocker l'énergie sous forme d'énergie interne. Durant la nuit, la baisse de la température ambiante permet de restituer cette énergie à l'habitation par transfert thermique. Pour cela, les matériaux mis en œuvre dans le stockage de l'énergie thermique doivent posséder une grande capacité thermique.

Le but de cette épreuve est d'analyser et d'expérimenter pour déterminer une capacité thermique.

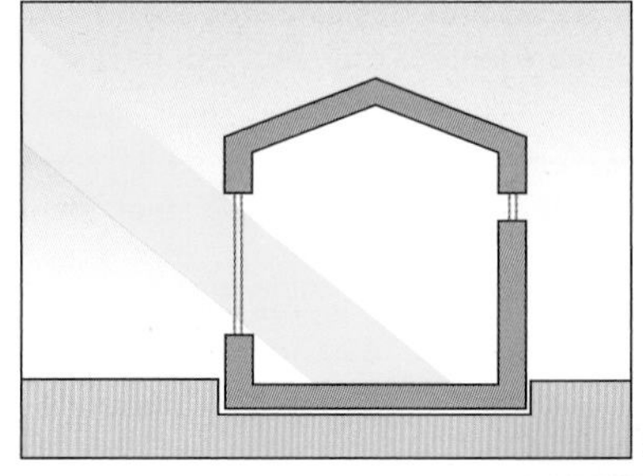

Capter et stocker.

Restituer.

B Documents mis à la disposition

■ Le calorimètre

Pour mesurer les transferts thermiques mis en jeu au cours d'échanges énergétiques ou de transformations chimiques, on utilise un calorimètre. C'est une enceinte qui contient des accessoires d'agitation, un thermomètre et qui permet de limiter les échanges avec l'extérieur. Un calorimètre est dit idéal lorsque l'on peut considérer que son contenu n'échange pas d'énergie thermique avec l'extérieur.

■ La capacité thermique

• L'énergie thermique Q reçue (ou cédée) par un corps solide ou liquide, qui passe de la température initiale θ_1 à la température finale θ_2 sans changer d'état, est proportionnelle à la différence de température :

$$Q = C \cdot (\theta_2 - \theta_1)$$

où C est une grandeur caractéristique du corps considéré, que l'on appelle capacité thermique du corps. Son unité dans le système international est le $J \cdot K^{-1}$.

• Pour comparer entre eux divers matériaux, on utilise en général la capacité thermique massique c. Elle s'exprime en $J \cdot kg^{-1} \cdot K^{-1}$.

Pour un corps homogène de masse m, on a $c = \frac{C}{m}$.

• La capacité thermique massique de l'eau liquide a pour valeur moyenne :

$$c_{eau} = 4{,}18 \times 10^3 \ J \cdot kg^{-1} \cdot K^{-1}.$$

■ La méthode des mélanges

• Lorsque deux corps, ne réagissant pas chimiquement l'un avec l'autre et initialement à des températures différentes θ_1 et θ_2, sont mis en contact, on constate, au bout d'un certain temps, qu'ils sont à la même température.

Il y a donc eu transfert d'énergie d'un corps à un autre.

Le transfert thermique spontané se fait du corps chaud vers le corps froid, il est irréversible.

C Travail à effectuer

1. Analyser la situation. (15 min*)

a. **ANALYSER** Le métal fer, à l'état solide, a une capacité thermique massique $c_{fer} = 444\ J \cdot kg^{-1} \cdot K^{-1}$.
Quelle est la capacité thermique d'un bloc de fer de masse $m_{fer} = 120\ g$?

....

....

b. **ANALYSER** Un calorimètre de capacité thermique C contient une masse m_{eau} d'eau.
Cette eau et le calorimètre sont à la même température θ_i.
On introduit dans le calorimètre une masse m_{fer} de fer à la température θ'.
Lorsque l'équilibre thermique est atteint, l'ensemble est à la température finale θ_f.
Compléter le tableau ci-dessous.

	Température initiale	Température finale	Énergie échangée
Calorimètre	θ_i	θ_f	$Q_1 = C \cdot (\theta_f - \theta_i)$
Masse m_{eau} d'eau			$Q_2 = m_{eau} \cdot c_{eau} \cdot (\theta_f - \theta_i)$
Masse m_{fer} de fer	θ'		Q_3 = ...

c. **ANALYSER** Si l'on suppose que le calorimètre est idéal et que toute l'énergie perdue par les corps qui se sont refroidis a été gagnée par ceux qui se sont réchauffés, quelle relation peut-on écrire entre les grandeurs Q_1, Q_2 et Q_3 ?

....

....

Appel n° 1 Appeler le professeur pour lui présenter les résultats obtenus ou en cas de difficulté.

2. Formuler et mettre en œuvre d'un protocole expérimental. (30 min)

ANALYSER Vous disposez d'un morceau de pierre placé dans un bain-marie à la température θ', d'un calorimètre de capacité thermique C donnée, d'un thermomètre, d'une balance et de papier absorbant.
Proposer un protocole permettant de déterminer la capacité thermique massique c_{pierre} de la pierre.

....

....

Appel n° 2 Appeler le professeur pour lui présenter le protocole ou en cas de difficulté.

RÉALISER Mettre en œuvre ce protocole. Noter les résultats des mesures.

3. Exploiter les résultats obtenus. (15 min)

a. **VALIDER** En considérant que le calorimètre est idéal, déterminer la capacité thermique c_{pierre} de la pierre.

....

....

b. **VALIDER** Quelles sont les sources d'erreurs possibles sur cette détermination ? Comment pourrait-on réduire l'incertitude sur la mesure de c_{pierre} ?

....

c. **VALIDER** La capacité thermique massique du bois est d'environ $400\ J{\cdot}kg^{-1}{\cdot}K^{-1}$.
Pour réaliser des économies d'énergie en suivant la technique présentée dans l'introduction de ce sujet, et toutes choses égales par ailleurs, vaut-il mieux avoir un plancher en bois de 3×10^2 kg ou un plancher en pierre de 3×10^3 kg ?

....

....

Appel n° 3 Appeler le professeur pour lui présenter les résultats et conclusions.

Défaire le montage et ranger la paillasse avant de quitter la salle.

* Toutes les durées indiquées sont des durées conseillées.

3 Une étape dans la synthèse de l'isobornéol

A Contexte du sujet

Le camphre est une cétone que l'on peut extraire d'un arbuste qui pousse en Chine et au Japon. En médecine, il est utilisé, entre autres, pour ses propriétés antiseptiques et anesthésiques.
Le camphre peut conduire à la formation de deux alcools : le bornéol et l'isobornéol.
Ces composés peuvent être utilisés en parfumerie ou pour la fabrication d'encens.

La réduction du camphre en isobornéol a été réalisée et la phase organique contenant les produits de la réaction en solution dans l'éthoxyéthane a été isolée. Le but de cette épreuve est de laver cette phase organique et de caractériser le produit obtenu.

Camphre — Isobornéol

Équation de la réduction du camphre en isobornéol :

$$4\ C_{10}H_{16}O + NaBH_4 + 4\ C_2H_5OH \longrightarrow 4\ C_{10}H_{18}O + NaB(OC_2H_5)_4$$

B Documents mis à la disposition

■ **Données physico-chimiques**

	Formule brute	Masse molaire ($g \cdot mol^{-1}$)	Densité	Température de changement d'état
Camphre	$C_{10}H_{16}O$	152,24	–	T_{fus} = 179-181 °C
Isobornéol	$C_{10}H_{18}O$	154,24	–	T_{fus} = 208-214 °C
Éthoxyéthane	$C_4H_{10}O$	74,12	0,714	$T_{éb}$ = 34,6 °C

■ **Données physico-chimiques**

	Solubilité dans l'eau salée	Solubilité dans l'éthoxyéthane	Solubilité dans le pentane
Camphre	Très légèrement soluble	Très soluble	Peu soluble
Isobornéol	Très peu soluble	Soluble	Très peu soluble

$NaB(OC_2H_5)_4$ s'hydrolyse au contact de l'eau puis se solubilise en phase aqueuse.

■ **Spectres infrarouge de A et B**

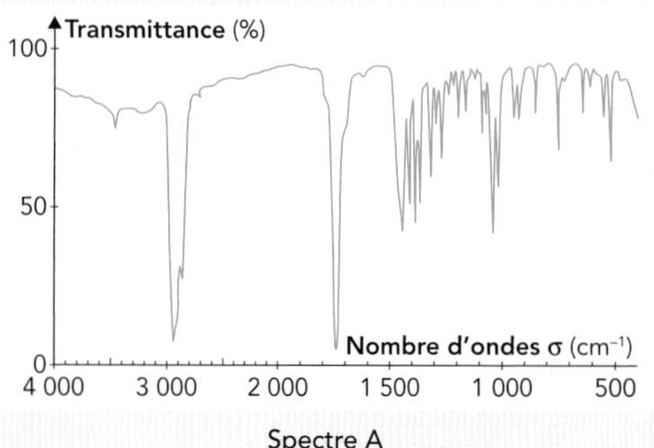

Spectre A

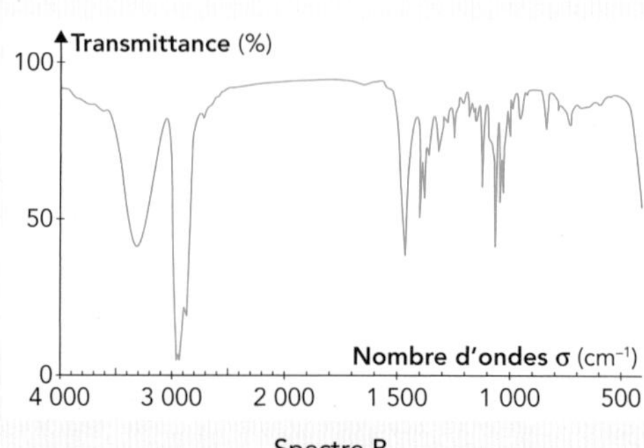

Spectre B

Matériel et produits disponibles pour la CCM

- Solution étiquetée : « éluant » ;
- solvants : eau, éthoxyéthane et pentane ;
- cuve saturée en vapeurs de diiode placée sous la hotte ;
- solides : isobornéol et camphre ;
- plaque à CCM et papier-filtre ;
- cuve à CCM + couvercle ;
- pince métallique ;
- capillaires ;
- petits tubes à essais avec bouchon.

Bandes d'absorption de quelques liaisons en infrarouge

Liaison	Nombre d'ondes σ (cm^{-1})	Intensité	Liaison	Nombre d'ondes σ (cm^{-1})	Intensité
$O-H_{libre}$	3 580-3 650	F ; fine	$C_{tét}-H$	2 800-3 000	F
$O-H_{lié}$	3 200-3 400	F ; large	$C=O_{ald\text{-}cét.}$	1 650-1 730	F
$C_{tri}-H$	3 000-3 100	M	$C_{tét}-H$	1 415-1 470	F

C Travail à effectuer

1. **Réaliser le protocole expérimental du lavage de la phase organique.** (20 min*)

RÉALISER Introduire la phase organique dans l'ampoule à décanter et ajouter 20 mL d'une solution saturée de chlorure de sodium. Agiter l'ampoule à décanter en dégazant régulièrement. Laisser décanter. Recueillir chacune des phases dans un erlenmeyer et boucher l'erlenmeyer contenant la phase organique.

2. **Élaborer un protocole d'analyse par chromatographie sur couche mince et le réaliser.** (25 min)

ANALYSER Proposer un protocole détaillé pour réaliser une chromatographie sur couche mince permettant de caractériser le produit obtenu et de contrôler sa pureté. Les produits déjà en solution peuvent être déposés directement sur la plaque CCM. On dispose d'une cuve saturée en vapeurs de diiode placée sous la hotte.

....

....

Appel n° 1 Appeler le professeur pour lui présenter le protocole d'analyse par CCM ou en cas de difficulté. COMMUNIQUER

RÉALISER Après accord du professeur, réaliser ce protocole.

3. **Interpréter la CCM et les spectres IR.** (15 min)

a. VALIDER Interpréter le chromatogramme obtenu. Dans le cas où vous n'auriez pas obtenu de chromatogramme exploitable, interpréter le chromatogramme reproduit ci-contre.

1 2 3

1 : Camphre commercial ;
2 : Isobornéol commercial ;
3 : Produit brut.

....

....

b. VALIDER Parmi les deux spectres IR notés A et B, quel est celui du camphre ? Quel est celui de l'isobornéol ? Justifier par au moins un argument.

....

....

....

Appel n° 2 Appeler le professeur pour lui présenter vos conclusions. COMMUNIQUER

Rincer le matériel utilisé et ranger la paillasse avant de quitter la salle.

* Toutes les durées indiquées sont des durées conseillées.

4 Déterminer la valeur d'une constante d'acidité

A Contexte du sujet

À tout couple acide/base est associée une constante d'acidité dont la valeur est caractéristique du couple étudié. Le but de cette épreuve est de mettre en œuvre une démarche expérimentale pour déterminer la constante d'acidité associée au couple acide benzoïque/ion benzoate.

B Documents mis à la disposition

Tableau d'avancement

L'acide benzoïque $C_6H_5CO_2H$ (aq) est l'acide du couple $C_6H_5CO_2H$ (aq) / $C_6H_5CO_2^-$ (aq).
On considère une solution S de concentration en acide benzoïque apporté C et de volume V.
Le tableau d'avancement de la réaction entre l'acide benzoïque et l'eau est donné ci-dessous :

Équation	$C_6H_5CO_2H(aq)$ +	$H_2O(\ell)$ $\rightleftharpoons$	$C_6H_5CO_2^-(aq)$ +	$H_3O^+(aq)$
État initial (x = 0)	$C \cdot V$	Solvant	0	0
État intermédiaire (x)	$C \cdot V - x$	Solvant	x	x
État final (x_f)	$C \cdot V - x_f$	Solvant	$x_f = [C_6H_5CO_2^-]_f \cdot V$	$x_f = [H_3O^+]_f \cdot V$

Constante d'acidité

La constante d'acidité K_A associée au couple $C_6H_5CO_2H$ (aq) / $C_6H_5CO_2^-$ (aq) s'écrit :

$$K_A = \frac{[C_6H_5CO_2^-]_f \cdot [H_3O^+]_f}{[C_6H_5CO_2H]_f} = \frac{\left(\frac{x_f}{V}\right)^2}{C - \left(\frac{x_f}{V}\right)}$$

pH et conductivité

• Le pH d'une solution aqueuse diluée est lié à la concentration $[H_3O^+]_f$ par les relations :

$$pH = -\log [H_3O^+]_f \quad \text{ou} \quad [H_3O^+]_f = 10^{-pH}$$

avec $[H_3O^+]$ en $mol \cdot L^{-1}$.

Le pH d'une solution aqueuse est mesuré à l'aide d'un pH-mètre étalonné.

• La conductivité σ d'une solution aqueuse d'acide benzoïque est donnée par la relation :

$$\sigma = \frac{x_f}{V} \cdot (\lambda_{C_6H_5CO_2^-} + \lambda_{H_3O^+}) \times 10^3$$

avec $\lambda_{C_6H_5CO_2^-} = 3{,}24 \times 10^{-3}\ S \cdot m^2 \cdot mol^{-1}$,
$\lambda_{H_3O^+} = 34{,}98 \times 10^{-3}\ S \cdot m^2 \cdot mol^{-1}$,
σ exprimé en $S \cdot m^{-1}$, x_f en mol, V en L,
$1\ mS \cdot cm^{-1} = 10^{-1}\ S \cdot m^{-1}$, $1\ \mu S \cdot cm^{-1} = 10^{-4}\ S \cdot m^{-1}$.

La conductivité σ d'une solution aqueuse est mesurée à l'aide d'un conductimètre étalonné.

Matériel et produits disponibles

- Solution aqueuse S_0 d'acide benzoïque de concentration molaire apportée $C_0 = 2{,}00 \times 10^{-2}\ mol \cdot L^{-1}$;
- eau distillée ;
- fioles jaugées de 100,0 mL et 50,0 mL ;
- béchers de 100 mL ;
- éprouvette graduée de 100 mL ;
- pipette graduée de 10 mL ; 20 mL ;
- pipette jaugée de 10,0 mL ; 20,0 mL ;
- pipeteur ou propipette ;
- pipettes Pasteur ;
- pH-mètre muni d'une sonde de pH et de sa notice ;
- conductimètre muni d'une cellule conductimétrique et de sa notice ;
- tableur ;
- solutions étalons pour le pH-mètre et le conductimètre.

C Travail à effectuer

1. **Élaborer un protocole de dilution d'une solution mère et le réaliser.** (15 min*)

ANALYSER Proposer un protocole expérimental pour réaliser la préparation d'un volume V = 100,0mL d'une solution S d'acide benzoïque de concentration $C = 2{,}00 \times 10^{-3}\ \text{mol}\cdot\text{L}^{-1}$, à partir de la solution S_0 fournie et du matériel disponible.

....

....

....

....

....

....

....

....

....

Appel n° 1 **Appeler le professeur pour lui présenter le protocole de dilution, puis le réaliser.** COMMUNIQUER; RÉALISER

2. **Élaborer un protocole expérimental pour déterminer la valeur d'une constante d'acidité** (35 min)

ANALYSER Le matériel proposé permet de faire une détermination conductimétrique ou pH-métrique de la constante d'acidité K_A associée au couple $C_6H_5CO_2H(aq)/C_6H_5CO_2^-(aq)$.

Proposer un protocole expérimental permettant, à partir de la solution S précédente et du matériel disponible, de déterminer la valeur de la constante d'acidité K_A.

....

....

....

....

....

....

....

....

....

....

Appel n° 2 **Appeler le professeur pour lui présenter le protocole, puis le mettre en œuvre.** COMMUNIQUER; RÉALISER

3. **Valider le résultat obtenu.** (10 min)

VALIDER On trouve, dans les tables, la valeur suivante de la constante d'équilibre K_A associée à la réaction entre l'acide benzoïque et l'eau : $K_{A,tab} = 6{,}3 \times 10^{-5}$ à 25 °C.

Calculer l'incertitude relative entre K_A et $K_{A,tab}$: $\left|\dfrac{K_A - K_{A,tab}}{K_{A,tab}}\right|$ et l'exprimer en pourcentage.

Citer deux causes d'un écart éventuel entre K_A et $K_{A,tab}$.

....

....

....

....

....

....

....

....

....

Appel n° 3 **Appeler le professeur pour lui présenter vos conclusions.** VALIDER; COMMUNIQUER

Rincer le matériel utilisé et ranger la paillasse avant de quitter la salle.

* Toutes les durées indiquées sont des durées conseillées.

Agir : défis du

Si l'on excepte un changement radical des modes de vie, l'activité scientifique et ses applications technologiques s'avèrent être des réponses crédibles aux défis posés à l'homme : économiser les ressources et respecter l'environnement, synthétiser des molécules et fabriquer de nouveaux matériaux, transmettre et stocker l'information.

→ ***En quoi la science permet-elle de répondre aux défis rencontrés par l'homme dans sa volonté de développement tout en préservant la planète ?***

XXIe siècle

Sommaire

Les notions vues au Collège, en Seconde et en Première S

Synthèse additive de lumières colorées

- La synthèse additive est la superposition de lumières colorées.

Le rouge, le vert et le bleu sont les **couleurs primaires** de la synthèse additive.

- Sur un écran plat, les couleurs de chaque pixel sont restituées par synthèse additive.

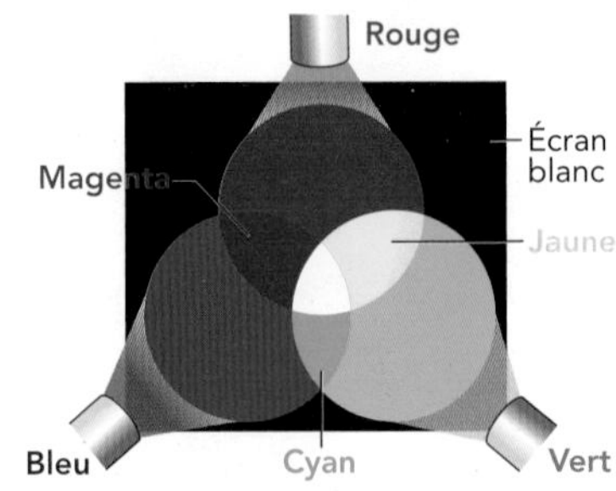

Réflexion et réfraction

- La lumière peut être réfléchie lorsqu'elle rencontre un obstacle, c'est le **phénomène de réflexion**.

Le rayon incident et le rayon réfléchi appartiennent au plan d'incidence.

Les directions des rayons sont telles que $i_1 = i_r$.

- La lumière peut être déviée lorsqu'elle change de milieu de propagation, c'est le **phénomène de réfraction**.

Le rayon incident et le rayon réfracté appartiennent au plan d'incidence.

Les directions des rayons sont telles que $n_1 \cdot \sin i_1 = n_2 \cdot \sin i_2$.

n_1 et n_2 sont respectivement les indices de réfraction des milieux ① et ②.

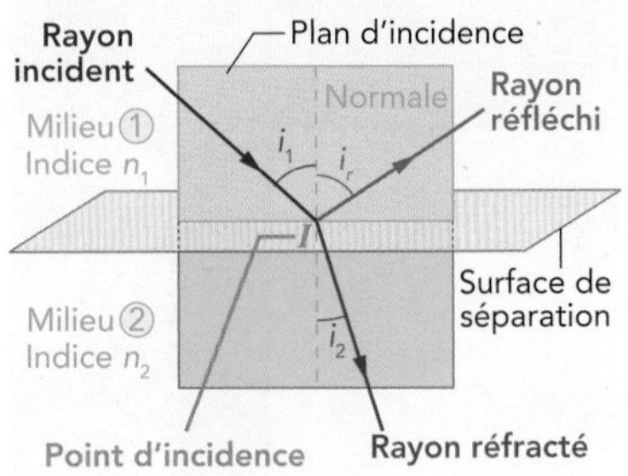

Mélange stœchiométrique

- Un mélange est stœchiométrique si les quantités initiales des réactifs sont dans les proportions des nombres stœchiométriques des réactifs.

Ainsi pour la réaction d'équation :

$$a\,A + b\,B \longrightarrow c\,C + d\,D$$

Un mélange initial tel que $\dfrac{n_0(A)}{a} = \dfrac{n_0(B)}{b}$ est stœchiométrique.

Dissolution des composés ioniques ou moléculaires dans un solvant

- Un **composé ionique** est généralement **soluble** dans un **solvant polaire**, tel que l'eau, et quasiment **insoluble** dans un **solvant apolaire**.
- Généralement, un **composé polaire** est soluble dans un solvant polaire et un **composé apolaire** l'est dans un solvant apolaire.
- Des **interactions de Van der Waals**, auxquelles peuvent s'ajouter des **liaisons hydrogène**, sont à l'origine de la dissolution d'un composé moléculaire dans un solvant.

Voir aussi :

- Phénomène périodique, période et fréquence, p. 16.
- Lumière et ondes électromagnétiques, p 16.
- Rendement d'une synthèse, p. 18.
- Solution, quantité de matière, concentration, p. 126.

Les enjeux énergétiques

Chapitre 16

Dans les pays du Nord, comme ici à Hong-Kong, la consommation d'énergie par habitant est très élevée.

Dans les pays du Sud, comme ici à Molobola au Mali, la consommation d'énergie est beaucoup plus limitée. Ainsi, une seule lampe éclaire ce cours du soir.

L'énergie est essentielle à la vie et au développement. À l'aube du XXIe siècle, d'énormes défis sont à relever. Avec l'augmentation de la population mondiale et l'émergence de nouveaux pays industrialisés, les besoins en énergie continuent d'augmenter fortement.
Quels sont les moyens mis en jeu pour offrir un accès égalitaire à l'énergie ?
(Voir exercice 11, p. 434.)

Quelles réponses la science peut-elle apporter aux enjeux énergétiques du XXIe siècle tout en préservant la planète ?

OBJECTIFS

- → Rechercher des réponses à des problématiques énergétiques contemporaines.
- → Faire un bilan énergétique dans les domaines de l'habitat ou du transport.
- → Analyser des solutions permettant de réaliser des économies d'énergie.

1 Habitat... que d'énergie !

La population mondiale ne cesse d'augmenter : 7 milliards de personnes dans le monde en 2011, 9 milliards en 2050 d'après les prévisions de l'ONU. Cette augmentation a des conséquences sur les besoins énergétiques. Sachant que de tous les secteurs, le bâtiment est le plus gros consommateur en énergie, il est essentiel que la construction des habitations soit de moins en moins énergivore.
Comment effectuer le bilan énergétique d'une habitation ?

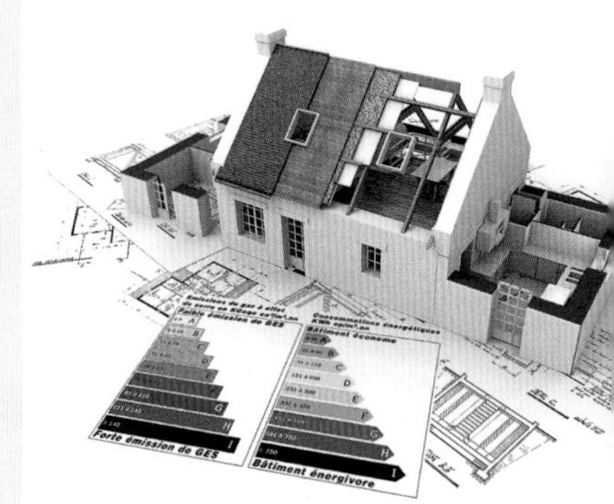

Les bâtiments contribuent pour 43 % à l'énergie consommée en France et pour 22 % aux rejets de gaz à effet de serre. Les logements actuels, construits pour une bonne part d'entre eux alors qu'aucune réglementation thermique n'existait, en sont largement responsables.
La France a pris des engagements auprès de ses partenaires européens et internationaux pour économiser l'énergie et diviser par quatre ses émissions de gaz à effet de serre à l'horizon 2050.
En conséquence, les pouvoirs publics ont décidé de renforcer les exigences de performances énergétiques dans les constructions neuves, mais aussi dans les autres bâtiments en mettant en œuvre une **réglementation thermique qui s'applique depuis le 1er novembre 2007 aux logements existants** dès lors qu'ils font l'objet de travaux d'amélioration.
Cette nouvelle réglementation fixe ainsi des exigences minimales sur les produits et équipements à mettre en œuvre pour toute intervention concernant l'isolation, le chauffage et la climatisation, l'eau chaude sanitaire, la régulation, la ventilation et l'éclairage.
Que l'on soit propriétaire occupant, propriétaire bailleur ou locataire, on doit connaître ce nouveau dispositif réglementaire. Il impose une performance énergétique minimale pour le matériel quand on entreprend des travaux ou une rénovation lourde dans son logement.

■ Qu'est-ce qu'un bilan énergétique ?

Diagnostic de performance énergétique (ou DPE), il est réalisé par un professionnel certifié à l'occasion de la vente ou de la location d'un logement ou de la construction d'un bâtiment neuf. Il se traduit par un document qui comporte des informations sur la consommation d'énergie du bâtiment (pour les usages de chauffage, climatisation, production d'eau chaude sanitaire), sur le recours aux énergies renouvelables et sur les émissions de gaz à effet de serre (CO_2), ainsi que des recommandations et préconisations pour réduire cette consommation.

Le DPE se caractérise notamment par deux étiquettes (énergie et gaz à effet de serre). La première ressemble à celle que l'on trouve pour l'électroménager.

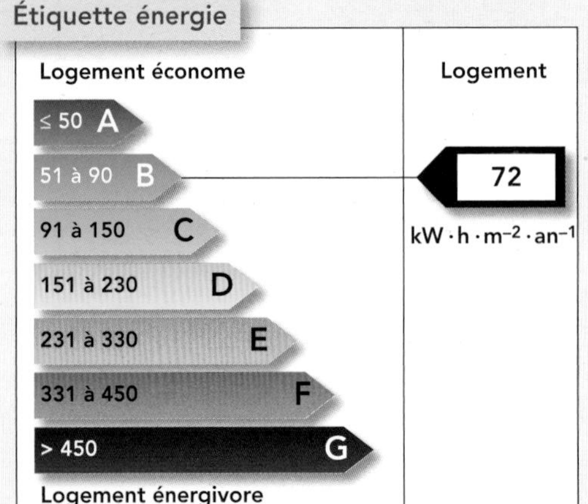

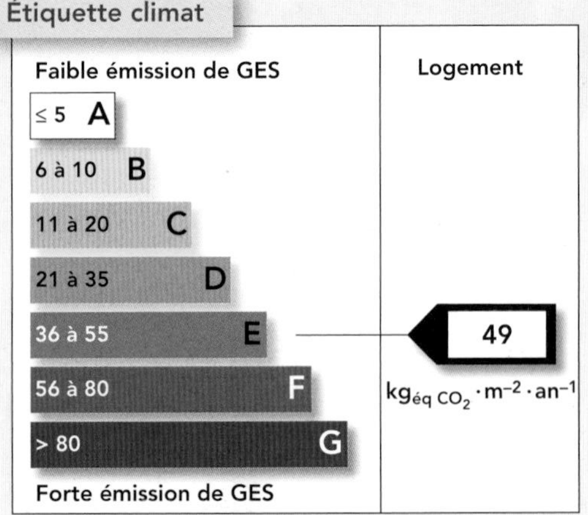

D'après la plaquette *Rénover sans se tromper*, Ministère de l'écologie du développement et de l'aménagement durables – Ademe, avril 2008.

Comment réduire sa consommation énergétique ?

Une bonne isolation permet d'obtenir un label de qualité énergétique : BBC, HPE, HQE, etc. Pour réduire la consommation d'énergie, les solutions les plus économes s'appuient sur une conception qui va chercher à :

• limiter les déperditions à l'aide d'une enveloppe étanche, fortement isolée et protégée des vents dominants par des espaces tampons (entrée, garages) ou par des haies végétales. Les enveloppes les moins déperditives sont isolées avec des matériaux, naturels ou industriels, installés à l'extérieur ou sur une ossature bois. Elles disposent d'épaisseurs d'isolants importantes sur toutes les surfaces, façades, pignons, plancher et toit ;

• bénéficier des apports solaires en adaptant la taille des fenêtres à l'orientation, petite au nord, grande au sud qui ouvrent parfois sur des espaces solarisés du type loggias fermées, vérandas ou serres. Certaines solutions proposent des parois « actives » qui associent l'isolation et la récupération des apports solaires ;

• favoriser le recours aux énergies renouvelables et à un système énergétique à haut rendement. Les systèmes les plus courants sont la chaudière gaz à condensation et la pompe à chaleur. Le chauffage bois vient souvent en appoint d'un système électrique. Sur certaines opérations, un plancher chauffant alimenté en eau chauffée à l'aide de capteurs solaires est installé en zone jour ;

• adapter au mieux l'installation aux sollicitations thermiques. Une rénovation de l'enveloppe sera complétée par la séparation des circuits de chauffage de façon à distinguer les zones en fonction de leur besoins en chauffage suivant leur orientation ou leur usage.

Pour réduire la consommation d'énergie liée au **renouvellement d'air pour l'hygiène**, les solutions mises en œuvre visent à adapter les débits aux besoins (ventilation hygroréglable, arrêt en inoccupation dans le tertiaire) et à récupérer la chaleur, interne à l'aide d'un double flux, ou sur le sol avec un puits canadien.
Pour réduire la consommation d'énergie liée à la **production d'eau chaude sanitaire**, le recours au solaire thermique se généralise dans le résidentiel.
Pour réduire la consommation d'énergie pour l'**éclairage des locaux**, en particulier dans le secteur de l'enseignement et des bureaux, une recherche quasi systématique de l'éclairement naturel intérieur a été entreprise.

D'après Jean-Marie Alessandrini, *Note de synthèse du descriptif de bâtiments basse consommation*, CSTB (Centre scientifique et technique du bâtiment), 2008.

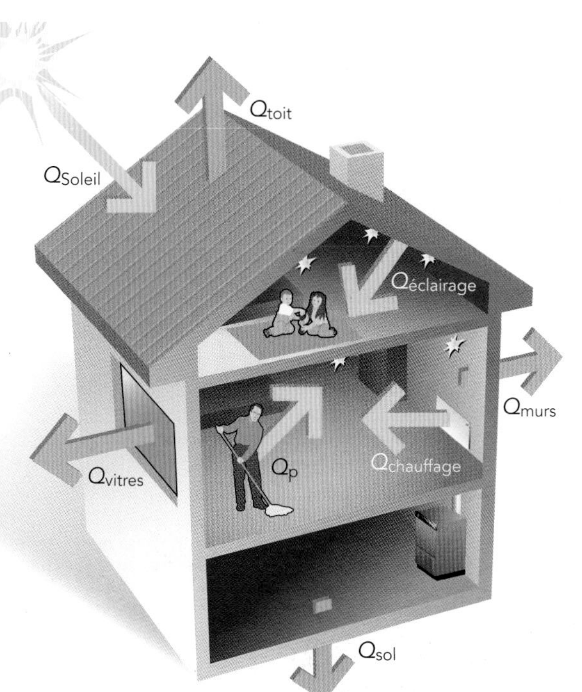

Doc. 1 Schématisation des transferts thermiques au sein d'une habitation en hiver.

1 Quel est l'intérêt de faire faire un diagnostic de performance énergétique pour une habitation ?

2 Dans l'étiquette climat, que signifie GES ? Quelle est la conséquence d'une forte émission de GES ?

3 Pour établir un bilan énergétique simplifié, il est nécessaire de définir le système étudié et de relever la nature des transferts énergétiques entre ce système et l'extérieur (doc. 1).
a. Quel est le système étudié sur le schéma ?
b. Quelle est la signification des flèches jaunes et des flèches bleues ?

4 Exprimer la variation d'énergie interne ΔU du système étudié en fonction des différents transferts thermiques.

5 On considère que, pour l'intérieur du système de masse m et de capacité thermique massique c, la variation d'énergie interne est donnée par la relation :

$$\Delta U = m \cdot c \cdot (T_f - T_i)$$

Exprimer le transfert thermique que doit fournir le chauffage pour maintenir la température de l'habitation constante.

Un pas vers le cours...

6 Argumenter sur des solutions permettant de réaliser des économies d'énergie dans le domaine de la construction.

2 Ça bouge dans les transports !

La raréfaction des ressources fossiles, la crise économique et l'impact des gaz à effet de serre sur le climat imposent de modifier nos habitudes en matière de transport.
Comment réduire notre empreinte écologique dans le domaine des transports ?

A Le constat

Quelques chiffres pour la Fran
83 % des kilomètres parcou par les personnes sont effectués voiture.
82 % du trafic de marchandises s réalisés par la route.
26 % des rejets de gaz à effet serre sont issus du transport, 1er ém teur en France.

« **La hausse du prix du baril de brut,** la raréfaction programmée des ressources fossiles et la prise de conscience des enjeux environnementaux et climatiques finiront-elles par changer la donne des transports ? La question est en tout cas cruciale, tant sur le plan environnemental qu'économique et politique. Les engagements du paquet énergie-climat, pris en 2008, prévoient en effet une réduction de 20 % des émissions de gaz à effet de serre (GES) à l'horizon 2020. À cette date, l'efficacité énergétique dans l'Hexagone devra avoir progressé de 20 % et le bouquet énergétique devra comporter 20 % d'énergies renouvelables. Un challenge qui nécessite une véritable révolution verte dans le domaine des transports.
Le Grenelle est une première étape pour atteindre ce défi de croissance verte, tant dans les objectifs fixés que dans les engagements pris pour y parvenir.
En France, le secteur est en effet responsable de 26 % des émissions de GES, et de 37 % des rejets de CO_2.
"À lui seul, le mode routier génère 96 % des émissions de CO_2", précise Nathalie Martinez, chef adjointe du service Transports et Mobilité de l'ADEME. Autre fait marquant : depuis 1973, la consommation d'énergie finale du pays s'est accrue de 20 %. Durant la même période, la demande liée aux besoins de transport a quant à elle doublé, engloutissant en 2007 presque 32 % de la consommation finale d'énergie. Une demande constituée à 98 % de produits pétroliers. Enfin, la prépondérance du mode routier s'est affirmée entre 1973 et aujourd'hui, passant de 70 % à 83 % pour le transport de personnes et de marchandises. »

Extrait de *Ademe & vous*, n° 39, octobre 2010.

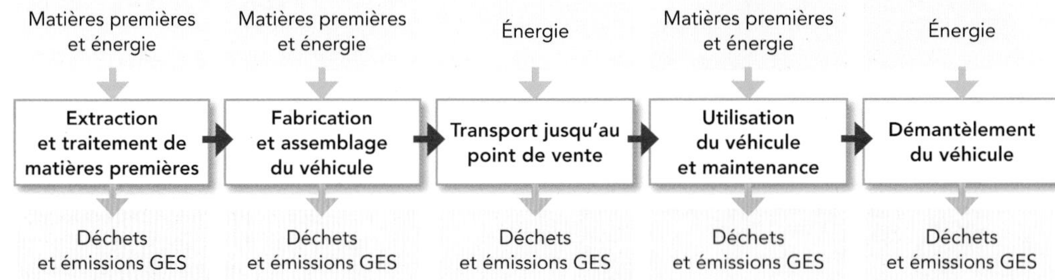

Doc. 2 Schématisation des différentes étapes de la vie d'un véhicule.

1 Quels sont les freins au développement des transports tels qu'ils sont conçus actuellement ?

2 Quelle est, actuellement en France, la part de l'énergie utilisée dans les transports ?

3 Pourquoi faut-il considérer toute la durée de vie d'un véhicule pour effectuer son bilan énergétique et son bilan carbone ?

4 Quel est le principal gaz à effet de serre produit par les véhicules ?

Un pas vers le cours...

5 Argumenter sur des solutions permettant de réaliser des économies d'énergie dans le domaine des transports.

B Une voiture « à eau »

De nombreuses recherches sont actuellement menées pour équiper les véhicules de moteurs électriques. Pourquoi le fonctionnement d'un tel véhicule est-il qualifié de « propre » ?

- « Charger » la pile à combustible en éclairant la cellule photovoltaïque.
- Lorsque l'un des récipients est plein de gaz, débrancher la cellule, puis brancher le moteur électrique.
- Observer le phénomène.

Doc. 3 Maquette d'une voiture fonctionnant avec une pile à combustible.

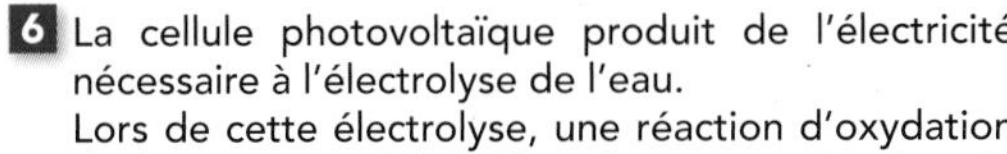

6 La cellule photovoltaïque produit de l'électricité nécessaire à l'électrolyse de l'eau.
Lors de cette électrolyse, une réaction d'oxydation de l'eau se produit à l'anode et une réaction de réduction de l'eau à la cathode. Les couples redox intervenant sont O_2/H_2O et H_2O/H_2.
Écrire la demi-équation redox ayant lieu à la surface de chaque électrode.

7 Lorsque le véhicule se déplace, la pile produit l'électricité nécessaire au fonctionnement du moteur.
Quelles réactions se produisent alors à la surface de chaque électrode ?

8 Schématiser la chaîne énergétique associée au fonctionnement de cette maquette.

9 Pourquoi peut-on dire que ce véhicule est un véhicule « propre » ?

C Bilan énergétique et voiture électrique

En France, si tous les véhicules routiers devenaient électriques, combien faudrait-il construire de nouvelles centrales pour répondre à la demande ?

Consommation des transports

En France, en 2011, la consommation d'énergie annuelle des transports est de 54 millions de tonnes équivalent pétrole (54 Mtep), soit, à énergie finale constante, environ 600 TW·h (puisque 1 tep correspond à 11 600 kW·h).
Sur ces 54 Mtep, les transports aérien et maritime consomment environ 5 Mtep. Le reste, soit près de 50 Mtep (environ 550 TW·h), est consommé par les transports terrestres.
Les véhicules des particuliers représentent environ 50 % de cette consommation, soit 225 TW·h.

Moteur thermique ou moteur électrique ?

Un moteur thermique a un rendement moyen de l'ordre de 20 % sur le carburant consommé, alors qu'un moteur électrique a un rendement de 80 % sur l'électricité utilisée, mais... le stockage de l'électricité fait perdre environ 20 % de l'électricité produite, alors que le stockage du carburant ne consomme rien en première approximation.
Les pertes de distribution de l'électricité sont de 8 % (de la centrale à la prise basse tension) pour l'électricité ; elles sont de l'ordre de 2 % à 3 % pour les carburants.

D'après Jean-Marc Jancovici, ingénieur conseil spécialisé dans le changement climatique, www.manicore.com

10 Calculer le rendement de « la chaîne électrique », du stockage de l'électricité à son utilisation dans un moteur électrique.

11 Calculer le rendement de « la chaîne carburant », du stockage du carburant à son utilisation dans un moteur thermique.

12 a. En comparant les rendements de ces deux chaînes, calculer l'énergie électrique annuelle, exprimée en TW·h, qui serait nécessaire pour remplacer la totalité des véhicules thermiques actuels par des véhicules électriques à performances identiques.

b. Comparer la valeur trouvée à la production électrique française annuelle qui est d'environ 450 TW·h.

13 En supposant que la production électrique française couvre complètement les besoins en électricité actuels, combien de réacteurs faudrait-il construire pour alimenter tous les véhicules électriques qui remplaceraient les véhicules routiers thermiques français ?

Donnée : La production annuelle d'un réacteur nucléaire est d'environ 10 TW·h.

3 Les énergies de demain…

Réaliser des économies d'énergie, rechercher de nouvelles voies pour produire des énergies « propres », les chercheurs travaillent sur des projets du futur. Si l'éolien ou le solaire ont de beaux jours devant eux, construire un monde durable nécessite aussi des idées neuves.
Sur quelles ressources d'énergie devront compter les générations de demain ?

Compétence exigible au baccalauréat
- Extraire et exploiter des informations sur des réalisations ou des projets scientifiques répondant à des problématiques énergétiques contemporaines.

EXPLOITER LES COURANTS MARINS
Les hydroliennes produisent de l'électricité grâce à l'énergie cinétique des courants marins. À diamètre égal, elles produisent plus d'énergie que des éoliennes, car la masse volumique de l'eau est beaucoup plus importante que celle de l'air.

ÉNERGIE DES VENTS DE PLEINE MER
Après avoir connu un accroissement principalement terrestre, le futur de l'énergie éolienne va devoir se développer en mer. La France a pour objectif de produire 23 % d'énergie renouvelable d'ici 2020. Elle vient aussi de lancer cinq importants appels d'offres d'éoliennes « offshore », d'une capacité totale de 3 gigawatts à l'horizon 2015.

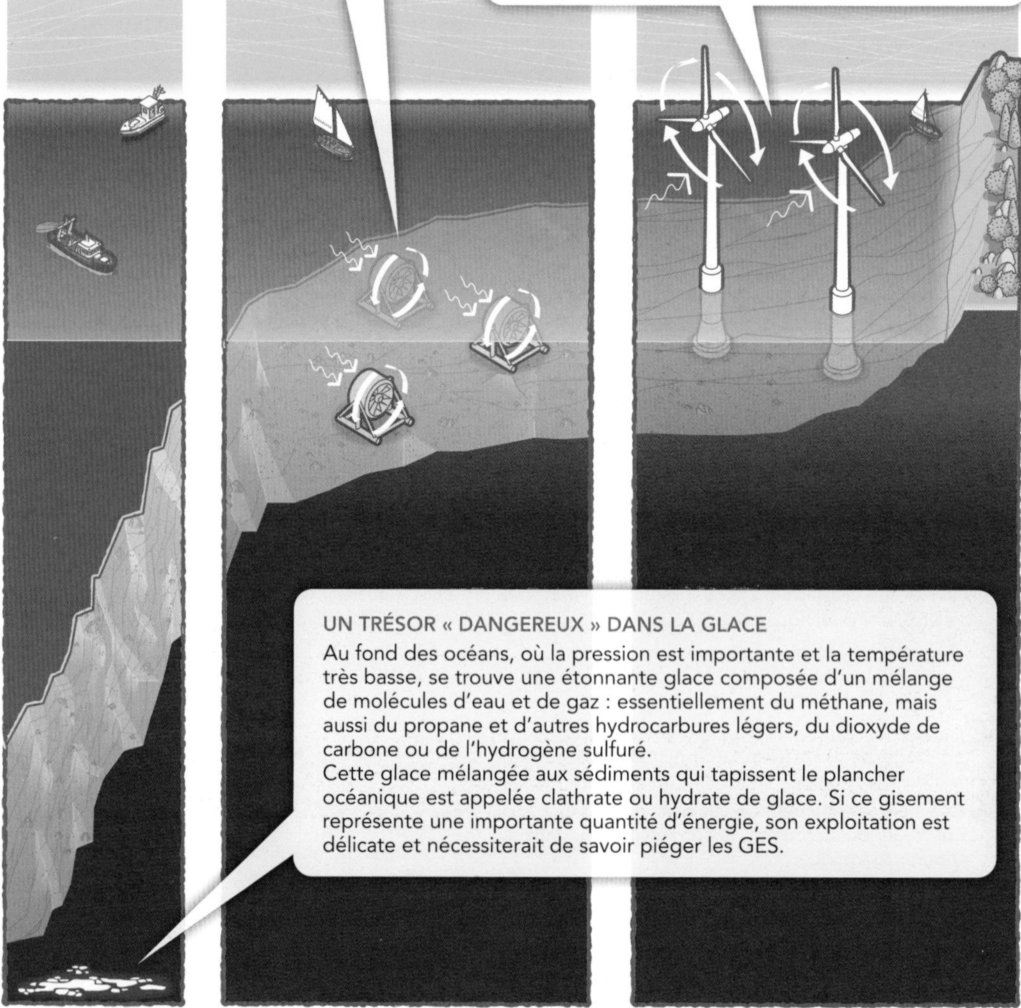

LA PROMESSE DES NOUVEAUX BIOCARBURANTS

Les biocarburants, dont la première génération, issue de plantes alimentaires, fait déjà tourner le moteur de nos automobiles, n'ont pas bonne presse. Contrairement à la première génération, les futurs biocarburants pourront être élaborés en utilisant la totalité de plantes n'entrant pas en compétition avec les productions alimentaires. Ainsi, le *Jatropha curcas* est une espèce non comestible qui pousse en climat tropical à subtropical. Elle est un biocarburant de deuxième génération. Actuellement, la recherche travaille à produire des biocarburants de troisième génération à partir de micro-algues.

L'HOMME, SOURCE D'ÉNERGIE ?

Le concept ne date pas d'hier : c'est la force de nos mollets qui alimente l'éclairage de notre vélo, les montres automatiques qui fonctionnent grâce aux mouvements du poignet.
Le moindre de nos mouvements pourrait être utilisé comme une source d'énergie. En 2010, les Toulousains ont pu essayer des dalles productrices d'énergie : le trottoir aménagé transformait les vibrations des pas en énergie pouvant alimenter des lampadaires. La ville de Londres aurait prévu d'installer 16 000 dalles lumineuses pour les Jeux olympiques de 2012. À Hong Kong, une société voudrait utiliser l'énergie récupérée des marcheurs pour faire fonctionner des escalators.

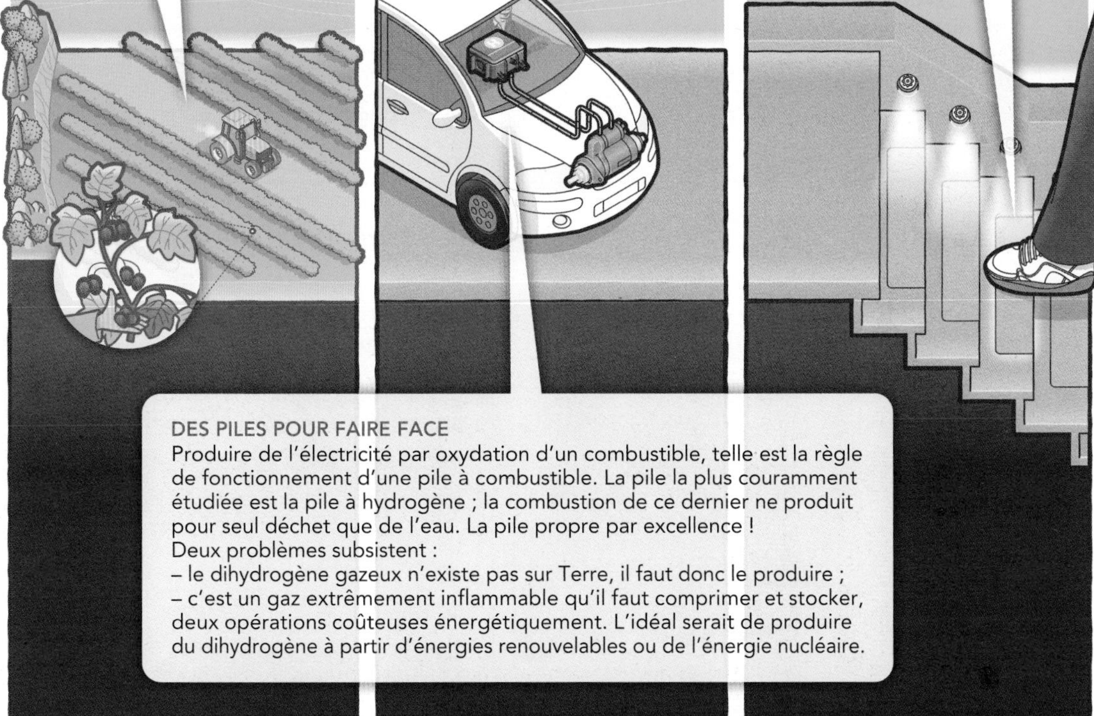

DES PILES POUR FAIRE FACE

Produire de l'électricité par oxydation d'un combustible, telle est la règle de fonctionnement d'une pile à combustible. La pile la plus couramment étudiée est la pile à hydrogène ; la combustion de ce dernier ne produit pour seul déchet que de l'eau. La pile propre par excellence !
Deux problèmes subsistent :
– le dihydrogène gazeux n'existe pas sur Terre, il faut donc le produire ;
– c'est un gaz extrêmement inflammable qu'il faut comprimer et stocker, deux opérations coûteuses énergétiquement. L'idéal serait de produire du dihydrogène à partir d'énergies renouvelables ou de l'énergie nucléaire.

1 Quels sont les critères de recherche de nouvelles ressources énergétiques ?

2 Pour chaque nouvelle ressource énergétique envisagée, préciser la nature de la ressource, le type de transformation et les éventuels déchets formés.

Un pas vers le cours...

3 Doit-on imaginer une réponse unique ou des réponses multiples au défi énergétique planétaire du XXIe siècle ?

Essentiel

Les enjeux énergétiques du XXIe siècle

La demande mondiale en énergie est de plus en plus importante. Il est donc nécessaire de veiller à assurer un approvisionnement **suffisant et sûr**, réduire la dépendance envers les importations d'énergie, réaliser des investissements adéquats dans les nouvelles technologies et faire face à leurs conséquences environnementales, en particulier l'effet de serre.

Améliorer l'utilisation des ressources actuelles	Développer de nouvelles ressources
• Énergie éolienne. • Énergie solaire. • Énergie hydraulique. • Biomasse. • Géothermie. • Développement de centrales nucléaires de quatrième génération.	• Exploitation des hydrates de gaz. • Développement de parcs d'hydroliennes. • Recherche de centrales à fusion.

Bilan énergétique dans l'habitat et dans le transport

On réalise le bilan énergétique d'un système en évaluant l'énergie apportée au système ainsi que les pertes d'énergie de ce même système.

Le bilan énergétique permet d'avoir une vision globale d'un système et donc de repérer s'il est possible de réaliser des économies d'énergie.

Solutions permettant de réaliser des économies d'énergie

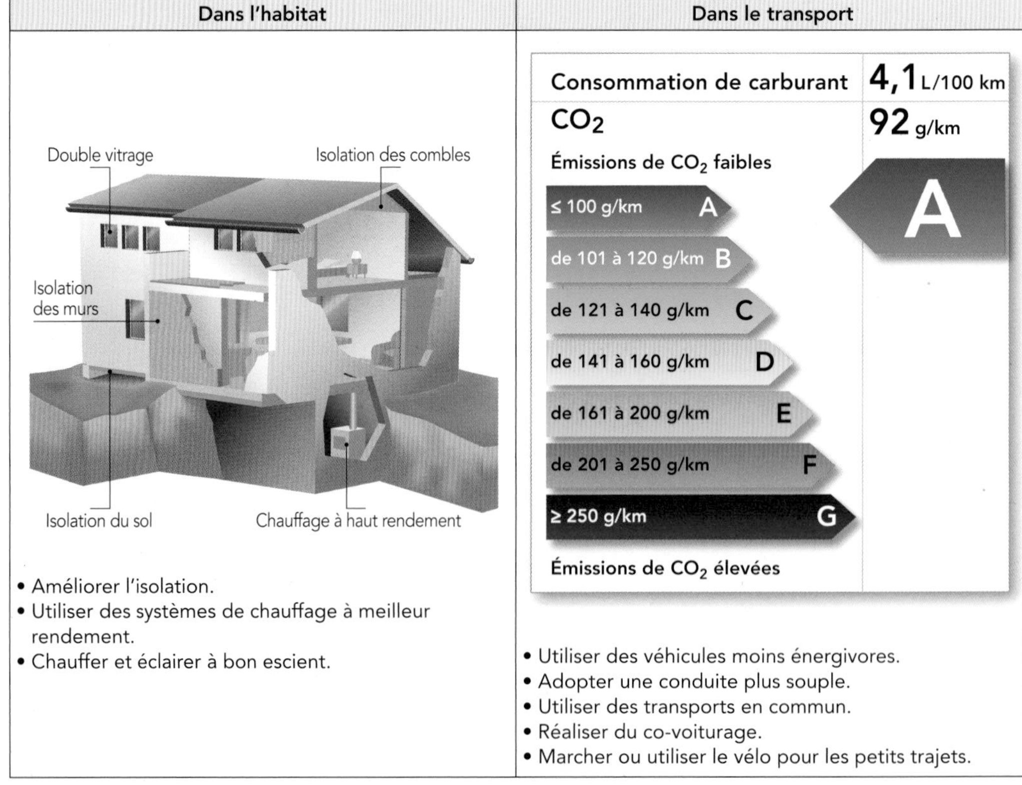

Dans l'habitat	Dans le transport
• Améliorer l'isolation. • Utiliser des systèmes de chauffage à meilleur rendement. • Chauffer et éclairer à bon escient.	• Utiliser des véhicules moins énergivores. • Adopter une conduite plus souple. • Utiliser des transports en commun. • Réaliser du co-voiturage. • Marcher ou utiliser le vélo pour les petits trajets.

Pour chaque question, indiquer la (ou les) bonne(s) réponse(s).

Voir corrigés, p. 606.

1 Les enjeux énergétiques du XXIe siècle	A	B	C
1. Un des paramètres à prendre en compte pour comprendre les choix énergétiques est :	l'augmentation des ressources énergétiques mondiales.	la baisse des ressources énergétiques fossiles.	l'augmentation de l'émission de gaz à effet de serre.
2. Pour lutter efficacement contre le réchauffement climatique, il faut :	faire des économies d'énergie.	développer la part de l'utilisation des ressources fossiles.	développer la part de l'utilisation des ressources renouvelables.
3. La principale cause du réchauffement climatique est :	l'émission de gaz à effet de serre.	l'épuisement des ressources énergétiques au niveau mondial.	l'utilisation de l'énergie d'origine nucléaire.
4. La recherche de nouvelles ressources énergétiques se fait :	par suite d'une demande croissante d'énergie.	parce que leur mise en œuvre utilise des systèmes plus esthétiques.	pour minimiser la pollution.

Si erreur, revoir essentiel, p. 422.

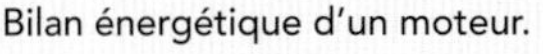
Bilan énergétique d'un moteur.

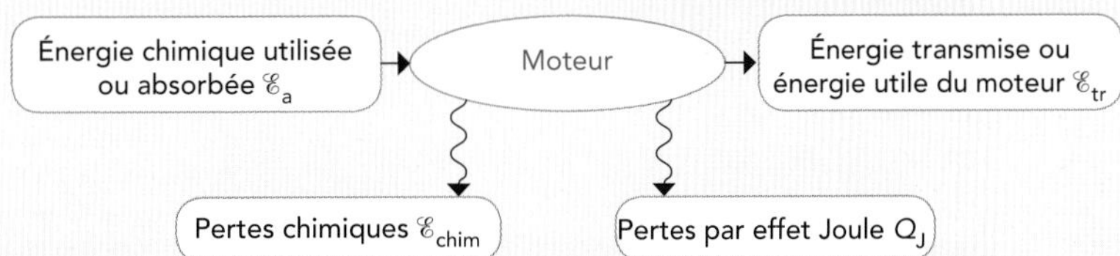

2 Bilan énergétique dans l'habitat et dans le transport	A	B	C
1. Pour faire un bilan énergétique, il faut :	définir précisément le système étudié.	repérer les échanges énergétiques entre le système et l'extérieur.	repérer uniquement les pertes énergétiques.
2. Un transfert thermique reçu réellement par un système est compté :	négativement.	positivement.	négativement ou positivement suivant la nature du transfert.
3. Le bilan énergétique du moteur schématisé ci-dessus peut s'exprimer par :	$\frac{\mathscr{E}_a}{\mathscr{E}_{tr}}$	$\mathscr{E}_a = \mathscr{E}_{chim} + Q_j + \mathscr{E}_{tr}$	Pertes $= \mathscr{E}_a - \mathscr{E}_{tr}$
4. Les pertes thermiques d'une habitation peuvent être dues :	à une cheminée à foyer ouvert.	au radiateur électrique utilisé.	à une mauvaise isolation des murs.

Si erreur, revoir essentiel, p. 422.

3 Solutions permettant de réaliser des économies d'énergie	A	B	C
1. Pour réaliser des économies d'énergie :	on utilise son vélo.	on utilise de préférence des ressources renouvelables.	on améliore l'isolation thermique de la maison.
2. Diminuer la consommation énergétique demande :	une consommation plus raisonnée.	de ne plus se chauffer.	de poursuivre des recherches scientifiques.

Si erreur, revoir essentiel, p. 422.

Exercice résolu

COMPÉTENCES
- Extraire et exploiter l'information utile.
- Faire preuve d'esprit critique.

4 Comprendre le concept d'énergie « concentrée »

Énoncé

Le texte suivant est extrait du site « Jeunes » du CEA :

« Énergies diluées ou concentrées
De même qu'un billet de 50 euros permet d'acheter la même quantité de marchandises que 50 pièces de 1 euro, certaines formes d'énergie sont [plus] concentrées [que d'autres pour une même quantité] [...].

L'énergie de gravitation
L'énergie de gravitation n'est appréciable que si des masses considérables sont en jeu. On sait que 1 kg d'eau tombant de 100 m ne fournit que 981 J et que 1 kWh vaut 3 600 000 J. [...]
Pour libérer seulement 1 kW·h, il faut faire chuter (3 600 000 J/981 J/kg), soit 3,67 t d'eau de 100 m. Les centrales hydroélectriques sont donc peu efficaces de ce point de vue. Les énergies mécaniques apparaissant dans notre vie courante ont aussi des ordres de grandeur très faibles. L'énergie cinétique d'une voiture pesant 1 tonne roulant à 100 km/h n'est que de 0,1 kW·h.

Centrale hydroélectrique, barrage Shasta, Californie (USA).

Énergies thermique, radiative et chimique
Dans la catégorie intermédiaire figurent les énergies thermique, radiative et chimique, qui, pour les usages courants, se mesurent en nombre de l'ordre du kW·h par kg de matière. Il faut fournir 0,1 kW·h pour faire fondre 1 kg de glace, 0,7 kW·h pour vaporiser 1 kg d'eau à 100 °C. Les appareils électroménagers consomment une puissance électrique comprise entre 0,1 et 5 kW. La combustion de 1 kg de pétrole ou de gaz fournit environ 12 kW·h. Un homme produit de l'énergie biochimique, provenant des aliments digérés et de l'air respiré. Il l'utilise pour maintenir sa température à 37 °C et exercer ses activités ; la puissance correspondante est de 100 W au repos, de 500 W en pleine activité physique.
On peut prendre conscience de l'écart qui sépare [ces énergies de l'énergie de gravitation] en notant que, si l'énergie mécanique d'un œuf tombant du sommet de la tour Eiffel était entièrement transformée en chaleur* et utilisée pour échauffer l'œuf, sa température n'augmenterait que de 0,7 °C.

L'énergie nucléaire
L'énergie nucléaire est de loin une forme d'énergie beaucoup plus concentrée, puisque 1 kg d'uranium naturel fournit une quantité de chaleur* de 100 000 kW·h dans une centrale électrique courante, alors que 1 kg de charbon fournit en brûlant 8 kW·h. C'est pourquoi on ne manipule que d'assez faibles masses de combustible nucléaire pour la production d'électricité : une centrale électronucléaire d'une puissance de 1 000 MW électriques (10^9 W) consomme 27 tonnes d'uranium enrichi par an, le quart de son chargement, alors qu'une centrale thermique de même puissance consomme 1 500 000 tonnes de pétrole par an. En fait, on ne sait extraire industriellement qu'une assez faible part de l'énergie nucléaire emmagasinée dans la matière. Dans le Soleil, 1 kg d'hydrogène produit, par réactions nucléaires, 180 millions de kW·h. »

Centrale nucléaire du Tricastin, dans la Drôme.

Extrait de « Caractéristiques des diverses énergies », *L'Énergie*, www.cea.fr/jeunes/

* Le terme ***chaleur*** signifie ***transfert thermique***.

Exercice résolu

1. Quelle est la source d'information de ce document ? Cette source est-elle fiable ?

2. Montrer que 1 kg d'eau chutant de 100 m produit 981 J, puis convertir ce résultat en kilowatt-heure (kW·h).

3. Calculer l'élévation de température d'un œuf tombant de la tour Eiffel sans vitesse initiale.
On suppose que l'énergie mécanique de l'œuf est entièrement convertie en énergie interne.

4. Expliquez la phrase : « En fait, on ne sait extraire industriellement qu'une assez faible part de l'énergie nucléaire emmagasinée dans la matière. »

5. Quels types de réactions nucléaires sont mis en jeu dans le Soleil et dans une centrale nucléaire ?

6. À partir des données du texte, classer les ressources énergétiques citées de la plus concentrée à la plus diluée.

Données : $g = 9{,}81\ \text{m}\cdot\text{s}^{-2}$; $c_{eau} = 4{,}18\ \text{kJ}\cdot\text{kg}^{-1}\cdot{}^\circ\text{C}^{-1}$.

Conseils

1. Voir **fiche n° 1**, p. 580.

2. L'énergie potentielle de pesanteur s'exprime par $\mathscr{E}_{pp} = m\cdot g\cdot z$, où z est l'altitude du système repérée sur un axe (Oz) orienté vers le haut. La référence des énergies potentielles est choisie à l'altitude nulle.

3. Il faut réfléchir à la conversion d'énergie : le système a une énergie mécanique ; cette énergie est convertie en énergie interne.

4. Rechercher la ressource fissile utilisée dans les centrales nucléaires. Est-elle abondante sur Terre ?

5. Le type de réaction nucléaire dépend de la masse des noyaux impliqués.

6. Pour classer les ressources énergétiques de la plus concentrée à la plus diluée, il faut comparer l'énergie par unité de masse.

Solution rédigée

1. Le CEA (commissariat à l'énergie atomique et aux énergies alternatives) est un organisme de recherche français. La source est scientifiquement valide.

2. Cette énergie est une énergie potentielle de pesanteur : $\mathscr{E}_{pp} = m\cdot g\cdot z$.

AN :
$$\mathscr{E}_{pp} = 1{,}00 \times 9{,}81 \times 100 = \mathbf{981\ J}$$
$$\mathscr{E}_{pp} = \frac{981}{3{,}6 \times 10^6} = \mathbf{0{,}27 \times 10^{-3}\ kW\cdot h}$$

3. La variation d'énergie potentielle de pesanteur de l'œuf est convertie en énergie interne :
$$\Delta\mathscr{E}_{pp} = m\cdot g\cdot z = m\cdot c\cdot\Delta\theta, \quad \text{soit :}$$
$$\Delta\theta = \frac{g\cdot z}{c} = \frac{9{,}81 \times 300}{4{,}18 \times 10^3} = \mathbf{0{,}7\ ^\circ C.}$$

4. Dans les centrales nucléaires, on n'utilise que l'énergie issue de l'isotope 235 de l'uranium. Cet isotope représente environ 1 % de l'uranium naturel.

5. Les réactions dans le Soleil sont des réactions de **fusion nucléaire** engageant des noyaux légers d'hydrogène, alors que dans une centrale nucléaire les réactions se produisant sont des réactions de **fission nucléaire** à partir de noyaux lourds.

6. Ressource concentrée ↓ Ressource diluée

Fusion de l'hydrogène ($1{,}8 \times 10^8\ \text{kW}\cdot\text{h}\cdot\text{kg}^{-1}$) >
fission de l'uranium ($1{,}0 \times 10^5\ \text{kW}\cdot\text{h}\cdot\text{kg}^{-1}$) >
combustion du pétrole ou du gaz ($12\ \text{kW}\cdot\text{h}\cdot\text{kg}^{-1}$) >
combustion du charbon ($8{,}0\ \text{kW}\cdot\text{h}\cdot\text{kg}^{-1}$) >
chute de 100 m d'eau ($2{,}7 \times 10^{-3}\ \text{kW}\cdot\text{h}\cdot\text{kg}^{-1}$).

Application immédiate

Le texte suivant est extrait du site CultureSciences-Physique de l'École normale supérieure de Lyon :

> « Un réacteur électronucléaire de 1 000 MW électriques, dont le rendement est de 33 %, ne consomme que 27 tonnes d'uranium enrichi à 3,2 % par an, […] alors que pour la même puissance une centrale thermique, d'un rendement de 38 %, consommerait 170 tonnes de fuel ou 260 tonnes de charbon à l'heure, et qu'une centrale hydroélectrique nécessiterait la chute de 1 200 tonnes d'eau par seconde, de 100 m de haut.
> La dilution, assez grande, de l'énergie solaire se traduit par le fait qu'il faudrait 30 km² de panneaux solaires semi-conducteurs pour atteindre en moyenne journalière par effet photovoltaïque cette puissance. L'énergie du vent est encore moins adaptée à la production massive d'électricité nécessaire à nos villes, puisqu'il faudrait 1 500 éoliennes de 0,7 MW pour aboutir aux mêmes 1 000 MW. »

1. Quelle est l'information traitée dans ce document ? Quelle est la source d'information ?

2. Montrer que la chute de 100 m de haut de 1 200 t d'eau par seconde produit une puissance de 1 000 MW.

3. À partir des données du texte, classer les ressources énergétiques de la plus concentrée à la plus diluée.

Donnée : $g = 9{,}81\ \text{m}\cdot\text{s}^{-2}$

Voir corrigés, p. 606.

Exercices

Compétences exigibles au baccalauréat

- ✔ Extraire et exploiter des informations sur des réalisations ou des projets scientifiques répondant à des problématiques énergétiques contemporaines. ▶ activité 3
- ✔ Faire un bilan énergétique dans les domaines de l'habitat ou du transport. ▶ exercice 9
- ✔ Argumenter sur des solutions permettant de réaliser des économies d'énergie. ▶ exercice 10

5 De l'éolienne à l'hydrolienne

COMPÉTENCES Extraire et exploiter des informations; faire preuve d'esprit critique.

La toute première hydrolienne française a largué les amarres en Bretagne

« La première hydrolienne à vocation industrielle a quitté son bassin de DCNS (Direction des Constructions Navales) à Brest hier. Amarrée à une barge spécialement conçue pour la transporter, elle va rejoindre le parc hydrolien choisi par EDF au nord de la Bretagne, dans les Côtes-d'Armor. À terme, ce sont quatre turbines de 16 mètres de diamètre qui seront immergées au large de l'île de Bréhat. L'objectif est de produire de l'électricité grâce aux courants marins pour environ deux à trois mille foyers avant fin 2012.
La machine est imposante. **Seize mètres de diamètre**. Une hauteur de 21 mètres. L'équivalent d'**un immeuble de sept étages**.
L'hydrolienne a **quitté** le port de **Brest** hier après-midi ou elle a été assemblée.
Elle était **amarrée à une barge de 56 mètres**, construite à Lorient par les chantiers STX, conçue spécialement pour **la transporter au large de l'île de Bréhat** dans les **Côtes-d'Armor**, où sera installé le **premier parc hydrolien au monde** l'année prochaine.
Pendant plusieurs mois, l'énorme turbine, construite par la société irlandaise Openhydro, *d'un poids de mille tonnes* sera immergée sans produire de l'électricité. Elle sera posée par 35 mètres de fond au large de Paimpol-Bréhat. Les ingénieurs vont tester sa réaction aux courants et au milieu naturel. C'est seulement après que seront construites les trois autres machines du même type. “Dans la taille et les délais du projet, il n'y a rien aujourd'hui de comparable”, a souligné Xavier Ursat, directeur des productions hydrauliques d'EDF. [...]
Fin 2012, ces impressionnantes machines seront alors reliées sous la mer à un “convertisseur” électrique, confiné dans une boîte hermétique, qui sera lui-même raccordé au réseau continental par un câble de 15 kilomètres. “Nous prévoyons une capacité de production électrique totale *de deux mégawatts, ce qui équivaut à peu près à la consommation annuelle de 2 000 à 3 000 foyers*”, a précisé Xavier Ursat.
Les responsables d'EDF et de DCNS mettent en avant le caractère prévisible des sources d'électricité de l'énergie hydrolienne, en l'occurrence les courants et les marées, comme un atout de poids vis-à-vis des éoliennes soumises aux caprices des vents. Dans ce parc hydrolien choisi, les courants peuvent atteindre 3 mètres par seconde. “Il s'agit d'un mode de production respectueux de l'environnement”, ajoute Frédéric Le Lidec de DCNS.
Avant de réaliser ce projet, EDF et DCNS ont tenu plusieurs réunions avec les plaisanciers, les pêcheurs et les associations environnementales. Il faut dire que le site retenu s'installera sur trois hectares de l'une des plus grandes réserves de crustacés en Europe.
Des “compensations” d'un montant de 1,325 million d'euros ont été débloquées par EDF afin de permettre aux pêcheurs d'étudier les réactions du milieu naturel et plus particulièrement les migrations de homards.
Le parc de Paimpol-Bréhat sera un site pilote. D'autres projets d'hydroliennes sont déjà envisagés au large de Cherbourg, en Normandie, ou de l'île d'Ouessant dans le Finistère. D'ici une vingtaine d'années, il pourrait y avoir une centaine d'hydroliennes installées. Elles produiraient de l'électricité pour environ 100 000 foyers.
La France a pour objectif de produire 23 % d'énergie renouvelable d'ici 2020. Elle vient aussi de lancer cinq importants appels d'offres d'éoliennes en mer, d'une capacité totale de 3 gigawatts à l'horizon 2015. »

Extrait de « La toute première hydrolienne française a largué les amarres en Bretagne », site internet de *France Info*, http://www.franceinfo.fr, 01/09/2011.

Immersion de l'hydrolienne.

1. Critiquer la formulation des phrases en *italique* dans le texte.
2. Quelle est la nature de la ressource énergétique exploitée?
3. Schématiser la chaîne énergétique mise en œuvre dans une hydrolienne.
4. Quels avantages présentent l'utilisation d'hydroliennes par rapport aux éoliennes?
5. Quelles incertitudes pèsent encore sur l'avenir de la technologie hydrolienne?

6 Des nanofils pour produire du dihydrogène

COMPÉTENCES Extraire et exploiter des informations ; rédiger.

À partir du document ci-dessous, rédiger une synthèse mettant en évidence les analogies et les différences entre le mode de fonctionnement de la feuille naturelle et celui de la feuille artificielle.

On pourra utilement illustrer le propos avec des réactions chimiques.

Le dihydrogène est un gaz non toxique et très énergétique, capable de produire de l'énergie thermique ou de faire fonctionner des moteurs par combustion directe (moteurs à combustion interne) avec de l'eau pure comme résidu. Il peut même produire directement de l'électricité dans les piles à combustible avec, là encore, comme seul résidu de l'eau. Mais l'hydrogène ne se trouve dans la nature qu'à l'état combiné, surtout dans l'eau et les hydrocarbures. Il est donc nécessaire de le produire et en cela, comme l'électricité, il n'est donc pas à proprement parler une ressource énergétique, mais seulement un vecteur d'énergie.

Des nanofils pour imiter la photosynthèse

Les végétaux utilisent l'énergie solaire pour transformer le dioxyde de carbone et l'eau en glucose, un combustible chimique qu'ils consomment ou stockent (à gauche). Des chercheurs imaginent des feuilles artificielles qui captent la lumière solaire pour décomposer les molécules d'eau en dihydrogène et dioxygène. L'équipe de Nathan Lewis, à l'Institut de technologie de Californie, a conçu une feuille couverte de nanofils en silicium qui pourrait produire du dihydrogène (à droite).

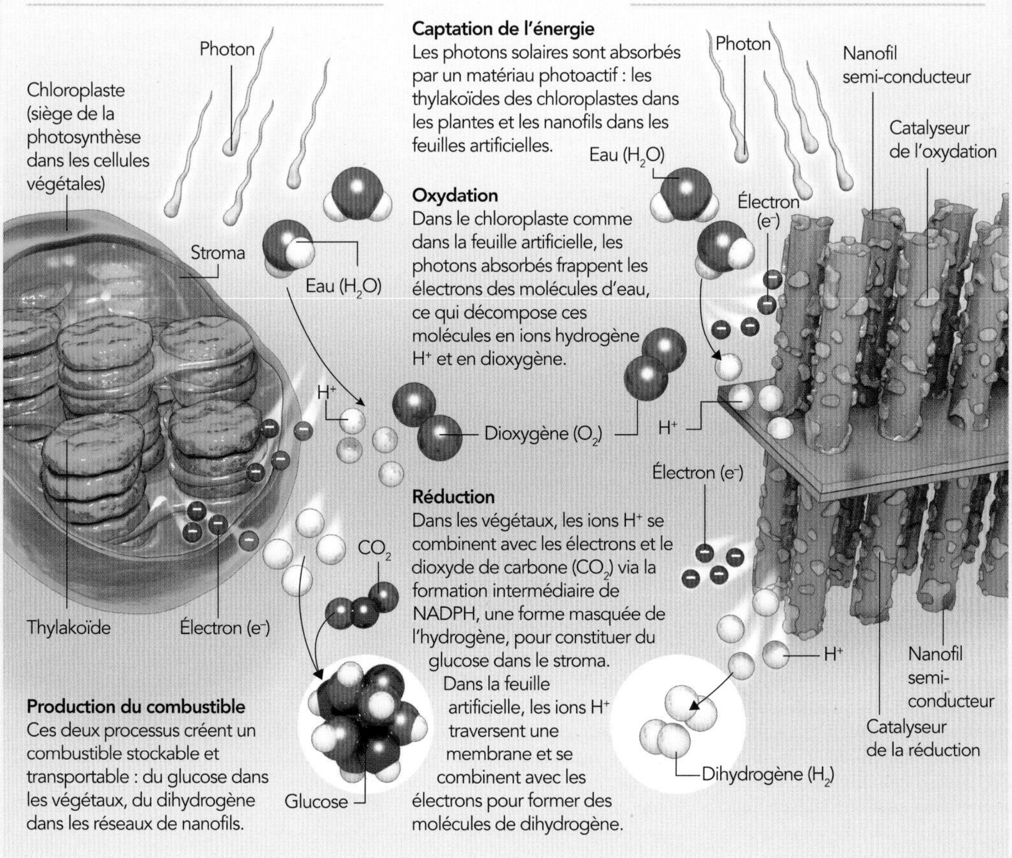

Feuille naturelle — **Feuille artificielle**

Photon
Chloroplaste (siège de la photosynthèse dans les cellules végétales)
Stroma
Eau (H_2O)
H^+
Thylakoïde
Électron (e^-)
CO_2
Glucose

Photon
Nanofil semi-conducteur
Catalyseur de l'oxydation
Eau (H_2O)
Électron (e^-)
Dioxygène (O_2)
H^+
Électron (e^-)
H^+
Dihydrogène (H_2)
Nanofil semi-conducteur
Catalyseur de la réduction

Captation de l'énergie
Les photons solaires sont absorbés par un matériau photoactif : les thylakoïdes des chloroplastes dans les plantes et les nanofils dans les feuilles artificielles.

Oxydation
Dans le chloroplaste comme dans la feuille artificielle, les photons absorbés frappent les électrons des molécules d'eau, ce qui décompose ces molécules en ions hydrogène H^+ et en dioxygène.

Réduction
Dans les végétaux, les ions H^+ se combinent avec les électrons et le dioxyde de carbone (CO_2) via la formation intermédiaire de NADPH, une forme masquée de l'hydrogène, pour constituer du glucose dans le stroma. Dans la feuille artificielle, les ions H^+ traversent une membrane et se combinent avec les électrons pour former des molécules de dihydrogène.

Production du combustible
Ces deux processus créent un combustible stockable et transportable : du glucose dans les végétaux, du dihydrogène dans les réseaux de nanofils.

D'après A. Regalado, « L'Hydrogène », *Pour la Science*, n° 405, juillet 2011.

7 Bac L'énergie solaire : une énergie de demain ?

COMPÉTENCES **Extraire et exploiter des informations ; faire preuve d'esprit critique.**

■ Domestiquer l'énergie solaire

L'énergie solaire est disponible partout sur Terre et représente, théoriquement, 900 fois la demande mondiale en énergie.
Chaque mètre carré reçoit en moyenne 2 à 3 kW·h par jour en Europe du Nord, 4 à 6 kW·h en région Provence-Alpes-Côtes d'Azur ou sous les tropiques. Les variations saisonnières ne sont que de 20 % dans ces régions, mais beaucoup plus importantes (d'un facteur 2,5) dans les pays du Nord.

Le solaire thermique est aujourd'hui relativement bien maîtrisé en termes technologique et économique.
Le principe est simple : des capteurs absorbent les photons solaires et les transforment en chaleur*. Cette chaleur* est ensuite transmise à un liquide ou un gaz (fluide caloporteur) qui la transporte vers un réservoir de stockage d'énergie. L'énergie solaire thermique est utilisée principalement pour le chauffage de l'eau ou des locaux.

L'énergie solaire photovoltaïque a l'avantage de convertir directement l'énergie du Soleil en électricité. Cette conversion est possible grâce à un matériau semi-conducteur à base de silicium.

Atomes de bore remplaçant des atomes de silicium

Atomes de phosphore remplaçant des atomes de silicium

Atomes de silicium

250 micromètres d'épaisseur (0,25 mm)

Contacts électriques

15 cm

15 cm

Avec un contact électrique, les électrons se déplacent dans le circuit et génèrent un courant électrique.

En traversant la cellule photovoltaïque, les photons arrachent des électrons aux atomes de silicium.

L'énergie solaire à concentration
L'énergie thermique du Soleil permet aussi de produire de l'électricité.
Des miroirs cylindroparaboliques, longs d'une centaine de mètres, concentrent la chaleur* sur un tube récepteur contenant un fluide caloporteur ; le fluide génère ensuite de la vapeur qui est turbinée pour produire de l'électricité.

D'après « Domestiquer l'énergie solaire », *Énergies du XXIe siècle*, livret n° 19 du CEA, novembre 2010.

* chaleur = transfert thermique

■ Premier parc solaire intégré à un domaine forestier

Le premier parc solaire intégré à un domaine forestier a été inauguré vendredi 28 octobre [2011] à Mios, dans le département de la Gironde par le groupe Ylliade et juwi EnR, en présence du Sous-Préfet d'Arcachon et du Maire de la commune de 6 650 habitants.
Ce parc solaire s'inscrit dans un projet original de diversification d'un domaine forestier qui a été durement touché par les tempêtes de 1999 et 2009. D'où une transition douce de la monoculture du pin maritime, vers des plantations plus variées, acacias, eucalyptus, etc. La résilience et la biodiversité de cette forêt pilote de plus de 2 000 hectares en sortent renforcées.
D'une puissance de 8,5 MWc*, ce parc produit l'équivalent de la consommation électrique de 4 350 habitants, soit celle de deux tiers des habitants de Mios, pour une surface occupée de moins de 0,2 % du territoire de la commune, sur des parcelles très sinistrées.
La construction d'une deuxième tranche, qui est en projet, permettrait à Mios de devenir "une commune à énergie renouvelable positive."

Extrait de « Mios (Gironde) : 1er parc solaire intégré à un domaine forestier », www.enerzine.com

* Le « Watt crête » (Wc) définit la puissance de production photovoltaïque sous un ensoleillement standard de référence (rayonnement incident normal de 1 000 W, pression de 1 013 hPa, température des modules de 25 °C).

Le Sahara, gigantesque ferme solaire : une utopie ?

« Des capteurs solaires sur un vingtième de la surface du Sahara fourniraient assez d'électricité pour approvisionner le monde entier. Le problème est d'exporter cette énergie à un coût raisonnable...

Des champs de capteurs solaires cylindro-paraboliques implantés sur 1/20 de la surface du Sahara suffiraient pour couvrir la consommation mondiale d'électricité qui est d'environ 18 000 TW·h/an. Fort de ce constat, le réseau TREC (*Trans-Mediterranean Renewable Energy Cooperation*), en collaboration avec le centre aérospatial allemand (DLR) dans le cadre du **Projet Desertec**, mène depuis quelques années des études dans le but d'évaluer la faisabilité d'un concept visant à produire de l'électricité et de l'eau douce au moyen de centrales solaires à concentration implantées dans le Sahara. L'idée est de produire de l'eau douce par des procédés de dessalement de l'eau de mer (par distillation ou par membrane) qui utilisent une part de l'électricité ou de la chaleur produite par l'installation solaire. Le projet vise, d'une part, à donner des perspectives de développement pour ces pays du Sahara et, d'autre part, à exporter une part de l'électricité produite pour satisfaire la demande européenne en énergie verte.

Comme souvent, le coût d'un tel projet est le principal frein à son accomplissement. Le transport de l'électricité sur de longues distances devra se faire en courant continu haute tension, mais le coût de cette technologie reste très élevé (environ 500 M€/1 000 km pour une ligne CCHT* de 2 GW). [...]

Valoriser ce potentiel d'énergie inépuisable des déserts nécessitera aussi la mise en place de mécanismes d'incitation et d'instruments promotionnels (tarifs de rachats, certificats verts) pour rendre ces investissements concurrentiels. Les tarifs de rachat garantissent un tarif fixe de rachat de la production d'électricité d'origine renouvelable qui permet à l'investisseur de rentrer dans ses coûts. »

Zones d'ensoleillement maximal sur Terre.

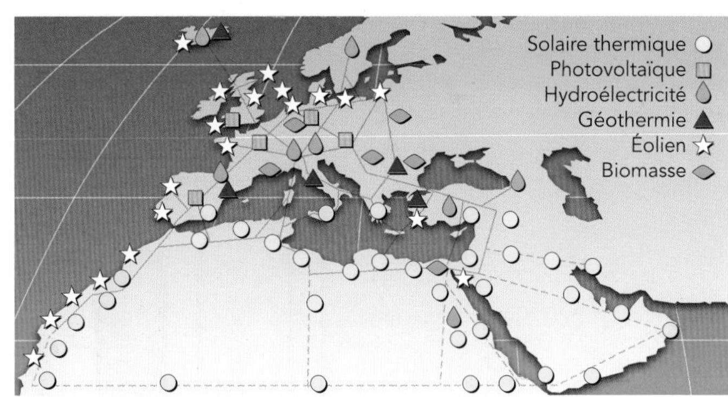

Carte du projet Desertec montrant comment les gisements d'énergie de l'Europe et de la région méditerranéenne pourraient être mis en commun.

Extrait de A. Ahmoud, « Le Sahara, gigantesque ferme : une utopie ? », site http://lexpansion-lexpress.fr, juin 2009.

* CCHT = courant continu haute tension.

1. Résumer en quelques lignes le principe de fonctionnement d'une cellule photovoltaïque.
2. Justifier la répartition géographique des centrales exploitant les énergies solaire, éolienne, hydraulique et de la biomasse.
3. Quels sont les objectifs du projet Desertec ?
4. Représenter la chaîne énergétique mise en jeu dans une ferme solaire.
5. Quels inconvénients présente une implantation massive de fermes solaires dans les régions à fort ensoleillement ?
6. Expliquer comment de l'énergie produite dans une installation solaire pourrait être utilisée dans une centrale hydraulique.
Quels en seraient les intérêts ?

8 Innover pour l'énergie nucléaire

COMPÉTENCES **Extraire et exploiter des informations; faire preuve d'esprit critique.**

L'énergie nucléaire est née à la fin des années 1930 avec la découverte de la réaction de fission. Mais ce n'est qu'en décembre 1953, en pleine guerre froide, que l'énergie nucléaire est utilisée à des fins civiles.
Le président américain Eisenhower incite à développer cette nouvelle énergie « pour servir l'humanité », lors de son discours « *Atoms for Peace* » devant l'ONU. D'autres états se lancent parallèlement dans cette voie : la Russie, la France et la Grande-Bretagne.

Comment ça marche ?
Pour produire de l'électricité de manière industrielle, on utilise une turbine qui transmet à un alternateur une force suffisante pour le mettre en rotation rapide.
Celui-ci va alors transformer en énergie électrique l'énergie mécanique qui lui est communiquée.
Dans une centrale nucléaire, la turbine peut être alimentée par de la vapeur sous pression.
Dans ce cas, on a recours à une « chaudière » qui produit la chaleur* à partir de laquelle la vapeur est générée. Mais tandis qu'une centrale thermique brûle du charbon, du pétrole ou du gaz, un réacteur nucléaire produit de la chaleur* par des réactions de fission de noyaux atomiques tels que ceux de l'uranium.
Toute chaudière a besoin d'un « fluide caloporteur » pour évacuer la chaleur* à transmettre.
Dans les centrales nucléaires actuellement en service, ce fluide est tout simplement de l'eau.
Dans les « systèmes nucléaires du futur », le rôle de caloporteur pourra être assuré par un métal liquide, comme le sodium ou le plomb, ou par un gaz, l'hélium.

Des réacteurs de 4e génération
En France, le CEA travaille sur deux filières : le réacteur à neutrons rapides et caloporteur sodium (RNR-Na ou SFR) et le réacteur à neutrons rapides et caloporteur gaz (RNR-G ou GFR, dans ce cas le gaz est l'hélium).
La technologie des réacteurs nucléaires à neutrons rapides permet d'utiliser les réserves d'uranium (estimées à 60 ans actuellement) pendant plusieurs milliers d'années.
Ainsi, le CEA s'est engagé sur la conception d'un prototype innovant de réacteur refroidi au sodium.
L'objectif est de préparer le déploiement industriel d'une telle filière dans le parc français à l'horizon 2040, en privilégiant des recherches en innovations.
Quatre objectifs principaux ont été définis pour caractériser les systèmes du futur. Ils doivent être à la fois :
– **durables**, c'est-à-dire économes des ressources naturelles et respectueux de l'environnement ;
– **économiques**, pour minimiser le coût du kW·h ;
– **sûrs et fiables**, pour minimiser les risques d'accident ;
– **résistants vis-à-vis des risques de prolifération** et susceptibles d'être aisément protégés contre les agressions externes.

D'après « Innover pour l'énergie nucléaire », *Énergie du XXIe siècle*, livret n° 19 du CEA, novembre 2010.

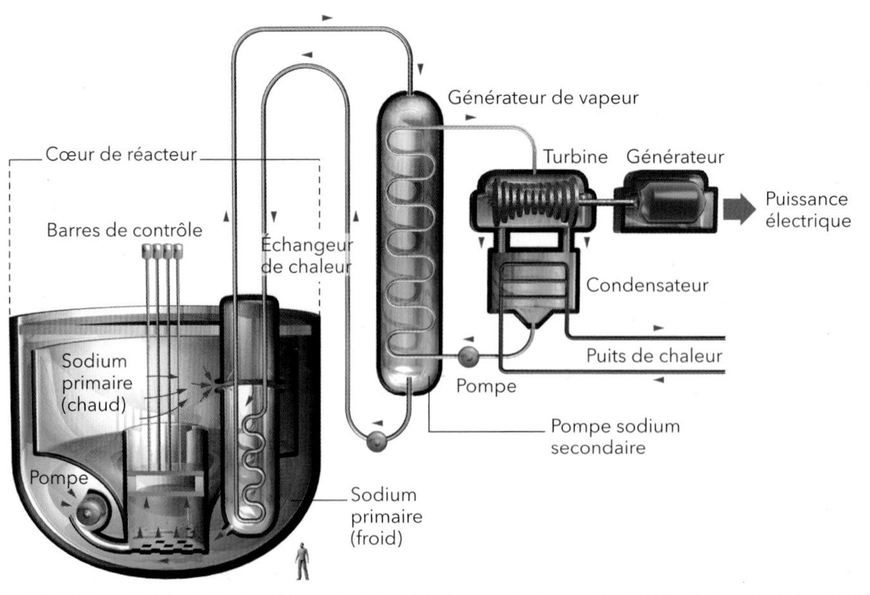

* chaleur = transfert thermique.

Le nucléaire sans uranium

Il existe une autre manière de produire de l'électricité nucléaire que celle mise en place depuis 50 ans ! En particulier, des réacteurs dits « à sels fondus » à base de thorium plutôt que d'uranium, feraient aussi bien, mais sans risquer de provoquer des Tchernobyl ou des Fukushima ! La solution rêvée pour l'avenir ?

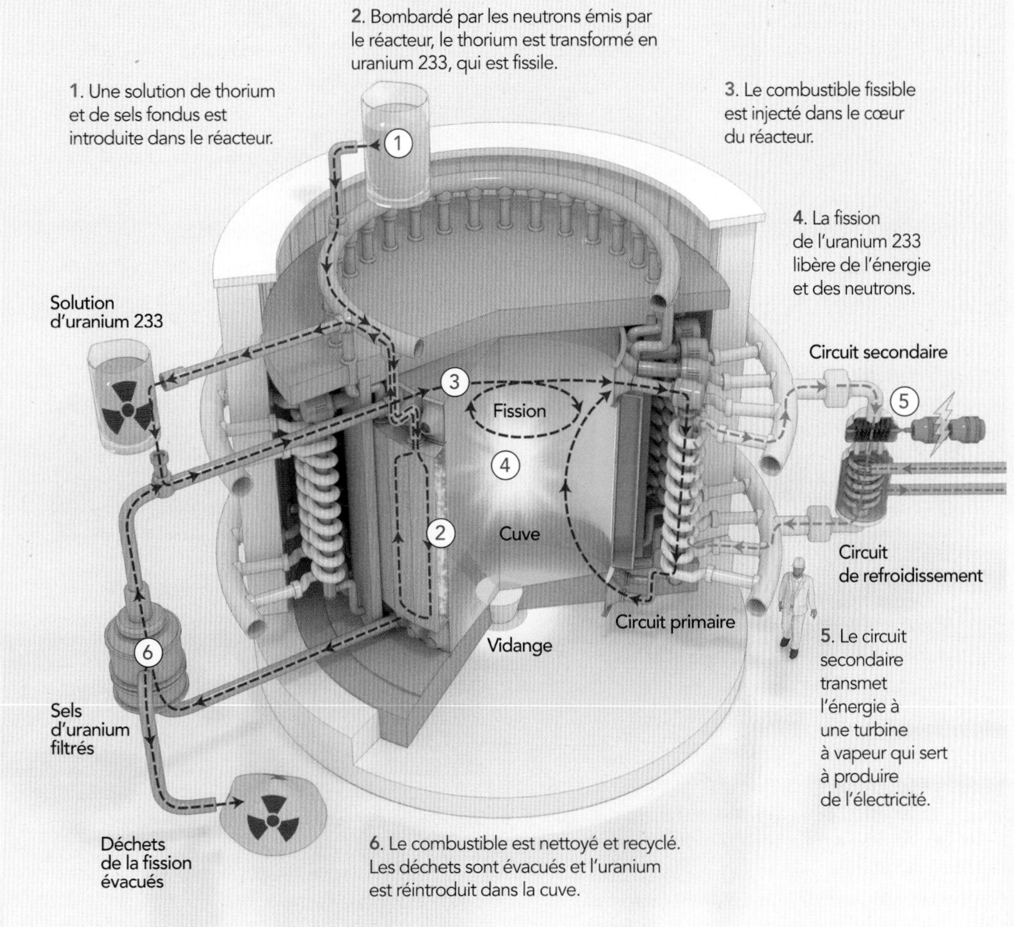

2. Bombardé par les neutrons émis par le réacteur, le thorium est transformé en uranium 233, qui est fissile.

1. Une solution de thorium et de sels fondus est introduite dans le réacteur.

3. Le combustible fissible est injecté dans le cœur du réacteur.

4. La fission de l'uranium 233 libère de l'énergie et des neutrons.

Solution d'uranium 233

Circuit secondaire

Fission

Cuve

Circuit de refroidissement

Circuit primaire

Vidange

5. Le circuit secondaire transmet l'énergie à une turbine à vapeur qui sert à produire de l'électricité.

Sels d'uranium filtrés

Déchets de la fission évacués

6. Le combustible est nettoyé et recyclé. Les déchets sont évacués et l'uranium est réintroduit dans la cuve.

Quelques avantages qui changent tout

– Les ressources en thorium sont immenses (très abondant sur Terre le minerai de thorium est totalement utilisable).
– Le cœur ne peut pas s'emballer (la quantité de combustible est ajustée au fur et à mesure de l'utilisation).
– Les problèmes de pression sont réglés (les réacteurs à sels fondus fonctionnent à la pression atmosphérique).
– La question du refroidissement en cas de panne est résolu (le combustible liquide est tout simplement vidangé).
– La quantité de déchets à vie longue est 104 fois moindre que dans une centrale nucléaire classique.

D'après V. Nouyrigat, « Le nucléaire sans uranium », *Science&Vie*, n° 1130, novembre 2011.

1. Quel sont les avantages et les inconvénients d'utiliser des ressources fissiles ?
2. Pourquoi le CEA cherche-t-il à développer des réacteurs de quatrième génération ?
3. Identifier la nature du combustible fissile et du fluide caloporteur des réacteurs de 4e génération évoqués.
4. Quels avantages l'utilisation des réacteurs dits « à sels fondus » présente-t-elle ?

9 Étude thermique d'une habitation

COMPÉTENCES Extraire et exploiter l'information utile ; calculer.

Un bilan énergétique d'une villa des années 2000 a permis d'évaluer les transferts thermiques annuels ci-dessous :

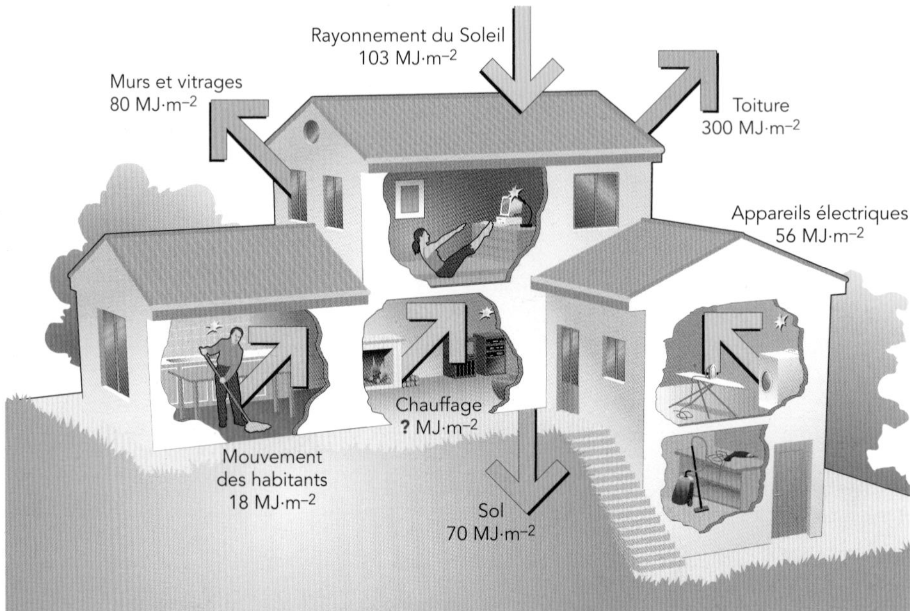

1. Quel est le système étudié sur le document ci-dessus ?

2. Sur le schéma ci-dessus, identifier à quels niveaux de l'habitation ont lieu :
a. les pertes thermiques ;
b. les apports thermiques.
c. Effectuer le bilan énergétique du système.

3. Exprimer, puis calculer le transfert thermique que doit fournir le chauffage pour maintenir la température de l'habitation constante.

4. Le propriétaire de la maison souhaite diminuer sa facture de chauffage. Il se rend pour cela dans un magasin de bricolage qui lui fournit le document ci-contre. Ce document explique que les zones de déperdition thermique peuvent être repérées en utilisant la thermographie infrarouge.
a. Où se situe le domaine de longueurs d'onde des rayonnements infrarouge ?
b. Les pertes identifiées à la question 1 se retrouvent-elles sur la thermographie de la brochure présentée ci-contre ?
c. Quelles solutions le propriétaire peut-il envisager pour diminuer la déperdition thermique de son habitation ?

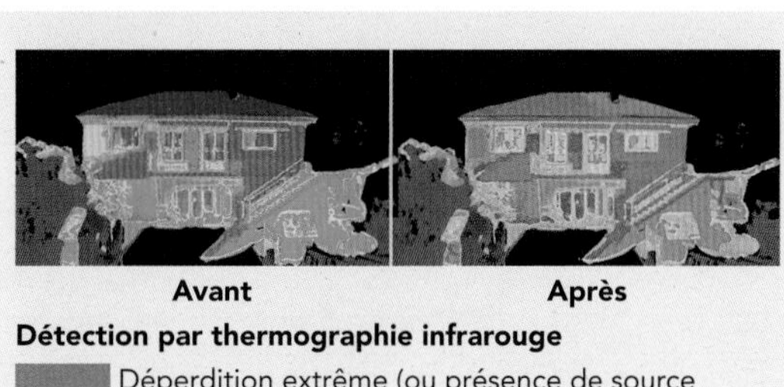

Avant **Après**

Détection par thermographie infrarouge

- Déperdition extrême (ou présence de source de chaleur ou inertie du bâtiment)
- Forte déperdition
- Déperdition moyenne
- Déperdition normale
- Déperdition faible
- Aucune déperdition ou bâtiment non chauffé.

Traiter toutes les fuites d'air

En isolation, une règle d'or : traiter toute la maison et ne négliger aucune zone, même la plus petite.
Il faut donc non seulement isoler les grandes surfaces (toiture, murs, sols, etc.), mais aussi les points de jonction de la construction (nez de la dalle, angles, etc.), les fenêtres et les coffres de volets roulants, l'entrée d'une cheminée à foyer ouvert, les passages de gaines, etc.

Extrait de http://www.vous-propose.com/leroymerlin/2011

10 La construction durable : un formidable défi !

COMPÉTENCES Extraire et exploiter l'information utile ; calculer.

En France, dans l'optique d'une division par quatre des émissions de gaz à effet de serre, le Grenelle de l'environnement a fixé des objectifs de réduction de la consommation des bâtiments. Atteindre ces objectifs constitue un double défi, technologique et organisationnel…

Un lycée HQE à Calais

Inauguré en 1998, le Lycée Léonard de Vinci de Calais est le premier établissement en France à adopter de façon aussi complète le label HQE (haute qualité environnementale).

Les terrasses végétalisées fixent les poussières et donc épurent aussi l'eau de pluie et les rosées qu'elles recueillent. Ces terrasses végétalisées amortissent également les chocs thermiques. L'évapotranspiration des plantes et l'évaporation de l'eau du substrat rafraîchissent la couche d'air. Les eaux pluviales sont utilisées pour le réseau d'eau non potable.
Bilan : un lycée ultramoderne, lumineux et convivial.
Le projet a couté 15 % plus cher qu'un lycée « normal », mais la conception permet une économie d'environ 30 % sur les dépenses en énergie et en eau.
En pleine production, l'alimentation en énergie électrique du lycée est assurée par une éolienne de 135 kW, un co-générateur au gaz naturel de 230 kW et des panneaux photovoltaïques de 5 kW.

D'après le site du lycée Léonard de Vinci de Calais : www4.ac-lille.fr/~vincicalais/

■ **Lycée HQE : dix ans de vie, et toujours un exemple**

« […] **La haute qualité environnementale, comment ?**
"Le principe prévalait dès la fabrication des matériaux, rappelle Gérard Bonnel. *Elle devait générer le moins de pollution possible. Au lieu de faire venir du bois de pays qui organisaient la déforestation, il a fallu trouver des bois de pays qui replantaient. Les bétons pouvaient être faits en région parisienne, mais finalement, ils sont venus de Marquise : même s'ils étaient un peu plus chers, cela permettait de limiter les émissions de CO_2. Le principe HQE était aussi appliqué pendant la construction : c'était ainsi la première fois qu'un tri sélectif des déchets était effectué sur un chantier. Avant de quitter le chantier, les camions lavaient leurs roues dans un bassin pour ne pas salir les routes. La haute qualité environnementale est prévue jusque dans la perspective de la déconstruction du lycée : 95 % des matériaux sont recyclables."*

La HQE au quotidien
L'énergie que consomme le lycée Léonard-de-Vinci est "propre". Le symbole le plus frappant en est son éolienne. Mais le lycée possède aussi des panneaux solaires, des pompes à chaleur, bien moins à la mode il y a dix ans qu'aujourd'hui, un générateur à gaz pour la production d'électricité. L'eau qui sert à le refroidir est ensuite utilisée dans le réseau de chauffage. L'établissement récupère les eaux de pluie par un système original de terrasses végétalisées. Mille capteurs permettent de détecter une présence dans une pièce, et donc d'adapter l'éclairage et le chauffage. »

Extrait de A. Michaud, « Lycée HQE : dix ans de vie, et toujours un exemple » *La voix du Nord*, 16/03/2009.

1. Expliquer en quelques mots ce que signifie un lycée HQE.

2. Donner des arguments permettant de critiquer le mot souligné dans l'extrait de l'article du journal.

3. Quels sont les avantages à avoir des terrasses végétalisées sur le toit des bâtiments ?

4. a. Le co-générateur au gaz naturel permet aussi le chauffage du lycée. Schématiser la chaîne énergétique correspondant à ce dispositif.
b. Le lycée consomme une puissance électrique de 330 kW. Comparer sa consommation et sa production maximale d'électricité. Conclure.

Retour sur l'ouverture du chapitre

11 L'équilibre Nord-Sud

COMPÉTENCE Faire preuve d'esprit critique.

Avec l'augmentation de la population et la croissance économique mondiales, la consommation d'énergie ne cesse d'augmenter, et l'écart Nord-Sud se creuse. En Afrique, la consommation d'énergie par habitant n'a pratiquement pas augmenté dans les années 90, elle représente moins de 10 % de celle d'un habitant d'Amérique du Nord. Pour de nombreux habitants de la planète, la biomasse (bois et déchets organiques) est la seule source d'énergie.

Les cartes suivantes présentent quelques indicateurs publiés par l'Agence internationale de l'énergie (IEA) pour l'année 2010 :

Carte 1 **Consommation d'électricité par habitant**

571 1 956 2 471 3 378 6 443 8 618 11 113

kW·h/habitant

Carte 2 **Importation d'énergie**

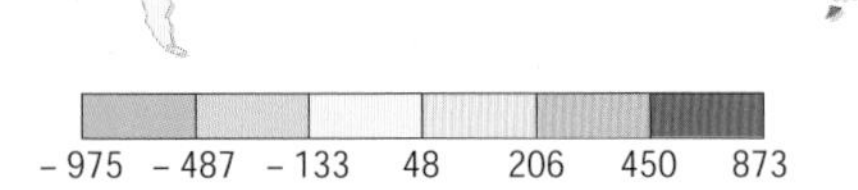

Mtep* *tep : tonne équivalent pétrole (unité d'énergie)

Carte 3 **Production d'énergie**

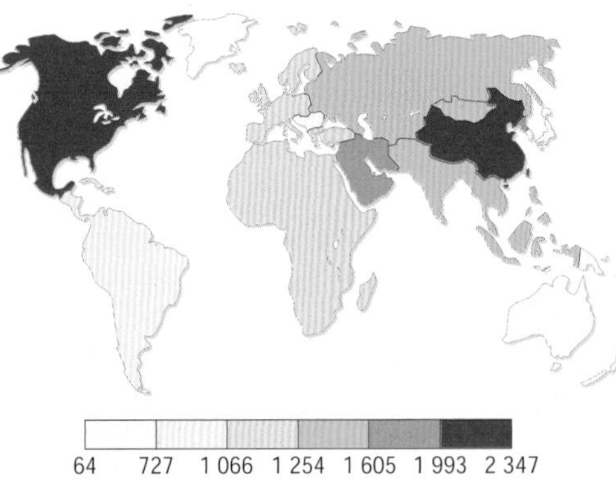

64 727 1 066 1 254 1 605 1 993 2 347

Mtep* *tep : tonne équivalent pétrole (unité d'énergie)

Carte 4 **Émission de CO_2 par habitant**

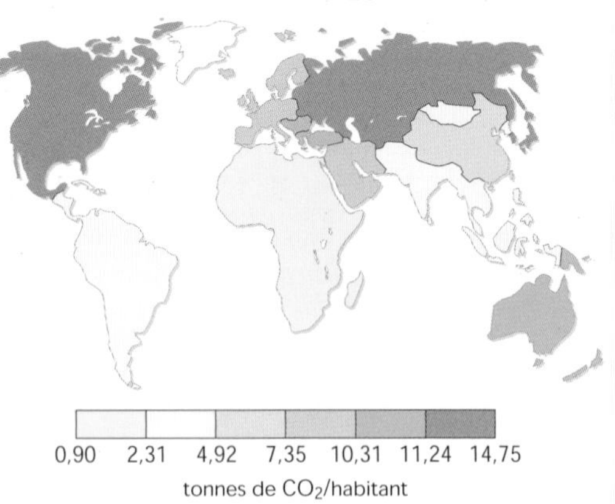

0,90 2,31 4,92 7,35 10,31 11,24 14,75

tonnes de CO_2/habitant

Source : *International Energy Agency*, 2012.

1. Quels sont les pays les plus gros consommateurs d'énergie dans le monde ?
La production et la consommation d'énergie se fait-elle dans les mêmes pays ?

2. a. Quels sont les pays les plus gros émetteurs de dioxyde de carbone par habitant ?
b. Qu'en déduit-on quant aux ressources énergétiques utilisées dans ces pays ?

3. Quel est le défi majeur en matière d'énergie pour le XXIe siècle ?

4. Quelles solutions peut-on envisager ?

Comprendre un énoncé

12 Bac Développement des énergies renouvelables

« Les énergies renouvelables présentent un atout majeur par rapport aux ressources fossiles : elles utilisent des sources naturelles comme la chaleur de la terre (géothermie), les marées ou le soleil, soit directement, soit par l'intermédiaire du vent, des courants marins, des écoulements d'eau, du recyclage des déchets.

La diversification de notre bouquet énergétique implique en particulier le développement de l'électricité et de la chaleur d'origines renouvelables. En plus de leur caractère inépuisable, les énergies renouvelables émettent peu ou pas de polluants (éolien, solaire) ; elles sont disponibles sur notre territoire, ce qui crée de l'emploi, augmente l'indépendance énergétique et aide à stabiliser le coût de l'énergie. En revanche, certaines énergies sont intermittentes, elles ne produisent pas en continu (comme le solaire et l'éolien) et posent parfois des problèmes d'intégration dans le milieu naturel (barrages hydrauliques, cultures intensives pour les biocarburants) ou dans les paysages (panneaux solaires, éoliennes).

Le développement des énergies renouvelables doit prendre en compte les différentes politiques environnementales (lutte contre l'effet de serre, protection des milieux naturels, santé, sécurité, etc.). Dans ce sens, une approche intégrée de l'ensemble des impacts sur l'environnement de chaque projet permet de développer des projets de qualité, respectueux de l'environnement. »

Extrait du Ministère de l'écologie,
du développement durable, des transports et du logement,
www.developpement-durable.gouv.fr, juillet 2011.

Questions à se poser à la lecture de l'énoncé

→ De quel type de ressources énergétiques parle-t-on ?

→ Quelles sont les énergies renouvelables citées dans le texte ?

→ Quelles informations obtient-on sur les avantages et les inconvénients de l'utilisation des énergies renouvelables ?

→ Quels paramètres influent les politiques environnementales ?

Questions	Compétences à mobiliser	Si difficulté, revoir
1. a. Indiquer les avantages des énergies renouvelables selon l'auteur. b. Indiquer les inconvénients des énergies renouvelables selon l'auteur.	• Extraire les informations de l'énoncé*. • Connaître les différentes énergies renouvelables.	Cours de 1re S (ressources énergétiques). Fiche n° 1, p. 580.
2. Sous quelle(s) forme(s) d'énergie sont transformées les énergies renouvelables ?	• Extraire et exploiter les informations de l'énoncé*. • Raisonner*.	Cours de 1re S (conversion d'énergie).
3. Pourquoi les énergies renouvelables produisent-elles peu de dioxyde de carbone ?	• Extraire et exploiter les informations de l'énoncé*. • Argumenter*.	Fiche n° 1, p. 580.

* Compétence transversale.

Avoir les bons réflexes

Si l'énoncé demande de...	il est nécessaire de...	Si difficulté	Pour réviser
Extraire et exploiter les informations d'un texte.	• Repérer les mots-clés. • Classer les informations. • Extraire les idées directrices.	Fiche n° 1, p. 580, et exercice 4, p. 424.	Exercice 10 p. 433.
Extraire et exploiter les informations d'une carte.	• Repérer les grandeurs sur la carte. • Repérer l'évolution générale, les points singuliers, les valeurs particulières sur lesquelles portent les questions.	Fiche n° 1, p. 580.	Exercice 11 p. 434.
Faire un bilan énergétique dans le domaine de l'habitat ou du transport.	• Définir le système étudié. • Repérer la nature des transferts thermiques entre ce système et l'extérieur.	Cours chapitre 14, p. 359.	Exercice 9 p. 432.
Extraire et exploiter les informations d'un schéma.	• Analyser son organisation d'ensemble. • Repérer la légende, les annotations éventuelles, localiser les organes essentiels et leurs interactions.	Fiche n° 1, p. 580.	Exercice 6 p. 427.
Argumenter sur des solutions permettant de réaliser des économies d'énergie.	• Définir le système étudié. • Trouver dans les documents les solutions proposées à la recherche d'économie d'énergie.	Fiche n° 1, p. 580, et exercice 10, p. 433.	Exercice 9 p. 432.

Dans les conditions du baccalauréat

- **Avec aide :** Exercice 12 p. 435.
- **Sans aide :** Exercice 7 p. 428-429.

Une chimie pour un développement durable

Chapitre 17

La nature produit, à moindre coût énergétique, des matériaux performants et non polluants. Les coraux synthétisent, par exemple, du carbonate de calcium à des températures modérées. **Comment les scientifiques s'inspirent-ils des organismes vivants pour reproduire artificiellement du carbonate de calcium? (Voir exercice 24, p. 460.)**

Comment les chimistes parviennent-ils à concilier le progrès technologique et le respect des hommes et de l'environnement?

OBJECTIFS

→ Extraire et exploiter des informations en lien avec :
- la chimie durable;
- la valorisation du dioxyde de carbone.

Activités Étude documentaire

Compétence exigible au baccalauréat
- Extraire et exploiter des informations en lien avec la chimie durable.

1 La chimie durable EN AUTONOMIE

En seulement trois décennies, la population mondiale est passée de 4 milliards d'individus à 7 milliards. Selon l'ONU, elle devrait atteindre 9 milliards en 2050. Ce sont 2 milliards d'hommes et de femmes supplémentaires à nourrir, loger, chauffer, éclairer, etc. La plupart d'entre eux se trouvera sans doute dans les pays en voie de développement. Si le niveau de vie moyen a augmenté ces dernières décennies, cette amélioration s'est faite au détriment des populations les plus pauvres et des ressources de la planète.
Entre famines, maladies, catastrophes industrielles, pollutions, déforestations, disparition de la biodiversité, etc., comment concilier progrès économique et progrès social sans mettre en péril la planète ? Comment la chimie peut-elle concilier ces trois aspects ?

Le développement durable

Le développement durable est une synthèse entre l'économie (« produire »), le social (« répartir ») et l'environnement (« préserver »). Il doit « répondre aux besoins du présent sans compromettre la capacité des générations futures à satisfaire leurs propres besoins » (rapport Brudtland, *Notre avenir à tous*, 1987).

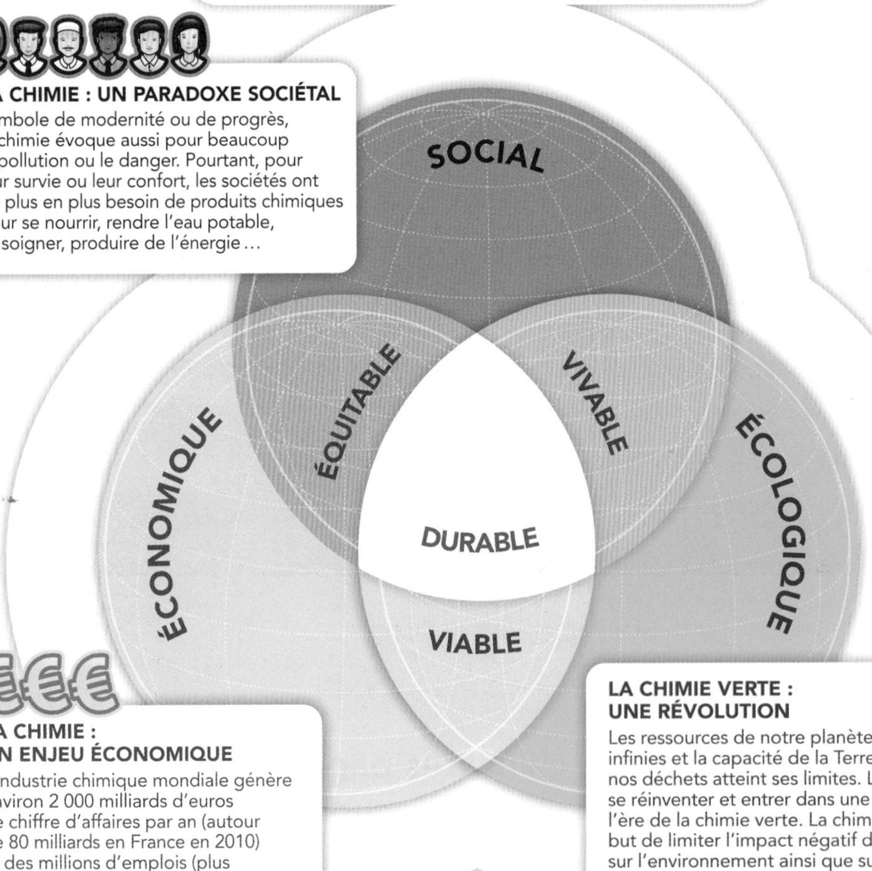

LA CHIMIE : UN PARADOXE SOCIÉTAL
Symbole de modernité ou de progrès, la chimie évoque aussi pour beaucoup la pollution ou le danger. Pourtant, pour leur survie ou leur confort, les sociétés ont de plus en plus besoin de produits chimiques pour se nourrir, rendre l'eau potable, se soigner, produire de l'énergie…

LA CHIMIE : UN ENJEU ÉCONOMIQUE
L'industrie chimique mondiale génère environ 2 000 milliards d'euros de chiffre d'affaires par an (autour de 80 milliards en France en 2010) et des millions d'emplois (plus de 170 000 en France en 2010, sans compter les emplois indirects liés aux produits de l'industrie chimique).

LA CHIMIE VERTE : UNE RÉVOLUTION
Les ressources de notre planète ne sont pas infinies et la capacité de la Terre à assimiler nos déchets atteint ses limites. La chimie doit se réinventer et entrer dans une ère nouvelle : l'ère de la chimie verte. La chimie verte a pour but de limiter l'impact négatif de la chimie sur l'environnement ainsi que sur la santé des consommateurs et des travailleurs œuvrant dans les industries chimiques. Chimie verte et chimie durable sont souvent confondues : une chimie verte s'inscrit dans une chimie durable quand elle tient compte des aspects économiques et sociaux.

La chimie verte se propose d'intervenir sur cinq domaines :

LES SOLVANTS

- Utiliser des solvants non toxiques et non polluants.
- Limiter l'usage des solvants.

Exemple d'utilisation de solvants non toxiques et non polluants : on peut synthétiser des polymères dans le dioxyde de carbone supercritique ou en émulsion dans l'eau, solvants propres. Au microscope, on aperçoit des particules de polymères synthétisées dans du dioxyde de carbone supercritique.

LES MATIÈRES PREMIÈRES

- Limiter les quantités.
- Économiser les atomes en valorisant toutes les molécules.
- Préférer les réactifs moins dangereux et les matières premières renouvelables.

Exemples de matières premières renouvelables : certains bioplastiques sont issus du roseau de Chine, d'autres du maïs.

L'ÉNERGIE

- Limiter les dépenses énergétiques.
- Rechercher de nouvelles sources d'énergie à faible teneur en carbone.
- Utiliser des conditions opératoires douces (catalyseur, faible température, basse pression, etc.).

La chimie verte :
un exemple autour de la production de polymères

LE PRODUIT FINI

- Concevoir un produit chimique présentant le moins de risques possibles.
- Concevoir un produit chimique en vue de sa dégradation.

Exemple de prise en compte de la dégradation du produit : certaines matières plastiques sont biodégradables (sacs en amidon de maïs, bouteilles en acide polylactique, etc.).

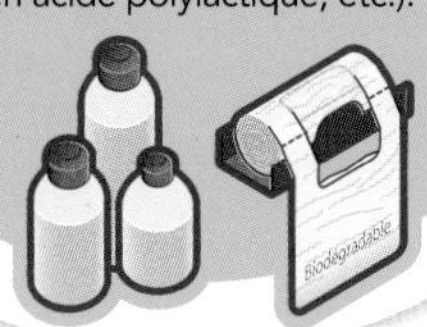

LES DÉCHETS

- Limiter la production de déchets (économiser les atomes en minimisant le nombre d'étapes dans les synthèses, etc.).
- Valoriser ou recycler les déchets.

Exemple d'économie d'énergie et de réduction de déchets : le catalyseur de Grubbs, à base de ruthénium, permet de fabriquer d'une manière très efficace des polymères biodégradables, en un nombre restreint d'étapes et en produisant peu de déchets.

1 Quel regard le grand public porte-t-il aujourd'hui sur la chimie ? Pourquoi ce regard a-t-il évolué ? Exposer en quelques lignes ce qu'évoque le mot *chimie* pour vous.

2 Comment la chimie durable s'inscrit-elle dans le concept de développement durable ?

3 Donner une définition des termes *viable*, *vivable* et *équitable* en illustrant par des exemples.

4 @ La chimie verte est fondée sur 12 principes : les rechercher et les comparer aux préconisations ci-dessus.

Un pas vers le cours...

5 En quoi la chimie verte s'inscrit-elle dans le concept de chimie durable ?

2 Les bioplastiques sont-ils verts ? EN AUTONOMIE

Le terme « bioplastique » recouvre deux réalités distinctes selon qu'est prise en compte la ressource ou la fin de vie. Qu'est-ce qu'un bioplastique ?

Les plastiques biosourcés

Les plastiques biosourcés, issus de matières premières végétales (maïs, ricin, colza, etc.), ont des performances similaires aux plastiques issus du pétrole.
Leur intérêt provient du caractère renouvelable des ressources utilisées ainsi que d'un *bilan carbone* réduit, car, lors de la synthèse chlorophyllienne, les plantes consomment le dioxyde de carbone, gaz à effet de serre.

Cependant, des zones d'ombre restent à éclaircir :
– le développement des agroressources peut entrer en concurrence avec les cultures destinées à l'alimentation ;
– l'impact environnemental doit être étudié en prenant en compte l'intégralité du processus de production (engrais, eau d'irrigation, etc.), ainsi que la fin de vie (certains bioplastiques ne sont pas biodégradables (doc. 1)).

Des industriels agissent pour répondre en partie à ces problématiques. Ainsi, le PA-11 (ou Rilsan®) fabriqué à partir de l'huile de ricin, est une matière plastique dont les performances sont semblables au Nylon®.
La société française Arkema®, qui la commercialise, affirme que le ricin planté dans des régions semi-arides n'entre pas en concurrence avec des produits alimentaires.

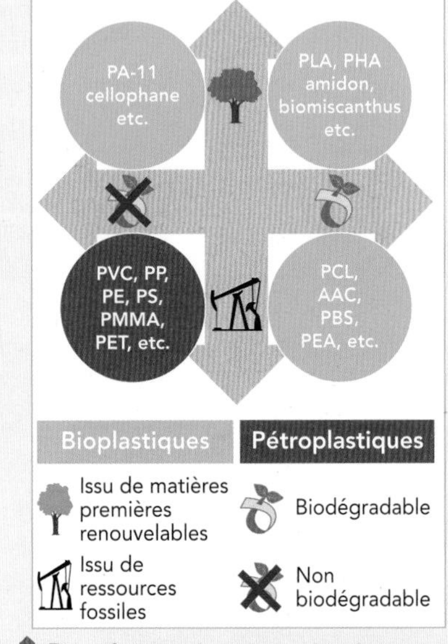

Doc. 1 Pétroplastiques et bioplastiques.

Les plastiques biodégradables

On qualifie aussi de « bioplastiques » des plastiques biodégradables, qu'ils soient issus de matières premières *fossiles* ou *renouvelables*.

Les bioplastiques issus de ressources non *vivrières* sont appelés bioplastiques de deuxième génération (doc. 1).
La « biodégradabilité » est définie par la norme européenne EN13342 qui stipule notamment que le matériau doit atteindre 90 % de biodégradation en moins de 6 mois (doc. 2). Un matériau biodégradable n'est pas forcément *compostable*.

Il existe également des plastiques « biofragmentables », mélanges de pétroplastiques et d'additifs végétaux (amidon, etc.) ou minéraux (nickel, etc.) dont la fin de vie se traduit par une dégradation sous forme de fragments plus ou moins visibles, mais non biodégradables.

Doc. 2 Le roseau de Chine (*Miscanthus Giganteus*) est la matière première utilisée pour fabriquer le biomiscanthus, bioplastique de deuxième génération, 100 % biodégradable.

1 @ Rechercher la définition des mots ou expressions en *italique*.

2 À quels principes de la chimie verte les plastiques biosourcés répondent-ils (voir la liste des 12 principes dans l'Essentiel, p. 448) ?
Les bioplastiques entrent-ils dans le cadre d'une chimie durable (activité 1) ?

3 @ Rechercher à quels matériaux plastiques correspondent les sigles du document 1.

4 a. @ Rechercher les quatre critères définissant la norme EN13432.
b. Pourquoi un plastique fragmentable n'est-il pas nécessairement biodégradable ?
Quelles peuvent être les conséquences environnementales de l'usage de ces plastiques ?

5 À quels principes de la chimie verte les plastiques biodégradables répondent-ils ? Entrent-ils dans le cadre d'une chimie durable ?

3 Une chimie douce bio-inspirée EN AUTONOMIE

Le concept de chimie douce, énoncé par Jacques Livage, chimiste français, professeur au Collège de France, a pour ambition de synthétiser des matériaux en s'inspirant du vivant.
Quelles sont ces méthodes de synthèse et pourquoi sont-elles qualifiées de douces ?

Industriellement, les verres sont obtenus en chauffant du sable à très haute température, aux alentours de 1 500 °C. Dans la nature, des micro-organismes fabriquent ces matériaux à température ambiante, avec des performances souvent supérieures à celles du verre industriel.

Les diatomées (doc. 3), algues *unicellulaires*, s'entourent d'un *exosquelette* de silice SiO_2, nommé frustule, dont la structure est similaire à celle du verre. Cette carapace est élaborée à partir de la silice dissoute dans l'eau sous forme d'acide silicique $Si(OH)_4$, édifice tétraédrique (doc. 4). Grâce à des enzymes, la diatomée élimine une molécule d'eau entre deux tétraèdres pour les lier. À mesure que les tétraèdres s'associent, du « verre » est formé.
Les chimistes ont reproduit cette synthèse à partir de précurseurs d'acide silicique tels que les TMOS (tétraméthoxysilane) $Si(OCH_3)_4$.
Une hydrolyse donne d'abord les dérivés hydroxylés. Puis, une *polymérisation* conduit à des espèces *colloïdales* qui forment des « sols » (solide dispersé dans une phase liquide). Le liquide finit par former un « gel » (liquide dispersé dans une phase solide) ; d'où le nom de procédé « sol-gel » donné à cette technique.

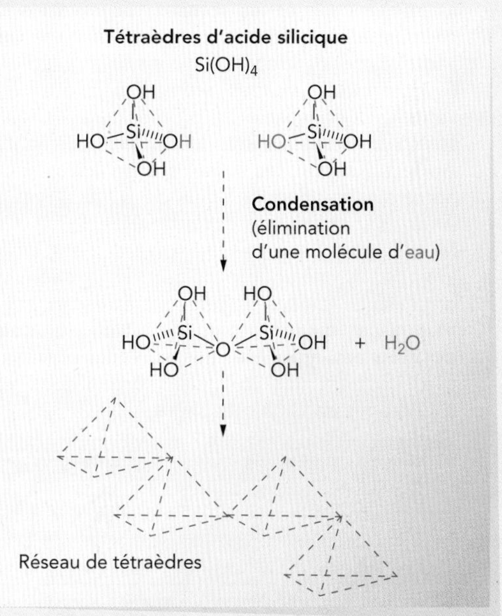

Doc. 4 Construction d'un réseau de silice.

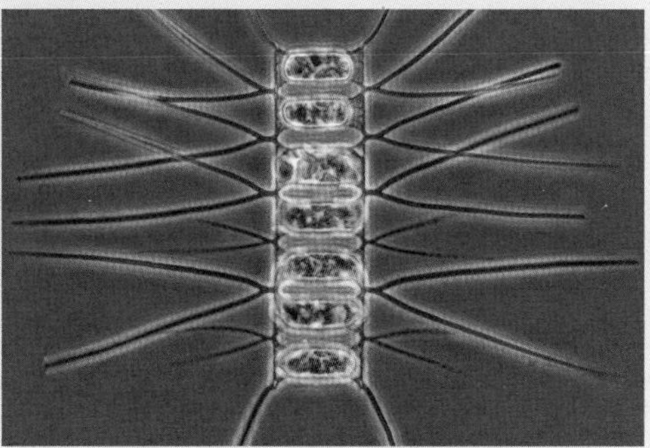

Doc. 3 Les diatomées élaborent des carapaces de silice.

Le produit obtenu est un gel de silice hydraté (SiO_2, n H_2O). Utilisée sous cette forme, la matrice sol-gel peut servir à emprisonner et transporter des médicaments ou des enzymes à vertu thérapeutique dans le corps humain. Le gel ne permet pas d'élaborer un verre massif, car l'élimination d'eau conduit à une poudre.
En revanche, par *extrusion* à température ambiante, il est possible d'obtenir des fibres de silice qui ont, par exemple, été utilisées dans les tuiles réfractaires de la navette spatiale Columbia.

Ces réactions, effectuées à température ambiante, peuvent être contrôlées, étape par étape, jusqu'au produit final : des matériaux répondant à des besoins spécifiques peuvent donc être ainsi fabriqués.

1 Qu'est-ce que la chimie douce ? Pourquoi la nomme-t-on ainsi ?

2 @ Rechercher le sens des mots en *italique*.

3 Écrire l'équation de la réaction globale conduisant à la silice à partir de l'acide silicique (doc. 4).

4 a. Écrire l'équation d'hydrolyse des TMOS.
b. Les précurseurs utilisés peuvent être aussi les TEOS (tétraéthoxysilane) : écrire leur formule.

5 Dans le cadre de la chimie verte, expliquer pourquoi cette technique est un gain en termes d'énergie et de produit fini.

Activités Étude documentaire

4 Les agrosolvants 

Face à l'épuisement des ressources pétrolières et au renforcement de la réglementation en termes de sécurité, des alternatives aux solvants issus du pétrole sont développées.
Quels sont ces nouveaux solvants ?

Deux catégories de solvants sont traditionnellement utilisées : l'**eau** et les **solvants organiques**. Parmi ces derniers, on distingue plusieurs familles : les solvants oxygénés (alcools, cétones, esters, éthers), les hydrocarbures (alcanes, aromatiques, etc.), les solvants halogénés (chlorés, bromés), etc. Ils sont utilisés comme dégraissants, décapants, purifiants, etc. Après utilisation, les solvants organiques sont incinérés s'ils contiennent plus de 30 % d'impuretés, sinon ils sont recyclés et réutilisés.
Mise à part l'eau, aucun solvant n'est inoffensif (doc. 5). Ils ont un impact non négligeable sur les organismes vivants et peuvent être **c**ancérigènes, **m**utagènes ou **r**eprotoxiques (CMR) lorsque l'exposition est régulière. Les solvants représentent près du tiers des **c**omposés **o**rganiques **v**olatils (COV) émis dans l'atmosphère.

Nom	Formule	Dangers
Acétone		H225, H319, H336
Heptane		H225, H304, H315, H336, H410
Toluène		H225, H304, H315, H336, H361d, H373
Dichloro-méthane	Cl Cl	H351

Doc. 5 Exemples de solvants organiques usuels.

La substitution des solvants organiques usuels par les **solvants d'origine végétale**, appelés agrosolvants, constitue une alternative à l'épuisement du pétrole, mais aussi l'un des moyens de diminuer les dangers pour la santé et de réduire les coûts du recyclage.
Par exemple, les **e**sters **m**éthyliques d'**a**cides **g**ras (EMAG) sont obtenus par réaction entre le méthanol et les acides gras provenant des huiles végétales. L'oléate de méthyle est ainsi obtenu à partir de l'acide oléique du colza ou du soja (doc. 6).

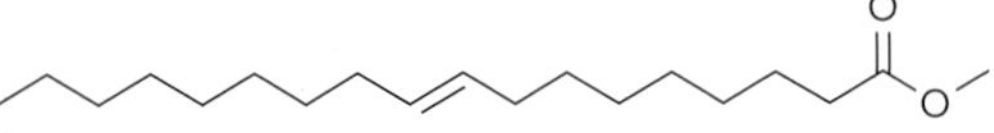

Doc. 6 Oléate de méthyle.

Les EMAG ont une température d'ébullition relativement élevée (supérieure à 330 °C pour les EMAG d'huile de colza ou de soja). Leur concentration dans la zone respiratoire d'un travailleur est ainsi inférieure à 3 mg/m^3 d'air.

Les EMAG irritent peu la peau et les voies respiratoires. Ils sont biodégradables. Seul le laurate de méthyle, préparé à partir de l'huile de coprah (doc. 7) présenterait une toxicité aquatique préoccupante. Bien que combustibles, ils sont pratiquement ininflammables.
Enfin, les émulsions à l'eau de ces esters peuvent diminuer la viscosité et l'aspect gras qui leur sont reprochés.
Toutefois, la production des huiles végétales utilisées dans la fabrication des EMAG est préoccupante en raison notamment de l'eutrophisation engendrée par la culture des plantes oléagineuses.

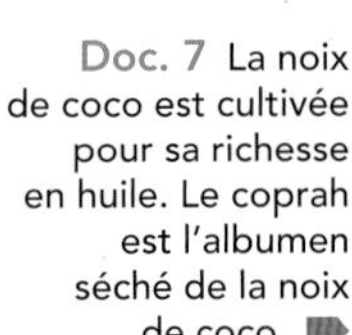

Doc. 7 La noix de coco est cultivée pour sa richesse en huile. Le coprah est l'albumen séché de la noix de coco.

1 a. À quelles familles chimiques appartient chaque solvant répertorié dans le document 5 ?
b. @ Rechercher leurs dangers respectifs.

2 a. En utilisant les formules topologiques, écrire l'équation d'hydrolyse de l'oléate de méthyle, susceptible de se produire dans l'environnement.
b. @ Le méthanol obtenu est-il dangereux ? Commenter.

3 Justifier que l'ester contribue à une réduction des émissions de COV.

4 a. Pourquoi l'ester a-t-il un aspect gras ? Pourquoi est-il un bon solvant pour les graisses ?
b. Pourquoi cette molécule forme-t-elle une émulsion avec l'eau ? Justifier.

5 Quel est l'intérêt de remplacer les solvants pétrochimiques par des agrosolvants ?

5 Oxydation hydrothermale par l'eau supercritique

EN AUTONOMIE

Aujourd'hui encore, la plupart des déchets organiques liquides issus de l'industrie sont détruits par incinération. Coûteuse en énergie et néfaste pour l'environnement, cette technique peut, dans certains cas, être remplacée par la conversion hydrothermale. En quoi consiste ce procédé ?

A L'eau supercritique

L'eau peut se présenter sous trois états (solide, liquide, gazeux) en fonction de la température et de la pression. Cependant, au-delà d'une température et d'une pression bien précises, caractérisant un point critique, l'eau entre dans son état supercritique où elle acquiert des propriétés intermédiaires entre celles du liquide et celles du gaz (doc. 8).

Dans ce domaine, souvent décrit comme la coexistence de domaines liquides et gazeux, il apparaît des fluctuations de densité qui sont probablement à l'origine des propriétés particulières du fluide. Aussi dense qu'un liquide, il possède une bonne capacité de solvatation. Sa faible viscosité associée à une *diffusion moléculaire* élevée, facilite le transport de matière.

L'eau supercritique peut agir à la fois comme un *solvant polaire* et, plus étonnant, comme un *solvant apolaire*.

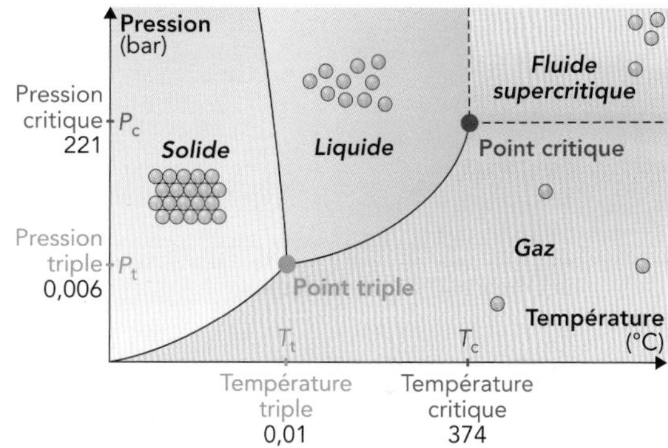

Doc. 8 Diagramme de phase de l'eau.

B Le traitement des déchets

Le traitement des déchets organiques toxiques peut être réalisé avec de l'eau supercritique.

Ce procédé repose sur la solubilisation des composés organiques et du dioxygène dans l'eau supercritique. Les réactions d'oxydation sont alors favorisées et deviennent rapides et quasi totales.

Les composés organiques sont alors transformés majoritairement en dioxyde de carbone (doc. 9). Lorsque l'eau est ramenée à l'état liquide, les éléments métalliques, les minéraux, les hétéroatomes (Cl, N, S, etc.) se retrouvent dans la phase aqueuse soit sous forme dissoute, soit sous forme de précipités. Ainsi confinés en phase aqueuse, ils sont traités par des procédés physico-chimiques classiques (*floculation*, *décantation*, *filtration*, etc.).

Ce procédé d'oxydation hydrothermale permet une élimination des déchets à relativement basse température, et ne produit ni oxydes d'azote NO_x, ni oxydes de soufre SO_x, contrairement aux incinérateurs classiques.

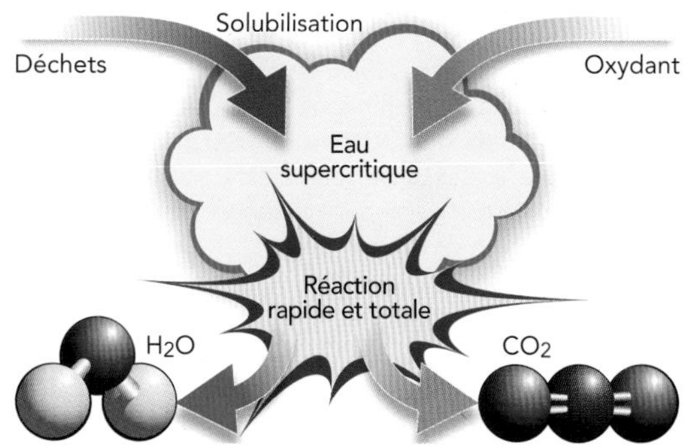

Doc. 9 Principe de l'oxydation hydrothermale (d'après S. Sarrade).

1 @ Rechercher le sens des mots ou expressions en *italique*.

2 a. Dans le document 8, que représente le « Point triple » ? Donner ses caractéristiques.
b. Déterminer le domaine d'existence de l'eau supercritique.

3 Pourquoi la solubilisation permet-elle d'accélérer les réactions d'oxydation ?

4 Comment l'eau supercritique peut-elle être ramenée à l'état liquide ?

5 Qu'entend-on par « forme dissoute » pour des minéraux ou des éléments métalliques ?

6 L'oxydation du dichlorométhane CH_2Cl_2 dans l'eau supercritique donne du dioxyde de carbone, de l'eau et un gaz hydrochloré soluble dans l'eau.
a. Écrire l'équation de cette oxydation.
b. Écrire l'équation de dissolution du gaz hydrochloré.

7 @ Le dioxyde de carbone peut être **valorisé** en l'utilisant comme fluide supercritique : en rechercher les usages.

6 Le biodiesel : un agrocarburant

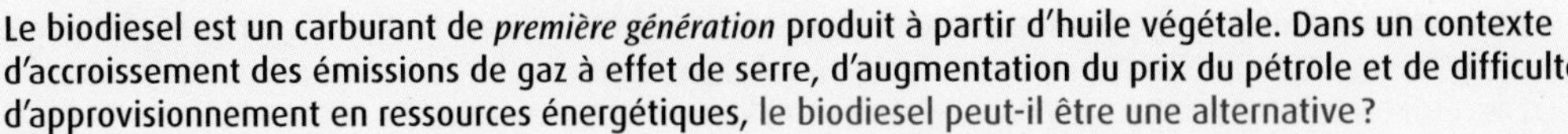

Le biodiesel est un carburant de *première génération* produit à partir d'huile végétale. Dans un contexte d'accroissement des émissions de gaz à effet de serre, d'augmentation du prix du pétrole et de difficulté d'approvisionnement en ressources énergétiques, le biodiesel peut-il être une alternative ?

A Le biodiesel est-il durable ?

Le **biodiesel** est obtenu à partir du colza, du tournesol, etc. (doc. 10). Il est mélangé à 7 % (en volume) avec le gazole d'*origine fossile*.

Doc. 10 Champ de colza.

L'utilisation des biodiesels pourrait permettre[1] de réduire les émissions de ***g**az à **e**ffet de **s**erre* (GES) jusqu'à 50 % (*du puits à la roue*) par rapport aux combustibles fossiles dans lesquels ils sont incorporés. De même, leur efficacité énergétique* serait de 2,2, en tenant compte d'une valorisation optimale des coproduits (*tourteaux* et glycérol) obtenus lors de la production des biocarburants. Les tourteaux peuvent être utilisés dans l'alimentation animale et le glycérol dans l'industrie chimique. En outre, pour obtenir une économie significative d'énergie, les résidus de culture (paille) pourraient être utilisés pour produire de l'énergie qui serait réinjectée dans le processus de fabrication des biocarburants.

Malheureusement, cette efficacité énergétique est limitée en raison des faibles rendements à l'hectare des cultures telles que celle du colza.

* L'**efficacité énergétique** (EE) du biodiesel est le rapport entre l'énergie contenue dans le biodiesel et l'énergie non renouvelable primaire dépensée de la culture à la livraison.

1 Que signifient les expressions en *italique* ?

2 @ Que sont les biocarburants de deuxième et troisième générations ? Quels avantages présentent-ils par rapport à ceux de première génération ?

3 Expliquer pourquoi l'utilisation des biodiesels semble être un gain en termes de matières premières, d'énergie et de **déchets**.

1. Sous réserve de tenir compte des effets du changement d'affectation des sols (c'est-à-dire tenir compte que le développement de ces cultures peut entraîner la réduction des prairies, des forêts, etc., et modifier le bilan carbone).

B Synthèse d'un biodiesel

Le biodiesel se présente actuellement sous forme d'**e**sters **m**éthyliques d'**h**uiles **v**égétales (EMHV).

L'ester éthylique (EEHV) est obtenu par transestérification d'une huile végétale (doc. 11) avec de l'éthanol d'origine agricole à la place du méthanol. Les recherches actuelles tendent à montrer que l'EEHV aurait un comportement tout à fait comparable à l'EMHV.

Protocole expérimental

- Dans un ballon de 250 mL, introduire 120 mL d'huile de colza, 60 mL d'éthanol et 1,1 g d'hydroxyde de potassium KOH (s).
- Chauffer à reflux 50 minutes.
- Laisser refroidir le mélange réactionnel, puis le verser dans un bécher contenant 150 mL d'eau salée saturée. Agiter doucement le mélange à l'aide d'un agitateur en verre.

$CH_2-O-C(=O)-C_{17}H_{31}$
$CH-O-C(=O)-C_{17}H_{31}$
$CH_2-O-C(=O)-C_{17}H_{31}$

Doc. 11 Le linoléate de glycéryle est l'un des triesters de l'huile de colza.

- Laisser décanter 24 heures environ.
- À l'issue de la décantation, verser le mélange avec précautions (sans agiter) dans une ampoule à décanter et récupérer la phase organique supérieure contenant l'EEHV.
- Sécher sur du sulfate de magnésium anhydre. Filtrer.

4 @ Qu'est-ce qu'une transestérification ?

5 L'un des produits est le glycérol :

a. @ Rechercher sa formule semi-développée et quelques exemples d'utilisation.

b. Écrire l'équation de la réaction.

6 Préciser l'intérêt d'un chauffage à reflux.

7 Schématiser et légender le montage.

8 À partir du tableau ci-dessous :
– justifier pourquoi l'éthanol est introduit en excès ;
– commenter le protocole d'extraction de l'EEHV.

	Huile de colza	Éthanol	EEHV	Glycérol
Éthanol	Miscible	Miscible	Miscible	Miscible
EEHV	Miscible	Miscible	Miscible	Miscible
Eau salée	Non miscible	Miscible	Non Miscible	Miscible

7 Le micro-ondes : de la cuisine au laboratoire

Le four à micro-ondes est d'usage courant dans les cuisines. Il permet un chauffage rapide des aliments en quelques minutes. Quel usage peut-on en faire dans un laboratoire de chimie ?

A Étude d'un texte scientifique

Certains chercheurs utilisent « l'énergie des micro-ondes produites par les fours domestiques comme mode de chauffage d'un milieu réactionnel [...] [La fréquence] des ondes produites par les fours à micro-ondes [est égale à] 2 450 MHz [...]
Les micro-ondes pénètrent de façon assez considérable dans la matière, et peuvent donc augmenter l'agitation thermique au sein d'un matériau sans passer par le biais de la *conduction thermique*. De là la tasse froide récupérée en fin de chauffage, jusqu'à ce que la conduction thermique ait finalement le temps de s'établir.
En particulier, le chauffage par micro-ondes permet une *activation thermique* [...] de façon très rapide. Ceci permet de limiter, lors du chauffage du milieu réactionnel, les réactions parasites qui diminuent les rendements de réaction. »

D'après C. Bureau et M. De Franceschi
Des teintures égyptiennes aux micro-ondes, Ellipses, 1998.

1 a. Calculer la longueur d'onde, dans le vide, des micro-ondes. S'agit-il d'ondes micrométriques ?
b. @ Rechercher pourquoi le terme « micro » a été donné à ces ondes.

2 @ Expliquer les expressions en *italique*.

3 En termes énergétiques, quel avantage présente les micro-ondes par rapport au chauffage traditionnel ?

4 Expliquer pourquoi l'utilisation des micro-ondes est un gain en termes de déchets.

B Une synthèse d'ester

Réaction et dosage

- Observer les pictogrammes mentionnés sur les réactifs utilisés. Rechercher les risques que peut présenter leur utilisation et s'organiser en conséquence.
- Dans un bécher sec, introduire, à l'aide de pipettes graduées sèches, 11,4 mL d'acide acétique pur et 21,6 mL de 3-méthylbutan-2-ol (alcool isoamylique).
- Ajouter 1,0 mL d'acide sulfurique concentré. Homogénéiser.
- En introduire 5,0 mL, prélevés à la pipette jaugée, dans un erlenmeyer sec de 250 mL.
- Regrouper les erlenmeyers des différents groupes, les positionner **sur le bord du plateau tournant** d'un four à micro-ondes et les irradier 20 secondes (puissance 800 W).
- Homogénéiser les mélanges, puis les irradier 10 secondes.
- Sortir les erlenmeyers du four, laisser refroidir quelques minutes, puis ajouter 50 mL d'eau glacée et quelques gouttes de phénolphtaléine dans chacun d'entre eux.
- Ajouter, à l'aide d'une burette graduée, une solution de soude de concentration $C_b = 2{,}0\ mol \cdot L^{-1}$ et noter le volume équivalent V_{E1} pour lequel la coloration rose persiste.

Dosages complémentaires.

- Dans un bécher, introduire 33,0 mL d'eau distillée et 1,0 mL d'acide sulfurique concentré. Homogénéiser.
- En prélever 5,0 mL et les introduire dans un erlenmeyer. Y ajouter quelques gouttes de phénolphtaléine.
- Ajouter, à l'aide d'une burette graduée, une solution de soude de concentration $C_b = 2{,}0\ mol \cdot L^{-1}$ et noter le volume équivalent V_{E2} pour lequel la coloration rose persiste.

5 Écrire l'équation de la réaction de la synthèse.

6 Déterminer les quantités initiales n_0 d'alcool et n_1 d'acide acétique dans le mélange réactionnel.

7 a. Montrer que la quantité finale n_f d'acide acétique dans le mélange réactionnel est donnée par : $n_f = C_b \cdot (V_{E1} - V_{E2})$.
b. Calculer n_f.

8 a. En déduire la quantité n_E d'ester formé, puis le rendement de l'estérification.
b. Cette même synthèse réalisée à l'aide d'un chauffage à reflux de 30 minutes conduit à un rendement de 65 %. Commenter.

Données : d(alcool) = 0,81, d(acide acétique) = 1,08.

8 Économiser les atomes : l'exemple du phénol

EN AUTONOMIE

Pour minimiser les quantités de déchets produits, la chimie verte se propose de réduire les sous-produits lors d'une réaction. Comment mesurer l'efficacité des procédés visant à économiser les atomes ?

Doc. 12 Le phénol se présente sous forme de cristaux.

Le phénol (doc. 12) est un intermédiaire de synthèse de nombreux produits chimiques comme l'aspirine.

Jadis, le phénol était préparé par distillation du goudron de houille. Cette méthode a été abandonnée car l'énergie nécessaire était trop importante.

Procédé Basf

En 1899, le groupe BASF met au point la synthèse du phénol par sulfonation du benzène C_6H_6.

Elle comporte plusieurs étapes, mais on peut néanmoins écrire le bilan global de la réaction :

$$C_6H_6 + H_2SO_4 + 2\ NaOH \longrightarrow C_6H_5OH + Na_2SO_3 + 2\ H_2O$$

➡ *La faible économie d'atomes* due à une forte production de déchets demeure son principal inconvénient.* Le procédé est abandonné dans les années 1960.

Procédé Hock

Aujourd'hui, plus de 90 % de la production de phénol est basée sur l'oxydation du cumène, lui-même obtenu à partir du benzène. Ce procédé, dit « Hock », est essentiellement catalytique. La réaction se déroule en trois étapes[1] :

1. Synthèse du cumène :

Benzène + Propène —(Catalyse acide)→ Cumène

2. Oxydation douce du cumène :

Cumène + O_2 (Dioxygène) —(1-10 bar, 90-130 °C, Catalyseur)→ Hydroperoxyde de cumyle

3. Décomposition en phénol :

Hydroperoxyde de cumyle —(60-70 °C, H_2SO_4)→ Phénol + Acétone

Le bilan de la réaction peut s'écrire :

$$C_6H_6 + C_3H_6 + O_2 \longrightarrow C_6H_5OH + CH_3COCH_3$$

1. Les conditions expérimentales sont précisées sur et sous les flèches.

➡ *L'acétone, coproduit de la réaction, est valorisée industriellement, de sorte que l'économie d'atomes est de 100 %.*

Procédé Dow

Le procédé Dow est un procédé catalytique en deux étapes qui permet d'obtenir environ 5 % de la production mondiale de phénol à partir du toluène :

Toluène —(O_2, 140 °C, Catalyseur Co)→ Acide benzoïque

—(Catalyseur Mg, Cu, 240 °C)→ Phénol

Le bilan peut s'écrire :

$$C_6H_5CH_3 + 2\ O_2 \longrightarrow C_6H_5OH + CO_2 + H_2O$$

➡ *Ce procédé génère peu de sous-produits et d'impuretés. Il permet donc une économie d'atomes élevée.* Cependant, il nécessite trois à quatre fois plus d'énergie que le procédé Hock.

* L'**économie d'atomes EA** (ou utilisation atomique UA) est un indicateur qui mesure l'efficacité des procédés. Il est défini comme le rapport de la masse molaire du (ou des) produit(s) recherché(s), sur la somme des masses molaires des réactifs (en tenant compte des nombres stœchiométriques) :

$$EA = \frac{\sum a_i \times M_i\ (\text{produit})}{\sum b_i \times M_i\ (\text{réactif})}$$

avec a_i et b_i nombres stœchiométriques.

Plus cet indicateur est proche de 1 (100 %), plus le procédé est efficace en termes d'économie d'atomes et moins le procédé génère de déchets.

1 @ Rechercher les utilisations du phénol et de l'acétone (ou propanone).

2 @ Rechercher les noms des chimistes qui ont synthétisé le phénol à partir du benzène.

3 a. Calculer l'économie d'atomes EA des trois procédés, puis commenter les phrases en *italique* dans le texte.
b. Dans le premier et le troisième procédés, que peut-on penser de la prise en compte de l'eau comme déchet à recycler ?

4 Pourquoi le procédé Dow est-il moins utilisé que le procédé Hock ?

9 Le dioxyde de carbone : séquestré ou valorisé ? EN AUTONOMIE

Le dioxyde de carbone rejeté par les activités humaines est en partie responsable du réchauffement climatique. Pour éviter son rejet dans l'atmosphère, il peut être séquestré ou valorisé. Quels sont les procédés disponibles ?

Compétence exigible au baccalauréat
- Extraire et exploiter des informations en lien avec la valorisation du dioxyde de carbone.

Avec la raréfaction annoncée du pétrole et du gaz naturel (et donc l'augmentation inévitable de leurs prix), les controverses autour des centrales nucléaires et la difficile émergence des énergies renouvelables, la production d'énergie (notamment électrique) à partir du charbon, bon marché et abondant, est une solution sur laquelle beaucoup de pays ont misé. Malheureusement, l'utilisation de ce combustible produit énormément de dioxyde de carbone, *gaz à effet de serre*. Des méthodes de « captage-stockage », pour empêcher le dioxyde de carbone de s'échapper dans l'atmosphère, sont à l'étude. Les méthodes de captage diffèrent selon le type de centrale utilisé. Dans les centrales classiques qui brûlent du charbon pour transformer l'eau liquide en vapeur pour faire tourner des turbines génératrices d'électricité, le captage ne peut se faire qu'en sortie de cheminée. En revanche, dans les centrales fondées sur le **c**ycle **c**ombiné à **g**azéification **i**ntégrée (CCGI), le charbon est converti en gaz de synthèse, le « syngas », en présence de dioxygène et d'eau. Ce gaz est principalement constitué de dihydrogène et de monoxyde de carbone. Le dihydrogène sert de carburant à la centrale. Le monoxyde de carbone est transformé en dioxyde de carbone, qui est capté et stocké. Pour le stockage du dioxyde de carbone, on distingue plusieurs procédés dont la séquestration souterraine dans des gisements épuisés de pétrole ou de gaz, des *aquifères* marins, etc. (doc. 13). Cependant, cette séquestration présente des dangers comme le relargage soudain du CO_2. Des procédés de captation par des *organismes photosynthétiques*, tels que les algues sont à l'étude (bioséquestration). Une tonne d'algues peut absorber près de deux tonnes de dioxyde de carbone pour sa croissance. Les huiles produites par les algues pourraient être utilisées, après raffinage, comme biocarburant de troisième génération. Très gourmandes en énergie, ces techniques ne dispensent pas l'humanité de restreindre ses rejets de gaz à effets de serre.

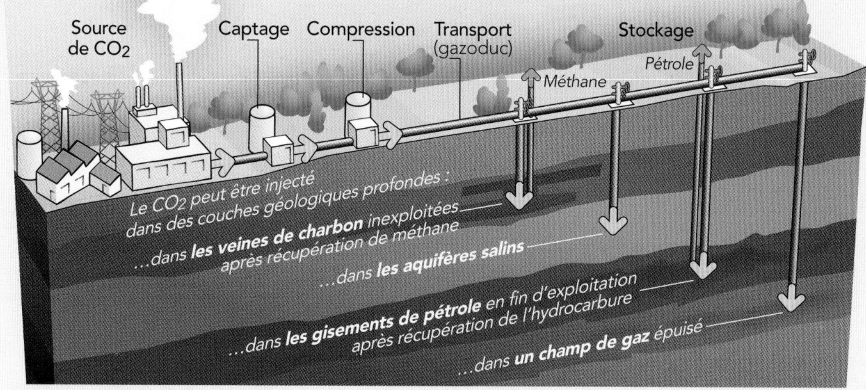

Doc. 13 Différents procédés de séquestration sont étudiés.

1 @ Définir les expressions en *italique*.

2 a. Quel danger peut présenter un relargage soudain de dioxyde de carbone ?
b. Discuter quelques avantages et inconvénients des procédés de séquestration et de valorisation dans la perspective d'une chimie verte.

3 À partir des systèmes décrits ci-contre, écrire les équations des réactions de conversion du charbon en « syngas ».

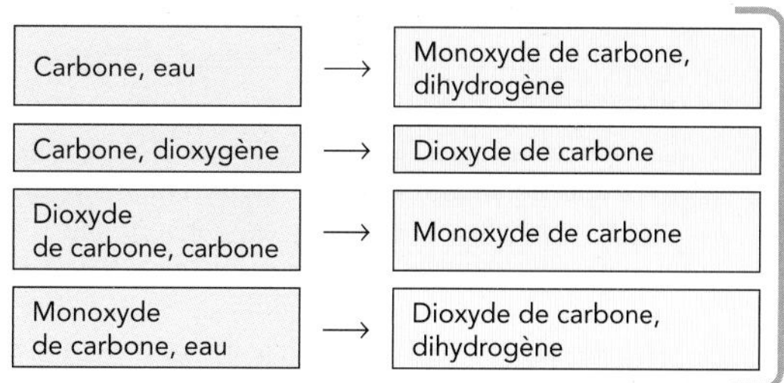

Carbone, eau	⟶	Monoxyde de carbone, dihydrogène
Carbone, dioxygène	⟶	Dioxyde de carbone
Dioxyde de carbone, carbone	⟶	Monoxyde de carbone
Monoxyde de carbone, eau	⟶	Dioxyde de carbone, dihydrogène

Essentiel

Les principes d'une chimie durable

▸ Le **développement durable (doc. 1)** est une synthèse entre l'économie (« produire »), le social (« répartir ») et l'environnement (« préserver »).

▸ La **chimie durable** s'inscrit dans une logique de développement durable. Sa mise en œuvre industrielle veille à l'équilibre **social**, **environnemental** et **économique** :
– économiser et partager les ressources de manière équitable ;
– utiliser des technologies qui polluent moins et consomment moins d'énergie ;
– développer des procédés suffisamment efficaces et rentables.

▸ La **chimie verte** a pour but de limiter l'impact négatif de la chimie sur l'environnement et l'homme.

▸ La **chimie du végétal** et la **chimie douce** sont des parties très importantes de la chimie verte.

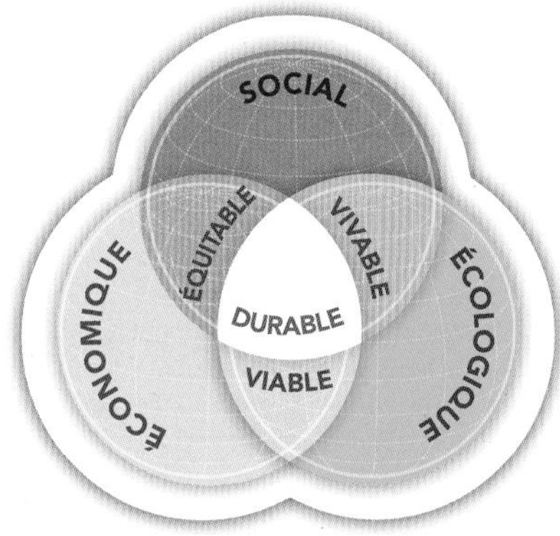

Doc. 1 Le développement durable.

La première s'oriente vers l'utilisation des matières premières végétales.

La seconde a pour ambition de synthétiser des matériaux en s'inspirant du vivant et en mettant en jeu des conditions opératoires plus « douces » (température modérée, pression atmosphérique, etc.).

La prise en compte de la globalité des processus chimiques mis en jeu lors de la synthèse d'un produit est indispensable.

La chimie verte (**doc. 2**) se propose d'agir sur **cinq domaines** : les matières premières, **les solvants**, **l'énergie**, **les déchets** et **le produit fini**.

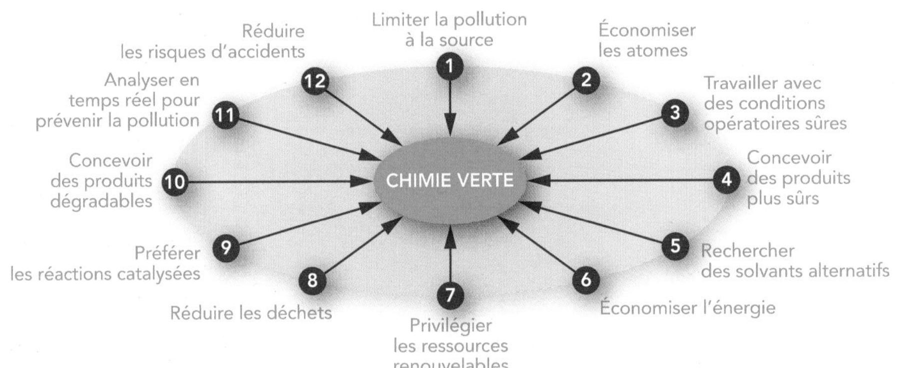

Doc. 2. Les 12 principes fondateurs de la chimie verte ont été définis en 1998 par les chimistes américains Paul ANASTAS et John WARNER.

La séquestration et la valorisation du dioxyde de carbone

Dans les années à venir, la chimie va devoir relever de nombreux défis comme **la réduction des émissions de gaz à effet de serre** (méthane CH_4, dioxyde de carbone CO_2, oxyde d'azote N_2O, etc.). Pour empêcher le dioxyde de carbone de s'échapper dans l'atmosphère, des méthodes telles que :
– la séquestration souterraine dans des gisements épuisés de pétrole, de gaz ou des aquifères ;
– la captation par des organismes photosynthétiques, comme les algues, afin de produire des biocarburants,
sont à l'étude.

Le dioxyde de carbone peut être également valorisé lorsqu'il est utilisé comme solvant supercritique, par exemple.

Pour chaque question, indiquer la (ou les) bonne(s) réponse(s).

Voir corrigés, p. 606

1 Les principes d'une chimie durable

	A	B	C
1. Le développement durable a pour pilier(s) :	l'économie.	l'environnement.	le social.
2. La chimie durable :	tient compte des problèmes économiques et sociaux.	n'utilise que des matières premières renouvelables.	se préoccupe de la sauvegarde de l'environnement.
3. Une chimie verte :	n'utilise que des conditions opératoires douces.	est la chimie du végétal.	est durable quand elle tient compte des aspects socio-économiques.
4. La chimie verte se propose d'agir sur la gestion :	des déchets.	des matières premières.	de l'énergie.
5. La chimie douce a pour ambition de :	synthétiser des matériaux en s'inspirant du vivant.	n'utiliser que des matières premières végétales.	développer des synthèses à des températures modérées.
6. Économiser les atomes, c'est :	utiliser au maximum tous les atomes d'une matière première.	recycler tous les déchets.	limiter la formation des déchets.
7. Une agroressource :	est une ressource renouvelable.	peut concurrencer les ressources alimentaires.	est toujours une ressource vivrière.
8. Gérer l'usage des solvants, c'est :	proscrire absolument tout solvant toxique.	limiter l'usage des solvants dangereux pour l'environnement.	rechercher des alternatives aux solvants classiques.
9. Économiser l'énergie, c'est :	utiliser des conditions opératoires plus « douces ».	utiliser des procédés qui consomment moins d'énergie.	interdire l'usage des ressources fossiles.
10. Choisir un procédé catalytique :	est économiquement non rentable.	peut permettre d'économiser des atomes.	permet d'économiser l'énergie.
11. Dans le cadre d'un développement durable, une gestion raisonnée des déchets, c'est :	détecter des produits toxiques, même à l'état de traces.	ne concevoir que des produits biodégradables.	valoriser toutes les molécules utilisables au sein d'une matière première.

Si erreur, revoir § 1, p. 448.

2 La valorisation du dioxyde de carbone

	A	B	C
1. Les gaz suivants sont des gaz à effet de serre :	le méthane.	le dioxyde de carbone.	le dioxygène.
2. Valoriser le dioxyde de carbone, c'est développer, par exemple, des procédés de :	captage par des algues.	relargage dans l'atmosphère.	stockage dans les gisements épuisés de pétrole.

Si erreur, revoir § 2, p. 448.

Exercice résolu

COMPÉTENCES
- Calculer.
- Faire preuve d'esprit critique.

3 Calculer une économie d'atomes

Énoncé

Avant 1950, l'acrylonitrile était fabriqué à partir d'acétylène et de cyanure d'hydrogène (**doc. 1**) :

$$HC{\equiv}CH + HCN \longrightarrow CH_2{=}CH-CN \qquad (1)$$

Le procédé de fabrication du cyanure d'hydrogène était simple, mais inadapté à une production importante, et celui de l'acétylène est cher. Depuis 1957, l'acrylonitrile est fabriqué à partir de propène :

$$2\ CH_2{=}CH-CH_3 + 2\ NH_3 + 3\ O_2 \longrightarrow 6\ H_2O + 2\ CH_2{=}CH-CN \qquad (2)$$

CYANURE D'HYDROGÈNE

H224 : Liquide et vapeurs extrêmement inflammables.
H330 : Mortel par inhalation.
H410 : Très toxique pour les organismes aquatiques, entraîne des effets néfastes à long terme.

Doc. 1 Étiquette du cyanure d'hydrogène.

1. a. L'économie d'atomes EA est définie comme le rapport de la masse molaire du (ou des) produit(s) recherché(s) sur la somme des masses molaires des réactifs (en tenant compte des nombres stœchiométriques) :

$$EA = \frac{\sum a_i \times M_i\,(\text{produit})}{\sum b_i \times M_i\,(\text{réactif})} \text{ avec } a_i \text{ et } b_i \text{ nombres stœchiométriques.}$$

Calculer l'économie d'atomes des réactions. Commenter.

b. En considérant que l'eau n'est pas un déchet, quelle valeur prend l'économie d'atomes de la réaction (2) ?

2. Rechercher les dangers du cyanure d'hydrogène. Commenter l'abandon du procédé.

3. Une réaction parasite peut se produire : $CH_2{=}CH-CH_3 + 3\ NH_3 + 3\ O_2 \longrightarrow 6\ H_2O + 3\ HCN$

Doit-on nuancer les réponses données aux questions précédentes ?

Conseils

Comment calculer une économie d'atomes ?

1. Dans l'équation de la réaction, calculer la masse molaire du produit attendu et les masses molaires de tous les réactifs.
Effectuer le rapport sans oublier les nombres stœchiométriques.
Si l'eau n'est pas un déchet, sa masse molaire doit être prise en compte dans le calcul.

Comment connaître les risques associés à un produit chimique ?

2. Se référer aux mentions de danger (codes H) présents sur l'étiquette.

Solution rédigée

1. a. Pour les réactions (1) et (2) :

$$EA_1 = \frac{M_{CH_2CHCN}}{M_{C_2H_2} + M_{HCN}} = \frac{53}{(26 + 27)} = 1{,}0$$

$$EA_2 = \frac{2M_{CH_2CHCN}}{2M_{CH_2CHCH_3} + 2M_{NH_3} + 3M_{O_2}} = \frac{106}{(84 + 34 + 96)} = 0{,}50$$

L'économie d'atomes est plus grande avec le procédé (1).

b. Si l'eau n'est plus comptée comme un déchet : $EA_2 = 1{,}0$.

2. Le cyanure d'hydrogène est extrêmement inflammable, mortel par inhalation et très toxique pour les organismes aquatiques.
Le procédé a été abandonné notamment pour travailler dans des conditions opératoires plus sûres et réduire les risques d'accidents.

3. Cette réaction produit du cyanure d'hydrogène : c'est un déchet, donc l'EA_2 est réduite ; de plus il présente des dangers.

Application immédiate

L'oxydation catalytique du 1-phényléthanol par le dioxygène (réaction 2) est-elle plus économe en atomes que l'oxydation par le réactif de Jones (réaction 1) ? L'eau est considérée comme un déchet.

3 [1-phényléthanol : C₆H₅–CH(OH)–CH₃] $+ 2\ CrO_3 + 3\ H_2SO_4 \longrightarrow$ 3 [acétophénone : C₆H₅–CO–CH₃] $+ Cr_2(SO_4)_3 + 6\ H_2O$ (1)

2 [1-phényléthanol] $+ O_2 \xrightarrow{\text{Catalyseur}}$ 2 [acétophénone] $+ 2\ H_2O$ (2)

Voir corrigés, p. 606.

COMPÉTENCES
- Calculer.
- Faire preuve d'esprit critique.

4 Interpréter un facteur environnemental

Énoncé

La synthèse du 1-butoxybutane, un étheroxyde (**doc. 1**), peut se faire par substitution entre un alcoolate (l'ion butanolate) et un halogénoalcane (le 1-chlorobutane). Le bilan global peut s'écrire :

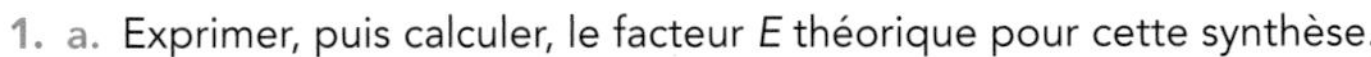

Il est possible de calculer un indicateur, appelé « facteur environnemental *E* », qui évalue l'impact d'un procédé sur l'environnement. Le facteur *E* théorique est le quotient de la masse molaire des déchets par la masse molaire du produit désiré (en tenant compte des nombres stœchiométriques).

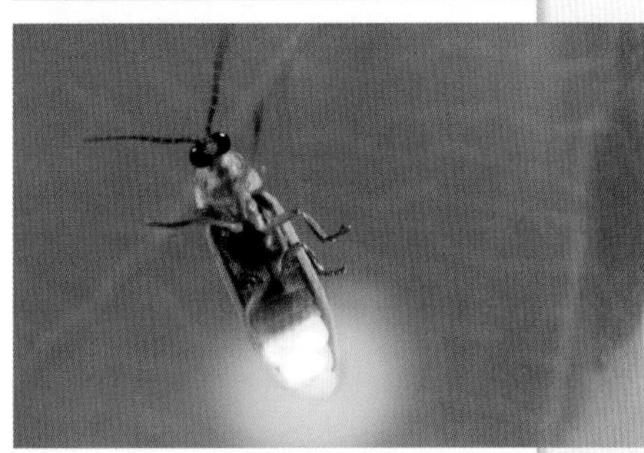

Doc. 1 La décomposition d'un étheroxyde est responsable de la bioluminescence de certains insectes comme la luciole.

1. a. Exprimer, puis calculer, le facteur *E* théorique pour cette synthèse.
b. Un bon facteur *E* a-t-il une valeur grande ou petite ?
c. Commenter la valeur calculée en fonction de la nature du déchet produit.

2. En pratique, cette synthèse est réalisée à reflux dans un solvant, tel que le diméthylsulfoxyde (DMSO). En outre, les quantités utilisées ne sont pas dans les proportions stœchiométriques. Quelle conséquence cela peut-il avoir sur la valeur du facteur environnemental ?

Conseils

Comment calculer un facteur environnemental théorique ?

1. Le facteur *E* est donné par le quotient :

$$E = \frac{\sum a_i \times M_i \text{ (déchet)}}{\sum b_i \times M_i \text{ (produit)}}$$

avec a_i et b_i nombres stœchiométriques.
Repérer, dans l'équation de la réaction, le produit attendu et en déduire les déchets.

2. Le facteur environnemental théorique est calculé à partir des masses molaires des espèces et ne tient donc compte ni des quantités apportées, ni du solvant éventuel. En outre, le facteur *E* est calculé en supposant que le rendement de la synthèse est de 100 %.

Solution rédigée

1. a. Le produit attendu est le 1-butoxybutane.
Le déchet est donc le chlorure de sodium :

$$E = \frac{M_{Na^+} + M_{Cl^-}}{M_{C_4H_9OC_4H_9}} = \frac{(23 + 35{,}5)}{130} = 0{,}45.$$

b. Un bon facteur *E* a une valeur proche de zéro.
c. Le déchet produit est du chlorure de sodium, sans danger.

2. Si les quantités ne sont pas dans les proportions stœchiométriques, il reste une quantité non négligeable du réactif en excès qu'il faut extraire ou recycler. Il en est de même pour le solvant. Ces traitements inévitables ont un impact environnemental et font augmenter le facteur *E*. Il est nécessaire aussi de regarder si ce procédé améliore le rendement.

Application immédiate

L'addition du dibrome sur l'éthylène conduit au dibromoéthane, selon la réaction d'équation :

$$CH_2{=}CH_2 + Br_2 \longrightarrow CH_2Br-CH_2Br$$

1. Calculer le facteur *E* théorique. Commenter la valeur obtenue.

2. La bromation a lieu dans un solvant qui peut être le tétrachlorométhane CCl_4 (**doc. 2**). Commenter.

DANGER

TÉTRACHLOROMÉTHANE

H351 : Susceptible de provoquer le cancer.
H331 : Toxique par inhalation.
H311 : Toxique par contact cutané.
H301 : Toxique en cas d'ingestion.
H372 : Risque avéré d'effets graves pour les organes à la suite d'expositions répétées ou d'une exposition prolongée.
H412 : Nocif pour les organismes aquatiques, entraîne des effets néfastes à long terme.
EUH059 : Dangereux pour la couche d'ozone.

Doc. 2 Étiquette du tétrachlorométhane.

Voir corrigés, p. 606.

Compétences exigibles au baccalauréat

✔ Extraire et exploiter des informations en lien avec :
– la chimie durable ➜ exercices 5
– la valorisation du dioxyde de carbone ➜ exercices 10

Pour commencer

Les principes d'une chimie durable

5 Comprendre les enjeux de la chimie durable

En plus de s'alimenter sainement, de disposer d'eau potable ou de réduire les pollutions, l'homme doit aussi prendre soin de sa santé. Cela peut passer par l'usage de médicaments. Les chercheurs extraient de la nature des molécules thérapeutiques, les copient (plus des trois-quarts sont *bio-inspirées*) ou en synthétisent de nouvelles toujours plus efficaces, avec des procédés de moins en moins polluants. Les industriels les produisent à grande échelle lorsqu'elles sont rentables économiquement.

Si dans les pays développés la mortalité liée aux maladies infectieuses a « pratiquement » disparu, il n'en est pas de même dans les autres pays. Et, malheureusement, même si les traitements existent, les coûts de production élevés et l'insolvabilité des populations expliquent la difficulté des pays en développement à accéder aux soins.

1. Que signifie le terme en *italique* ?

2. Quels sont les leviers sur lesquels il faut agir pour améliorer la santé des populations ?

3. Quels rôles la chimie peut-elle jouer ?

4. Expliquer, à l'aide des trois piliers du développement durable, les enjeux de l'accès aux soins.

6 Pratiquer une chimie douce

À Paris, vue de la façade du Petit Palais après restauration.

La capacité naturelle de certaines bactéries à réaliser la biominéralisation, c'est-à-dire à fabriquer du carbonate de calcium, est employée en architecture. C'est le cas de la *Bacillus cereus* que l'on trouve dans le sol et qui produit une biocalcite dont on se sert pour protéger les façades des monuments. Les pierres sont recouvertes d'un mélange bactérien (inoffensif pour l'homme et l'environnement) qui favorise la précipitation du carbonate de calcium qui se forme alors dans les microfissures de la pierre pour en augmenter la résistance.

1. Pourquoi peut-on qualifier la technique de biominéralisation de chimie douce ?

2. Les produits traditionnels de restauration sont le ciment, la chaux ou des polymères adhésifs.

a. @ Comment le ciment est-il fabriqué ?

b. @ À partir de quelle ressource la plupart des polymères sont-ils synthétisés ?

c. Quelles en sont les conséquences environnementales ?

3. Justifier l'usage de la biominéralisation.

7 Utiliser des solvants alternatifs

Le 2-méthyltétrahydrofurane (MeTHF), produit à partir du sucre de canne, est un *agrosolvant* alternatif au tétrahydrofurane THF, *pétrosolvant*. Il peut être utilisé dans de nombreuses réactions. Non miscible à l'eau, contrairement au THF, sa capacité d'extraction pour les composés polaires est meilleure. En outre, son isolement et son recyclage sont plus faciles. Le MeTHF réduit les étapes d'extraction et le volume de solvant utilisé. Il améliore les rendements.

1. a. Pourquoi qualifie-t-on le MeTHF d'*agrosolvant* ?

b. Qu'est-ce qu'un *pétrosolvant* ?

2. Le tableau suivant mentionne les dangers associés au THF et au MeTHF. Commenter.

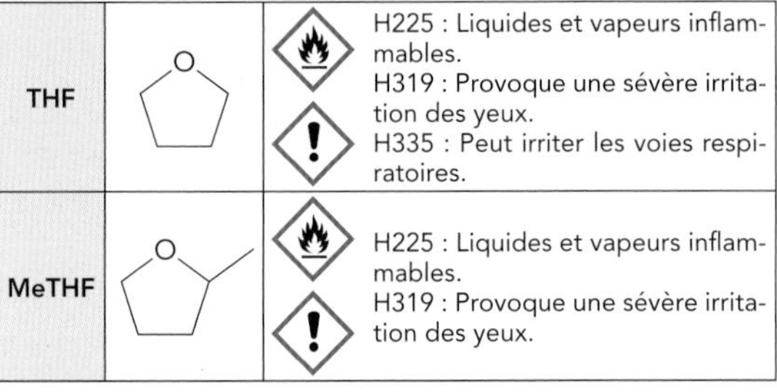

THF	(formule)	H225 : Liquides et vapeurs inflammables. H319 : Provoque une sévère irritation des yeux. H335 : Peut irriter les voies respiratoires.
MeTHF	(formule)	H225 : Liquides et vapeurs inflammables. H319 : Provoque une sévère irritation des yeux.

3. Quels sont, parmi les principes de la chimie verte, ceux qui sont respectés (voir l'Essentiel, p. 448) ?

8 Limiter les sources de pollution

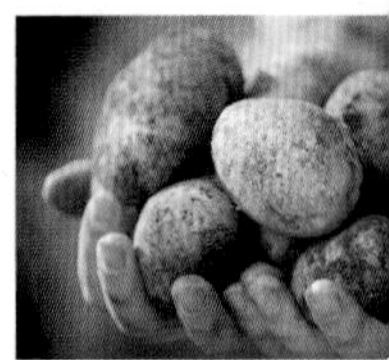

Lorsque les pommes de terre atteignent un certain stade de développement, elles émettent une substance baptisée solanoéclepine A. Dans le sol, les larves de nématodes réagissent à ce signal pour dévorer les tubercules. Habituellement, ces insectes parasites sont combattus avec des pesticides chimiques.

Le professeur Henk HIEMSTRA de l'université d'Amsterdam développe un procédé alternatif : pulvériser la solanoéclepine de synthèse avant la plantation de pommes de terre, afin de réveiller prématurément les larves de nématodes. Ne trouvant rien à manger, elles meurent de faim. La plantation peut ensuite être effectuée.

1. @ Citer les dangers liés à l'usage des pesticides.

2. Pourquoi le procédé alternatif utilisé se place-t-il dans le cadre d'une chimie verte ?

La valorisation du dioxyde de carbone

9 Réduire l'émission des gaz à effet de serre

Les experts du GIEC s'accordent sur la nécessité de maintenir la hausse de la température de la planète en dessous de +2 °C par rapport à l'ère pré-industrielle (1850-1899). La réduction des émissions de **g**az à **e**ffet de **s**erre (GES) implique des mesures énergétiques, industrielles, etc., mais aussi un changement de notre mode de vie comme l'indique le graphique suivant.

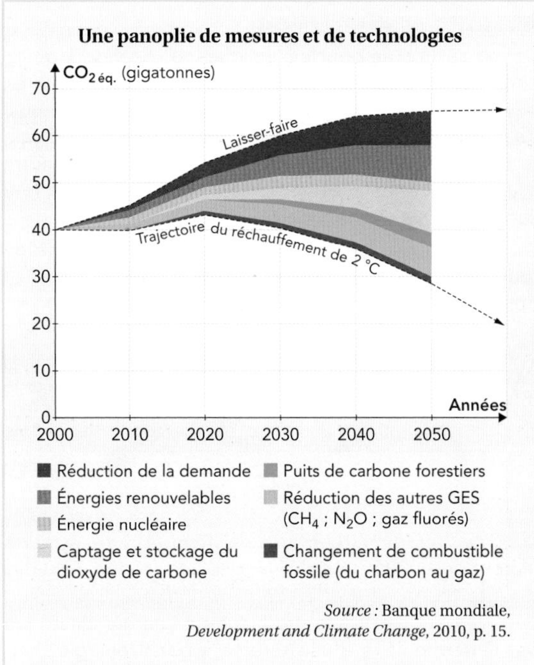

Source : Banque mondiale, *Development and Climate Change*, 2010, p. 15.

1. a. @ Qu'est-ce que le GIEC ?
b. Sur le graphique, la masse des GES émis est exprimée en $CO_{2\,\text{éq}}$. Qu'est-ce que cela signifie ?

2. Quelles semblent être les mesures les plus efficaces pour réduire l'émission des GES ?

3. a. Que sont les puits de carbone forestiers ?
b. En 2050, de quelle masse pourrait-on réduire les émissions de GES par captage-stockage du dioxyde de carbone ?

10 Capter le dioxyde de carbone

Pour séparer le dioxyde de carbone des fumées industrielles, une technique de « lavage » avec des amines peut être utilisée. Le dioxyde de carbone réagit sélectivement avec une amine, telle que l'éthanolamine, selon la réaction d'équation :

$$\underset{\text{Éthanolamine}}{2\,HO-CH_2-CH_2-NH_2} + CO_2 \underset{2}{\overset{1}{\rightleftharpoons}} HO-CH_2-CH_2-NH-CO_2^- + {}^+H_3N-CH_2-CH_2-OH$$

La fumée appauvrie en dioxyde de carbone est alors rejetée dans l'atmosphère.

Dans une autre étape, des conditions opératoires particulières favorisent la réaction dans le sens (2). Le dioxyde de carbone libéré est alors compressé puis stocké. L'éthanolamine régénérée est réinjectée pour un nouveau cycle.

1. Pourquoi est-il nécessaire de séparer le dioxyde de carbone des fumées industrielles ?

2. Pourquoi la réutilisation de l'amine régénérée entre-t-elle dans le cadre d'une chimie verte ?

3. Pourquoi cette technique peut-elle être qualifiée de traitement en *postcombustion* ?

Pour s'entraîner

11 Recycler les déchets

COMPÉTENCES Mobiliser ses connaissances ; raisonner.

Le PVC de ces fenêtres résiste aux agressions (pluie, soleil, etc.).

Le polychlorure de vinyle est un polymère plastique fabriqué à partir du chlorure de vinyle $CH_2=CH-Cl$. Industriellement, le chlorure de vinyle est obtenu par chloration de l'éthylène selon les réactions d'équations :

$$CH_2=CH_2 + Cl_2 \xrightarrow{FeCl_3} Cl-CH_2-CH_2-Cl \quad (1)$$

$$Cl-CH_2-CH_2-Cl \xrightarrow[\substack{500\ °C \\ 30\ \text{bar}}]{\substack{\text{Craquage} \\ \text{thermique}}} CH_2=CH-Cl + HCl \quad (2)$$

En présence de dioxygène et de chlorure d'hydrogène, une autre réaction peut alors se produire :

$$CH_2=CH_2 + HCl + \frac{1}{2}O_2 \xrightarrow{CuCl_2} CH_2=CH-Cl + H_2O \quad (3)$$

1. Quel est le rôle des chlorures de fer et de cuivre ?

2. a. Quel intérêt les industriels ont-ils à mettre en œuvre, en plus des réactions (1) et (2), la réaction (3) ?
b. Pourquoi cette démarche s'inscrit-elle dans le cadre d'une chimie durable ?

12 Privilégier les ressources naturelles

COMPÉTENCES Mobiliser ses connaissances; exploiter un graphique.

Le polychlorure de vinyle est largement utilisé comme revêtements de sol, emballages, canalisations d'eau, etc. Il est synthétisé à partir de chlorure de vinyle $CH_2=CH-Cl$, lui-même obtenu par chloration de l'éthène (ou éthylène) $CH_2=CH_2$ par le dichlore Cl_2. L'éthène peut être obtenu soit à partir du pétrole, soit par déshydratation du bio-éthanol C_2H_5OH issu de la canne à sucre.

Champ de canne à sucre.

Le PVC biosourcé, nommé bioPVC, et celui obtenu à partir du pétrole ne sont pas biodégradables. Le groupe chimique belge Solvay a implanté, au Brésil, une usine de production sur des terres où la culture de la canne à sucre, comme matière première, n'entre pas en compétition avec celle à usage alimentaire et crée plus d'emplois que d'autres cultures.

1. Qu'est-ce qu'une matière biosourcée? Est-elle nécessairement biodégradable?

2. a. Les propriétés chimiques et physiques du PVC biosourcé et de celui fabriqué à partir du pétrole sont-elles identiques?
b. Que peut-on penser de la phrase en *italique*? Quelle solution alternative au PVC pourrait-on envisager?

3. La balance GES de la production d'éthanol à partir de la canne à sucre et du pétrole est donnée ci-après :

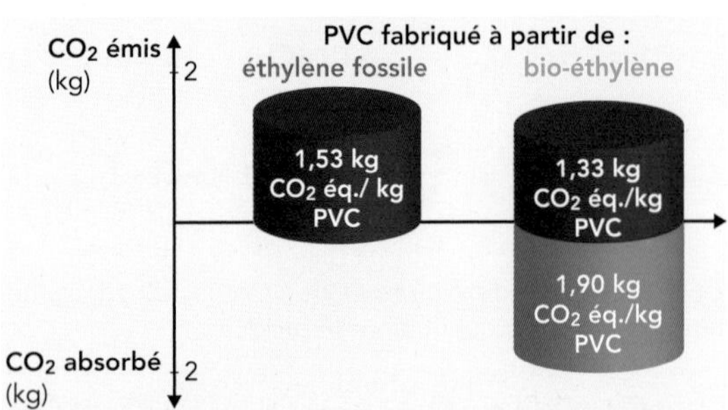

Émission totale de dioxyde de carbone pour la production de PVC, sur l'ensemble du procédé (électrolyse, transport, etc.).

a. Expliquer la présence du cylindre bleu, puis commenter le graphique.
b. Montrer, à l'aide d'exemples, que le procédé bioPVC s'inscrit dans une perspective de chimie durable.

4. La chloration de l'éthène conduit au 1,2-dichloroéthane. Chauffé à haute température et sous pression, ce dernier produit le chlorure de vinyle et un sous-produit A.
a. Écrire l'équation de la chloration de l'éthène par le dichlore.
b. À quelle famille de réaction appartient cette étape de chloration?
c. Identifier A. Constitue-t-il nécessairement un déchet?

13 Capter le dioxyde de carbone

COMPÉTENCES Raisonner; modéliser.

La combustion en boucle chimique (ou *chemical looping combustion* CLC) est une technique de traitement en *oxycombustion* qui convertit initialement les combustibles fossiles en dioxyde de carbone et en vapeur d'eau, facilement séparables par refroidissement. Aucune autre espèce carbonée n'est produite, contrairement à une combustion classique.

Le procédé consiste à oxyder à l'air un métal réducteur pour le réduire ensuite en présence d'un combustible :

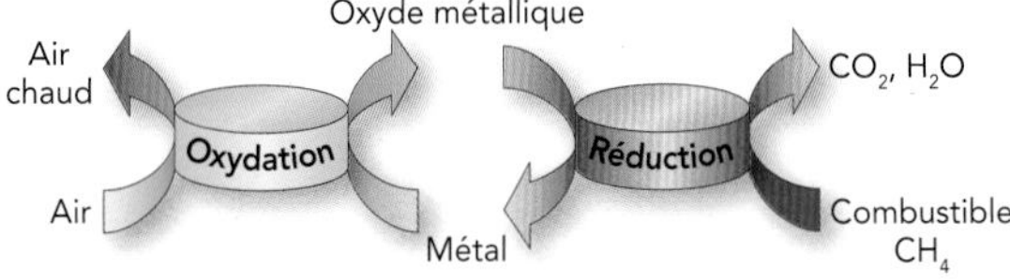

Lors de la première étape, la température atteinte (autour de 1 000 °C) ne permet pas la formation d'oxydes d'azote NO_x *gaz à effet de serre indirect*. L'air chaud dégagé peut servir à la production d'énergie électrique par l'intermédiaire d'une turbine à gaz. L'énergie thermique, produite lors de la deuxième étape, est également récupérée. L'efficacité énergétique d'une centrale fonctionnant en CLC est très élevée.

1. Pourquoi qualifie-t-on ce procédé d'*oxycombustion*?

2. a. En notant M le métal et MO son oxyde, écrire l'équation d'oxydation du métal M par le dioxygène.
b. Écrire l'équation de la réduction de l'oxyde métallique MO par le méthane CH_4 sachant que le métal M est régénéré.
c. Montrer que la somme de ces deux équations est équivalente à l'équation de la combustion du méthane dans le dioxygène.
d. Lors d'une combustion classique, quelles autres espèces carbonées peuvent être produites ? Justifier alors un intérêt de l'oxycombustion.

3. Comment le dioxyde de carbone est-il récupéré?

4. a. D'où pourraient provenir les oxydes d'azote NO_x dont il est question dans le texte?
b. @ Pourquoi sont-ils qualifiés de *gaz à effet de serre indirect*?

5. Dans le cadre de la chimie verte, expliquer pourquoi cette technique est un gain en termes d'énergie.

14 Pratiquer une chimie douce

COMPÉTENCES **Mobiliser ses connaissances; extraire et exploiter des informations.**

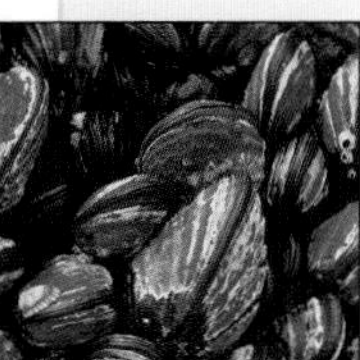

Les problèmes de toxicité et de pollution, liés aux colles synthétiques, contraignent les chercheurs à s'orienter vers des processus d'adhérence naturels.
Les mollusques produisent plusieurs protéines riches en DOPA, substance contenant deux groupes hydroxyle capables d'adhérer à de nombreuses surfaces. Cependant, au contact du dioxygène dissous dans l'eau, la DOPA s'oxyde rapidement en DOPA-quinone en perdant plus de 80 % de son pouvoir adhésif.
En 2011, des chercheurs américains ont observé que la moule de Californie produit deux protéines dont l'association lui confère ses propriétés adhésives : la mfp-3 contenant la DOPA et la mfp-6 riche en groupes thiols–SH. La mfp-6 agirait comme un antioxydant pour la mfp-3 en l'empêchant de s'oxyder :

mfp–3 (red) — mfp–3 (ox) — mfp–6 (red) — mfp–6 (ox)

HO OH — $\xrightarrow{O_2}$ — O O — SH — S–S — HO OH

Surface

Cette découverte est un enjeu clé pour le développement d'adhésifs « biomimétiques » contenant la DOPA.

1. a. Qu'est-ce que la chimie douce?
b. Que signifie le terme « biomimétique »?

2. Pourquoi produire de la colle autrement que par les techniques industrielles classiques?

3. Nommer les groupes caractéristiques dans les protéines mfp-3 oxydées et réduites.

4. À quels types de liaisons peuvent être attribuées les propriétés adhésives des moules?

15 *Bac* Valoriser les déchets

COMPÉTENCES **Extraire et exploiter des informations; argumenter.**

L'épichlorhydrine est utilisée majoritairement dans la production de résines époxydes à la base de peintures, d'adhésifs, etc.
Cette molécule peut être synthétisée à partir du propène issu du vapocraquage du pétrole selon les réactions d'équations :

(1) propène + Cl_2 ⟶ (Cl) + HCl

(2) 2 (Cl) + 2 HOCl ⟶ Cl(OH)Cl + HO(Cl)Cl

(3) Cl(OH)Cl + HO(Cl)Cl + 2 NaOH ⟶ 2 Épichlorhyrine + 2 H_2O + 2 NaCl

L'industrie oléochimique produit des quantités surabondantes de glycérol : son coût de revient est relativement faible.

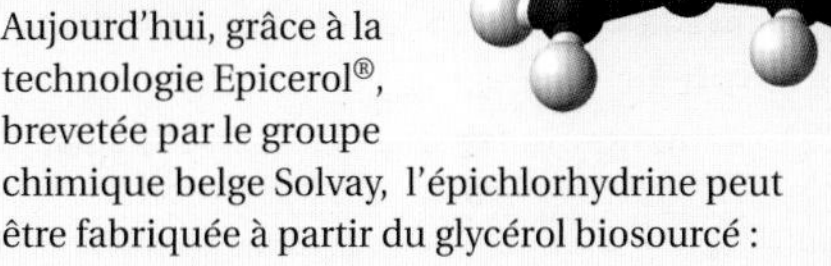

Aujourd'hui, grâce à la technologie Epicerol®, brevetée par le groupe chimique belge Solvay, l'épichlorhydrine peut être fabriquée à partir du glycérol biosourcé :

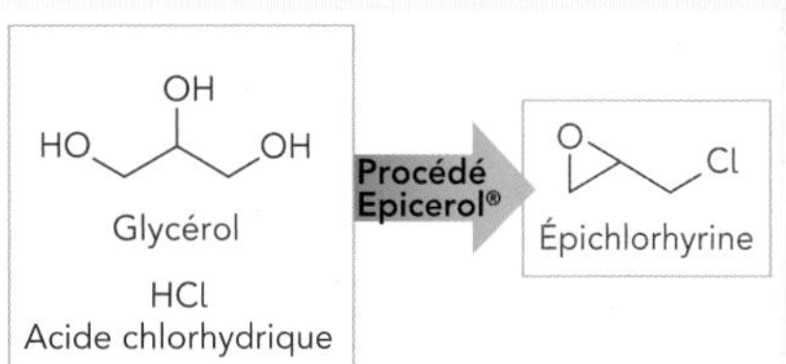

Le procédé utilise deux fois moins de réactifs chlorés et dix fois moins d'eau; il génère huit fois moins de sous-produits chlorés, et réduit de 20 % les émissions de dioxyde de carbone.

1. Pourquoi cherche-t-on à remplacer le procédé de synthèse à partir du propène?

2. a. Pourquoi le procédé Epicerol® s'inscrit-il dans une démarche de chimie durable?
b. En s'aidant des données ci-contre, doit-on nuancer la réponse à la question 2a?

3. À quelle famille de réactions appartient la réaction (2)?

16 Bac Limiter l'usage des solvants

COMPÉTENCES Extraire et exploiter des informations; calculer.

Le benzile est utilisé comme réactif en synthèse organique. Il est préparé par oxydation de la benzoïne :

Benzoïne (Ph–CH(OH)–CO–Ph) —Oxydation→ Benzile (Ph–CO–CO–Ph)

Protocole 1

Dans un ballon tricol, on chauffe à reflux à 100 °C, pendant une heure et demi, 6,0 g de benzoïne, 45 mL d'acide nitrique concentré HNO_3, 30 mL d'acide acétique pur utilisé comme solvant. Un dégagement de dioxyde d'azote NO_2 a lieu. Ce gaz est piégé par un système approprié. Une fois la réaction terminée, on ajoute 150 mL d'eau froide. Un précipité jaune se forme. Après filtration et purification, on obtient 4,5 g de benzile.

Protocole 2

Dans un mortier, on mélange intimement 1,0 g de benzoïne, 4 g d'une poudre d'argile, 0,5 g de dioxyde de manganèse MnO_2. Après un chauffage du mélange solide au four à micro-ondes pendant 2 minutes, le benzile est extrait à l'éthanol. Après évaporation et purification, on obtient 0,7 g de cristaux jaunâtres de benzile.

1. Justifier l'utilisation du chauffage à reflux dans le protocole 1 et la nécessité de mélanger intimement les réactifs dans le protocole 2.

2. a. Quels sont les oxydants dans chaque synthèse ?
b. Écrire la demi-équation de l'oxydation de la benzoïne en benzile.

3. Commenter le tableau de données suivant :

Espèce	Mentions de danger
Acide nitrique	H272 : Peut aggraver un incendie. H314 : Provoque de graves brûlures de la peau et des lésions oculaires.
Acide acétique	H226 : Liquides et vapeurs inflammables. H314 : Provoque de graves brûlures de la peau et des lésions oculaires.
Dioxyde d'azote	H314 : Provoque de graves brûlures de la peau et des lésions oculaires. H330 : Mortel par inhalation.
Dioxyde de manganèse	H302 : Nocif en cas d'ingestion. H332 : Nocif par inhalation.
Éthanol	H225 : Liquide et vapeurs très inflammables.

4. Dans les deux cas, le réactif limitant est la benzoïne. Calculer le rendement de chacune des réactions.

5. Pourquoi le protocole 2 s'inscrit-il dans le cadre d'une chimie verte et non le protocole 1 ?

17 Économiser les atomes

COMPÉTENCE Calculer.

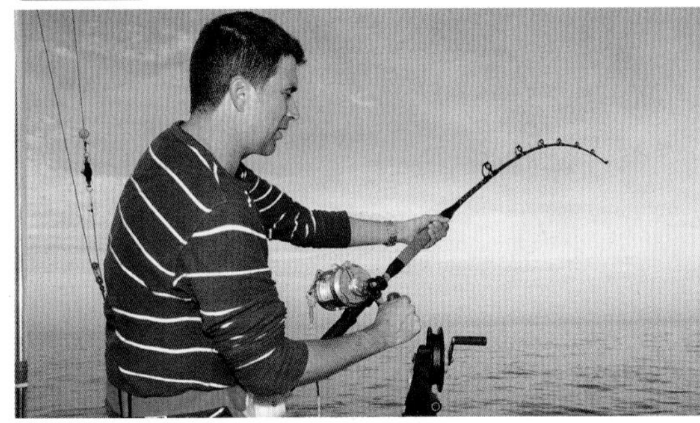

Les fils en Perlon®, très solides, sont utilisés pour la pêche.

Le caprolactame est un intermédiaire dans la fabrication d'un polyamide, le nylon 6 (fil de pêche ci-dessus). Il peut être synthétisé à partir de la cyclohexanone, selon la réaction d'équation :

2 Cyclohexanone + $(NH_3OH)_2SO_4$ (Sulfate d'hydroxylammonium) + 3 H_2SO_4 (Acide sulfurique) + 8 NH_3 (Ammoniac) ⟶ 2 Caprolactame + 4 $(NH_4)_2SO_4$ (Sulfate d'ammonium) + 2 H_2O (Eau)

1. À l'aide de la formule donnée dans l'exercice résolu 3, p. 450, calculer l'économie d'atomes EA dans le cas du procédé décrit ci-dessus et commenter la valeur obtenue.

2. Un autre procédé industriel utilise le but-1-ène comme réactif :

But-1-ène + 2 HCN (Acide cyanhydrique) + H_2O (Eau) + H_2 (Dihydrogène) —Catalyseurs→ Caprolactame + NH_3 (Ammoniac)

a. Calculer l'économie d'atomes. Comparer avec la valeur calculée à la question 1.
b. Dans ce procédé, l'ammoniac est recyclé. Que devient l'économie d'atomes ? Commenter.
c. @ Rechercher les risques associés à l'usage du dihydrogène et de l'acide cyanhydrique.
d. Parmi les 12 principes énoncés dans l'Essentiel, p. 448, quels sont ceux qui ne sont pas respectés dans ce deuxième procédé ? Commenter.

Voir, si nécessaire, l'exercice résolu 3, p. 450.

Pour aller plus loin

18 Utiliser des catalyseurs performants

COMPÉTENCES Calculer; extraire et exploiter des informations; modéliser.

Un procédé, encore utilisé de nos jours dans certains pays, produit industriellement l'acide éthanoïque (ou acide acétique) par oxydation du butane et du *naphta*. Un catalyseur au cobalt est utilisé. Le procédé conduit à de nombreux produits, dont l'acide éthanoïque. Le coût de séparation par *distillation fractionnée* est compensé par le fait que tous les produits obtenus peuvent être vendus.

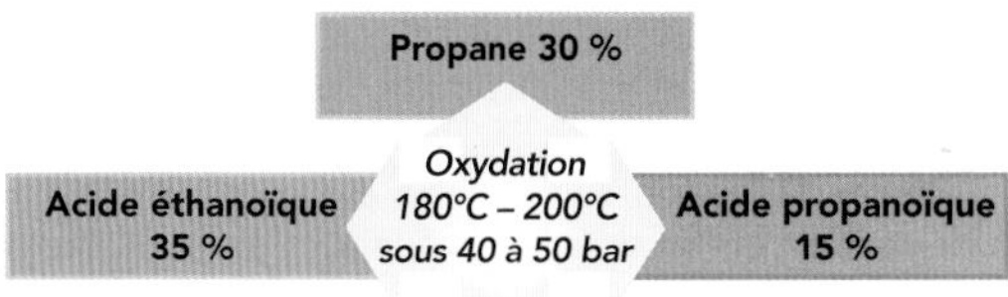

Pourcentage (en masse) des produits majoritaires issus de l'oxydation.

Dans les années 1960, le groupe chimique allemand BASF produit l'acide éthanoïque par carbonylation du méthanol :

$CH_3OH + HI \longrightarrow CH_3I + H_2O$ (1)

$CH_3I + CO \longrightarrow CH_3COI$ (2)

$CH_3COI + H_2O \longrightarrow CH_3COOH + HI$ (3)

L'iodure de cobalt est utilisé comme catalyseur. L'économie d'atomes réalisée est proche de 100 %. Ce procédé est plus économe en énergie. De plus, le méthanol est une matière première moins chère que le mélange butane/naphta. Cependant, la synthèse a lieu à 250 °C sous plusieurs centaines de bar.

En 1966, le procédé Monsanto utilise un nouveau catalyseur à base de rhodium et ramène la température et la pression autour de 150 à 200 °C et 30 à 60 bar. Mais le rhodium est un métal plus cher que l'or et il catalyse d'autres réactions telles que :

$$CO + H_2O \longrightarrow CO_2 + H_2$$

En 1996, le procédé BP Cativa utilise un catalyseur très *sélectif* à base d'iridium dont le prix est cinq fois moins élevé que le rhodium. Les déchets sont réduits. Le procédé est plus rapide, avec moins de catalyseur, et le *turnover frequency* (TOF) est bien plus important.

1. a. Écrire l'équation de la réaction d'oxydation de l'éthanol par le dioxygène de l'air.
b. De quel produit courant l'acide éthanoïque est-il le composant principal ?

2. a. @ D'où provient le mélange butane/naphta ?
b. Pourquoi le procédé d'oxydation d'un mélange butane/naphta a-t-il été supplanté ?
c. Le butane a pour formule brute C_4H_{10}.
Écrire l'équation de son oxydation par le dioxygène.

3. Qu'est-ce qu'une *distillation fractionnée* ?

4. a. Écrire le bilan de la carbonylation du méthanol, à partir des équations (1), (2) et (3).
b. À l'aide de la formule donnée dans l'exercice résolu 3, p. 450, calculer l'économie d'atomes théorique.
c. En réalité, pourquoi n'est-elle pas strictement égale à 1 ?

5. a. Quel est l'intérêt du procédé Monsanto ?
b. Pourquoi a-t-il été remplacé par le procédé BP Cativa ?
c. Qu'est-ce qu'un *catalyseur très sélectif* ?
d. Pourquoi les déchets ont-ils été réduits ?
e. @ Qu'est-ce que le TOF ?

6. Actuellement, des synthèses d'acide éthanoïque, à partir d'éthanol issu de matières premières renouvelables, sont à l'étude. Quel est l'intérêt de cette technique ?

Données : couples oxydant / réducteur :
CH_3CO_2H / CH_3CH_2OH ; O_2 / H_2O ; CH_3CO_2H / C_4H_{10}.

Voir, si nécessaire, l'exercice résolu 3, p. 450.

19 À chacun son rythme 

COMPÉTENCE Calculer.

Cet exercice est proposé à deux niveaux de difficulté. Dans un premier temps, essayer de résoudre l'exercice de niveau 2. En cas de difficultés, passer au niveau 1.

L'oxyde d'éthylène C_2H_4O (ou oxirane) peut être synthétisé à partir de l'éthylène selon deux procédés :

Voie classique

$$C_2H_4 + Cl_2 + Ca(OH)_2 \longrightarrow C_2H_4O + CaCl_2 + H_2O$$

Oxydation catalytique

$$C_2H_4 + \frac{1}{2}O_2 \xrightarrow[200\ °C\ à\ 300\ °C]{\text{Catalyseur}} C_2H_4O$$

On rappelle que l'économie atomique EA est définie par le quotient :

$$EA = \frac{\sum a_i \times M_i\ (\text{produit})}{\sum b_i \times M_i\ (\text{réactif})}$$

avec a_i et b_i, nombres stœchiométriques.

Niveau 2 (énoncé compact)

Quel procédé est le plus performant ?

Niveau 1 (énoncé détaillé)

1. Calculer la masse molaire de l'oxirane.

2. Pour chacun des procédés :
a. Calculer la masse molaire de chaque réactif.
b. Effectuer le quotient de la masse molaire de l'oxirane par la somme des masses molaires des réactifs en tenant compte des nombres stœchiométriques.

3. Un procédé est d'autant plus performant que son EA est proche de 1. Conclure.

20 Green acrostic  

COMPÉTENCE Extraire et exploiter des informations.

S. TANG, R. BOURNE, R. SMITH and M. POLIAKOFF, scientists at the School of Chemistry (University of Nottingham), suggest a condensed 12 Principles of Green Chemistry with the mnemonic « PRODUCTIVELY » :

Prevent *wastes*
Renewable materials
Omit derivatization steps
Degradable chemical products
Use safe synthetic methods
Catalytic *reagents*
Temperature, pressure ambient
In-process *monitoring*
Very few auxiliary substances
E-factor, maximize *feed* in product
Low toxicity of chemical products
Yes, it is safe

Vocabulaire : *wastes* : déchets ; *reagents* : réactifs ; *monitoring* : contrôle ; *feed* : apport ; *productively* : efficacement.

1. Justify the headline of this exercice.

2. Explain the reason why the word « PRODUCTIVELY » is often associated to green chemistry ?

3. Among these principles, which one fits with the concept of « soft chemistry » ?

4. The principles associated to **O**, **C**, **V** and **E** are often linked together. Why ?

21 Calculer un facteur environnemental réel

COMPÉTENCES Calculer ; raisonner ; argumenter.

Lors de la synthèse d'un savon en laboratoire, une solution concentrée de soude est utilisée pour réaliser la saponification d'un corps gras (R est un groupe alkyl) :

$$\begin{array}{l} R-CO_2-CH_2 \\ \quad\quad\quad\quad\;\; | \\ R-CO_2-CH \\ \quad\quad\quad\quad\;\; | \\ R-CO_2-CH_2 \end{array} + 3\,(Na^+ + OH^-)$$

Corps gras — Soude

$$\longrightarrow 3\,(R-CO_2^- + Na^+) + \begin{array}{l} HO-CH_2 \\ \quad\quad\;\; | \\ HO-CH \\ \quad\quad\;\; | \\ HO-CH_2 \end{array}$$

Savon — Glycérol

1. a. À l'aide de la formule de l'exercice résolu 4, p. 451, calculer le facteur environnemental théorique *E*. L'eau apportée par la solution de soude sera exclue du calcul.
b. L'impact environnemental est-il néfaste pour un facteur *E* grand ou proche de zéro ?

2. Au laboratoire, une masse de 14,5 g de savon est obtenue en utilisant 14 g de corps gras ($1{,}6 \times 10^{-2}$ mol), 26 g de soude ($6{,}5 \times 10^{-1}$ mol) et 16 g d'éthanol comme solvant. Un volume d'eau salée contenant 40 g de sel est nécessaire à la précipitation du savon.

a. Les réactifs ont-ils été introduits dans les proportions stœchiométriques ?
b. Calculer la quantité de matière, puis la masse de soude restant en fin de synthèse, ainsi que la masse de glycérol obtenue.
c. Quel est le rôle de l'éthanol ?
d. Comment nomme-t-on l'opération consistant à verser le mélange réactionnel dans de l'eau salée en fin de manipulation ?
e. Pourquoi le facteur *E* théorique calculé précédemment n'est-il pas un indicateur suffisant dans ce cas ?

3. Le facteur *E* réel est un indicateur qui tient compte de tous les déchets (les sous-produits, le solvant, les réactifs en excès, les espèces non réactives utilisées dans le procédé, etc.). Il peut être calculé comme le quotient de la masse totale des déchets par la masse du produit.
a. Nommer les « déchets » issus de cette saponification et préciser leurs masses.
b. Calculer le facteur *E* réel dans le cas de la saponification.
c. Comparer le résultat au facteur *E* théorique.
d. Quels sont les déchets présentant un danger ? Commenter l'utilisation du facteur *E* compte tenu de la dangerosité de ces déchets sur l'environnement.

4. Industriellement, le glycérol est recyclé pour être utilisé comme intermédiaire de synthèse dans de nombreuses réactions organiques. Quelle est la conséquence sur le calcul du facteur *E* ?

5. La saponification est effectuée à chaud. Quel paramètre doit-on considérer pour tenir compte de cet aspect ?

Données :

Espèce	M (g · mol^{-1})
Corps gras (oléine) avec R = $C_{17}H_{33}$	884
Soude	40
Savon	304
Glycérol	92

Voir, si nécessaire, l'exercice résolu 4, p. 451.

22 Améliorer les procédés 

COMPÉTENCES Extraire et exploiter des informations ; modéliser ; raisonner.

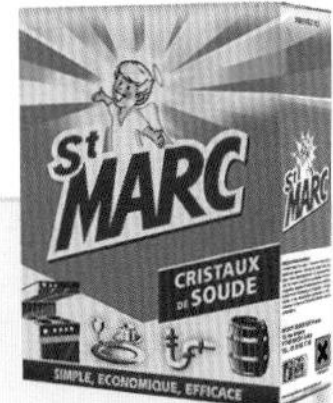

Les « cristaux de soude » sont en réalité du carbonate de sodium.

Au début du XXe siècle, le carbonate de sodium était largement utilisé pour la lessive. Actuellement, sa consommation mondiale annuelle avoisine les 40 millions de tonnes dans des domaines aussi variés que la pyrométallurgie, l'industrie du verre, la détergence, l'industrie pharmaceutique, etc.

Le procédé Leblanc

En 1789, le chimiste français Nicolas LEBLANC parvient à produire du carbonate de sodium à partir de sel marin, selon un procédé qui porte son nom. Dans la première étape, le sel est chauffé en présence d'acide sulfurique :

$$2\,NaCl + H_2SO_4 \rightarrow Na_2SO_4 + 2\,HCl$$

Dans la deuxième étape (calcination), un mélange de sulfate de sodium, de carbonate de calcium (craie) et de charbon est chauffé :

$$Na_2SO_4 + CaCO_3 + 2\,C \rightarrow Na_2CO_3 + CaS\,(s) + 2\,CO_2$$

Ce procédé rejetait du chlorure d'hydrogène et du sulfure de calcium que l'on ne savait pas recycler et qui polluaient l'environnement. Une loi britannique, l'*Alkali Act*, entre en vigueur en 1863 ; elle impose de limiter les rejets polluants. Un procédé de valorisation du chlorure d'hydrogène est mis en place. En 1871, le procédé Deacon voit le jour : le chlorure d'hydrogène est oxydé en dichlore gazeux par le dioxygène. Le sulfure de calcium est transformé en soufre, qui peut alors être revendu.

Le procédé Solvay

Le procédé Leblanc est remplacé en 1861 par un procédé découvert par le chimiste belge Ernest SOLVAY. Le procédé Solvay, toujours utilisé, produit du carbonate de sodium à partir de saumure et de craie, comme dans le procédé Leblanc, mais il diffère par les réactions mises en jeu et présentées dans le tableau ci-dessous.

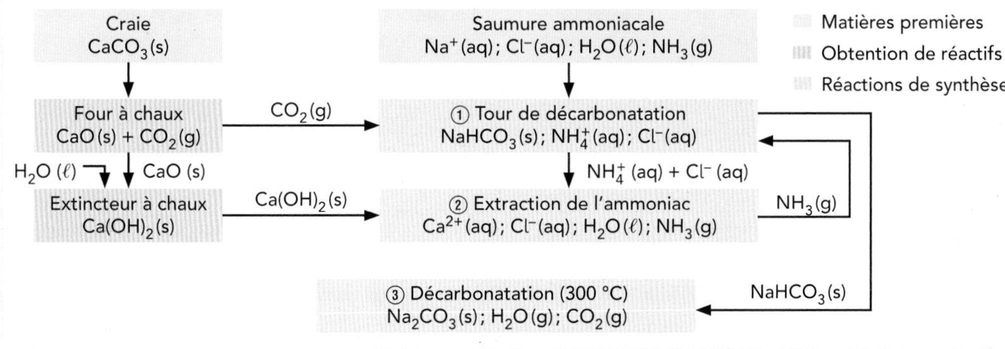

Le procédé Leblanc

1\. a. Pourquoi le procédé Leblanc est-il polluant ?
b. @ Rechercher les conséquences d'un rejet de chlorure d'hydrogène :
- dans l'air,
- dans les rivières.

c. @ Le sulfure de calcium est étiqueté H315, H319, H335 et H400. Rechercher à quels dangers correspondent ces sigles.

2\. Écrire l'équation de la réaction du procédé Deacon.

3\. Deux réactions à partir du sulfure de calcium sont envisageables. Ajuster leur équation :

$$\ldots CaS + \ldots H_2O \longrightarrow \ldots Ca(OH)_2 + \ldots H_2S$$
$$\ldots H_2S + \ldots O_2 \longrightarrow \ldots S + \ldots H_2O$$

Le procédé Solvay

4\. a. @ Qu'est-ce que la saumure ?
b. Quel est le nom chimique de la craie ?

5\. Écrire et ajuster les équations des réactions qui permettent d'obtenir le dioxyde de carbone CO_2 et l'hydroxyde de calcium $Ca(OH)_2$, nécessaires à la synthèse du carbonate de sodium.

6\. Écrire et ajuster les équations des trois réactions de synthèse (en bleu sur le document).

7\. Par quelle méthode l'hydrogénocarbonate de sodium $NaHCO_3(s)$ est-il isolé ?

8\. a. Quel est le gaz recyclé ?
b. Quelles sont les espèces rejetées ?
c. Pourquoi le procédé Solvay est-il moins polluant que le procédé Leblanc ?

9\. La production d'une tonne de carbonate de sodium conduit au rejet de 200 à 400 kg de dioxyde de carbone. Le projet Decalco valorise le dioxyde de carbone rejeté par le procédé Solvay pour deux usages principaux : la réduction locale de l'émission de dioxyde de carbone et la neutralisation de sous-produits.
a. Pourquoi doit-on réduire l'émission de dioxyde de carbone ?
b. Dans quelle partie du procédé le dioxyde de carbone pourrait-il être réinjecté ?

Exercices

Un pas vers l'enseignement supérieur 

23 Utiliser des solvants verts

COMPÉTENCES Extraire et exploiter des informations; raisonner; effectuer un calcul.

Acide lactique — Lactate d'éthyle

Le lactate d'éthyle est un ester hydroxylé liquide, peu volatil, miscible à l'eau et aux solvants organiques. Il est utilisé pour le décapage des peintures, le dégraissage des pièces métalliques, etc.

Facilement dégradable, il a peu d'effets néfastes sur l'environnement. Chez l'homme, il est néanmoins irritant pour les muqueuses oculaires et respiratoires.

Un procédé permet de synthétiser le lactate d'éthyle à partir de l'acide lactique $C_3H_6O_3$ obtenu par fermentation du glucose $C_6H_{12}O_6$ issu du maïs ou du blé.

La fermentation est réalisée par des micro-organismes de type *Lactobacillus*, *Bacillus* et *Rhizopus*. Au cours du processus, la chute du pH a un effet inhibiteur sur les souches de bactéries. Industriellement, il est courant de réguler le pH par ajout de chaux $Ca(OH)_2$. Les équations dans les fermenteurs sont alors les suivantes :

$$C_6H_{12}O_6 \longrightarrow 2\,C_3H_6O_3$$

$$2\,C_3H_6O_3 + Ca(OH)_2 \longrightarrow Ca(C_3H_5O_3)_2 + 2\,H_2O$$

1. Pourquoi le lactate d'éthyle est-il un solvant intéressant?

2. a. Pourquoi le pH chute-t-il au cours de la fermentation?
b. Quels ions permettent la régulation du pH?

3. Une masse de 10,0 t de glucose est traitée en présence de 100 m^3 d'eau. Le rendement de la production d'acide lactique est de 86 %.
a. Calculer la masse de lactate de calcium formé.
b. Calculer la masse de chaux à introduire dans le fermenteur.
c. Calculer la concentration massique en lactate de calcium. On ne tiendra pas compte des quantités de biomasse et des divers éléments nutritifs.

4. Les micro-organismes présents dans le fermenteur sont éliminés. La solution de lactate de calcium est récupérée par centrifugation, puis traitée par une solution d'acide sulfurique, $2\,H^+(aq) + SO_4^{2-}(aq)$.
Écrire l'équation de la réaction conduisant à l'acide lactique.

Retour sur l'ouverture du chapitre

24 Pratiquer une chimie douce

COMPÉTENCES Raisonner; modéliser.

Les coraux synthétisent le carbonate de calcium $CaCO_3$ (aragonite) de leur squelette, à une température comprise entre 23 °C et 28 °C par une réaction de précipitation d'équation :

$$Ca^{2+}(aq) + 2\,HCO_3^-(aq) \rightleftharpoons CaCO_3(s) + CO_2(aq) + H_2O(\ell) \quad (1)$$

Les coraux vivent en *symbiose* avec des algues unicellulaires, les zooxanthelles, localisées dans leur *endoderme*. Les zooxanthelles pratiquent la *photosynthèse* qui entraîne une diminution de la concentration locale en dioxyde de carbone CO_2, ce qui favorise la réaction de précipitation. L'aragonite ainsi produite est aussi solide que du béton voire plus.

Une start-up américaine a mis au point un processus reproduisant cette réaction, pour l'industrie du béton.

Le béton est un mélange de ciment et de *granulats*. Le ciment est obtenu par chauffage, vers 1 500 °C, d'un mélange de calcaire et d'argile. Le calcaire est une roche contenant au moins 50 % de carbonate de calcium sous forme de calcite. La calcite est moins résistante d'un point de vue mécanique que l'aragonite. Une tonne de dioxyde de carbone est émis par tonne de ciment produit. Le dioxyde de carbone engendré par l'industrie du béton constitue 5 à 10 % des émissions *anthropiques*. La start-up a construit en Californie, à côté d'une centrale électrique au gaz naturel, un *pilote industriel* transformant ainsi une partie du dioxyde de carbone émis en ciment.

1. @ Donner le sens des mots en *italique*.

2. Écrire l'équation de la réaction qui se produit entre l'acide du couple (a) et la base du couple (b) :
(a) $HCO_3^-(aq) / CO_3^{2-}(aq)$ (b) $CO_2, H_2O(aq) / HCO_3^-(aq)$

3. a. Écrire l'équation de précipitation des ions calcium Ca^{2+} (aq) avec les ions carbonate $CO_3^{2-}(aq)$.
b. Retrouver l'équation (1).

4. Pourquoi le procédé mis en place dans le pilote industriel peut-il s'inscrire dans la chimie douce?

5. Pourquoi est-il nécessaire de réduire l'émission du dioxyde de carbone?

6. Le dioxyde de carbone traité par le pilote est produit lors de la combustion du gaz naturel (méthane) de la centrale électrique.
Écrire l'équation de sa combustion complète dans le dioxygène.

Comprendre un énoncé

25 Bac Comparaison de deux synthèses

Le prop-2-ényloxybenzène est un étheroxyde qui peut être obtenu suivant deux procédés :

• Une réaction connue sous le nom de « synthèse de Williamson » : on chauffe à reflux à 50 °C et pendant une heure, un mélange de phénol en solution dans l'éthanol, d'hydroxyde de sodium et de chlorure d'allyle. La réaction a pour équation :

$$\text{Phénol (C}_6\text{H}_5\text{–OH)} + \text{Chlorure d'allyle (CH}_2\text{=CH–CH}_2\text{–Cl)} + Na^+ + OH^- \xrightarrow{\text{Éthanol}} C_6H_5\text{–O–CH}_2\text{–CH=CH}_2 + Na^+ + Cl^- + H_2O$$

Phénol ; Chlorure d'allyle ; Hydroxyde de sodium

Le produit est récupéré après une extraction à l'éther diéthylique.

• Un procédé catalytique : on chauffe à 90 °C pendant une heure et sous atmosphère inerte, un mélange de phénol, d'alcool allylique, de triphénylphosphine, d'acétate de palladium et de titanate d'isoproryle. La réaction a pour équation :

$$\text{Phénol (C}_6\text{H}_5\text{–OH)} + \text{Alcool allylique (CH}_2\text{=CH–CH}_2\text{–OH)} \xrightarrow[\text{PPh}_3,\ \text{Ti(OiPr)}_4]{\text{Pd(OAc)}_2} C_6H_5\text{–O–CH}_2\text{–CH=CH}_2 + H_2O$$

Phénol ; Alcool allylique

Le produit est récupéré après une distillation sous pression réduite. Le mélange catalytique est recyclé.

Données : $M(\text{H}) = 1{,}00\ \text{g}\cdot\text{mol}^{-1}$; $M(\text{C}) = 12{,}0\ \text{g}\cdot\text{mol}^{-1}$;
$M(\text{O}) = 16{,}0\ \text{g}\cdot\text{mol}^{-1}$; $M(\text{Na}) = 23{,}0\ \text{g}\cdot\text{mol}^{-1}$; $M(\text{Cl}) = 35{,}5\ \text{g}\cdot\text{mol}^{-1}$.

Questions à se poser à la lecture de l'énoncé

→ La formule de l'étheroxyde est-elle fournie dans l'énoncé ?

→ Quel est le rôle de l'éthanol ?

→ Quel est le rôle de l'éther diéthylique ?

→ Quel est le catalyseur (ou le mélange catalytique) utilisé ? Où peut-on le repérer dans l'équation de la réaction ?

→ À quelles formules correspondent les espèces chimiques dont les noms sont donnés ?

→ Quelles sont les différences entre les deux équations :
- en ce qui concerne les réactifs ;
- en ce qui concerne les produits ?

Questions	Compétences à mobiliser	Si difficulté, revoir
1. Dans la première réaction, pourquoi chauffe-t-on à reflux ?	• Reconnaître un facteur cinétique. • Connaître l'intérêt d'un reflux.	Chapitre 9, § 2.2, p. 235, et fiche n° 10, p. 593.
2. Le phénol en solution basique donne un ion. a. Quelle est la formule de l'ion obtenu à partir du phénol par réaction avec les ions hydroxyde.	• Identifier un acide, une base dans la théorie de Brönsted.	Chapitre 13, § 3, p. 331.
b. Cet ion réagit avec le chlorure d'allyle. Relier par une flèche courbe les sites accepteur et donneur des espèces organiques.	• Identifier un site donneur, un site accepteur de doublet d'électrons.	Chapitre 12, § 2, p. 307.
c. À quelle catégorie de réaction appartient cette synthèse ?	• Déterminer la catégorie d'une réaction.	Chapitre 11, § 2, p. 287.
3. a. À l'aide de la formule donnée à l'exercice 3, p. 450, calculer l'économie d'atomes pour chaque réaction. On ne tient pas compte du mélange catalytique et l'eau est un déchet. b. Commenter les valeurs obtenues.	• Rechercher des informations*. • Exploiter une équation de réaction. • Lire une formule topologique. • Effectuer un calcul*.	Exercice résolu 3, p. 450. Révisions, p. 16.
4. Le chlorure d'allyle est cancérigène, très inflammable, très toxique par inhalation, irritant pour les yeux, la peau, les voies respiratoires et provoque de graves brûlures. Le mélange catalytique est peu toxique, mais nocif par inhalation et provoque de graves brûlures. Commenter.	• Comparer les avantages et les inconvénients de procédés de synthèse du point de vue du respect de l'environnement.	Essentiel, p. 448.
5. En quoi ce procédé peut-il s'inscrire dans le cadre d'une chimie verte ?		

* Compétence transversale.

Avoir les bons réflexes

Si l'énoncé demande de...	il est nécessaire de...	Si difficulté	Pour réviser
Comparer les avantages et les inconvénients des procédés de synthèse.	● Pour chaque procédé, repérer des phrases ou des mots-clés appartenant aux cinq domaines : matières premières, solvant, énergie, déchets, produit fini. ● Comparer, domaine par domaine, chaque procédé.	Exercices 7, p. 452, et 16, p. 456.	Exercice 15 p. 455.
Calculer une économie atomique (EA).	● Rechercher la formule fournie dans l'énoncé. ● Rechercher dans l'équation de la réaction, le (ou les) produit(s) attendus (valorisables) sans tenir compte des déchets. ● Lister l'ensemble des réactifs de la réaction. ● Calculer la masse molaire de chacune de ces espèces. ● Utiliser la relation fournie.	Exercice résolu 3, p. 450.	Exercice 19 p. 457.
Calculer un facteur environnemental théorique *E*.	● Rechercher la formule fournie dans l'énoncé. ● Rechercher, dans l'équation de la réaction, le (ou les) produit(s) attendus (valorisables) sans tenir compte des déchets ● Lister l'ensemble des sous-produits non valorisables (déchets) de la réaction ● Calculer la masse molaire de chacune de ces espèces. ● Utiliser la relation fournie.	Exercice résolu 4, p. 451.	Exercice 21 p. 458.
Commenter la valeur d'une économie atomique (EA) ou d'un facteur environnemental *E*.	● Savoir qu'un procédé est d'autant meilleur que EA est proche de 1 et que *E* est proche de 0. ● Savoir que ces valeurs sont calculées en supposant que les réactifs ont été introduits dans les proportions stœchiométriques, que le rendement est pris égal à 100 %, et sans tenir compte de la présence d'un éventuel solvant, du danger de certaines espèces, de la consommation d'énergie, etc. ● Relativiser ces valeurs qui ne sont qu'indicatives, en se reportant toujours aux cinq domaines (matières premières, solvant, énergie, déchets, produit fini).	Exercices résolus 3 et 4, p. 450-451.	Exercice 19 p. 457.

Dans les conditions du baccalauréat

● **Avec aide :** Exercice 25 p. 461.

● **Sans aide :** Exercice 15 p. 455.

Contrôle de la qualité par dosage

Chapitre 18

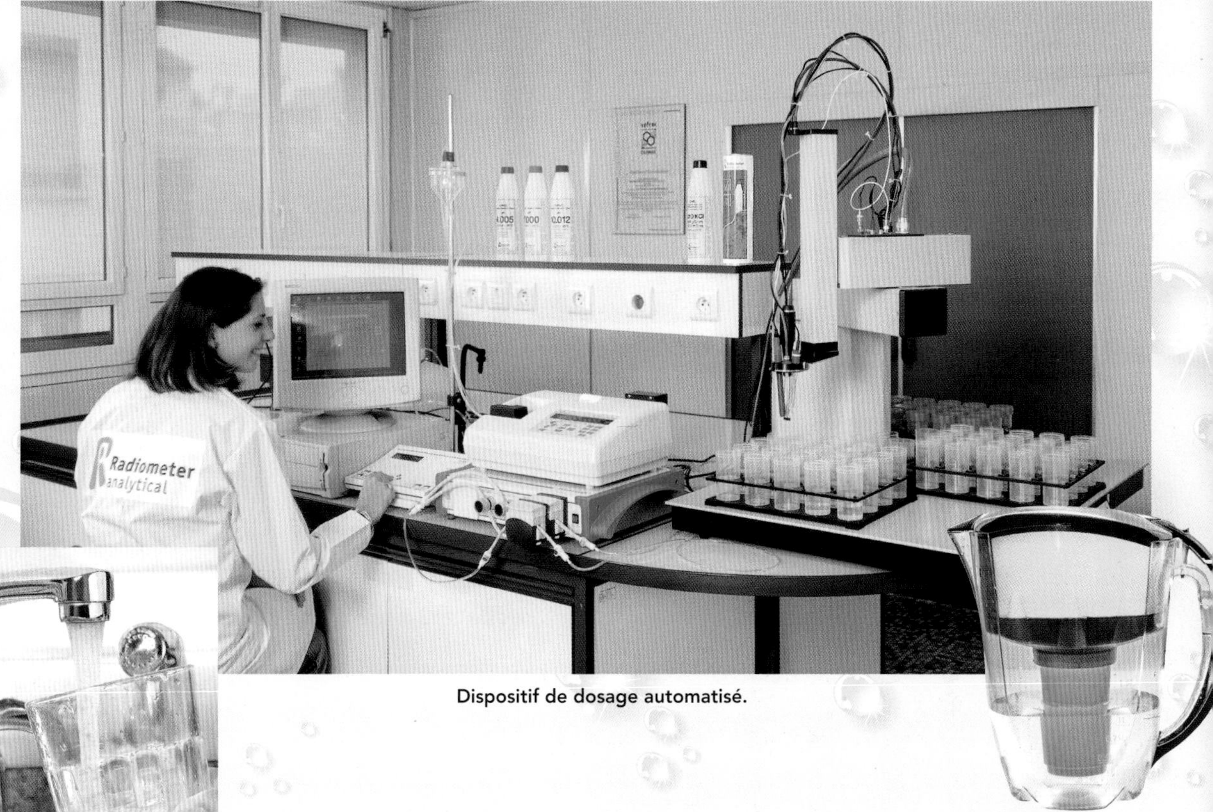

Dispositif de dosage automatisé.

Carafe d'eau à filtre adoucissant.

L'eau du robinet est très contrôlée. La dureté d'une eau est un indicateur de sa concentration en ions calcium et magnésium. Elle peut être déterminée par dosage.
Comment déterminer la concentration des ions calcium et magnésium par dosage ?
(Voir exercice 23, p. 484.)

Qu'est-ce qu'un dosage ?
Comment contrôler la qualité d'un produit par dosage ?

OBJECTIFS

→ Connaître la méthode de dosage par étalonnage.
→ Connaître la méthode de dosage par titrage direct.
→ Savoir repérer l'équivalence d'un titrage par pH-métrie, conductimétrie ou utilisation d'un indicateur de fin de réaction.

Activités Étude expérimentale

Compétence exigible au baccalauréat

- *Pratiquer une démarche expérimentale pour déterminer la concentration d'une espèce à l'aide de courbes d'étalonnage en utilisant la spectrophotométrie et la conductimétrie dans le domaine de la santé, de l'environnement et du contrôle de la qualité.*

1 Dosage par étalonnage

A Avec un spectrophotomètre

Certains sirops de menthe contiennent le colorant alimentaire bleu patenté (E131). La dose journalière admissible (DJA) de ce colorant est de 2,5 mg par kilogramme de masse corporelle.
Comment déterminer la concentration de ce colorant dans un sirop de menthe grâce à un dosage par étalonnage avec un spectrophotomètre ?

▸ On dispose d'une solution aqueuse S_0 de bleu patenté de concentration $C_0 = 1{,}0 \times 10^{-5}$ mol·L^{-1} et du matériel présenté sur le document 1.

▸ Un spectrophotomètre (voir **fiche n° 12**, p. 596) est un appareil qui affiche l'absorbance *A* d'une solution colorée (doc. 1).

L'absorbance mesure la proportion de lumière absorbée par une solution colorée, pour une longueur d'onde λ et une concentration *C* données.

▸ Les spectres d'absorption d'une solution du sirop de menthe étudié et des solutions des colorants bleu patenté et jaune tartrazine, contenus dans ce sirop, ont été tracés sur le document 2 ci-contre.

▸ Un élève, pesant 60 kg, boit 0,2 L du sirop de menthe étudié.

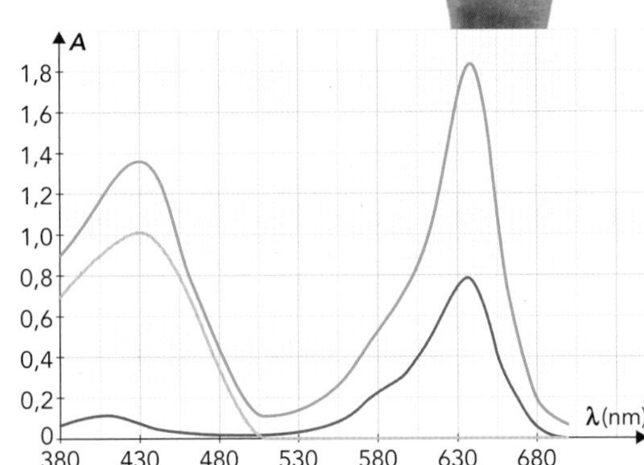

Doc. 2 Spectres d'absorption d'une solution du sirop de menthe étudié et des solutions des colorants bleu patenté E131 et jaune tartrazine E102.

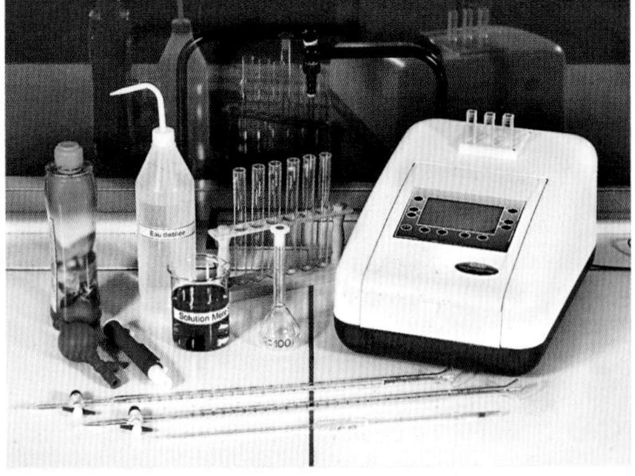

Doc. 1 Matériel, solutions disponibles et spectrophotomètre.

1 Rédiger un protocole expérimental détaillé permettant, avec le matériel disponible (doc. 1), de déterminer la concentration molaire C_{E131} en bleu patenté dans le sirop de menthe.

2 Sur quelle longueur d'onde λ_{max} doit-on régler le spectrophotomètre ? Justifier la réponse en utilisant le document 2.

3 Mettre en œuvre ce protocole après discussion avec le professeur.

4 L'élève aura-t-il dépassé la dose journalière admissible (DJA) en colorant E131 ?
Donnée : M(E131) = 1159,4 g·mol^{-1}.

Un pas vers le cours...

5 Décrire, en quelques lignes, la méthode de dosage d'une espèce chimique par étalonnage avec un spectrophotomètre.

B Avec un conductimètre

Très souvent utilisé dans le domaine médical, le sérum physiologique est une solution aqueuse de chlorure de sodium à 0,9 % en masse.
Comment vérifier cette indication grâce à un dosage par étalonnage avec un conductimètre ?

Solutions étalon en chlorure de sodium

On dispose d'une solution aqueuse S_0 de chlorure de sodium de concentration $C_0 = 10\ \text{mmol} \cdot \text{L}^{-1}$ et du matériel du document 3. À partir de la solution S_0, on souhaite préparer, dans des tubes à essais, quatre solutions filles, S_1, S_2, S_3 et S_4, de même volume $V_t = 20{,}0$ mL et de concentrations C_i différentes.

1 Reproduire et compléter le tableau ci-dessous :

Solution	S_0	S_1	S_2	S_3	S_4
F	1,00	1,25	1,67	2,50	5,00
V_0 (mL)	20,0				
V_{eau} (mL)	0,0				
C_i (mmol · L^{-1})	10				

F, V_0(mL) et V_{eau}(mL) sont, respectivement, le facteur de dilution et les volumes de S_0 et d'eau distillée.

- Préparer les quatre solutions filles.

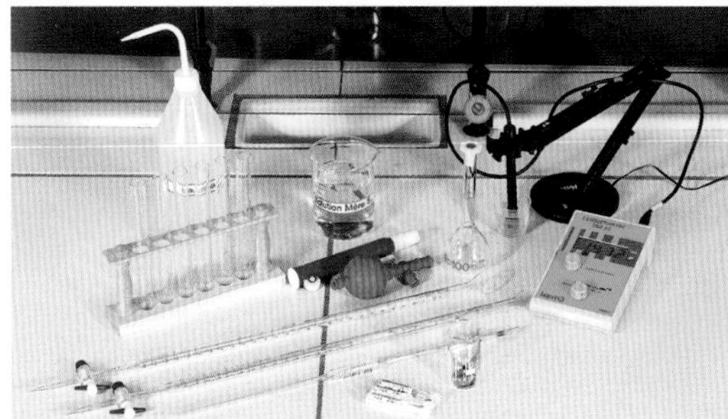

Doc. 3 Matériel et solutions disponibles.

Mesures

- Étalonner le conductimètre (voir **fiche n° 12**, p. 596).
- Mesurer la conductivité σ_{ED} de l'eau distillée.
- Mesurer la conductivité σ'_i des cinq solutions étalon en commençant par la solution la plus diluée.

2 Reproduire et compléter le tableau ci-dessous :

Solution	S_0	S_1	S_2	S_3	S_4
σ'_i (mS · cm^{-1})					
$\sigma_i = \sigma'_i - \sigma_{ED}$ (mS · cm^{-1})					
C_i(mmol · L^{-1})					

3 Comment interpréter la valeur non nulle de σ_{ED} ? Que représente alors σ_i ?

4 Tracer la courbe d'étalonnage σ_i en fonction des concentrations C_i.

5 a. Quelle est l'allure du graphe obtenu ? Que peut-on en conclure ?
b. Proposer une relation entre la conductivité σ_i des solutions utilisées et leur concentration C_i en chlorure de sodium.

Un pas vers le cours...

6 Par analogie avec la loi de Beer-Lambert en spectrophotométrie, énoncer la loi de Kohlrausch qui relie la conductivité d'une solution à sa concentration molaire en soluté apporté.

Exploitation

- Diluer 20 fois, avec de l'eau distillée, le sérum physiologique contenu dans l'ampoule (doc. 3).
- Verser 20 mL de cette solution dans un bécher.
- Mesurer la conductivité $\sigma_{\text{sérum dilué}}$ du sérum physiologique dilué.
- Une solution de sérum physiologique à 0,9 % en masse a une concentration massique en chlorure de sodium $t = 9{,}0\ \text{g} \cdot \text{L}^{-1}$.

7 a. À l'aide de la courbe d'étalonnage, déterminer la concentration $C_{\text{sérum dilué}}$ en chlorure de sodium du sérum physiologique dilué.
b. En déduire la concentration $C_{\text{sérum}}$ en chlorure de sodium du sérum physiologique. Justifier la dilution réalisée.
c. Calculer la concentration massique $t_{\text{sérum}}$ correspondante.

8 Comparer $t_{\text{sérum}}$ et t en calculant un écart relatif entre les deux valeurs (voir **fiche n° 4**, p. 587).

9 a. Calculer la concentration moyenne t_{moy} de l'ensemble des concentrations $t_{\text{sérum}}$ obtenues par les différents groupes de la classe.
b. En déduire l'écart type σ_{n-1}.
c. Avec un intervalle de confiance de 95 % (**voir fiche n° 3**, p. 584), donner un encadrement de t_{moy}.
d. Comment pourrait-on expérimentalement diminuer l'incertitude relative du résultat de la mesure ?

Activités Étude expérimentale

Compétence exigible au baccalauréat

• *Pratiquer une démarche expérimentale pour déterminer la concentration d'une espèce chimique par titrage par le suivi d'une grandeur physique.*

2 Dosage par titrage conductimétrique

Un dosage par titrage direct est une technique de dosage mettant en jeu une réaction chimique, support du titrage. Lorsque des ions sont mis en jeu, on peut suivre le titrage par conductimétrie.

Comment réaliser un dosage par titrage conductimétrique ?

A Titrage d'un déboucheur pour canalisation

Une solution commerciale S_0 de déboucheur de canalisation peut être assimilée à une solution aqueuse d'hydroxyde de sodium concentrée.

La solution S_0, de concentration C_0 à déterminer, est diluée 100 fois afin d'obtenir une solution S_B de concentration C_B.

▸ Remplir une burette graduée avec une solution S_A d'acide chlorhydrique, de concentration $C_A = 2{,}5 \times 10^{-2}$ mol·L^{-1}. Ajuster son zéro.

▸ Avec une pipette jaugée, munie d'un pipeteur, prélever un volume $V_B = 10{,}0$ mL de la solution S_B et l'introduire dans un bécher de 250 mL.

▸ Ajouter au bécher environ 100 mL d'eau distillée et un barreau aimanté. Placer le bécher sur un agitateur magnétique et réaliser une agitation régulière.

▸ Étalonner le conductimètre (voir **fiche n° 12, p. 596**), puis plonger la cellule conductimétrique dans le bécher et la fixer (doc. 4). Noter la valeur initiale de la conductivité σ.

▸ Ajouter la solution S_A, millilitre par millilitre, jusqu'à $V_A = 20$ mL et, à chaque ajout, mesurer la conductivité σ de la solution dans le bécher. Noter les valeurs dans un tableau.

Info

Réactif titrant : réactif de concentration connue.
Réactif titré : réactif dont on cherche la concentration.

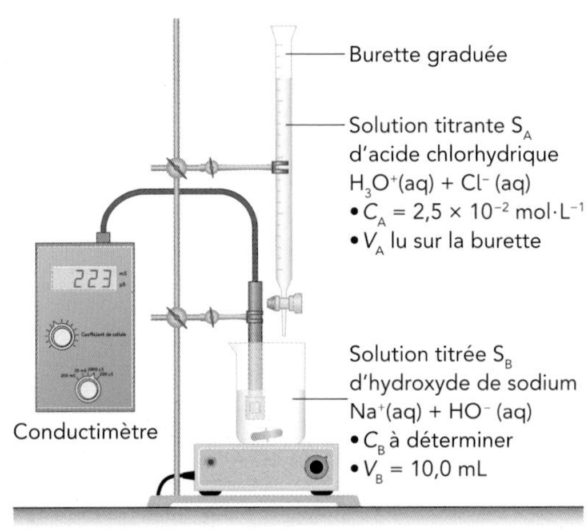

Doc. 4 Schéma du dispositif de titrage.

B Exploitation des résultats EN AUTONOMIE

1 Tracer le graphe $\sigma = f(V_A)$. Commenter son allure.

2 Tracer les deux portions de droites du graphe et repérer leur point d'intersection. Ce point, noté E, est appelé **point équivalent**. Déterminer le volume équivalent V_E correspondant.

3 Pour le titrage réalisé, les couples acide/base sont $H_3O^+(aq)/H_2O(\ell)$ et $H_2O(\ell)/HO^-(aq)$. Établir l'équation de la réaction support du titrage.

4 Exprimer la quantité n_0 d'hydroxyde de sodium présente initialement dans le bécher, en fonction de C_B et de V_B. Exprimer la quantité n_E d'acide chlorhydrique apportée à l'équivalence, en fonction de C_A et de V_E.

5 À l'équivalence quelle relation a-t-on entre n_0 et n_E ? En déduire la relation entre C_B, V_B, C_A et V_E.

6 Calculer la concentration C_B en hydroxyde de sodium de la solution S_B. En déduire la concentration C_0 de la solution commerciale S_0.

Info **Équivalence d'un titrage**

L'équivalence d'un titrage correspond au mélange stœchiométrique du réactif titrant et du réactif titré pour la réaction de titrage.
Ainsi, à l'équivalence d'un titrage, les réactifs sont totalement consommés.

Un pas vers le cours...

7 Identifier les principales sources d'erreur responsables d'une incertitude sur la valeur de la concentration de la solution commerciale.

3 Dosage par titrage pH-métrique

Lorsque la réaction mise en jeu lors d'un titrage est une réaction acidobasique, on peut suivre l'évolution du titrage avec un pH-mètre. Comment réaliser un dosage par titrage pH-métrique ?

Compétence exigible au baccalauréat
- *Pratiquer une démarche expérimentale pour déterminer la concentration d'une espèce chimique par titrage par le suivi d'une grandeur physique.*

A Titrage direct d'une solution d'aspirine

Le principe actif d'un comprimé d'aspirine est l'acide acétylsalicylique de formule brute $C_9H_8O_4$.

▸ Préparer 500,0 mL de solution par dissolution d'un comprimé d'aspirine 500 finement broyé dans un mortier.

Soit S_A la solution d'aspirine et C_A sa concentration molaire en acide acétylsalicylique.

▸ Étalonner le pH-mètre (voir **fiche n° 12**, p. 596).

▸ Dans un bécher, introduire 20,0 mL de solution S_A et ajouter quelques gouttes de bleu de bromothymol.

Info Le bleu de bromothymol est un indicateur coloré adapté à ce titrage. Il permet de repérer visuellement l'équivalence du titrage, grâce à un changement de coloration de la solution dans le bécher.

▸ Réaliser le montage schématisé sur le document 5.

▸ Préparer un tableau de valeurs (V_B ; pH).

▸ Ajouter la solution S_B, millilitre par millilitre, en relevant la valeur du pH à chaque ajout.
On observe d'abord une coloration bleue fugace de la solution dans le bécher. Puis, à l'approche de l'équivalence, la coloration bleue disparaît plus lentement. Verser alors la solution S_B par pas de 0,5 mL.

▸ Noter le volume V_B correspondant au changement de coloration de la solution dans le bécher.

▸ Une fois l'équivalence passée, verser la solution S_B, millilitre par millilitre, jusqu'à V_B = 20,0 mL.

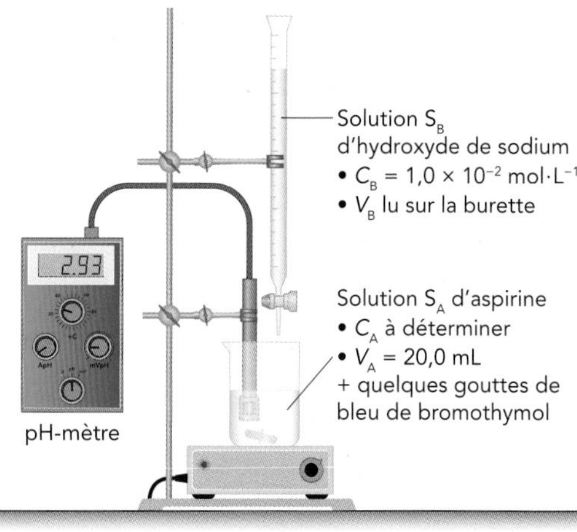

Doc. 5 Schéma du dispositif de titrage.

B Exploitation des résultats EN AUTONOMIE

1 Comment repère-t-on visuellement l'équivalence du titrage ? Comment évolue alors le pH de la solution dans le bécher ?

2 Tracer le graphe pH = $f(V_B)$.

3 À l'aide de la méthode présentée au document 9, p. 472, déterminer les coordonnées (V_E ; pH_E) du point équivalent E.

4 Justifier le choix du bleu de bromothymol comme indicateur coloré pour ce titrage, sachant que sa zone de virage est :
pH = 6 (jaune) – pH = 7,6 (bleu).

5 Les couples acide/base mis en jeu sont :
$C_9H_8O_4(aq)/C_9H_7O_4^-(aq)$ et $H_2O(\ell)/HO^-(aq)$.
Écrire l'équation de la réaction support du titrage.

6 En exploitant la notion d'équivalence (activité 2), établir une relation entre C_A, V_A, C_B et V_E.

7 a. Calculer la valeur de la concentration C_A.
b. Calculer la concentration moyenne C_{Amoy} de l'ensemble des concentrations C_A obtenues par les différents groupes de la classe.
c. En déduire l'écart type σ_{n-1}.
d. Avec un intervalle de confiance de 95 % (voir **fiche n° 3**, p. 584), donner un encadrement de C_{Amoy}.

8 Déduire de la valeur de C_{Amoy}, la masse m_A de principe actif contenu dans un comprimé.
Comparer cette masse à celle indiquée sur la boîte du médicament, en calculant une incertitude relative.

9 Pourquoi faut-il resserrer les points de mesure au voisinage de l'équivalence dans un titrage pH-métrique alors que ce n'est pas nécessaire dans un titrage conductimétrique ?

Compétence exigible au baccalauréat

- *Pratiquer une démarche expérimentale pour déterminer la concentration d'une espèce chimique par titrage par la visualisation d'un changement de couleur.*

4 Dosage par titrage colorimétrique

La Bétadine® est un antiseptique local dont le principe actif est le diiode. L'étiquette de l'antiseptique précise : « Bétadine 10 % : Polyvidone iodée : 10,00 g pour 100 mL ».
Comment vérifier cette indication grâce à un dosage par titrage colorimétrique ?

A Expériences préliminaires

- Diluer 10 fois la solution S_0 de Bétadine®. Soit S_1 la solution diluée.
- Dans un tube à essais T_1, verser 1 mL de la solution S_1 : observer la couleur de la solution S_1.
- Ajouter dans T_1, goutte à goutte et en agitant le tube, une solution incolore de thiosulfate de sodium de concentration $5{,}0 \times 10^{-3}$ mol·L^{-1}. Observer.
- Dans un autre tube T_2, recommencer l'expérience précédente jusqu'à ce que la coloration soit jaune clair.
- Ajouter alors une pointe de spatule de thiodène. Agiter et observer. Continuer à ajouter la solution de thiosulfate de sodium tout en agitant T_2.

1 Schématiser les expériences réalisées et noter les observations.

2 Établir l'équation de la réaction entre le diiode I_2(aq) et les ions thiosulfate $S_2O_3^{2-}$(aq).
Couples : I_2(aq)/I^-(aq) et $S_4O_6^{2-}$(aq)/$S_2O_3^{2-}$(aq).

3 La décoloration de la solution dans T_1 est-elle facilement repérable ? Commenter.

4 a. La décoloration de la solution dans T_2 est-elle facilement repérable ?
Pourquoi le thiodène est-il appelé « indicateur de fin de réaction » ?
b. Comment permet-il de repérer l'équivalence ?

B Dosage du diiode de l'antiseptique

- Réaliser le montage schématisé sur le document 6. Le thiodène, ou l'empois d'amidon, est ajouté lorsque la solution, dans l'erlenmeyer, est devenue jaune clair.
- Effectuer un premier dosage rapide afin d'estimer l'ordre de grandeur du volume V_E à l'équivalence correspondant au changement de teinte de la solution.
- Effectuer un second dosage précis à la goutte près. Noter le volume V_E à l'équivalence.

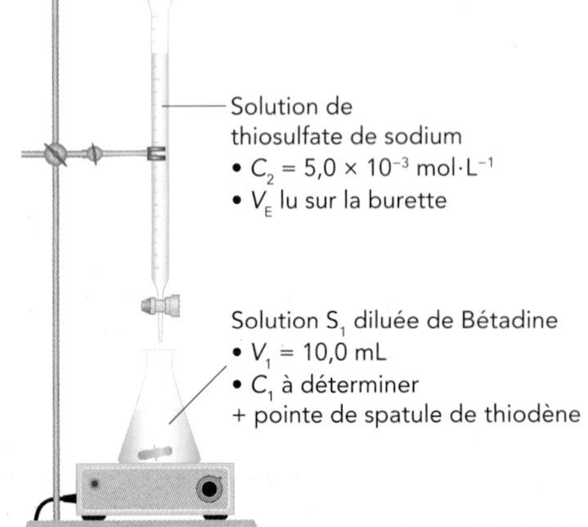

Doc. 6 Schéma du dispositif de titrage.

5 En exploitant la notion d'équivalence (**activité 2**), établir une relation entre la quantité initiale $n_1(I_2)$ de diiode dans la solution S_1 et la quantité $n_E(S_2O_3^{2-})$ d'ions thiosulfate versée à l'équivalence.

6 Calculer la concentration C_1 en diiode dans la solution diluée. En déduire la concentration C_0 en diiode dans la solution S_0.

7 Calculer la quantité de diiode $n_0(I_2)$ présente dans 100 mL de solution S_0.

8 La polyvidone iodée est un « complexe » formé par l'association d'une molécule de polyvidone et d'une molécule de diiode.
Quelle est la quantité n_P de polyvidone iodée dans 100 mL de S_0 ?
En déduire la masse m_P de polyvidone iodée dans 100 mL de S_0.
Comparer la masse m_P obtenue à celle qui est indiquée sur le flacon de Bétadine®, en calculant une incertitude relative.
Donnée : M(polyvidone iodée) = 2 362,8 g·mol^{-1}.

Un pas vers le cours...

9 Le titrage d'un réactif A par un réactif B, a pour réaction support, la réaction d'équation :

$$a\,A + b\,B \longrightarrow c\,C + d\,D$$

Quelle relation a-t-on, entre la quantité initiale $n_0(A)$, la quantité $n_E(B)$, apportée à l'équivalence et les nombres stœchiométriques a et b ?

On réalise des dosages dans les domaines tels que la santé, l'environnement ou le contrôle de la qualité.

Réaliser un dosage c'est déterminer, avec la plus grande précision possible, la concentration d'une espèce chimique dissoute en solution.

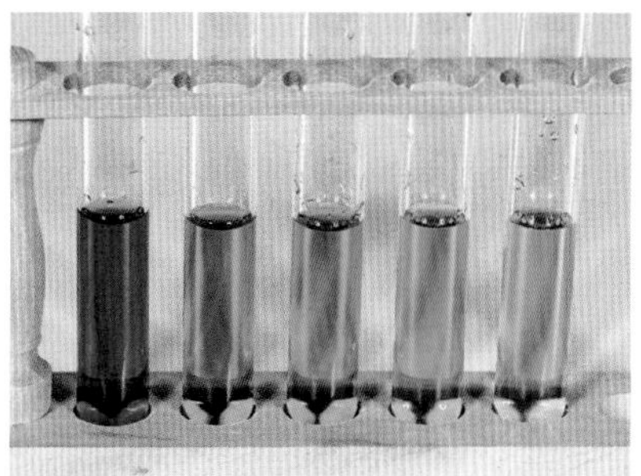

Doc. 1 Solutions étalon de l'échelle de teinte en bleu patenté.

1 Qu'est-ce qu'un dosage par étalonnage ?

1.1 Dosage par étalonnage

Réaliser un **dosage par étalonnage** consiste à déterminer la concentration d'une espèce en solution en comparant une grandeur physique, caractéristique de la solution, à la même grandeur physique mesurée pour des **solutions étalon**.

La grandeur physique peut être l'absorbance, la conductivité électrique, etc. La détermination de la concentration se fait soit par lecture sur le graphe de la courbe d'étalonnage, soit par calcul à partir de l'équation modélisant le graphe. Le dosage par étalonnage est une méthode non destructive, car elle ne met pas en jeu de réaction chimique.

1.2 Dosage avec un spectrophotomètre

L'**activité 1** a permis de réaliser une échelle de teinte en bleu patenté. Les solutions de l'échelle de teinte ont des concentrations C connues : ce sont des **solutions étalon** (doc. 1). La mesure de l'absorbance A de chaque solution permet de tracer le graphe $A = f(C)$ appelé **courbe d'étalonnage** (doc. 2). Pour des solutions diluées, ce graphe montre que l'absorbance A est **proportionnelle** à la concentration C.

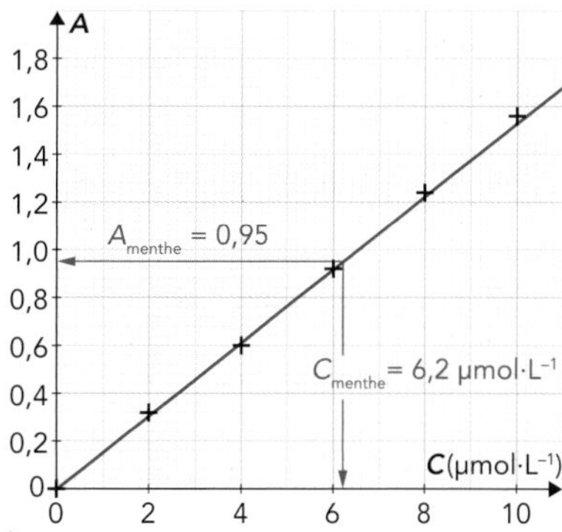

Doc. 2 Courbe d'étalonnage $A = f(C)$ associée à l'échelle de teinte en bleu patenté. C'est une droite passant par l'origine et d'équation :

$$A = 1,56 \times 10^{-1} \cdot C$$

Loi de Beer-Lambert : l'absorbance A d'une espèce chimique en solution diluée, est proportionnelle à la concentration molaire C de cette espèce : $\boldsymbol{A = k \cdot C}$

A sans unité ; C en $mol \cdot L^{-1}$; k en $L \cdot mol^{-1}$.

La mesure de l'absorbance de la solution de sirop de menthe diluée permet de déterminer sa concentration en colorant bleu patenté (doc. 2)*.

* *Limite de la méthode :* la solution colorée doit être suffisamment diluée ($C < 10^{-2}\ mol \cdot L^{-1}$) et le spectrophotomètre ne doit pas saturer.

1.3 Dosage avec un conductimètre

Lors de l'**activité 1**, des **solutions étalon** de concentrations C connues en chlorure de sodium ont été préparées par dilution d'une solution mère. La mesure de la conductivité σ' de chaque solution permet de tracer la **courbe d'étalonnage** $\sigma = f(C)$ (doc. 3). Ce graphe montre que la conductivité σ est **proportionnelle** à la concentration C.

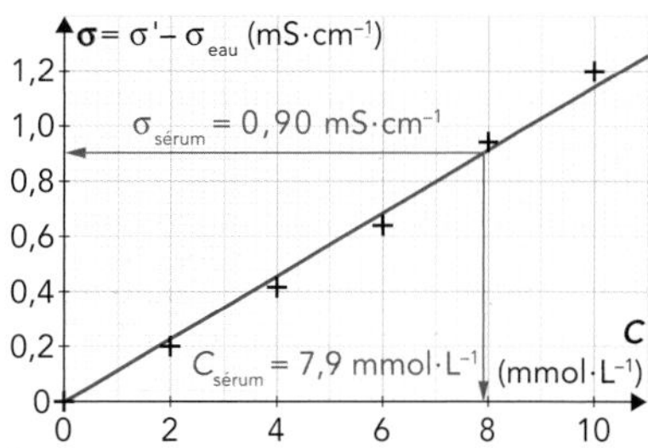

Doc. 3 Courbe d'étalonnage $\sigma = f(C)$ associée aux solutions étalon en chlorure de sodium. C'est une droite passant par l'origine et d'équation :

$$\sigma = 1,14 \times 10^{-1} \cdot C$$

Loi de Kohlrausch : la conductivité σ d'une solution diluée d'une espèce ionique dissoute est proportionnelle à sa concentration molaire en soluté apporté : $\boldsymbol{\sigma = k \cdot C}$

σ en $S \cdot m^{-1}$; C en $mol \cdot L^{-1}$; k en $S \cdot L \cdot m^{-1} \cdot mol^{-1}$.

La mesure de la conductivité de la solution diluée de sérum physiologique permet de déterminer sa concentration (doc. 3)**.

Les lois de Kohlraush, $\sigma = k \cdot C$, et de Beer-Lambert, $A = k \cdot C$, ont des équations analogues.

Voir exercices 1, p. 475, et 6 à 7, p. 478.

** *Limites de la méthode :* la solution ionique doit être suffisamment diluée ($C < 10^{-2}\ mol \cdot L^{-1}$) et ne doit contenir qu'**un seul soluté ionique**.

2 Qu'est-ce qu'un dosage par titrage direct ?

2.1 Réaction de support d'un titrage

Un dosage par titrage direct est une technique de dosage mettant en jeu une **réaction chimique**. La réaction de titrage doit être **quantitative**, c'est-à-dire **totale**, **rapide** et **unique**.

Un **réactif titrant**, de concentration **connue**, réagit avec un **réactif titré** dont on cherche la concentration. Le réactif titré peut être placé, selon les circonstances, dans le bécher ou dans la burette graduée (doc. 4).

Le suivi du titrage peut être réalisé de différentes façons : par conductimétrie (doc. 5), par pH-métrie, par colorimétrie, etc. Cette méthode de dosage est destructive, car la réaction chimique consomme l'espèce à doser.

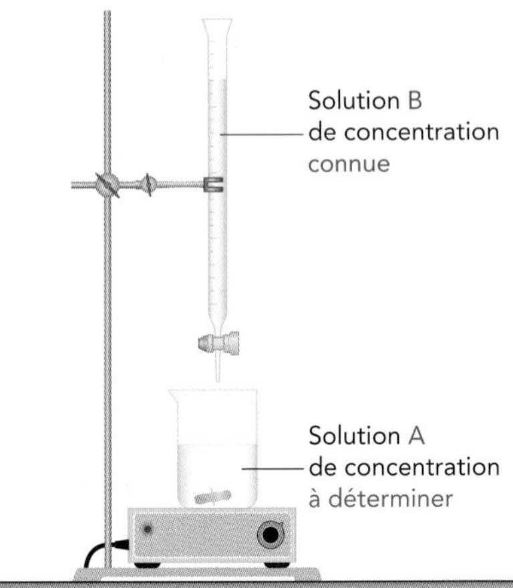

Doc. 4 Exemple de montage permettant de réaliser un titrage direct.

2.2 Équivalence d'un titrage

L'**équivalence** d'un titrage est atteinte lorsqu'on a réalisé un **mélange stœchiométrique** du réactif titrant et du réactif titré.
Les deux réactifs sont alors **totalement consommés**.

Le repérage de l'équivalence dépend de la technique de titrage utilisée.

2.3 Relations à l'équivalence d'un titrage

Soit A le réactif initialement présent dans le bécher et B le réactif ajouté à la burette graduée. La relation entre les quantités de matière mélangées à l'équivalence peut se déduire d'un tableau d'avancement :

Équation de titrage		a A	+ b B	⟶ c C	+ d D
État du système	Avancement	$n(\text{A})$	$n(\text{B})$	$n(\text{C})$	$n(\text{D})$
État initial à l'équivalence	$x = 0$	$n_0(\text{A}) = C_A \cdot V_A$	$n_E(\text{B}) = C_B \cdot V_E$	0	0
État final à l'équivalence	$x_{max} = x_E$	$n_0(\text{A}) - a \cdot x_E$	$n_E(\text{B}) - b \cdot x_E$	$c \cdot x_E$	$d \cdot x_E$

La quantité $n_E(\text{B})$ n'est pas apportée par un ajout unique, mais progressivement grâce à la burette graduée. Cependant, on écrit $n_E(\text{B})$ dans le tableau d'avancement comme si cette quantité était apportée en un seul ajout.

À l'équivalence, les réactifs sont totalement consommés donc :

$$n_0(\text{A}) - a \cdot x_E = 0 \quad \text{et} \quad n_E(\text{B}) - b \cdot x_E = 0 \quad \text{d'où :}$$

$$x_E = \frac{n_0(\text{A})}{a} = \frac{n_E(\text{B})}{b} \quad \text{soit} \quad \frac{C_A \cdot V_A}{a} = \frac{C_B \cdot V_E}{b}$$

Les relations précédentes peuvent être obtenues directement en exploitant le fait qu'à l'équivalence, les réactifs sont mélangés dans les proportions stœchiométriques de l'équation support du titrage :

$$a\,\text{A} + b\,\text{B} \longrightarrow c\,\text{C} + d\,\text{D}$$

À l'équivalence : $\dfrac{n_0(\text{A})}{a} = \dfrac{n_E(\text{B})}{b}$ soit $\dfrac{C_A \cdot V_A}{a} = \dfrac{C_B \cdot V_E}{b}$

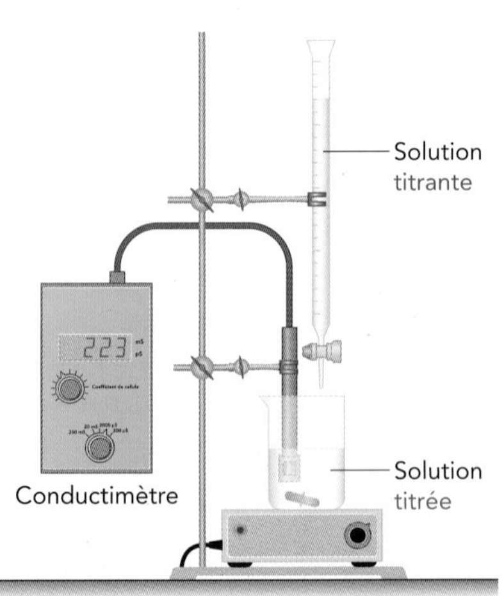

Doc. 5 Exemple de montage utilisé pour un titrage par suivi conductimétrique.

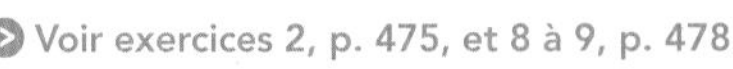
Voir exercices 2, p. 475, et 8 à 9, p. 478.

 Comment repérer l'équivalence d'un titrage direct ?

3.1 Cas d'un titrage par conductimétrie

Un titrage conductimétrique peut être envisagé lorsque la réaction support du titrage fait intervenir des ions.

Si au cours d'un titrage conductimétrique la dilution est négligeable, le graphe $\sigma = f(V_{\text{réactif ajouté}})$ est constitué de deux droites.

Le point d'intersection de ces droites permet de **repérer l'équivalence du titrage.**

On note V_E le volume versé à l'équivalence (doc. 6).

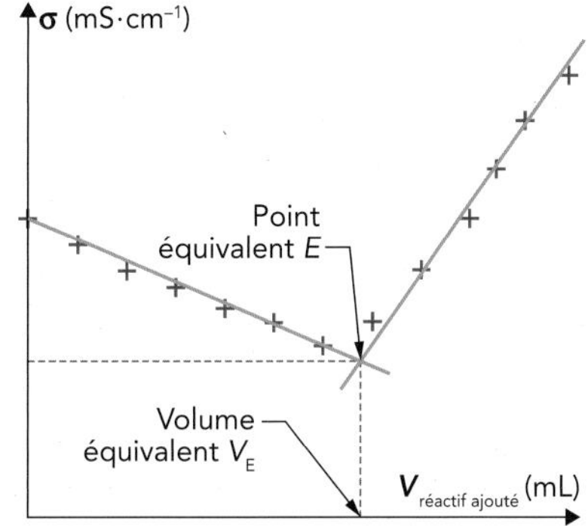

Doc. 6 Exemple de suivi conductimétrique d'un titrage et détermination du point équivalent *E*.

▸ Lors de l'**activité 2**, on a réalisé le titrage d'une **base forte**, l'hydroxyde de sodium, $Na^+(aq) + HO^-(aq)$ par un **acide fort**, l'acide chlorhydrique, $H_3O^+(aq) + Cl^-(aq)$.

La réaction de titrage a alors pour équation :

$$HO^-(aq) + H_3O^+(aq) \longrightarrow 2\,H_2O(\ell)$$

À l'équivalence, on a réalisé un mélange stœchiométrique d'ions hydroxyde $HO^-(aq)$ et d'ions oxonium $H_3O^+(aq)$, ainsi :

$$\frac{n_0(HO^-)}{1} = \frac{n_E(H_3O^+)}{1} \quad \text{soit } C_B \cdot V_B = C_A \cdot V_E \quad \text{d'où } C_B = \frac{C_A \cdot V_E}{V_B}$$

Ce titrage permet de déterminer la concentration molaire C_B en hydroxyde de sodium de la solution diluée, puis d'en déduire celle de la solution commerciale (doc. 7).

▸ L'expression de la conductivité σ de la solution dans le bécher dépend de tous les ions présents, y compris les ions spectateurs. Elle s'écrit (voir **fiche n° 12**, p. 596 et doc. 8) :

$$\sigma = \lambda_{H_3O^+} \cdot [H_3O^+] + \lambda_{HO^-} \cdot [HO^-] + \lambda_{Cl^-} \cdot [Cl^-] + \lambda_{Na^+} \cdot [Na^+]$$

soit :

$$\sigma = \sigma_{H_3O^+} + \sigma_{HO^-} + \sigma_{Cl^-} + \sigma_{Na^+}$$

L'ajout d'une grande quantité d'eau dans le bécher permet de négliger l'effet de dilution lors du titrage. La concentration des ions Na^+ ne variant pas au cours du titrage, la conductivité σ_{Na^+} est constante.

Avant l'équivalence

Les ions oxonium H_3O^+ et chlorure Cl^- sont apportés par la solution d'acide chlorhydrique.

– Les ions Cl^- ne réagissant pas, leur conductivité σ_{Cl^-} **augmente**.

– Les ions H_3O^+ sont tous consommés par les ions hydroxyde HO^- présents : la conductivité $\sigma_{H_3O^+}$ est nulle et la conductivité σ_{HO^-} **diminue**.

Les ions HO^- sont progressivement remplacés par les ions Cl^- moins conducteurs, car $\lambda_{Cl^-} < \lambda_{HO^-}$ (doc. 8).

σ_{HO^-} diminue plus fortement que σ_{Cl^-} n'augmente.

Ainsi, avant l'équivalence, la conductivité **σ** de la solution dans le bécher **diminue ; la pente du graphe σ = *f*(*V*) est négative.**

Après l'équivalence

– Les ions HO^- ont tous réagi, leur conductivité σ_{HO^-} est nulle.

– L'apport croissant d'ions H_3O^+ et d'ions Cl^- conduit à l'augmentation des conductivités $\sigma_{H_3O^+}$ et σ_{Cl^-}.

Ainsi, après l'équivalence, la conductivité **σ** de la solution dans le bécher **augmente ; la pente du graphe σ = *f*(*V*) est positive.**

Voir exercices 3, p. 475, et 10, p. 479.

Eau de source de montagne	
Calcium (Ca^{2+}) :	64,5 mg/l
Magnésium (Mg^{2+}) :	3,5 mg/l
Sodium (Na^+) :	12,0 mg/l
Hydrogénocarbonate (HCO_3^-) :	195,0 mg/l
Chlorure (Cl^-) :	20,0 mg/l
Sulfate (SO_4^{2-}) :	6,0 mg/l

Doc. 7 Les titrages conductimétriques peuvent être utilisés pour doser certains ions (Cl^-, HCO_3^-, SO_4^{2-}, etc.) présents dans les eaux minérales naturelles, afin de vérifier leur composition.

$$\lambda_{H_3O^+} = 34{,}98 \text{ mS} \cdot \text{m}^2 \cdot \text{mol}^{-1}$$
$$\lambda_{HO^-} = 19{,}86 \text{ mS} \cdot \text{m}^2 \cdot \text{mol}^{-1}$$
$$\lambda_{Cl^-} = 7{,}63 \text{ mS} \cdot \text{m}^2 \cdot \text{mol}^{-1}$$
$$\lambda_{Na^+} = 5{,}01 \text{ mS} \cdot \text{m}^2 \cdot \text{mol}^{-1}$$

Doc. 8 Conductivité ionique molaire de quelques ions.

3.2 Cas d'un titrage par pH-métrie

Un titrage pH-métrique peut être envisagé lorsque la réaction support du titrage est une réaction acido-basique.

Lors de l'**activité 3**, on a obtenu le graphe donnant l'évolution du pH de la solution d'acide acétylsalicylique contenue dans le bécher, en fonction du volume V_B d'hydroxyde de sodium versé. Ce graphe présente une variation brusque de pH (doc. 9). Le **point équivalent** ***E*** du titrage est situé dans cette zone. Ceci est généralisable :

Lors d'un titrage pH-métrique, la **brusque variation de pH** du graphe pH = $f(V_{\text{réactif ajouté}})$ permet de **repérer l'équivalence du titrage.**

Deux méthodes, la « méthode des tangentes parallèles » et la « méthode de la courbe dérivée », permettent de déterminer les coordonnées du point équivalent avec une bonne précision. Cette précision est d'autant meilleure que le saut de pH est important.

Méthode des tangentes parallèles (doc. 9)

- Tracer d'abord deux tangentes à la courbe pH = $f(V_B)$, parallèles entre elles et situées avant et après le saut du pH.
- Tracer ensuite la parallèle à ces deux tangentes, équidistante de celles-ci. Son intersection avec la courbe pH = $f(V_B)$ détermine le point équivalent E de coordonnées (V_E ; pH_E).

Méthode de la courbe dérivée (doc. 10)

À partir des points expérimentaux, un logiciel de traitement de données permet de tracer le graphe $\frac{dpH}{dV_B} = f(V_B)$.

Ce graphe présente un extremum pour une abscisse égale au volume équivalent V_E. Le point d'intersection entre la droite verticale passant par l'extremum et la courbe pH = $f(V_B)$ détermine le point équivalent E.

L'équivalence du titrage correspond **à l'extremum de la courbe dérivée** $\frac{dpH}{dV_{\text{réactif ajouté}}} = f(V_{\text{réactif ajouté}})$.

Dans les laboratoires de contrôle qualité, les techniciens utilisent souvent des dispositifs de titrages automatisés (doc. 11).

Dans l'**activité 3**, la réaction de titrage met en jeu un **acide faible**, l'acide acétylsalicylique, $C_9H_8O_4$(aq), et une **base forte**, l'hydroxyde de sodium, Na^+(aq) + HO^-(aq). L'équation de la réaction de titrage est :

$$C_9H_8O_4(aq) + HO^-(aq) \longrightarrow C_9H_7O_4^-(aq) + H_2O(\ell)$$

À l'équivalence, les réactifs ont été mélangés dans les proportions stœchiométriques de l'équation de la réaction de titrage :

$$\frac{n_0(C_9H_8O_4)}{1} = \frac{n_E(HO^-)}{1}$$

soit $C_A \cdot V_A = C_B \cdot V_E$ d'où $C_A = \frac{C_B \cdot V_E}{V_A}$

La valeur de la concentration C_A permet de déterminer la masse d'acide acétylsalicylique dans le comprimé d'aspirine et de vérifier ainsi l'indication donnée par le fabricant sur la notice.

Des laboratoires spécialisés contrôlent ainsi régulièrement la qualité des médicaments mis sur le marché.

Voir exercices 3, p. 475, et 11 à 12, p. 479.

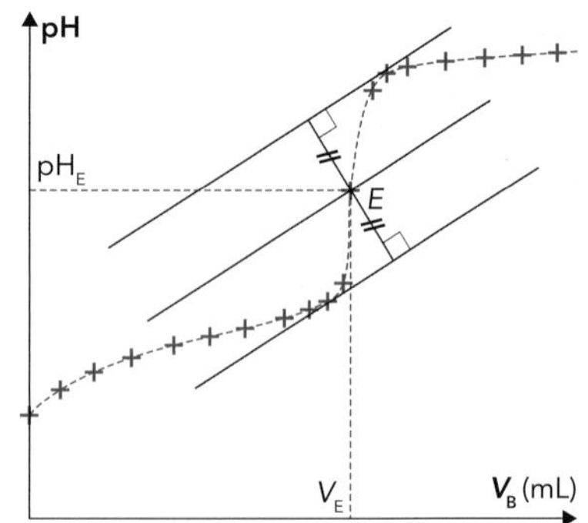

Doc. 9 Détermination du point équivalent par la méthode des tangentes parallèles, pour le titrage réalisé à l'**activité 3**.

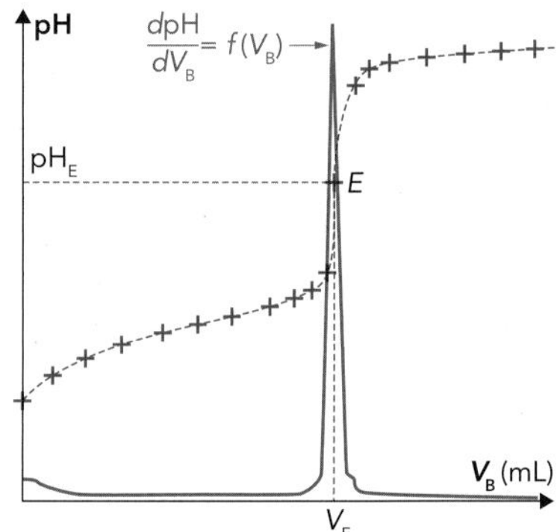

Doc. 10 Détermination du point équivalent par la méthode de la courbe dérivée (en bleu), pour le titrage réalisé à l'**activité 3**.

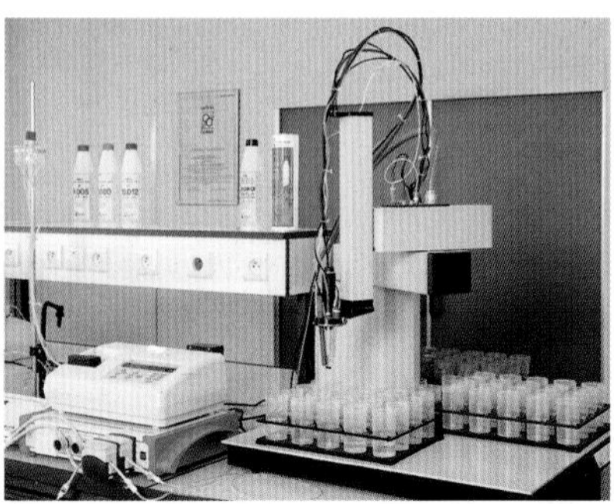

Doc. 11 Exemple de dispositif de titrage automatisé utilisé dans les laboratoires.

3.3 Cas d'un titrage par colorimétrie

Lors de l'**activité 4**, l'équivalence à été repérée par le changement de couleur de la solution dans l'erlenmeyer. Un peu avant l'équivalence, le diiode n'étant pas encore entièrement consommé, la solution dans l'erlenmeyer est jaune clair. À ce moment du titrage, l'ajout d'un **indicateur de fin de réaction**, le thiodène ou l'empois d'amidon, facilite le repérage de l'équivalence (doc. 12).

Lors d'un titrage colorimétrique, un changement de teinte du mélange réactionnel permet de repérer l'équivalence. Ce repérage peut être facilité par l'utilisation d'un **indicateur de fin de réaction.**

L'équation de la réaction de titrage est :

$$I_2(aq) + 2\,S_2O_3^{2-}(aq) \longrightarrow 2\,I^-(aq) + S_4O_6^{2-}(aq)$$

À l'équivalence du titrage, les réactifs ont été mélangés dans les proportions stœchiométriques de l'équation de la réaction de titrage :

$$\frac{n_1(I_2)}{1} = \frac{n_E(S_2O_3^{2-})}{2}$$

soit $C_1 \cdot V_1 = \dfrac{C_2 \cdot V_E}{2}$ d'où $C_1 = \dfrac{C_2 \cdot V_E}{2V_1}$

Par exemple, la teneur en vitamine C de certains fruits ou comprimés peut être déterminée grâce à des titrages colorimétriques (doc. 13).

Lors de l'**activité 3**, l'utilisation d'un indicateur coloré adapté, le bleu de bromothymol, a permis de déterminer visuellement l'équivalence du titrage d'une solution d'aspirine par une solution d'hydroxyde de sodium. La solution contenant l'indicateur coloré est passée du jaune au bleu. Pour repérer l'équivalence du titrage, la zone de virage de l'indicateur coloré doit contenir la valeur du pH à l'équivalence, pH_E (doc. 14).

Un **indicateur coloré** acido-basique est un couple acide/base dont les deux espèces n'ont pas la même teinte. Si sa zone de virage contient le pH à l'équivalence pH_E, il peut être utilisé comme **indicateur de fin de réaction.**

Doc. 12 Titrage colorimétrique du diiode par une solution de thiosulfate de sodium :
a. avant l'équivalence : ajout de thiodène;
b. à l'équivalence.

Doc. 13 Quelques fruits contenant de la vitamine C.

3.4 Expression du résultat d'un titrage

Un titrage doit être réalisé avec beaucoup de soin. En effet, plusieurs sources d'erreurs peuvent avoir pour conséquence une **incertitude** sur le résultat de la mesure.

– **incertitudes liées aux manipulations** : mauvais ajustement des niveaux lors du pipetage, lors de la lecture du volume V_E sur la burette, etc. ;

– **incertitudes liées à la méthode de titrage employée** : imprécisions des méthodes graphiques ou visuelles lors de la détermination du volume équivalent V_E; imprécision de la valeur de la concentration de la solution titrante, etc. ;

– **incertitudes liées à la verrerie** : par exemple une tolérance de ± 0,02 mL pour une pipette jaugée et de ± 0,05 mL pour une burette graduée.

La concentration de la solution titrée est déterminée avec un intervalle de confiance tenant compte de l'ensemble des sources d'erreur et s'exprime avec un nombre de chiffres significatifs égal à celui de la donnée la moins précise.

Voir exercices 3, p. 475, et 13 à 14, p. 480.

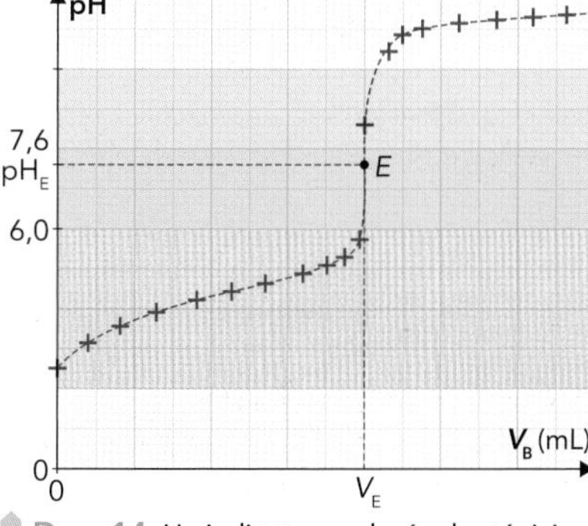

Doc. 14 Un indicateur coloré adapté, ici le bleu de bromothymol, permet de repérer l'équivalence du titrage acido-basique de l'**activité 3**.

Essentiel

Dosage par étalonnage

- **Réaliser un dosage,** c'est déterminer, **avec la plus grande précision possible, la concentration** d'une espèce chimique dissoute en solution.
- Un **dosage par étalonnage** consiste à déterminer la concentration d'une espèce en solution, en comparant une grandeur physique, l'absorbance A ou la conductivité σ, à la même grandeur physique mesurée pour des **solutions étalon**.
- **Loi de Beer-Lambert**

L'absorbance d'une espèce en solution diluée est proportionnelle à sa concentration : $A = k \cdot C$

A sans unité ; C en $mol \cdot L^{-1}$; k en $L \cdot mol^{-1}$.

- **Loi de Kohlrausch**

La conductivité d'une solution diluée d'une espèce ionique dissoute est proportionnelle à sa concentration :

$$\sigma = k \cdot C$$

σ en $S \cdot m^{-1}$; C en $mol \cdot L^{-1}$; k en $S \cdot L \cdot m^{-1} \cdot mol^{-1}$.

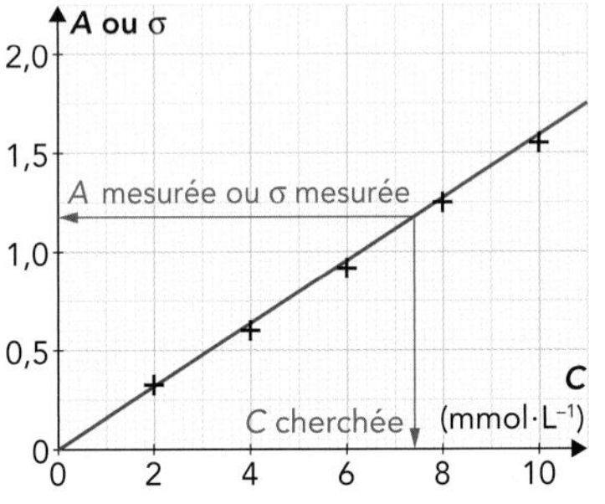

Dosage par titrage direct

- Un dosage par titrage direct est une technique de dosage mettant en jeu **une réaction chimique**.
- La réaction de titrage doit être quantitative, c'est-à-dire **totale, rapide et unique**.
- L'**équivalence** d'un titrage est atteinte lorsqu'on a réalisé un **mélange stœchiométrique** du réactif titrant et du réactif titré. Les réactifs sont alors **totalement consommés**.
- Lors du titrage du réactif A par le réactif B, d'équation :

$$a\,A + b\,B \longrightarrow c\,C + d\,D$$

à l'équivalence :

$$\frac{n_0(A)}{a} = \frac{n_E(B)}{b} \quad \text{soit} \quad \frac{C_A \cdot V_A}{a} = \frac{C_B \cdot V_E}{b}$$

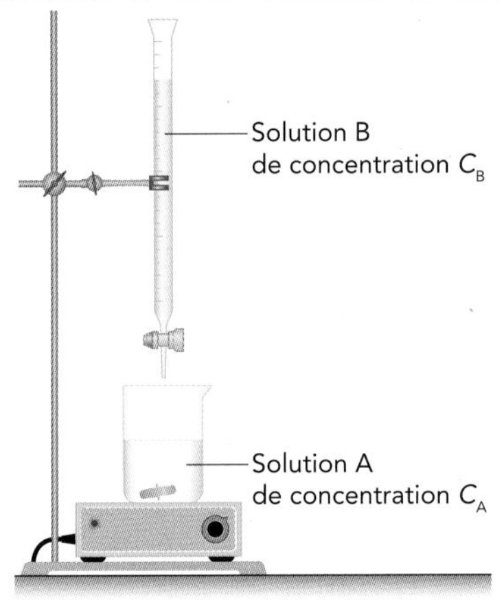

Titrages conductimétrique, pH-métrique et colorimétrique

Titrage conductimétrique

σ (mS·cm⁻¹)

Point équivalent E

Volume équivalent V_E

V (mL)

Titrage pH-métrique

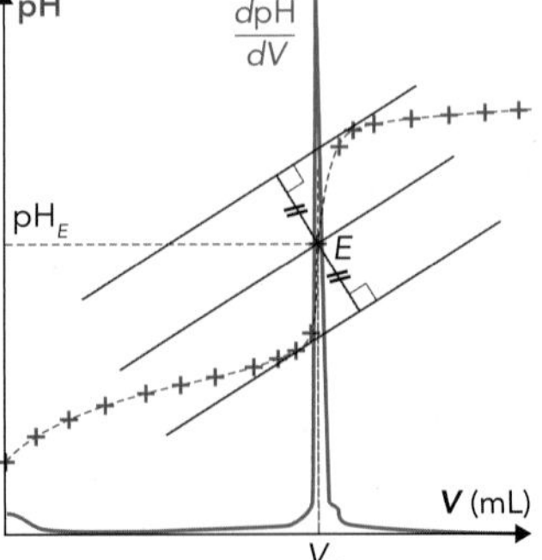

Titrage colorimétrique

- Un **indicateur de fin de réaction** peut être utilisé pour repérer l'équivalence grâce à un changement de teinte du mélange réactionnel.
- Un **indicateur coloré acido-basique** permet de repérer l'équivalence d'un titrage acido-basique, si sa zone de virage contient la valeur du pH à l'équivalence pH_E.

Pour chaque question, indiquer la (ou les) bonne(s) réponse(s).

Voir corrigés, p. 606.

1 Dosage par étalonnage

	A	B	C
1. Le graphe ci-dessous a été obtenu lors d'un dosage par conductimétrie. Ce graphe : σ (mS·cm^{-1}) ; 1,0 ; 0 ; 0 ; 5,0 ; C (mmol·L^{-1})	est une courbe d'étalonnage.	vérifie la loi de Kohlrausch.	vérifie la loi de Beer-Lambert.
2. Pour le graphe ci-dessus, l'équation de la courbe est :	$\sigma = 5{,}0 \cdot C$	$C = 5{,}0 \cdot \sigma$	$\sigma = 0{,}20 \cdot C$
3. La droite d'étalonnage d'un dosage spectrophotométrique :	a un coefficient directeur sans unité.	est la droite représentative de $\sigma = f(C)$.	est la droite représentative de $A = f(C)$.

Si erreur, revoir § 1, p. 469.

2 Dosage par titrage direct

	A	B	C
1. Un dosage par titrage direct met en jeu :	une réaction chimique.	deux réactions chimiques.	un réactif titrant et un réactif titré.
2. Une réaction support de dosage par titrage direct doit être :	lente et totale.	rapide et totale.	rapide et limitée.
3. À l'équivalence d'un titrage :	le volume du réactif titrant est égal au volume du réactif titré.	un mélange équimolaire des réactifs est réalisé.	un mélange stœchiométrique des réactifs est réalisé.
4. Une solution d'eau oxygénée est dosée par une solution de permanganate de potassium contenue dans une burette graduée. L'équation support du titrage est : $5\ H_2O_2 + 2\ MnO_4^- + 6\ H^+ \longrightarrow 5\ O_2 + 2\ Mn^{2+} + 8\ H_2O$ **À l'équivalence du titrage :**	$\frac{n_0(H_2O_2)}{2} = \frac{n_E(MnO_4^-)}{5}$	$\frac{n_E(H_2O_2)}{5} = \frac{n_0(MnO_4^-)}{2}$	$\frac{n_0(H_2O_2)}{5} = \frac{n_E(MnO_4^-)}{2}$

Si erreur, revoir § 2, p. 470.

3 Titrages conductimétrique, pH-métrique et colorimétrique

	A	B	C
1. L'équivalence d'un titrage conductimétrique est repérée grâce :	au changement de pente du graphe $\sigma = f(V_{\text{réactif ajouté}})$.	à la méthode des tangentes parallèles.	à l'utilisation d'un indicateur de fin de réaction.
2. L'équivalence d'un titrage par pH-métrie peut être repérée grâce à :	la méthode des tangentes parallèles.	l'utilisation d'un indicateur coloré acido-basique quelconque.	la méthode de la courbe dérivée.
3. Lors du titrage colorimétrique d'une solution de diiode, on ajoute un peu de thiodène à cette solution pour repérer l'équivalence. Le thiodène :	est un indicateur de fin de réaction.	est le réactif titré.	permet de mieux repérer l'équivalence.

Si erreur, revoir § 3, p. 471.

Exercice résolu

COMPÉTENCES
- Exploiter un graphique.
- Exploiter une relation.

4 Doser par titrage conductimétrique

Énoncé

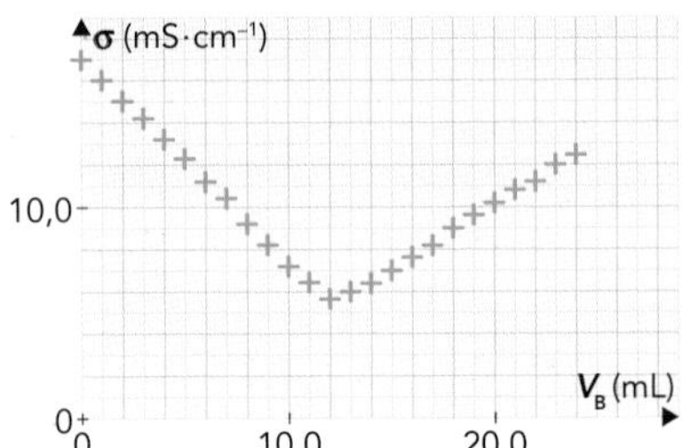

Pour déterminer la concentration C_0 en acide chlorhydrique, $H_3O^+(aq) + Cl^-(aq)$, d'un détrartant on dilue celui-ci 200 fois. On dose un volume V_A = 100,0 mL de la solution diluée S_A obtenue par une solution S_B d'hydroxyde de sodium, $Na^+(aq) + HO^-(aq)$, de concentration $C_B = 9{,}6 \times 10^{-2}$ mol · L^{-1}. On obtient le graphe $\sigma = f(V_B)$ ci-contre. L'équation de la réaction support du titrage est :

$$H_3O^+(aq) + HO^-(aq) \longrightarrow 2\,H_2O(\ell)$$

1. Déterminer le volume équivalent V_E.
2. Donner l'expression de la concentration C_A en acide chlorhydrique de la solution S_A.
3. Calculer la concentration C_A. En déduire la valeur de C_0.

Conseils

Comment déterminer graphiquement le volume équivalent V_E ?

1. Tracer les deux droites modélisant le graphe $\sigma = f(V_B)$. Chercher leur point d'intersection.

Comment déterminer l'expression de la concentration C_A en acide chlorhydrique ?

2. Définir l'équivalence du titrage. En déduire la relation entre les quantités des réactifs mises en jeu à l'équivalence.

Comment exprimer les valeurs de C_A et C_0 ?

3. Exprimer les valeurs de C_A et de C_0 avec autant de chiffres significatifs que la donnée qui en a le moins.

Solution rédigée

1. On linéarise le graphe $\sigma = f(V_B)$ avant et après le changement de pente. Le point équivalent E est situé à l'intersection des deux droites.

Par lecture sur le graphe, le volume équivalent est V_E = 12,2 mL.

2. À l'équivalence du titrage, on a réalisé un mélange stœchiométrique des réactifs. Ainsi :

$$n(H_3O^+)_{\text{titrée dans } S_A} = n(HO^-)_{\text{versée à l'équivalence}}$$

Soit $C_A \cdot V_A = C_B \cdot V_E$ d'où $C_A = \dfrac{C_B \cdot V_E}{V_A}$

3. $C_A = \dfrac{9{,}6 \times 10^{-2} \times 12{,}2}{100{,}0} = 1{,}1712 \times 10^{-2}$ mol · L^{-1} = **$1{,}2 \times 10^{-2}$ mol · L^{-1}**.

La solution de détartrant ayant été diluée 200 fois : $C_0 = 200 \cdot C_A$.

$C_0 = 200 \times 1{,}1712 \times 10^{-2} = 2{,}3424$ mol · L^{-1} = **2,3 mol · L^{-1}**.

La concentration C_0 est exprimée avec deux chiffres significatifs, car la concentration C_B est exprimée avec deux chiffres significatifs.

Application immédiate

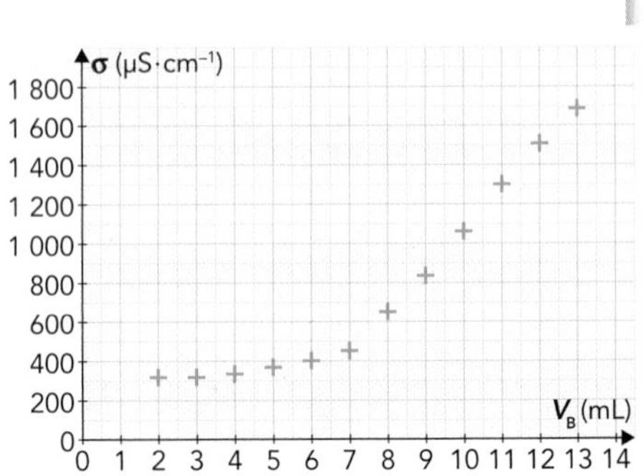

Une solution S_A d'aspirine $C_9H_8O_4(s)$ est préparée en dissolvant un comprimé dans de l'eau distillée. Le titrage conductimétrique d'un volume V_A = 100,0 mL de la solution S_A par une solution S_B d'hydroxyde de sodium, $Na^+(aq) + HO^-(aq)$, de concentration $C_B = 1{,}0 \times 10^{-1}$ mol · L^{-1}, permet de tracer la courbe $\sigma = f(V_B)$ ci-contre.

L'équation support de la réaction de titrage est :

$$C_9H_8O_4(aq) + HO^-(aq) \longrightarrow C_9H_7O_4^-(aq) + H_2O(\ell)$$

1. Déterminer le volume équivalent V_E.
2. Donner l'expression de la concentration C_A en aspirine de la solution S_A puis la calculer. En déduire la masse m_A d'aspirine dans le comprimé.

Voir corrigés, p. 606.

COMPÉTENCES
- Exploiter des graphiques.
- Raisonner.

5 Doser par titrage pH-métrique

Énoncé

On réalise le titrage pH-métrique d'une solution aqueuse S_A d'acide lactique, $C_3H_6O_3$(aq), de volume V_A = 5,0 mL par une solution aqueuse S_B d'hydroxyde de sodium, Na^+(aq) + HO^-(aq), de concentration C_B = 0,20 mol·L^{-1}. On obtient la courbe bleue pH = $f(V_B)$ ci-contre. Un logiciel permet alors de tracer la courbe dérivée $\frac{dpH}{dV_B} = f(V_B)$ en rouge.

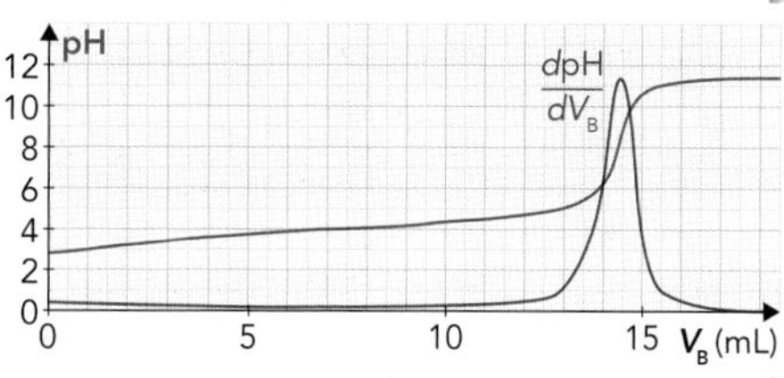

1. Établir l'équation de la réaction support du titrage.
2. Déterminer la valeur du volume V_E à l'équivalence du titrage.
3. Calculer la concentration C_A en acide lactique, de la solution S_A.

Données : couples acide / base : $C_3H_6O_3$(aq) / $C_3H_5O_3^-$(aq) et H_2O(ℓ) / HO^-(aq).

Conseils

Comment établir l'équation de la réaction ?

1. Identifier les espèces mises en jeu dans les couples acide / base. Écrire les demi-équations acido-basiques correspondantes et en déduire l'équation de la réaction.

Comment déterminer le volume équivalent ?

2. Utiliser les propriétés de la courbe dérivée.

Comment déterminer la concentration C_A ?

3. Utiliser le fait qu'à l'équivalence les réactifs sont totalement consommés. Pour la valeur de C_A conserver autant de chiffres significatifs que la donnée qui en a le moins.

Solution rédigée

1. $C_3H_6O_3$(aq) est l'acide du premier couple et HO^-(aq) est la base du second couple. Les demi-équations acido-basiques et l'équation de la réaction sont alors :

$$C_3H_6O_3(aq) \rightleftharpoons C_3H_5O_3^-(aq) + H^+$$
$$HO^-(aq) + H^+ \rightleftharpoons H_2O(\ell)$$
$$C_3H_6O_3(aq) + HO^-(aq) \longrightarrow C_3H_5O_3^-(aq) + H_2O(\ell)$$

2. L'extremum de la courbe dérivée a pour abscisse la valeur du volume équivalent V_E = 14,3 mL.

3. À l'équivalence, les réactifs ont été mélangés dans les proportions stœchiométriques de l'équation de titrage, donc :

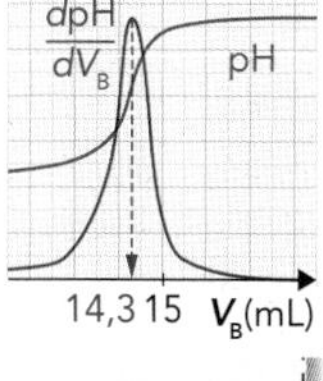

$$\frac{n_A(C_3H_6O_3)}{1} = \frac{n_E(HO^-)}{1} \text{ d'où } C_A \cdot V_A = C_B \cdot V_E$$

et $C_A = \frac{C_B \cdot V_E}{V_A} = \frac{0,20 \times 14,3}{5,0} = 0,572$ mol·L^{-1} ;

Soit **C_A = 0,57 mol·L^{-1}**.

Application immédiate

On réalise le titrage pH-métrique d'une solution aqueuse S_B contenant des ions HCO_3^-(aq), de volume V_B = 50,0 mL, par une solution aqueuse S_A d'acide chlorhydrique de concentration C_A = 2,0 × 10^{-2} mol·L^{-1}. On obtient la courbe verte donnant le pH en fonction du volume V_A d'acide versé, et celle de sa dérivée $\frac{dpH}{dV_A} = f(V_A)$ en rouge.

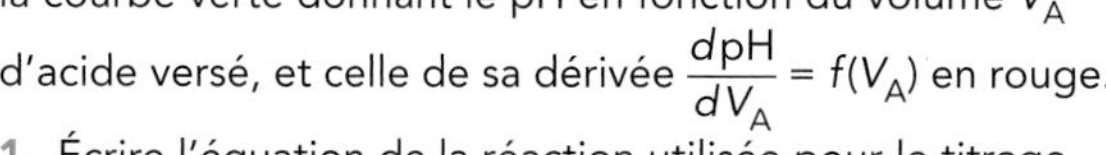

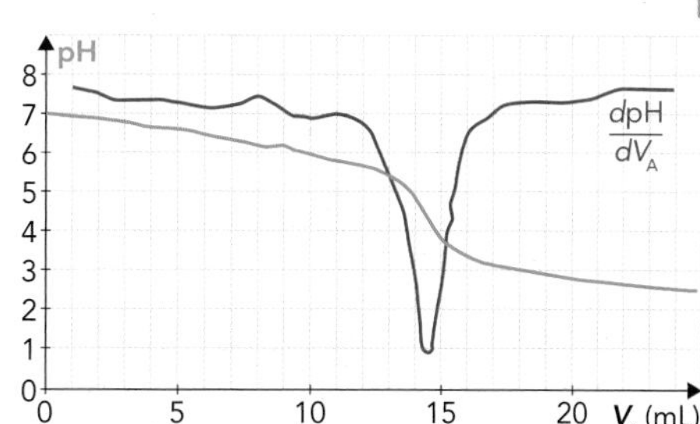

1. Écrire l'équation de la réaction utilisée pour le titrage.
2. Déterminer la valeur du volume V_E à l'équivalence du titrage.
3. Calculer la concentration C_B en ions HCO_3^-(aq) de la solution S_B.

Données : couples acide / base : CO_2,H_2O(ℓ) / HCO_3^-(aq) et H_3O^+(aq) / H_2O(ℓ).

Voir corrigés, p. 606.

Exercices

Compétences exigibles au baccalauréat

- ✔ Pratiquer une démarche expérimentale pour déterminer la concentration d'une espèce à l'aide de courbes d'étalonnage en utilisant la spectrophotométrie et la conductimétrie, dans le domaine de la santé, de l'environnement ou du contrôle de la qualité. activité 1
- ✔ Établir l'équation de la réaction support de titrage à partir d'un protocole expérimental. exercice 11
- ✔ Pratiquer une démarche expérimentale pour déterminer la concentration d'une espèce chimique par titrage par le suivi d'une grandeur physique et par la visualisation d'un changement de couleur, dans le domaine de la santé, de l'environnement ou du contrôle de la qualité. activités 2, 3 et 4
- ✔ Interpréter qualitativement un changement de pente dans un titrage conductimétrique. exercice 10

Pour commencer

Qu'est-ce qu'un dosage par étalonnage ?

6 Utiliser la loi de Beer-Lambert

On dispose d'une échelle de teinte en diiode dont les concentrations C sont connues. Un spectrophotomètre, réglé sur la longueur d'onde λ = 450 nm, permet de mesurer l'absorbance A des solutions de l'échelle de teinte. On peut alors tracer le graphe $A = f(C)$.

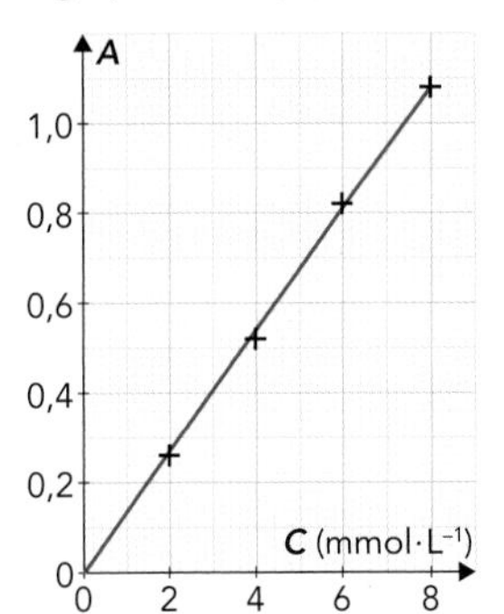

1. Comment appelle-t-on le graphe $A = f(C)$?
2. La loi de Beer-Lambert est-elle vérifiée ?
3. Sans modifier les réglages du spectrophotomètre, on mesure l'absorbance A_S = 0,64 d'une solution S d'eau iodée. En déduire la concentration C_S en diiode de la solution S.

7 Utiliser la loi de Kohlrausch

La carence en élément calcium, ou hypocalcémie, peut être traitée par injection intraveineuse d'une solution de chlorure de calcium. On souhaite déterminer la concentration C_0 en chlorure de calcium contenue dans une ampoule de 10,0 mL. Le contenu de l'ampoule est dilué 100 fois. La mesure de la conductivité de la solution S obtenue est σ_S = 1,23 mS·cm^{-1}. On mesure également la conductivité de différentes solutions étalon en chlorure de calcium.

Les résultats sont rassemblés dans le tableau ci-dessous :

C(mmol·L^{-1})	1,0	2,5	5,0	7,5	10,0
σ(mS·cm^{-1})	0,27	0,68	1,33	2,04	2,70

1. Tracer la courbe $\sigma = f(C)$.
2. La loi de Kohlrausch est-elle vérifiée ?
3. Établir l'équation du graphe $\sigma = f(C)$.
4. En déduire les concentrations C_S et C_0.

Qu'est-ce qu'un dosage par titrage direct ?

8 Établir une relation à l'équivalence

Pour contrôler la composition d'une ampoule de complément alimentaire contenant des ions Fe^{2+}(aq), la solution qu'elle contient peut être dosée par les ions MnO_4^-(aq) d'une solution de permanganate de potassium de concentration connue.

L'équation support de la réaction de titrage est :

$$MnO_4^-(aq) + 5\,Fe^{2+}(aq) + 8\,H^+(aq) \longrightarrow Mn^{2+}(aq) + 5\,Fe^{3+}(aq) + 4\,H_2O(\ell)$$

1. Quel est le réactif titrant ? le réactif titré ?
2. Quelles doivent être les caractéristiques de la réaction support du titrage ?
3. On note $n_0(Fe^{2+})$ et $n_E(MnO_4^-)$ respectivement la quantité initiale d'ions Fe^{2+}(aq) à doser et la quantité d'ions MnO_4^-(aq) versée à l'équivalence.
   a. Définir l'équivalence du titrage.
   b. En déduire une relation entre $n_0(Fe^{2+})$ et $n_E(MnO_4^-)$.

9 Doser une espèce par titrage direct

On souhaite déterminer la concentration molaire C_1 en diiode I_2(aq) d'une solution pharmaceutique de Lugol®, par titrage direct avec les ions thiosulfate $S_2O_3^{2-}$(aq). L'équation de la réaction du titrage, est :

$$I_2(aq) + 2\,S_2O_3^{2-}(aq) \longrightarrow 2\,I^-(aq) + S_4O_6^{2-}(aq)$$

On dose un volume V_1 = 10,0 mL de solution de Lugol® par une solution de thiosulfate de sodium de concentration $C_2 = 1{,}00 \times 10^{-1}$ mol·L^{-1}. Le volume versé à l'équivalence du titrage est V_E = 7,8 mL.

1. Faire un schéma légendé du dispositif de titrage.
2. En utilisant les notations de l'énoncé, établir le tableau d'avancement à l'équivalence du titrage.
3. Quelle relation a-t-on à l'équivalence du titrage ?
4. En déduire l'expression, puis la valeur de la concentration C_1.

Comment repérer l'équivalence d'un titrage direct ?

10 Justifier l'évolution de la conductivité

On dose, par titrage conductimétrique, une solution S_A d'acide chlorhydrique, H_3O^+(aq) + Cl^-(aq), par une solution S_B d'hydroxyde de sodium, Na^+(aq) + HO^-(aq). L'équation de la réaction de titrage est :

$$H_3O^+(aq) + HO^-(aq) \longrightarrow 2\,H_2O(\ell)$$

Le suivi du titrage par conductimétrie permet de tracer le graphe $\sigma = f(V_B)$ ci-dessous :

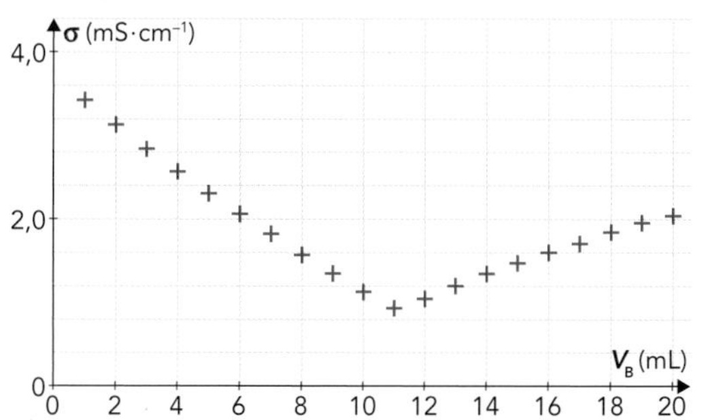

1. Faire un schéma légendé du dispositif de titrage.
2. Déterminer le volume équivalent V_E du titrage.

On néglige la dilution lors du titrage.

3. On se place avant l'équivalence.
a. Quel est le réactif limitant ?
b. La concentration en ions chlorure varie-t-elle au cours du titrage ?
c. L'expression de la conductivité σ de la solution contenue dans le bécher est :

$$\sigma = \lambda(H_3O^+)\cdot[H_3O^+] + \lambda(Na^+)\cdot[Na^+] + \lambda(Cl^-)\cdot[Cl^-]$$

Sachant que $\lambda(H_3O^+) > \lambda(Na^+)$, justifier l'évolution de la conductivité σ avant l'équivalence.

4. On se place maintenant après l'équivalence.
a. Quel est le réactif limitant ?
b. Établir l'expression de la conductivité σ.
c. Justifier l'évolution de la conductivité de la solution contenue dans le bécher après l'équivalence du titrage.

Voir, si nécessaire, l'exercice résolu 4, p. 476.

11 Doser par titrage pH-métrique

Le document ci-contre présente le graphe pH = $f(V_B)$ obtenu lors du titrage d'un volume V_A = 20,0 mL d'une solution S_A d'acide méthanoïque de concentration C_A par une solution S_B d'hydroxyde de sodium, Na^+(aq) + HO^-(aq), de concentration $C_B = 2{,}50 \times 10^{-2}$ mol·L^{-1}.

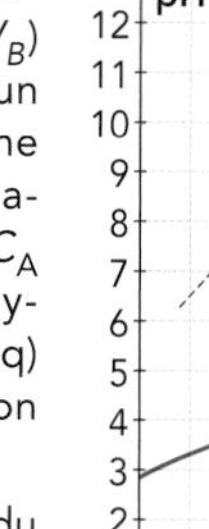
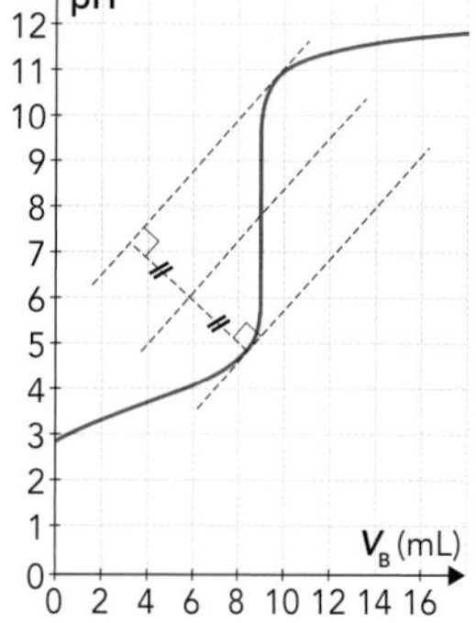

1. Faire un schéma légendé du dispositif de titrage.
2. Écrire l'équation de la réaction de titrage.
3. Déterminer graphiquement le volume équivalent V_E.
4. Établir la relation entre les concentrations et les volumes traduisant l'équivalence du titrage.
5. Calculer la concentration C_A.

Données : couples acide/base :

HCOOH(aq)/HCOO$^-$(aq) et $H_2O(\ell)$/HO^-(aq)

12 Utiliser la courbe dérivée

Une solution S_0 de vitamine C (ou acide ascorbique $C_6H_8O_6$) de volume V_0 = 100,0 mL est préparée en dissolvant un comprimé dans de l'eau distillée. Le titrage d'un volume V_A = 10,0 mL de S_0 par une solution S_B d'hydroxyde de sodium, Na^+(aq) + HO^-(aq), de concentration $C_B = 4{,}00 \times 10^{-2}$ mol·L^{-1} est suivi par pH-métrie et permet de tracer les deux graphes suivants.

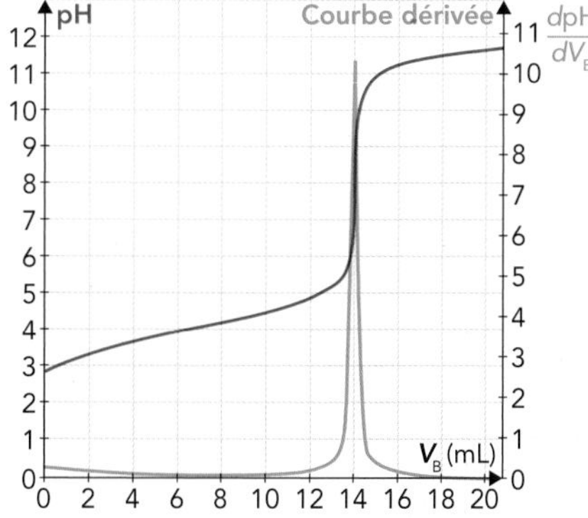

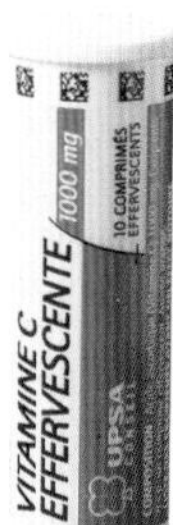

L'équation de la réaction de titrage est :

$$C_6H_8O_6(aq) + HO^-(aq) \longrightarrow C_6H_7O_6^-(aq) + H_2O(\ell)$$

1. Déterminer le volume équivalent V_E du titrage.
2. Définir l'équivalence du titrage. Exprimer la quantité n_A d'acide ascorbique titrée en fonction de C_B et V_E.
3. En déduire la quantité n_0 d'acide ascorbique dans le comprimé.
4. Calculer la masse m_0 d'acide ascorbique dans le comprimé. Le fabricant indique que le comprimé contient « 1000 mg » de vitamine C. Comparer cette valeur à m_0 en réalisant un calcul d'incertitude relative.

Voir, si nécessaire, l'exercice résolu 5, p. 477.

Exercices

13 Utiliser un indicateur de fin de réaction

On souhaite doser la vitamine C, ou acide ascorbique $C_6H_8O_6$, contenue dans une ampoule de jus de fruit pour bébé, par une solution de diiode.
L'équation de la réaction du titrage est :

$$I_2(aq) + C_6H_8O_6(aq) \rightarrow 2\,I^-(aq) + C_6H_6O_6(aq) + 2\,H^+(aq)$$

Dans un erlemenmeyer, on verse le jus de fruit d'une ampoule de 10,0 mL ainsi que l'eau de rinçage. La concentration de la solution titrante de diiode est $C_2 = 2{,}0 \times 10^{-3}$ mol·L^{-1}. Lors du titrage, on ajoute un indicateur de fin de réaction, le thiodène. Le volume de diiode versé à l'équivalence est $V_E = 15{,}1$ mL. Le jus de fruit est de couleur jaune et la solution de diiode est orangée.

1. Faire un schéma légendé du dispositif de titrage.
2. Pourquoi utiliser un indicateur de fin de réaction lors du titrage ?
3. Comment est repérée visuellement l'équivalence ?
4. Calculer la quantité de vitamine C contenue dans l'ampoule.
5. L'étiquette de l'ampoule indique 5,0 mg de vitamine C. Le résultat du titrage est-il en accord avec cette indication ?

14 Choisir un indicateur coloré

Une solution d'hydroxyde de sodium est dosée par une solution d'acide chlorhydrique, ajoutée à la burette graduée. Le pH à l'équivalence de ce titrage est $pH_E = 7$. On dispose de trois indicateurs colorés dont les teintes sont données ci-dessous :

Indicateur	Teinte acide	Zone de virage Teinte sensible	Teinte basique
Hélianthine	Rouge	3,1 Orange 4,4	Jaune
Bleu de bromothymol	Jaune	6,0 Vert 7,6	Bleu
Phénolphtaléine	Incolore	8,2 Rose 10	Rouge violacé

1. Est-il possible de repérer l'équivalence du titrage sans utiliser un indicateur coloré ? Si oui, comment ?
2. Choisir, en justifiant, l'indicateur coloré adapté à ce titrage.
3. Comment repère-t-on alors l'équivalence du titrage ?

Pour s'entraîner

15 Bac À chacun son rythme

Exploiter un graphe ; raisonner ; argumenter.

Cet exercice est proposé à deux niveaux de difficulté. Dans un premier temps, essayer de résoudre l'exercice de niveau 2. En cas de difficultés, passer au niveau 1.

L'AOSEPT est un produit utilisé pour le nettoyage et la décontamination des lentilles de contact. La notice du produit indique que la solution aqueuse contient, entre autres, du peroxyde d'hydrogène et, comme seule espèce ionique, du chlorure de sodium.

Lors d'un contrôle de qualité, le produit est considéré comme satisfaisant si l'incertitude relative entre la mesure effectuée et l'indication du fabricant est inférieure à 10 %. Pour ce produit, le fabricant indique : « chlorure de sodium à 0,85 g pour 100 mL de solution ».

On prépare des solutions étalon de concentrations C connues en chlorure de sodium, par dilution d'une solution mère.

On mesure la conductivité σ des solutions filles, puis on trace le graphe $\sigma = f(C)$.

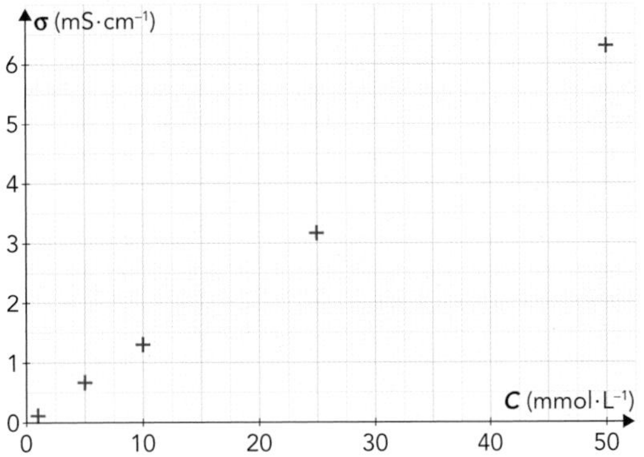

On dilue 10 fois la solution commerciale S_0 et on note S la solution diluée.

La conductivité mesurée de la solution S est égale à $\sigma_S = 1{,}8$ mS·cm^{-1}.

Niveau 2 (énoncé compact)

1. Déterminer la concentration massique t_0 en chlorure de sodium de la solution commerciale.
2. Le résultat obtenu pour la solution commerciale satisfait-il le critère de qualité énoncé ci-dessus ?

Niveau 1 (énoncé détaillé)

1. a. Déterminer graphiquement la concentration C_S en chlorure de sodium de la solution S en exploitant la valeur de σ_S.
b. Calculer la concentration C_0 de la solution S_0 sachant qu'elle a été diluée 10 fois.
c. En déduire la concentration massique t_0 en chlorure de sodium de la solution commerciale.
2. a. À partir des indications de la notice, calculer la concentration massique t'_0 de la solution S_0 en g·L^{-1}.
b. Calculer l'incertitude relative : $\dfrac{|t_0 - t'_0|}{t'_0}$
Exprimer ce résultat en pourcentage.
c. Le résultat obtenu pour la solution commerciale satisfait-il le critère de qualité énoncé ci-dessus ?

16 Bac Titrage colorimétrique d'une eau oxygénée

COMPÉTENCES Effectuer un calcul ; raisonner.

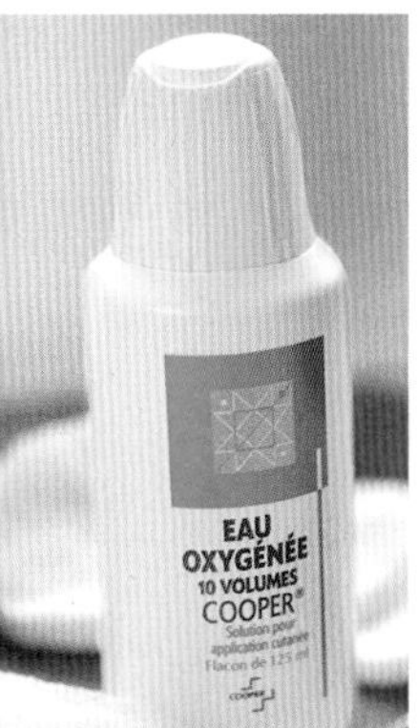

On souhaite déterminer la concentration C_0 en peroxyde d'hydrogène d'une solution commerciale d'eau oxygénée.

La réaction entre les ions permanganate $MnO_4^-(aq)$ et le peroxyde d'hydrogène $H_2O_2(aq)$, appartenant aux couples oxydant / réducteur $MnO_4^-(aq) / Mn^{2+}(aq)$ et $O_2(g) / H_2O_2(aq)$, sert de support au titrage.

On dilue 10 fois la solution commerciale S_0 : on obtient une solution S_1. On titre un volume V_1 = 10,0 mL de la solution S_1 par une solution S_2 de permanganate de potassium de concentration $C_2 = 0{,}020\ mol \cdot L^{-1}$. Le volume équivalent est V_E = 17,6 mL.

1. Écrire l'équation de la réaction de titrage.
2. Sachant que l'ion $MnO_4^-(aq)$ est violet et qu'il est la seule espèce colorée du système étudié, comment repère-t-on visuellement l'équivalence du titrage ?
3. En s'aidant éventuellement d'un tableau d'avancement, établir l'expression de la concentration C_1 en peroxyde d'hydrogène de la solution S_1.
4. Calculer la valeur des concentrations C_1 et C_0.
5. Calculer la quantité de peroxyde d'hydrogène $n_0(H_2O_2)$ présente dans un litre de solution commerciale S_0.

L'eau oxygénée étudiée est dite « à 10 volumes » : cela signifie qu'un litre de cette solution peut libérer 10 L de dioxygène selon la réaction d'équation :

$$2\ H_2O_2(aq) \longrightarrow 2\ H_2O(\ell) + O_2(g)$$

6. En s'aidant éventuellement d'un tableau d'avancement, calculer la quantité maximale $n_{max}(O_2)$ de dioxygène libéré par litre de solution S_0.
7. Dans les conditions de l'expérience, une mole de dioxygène occupe un volume égal à 22,4 L. En déduire le volume de dioxygène maximal $V_{max}(O_2)$ libéré par un litre de solution S_0.
8. Comparer ce résultat à la valeur indiquée par le fabricant en faisant un calcul d'incertitude relative.

17 Titrage par la méthode de Mohr

COMPÉTENCES Expliquer une démarche ; raisonner ; argumenter.

On souhaite déterminer la concentration massique en ions chlorure de l'eau de Vichy St-Yorre.

Un échantillon de volume V_S = 20,0 mL de cette eau est dosé par une solution S_1 de nitrate d'argent, $Ag^+(aq) + NO_3^-(aq)$.

L'équation de la réaction support du titrage est :

$$Ag^+(aq) + Cl^-(aq) \longrightarrow AgCl(s)$$

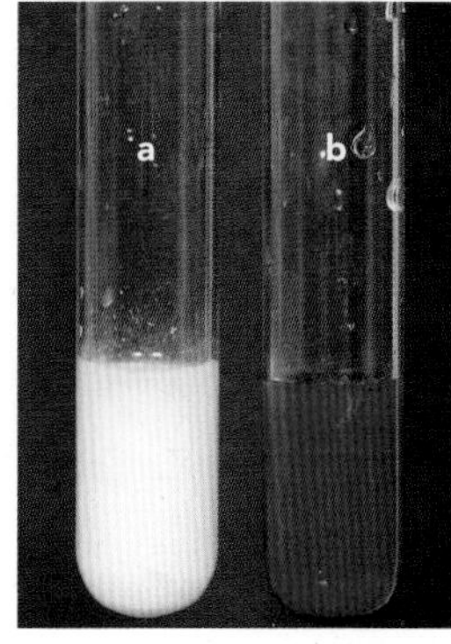

L'équivalence est atteinte lorsqu'il ne se forme plus de précipité blanc de chlorure d'argent AgCl(s). Tous les ions chlorure ont alors réagi, mais la fin de la réaction est difficile à repérer.

On utilise alors un indicateur de fin de réaction contenant des ions chromate $CrO_4^{2-}(aq)$. Ainsi, on ajoute initialement, à la solution S, quelques gouttes de chromate de potassium, $2K^+(aq) + CrO_4^{2-}(aq)$.

Avant l'équivalence, seul le précipité blanc de chlorure d'argent AgCl(s) se forme tant qu'il y a des ions $Cl^-(aq)$ présents dans la solution (a).

À l'équivalence, tous les ions chlorure ont réagi ; l'addition d'ions $Ag^+(aq)$ supplémentaires conduit à la formation d'un précipité rouge brique de chromate d'argent $Ag_2CrO_4(s)$ (b).

1. Pourquoi est-il difficile de repérer l'équivalence du titrage en l'absence d'ions chromate ?
2. Comment repère-t-on visuellement l'équivalence en présence d'ions chromate ?

La solution S_1 a une concentration $C_1 = 2{,}5 \times 10^{-2}\ mol \cdot L^{-1}$ en nitrate d'argent et le volume versé à l'équivalence est V_E = 7,7 mL.

3. Déterminer la concentration molaire $[Cl^-]$ en ions chlorure de l'eau de Vichy St-Yorre.
4. En déduire la concentration massique $t(Cl^-)$ en ions chlorure de cette eau.
5. Les normes européennes préconisent un titre massique maximal en ions chlorure de 250 $mg \cdot L^{-1}$ pour une eau minéralisée de consommation quotidienne.

Est-il raisonnable de ne boire quotidiennement que de l'eau de Vichy St-Yorre ?

18 Retrouver la loi de Kohlrausch

COMPÉTENCES Expliquer une démarche ; raisonner.

La conductivité d'une solution ionique est donnée par la relation :

$$\sigma = \sum_i \lambda_i \cdot [X_i]$$

où λ_i est la conductivité ionique molaire de l'espèce chimique X_i dont la concentration, dans la solution est $[X_i]$.

On considère une solution de concentration C en chlorure de magnésium apporté.

1. Écrire l'équation de dissolution du chlorure de magnésium, $MgCl_2(s)$, dans l'eau.
2. Exprimer les concentrations ioniques $[Mg^{2+}]$ et $[Cl^-]$ dans la solution en fonction de la concentration C.
3. Écrire l'expression de la conductivité de cette solution en fonction de la concentration C et des conductivités ioniques molaires.
4. Montrer que la loi de Kohlrausch est vérifiée.

Exercices

Pour aller plus loin

19 Bac Dosage des ions chlorure dans un lait

COMPÉTENCES Exploiter un graphe ; raisonner ; argumenter.

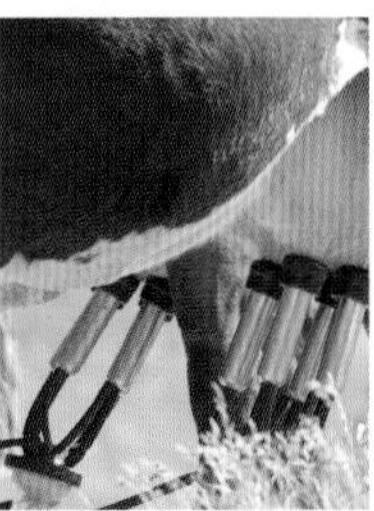

Une inflammation des mamelles des vaches rend le lait impropre à la consommation. Or cette inflammation se traduit par une augmentation de la concentration en ions sodium Na^+ (aq) et chlorure Cl^- (aq). Une mesure de la conductivité du lait, après la traite, permet de déterminer sa concentration en ions chlorure Cl^- (aq) et donc de vérifier s'il est consommable.

Pour réaliser ce titrage, un lait frais est dilué 5 fois. Soit S_1 la solution de lait diluée et C_1 sa concentration en ions chlorure. On verse un volume V_1 = 10,0 mL de S_1 dans un bécher et on y ajoute environ 250 mL d'eau distillée. On mélange, puis on plonge dans le bécher une cellule conductimétrique. Initialement et après chaque ajout millilitre par millilitre d'une solution S_2 de nitrate d'argent, $Ag^+(aq) + NO_3^-(aq)$, de concentration $C_2 = 5{,}00 \times 10^{-3}$ mol·L⁻¹, on mesure la conductivité σ de la solution et on obtient la courbe suivante :

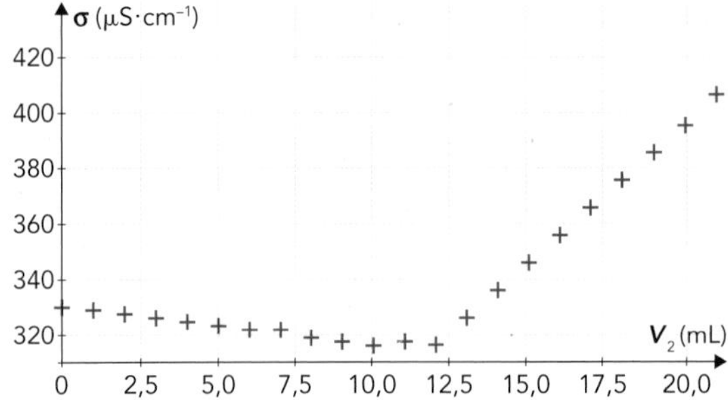

La réaction, rapide, met uniquement en jeu les ions chlorure et les ions argent selon l'équation :

$$Ag^+(aq) + Cl^-(aq) \longrightarrow AgCl(s)$$

1. Pourquoi la conductivité initiale de la solution S_1 n'est-elle pas nulle ?

2. Pourquoi ajoute-t-on un volume d'environ 250 mL d'eau distillée dans le bécher ?

3. Déterminer graphiquement le volume V_E de solution de nitrate d'argent versé à l'équivalence.
La conductivité de la solution peut s'écrire : $\sigma = \sum_i \lambda_i \cdot [X_i]$ (voir **fiche n° 12**, p. 596).

4. a. Montrer que la conductivité dans le bécher, en un point du titrage avant l'équivalence, s'écrit :

$$\sigma = \sigma_0 + \lambda_1 \cdot \frac{C_1 \cdot V_1}{V_{tot}} + (\lambda_2 - \lambda_1) \cdot \frac{C_2 \cdot V_2}{V_{tot}}$$

où σ_0 est la conductivité de tous les ions spectateurs initialement présents dans le lait et V_{tot} est le volume de la solution dans le bécher.

b. Justifier la diminution de la conductivité σ du milieu réactionnel avant l'équivalence.

5. Établir l'expression de la conductivité dans le bécher, après l'équivalence, et justifier son évolution.

6. Déterminer la concentration molaire C_1 en ions chlorure initialement présents dans la solution S_1, puis la concentration C_0 en ions chlorure dans le lait.

7. Dans le lait frais analysé, la concentration massique moyenne en ions chlorure se situe entre 0,8 g·L⁻¹ et 1,2 g·L⁻¹. Le lait analysé est-il consommable ?

Données : conductivités ioniques molaires :
$\lambda_1 = \lambda(Cl^-) = 76{,}3 \times 10^{-4}$ m²·S·mol⁻¹
$\lambda_2 = \lambda(NO_3^-) = 71{,}4 \times 10^{-4}$ m²·S·mol⁻¹
$\lambda_3 = \lambda(Ag^+) = 61{,}9 \times 10^{-4}$ m²·S·mol⁻¹

Voir, si nécessaire, l'exercice résolu 4, p. 476.

20 Different types of titrations

COMPÉTENCES Trouver des informations ; raisonner ; argumenter.

Titration is a common laboratory method of quantitative chemical analysis that is used to determine the unknown concentration of a known chemical substance called *titrand*. A reagent, called the titrant, of a known concentration and volume, is used to react with a solution of titrand. Using a chemistry pipettor to add the titrant, it is possible to determine the exact *amount* that has been consumed when the *endpoint* is reached. In the classic strong acid – strong base titration, the endpoint of a titration is the point at which the pH of the reactant mixture is just about equal to 7. Many methods can be used to indicate the endpoint of a reaction. Titrations often use visual indicators (the reactant mixture changes colour). In simple acid-base titrations a pH indicator may be used, such as phenolphthalein, which becomes pink when a certain pH (about 8.2) is reached or exceeded. Not every titration requires an indicator. In some cases, either the reactants or the products are strongly coloured and can serve as the « indicator ». For example, a redox titration using potassium permanganate (purple) as the titrant does not require an indicator. When the titrant is reduced, it turns colourless. After the endpoint, there is excess titrant present. The endpoint is identified from the first *faint* persisting pink colour (due to an excess of permanganate) in the solution being titrated.

Vocabulaire : *titrand* : réactif titré ; *amount* : quantité ; *endpoint* : point d'équivalence ; *faint* : pâle.

1. Quel est l'intérêt d'un titrage en chimie ?

2. Comment repère-t-on la fin d'un titrage pH-métrique acide fort-base forte, sans utiliser d'indicateur coloré ?

3. Quelle doit être la caractéristique d'un indicateur coloré pour qu'il puisse être utilisé lors d'un titrage colorimétrique d'un acide fort par une base forte ?

4. Pourquoi le titrage colorimétrique des ions fer(II) par les ions permanganate ne nécessite-t-il pas l'ajout d'un indicateur coloré pour repérer l'équivalence ?

21 Bac Chaufferette chimique

COMPÉTENCES Exploiter un graphique ; effectuer un calcul statistique.

Une chaufferette chimique est constituée d'une enveloppe souple de plastique qui contient une solution d'éthanoate de sodium à 20 % minimum en masse. Lorsqu'on appuie sur un petit disque métallique placé à l'intérieur, le liquide commence à se solidifier tout en dégageant une douce chaleur.

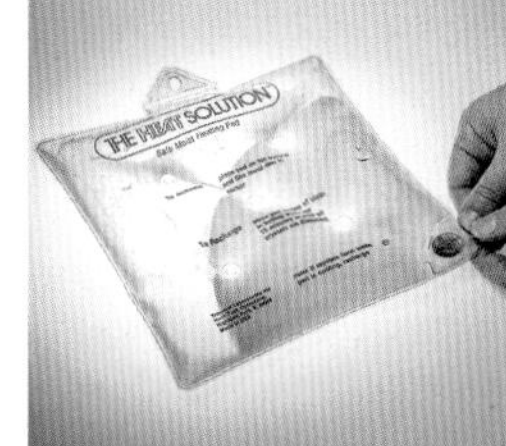

Après utilisation, on peut régénérer la chaufferette en faisant fondre le solide obtenu par chauffage.

Données relatives à l'éthanoate de sodium CH_3CO_2Na :
– masse molaire : $M = 82{,}0\ g \cdot mol^{-1}$;
– solubilité à 25 °C dans l'eau : $s = 365\ g \cdot L^{-1}$ soit $4{,}5\ mol \cdot L^{-1}$.

La solution aqueuse S_0 d'éthanoate de sodium, $Na^+(aq) + CH_3CO_2^-(aq)$, d'une chaufferette a un volume $V_0 = 100$ mL et une masse $m = 130$ g. La solution S_0 étant trop concentrée pour être dosée directement au laboratoire, on prépare une solution S_1 en diluant 100 fois le contenu de la chaufferette. Pour déterminer la concentration molaire C_0 en éthanoate de sodium apporté dans une chaufferette chimique, on place, dans un bécher, un volume $V_1 = 25{,}0$ mL de solution S_1 à titrer. On réalise un titrage pH-métrique par une solution d'acide chlorhydrique, $H_3O^+(aq) + Cl^-(aq)$, de concentration $C_A = 2{,}0 \times 10^{-1}\ mol \cdot L^{-1}$. On note V_A le volume de solution d'acide chlorhydrique versé. L'équation de la réaction support du titrage s'écrit :

$$CH_3CO_2^-(aq) + H_3O^+(aq) \longrightarrow CH_3CO_2H(aq) + H_2O(\ell)$$

On obtient les courbes ci-après :

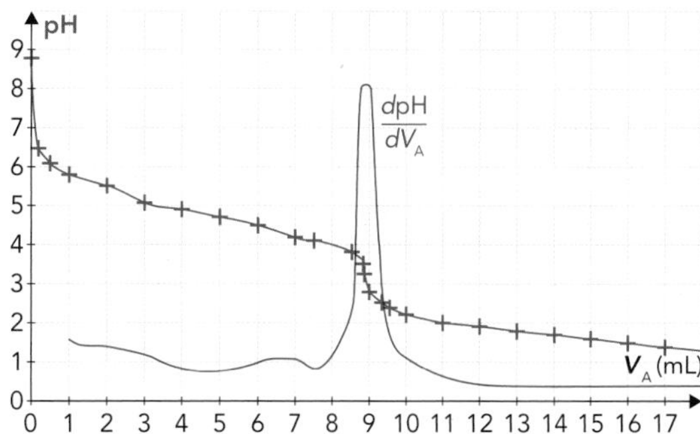

1. Schématiser et légender le dispositif de titrage.
2. Après avoir défini l'équivalence, écrire la relation entre la quantité d'ions éthanoate $n_i(CH_3CO_2^-)$ présente initialement dans le bécher et la quantité d'ion oxonium $n_E(H_3O^+)$ qui permet d'atteindre l'équivalence. On pourra éventuellement s'aider d'un tableau d'avancement.
3. Déterminer le volume équivalent V_E en expliquant la méthode utilisée.
4. Des titrages successifs ont donné les valeurs suivantes du volume à l'équivalence : 8,8 mL ; 8,6 mL ; 9,0 mL ; 6,3 mL ; 8,9 mL ; 9,1 mL ; 8,8 mL ; 8,7 mL.
Après avoir supprimé la(les) valeur(s) aberrante(s), réaliser une étude statistique des résultats expérimentaux et donner un encadrement de la valeur du volume à l'équivalence V_E (voir **fiches n°s 2, 3 et 4**, p. 583 à 587).
5. À partir de la valeur de $V_{E\,moy}$ déterminée à la **question 4**, calculer la concentration C_1 en ions éthanoate de la solution dosée.
6. En déduire la concentration C_0 en éthanoate de sodium apporté dans la solution contenue dans la chaufferette. La solution d'éthanoate de sodium contenue dans la chaufferette est-elle saturée ?
7. Calculer la masse d'éthanoate de sodium dans la chaufferette.
8. La solution aqueuse de masse 130 g contenue dans la chaufferette est-elle au moins à 20 % en masse d'éthanoate de sodium comme l'indique le texte introductif ?

Un pas vers l'enseignement supérieur

22 Dosage d'une eau de Javel (AP)

COMPÉTENCES Raisonner ; expliquer une démarche.

L'eau de Javel est obtenue par réaction entre le dichlore $Cl_2(g)$ et une solution d'hydroxyde de sodium.
C'est une solution aqueuse constituée, entre autres, d'ions chlorure $Cl^-(aq)$ et d'ions hypochlorite $ClO^-(aq)$.
En milieu acide, l'eau de Javel réagit selon la réaction (1) d'équation :

$$ClO^-(aq) + Cl^-(aq) + 2\ H^+(aq) \rightarrow H_2O(\ell) + Cl_2(g) \quad (1)$$

Une eau de Javel est caractérisée par son degré chlorométrique : il s'agit du volume de dichlore, exprimé en litre, produit par un litre d'eau de Javel par la réaction (1). Ce volume est mesuré à une température de 0 °C sous une pression de 1,013 bar.
Pour vérifier l'indication « 12 degrés chlorométriques » portée sur une bouteille commerciale d'eau de Javel, on réalise un titrage. On ajoute un excès d'ions iodure à un volume connu de solution d'eau de Javel. En milieu acide, tous les ions hypochlorite $ClO^-(aq)$ sont réduits par les ions iodure $I^-(aq)$ selon la réaction totale (2), d'équation :

$$ClO^-(aq) + 2\ I^-(aq) + 2\ H^+(aq) \longrightarrow H_2O(\ell) + I_2(aq) + Cl^-(aq) \quad (2)$$

Le diiode formé, appartenant au couple $I_2(aq)/I^-(aq)$, est titré par les ions thiosulfate, réducteurs du couple $S_4O_6^{2-}(aq)/S_2O_3^{2-}(aq)$. On en déduit alors la quantité d'ions hypochlorite, puis le degré chlorométrique.

1. L'eau de Javel commerciale étant trop concentrée, il faut d'abord effectuer une dilution au dixième pour obtenir 50,0 mL de solution diluée S. Décrire une méthode qui permet d'effectuer cette dilution. On précisera la verrerie nécessaire.

.../...

2. Dans un erlenmeyer, on introduit un volume $V = 10{,}0$ mL de solution S, puis un volume $V' = 20$ mL de la solution d'iodure de potassium, $K^+(aq) + I^-(aq)$.
Quelle verrerie faut-il utiliser pour prélever ces volumes ?
À l'aide d'une solution de thiosulfate de sodium, $2\,Na^+(aq) + S_2O_3^{2-}(aq)$, de concentration $C_1 = 0{,}10$ mol·L^{-1}, on titre le diode $I_2(aq)$ formé. On ajoute une pointe de spatule de thiodène afin de mieux repérer l'équivalence. Le volume équivalent est $V_{1E} = 10{,}0$ mL.

3. Écrire l'équation de la réaction (3) de titrage entre le diiode et les ions thiosulfate.

4. Déduire, des résultats du titrage, la quantité de diiode $n(I_2)$ présente dans le mélange réactionnel.

5. Pourquoi cette quantité correspond-elle aussi à la quantité de dichlore produite lors de la réaction (1) ?

6. Calculer la quantité d'ions hypochlorite $n(ClO^-)$ initialement présents dans le prélèvement de volume V.

7. Déterminer la concentration $[ClO^-]$ en ions hypochlorite de la solution S, puis celle $[ClO^-]_0$ de la solution commerciale.

8. En utilisant l'équation de la réaction (1), calculer la quantité de dichlore $n(Cl_2)$ produite par un litre d'eau de Javel.

9. Dans les conditions de température et de pression citées dans le texte, une mole de dichlore occupe un volume de 22,4 L. En déduire le degré chlorométrique de l'eau de Javel commerciale. Commenter le résultat.

10. Expliquer pourquoi il s'agit d'un titrage indirect.

Retour sur l'ouverture du chapitre

23 Bac Dosage des ions calcium et magnésium

COMPÉTENCES **Extraire des informations ; interpréter un résultat, raisonner et argumenter.**

Certaines eaux minérales sont conseillées pour la préparation des biberons des bébés, car elles sont faiblement minéralisées. La dureté d'une eau ou titre **h**ydrotimétrique (TH) est un indicateur de la minéralisation de l'eau. Elle est essentiellement due aux ions calcium et magnésium.
En France, le titre hydrotimétrique (TH) s'exprime en degré français (°f) : 1 °f correspond à 0,10 mmol·L^{-1} d'ions calcium $Ca^{2+}(aq)$ et magnésium $Mg^{2+}(aq)$.
Le tableau ci-après permet de caractériser la dureté d'une eau en fonction de son TH :

TH (°f)	0 à 7	7 à 15	15 à 25	25 à 42	Supérieur à 42
Eau	très douce	douce	moyennement dure	dure	très dure

La dureté d'une eau est déterminée grâce à un titrage par le réactif titrant EDTA en présence d'un indicateur coloré de fin de réaction, le NET, et d'une solution tampon de pH = 10.

En simplifiant, on peut considérer que, en milieu basique, l'EDTA contient des ions $Y^{4-}(aq)$ qui réagissent quantitativement avec les ions calcium $Ca^{2+}(aq)$ et magnésium $Mg^{2+}(aq)$ selon les équations :

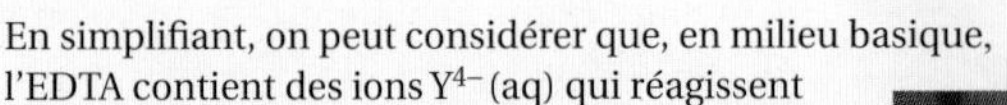

$$Ca^{2+}(aq) + Y^{4-}(aq) \longrightarrow CaY^{2-}(aq)$$
$$Mg^{2+}(aq) + Y^{4-}(aq) \longrightarrow MgY^{2-}(aq)$$

Ainsi, l'EDTA versé sert à doser les ions $Ca^{2+}(aq)$ et $Mg^{2+}(aq)$ présents dans le volume V d'eau titrée.

Avant l'équivalence

On souhaite comparer la dureté de l'eau du robinet (appelée eau n° 1) à celle obtenue après filtration avec une carafe filtrante (appelée eau n° 2). On réalise alors deux titrages d'un même volume $V = 20{,}0$ mL des deux eaux. La concentration de la solution d'EDTA utilisée est $C = 1{,}0 \times 10^{-2}$ mol·L^{-1}.

Le volume V_E d'EDTA versé pour atteindre l'équivalence est :
- eau n° 1 non filtrée : $V_E = 6{,}7$ mL ;
- eau n° 2 filtrée : $V_E = 2{,}9$ mL.

Après l'équivalence

Visuellement, l'équivalence est repérée par le changement de teinte de la solution obtenu grâce à un indicateur de fin de réaction, le noir ériochrome T.

1. Quelle verrerie doit-on utiliser pour prélever le volume $V = 20{,}0$ mL d'eau à doser ?

2. Quel est le rôle de la solution tampon ?

3. On note respectivement $n_0(Ca^{2+})$ et $n_0(Mg^{2+})$ les quantités d'ions $Ca^{2+}(aq)$ et $Mg^{2+}(aq)$ présentes dans le volume V d'eau titrée. Si $n_E(\text{EDTA})$ désigne la quantité d'ions $Y^{4-}(aq)$ versés pour atteindre l'équivalence, quelle relation lie ces trois quantités ?

4. Quelle est la relation existant entre $[Ca^{2+}] + [Mg^{2+}]$, V, C et V_E ?

5. Calculer la valeur de la somme $[Ca^{2+}] + [Mg^{2+}]$ pour l'eau n° 1, puis pour l'eau n° 2.

6. En déduire les titres hydrotimétriques TH exprimés en degré français (°f) de l'eau non filtrée et de l'eau filtrée.

7. Quelle est l'eau la plus dure ? Justifier.

8. Conclure sur l'efficacité de la carafe filtrante.

9. Sur l'étiquette d'une eau, recommandée pour les nourrissons, on trouve les indications suivantes :
- ions calcium : 78 mg·L^{-1} ;
- ions magnésium : 24 mg·L^{-1}.

Déterminer le titre hydrotimétrique (en °f) de l'eau minérale considérée et le comparer à celui de l'eau filtrée avec la carafe.

Comprendre un énoncé

24 Titrage de l'acide lactique dans un lait

En vieillissant, le lactose présent dans un lait se transforme en acide lactique, noté par la suite HA. On dose l'acide lactique, considéré comme le seul acide présent dans le lait étudié, par une solution d'hydroxyde de sodium ou soude, $Na^+(aq) + HO^-(aq)$, de concentration $C_B = 5{,}00 \times 10^{-2}$ mol·L^{-1}.

On prélève un volume V_A = 20,0 mL de lait que l'on place dans un bécher et on suit l'évolution du pH en fonction du volume V_B de soude versé. On obtient les valeurs données dans le tableau suivant :

V_B (mL)	0	2,0	4,0	6,0	8,0	10	11	11,5	12	12,5	13	14	16
pH	2,9	3,2	3,6	3,9	4,2	4,6	4,9	6,3	8,0	10,7	11,0	11,3	11,5

On note V_E le volume de soude versé à l'équivalence du titrage.

Un lait frais a une concentration en acide lactique inférieure à 1,8 g·L^{-1}.

Données :

Couples acide/base : $H_2O(\ell)/HO^-(aq)$, $pK_{A1} = 14{,}0$;
$H_3O^+(aq)/H_2O(\ell)$, $pK_{A2} = 0{,}0$;
$HA(aq)/A^-(aq)$, $pK_{A3} = 3{,}9$.

Masse molaire de l'acide lactique : $M(HA) = 90{,}0$ g·mol^{-1}.

Questions à se poser à la lecture de l'énoncé

- ➜ Quelle est la nature de la réaction envisagée ?
- ➜ Quel est le réactif titrant ? Quel est le réactif titré ?
- ➜ À quelles espèces (noms et formules) correspondent les lettres A et B ?
- ➜ Comment suit-on ce titrage ?
- ➜ Quelle est l'équation de la réaction ?
- ➜ La concentration fournie est-elle une concentration massique ou une concentration molaire ?

Questions	Compétences à mobiliser	Si difficulté, revoir
1. Écrire l'équation de la réaction du titrage réalisé.	• Identifier des couples acide/base. • Écrire des demi-équations acido-basiques. • Écrire une équation acido-basique.	Chapitre 13, § 3.2 et 3.4, p. 331.
2. Quelles caractéristiques doit présenter cette réaction pour être adaptée à un dosage ?	• Connaître les caractéristiques d'une réaction de dosage.	Cours § 2.1, p. 470
3. En utilisant un diagramme de prédominance, déterminer quelle est, entre HA(aq) et A^-(aq), l'espèce chimique prédominante au début du dosage.	• Tracer un diagramme de prédominance connaissant le pK_A d'un couple acide/base. • Extraire des informations*.	Chapitre 13, § 3.2 et 3.4, p. 331.
4. Pour quel volume de soude versé, noté V_S, les espèces HA(aq) et A^-(aq) sont-elles présentes en quantités égales dans le bécher ?	• Connaître et exploiter la relation entre le pH et le pK_A d'un couple acide/base. • Extraire des informations*.	Chapitre 13, § 4.5, p. 334.
5. Tracer le graphe pH = $f(V_B)$. En déduire la valeur du volume de soude versé à l'équivalence V_E.	• Tracer un graphe*. • Savoir déterminer graphiquement le point correspondant à l'équivalence d'un titrage.	Exercice résolu 5, p. 477.
6. Déterminer la quantité d'acide lactique présente dans le volume V_A de lait.	• Connaître et exploiter la relation définissant l'équivalence du titrage. • Extraire des informations*.	Exercice résolu 5, p. 477.
7. Quelle est la masse d'acide lactique présente dans un litre de lait ? Conclure.	• Connaître la relation entre masse, quantité de matière et masse molaire. • Extraire des informations*. • Interpréter un résultat*.	Révisions, p. 126.

* Compétence transversale.

Bac Réussir l'épreuve de physique chimie

Avoir les bons réflexes 

Si l'énoncé demande de…	il est nécessaire de…	Si difficulté	Pour réviser
Déterminer une concentration à partir d'un dosage par étalonnage.	● Utiliser la loi de Beer-Lambert $A = k \cdot C$ ou la loi de Kohlrausch $\sigma = k \cdot C$. ● Repérer, par lecture graphique, la grandeur mesurée (absorbance A ou conductivité σ) sur l'axe des ordonnées, puis déterminer la valeur de C cherchée sur l'axe des abscisses à partir de la courbe d'étalonnage.	Exercice 7, p. 478.	Exercice 15 p. 480.
Établir l'équation d'une réaction de titrage.	● Identifier les couples acide/base ou redox mis en jeu. ● Écrire et ajuster, si nécessaire, les demi-équations acido-basiques ou redox et les combiner.	Exercice 11, p. 479.	Exercice 12 p. 479.
Construire un tableau d'avancement associé au titrage.	● Écrire l'équation de la réaction dans la première ligne du tableau. ● Noter, dans l'état initial, la quantité du réactif titré et la quantité du réactif titrant **apportées à l'équivalence**. ● Annuler les quantités des réactifs titrant et titré dans l'état final **à l'équivalence**.	Exercice 9, p. 478.	Exercice 16 p. 481.
Déterminer une concentration à partir d'un titrage.	● Déterminer l'équivalence du titrage : – en repérant le changement de pente du graphe $\sigma = f(V_{\text{réactif ajouté}})$ pour un titrage conductimétrique ; – en utilisant la méthode des tangentes parallèles ou la courbe dérivée pour un titrage pH-métrique ; – à partir du changement de teinte du mélange réactionnel pour un titrage par colorimétrie. ● Écrire l'équation de la réaction support du titrage. ● Exploiter l'équivalence du titrage.	Exercice résolu 5, p. 477, et exercices 13 et 16, p. 480-481.	Exercice 17 p. 481.
Justifier le changement de pente de la conductivité lors d'un titrage par conductimétrie.	● Lister tous les ions présents lors du titrage. Repérer ceux dont les concentrations varient au cours du titrage. ● Exploiter l'expression de la conductivité σ fournie.	Exercice 10, p. 479.	Exercice 19 p. 482.

Dans les conditions du baccalauréat

● **Avec aide :** Exercice 24 p. 485. ● **Sans aide :** Exercice 21 p. 483.

Stratégie de synthèse et sélectivité en chimie organique

Chapitre 19

L'aspartame, édulcorant de synthèse présent dans de nombreux produits alimentaires, peut être synthétisé à partir de deux acides α-aminés. Mais au cours de la synthèse de nombreuses réactions parasites peuvent se produire. **Comment optimiser cette synthèse ? (Voir exercice 18, p. 512.)**

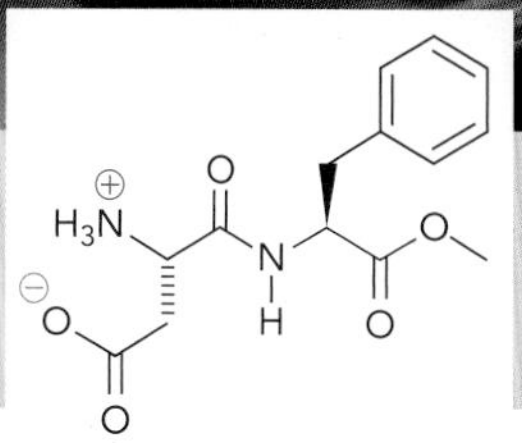

Comment conduire une synthèse organique ? Comment obtenir majoritairement un produit organique lorsque plusieurs produits peuvent se former ?

OBJECTIFS

→ Effectuer une analyse critique de protocoles expérimentaux.
→ Extraire et exploiter des informations sur l'utilisation de réactifs chimiosélectifs et sur la protection de fonctions dans le cas de la synthèse peptidique.

1 Synthèse d'un solide : la 3-carbéthoxycoumarine

La synthèse d'une espèce chimique comporte généralement plusieurs étapes, mettant souvent en jeu les mêmes techniques. Celles-ci dépendent essentiellement de l'état physique du produit synthétisé. Quelles sont les techniques utilisées lors de la synthèse d'un produit solide ?

La coumarine se trouve à l'état naturel dans la fève Tonka ci-contre. Traité industriellement, elle entre dans la fabrication de certains anticoagulants.
Sa préparation s'effectue en plusieurs étapes, la première étant la synthèse de la 3-carbéthoxycoumarine :

2-hydroxybenzène-carbaldéhyde (ou aldéhyde salicylique) + Propanedioate d'éthyle $\xrightarrow[\text{Éthanol, }\Delta]{\text{Pipéridine}}$ 3-carbéthoxycoumarine + C_2H_5OH + H_2O

Synthèse et séparation

- Dans un ballon bicol de 250 mL, muni d'un réfrigérant à eau et d'un barreau aimanté, introduire (en rinçant les coupelles et l'entonnoir avec un volume V_E = 15 mL d'éthanol) :
– une masse m_S = 4,00 g de 2-hydroxybenzènecarbaldéhyde ;
– une masse m_M = 5,60 g de propanedioate d'éthyle.
- Tout en agitant le mélange, introduire goutte à goutte, par le col latéral du ballon, un volume V_P = 2,0 mL de solution éthanolique de pipéridine, puis boucher le ballon.
- Placer le ballon dans un bain-marie et, sous agitation magnétique, chauffer le mélange à reflux pendant 20 minutes.
- Laisser refroidir 5 minutes à l'air libre, puis ajouter 20 mL d'eau chaude (à 60 °C) par le col latéral du ballon.
- Remplacer le bain-marie par un bain {eau-glace pilée} et prélever rapidement 0,5 mL du mélange réactionnel. Les introduire dans un petit tube à essais **1**.
- Maintenir le ballon dans le bain réfrigérant pendant 10 minutes, sous agitation magnétique.
- Filtrer sur Büchner et laver le solide à l'aide d'un mélange équivolumique eau-éthanol glacé. Le solide obtenu est la 3-carbéthoxycoumarine.
- Placer quelques grains du solide obtenu dans un petit tube à essais **2**.

Les espèces ou symboles sur la flèche de la réaction peuvent être le catalyseur, le solvant ou les conditions opératoires. Δ signifie, par exemple, que la réaction est effectuée en chauffant.

Purification

- Recristalliser le produit brut obtenu dans un mélange équivolumique eau-éthanol.
- Collecter les cristaux ainsi obtenus dans une boîte de Pétri préalablement tarée.
Noter la masse m_P de produit.
- Placer la boite de Pétri à l'étuve. Après séchage, déterminer la masse m_P de solide obtenu.
- Prélever quelques cristaux et les placer dans un petit tube à essais **3**.

Chromatographie sur couche mince

L'éluant fourni est un mélange de cyclohexane (2 volumes) et d'acétate d'éthyle (1 volume).
Le solvant utilisé pour réaliser les solutions est la propanone.

- Déposer chacune des solutions suivantes, dans l'ordre indiqué : **1**, **2**, **3**, **4** (solution de 3-carbéthoxycoumarine) et **5** (solution de 2-hydroxybenzènecarbaldéhyde). Révéler la plaque sous UV.

Cette activité peut aussi être considérée comme une activité documentaire. Dans ce cas on prendra une masse de produit m_P = 6,5 g.

Info L'opération de **recristallisation** consiste en une dissolution d'un solide impur dans la quantité minimale d'un solvant porté à l'ébullition.
Le refroidissement lent du mélange entraîne la cristallisation du solide pur, tandis que les impuretés restent en solution dans le solvant.
Le solide est isolé par filtration.

1 Identifier les groupes caractéristiques présents dans les réactifs et les produits de cette synthèse.

2 Observer les pictogrammes des réactifs utilisés. Quelles sont les précautions à prendre ?

Synthèse et séparation

3 Pourquoi rince-t-on les coupelles ? Quel rôle joue l'éthanol dans la synthèse ?

4 Pourquoi agite-t-on la solution ?

5 Pourquoi chauffe-t-on le mélange ? Quel est le rôle du réfrigérant à eau ? Qu'est-ce que le reflux ?

6 En utilisant le tableau de données, expliquer pourquoi de l'eau est rajoutée au milieu réactionnel.

7 Pourquoi le mélange est-il refroidi dans un bain d'eau glacée en fin de synthèse ?

8 Pourquoi préfère-t-on la filtration sous pression réduite à une filtration simple ?

9 En utilisant le tableau de données, expliquer pourquoi on ne rince pas le solide avec de l'eau seule ou de l'éthanol seul.
Pourquoi le mélange eau-éthanol doit-il être glacé ?

Purification

10 Pourquoi le solide pur précipite-t-il lorsqu'on refroidit le mélange et pas les impuretés ?

11 Le filtrat éliminé est une solution saturée en 3-carbéthoxycoumarine. Pourquoi doit-on introduire le minimum de solvant lors de la recristallisation ?

12 Justifier le choix du solvant de recristallisation.

13 Comment détermine-t-on la température maximale à laquelle doit être portée l'étuve ? Justifier.

14 Comment vérifie-t-on simplement que le solide est sec ?

15 Calculer le rendement de la synthèse.

Chromatographie sur couche mince

16 Comment se nomment les deux traits qui apparaissent sur le chromatogramme (doc. 1) ?

17 Interpréter le chromatogramme obtenu (doc. 1).

18 En utilisant, entre autres, la **fiche n° 11C**, p. 595, attribuer les signaux 1 et 2 (doc. 2).

19 Proposer deux autres techniques de caractérisation adaptées au produit synthétisé.

Un pas vers le cours...

20 Rédiger un court texte dans lequel sont présentées et justifiées les principales étapes de la préparation d'un produit solide.

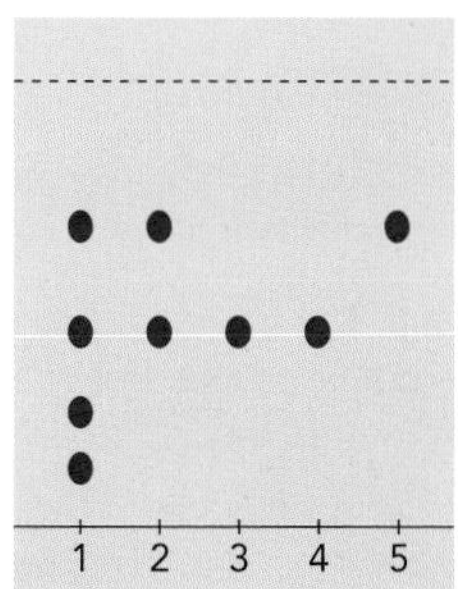

Doc. 1 Chromatogramme.

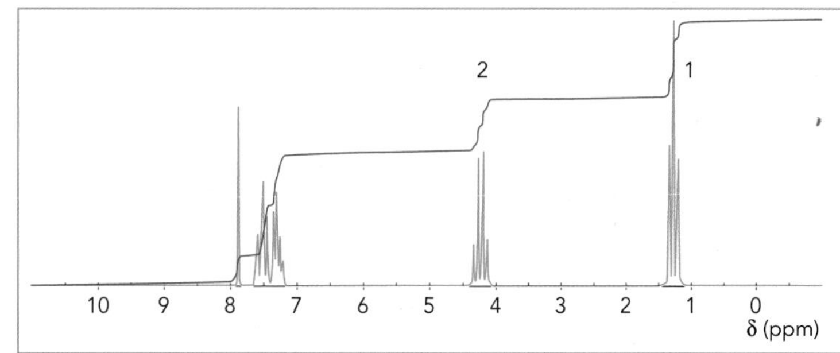

Doc. 2 Spectre de RMN de la 3-carbéthoxycoumarine.

Données :

Molécules	Solubilité dans l'eau		Solubilité dans l'éthanol		Pictogrammes de sécurité
	à T = 25 °C	à $T = T_{éb}$	à T = 25 °C	à $T = T_{éb}$	
Propanedioate d'éthyle	Non	Non	Oui	Oui	–
2-hydroxybenzènecarbaldéhyde	Non	Non	Oui	Oui	
Éthanol	Oui	Oui	–	–	
Pipéridine	Oui	Oui	Oui	Oui	
3-carbéthoxycoumarine	Non	Peu	Très peu	Oui	–

- M(2-hydroxybenzènecarbaldéhyde) = 122 g·mol^{-1} ;
- M(propanedioate d'éthyle) = 160 g·mol^{-1} ;
- M(3-carbéthoxycoumarine) = 218 g·mol^{-1} ;
- T_{fus}(3-carbéthoxycoumarine) = 93 °C.

2 Synthèse d'un liquide : l'acétate d'isoamyle

EN AUTONOMIE

La synthèse d'une espèce liquide fait appel à des techniques de séparation et de purification très différentes de celles rencontrées lors de la synthèse d'un solide.
Quelles sont les techniques employées lors de la synthèse d'une espèce liquide ?

Un arome de banane

Les esters volatils sont souvent utilisés pour produire des arômes et des fragrances synthétiques.
On désire préparer un ester dont la saveur et l'odeur sont ceux de la banane.
Cet ester est l'acétate d'isoamyle ; il est utilisé pour aromatiser certains sirops.
L'équation de la réaction de sa synthèse s'écrit :

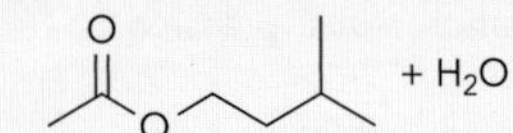

1 À quelle catégorie appartient cette réaction ?

2 Identifier les fonctions chimiques des réactifs et du produit organique formé.

3 Nommer les réactifs et le produit organique dans la nomenclature IUPAC.

4 Observer les pictogrammes des réactifs utilisés. Rechercher les risques (voir **rabat IV**) que peut présenter leur manipulation.
Quelles sont les précautions à prendre ?

Synthèse

• Dans un ballon monocol de 250 mL, introduire un volume V_1 = 40,0 mL d'alcool isoamylique et un volume V_2 = 50 mL d'acide acétique.

• Ajouter une pointe de spatule d'**a**cide **p**ara**t**oluène**s**ulfonique (APTS) et quelques grains de pierre ponce.

• Réaliser un montage de chauffage à reflux et maintenir une ébullition douce pendant 30 minutes.

• Au bout de 20 minutes, arrêter le chauffage et laisser refroidir le ballon à l'air quelques minutes, puis dans un bain d'eau froide tout en laissant la circulation d'eau dans le réfrigérant.

Séparation

• Verser le contenu du ballon dans une ampoule à décanter. Deux phases non miscibles apparaissent : la phase aqueuse et la phase organique.

• Ajouter 100 mL d'une solution aqueuse saturée de chlorure de sodium glacée. Agiter, puis laisser décanter. Récupérer la phase aqueuse dans un erlenmeyer.

• Laver la phase organique avec une solution saturée d'hydrogénocarbonate de sodium. Agiter tout en dégazant régulièrement jusqu'à ce que l'effervescence cesse.

• Laver deux fois la phase organique avec 50 mL d'eau glacée.

• Récupérer la phase organique dans un erlenmeyer.

• Sécher la phase organique à l'aide de sulfate de magnésium anhydre. Filtrer.

Purification

• Distiller la phase organique et recueillir la fraction passant au-dessus de 135 °C.

• Peser la masse m_P de produit obtenu.

Caractérisation

• Pour caractériser l'espèce chimique synthétisée, on réalise le spectre IR du distillat :

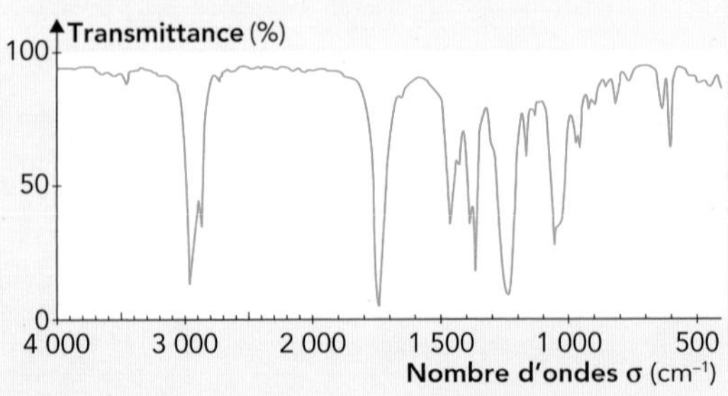

Synthèse

5 L'APTS est un catalyseur, quel est son rôle ?

6 Quel est le rôle de la pierre ponce ?

7 Pour quelle raison chauffe-t-on le milieu réactionnel ? Pourquoi chauffe-t-on à reflux ?

8 Pourquoi refroidit-on ensuite le milieu réactionnel ?

Séparation

9 Si on augmentait nettement la durée du chauffage, resterait-il encore de l'acide acétique et de l'alcool isoamylique dans le milieu réactionnel ? Justifier en vous aidant de l'écriture de l'équation de la réaction.

10 Quel est le rôle d'une ampoule à décanter ?

11 Faire le bilan des espèces chimiques présentes dans la phase aqueuse et dans la phase organique.

12 Prévoir les positions relatives de la phase organique et de la phase aqueuse dans l'ampoule à décanter. Justifier.
Proposer une méthode expérimentale permettant de vérifier cette prévision.

13 Justifier la solubilité, ou l'insolubilité, de l'acide acétique, de l'ester et de l'alcool dans l'eau.

14 a. En exploitant le tableau de données, justifier le rôle joué par le chlorure de sodium.
b. Comment s'appelle cette technique ?

15 Écrire l'équation de la réaction qui a lieu lors du lavage. On donne les couples acide/base mis en jeu :
$H_2O,CO_2(aq)$ / $HCO_3^-(aq)$,
$CH_3COOH(aq)$ / $CH_3COO^-(aq)$.

16 Quel est le rôle du lavage de la phase organique avec la solution saturée d'hydrogénocarbonate de sodium, $Na^+(aq) + HCO_3^-(aq)$?

17 Pourquoi agite-t-on l'ampoule à décanter ?
À quoi est due la surpression observée ?

Purification

18 Le montage à distillation ci-après est incomplet. Reproduire ce schéma, le légender et le compléter en justifiant les éléments ajoutés.

19 Quel est le rôle de cette distillation ? Expliquer brièvement le principe de la technique ainsi que la température à partir de laquelle on recueille le distillat.

20 Calculer le rendement de la synthèse dans l'hypothèse $m_P = 30{,}0$ g.

Caractérisation

21 En s'aidant de la **fiche n° 11B**, p. 594, vérifier que le spectre peut être celui de l'acétate d'isoamyle.

22 Pourquoi ce spectre permet-il d'affirmer qu'il ne reste plus d'alcool ou d'acide dans le distillat ?

23 Le spectre de RMN de l'ester obtenu présente, entre autres :
– un doublet correspondant à six protons ;
– un singulet correspondant à trois protons ;
– un triplet correspondant à deux protons.
Attribuer ces signaux en justifiant la réponse.

Un pas vers le cours...

24 Rédiger un court texte dans lequel sont présentées et justifiées les principales étapes de la préparation d'un produit liquide.

Données :

Produits	Données physiques	Pictogrammes de sécurité
Alcool isoamylique	$M = 88{,}1$ g·mol^{-1}. $T_{éb} = 128$ °C et $d = 0{,}81$. Très peu soluble dans l'eau et encore moins soluble dans l'eau salée.	
Acide acétique	$M = 60{,}1$ g·mol^{-1}. $T_{éb} = 118$ °C et $d = 1{,}05$. Grande solubilité dans l'eau (très grande pour CH_3COO^-).	
Acétate d'isoamyle	$M = 130{,}2$ g·mol^{-1}. $T_{éb} = 142$ °C et $d = 0{,}87$. Très peu soluble dans l'eau et encore moins soluble dans l'eau salée.	
Eau salée saturée	$d = 1{,}3$.	

3 Synthèse du paracétamol

Lors d'une synthèse, lorsque plusieurs produits peuvent se former, le chimiste peut obtenir de façon majoritaire le produit souhaité en travaillant avec des réactions sélectives.
Qu'est-ce qu'une réaction sélective ?

Compétence exigible au baccalauréat

- *Pratiquer une démarche expérimentale pour synthétiser une molécule d'intérêt biologique à partir d'un protocole.*

A Sélectivité de la réaction

▸ En cas de douleurs, l'aspirine ou le paracétamol est prescrit, pourtant il ne s'agit pas des mêmes molécules. L'aspirine a, entre autres, un effet anticoagulant que n'a pas le paracétamol (doc. 3).

▸ On donne ci-après les équations relatives aux synthèses de l'aspirine et du paracétamol.

Acide salicylique + Anhydride acétique → Aspirine + Acide acétique

Para-aminophénol + Anhydride acétique → Paracétamol + Acide acétique

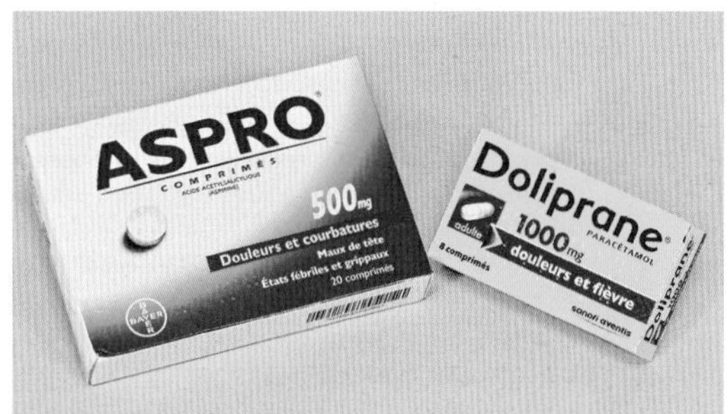

Doc. 3 Boîtes d'aspirine et de paracétamol.

1 Nommer les groupes caractéristiques présents dans les réactifs intervenant dans ces synthèses. Identifier ceux qui réagissent.
Quelles sont les fonctions créées ?

2 Lors de la réaction entre le *para*-aminophénol et l'anhydride acétique, le paracétamol se forme majoritairement, mais une autre espèce chimique peut aussi se former minoritairement.
En s'inspirant de la réaction de synthèse de l'aspirine, donner la formule topologique de cette espèce.

Un pas vers le cours...

3 On dit que le paracétamol est obtenu *via* une réaction sélective. À l'aide de cet exemple, définir ce qu'est une réaction sélective.

Données pour la partie B :

Produits	*Para*-aminophénol	Acide acétique	Anhydride acétique	Paracétamol
Masse molaire	$M = 109{,}2\ g \cdot mol^{-1}$	$M = 60{,}1\ g \cdot mol^{-1}$	$M = 102{,}9\ g \cdot mol^{-1}$	$M = 151{,}2\ g \cdot mol^{-1}$
Température de changement d'état	$T_{fus} = 184\ °C$	$T_{fus} = 16{,}6\ °C$ $T_{éb} = 118\ °C$	$T_{fus} = -73{,}1\ °C$ $T_{éb} = 140\ °C$	$T_{fus} = 168\ °C$
Solubilité	Peu soluble dans l'eau.	Grande solubilité dans l'eau et les solvants organiques.	S'hydrolyse lentement en acide acétique en présence d'eau ; très soluble dans la plupart des solvants organiques	Solubilité dans l'eau : 10 $g \cdot L^{-1}$ à 25 °C 250 $g \cdot L^{-1}$ à 100 °C.
Pictogrammes de sécurité				

B Les étapes de la synthèse

Étape préliminaire

Observer les pictogrammes des réactifs utilisés. Rechercher les risques que peut présenter leur manipulation et s'organiser en conséquence (**rabat IV**).

Étape 1 : synthèse

- Dans un ballon bicol de 250 mL muni d'un agitateur magnétique et d'un réfrigérant à eau, introduire 2,50 g de *para*-aminophénol, 5,0 mL d'acide acétique pur et 50 mL d'eau utilisée, entre autres, pour rincer la coupelle et l'entonnoir.
- Adapter une ampoule de coulée sur le deuxième col et y introduire 7,0 mL d'anhydride acétique (d = 1,08).
- Chauffer à reflux pendant 10 minutes.
- Refroidir le ballon avec un bain d'eau froide.
- Ajouter, progressivement, l'anhydride acétique tout en agitant.
- Refroidir avec un bain d'eau glacée et laisser cristalliser. Gratter les parois du ballon à l'aide d'une baguette en verre pour favoriser la cristallisation.

Étape 2 : séparation

- Filtrer sous pression réduite le produit cristallisé et le rincer à l'eau glacée. Peser le produit brut obtenu.
- En prélever une très petite quantité (50 mg) et la placer à l'étuve.

Étape 3 : purification

- Placer le reste du solide obtenu dans un ballon de 250 mL et effectuer une recristallisation dans un minimum d'eau (**activité 1**).
- Filtrer sous pression réduite le produit cristallisé et le rincer avec un peu d'eau glacée.
- Déterminer la masse m_P du produit sec obtenu.

Étape 4 : caractérisation

- *Température de fusion* : mesurer les points de fusion du produit brut et du produit obtenu après purification et séchage.
- *Chromatographie sur couche mince* : réaliser la chromatographie dans les conditions suivantes :
  – Dans trois tubes à essais contenant 2 mL d'acétate de butyle, dissoudre respectivement une pointe de spatule de *para*-aminophénol (**1**), de solide synthétisé (**2**) et de Doliprane® en poudre (**3**).
  – Éluer avec un mélange d'acétate de butyle (3 mL), de cyclohexane (2,0 mL), d'acide formique (0,5 mL) et d'acétone (10 gouttes).
  – Révéler à l'aide d'une lampe UV.

Synthèse

4 Schématiser et légender le montage.

5 Quel est le rôle de l'agitation ?

6 Justifier les étapes de chauffage, puis de refroidissement du mélange.

7 Quel est le rôle de l'ampoule de coulée ? Pourquoi introduit-on l'anhydride acétique progressivement ?

Séparation

8 Quel est l'avantage d'une filtration sur Büchner par rapport à une simple filtration ?

9 Pourquoi rince-t-on le solide ? Pourquoi utilise-t-on de l'eau glacée ?

Purification

10 Lors de la recristallisation :
a. pourquoi chauffe-t-on ?
b. pourquoi met-on le minimum de solvant de recristallisation ?

11 Estimer le volume minimum d'eau nécessaire pour recristalliser le produit brut.

12 Pourquoi laisse-t-on refroidir à température ambiante avant de refroidir dans un bain de glace ?

13 Comment choisit-on le solvant de recristallisation ?

Caractérisation

14 Quelle est la température de fusion du produit synthétisé ? La comparer à la valeur tabulée. Conclure sur la pureté du produit obtenu.

15 Dans l'hypothèse où le temps a manqué pour réaliser la CCM, analyser le chromatogramme ci-dessous.

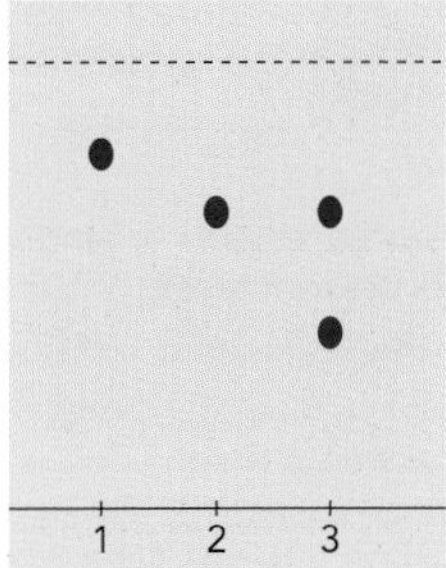

16 Citer les précautions expérimentales à prendre lorsqu'on réalise une CCM.

Rendement

17 Calculer le rendement de la synthèse.

La présence d'impuretés dans un solide abaisse sa température de fusion.

4 Comparer les avantages et les inconvénients de plusieurs protocoles

EN AUTONOMIE

Lors de l'élaboration du protocole opératoire d'une synthèse organique, il convient de trouver les réactifs et les conditions opératoires aboutissant au meilleur rendement possible. Les aspects sécurité, coût et environnementaux doivent aussi être pris en compte.
Comment trouver les conditions opératoires optimales pour une synthèse donnée ?

On souhaite réaliser la synthèse d'un ester, le benzoate d'éthyle, composé odorant fruité utilisé pour la synthèse de l'arôme de groseille :

acide benzoïque + éthanol ⇌ benzoate d'éthyle + H_2O

Différents modes opératoires, dont les conditions sont résumées ci-dessous, sont proposés.

Toutes les expériences sont menées pendant 45 minutes.

Numéro de la manipulation	1	2	3	4	5	6
Température	70 °C	70 °C	70 °C	25 °C	70 °C	70 °C
Masse initiale d'acide benzoïque	3,0 g	3,0 g	3,0 g	3,0 g	3,0 g	3,0 g
Volume initial d'éthanol	–	15 mL	–	–	–	–
Solvant (V = 50 mL)	Éthanol	Toluène	Éthanol	Éthanol	Éthanol	Éthanol
Agitation	Oui	Oui	Non	Oui	Oui	Oui
Catalyseur	H_2SO_4 à 95 %	APTS	Nafion®	H_2SO_4 à 95 %	APTS	Nafion®
Rendement de la réaction	60 %	20 %	55 %	10 %	65 %	70 %

Info

- Le catalyseur est introduit en général en faible quantité. Dans toutes les expériences, la quantité de catalyseur (ion H^+) est le dixième de la quantité de réactif limitant.
- Chauffer l'ester avec l'acide sulfurique peut dégrader une partie du produit obtenu.
- L'APTS est l'acide paratoluène sulfonique de $pK_A \approx 0,2$; c'est un solide.
- Le Nafion® est un polymère acide qui présente l'avantage de rester solide tout au long de la réaction. Le Nafion® utilisé libère 1,1 mmol d'ions H^+ par gramme.

1 Réaliser un schéma légendé du montage adapté à toutes ces synthèses.

2 Rappeler les facteurs cinétiques.

3 Calculer la quantité de catalyseur à introduire dans chaque expérience.

4 Quel est l'avantage de choisir un catalyseur insoluble tel que le Nafion® ?

5 Quel est le rôle de l'agitation dans une synthèse ?

6 Un professeur souhaite réaliser avec ses élèves cette synthèse.
Évaluer le coût des espèces chimiques utilisées pour chaque expérience sachant qu'il y a 34 élèves (soit 17 binômes) dans la classe.

7 Comparer les différentes modes opératoires : leurs résultats, leurs avantages et leurs inconvénients. Conclure.

Produits	Prix	M (g·mol⁻¹)	Pictogrammes de sécurité	Produits	Prix	M (g·mol⁻¹)	Pictogrammes de sécurité
Acide benzoïque	5,2 € les 250 g	122,1	(!)	APTS	10,8 € les 100 g	172,2	(!)
Toluène	10,8 € le litre	92,1	(inflammable) (danger santé)	Nafion®	106 € les 500 mg	–	(!)
Éthanol d = 0,805	5,0 € le litre	46,1	(inflammable) (danger santé)	H_2SO_4 à 95 % d = 1,83	9,2 € le litre	98,1	(corrosif)

5 Réductions sélectives et protection EN AUTONOMIE

Compétence exigible au baccalauréat

- Extraire et exploiter des informations sur l'utilisation de réactifs chimiosélectifs et sur la protection de fonctions pour mettre en évidence le caractère sélectif ou non d'une réaction.

Pour conduire une synthèse à partir d'un composé polyfonctionnel, le chimiste peut utiliser des réactifs chimiosélectifs ou bien protéger certaines fonctions. Qu'est-ce que la protection de fonction ? Dans quel cas l'utilise-t-on ?

Une réaction est **sélective** lorsque, parmi plusieurs groupes fonctionnels, d'une même molécule, l'un d'eux réagit **préférentiellement** avec le réactif considéré. Ce réactif est dit **chimiosélectif**.

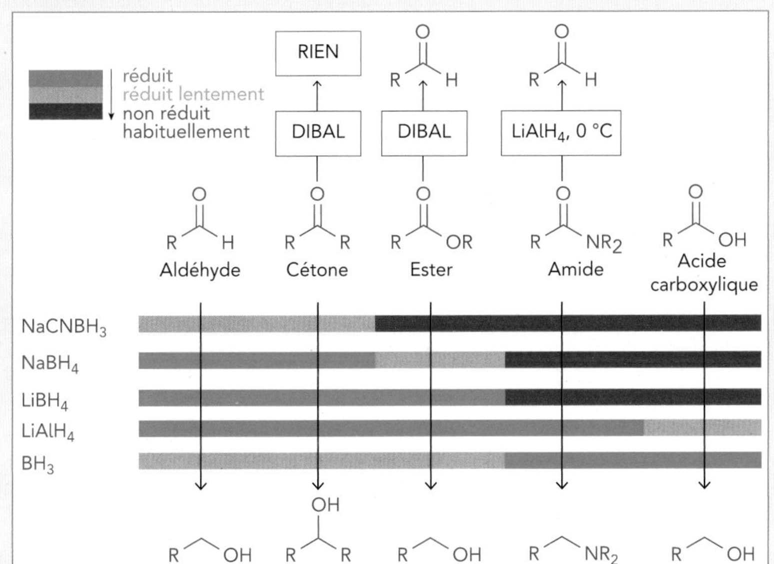

Doc. 4 Chimiosélectivité (extrait de J. Clayden, *Chimie organique*, De Boeck, 2003, p. 622).

Les hydrures métalliques tels que LiH (hydrure de lithium), $NaBH_4$ (tétrahydruroborate de sodium) ou $LiAlH_4$ (tétrahydruroaluminate de lithium) sont des donneurs potentiels d'hydrure H^-.
Ils réagissent avec les aldéhydes et les cétones qu'ils réduisent en alcools.

Extrait de P. Arnaud, *Chimie organique*, Dunod, 1997, p. 339.

Le DIBAL est un réducteur qui réduit les esters en aldéhydes. Il ne réduit pas les cétones.

Groupe acétal — $LiAlH_4$ — H^+ Étape 1 — $LiAlH_4$ Étape 2 — H_2O, H^+ Étape 3 — A — B

Doc. 5 Synthèse multi-étape.

1 La transformation d'une cétone R – CO – R' en alcool R – CHOH – R' est appelée réduction.
Justifier en écrivant la demi-équation électronique.

2 a. Pourquoi dit-on que la réduction de A par $LiAlH_4$ est non sélective ?
b. Nommer deux réactifs chimiosélectifs vis-à-vis de A. Quels sont alors les produits B' et B'' formés ?

3 Comment doit-on choisir la durée et la température de la réaction pour réduire A sélectivement avec $NaBH_4$?

4 Expliquer pourquoi il aurait été préférable d'utiliser un réactif chimiosélectif vis-à-vis de A pour obtenir B, plutôt que de réaliser les étapes 1, 2 et 3. Est-ce qu'un tel réactif est présent dans le document 4 ?

Un pas vers le cours...

5 Dans la synthèse multi-étape ci-dessus (doc. 5), le groupe acétal est appelé « groupe protecteur ». Proposer une définition d'un groupe protecteur.

6 Synthèse peptidique

EN AUTONOMIE

Les peptides sont formés à partir d'acides α-aminés, leur synthèse nécessite la démarche suivante : protection, activation, couplage et déprotection.
Quel est le rôle de ces différentes étapes ?

Compétence exigible au baccalauréat

- Extraire et exploiter des informations sur l'utilisation de réactifs chimiosélectifs et sur la protection de fonctions dans le cas de la synthèse peptidique pour mettre en évidence le caractère sélectif ou non d'une réaction.

Synthèse des amides

Les amines primaires et secondaires réagissent lentement à chaud avec les acides carboxyliques pour donner un amide :

$$R{-}CO{-}OH + H{-}NH{-}R' \rightleftharpoons R{-}CO{-}NH{-}R' + H_2O$$

Liaison peptidique

Dans la nature, les acides α-aminés sont combinés sous forme de protéine dont chacun comprend des centaines ou même des milliers d'acides α-aminés. Les petits assemblages d'acides α-aminés sont appelés peptides et la liaison amide qui les assemble est appelée liaison peptidique.

Liaison peptidique

Dipeptide : Ala-Gly

Acides α-animés : Alanine, Glycine

Une nomenclature abrégée conventionnelle est souvent utilisée pour les polypeptides. On dit que le polypeptide s'écrit du N terminal vers le C terminal.

Exemple du dipeptide Ala-Gly :

N terminal → C terminal

Ala-Gly

Stratégie de synthèse

« L'aptitude à contrôler la réactivité des groupes amine et acide carboxylique est essentielle pour la synthèse contrôlée des peptides. [...] Commençons par réfléchir à la façon de faire réagir ensemble deux acides α-aminés pour faire un dipeptide : la leucine et la glycine par exemple.

Leucine (Leu) + Glycine (Gly) $\xrightarrow{?}$ Dipeptide Leu-Gly

Si nous voulons que le groupement $-CO_2H$ de la leucine réagisse avec le groupement $-NH_2$ de la glycine, nous activerons d'abord l'acide carboxylique. [...] Mais le problème principal vient du fait qu'il y a un autre groupement $-CO_2H$ libre et une autre amine qui peuvent réagir. [...] Pour cette raison nous devons protéger à la fois le groupement $-NH_2$ de la leucine et le groupement $-CO_2H$ de la glycine. »

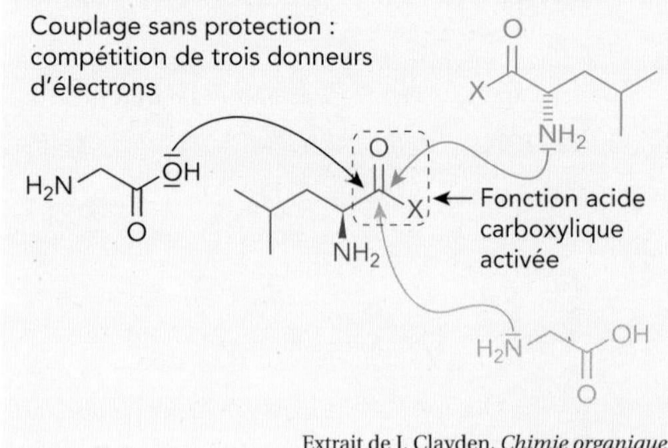

Extrait de J. Clayden, *Chimie organique*, De Boeck, 2003, p. 651.

Procédé Merrifield

« Les peptides sont obtenus par condensation de plusieurs acides α-aminés. L'ordre d'enchaînement de ces acides α-aminés est fondamental. Le procédé proposé par R. B. MERRIFIELD (prix Nobel en 1984) utilise un support polymère qui permet d'enchaîner sans ambiguïté les différents acides α-aminés. Le principe est de construire, acide α-aminé par acide α-aminé, la chaîne peptidique dont une extrémité est attachée au polymère insoluble. »

■ **Choix d'un groupe protecteur**

« Quel type de groupe protecteur doit-on utiliser ? Nous devons pouvoir les enlever après qu'ils ont rempli leur office et donc il n'est pas question d'utiliser, par exemple, un amide pour protéger l'amine. [...] *Idéalement, nous voulons deux groupes que l'on puisse enlever dans des conditions différentes*, tout cela sans rompre la liaison peptidique. »

« Le dipetide Leu-Gly constitue l'extrémité d'une hormone peptidique, l'ocytocine :

H_2N-Cys-Tyr-Ile-Gln-Asn-Cys-Pro-**Leu-Gly**-$CONH_2$.

L'ocytocine est une hormone qui intervient dans le déclenchement de l'accouchement chez la femme et dans la montée du lait. C'est la première hormone qui a été synthétisée en 1953. »

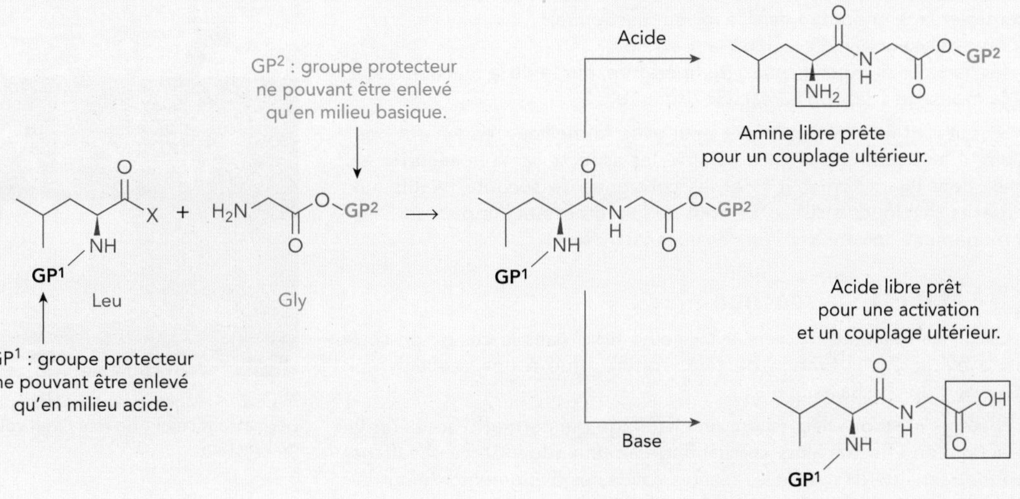

Extrait de J. Clayden, *Chimie organique*, De Boeck, 2003, p. 651-652.

1 Lorsqu'on souhaite créer une liaison peptidique entre la leucine et la glycine sans prendre de précautions particulières, plusieurs dipeptides sont obtenus.
a. Écrire les formules semi-développées de ces dipeptides et les nommer en utilisant la nomenclature abrégée conventionnelle.
b. La réaction entre la leucine et la glycine est non sélective. Justifier cette affirmation.

2 **a.** Identifier dans les deux acides α-aminés, leucine et glycine, les sites accepteur et donneur de doublet d'électrons.
b. Quels sont les sites qui doivent réagir pour conduire au dipeptide souhaité ?
c. Représenter, par des flèches courbes, le mouvement des doublets d'électrons permettant d'expliquer la formation de la liaison peptidique.

3 Pourquoi active-t-on la fonction acide carboxylique ?

4 Pour quelle raison n'utilise-t-on pas une fonction amide pour protéger la fonction amine ?

5 Dans le cas de la synthèse d'un polypeptide, justifier pourquoi il est nécessaire d'opérer de la façon décrite dans le passage en *italique*.

6 **a.** Une fois le dipeptide Leu-Gly synthétisé, quelle fonction doit-on déprotéger pour continuer la synthèse de l'ocytocine ?
b. On donne ci-contre la formule de la proline.

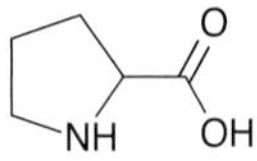

Écrire la formule topologique du tripeptide Pro-Leu-Gly.
c. Quelles sont les fonctions à protéger et à activer pour synthétiser ce tripeptide ?

7 **a.** Lors de la synthèse du dipeptide Leu-Gly, quel est le rendement final si le rendement de chaque étape est de 90 % ?
b. Que devient le rendement, dans ces conditions, pour un polypeptide composé de dix acides α-aminés ?
c. Quel avantage présente l'utilisation d'un polymère insoluble, dans le procédé Merrifield, par rapport à une synthèse classique en phase homogène ?

Un pas vers le cours...

8 Rédiger un texte donnant :
- la définition d'un groupe protecteur ;
- les propriétés qu'il doit posséder.

Données :
électronégativité : O : 3,4 ; C : 2,5 ; H : 2,2 ; N : 3,0.

1 Quelle stratégie adopter lors d'une synthèse ?

1.1 Étape préliminaire : avant l'expérience

Pour synthétiser un composé organique, il faut choisir :
– les **réactifs** appropriés ainsi que **leurs quantités**. Le plus souvent, l'un des deux réactifs est introduit en excès; il s'agit en général du moins cher;
– un **solvant** adapté qui doit permettre de solubiliser les réactifs et de contrôler la température dans le milieu réactionnel;
– un **catalyseur** afin d'accélérer la réaction;
– les paramètres expérimentaux (**température, durée de la réaction,** etc.);
– le **montage** adapté à la réaction (doc. 1).

Si tout doit être mis en œuvre pour avoir le meilleur rendement possible, il faut aussi prendre en compte les aspects liés à la **sécurité** en exploitant les pictogrammes et les consignes de sécurité relatifs aux espèces chimiques utilisées. Le **coût** de la synthèse et l'**impact** sur l'**environnement** doivent aussi être évalués (**activité 4**).

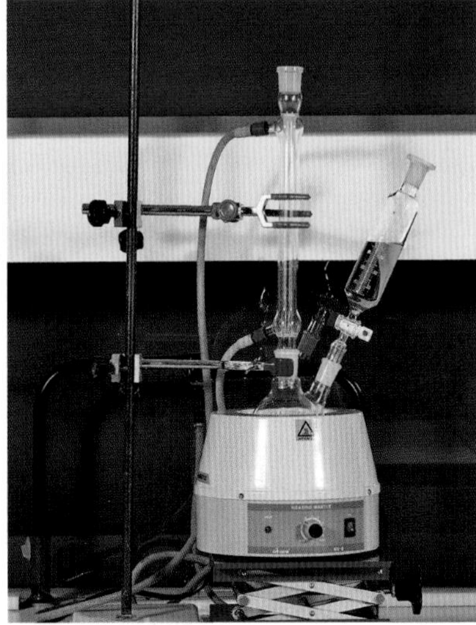

Doc. 1 Montage de chauffage à reflux permettant l'ajout de réactif en cours de réaction.

1.2 Étape 1 : la réaction

Certaines réactions peuvent avoir lieu à froid dans le cas où on souhaite éviter une élévation de température, due à une réaction qui dégage trop de chaleur.

D'autres réactions nécessitent un chauffage qui permet d'accélérer la réaction, on effectue alors un chauffage à reflux (doc. 1). Le chauffage permet aussi de dissoudre les réactifs solides et d'augmenter le rendement de certaines réactions limitées.

Le **montage de chauffage à reflux** permet de chauffer tout en évitant les pertes par évaporation.

En fin de réaction, on refroidit le mélange réactionnel pour condenser les vapeurs de solvants qui pourraient s'échapper et pour diminuer la solubilité du produit s'il est solide.

1.3 Étape 2 : l'isolement

L'**isolement** consiste à **séparer** au mieux le produit des réactifs n'ayant pas réagi, des produits secondaires, du catalyseur, du solvant et des sous-produits dus à des réactions parasites. L'isolement conduit au **produit brut**.

Différentes techniques sont employées selon l'état physique du produit à isoler.

Ainsi, la 3-carbéthoxycoumarine solide (**activité 1**) est isolée du milieu réactionnel par filtration sous pression réduite (doc. 2a).

Une **fiole à vide** munie d'un **entonnoir Büchner** permet une filtration rapide et un essorage efficace sous **pression réduite**.

Le ballon doit être rincé pour collecter le produit qui y serait resté et le solide doit être lavé pour éliminer au mieux les impuretés. Le liquide de rinçage utilisé devra être glacé pour dissoudre le minimum de solide.

Pour isoler l'acétate d'isoamyle et le reste d'alcool isoamylique (**activité 2**) d'une partie du milieu réactionnel, on utilise une technique d'extraction liquide-liquide à l'aide d'une ampoule à décanter (doc. 2b). En effet, les ions éthanoate et le catalyseur quittent la phase organique pour aller dans la phase aqueuse où ils sont plus solubles.

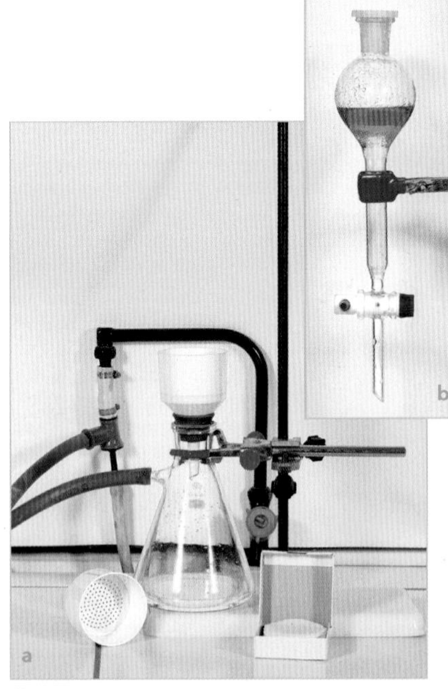

Doc. 2 Montages utilisés dans les étapes de séparation :
a. filtration sous pression réduite;
b. extraction liquide-liquide à l'aide d'une ampoule à décanter (la phase organique a été colorée pour la photo).

L'**extraction liquide-liquide** permet de transférer sélectivement des espèces présentes dans un solvant vers un autre solvant, **non miscible** au premier, dans lequel elles sont **plus solubles**.

Lorsque le produit synthétisé est très soluble dans la phase organique, on peut, pour améliorer la séparation :
– **saturer la phase aqueuse en sels** (par exemple $Na^+(aq) + Cl^-(aq)$) afin de diminuer la solubilité du produit organique dans la phase aqueuse. Cette technique s'appelle le **relargage** ;
– **laver la phase organique** avec de l'eau pour en retirer les espèces solubles dans l'eau (doc. 3) ;
– **extraire le produit de la phase aqueuse** avec un solvant organique.

Ces étapes doivent être suivies :
– d'un séchage afin d'éliminer l'eau contenue dans la phase organique avec un desséchant chimique, par exemple $Na_2SO_4(s)$ anhydre ;
– de l'évaporation du solvant grâce à un évaporateur rotatif (doc. 4).

1.4 Étape 3 : la purification

La **purification** consiste à éliminer les faibles quantités d'impuretés, contenues dans le produit brut afin d'obtenir le **produit purifié**.

Les deux méthodes de purification les plus employées sont la recristallisation pour les solides (**activité 1**) et la distillation pour les liquides (**activité 2**).

La **recristallisation** est une méthode de purification des solides fondée sur la **différence de solubilité** du produit et des impuretés dans un solvant*.

La **distillation** est une méthode de purification des liquides fondée sur les **différences de température d'ébullition** du produit et des impuretés.

1.5 Étape 4 : les analyses

Les étapes d'analyse permettent de **contrôler la pureté** du produit synthétisé et de le **caractériser** (de l'identifier).

Il existe plusieurs méthodes, certaines dépendent de l'état physique du produit.

- Pour les solides : mesure de la température de fusion, par exemple, à l'aide du banc Köfler (doc. 5).
- Pour les liquides : mesure de l'indice de réfraction à l'aide d'un réfractomètre ou mesure de la température d'ébullition (**activité 2**).
- Pour les liquides et les solides : spectroscopie IR ou de RMN (**activités 1 et 2**), chromatographies (**activités 1 et 3**).

1.6 Étape 5 : le calcul du rendement

On appelle **rendement** ρ de la synthèse le quotient de la quantité du produit P effectivement obtenue n_P par la quantité maximale attendue n_{max} : $\rho = \frac{n_P}{n_{max}}$.

Les synthèses se font rarement en une seule étape ; dans ce cas, on parle alors de synthèse multi-étape. Le **rendement de la synthèse** est, dans ce cas, égal au **produit des rendements de chaque étape** qui doivent être les plus proches possible de 1 pour que le rendement global soit acceptable (**activité 6**).

Voir exercices 1, p. 503, et 5 à 8, p. 506 et 507.

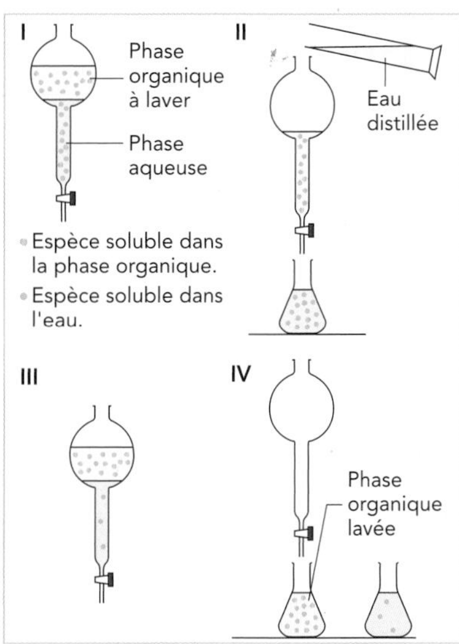

Doc. 3 Lavage de la phase organique avec de l'eau.

* Lors d'une recristallisation on introduit un minimum de solvant afin de limiter les pertes de solide contenu dans le solvant saturé.

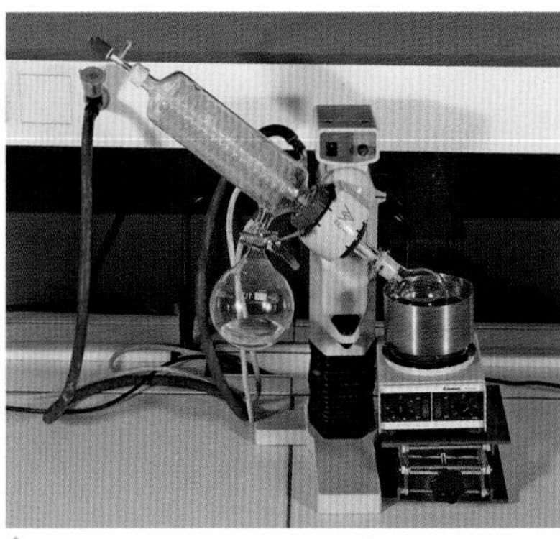

Doc. 4 L'évaporateur rotatif permet d'éliminer les solvants sous pression réduite.

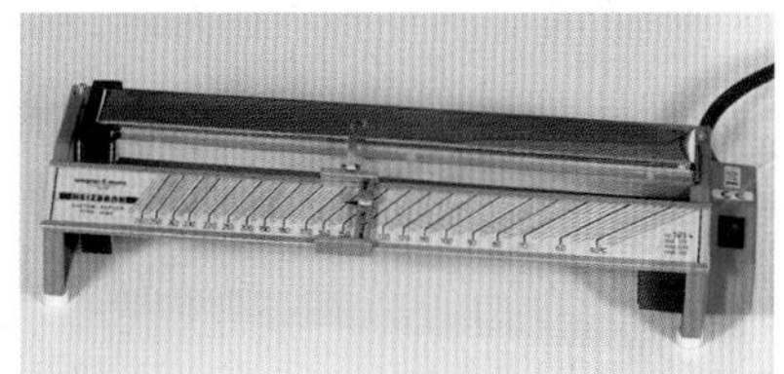

Doc. 5 Le banc Köfler permet de mesurer la température de fusion des solides.

2 Qu'est-ce qu'une réaction sélective ?

2.1 Les composés polyfonctionnels

Le *para*-aminophénol, réactif utilisé lors de la synthèse du paracétamol (**activité 3**) est un exemple de composé polyfonctionnel car il possède deux groupes caractéristiques :

Groupe hydroxyle

H_2N–C_6H_4–OH

Groupe amine

> Un **composé polyfonctionnel** est un composé possédant plusieurs groupes caractéristiques.

Dans le nom d'un composé organique polyfonctionnel, la présence de groupes caractéristiques est indiquée par sa terminaison et par certains des préfixes du nom (voir **tableau**, p. 288, et doc. 6).

2,3,4,5,6-pentahydroxyhexanal

3,7-diméthylocta-1,6-dién-3-ol

Acide 2-aminoéthanoique

Acide 2-hydroxypropanoïque

Doc. 6 Exemples de composés polyfonctionnels.

2.2 Réactifs chimiosélectifs

En synthèse, les réactifs sont souvent polyfonctionnels. Plusieurs fonctions sont alors susceptibles de réagir dans les conditions de l'expérience.

Lors de la synthèse du paracétamol (**activité 3**), le groupe amine réagit très majoritairement sur l'anhydride d'acide : on dit alors que la réaction est sélective et que l'anhydride d'acide est un réactif chimiosélectif.

L'atome d'azote du groupe amine et l'atome d'oxygène du groupe hydroxyle sont des sites donneurs de doublet d'électrons. Dans cet exemple l'atome d'azote est un meilleur site donneur de doublet d'électrons que l'atome d'oxygène.

Para-aminophénol + Anhydride acétique ⟶ Paracétamol + Acide acétique

> Une réaction est **sélective** lorsque, parmi plusieurs fonctions d'une même molécule, l'une d'elles réagit **préférentiellement** avec le réactif considéré. Ce **réactif est dit chimiosélectif.**

Lors de la réaction entre l'aspirine et la soude, à température ambiante (doc. 7a), seule la fonction acide carboxylique réagit : la réaction est sélective.

Si l'aspirine est chauffée à reflux avec un excès de soude, les deux fonctions réagissent (doc. 7b). Dans ces conditions la réaction est non sélective.

> La sélectivité ou non-sélectivité d'une réaction dépend des réactifs utilisés, mais aussi des **conditions expérimentales**.

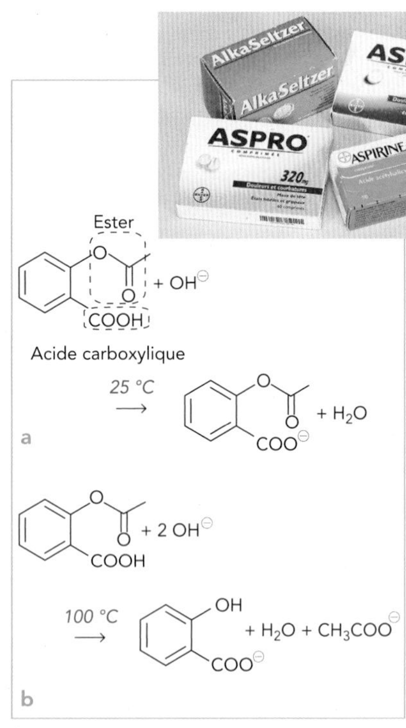

Doc. 7 La masse d'aspirine présente dans ces diverses formulations peut se déduire de dosages acido-basiques. Les réactions mises en jeu dans ces dosages entre l'aspirine et une solution de soude conduisent à des produits différents selon les conditions opératoires (a ou b).

2.3 Protection de fonctions

Lorsqu'il n'est pas possible de mettre en œuvre une réaction sélective pour faire réagir une seule des fonctions d'un composé polyfonctionnel, il faut protéger les autres fonctions.

> Un **groupe protecteur** est un groupe caractéristique, volontairement créé dans la molécule d'un composé polyfonctionnel afin de **bloquer** la réactivité de l'une de ses fonctions. Cette fonction est **temporairement transformée** en une autre fonction.

La réduction par $LiAlH_4$ du produit A étudiée dans l'**activité 5** est non sélective, car les deux fonctions, ester et cétone, réagissent et conduisent au produit C. L'utilisation d'un réactif chimiosélectif tel que $NaBH_4$ ne conduit pas non plus au composé B souhaité, car la cétone, plus réactive que l'ester, est réduite. Il est donc nécessaire de protéger temporairement la fonction cétone à l'aide d'un groupe acétal, non réactif vis-à-vis de $LiAlH_4$ (étapes **1** à **3**).

C ← $LiAlH_4$ — A — $NaBH_4$ → B'

A + HO–CH₂–CH₂–OH $\xrightarrow[\text{Étape 1}]{H^+}$ (Groupe acétal)

$\xrightarrow[\text{Étape 2}]{LiAlH_4}$ $\xrightarrow[\text{Étape 3}]{H_2O,\ H^+}$ B

Produit souhaité

Le **groupe protecteur** utilisé doit :
- réagir de manière sélective avec la fonction à protéger ;
- être stable lors des réactions suivantes ;
- pouvoir être enlevé (clivé) facilement et de manière sélective, une fois la réaction effectuée.

L'utilisation d'un groupe protecteur nécessite au moins deux étapes supplémentaires dans une synthèse. Il faut donc que les étapes de protection et de déprotection aient lieu avec de très bons rendements.

Les acides α-aminés (doc. 8) sont des composés polyfonctionnels. Lors de la synthèse du dipeptide Leu-Gly (**activité 4**), plusieurs dipeptides sont obtenus si aucune précaution n'est prise : Leu-Leu, Gly-Gly, Gly-Leu et enfin Leu-Gly. La stratégie de synthèse du dipeptide Leu-Gly est résumée dans le document 9.

> La synthèse d'un **dipeptide** (ou d'un polypeptide) nécessite d'utiliser des **groupes protecteurs** et des **groupes activants**.

Voir exercices 2, p. 503, et 9 à 11, p. 507.

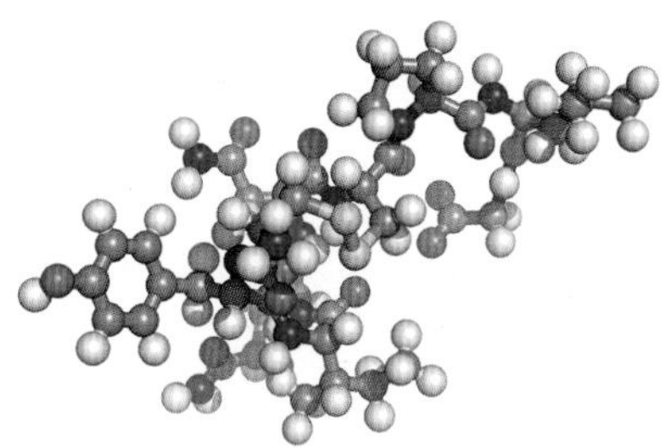

Doc. 8 L'ocytocine est le premier polypeptide à avoir été synthétisé à partir de ses acides α-aminés constitutifs.

Lors d'une synthèse peptidique, la réaction entre la fonction amine et la fonction acide carboxylique étant très lente, on active la fonction acide carboxylique en la transformant en une fonction plus réactive.

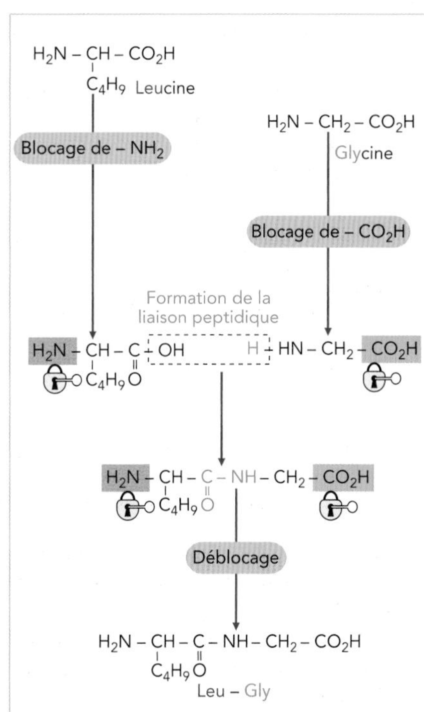

Doc. 9 Exemple d'utilisation de groupes protecteurs dans une synthèse peptidique.

Essentiel

Synthèse organique

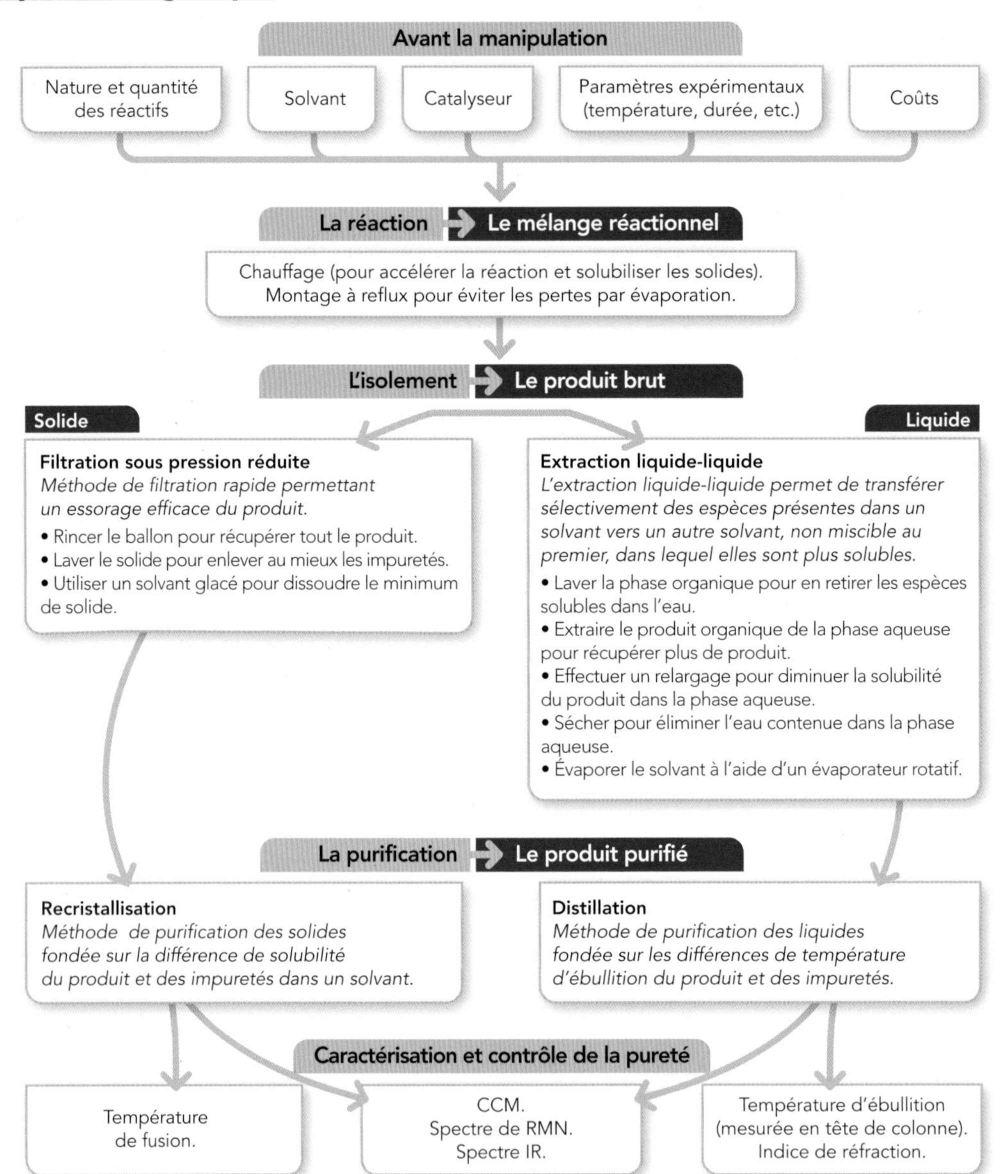

Sélectivité en chimie organique

- Un **composé polyfonctionnel** est un composé possédant plusieurs fonctions.
- Une réaction est **sélective** lorsque, parmi plusieurs fonctions d'une même molécule, l'une d'elles réagit préférentiellement.
- Un **groupe protecteur** permet de **bloquer temporairement** la réactivité de l'une des fonctions du composé polyfonctionnel en la transformant en une autre fonction qui ne va pas réagir au cours de la transformation.

Pour chaque question, indiquer la (ou les) bonne(s) réponse(s).

Voir corrigés, p. 606.

1 Synthèse organique

	A	B	C
1. Le montage représenté ci-contre est un montage :	de chauffage à reflux.	d'hydrodistillation.	de distillation.
2. Le pictogramme signifie :	que le produit est toxique.	qu'il faut manipuler le produit avec des gants.	que le produit est corrosif.
3. L'introduction d'un catalyseur dans le milieu réactionnel permet :	d'accélérer la réaction.	d'augmenter la valeur de l'avancement maximal.	de réaliser la réaction en chauffant éventuellement moins.
4. La recristallisation :	consiste à refroidir le milieu réactionnel une fois la synthèse terminée.	est une technique de purification des solides.	est une technique de purification des liquides.
5. Pour contrôler la pureté d'un solide, on peut :	réaliser une chromatographie sur couche mince.	mesurer son indice de réfraction.	mesurer sa température de fusion.
6. Soit la réaction $A + 2\ B \rightarrow 3\ P + Q$ avec $n_0(A) = n_0(B) = n_0$. La quantité maximale n_{max} de produit P susceptible d'être obtenue est égale à :	$3n_0$.	n_0.	$\frac{3n_0}{2}$.

Si erreur, revoir § 1, p. 498.

2 Sélectivité en chimie organique

	A	B	C
1. La molécule ci-dessous possède : NH_2 O OH	une fonction cétone, une fonction amine et une fonction alcool.	une fonction amide et une fonction alcool.	une fonction amine et une fonction acide carboxylique.
2. La réaction entre les molécules A et B ci-dessous est sélective si : H_2N OH (A) ; O O O (B)	la fonction alcool de A est la seule à réagir.	les fonctions alcool et amine de A réagissent toutes les deux avec l'anhydride acétique.	l'anhydride d'acide B est inerte vis-à-vis de A.
3. Pour réaliser la synthèse peptidique ci-dessous, il faut : H_2N–CH(R_1)–COOH (A) + H_2N–CH(R_2)–COOH (B) → H_2N–CH(R_1)–CO–NH–CH(R_2)–COOH	protéger la fonction amine de A et la fonction acide carboxylique de B.	protéger les deux fonctions de A.	protéger la fonction amine de B et la fonction acide carboxylique de A.

Si erreur, revoir § 2, p. 500.

Exercice résolu

COMPÉTENCES
- Mobiliser ses connaissances.
- Effectuer des calculs.

3 Réaliser une analyse critique de protocole

Énoncé

On réalise la bromation d'un alcène A à l'aide du tribromure de pyridinium solide B :

$$C_6H_5CH{=}CHC_6H_5 \text{ (A)} + C_5H_5NH^+, Br_3^- \text{ (B)} \rightarrow C_6H_5CHBr{-}CHBrC_6H_5 \text{ (P)} + C_5H_5NH^+, Br^-$$

Dans un ballon on place 0,90 g de (*E*)-stilbène, noté A, 30 mL d'acide acétique pur et 1,60 g de tribromure de pyridinium noté B.

1. Le dibrome $Br_2(\ell)$ s'additionne aussi sur les alcènes. Pourquoi évite-t-on de l'utiliser ?
2. Compléter le protocole en proposant des techniques de séparation, purification et caractérisation adaptées.
3. Calculer le rendement de la synthèse, si $m_P = 1{,}19$ g.

PICTOGRAMMES ET PRIX

Dibrome, $Br_2(\ell)$: 47,0 € les 250 g ;
Liquide à *T* et P ordinaires.

Tribromure de pyridinium : 62,9 € les 100 g ;

$T_{fus}(P) = 245$°C.
Masses molaires ($g \cdot mol^{-1}$)
$M(A) = 180$, $M(B) = 320$ et $M(P) = 340$.

Conseils

Comment choisir entre deux réactifs ?

1. Comparer le prix et la toxicité des deux réactifs en cas de réactivité équivalente.

Comment choisir les techniques de séparation, caractérisation et purification adaptées au produit ?

2. Identifier l'état physique du produit et connaître les différentes techniques associées à cet état.

Comment calculer un rendement ?

3. Calculer les quantités de réactifs et déterminer le réactif limitant.
Calculer la quantité maximale n_{max} de produit susceptible de se former en considérant la réaction totale.
Calculer la quantité n_P de produit obtenu expérimentalement.

Solution rédigée

1. Le tribromure de pyridinium est plus cher que le dibrome, mais beaucoup moins toxique. Le critère **sécurité** a été décisif dans ce choix.

2. La température de fusion du produit P est de 245 °C, il est donc **solide** à 25 °C.
– P est séparé du milieu réactionnel par filtration sous pression réduite (suivie de lavages avec un solvant glacé dans lequel P est peu soluble).
– P est purifié par recristallisation.
– P est caractérisé par la mesure de son point de fusion ou par réalisation de son spectre de RMN, d'une CCM, etc.

3. $n_A = m_A/M_A = 0{,}90/180 = 5{,}0 \times 10^{-3}$ mol ;
$n_B = m_B/M_B = 1{,}60/320 = 5{,}00 \times 10^{-3}$ mol.
On en déduit :

$$n_{max} = x_{max} = 5{,}0 \times 10^{-3} \text{ mol.}$$

Or $n_P = m_P/M_P = 1{,}19/340 = 3{,}5 \times 10^{-3}$ mol,
donc $\rho = n_P/n_{max} = 0{,}70$, soit $\boldsymbol{\rho = 70\ \%}$.

Application immédiate

On réalise la synthèse du 2-méthylpentan-2-ol, noté P, à partir de 14,9 mL de propanone noté A et 0,20 mol de bromure de propylmagnésium noté B. Le solvant de la réaction est l'éther anhydre. La réaction est suivie d'une hydrolyse en milieu acide.

$$(CH_3)_2C{=}O \text{ (A)} + CH_3CH_2CH_2MgBr \text{ (B)} \rightarrow (CH_3)_2C(OMgBr)CH_2CH_2CH_3 \xrightarrow{H_2O,\ H^+} (CH_3)_2C(OH)CH_2CH_2CH_3 \text{ (P)} + Mg^{2+} + Br^- + H_2O$$

Une fois la synthèse terminée, on obtient, après purification, une masse $m_P = 18{,}2$ g de produit P.
P est peu soluble dans l'eau, contrairement aux ions Mg^{2+} et Br^-.

1. Compléter le protocole en proposant des techniques de séparation, purification et caractérisation adaptées à la synthèse sachant que le produit P est liquide à température et pression ambiantes.
2. Calculer le rendement de cette synthèse.

Données : $d(A) = 0{,}78$; $M(A) = 58\ g \cdot mol^{-1}$; $M(P) = 102\ g \cdot mol^{-1}$.

Voir corrigés, p. 606.

Exercice résolu

COMPÉTENCES
- Extraire des informations
- Raisonner.

4 Synthétiser un dipeptide

Énoncé

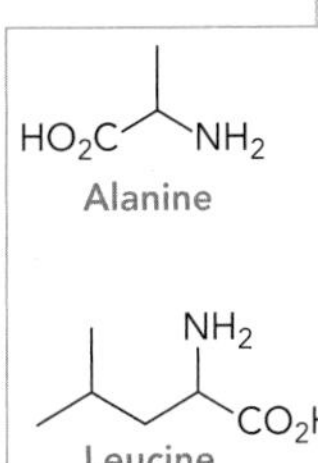

La leucine et l'alanine sont deux acides α-aminés dont les formules sont données ci-contre. On fait réagir ces deux acides α-aminés dans des conditions telles que les fonctions acide carboxylique peuvent réagir avec les fonctions amine.

1. La réaction entre la leucine et l'alanine est-elle sélective ? Si non, à combien de dipeptides peut conduire cette réaction ?

On souhaite synthétiser le dipeptide dont la formule est donnée ci-dessous.

NH_2 H N CO_2H O

2. Nommer la nouvelle fonction chimique créée.
3. Quelles fonctions sont à protéger pour synthétiser ce dipeptide ?

Conseils

Comment déterminer si une réaction est sélective ?

1. Repérer les fonctions présentes dans les réactifs et le produit. Envisager la ou les réaction(s) qu'elles peuvent donner.

Comment identifier une fonction chimique ?

2. Connaître les fonctions usuelles **(tableau, p. 100).**

Comment identifier les fonctions à protéger ?

3. Repérer tout d'abord les fonctions qui doivent réagir et protéger toutes les autres fonctions qui conduiraient à des produits non souhaités.

Solution rédigée

1. Les molécules des réactifs sont polyfonctionnelles.
La fonction acide carboxylique de l'alanine peut réagir avec les fonctions amine de l'alanine et de la leucine.
La fonction acide carboxylique de la leucine peut aussi réagir avec la fonction amine de l'alanine.
La réaction n'est donc pas sélective.
Il est donc possible de créer quatre dipeptides différents.

2. La nouvelle fonction créée est une **fonction amide** :

NH_2 NH O CO_2H

Les autres fonctions sont inchangées.

3. L'analyse de la structure du dipeptide montre que c'est la fonction acide carboxylique de la leucine qui réagit avec la fonction amine de l'alanine. Il faut donc **protéger** la fonction **amine** de la **leucine** et la fonction **acide carboxylique** de l'**alanine**.

Application immédiate

On synthétise le dipeptide D ci-dessous à partir de l'alanine et de l'isoleucine. La première étape de la synthèse est une étape d'activation de la fonction acide carboxylique de l'isoleucine, ce qui lui permet d'être beaucoup plus réactive vis-à-vis d'une fonction amine.

O X NH_2 — Isoleucine activée

H_2N CO_2H — Alanine

O NH CO_2H NH_2 — Dipeptide D

1. Recopier la formule du dipeptide. Identifier et nommer toutes les fonctions chimiques présentes.
2. La réaction entre l'isoleucine activée et l'alanine est-elle sélective ? Si oui, justifier ; si non, quelle(s) fonction(s) doit-on protéger pour obtenir sélectivement le dipeptide D ?

Voir corrigés, p. 606.

Exercices

Compétences exigibles au baccalauréat

- ✔ Effectuer une analyse critique de protocoles expérimentaux pour identifier les espèces mises en jeu, leurs quantités et les paramètres expérimentaux. ➲ exercice 13
- ✔ Justifier le choix des techniques de synthèse et d'analyse utilisées. ➲ activité 2 et exercice 5
- ✔ Comparer les avantages et les inconvénients de deux protocoles. ➲ activité 4
- ✔ Extraire et exploiter des informations sur l'utilisation de réactifs chimiosélectifs pour mettre en évidence le caractère sélectif ou non d'une réaction. ➲ activité 5 et exercice 11
- ✔ Extraire et exploiter des informations sur la protection de fonctions (dans le cadre de la synthèse peptidique). ➲ activité 6 et exercice 15
- ✔ *Pratiquer une démarche expérimentale pour synthétiser une molécule organique d'intérêt biologique à partir d'un protocole. Identifier des réactifs et des produits à l'aide de spectres et de tables fournies.* ➲ activité 3

Pour commencer

Quelle stratégie adopter lors d'une synthèse ?

5 Analyser un protocole : synthèse d'un liquide

On réalise la synthèse d'un ester à l'odeur de rhum E, en faisant réagir, en présence de quelques gouttes d'acide sulfurique (corrosif), l'acide méthanoïque A (m_A = 9,2 g) et l'éthanol B (m_B = 11,5 g). Le montage expérimental est un montage de distillation fractionnée.

Une fois la distillation terminée, on introduit dans le distillat une spatule de sulfate de sodium anhydre et on agite vigoureusement. Après filtration, on obtient une masse finale m_E = 6,95 g d'ester E.

A + B ⇌ E + H_2O

Espèce chimique	Risques	M ($g \cdot mol^{-1}$)	$\theta_{éb}$ (°C)
Acide méthanoïque A	Corrosif	46,0	100,7
Éthanol B	Nocifs et inflammables	46,0	78,5
Ester E		74,0	54,3
Eau	–	18,0	100,0

1. Quelles sont les précautions expérimentales à prendre lors de la réalisation de cette synthèse ?
2. Quel est le rôle de l'acide sulfurique ?
3. Que contient le distillat ? Justifier.
4. Quel est le rôle du sulfate de sodium anhydre ?
5. Comment peut-on facilement identifier le produit synthétisé sans réaliser d'étape supplémentaire ?
6. Calculer le rendement ρ de la réaction.

6 Analyser un protocole : synthèse d'un solide

Le texte ci-dessous est extrait du protocole opératoire de la synthèse de l'aspirine :

« Dans un ballon équipé d'un agitateur magnétique et d'un réfrigérant à boules, introduire 3,5 g d'acide salicylique, 5 mL d'anhydride éthanoïque et 10 gouttes d'acide phosphorique concentré.

Chauffer vers 70 °C durant 20 minutes en maintenant l'agitation. Laisser refroidir. Ajouter lentement, tout en agitant vigoureusement, 50 mL d'eau glacée. Continuer l'agitation 15 minutes tout en refroidissant le ballon dans un bain d'eau glacée. Un solide blanc se forme. »

Aspirine

1. Pour quelle(s) raison(s) chauffe-t-on le milieu réactionnel ?
2. Quel est le rôle de l'acide phosphorique ?
3. Pour quelle(s) raison(s) refroidit-on une fois la synthèse terminée ?
4. Proposer une technique permettant d'isoler l'aspirine.
5. Proposer une technique permettant de vérifier la pureté du solide obtenu.

➲ Voir, si nécessaire, l'exercice résolu 3, p. 504.

7 Établir un protocole d'extraction

La curcumine est une substance colorante présente dans les racines du curcuma. On souhaite l'extraire d'une masse m de poudre de curcuma. À l'aide des données et du matériel ci-dessous, proposer un protocole pour préparer un volume V d'une solution S de curcumine.

- *Matériel et produits disponibles :*
– balance, spatule, coupelle ;
– entonnoir et papier-filtre ;
– fioles jaugées, erlenmeyers, béchers ;
– pipettes jaugées et graduées ;

– ampoule à décanter, éprouvette ;
– eau, éthanol, cyclohexane, tétrachlorométhane.

• *Solubilité à froid de la curcumine :*

Très faible dans l'eau, grande dans l'éthanol, faible dans le cyclohexane et très grande dans le tétrachlorométhane.

• *Pictogrammes de sécurité :*

– pour l'éthanol :

– pour le cyclohexane :   

– pour le tétrachlorométhane :

8 Savoir filtrer sous pression réduite

Voici un extrait de la grille d'évaluation d'une épreuve de TP. Cet extrait porte sur l'étape de filtration sous pression réduite permettant d'isoler un produit solide d'un mélange réactionnel.

Consignes à respecter	Acquis	Non acquis
La fiole à vide doit être fixée.		
Le papier-filtre doit être préalablement humidifié.		
L'addition du contenu du ballon doit être progressive.		
Le liquide de rinçage doit être glacé et introduit en petite quantité.		
L'aspiration doit être coupée lors de l'étape de rinçage.		
Il ne doit plus rester de solide sur le papier-filtre une fois la collecte terminée.		

Expliquer l'intérêt des six consignes ci-dessus.

Qu'est-ce qu'une réaction sélective ?

9 Reconnaître des composés polyfonctionnels

On propose les molécules ayant les formules topologiques suivantes :

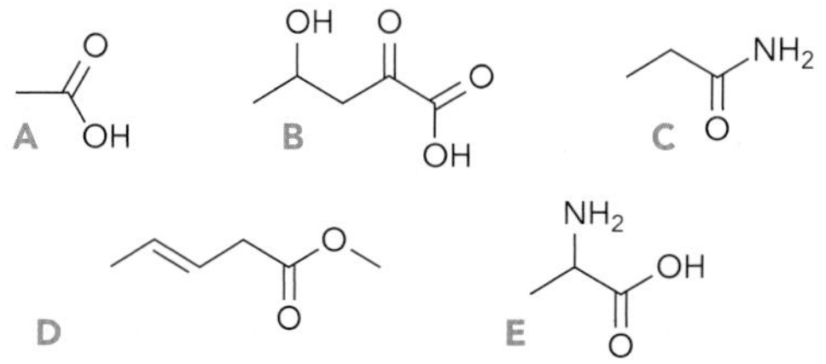

A B C D E

1. Parmi les molécules proposées, quelles sont celles qui sont polyfonctionnelles ?

2. Recopier les molécules A à E, puis entourer et nommer les différentes fonctions chimiques présentes.

10 Reconnaître un réactif chimiosélectif

Le tétrahydruroaluminate de lithium $LiAlH_4$ est un réducteur puissant très souvent utilisé en chimie organique. La molécule de 2-oxobutanoate d'éthyle réagit avec $LiAlH_4$ selon la réaction d'équation :

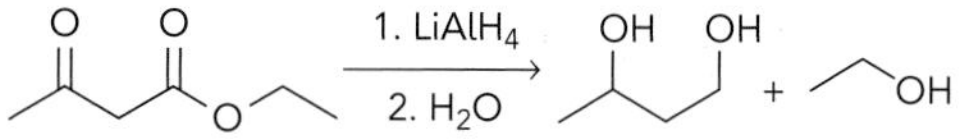

1. $LiAlH_4$; 2. H_2O

1. Recopier les formules du réactif et des produits, et repérer les fonctions chimiques présentes dans ces molécules.

2. Dans cette réaction, $LiAlH_4$ est-il un réactif chimiosélectif ? Justifier.

Le tétrahydruroborate de sodium $NaBH_4$ est un réducteur moins puissant que $LiAlH_4$.
La molécule de 2-oxobutanoate d'éthyle réagit avec $NaBH_4$ selon la réaction :

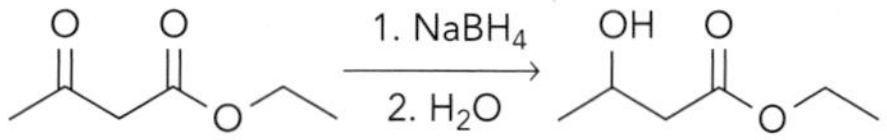

1. $NaBH_4$; 2. H_2O

3. Dans cette réaction, $NaBH_4$ est-il un réactif chimiosélectif ? Justifier.

11 Étudier la sélectivité d'une réaction

On réalise l'hydrogénation de la carvone selon trois conditions opératoires différentes (**1**), (**2**) et (**3**) résumées sur le schéma ci-dessous.

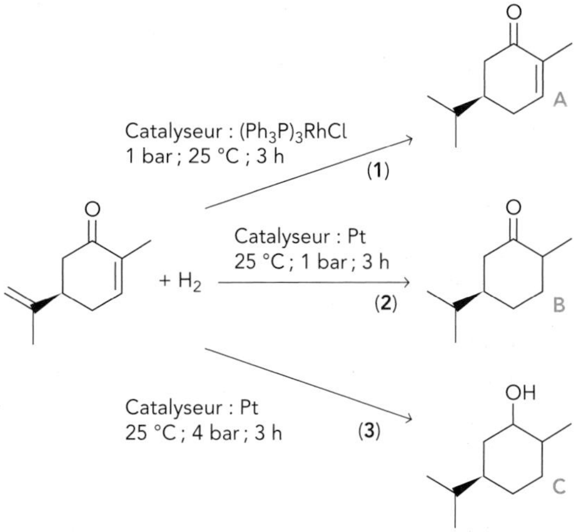

+ H_2

(1) Catalyseur : $(Ph_3P)_3RhCl$; 1 bar ; 25 °C ; 3 h → A

(2) Catalyseur : Pt ; 25 °C ; 1 bar ; 3 h → B

(3) Catalyseur : Pt ; 25 °C ; 4 bar ; 3 h → C

1. Identifier les groupes caractéristiques de la carvone et des produits.

2. Les réactions (**1**), (**2**) et (**3**) sont-elles sélectives ?

3. Un catalyseur est souvent utilisé pour accélérer une réaction. Quel autre rôle peut-il jouer ?
Illustrer la réponse à partir des exemples ci-dessus.

4. Des facteurs, autres que la nature des réactifs, peuvent faire qu'une réaction est sélective. Quel facteur est mis en évidence dans les réactions (**2**) et (**3**) ?

Pour s'entraîner

12 Rendement d'une réaction d'oxydation

COMPÉTENCES **Exploiter une relation; effectuer des calculs.**

On souhaite réaliser l'oxydation d'un volume $V = 4{,}0$ mL de benzaldéhyde en acide benzoïque. Pour cela, on utilise une masse $m = 3{,}16$ g de permanganate de potassium, $KMnO_4(s)$, comme oxydant en présence d'un excès d'acide sulfurique.

$$5\ C_6H_5CHO + 6\,H^+ + 2\,MnO_4^- \longrightarrow 5\ C_6H_5COOH + 2\,Mn^{2+} + 3\,H_2O$$

Données : masse volumique du benzaldéhyde : $\rho = 1{,}04\ g\cdot mL^{-1}$.

Après traitement du milieu réactionnel, on obtient 3,9 g d'un composé brut solide.

1. Calculer les quantités initiales de benzaldéhyde et de permanganate de potassium.
En déduire la nature du réactif limitant.

2. Calculer le rendement de la réaction.

3. Proposer une méthode permettant de contrôler la pureté du produit obtenu et une méthode qui permettrait de le purifier, si nécessaire.

4. Comment peut-on s'assurer, à l'aide d'un spectre IR, que la réaction a bien eu lieu?

Voir, si nécessaire, l'exercice résolu 3, p. 504.

13 Bac Un di-antalgique, le Salipran®

COMPÉTENCE **Mobiliser ses connaissances.**

Le Salipran® est un médicament di-antalgique utilisé notamment contre la douleur. Le principe actif en est le bénorilate. C'est le seul produit organique obtenu lors de la réaction entre l'aspirine et le paracétamol.

Données :

Nom	Paracétamol	Aspirine
Formule topo-logique		
M	$151\ g\cdot mol^{-1}$	$180\ g\cdot mol^{-1}$
Propriétés	Antalgique	Antalgique

Nom	Bénorilate	Acide salicylique
Formule topo-logique		
M	$313\ g\cdot mol^{-1}$	$138\ g\cdot mol^{-1}$
Propriétés	Di-antalgique	Antalgique

1. Reconnaissance de fonctions

a. Recopier les formules des réactifs et du produit, entourer et nommer leurs caractéristiques.

b. Écrire l'équation de la réaction de synthèse du bénorilate. Cette réaction est-elle sélective?

2. Mode opératoire de la synthèse du bénorilate

Dans un ballon contenant 100 mL d'une solution hydro-alcoolique (mélange à 50 % en volume d'eau et d'éthanol), on introduit $m_1 = 18{,}0$ g d'aspirine, $m_2 = 15{,}1$ g de paracétamol et on y ajoute quelques gouttes d'acide sulfurique concentré.

Après réaction, extraction, purification et séchage, on obtient une masse $m = 18{,}8$ g de bénorilate solide.

a. Parmi les deux schémas fournis ci-dessous, recopier et annoter le montage correspondant à un chauffage à reflux. Indiquer le sens de circulation de l'eau.

b. Quand utilise-t-on le deuxième montage?

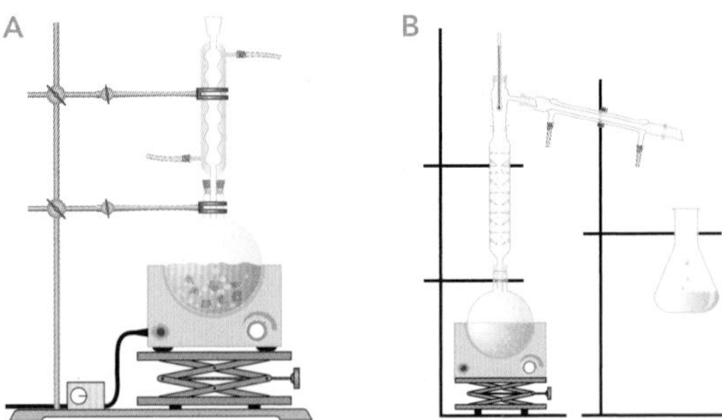

c. Pourquoi faut-il chauffer? Pourquoi à reflux?

d. Quelle méthode utilise-t-on pour isoler le bénorilate?

e. Quelle méthode peut-on utiliser pour le purifier?

f. Comment sèche-t-on le solide obtenu?

g. Calculer le rendement de la synthèse.

3. Assimilation par l'organisme du bénorilate

Après ingestion du comprimé de Salipran®, le bénorilate subit une réaction inverse de celle de sa synthèse.

a. Quelles sont les deux molécules aux propriétés antalgiques alors obtenues?

b. Pourquoi le bénorilate est-il un « **di**-antalgique »?

Voir, si nécessaire, l'exercice résolu 3, p. 504.

14 Bac Synthèse d'un médicament : la benzocaïne

COMPÉTENCES Extraire l'information ; mobiliser ses connaissances.

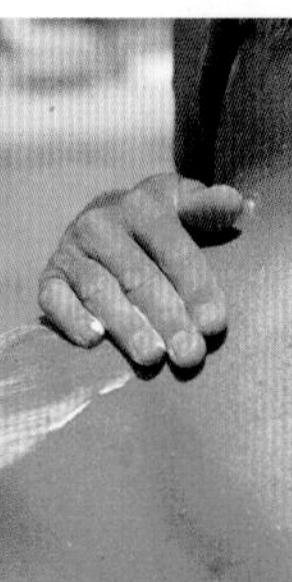

La benzocaïne (4-aminobenzoate d'éthyle), notée E, est le principe actif de médicaments pouvant soulager la douleur. Par exemple, il est présent dans une pommade qui traite les symptômes de lésions cutanées (brûlures superficielles, érythèmes solaires).

On se propose de préparer la benzocaïne en faisant réagir de l'acide 4-aminobenzoïque, noté ensuite HA, et un composé liquide à température ambiante, l'éthanol. L'équation de la réaction est :

O OH / NH$_2$ (HA) + OH ⇌ O O / NH$_2$ (E) + H_2O

Étape 1 : réaction d'estérification

Dans un ballon de 100 mL, introduire une masse m_{HA} = 1,30 g d'acide HA, solide blanc, et un volume V = 17,5 mL d'éthanol.

Agiter doucement dans un bain de glace et ajouter peu à peu 2 mL d'une solution aqueuse concentrée d'acide sulfurique. Chauffer à reflux pendant une heure, puis laisser revenir le mélange à température ambiante.

Étape 2 : séparation de la benzocaïne

Verser le mélange dans un bécher, puis ajouter peu à peu, tout en agitant, une solution saturée de carbonate de sodium jusqu'à obtenir une solution ayant un pH voisin de 9. Un dégagement gazeux se produit et un précipité de sulfate de sodium apparaît. Filtrer le mélange pour éliminer le précipité. Introduire le filtrat dans une ampoule à décanter ; rincer le bécher avec 15 mL d'éther que l'on ajoute au contenu de l'ampoule ; agiter l'ampoule et laisser décanter. Récupérer la phase organique.

Ajouter du sulfate de magnésium anhydre, agiter quelques minutes, puis filtrer. Évaporer le solvant de la phase organique sous hotte ; une huile apparaît qui se solidifie dans un bain de glace. Filtrer sur Büchner, rincer avec de l'eau le solide obtenu, le sécher et le peser.

Étape 3 : identification du produit

Pour analyser le produit synthétisé, on réalise un spectre de RMN. Ce spectre est reproduit ci-dessous.

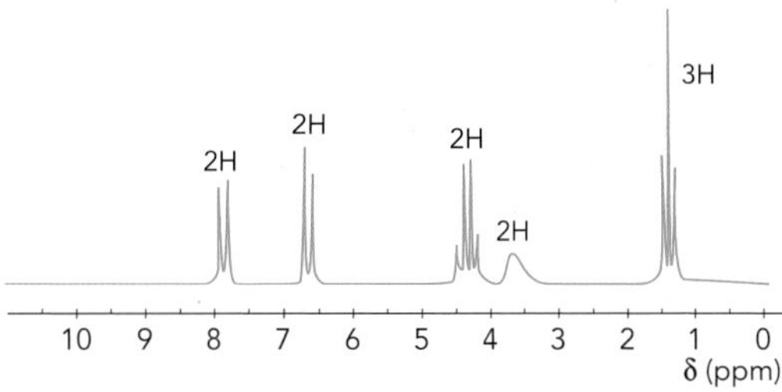

1. À propos de la réaction d'estérification :

a. Recopier les formules de HA et de E, puis entourer et nommer les groupes fonctionnels.

b. Recopier l'équation ci-dessous, représenter, par des flèches courbes, le mouvement des doublets d'électrons permettant d'expliquer la formation de la liaison C – O.

|O̲ O̲H / N̲H$_2$ + O̲H ⟶ ⊖ |O̲ HO̲| H ⊕ O / N̲H$_2$

c. La réaction est-elle sélective ? Justifier.

2. À propos de l'étape 1

a. Quel rôle les ions oxonium apportés par l'acide sulfurique peuvent-ils jouer ?

b. Quel est l'intérêt du chauffage à reflux ?

3. À propos de l'étape 2

a. Dessiner le diagramme de prédominance du couple HA(aq)/A$^-$(aq).

Quelle espèce prédomine dans le bécher après ajout de la solution de carbonate de sodium ?

b. En déduire à quelle phase se trouve cette espèce dans l'ampoule à décanter.

c. Faire le schéma annoté de l'ampoule à décanter. Préciser, sur ce schéma, les différentes phases et indiquer leur composition.

4. Montrer que le spectre de RMN obtenu est bien celui de la benzocaïne.

Données :

Solubilité dans 100 mL à 25 °C	Acide 4-aminobenzoïque (HA)	4-aminobenzoate de sodium (NaA)	Benzocaïne (E)	Éthanol	Éther
d'eau	Très faible	Très soluble	Très faible	Très grande	7,5 g
d'éthanol	11,3 g	Très faible	20,0 g	–	Très grande
d'éther	8,2 g	Très faible	14,3 g	Très grande	–

- Valeur de pK_A à 25 °C : pK_A(HA(aq)/A$^-$(aq)) = 4,9.
- Couples acide/base : HCO_3^-(aq)/CO_3^{2-}(aq) et CO_2,H_2O(aq) /HCO_3^-(aq).
- Masses volumiques : eau : 1,0 g·cm^{-3} ; éther : 0,79 g·cm^{-3}.

Voir, si nécessaire, l'exercice résolu 3, p. 504.

15 Bac Synthèse d'un dipeptide

COMPÉTENCE **Raisonner.**

La condensation d'une molécule de leucine et d'une molécule de sérine, dont les formules sont données ci-dessous, conduit à un mélange de plusieurs dipeptides.

Leucine (Leu) — Sérine (Ser)

Données :

• Réaction de synthèse des esters :

$$R_1-CO-OH + H-O-R_2 \underset{\Delta}{\overset{H^+}{\rightleftharpoons}} R_1-CO-O-R_2 + H_2O$$

Acide carboxylique — Alcool — Ester

• Réaction de synthèse des amides :

$$R_1-CO-OH + H-NH-R_2 \underset{\Delta}{\overset{H^+}{\rightleftharpoons}} R_1-CO-NH-R_2 + H_2O$$

Acide carboxylique — Amine — Amide

1. Étude structurale

a. La leucine possède-t-elle des atomes de carbone asymétrique ? Même question pour la sérine.
Si oui, reproduire les molécules et indiquer leur présence par un astérisque « * ».

b. Ces molécules sont-elles chirales ?
Si oui, représenter les stéréoisomères de configuration envisageables et indiquer les relations de stéréoisomérie qui les relient.

c. Nommer les groupes fonctionnels présents dans les molécules de leucine et de sérine.

d. La solubilité dans l'eau, à 25 °C, de la leucine est de 0,18 $mol \cdot L^{-1}$ alors que celle de la sérine est de 0,48 $mol \cdot L^{-1}$. Justifier cette différence de solubilité.

2. Mécanisme de la réaction de couplage

La première étape du mécanisme de la réaction entre une amine et un acide carboxylique est donnée ci-dessous :

$$R_1R_2R_3C-\overline{N}H_2 + R-C(=O)-\overline{O}H \longrightarrow R_1R_2R_3C-\overset{\oplus}{N}H_2-C(R)(O^{\ominus})-OH$$

a. Recopier l'équation et indiquer, dans les réactifs, les sites donneurs et accepteurs de doublet d'électrons.

b. Indiquer, par des flèches courbes, le mouvement des doublets d'électrons permettant d'expliquer la formation et la rupture de liaisons observées lors de cette étape.

3. Stratégie de synthèse

a. Lors de la réaction entre la leucine et la sérine, on obtient un mélange de six produits différents (sans prendre en compte d'éventuels stéréoisomères).
Écrire leurs formules topologiques.
On souhaite synthétiser le dipeptide Leu-Ser représenté ci-dessous :

Leu-Ser

b. Quelle est la fonction acide carboxylique à activer pour réaliser cette synthèse ?

c. Repérer les fonctions qu'il est nécessaire de protéger.

Voir, si nécessaire, l'exercice résolu 4, p. 505.

Pour aller plus loin

16 Bromination of cinnamic acid

AP

COMPÉTENCE **Extraire et exploiter des informations.**

The preparation of 1-bromo-2-phenylethylene consists in stereospecific bromination of (*E*)-cinnamic acid, followed by decarboxylative elimination of the resulting bromoacid; the latter reaction leads to (*Z*)-β-bromostyrene as practically the only product when it is *run* in butanone, whereas in water the major product is the *E*-isomer.

Experimental procedure:
Bromination of cinnamic acid

$$Ph-CH=CHCO_2H + Br_2 \quad PhCHBr-CHBrCO_2H$$

A 10 $mol \cdot L^{-1}$ stock solution of bromine in chloroform is prepared before the laboratory session.
Caution: Bromine and chloroform solutions are highly corrosive and toxic.
In a 150 mL erlenmeyer flask, commercial (*E*)-cinnamic acid (7.5 g, 50 mmol) is dissolved in the minimum *amount* of chloroform (≈ 50 mL) with magnetical *stirring* and slight heating in a hot water bath. After the complete dissolution, the water bath is removed, and the bromine solution (5.5 mL, 51 mmol) is slowly added. The bromine colour is gradually *discharged*, and white solid appears. After 10-15 min stirring at room temperature, the mixture is cooled in a ice-salt bath to complete crystallization.
The resulting dibromine is then filtered, washed with a few milliliters of precooled chloroform, and dried.
The *yield* is 60%.

Extrait de *Journal of Chemical Education*. 1991, n° 68, p. 515.

Vocabulaire : *run* : conduite ; *amount* : quantité ; *stirring* : agitation ; *to discharge* : disparaître ; *yield* : rendement.

1. Dessiner la formule semi-développée de l'acide (*E*)-cinnamique, réactif de la première réaction.
Dans quelle grande catégorie de réaction peut-on classer la bromation de l'acide cinnamique?

2. Quelles précautions expérimentales doit-on prendre pour réaliser l'expérience décrite ci-dessus?

3. Quel est le solvant utilisé pour cette synthèse? Quelle verrerie utilise-t-on pour le prélever?

4. Schématiser le montage expérimental.
Quel est le rôle du chauffage et celui de l'agitation?

5. Quel est le réactif limitant de la réaction?

6. La réaction entre le dibrome et l'acide cinnamique dégage de l'énergie thermique. Rechercher dans le texte les précautions qui sont prises pour éviter tout emballement de la réaction.

7. Quelle est l'évolution de couleur observée lors de la réaction?

8. Rechercher dans le texte l'étape réalisée juste avant la filtration. Quel est l'intérêt de cette étape?

9. Pour quelle raison le chloroforme utilisé pour rincer le solide doit-il être glacé?

10. On donne :
M(acide 2,3-dibromo-3-phénylpropanoïque) $= 307{,}8\ g \cdot mol^{-1}$.
Quelle est la masse de solide obtenue au cours de l'expérience?

11. Les réactions conduisant aux isomères *Z* et *E* du β-bromostyrène sont dites diastéréosélectives. Justifier ce terme.

12. Les produits obtenus lors des réactions suivantes sont le (*Z*)-β-bromostyrène et le (*E*)-β-bromostyrène. Ils n'ont pas la même odeur. Cela est-il surprenant?

Un pas vers l'enseignement supérieur

17 Analyse critique de protocole

COMPÉTENCES Extraire l'information; mobiliser ses connaissances.

Dans un ballon de 500 mL, introduire 200 mL d'eau distillée puis, avec précaution, 50 mL d'acide sulfurique concentré.
Porter la solution obtenue à 40 °C et dissoudre 50 g de 2,3-diméthylbutane-2,3-diol (pinacol). L'ensemble est chauffé à reflux, une phase organique apparaît peu à peu.
Refroidir l'ensemble et procéder à une hydrodistillation.
Introduire une spatule de chlorure de sodium dans le distillat biphasique et le placer dans une ampoule à décanter.
Séparer les deux phases et ajouter 20 mL de diéthyléther dans la phase aqueuse. *Après traitement de la phase organique*, éliminer le solvant grâce à l'évaporateur rotatif.
L'équation de la réaction effectuée est :

1. Pourquoi l'acide sulfurique est-il ajouté avec précaution?

2. Justifier le rôle du chauffage.

3. Expliquer pourquoi, avant le chauffage, il n'y a qu'une seule phase présente et, après chauffage, apparition d'une phase organique.

4. Pourquoi refroidit-on le mélange avant de réaliser l'entraînement à la vapeur?

5. Quelle est l'espèce chimique entraînée avec l'eau lors de l'hydrodistillation?

6. Pour quelle raison ajoute-t-on du sel dans le distillat?

7. Dessiner l'ampoule à décanter. Justifier la position relative des deux phases. Quel est le rôle de l'éther?

8. a. L'évaporateur rotatif est un appareil permettant d'évaporer le solvant (voir doc. 4, p. 499). Le ballon contenant le solvant à évaporer plonge dans un bain-marie chaud et tourne en permanence.
Quel est le rôle du bain-marie?
b. Dans un évaporateur rotatif, la pression peut être abaissée à l'intérieur du ballon. En quoi cela facilite-t-il l'évaporation du solvant?
c. En quoi la rotation du ballon améliore-t-elle l'évaporation du solvant?

9. On se propose de caractériser le produit obtenu par des méthodes spectroscopiques.
a. Quelles sont les fonctions présentes dans le réactif et dans le produit?
b. Le spectre IR du produit obtenu est donné ci-dessous. Comment peut-on être sûr que la réaction a bien eu lieu? Justifier en donnant les nombres d'ondes caractéristiques des principales bandes apparaissant et disparaissant.

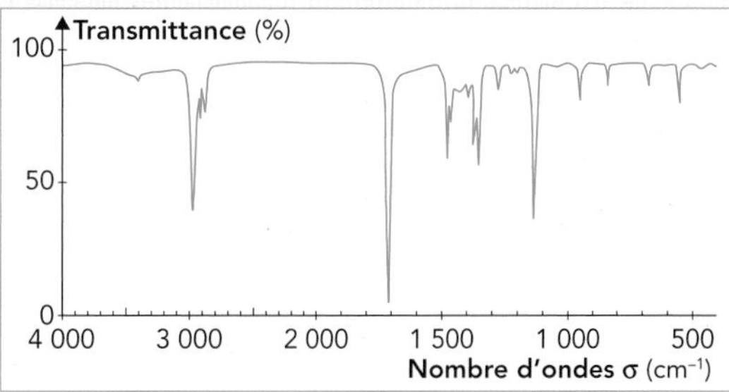

c. Quelles caractéristiques des spectres de RMN du réactif et du produit permettraient de les distinguer?

10. On obtient une masse m = 35,0 g de 3,3-diméthylbutanone (pinacolone). Calculer le rendement de la réaction.

.../...

Données :	Pinacol	Pinacolone	H_2SO_4	Diéthyléther
Solubilité dans l'eau	Peu soluble à froid et très soluble à chaud	Légèrement soluble à froid	Très soluble à froid et à chaud	Peu soluble
Densité	–	0,80	–	0,71
$\theta_{éb}$ sous 1 bar	174 °C	106 °C	–	35 °C
Pictogrammes de sécurité				

Retour sur l'ouverture du chapitre

18 Autour de l'aspartame

COMPÉTENCES **Extraire des informations ; mobiliser ses connaissances.**

L'aspartame est un *édulcorant artificiel* découvert en 1965. C'est un dipeptide qui résulte de la condensation entre la fonction amine de la phénylalanine (sous forme d'*ester méthylique*) et d'une des fonctions acide de l'acide aspartique. L'aspartame a un pouvoir sucrant environ 200 fois supérieur à celui du saccharose et est utilisé pour édulcorer des boissons et aliments à faible apport calorique ainsi que des médicaments. Cet additif alimentaire est autorisé dans de nombreux pays. Il est référencé dans l'Union européenne par le code E951.
Les *stéréoisomères* de l'aspartame, comme son *isomère* résultant du *couplage peptidique* sur le second acide carboxylique de l'acide aspartique, sont tous amers. Les conditions expérimentales doivent donc être convenablement choisies pour éviter toute réaction parasite. Vers 160 °C, une succession de réactions transforme l'aspartame en ses stéréoisomères.

D'après J. Drouin, *Introduction à la chimie organique*, Librairie du cèdre, 2005, p. 683.

Acide aspartique

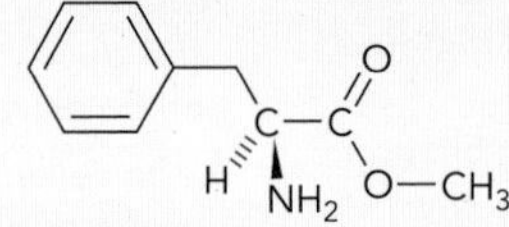

Ester méthylique de la phénylalanine

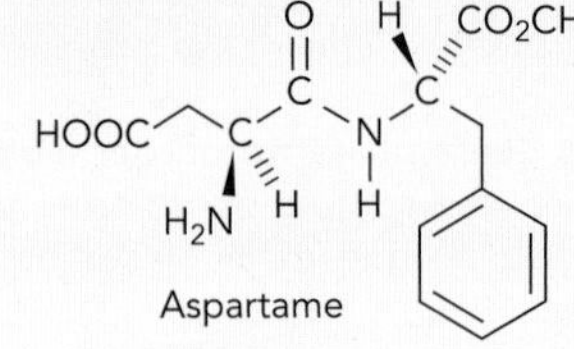

Aspartame

La phénylalanine peut être synthétisée à partir du malonate de diéthyle en dix étapes, dont certaines sont résumées ci-dessous.

Étape 3
Ajout d'une mole de chlorure de benzyle $C_6H_5-CH_2-Cl(\ell)$ et chauffage au reflux de l'éthanol.

Étape 4
Distillation fractionnée sous pression réduite du mélange pour isoler le composé B formé à l'étape 3.

Étape 10
Recristallisation de la phénylalanine dans un mélange eau-éthanol.

1. @ Rechercher la définition des termes en *italique*.

2. Recopier la formule de l'aspartame, puis entourer et nommer les fonctions chimiques présentes.

3. a. En analysant la structure de l'aspartame, quelle est, des deux fonctions acide carboxylique de l'acide aspartique, celle qui doit réagir lors de la synthèse ?
b. Recopier les formules des réactifs et repérer les sites donneurs et accepteurs de doublet d'électrons.
c. Expliquer la formation de la liaison C – N (liaison peptidique) à l'aide d'une flèche courbe.
d. Donner la formule topologique de l'isomère amer de l'aspartame.
e. Pour éviter les réactions parasites, on se propose d'utiliser des groupes protecteurs. Quelles sont les fonctions à protéger ?
f. Une fois le couplage réalisé, que reste-t-il à faire pour terminer la synthèse ?

4. a. Identifier les atomes de carbone asymétriques dans la molécule d'aspartame.
b. Expliquer pourquoi l'aspartame ne peut pas être utilisé dans la fabrication de gâteaux ou de biscuits.

5. **Étape 3 :** que signifie l'expression « chauffage au reflux de l'éthanol » ?

6. **Étape 4 :** sur quel principe repose la distillation fractionnée ?

7. **Étape 10 :** a. Quel est le rôle de cette étape ?
b. Sur quel principe repose cette technique ?

8. Proposer au moins trois méthodes permettant de caractériser le produit obtenu.

Comprendre un énoncé

19 Synthèse de l'acétate de vanilline

On s'intéresse à l'élaboration de l'acétate de vanilline à partir de la vanilline et de l'anhydride acétique. L'équation de cette réaction est donnée ci-dessous :

Vanilline (H_3CO, HO) + Anhydride acétique → (H_3CO) + OH

Dans un erlenmeyer de 250 mL, dissoudre m_1 = 3,0 g de vanilline dans 50 mL d'une solution d'hydroxyde de sodium de concentration égale à 2,5 mol · L^{-1}. Ajouter successivement, en agitant à l'aide d'un barreau aimanté, environ 60 g de glace, puis 8,0 mL d'anhydride acétique. Laisser agiter une dizaine de minutes. Filtrer sur Büchner et laver le solide à l'eau glacée. Mettre le solide 10 minutes à l'étuve.
Recristalliser le solide obtenu dans l'éthanol. Récupérer le solide obtenu et le sécher à l'étuve. Une masse m_2= 3,1 g de produit sec a été obtenue. Réaliser une chromatographie sur couche mince (CCM) en effectuant les dépôts suivants (en solution dans l'acétate d'éthyle) :

- A : Vanilline commerciale
- B : Acétate de vanilline commercial
- C : Produit brut sec
- D : Produit recristallisé sec

L'éluant est un mélange d'acétate d'éthyle et d'éther de pétrole.

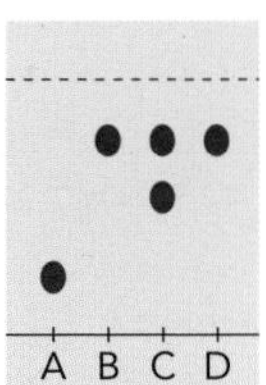

Données :
- *d* (anhydride acétique) : 1,08 et ρ_{eau} = 1,00 g · mL^{-1}.
- masses molaires : vanilline : 152 g · mol^{-1} ; anhydride acétique : 102 g · mol^{-1} ; acétate de vanilline : 194 g · mol^{-1}.

Questions à se poser à la lecture de l'énoncé

→ Parmi les espèces citées, quels sont les réactifs ? quels sont les produits ?

→ Quelle est habituellement le rôle joué par la glace ou l'eau glacée ?

→ Quelles sont les différentes étapes de la synthèse ?

→ Que remarque-t-on sur la plaque à CCM ?

→ Comment utiliser ces données ?

Questions	Compétences à mobiliser	Si difficulté, revoir
1. Nommer les fonctions encadrées en pointillés.	• Connaître les différentes fonctions chimiques.	Cours § 2.1, p. 500. Exercice 9, p. 507.
2. Pourquoi la réaction est-elle effectuée à froid ?	• Analyser des paramètres expérimentaux.	Cours § 1.2, p. 498. Exercice 6, p. 506.
3. Pourquoi recristalliser ? Exposer le principe de cette technique.	• Connaître le principe de la recristallisation.	Cours § 1.4, p. 499. Exercice résolu 3, p. 504
4. Interpréter l'allure du chromatogramme.	• Identifier un produit en CCM à l'aide d'une référence. • Reconnaître un produit pur grâce à une CCM.	Activité 1, p. 488.
5. Calculer le rendement de la synthèse.	• Relier *m*, *n*, *V*, *d*, ρ_{eau} et *M* pour déterminer des quantités de matière. • Déterminer un réactif limitant. • Connaître la définition du rendement.	Exercice résolu 3, p. 504. Exercice 5, p. 506

Bac Réussir l'épreuve de physique chimie

Avoir les bons réflexes 

Si l'énoncé demande de...	il est nécessaire de...	Si difficulté	Pour réviser
Effectuer l'analyse critique d'un protocole.	● Identifier les réactifs, le solvant, le catalyseur (s'il y en a un). ● Interpréter les conditions expérimentales. ● Connaître les différentes techniques de séparation, purification et caractérisation d'un liquide et d'un solide, ainsi que leur principe.	Exercices 6, p. 506, et 13, p. 518.	Exercice 14 p. 509.
Calculer le rendement d'une réaction.	● Utiliser les relations liant masse volumique, volume, masse molaire, masse et quantité de matière. ● Déterminer le réactif limitant d'une réaction. ● Utiliser l'expression du rendement.	Exercice résolu 3, p. 504, et exercice 5, p. 506.	Exercice 14 p. 509.
Comparer les avantages et les inconvénients de deux protocoles.	● Analyser l'efficacité d'un protocole en comparant les rendements. ● Prendre en compte les facteurs coût, sécurité et environnementaux.	Exercice 7, p. 506.	Exercice 7 p. 506.
Reconnaître une réaction sélective.	● Repérer toutes les fonctions chimiques présentes sur les réactifs et les produits. ● Identifier celles qui peuvent participer à une réaction chimique dans les conditions proposées. ● Connaître la définition d'une réaction sélective.	Exercice 11, p. 507.	Exercice 10 p. 507.
Identifier les fonctions à protéger dans le cas de la synthèse peptidique.	● Repérer les fonctions chimiques qui doivent réagir pour créer la liaison peptidique. ● Identifier les fonctions pouvant réagir mais ne conduisant pas au dipeptide souhaité.	Exercice résolu 4, p. 505.	Exercice 18 p. 512.

Dans les conditions du baccalauréat

● **Avec aide :** Exercice 19 p. 513.

● **Sans aide :** Exercice 15 p. 510.

Numérisation de l'information

Chapitre 20

Les appareils photos ou les caméscopes capturent et enregistrent des images.
Quelles sont les caractéristiques d'une image numérique? (Voir exercice 29, p. 536.)

Comment numériser et transmettre une information ?

OBJECTIFS

→ Identifier les éléments d'une chaîne de transmission d'informations.
→ Reconnaître des signaux de nature analogique et des signaux de nature numérique.
→ Connaître les caractéristiques d'une image numérique.

1 Quelques chaînes de transmission d'informations

EN AUTONOMIE

Des signaux de fumée au son du tam-tam, des pigeons voyageurs au télégraphe, à la radio, au téléphone, ou à l'Internet, la problématique de la transmission d'informations a trouvé au cours des siècles des réponses aussi variées qu'ingénieuses. Mais ce n'est qu'au cours du XXe siècle, avec les progrès technologiques, que les télécommunications se sont démocratisées.

Quelles ont été les évolutions des moyens de communication au cours des deux derniers siècles ?

■ Présentation d'une chaîne de transmission d'informations

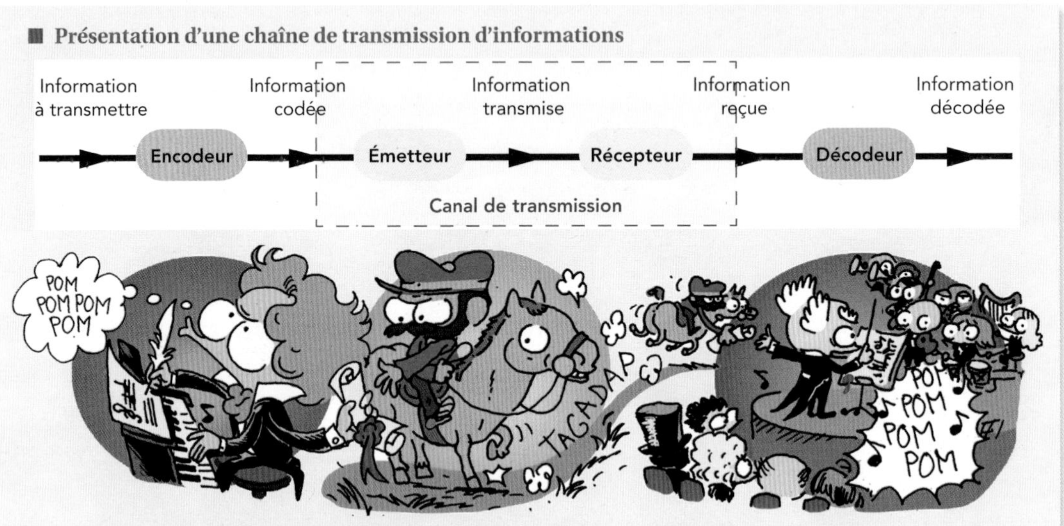

■ Principe de la téléphonie analogique

Lors d'un appel téléphonique, le microphone d'un téléphone analogique convertit les signaux sonores en signaux électriques. Ces signaux varient de façon continue au cours du temps, ils sont dits analogiques.
Une ligne filaire (nommée ligne téléphonique) achemine ces signaux électriques jusqu'à un autre téléphone analogique.
Le haut-parleur de ce téléphone convertit les signaux électriques en signaux sonores identiques à ceux émis initialement.

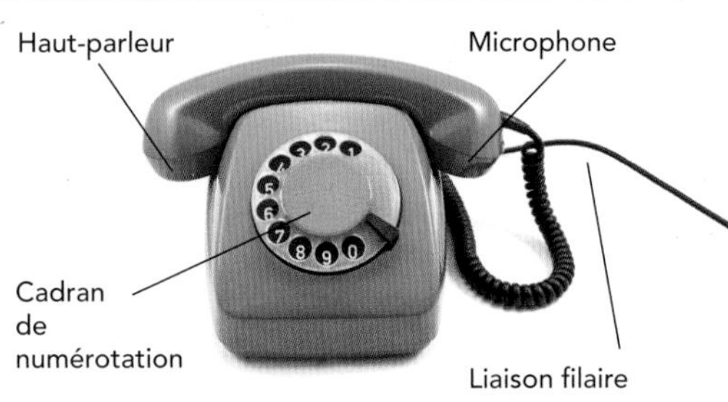

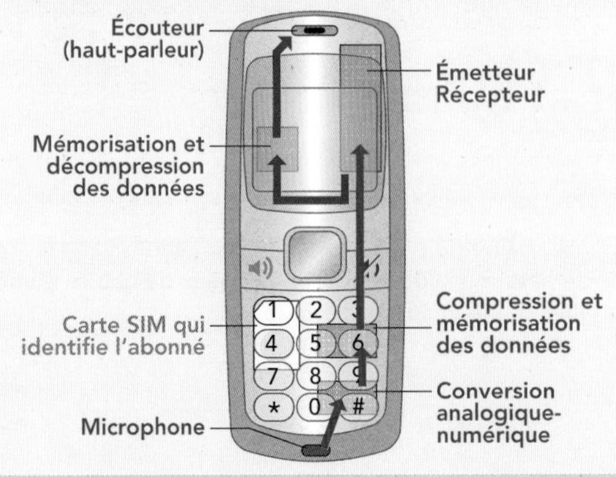

■ Principe de la téléphonie cellulaire

Lors d'un appel téléphonique, le son de la voix est capté par le microphone du téléphone qui le transforme en signal électrique (analogique). Ce signal est numérisé, c'est-à-dire transformé en valeurs discrètes, et transporté par des ondes électromagnétiques jusqu'aux antennes-relais des opérateurs.
Une fois réceptionné par un autre mobile, le signal subit la transformation inverse jusqu'à la restitution de la conversation.
Ces opérations successives sont si rapides qu'elles semblent instantanées à l'utilisateur.

Un siècle d'évolution de la téléphonie

La téléphonie a été initialement prévue pour transmettre la voix humaine entre deux lieux éloignés l'un de l'autre.
Les premiers téléphones nécessitent l'intervention d'opératrices qui mettent en contact deux abonnés. L'appel direct fait son apparition en France dans les années 1910 ; à cette époque, les réseaux de téléphonie sont filaires.
Le téléphone mobile apparaît dans les années 1970. Il utilise des ondes électromagnétiques qui se propagent sans fil pour transmettre les informations.
Sa commercialisation se développe dans les années 1990 grâce à la miniaturisation. On parle alors de téléphone de deuxième génération (2G). Le téléphone 3G, au début du XXIe siècle, permet d'envoyer et de recevoir des images, des sons, des vidéos grâce à l'augmentation du débit des données transmises.

Histoire de la télécommunication intercontinentale

Les câbles de télécommunications sous-marins installés entre 1850 et 1956 ont servi au réseau mondial de télégraphie. On a d'abord utilisé deux câbles en cuivre isolés à la Gutta-percha, gomme naturelle, puis, à partir de 1933, un câble coaxial, grâce à la découverte du polyéthylène comme isolant électrique.
Les câbles sous-marins numériques sont apparus en 1988 avec la pose du câble transatlantique, contenant deux paires de fibres optiques.
Aujourd'hui, la technologie numérique transporte indifféremment sur tous les continents l'interconnexion du réseau Internet, le réseau téléphonique et les réseaux professionnels de télévision numérique.
Des satellites permettent également des télécommunications numériques. Ils sont essentiellement utilisés pour desservir des zones géographiques isolées ou des dispositifs en mouvement (avion, bateau, etc.).

D'après le site Wikipédia.

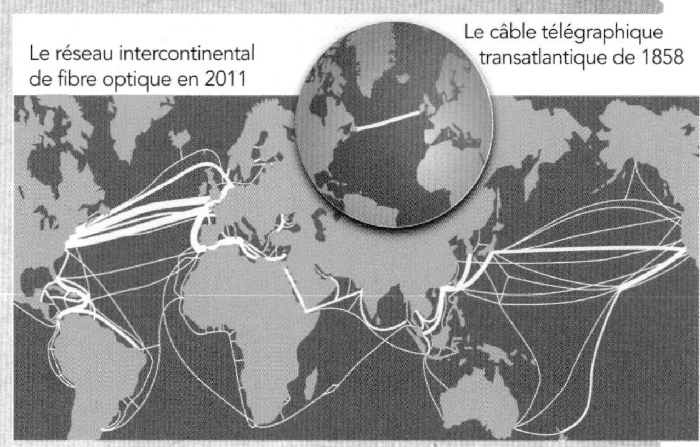

1 Reproduire et compléter le tableau ci-dessous :

Chaîne de transmission d'informations	Encodeur	Émetteur	Nature du signal transmis et du milieu de transmission	Récepteur	Décodeur
Signaux de fumée					
« Symphonie de Beethoven » (schématisée p. 516)					
Téléphone filaire					
Téléphone cellulaire					

2 Faire l'inventaire des évolutions successives concernant la téléphonie.

Un pas vers le cours...

3 Rédiger une synthèse sur les améliorations qu'ont apportées les évolutions techniques dans les chaînes de transmission d'informations depuis 1850.

Activités Étude expérimentale

2 La conversion analogique-numérique

Compétence exigible au baccalauréat

- *Mettre en œuvre un protocole expérimental utilisant un convertisseur analogique numérique (CAN) pour étudier l'influence des différents paramètres sur la numérisation d'un signal d'origine sonore.*

Le monde qui nous entoure est décrit par des grandeurs analogiques, c'est-à-dire des grandeurs qui évoluent de manière continue au cours du temps. Ainsi la propagation d'un son dans l'air peut être décrite par des variations analogiques de la pression. Un signal numérique, quant à lui, a une évolution temporelle par paliers. Transformer un signal analogique en signal numérique nécessite un convertisseur analogique numérique (CAN). Tous les CAN sont caractérisés par leur fréquence d'échantillonnage et leur résolution.
Quelle est l'influence de ces caractéristiques sur la numérisation d'un signal ?

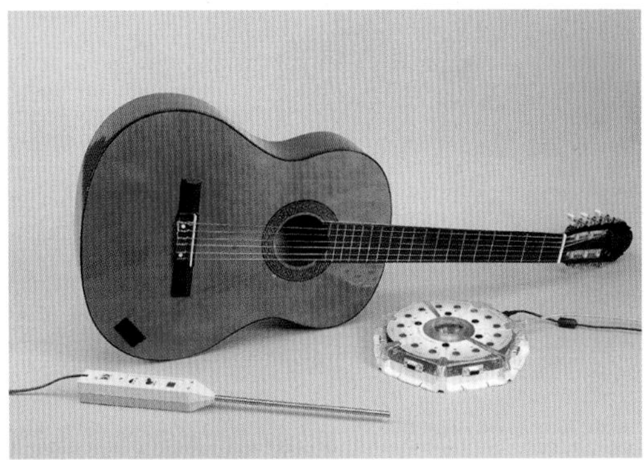

Doc. 1 Matériel disponible.

On se propose de numériser une note de musique jouée par une guitare, par exemple le La de fréquence 110 Hz, appelé La_1 (doc. 1).

Pour jouer un La_1, il faut faire vibrer sur toute sa longueur la deuxième corde la plus épaisse de la guitare (doc. 2).

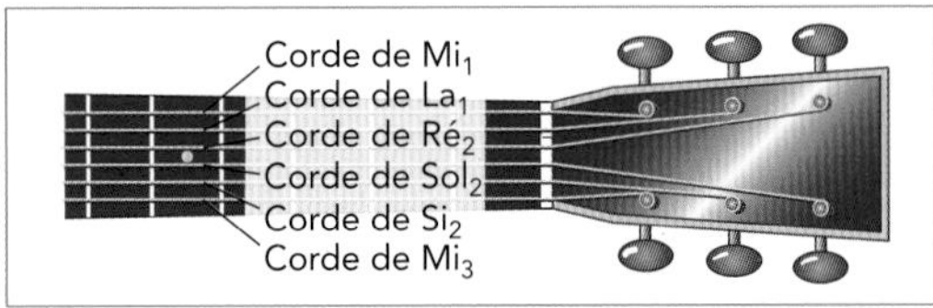

Doc. 2 Les cordes d'une guitare.

A L'échantillonnage

Un système d'acquisition piloté par un ordinateur effectue des mesures à intervalles de temps égaux. La durée entre deux mesures consécutives est la période d'échantillonnage du CAN de la carte d'acquisition.

- Relier un microphone à l'une des entrées du système d'acquisition.
- Préparer une acquisition en choisissant une durée totale d'enregistrement de 5 s et une période d'échantillonnage T_e égale à 100 µs (voir **fiche n° 14**, p. 599).
- Jouer la note de musique en déclenchant l'acquisition (doc. 3).
- Enregistrer le fichier.
- Effectuer deux nouvelles acquisitions avec la même durée totale d'enregistrement, mais en choisissant successivement 500 µs et 1 ms comme période d'échantillonnage.
- Enregistrer chaque fichier.
- Relier un haut-parleur à l'une des sorties du système d'acquisition. Écouter chacun des fichiers sons enregistrés.

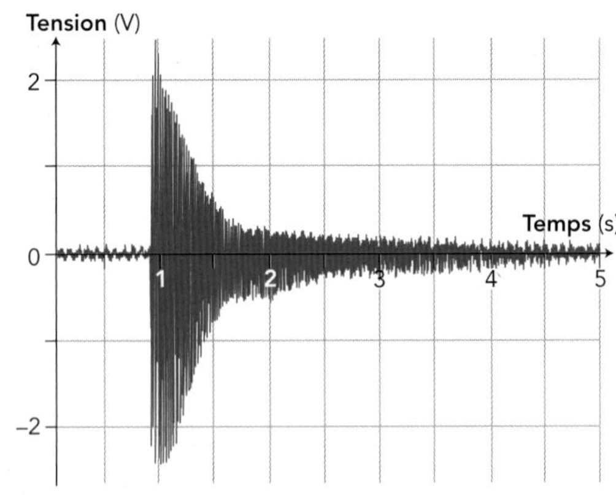

Doc. 3 Acquisition d'une note de musique avec une période d'échantillonnage T_e = 100 µs.

1 Identifier la période d'échantillonnage T_e sur les représentations graphiques de chaque acquisition. Pour cela, paramétrer l'affichage point par point et utiliser autant que nécessaire la loupe du logiciel de traitement des acquisitions numériques.

2 Quel est l'effet de la période d'échantillonnage sur la qualité du son restitué ?

B La résolution

La résolution (ou le pas) d'un convertisseur est la plus petite variation de tension analogique que peut repérer un convertisseur analogique numérique. Elle dépend du nombre *n* de bits du convertisseur et du calibre utilisé.

La résolution *p* se calcule en effectuant le rapport de la plage de mesure du calibre par 2^n :

$$p = \frac{\text{plage de mesure}}{2^n}$$

Par exemple, si le convertisseur d'un système d'acquisition comporte $n = 12$ bits (doc. 4) et s'il est réglé sur un calibre de –15 V/+15 V, il a une plage de mesure de 30 V.

Sa résolution, ou son pas *p*, vaut alors :

$$p = \frac{30}{2^{12}}$$

Le résultat s'exprime en volt (V).

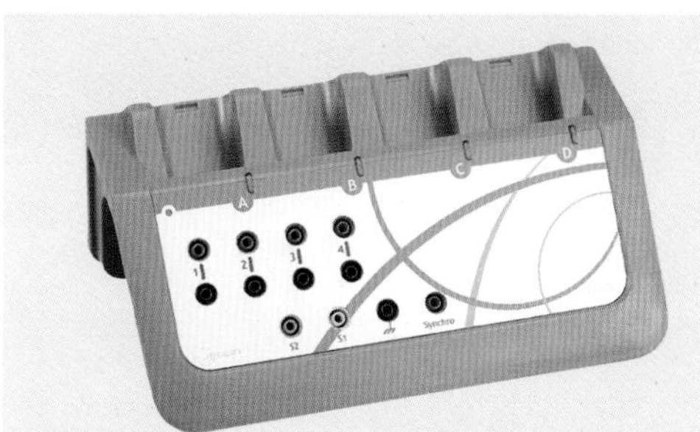

Interface d'acquisition de données USB

- Fréquence d'échantillonnage : 15 MHz
- Convertisseur : 12 bits
- Calibres : –30 V/30 V ; –15 V/15 V ; –5 V/5 V ; –0,25 V/0,25 V
- Alimentée par le port USB

Doc. 4 Caractéristiques techniques d'une interface d'acquisition de lycée.

▸ Repérer les différents calibres de mesure du système d'acquisition utilisé. Choisir le plus grand calibre possible.

▸ Effectuer une acquisition du La_1 sur une durée totale de 50 ms et avec une période d'échantillonnage T_e égale à 100 µs. S'il y a saturation, c'est-à-dire si la tension du signal mesuré dépasse les valeurs minimale ou maximale du calibre, refaire l'acquisition en diminuant l'intensité du son musical ou en éloignant le microphone.

▸ Enregistrer le fichier.

▸ Procéder de même pour quelques calibres plus petits.

▸ À l'aide de l'outil « Réticule », rechercher sur toutes les courbes la plus petite variation de tension que le convertisseur peut déceler.

Effectuer cette recherche de préférence dans une zone où la tension varie lentement.

3 Quel est le nombre de bits du convertisseur utilisé ?
Si nécessaire, rechercher sur la notice technique de l'interface d'acquisition.

4 Calculer la résolution du convertisseur pour chacun des calibres utilisés.

5 Les résolutions calculées sont-elles égales aux valeurs mesurées ?

6 a. Quel est l'avantage d'utiliser un petit calibre ?
b. Quel en est l'inconvénient ?

Un pas vers le cours...

7 La représentation graphique ci-dessous (doc. 5) a été obtenue grâce à un convertisseur 12 bits réglé sur le calibre –10 V/+10 V.
Évaluer la période d'échantillonnage T_e de l'acquisition.

8 a. Le pas *p* du convertisseur de *n* bits est donné par la relation :

$$p = \frac{\text{plage de mesure}}{2^n}$$

Calculer le pas *p* de ce convertisseur.
b. Identifier sa valeur sur la représentation graphique.

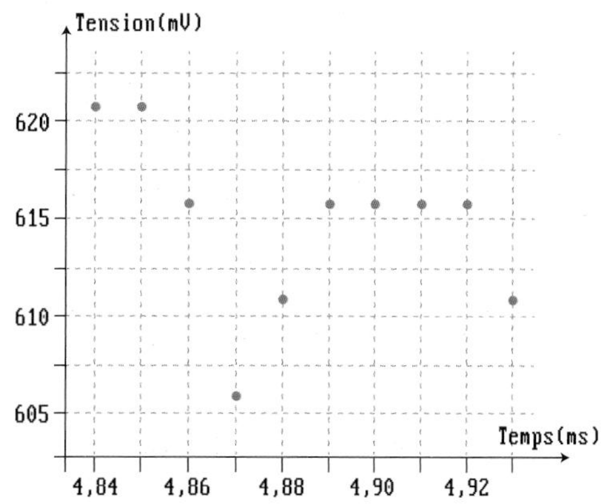

Doc. 5 Acquisition réalisée avec un convertisseur 12 bits sur le calibre –10V/+10V.

3 Et l'image devint numérique...

Ces dernières années, le monde de l'image a subi une révolution avec l'avènement des technologies numériques. Les appareils photographiques, les caméscopes, les écrans plats enregistrent et affichent des images numériques. Quelles sont les caractéristiques d'une image numérique ?

A L'image numérique et le pixel

Une image numérique est affichée sur un écran constitué d'un nombre de points colorés appelés pixels. Le mot pixel provient de *picture element*, qui signifie en anglais « élément d'image ». Ces pixels sont disposés suivant un quadrillage constitué de m lignes et n colonnes (doc. 6). La définition d'une image est le nombre de pixels qui constituent cette image ; elle est donc égale à $n \times m$ pixels.
Selon qu'il s'agit d'une image imprimée ou d'une image affichée sur un écran, on définit différemment sa résolution :
– Pour l'impression, la résolution d'une image s'exprime en **ppp** (**p**oints **p**ar **p**ouce) ou **dpi** (***d**ots **p**er **i**nch*).
– Pour l'affichage sur un écran, la résolution s'exprime en **ppp** (**p**ixels **p**ar **p**ouce) ou **ppi** (***p**ixels **p**er **i**nch*) en anglais. Un pouce (*inch*) est égal à 2,54 cm.

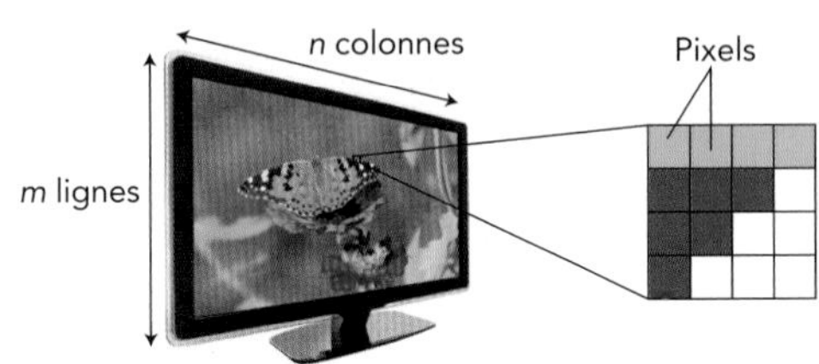

Doc. 6 Écran affichant une image numérique et zoom sur quelques pixels.

- Ouvrir un fichier image avec un logiciel de traitement d'images.
- Rechercher la définition de cette image.
- Modifier la définition de l'image et enregistrer le fichier modifié sous un autre nom.

1 Comparer la taille des fichiers obtenus et la qualité de l'image correspondante.

B Le codage RVB

La **synthèse additive** est utilisée pour l'affichage d'une image numérique sur un écran.
En superposant trois lumières colorées rouge, verte et bleue (**RVB**) d'intensités réglables, on peut recréer un très grand nombre de couleurs.
Un **pixel** se compose de trois sous-pixels émettant chacun une lumière rouge, verte ou bleue (doc. 7).
Le codage **RVB** permet d'associer trois nombres à une couleur.

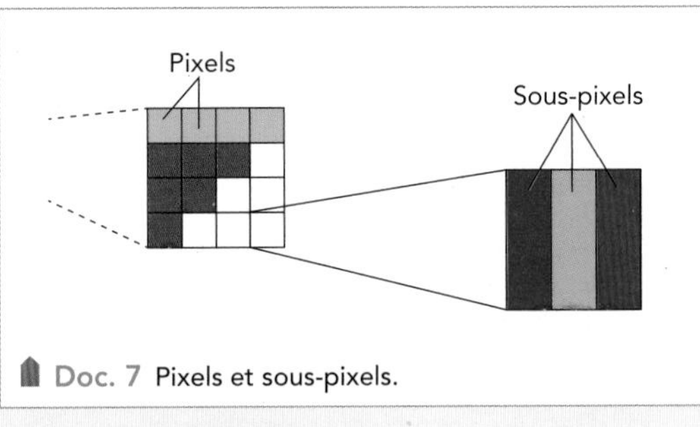

Doc. 7 Pixels et sous-pixels.

Les appareils numériques utilisent le **langage binaire**. La plus petite information numérique est le **bit** qui provient de la contraction de *binary digit*. Cette information peut prendre deux valeurs : zéro ou un.

• L'association de 2 bits permet d'écrire 4 valeurs différentes :

0 0 , 0 1 , 1 0 ou 1 1 soit $2^2 = 4$ valeurs.

• L'association de 3 bits permet d'écrire 8 valeurs différentes :

0 0 0 , 0 0 1 , 0 1 0 , 1 0 0 ,
0 1 1 , 1 0 1 , 1 1 0 ou 1 1 1 soit $2^3 = 8$ valeurs.

Une image numérique est généralement codée en **RVB** 24 bits. Les 24 bits correspondent à 3×8 bits, c'est-à-dire 3 **octets**. Pour coder les couleurs d'un pixel, 8 bits sont alors consacrés au rouge, 8 bits au vert et 8 bits au bleu.

Dans ce cas, chaque sous-pixel peut prendre 2^8 nuances, et $2^8 = 256$. Le sous-pixel rouge peut donc émettre 256 nuances de rouge. Il en va de même pour les sous-pixels vert et bleu. On peut donc recréer $256 \times 256 \times 256 = 16\ 777\ 216$ lumières colorées différentes, soit plus de 16 millions de couleurs.

▸ Afficher une des images enregistrées précédemment.

▸ À l'aide d'un logiciel de traitement d'images, comme PhotoFiltre®, déplacer la pipette sur une zone colorée de l'image (doc. 8).

2 Dans un tableau, relever les codes RVB décimaux et hexadécimaux de différents pixels colorés.

3 À l'aide d'un convertisseur ou d'un tableur, convertir deux à deux les 6 caractères du code hexadécimal dans le système décimal et les comparer au code RVB décimal.

▸ Dans le logiciel de traitement d'images, afficher une des images en niveaux de gris.

▸ Relever les codes RVB décimaux ou hexadécimaux de quelques pixels de l'image.

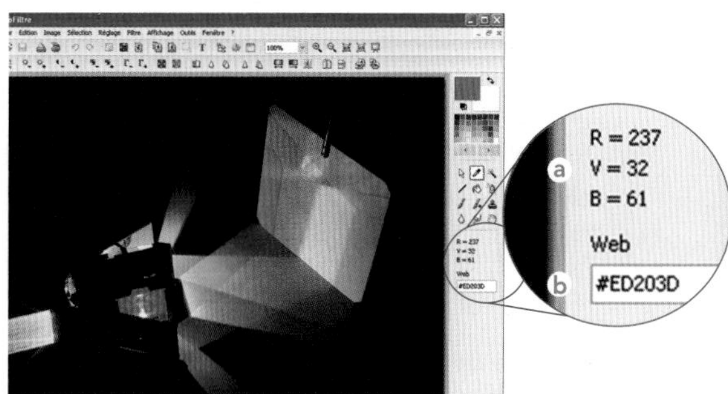

Doc. 8 Indication des codes RVB d'un pixel en décimal (a) et hexadécimal (b).

Un pas vers le cours...

4 Les codes RVB de pixels blanc, rouge, vert et jaune confirment-ils les résultats de la synthèse additive des couleurs vue en classe de Première S ?

5 Quelle est la particularité du codage des couleurs en niveaux de gris ?

4 Le numérique au service de l'optique

Les performances des appareils photo numériques permettent d'effectuer des mesures d'une grande précision.
Comment mettre en évidence qualitativement la loi de Wien à l'aide d'un appareil photo numérique ?

Compétence exigible au baccalauréat
- *Mettre en œuvre un protocole expérimental utilisant un capteur (caméra ou appareil photo numériques par exemple) pour étudier un phénomène optique.*

▸ Réaliser, à l'aide d'un prisme ou d'un réseau, le spectre de la lumière émise par une lampe à filament alimentée par un variateur de tension. Le régler pour avoir une intensité lumineuse maximale. Placer deux repères de part et d'autre du spectre (doc. 9).

▸ Photographier, à l'aide d'un appareil numérique fixé sur un pied, les spectres obtenus pour différentes tensions d'alimentation de la lampe. Transférer les images vers un ordinateur.

▸ Utiliser le logiciel Mesurim® (voir **fiche n° 17**, p. 604) pour obtenir les profils spectraux d'émission des différents spectres entre les deux repères des images, avec l'outil « mesure de lumière sur une bande ».

▸ Noter, dans chaque cas, le numéro du pixel correspondant au maximum d'intensité lumineuse. Noter également comment évolue la numérotation des pixels en fonction de la longueur d'onde du spectre de la lumière.

▸ À partir des valeurs obtenues, observer vers quelle couleur spectrale évolue le maximum d'intensité lumineuse en fonction de la tension d'alimentation de la source lumineuse.

1 Expliquer comment cette étude qualitative permet de mettre en évidence la loi de Wien vue en Première S.

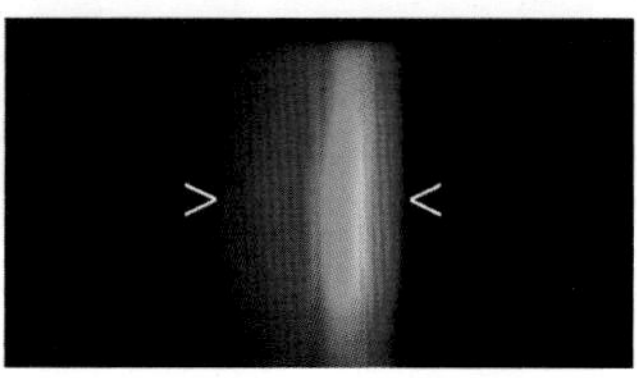

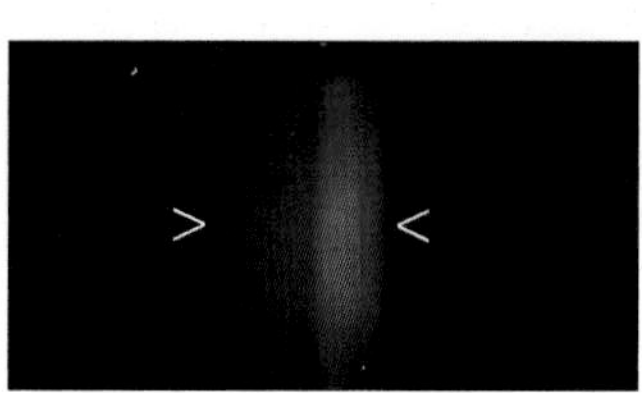

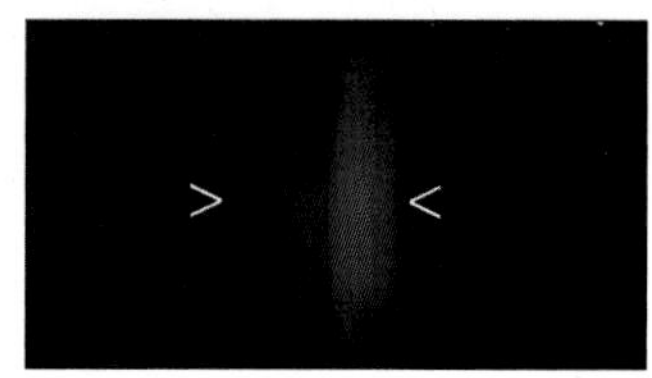

Doc. 9 Spectre de la lumière émise par une lampe à filament à diverses températures.

1 Comment les informations sont-elles transmises ?

Une information est un élément de connaissance codé à l'aide de règles communes à un ensemble d'utilisateurs (langages, écritures, etc.).

1.1 La chaîne de transmission d'informations

La **chaîne de transmission** d'informations est l'ensemble des éléments permettant de transférer de **l'information** d'un lieu à un autre (**activité 1** et doc. 1). On désigne par **canal de transmission** le dispositif par lequel les informations sont transmises de l'**émetteur** au **récepteur**.

Une **chaîne de transmission** d'informations comporte :
– un **encodeur** ;
– un **canal de transmission** composé de l'émetteur, du récepteur, du milieu de transmission et de l'information transmise ;
– un **décodeur**.

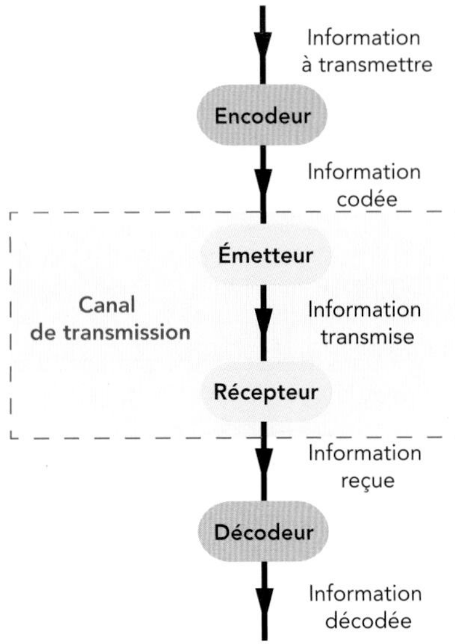

Doc. 1 Schématisation d'une chaîne de transmission d'informations.

Suivant le milieu **de transmission**, les signaux sont de nature et/ou de fréquences différentes :
- atmosphère : sons, ultrasons, ondes électromagnétiques ;
- câbles électriques : signaux électriques (tensions, courants) ;
- fibre optique : ondes électromagnétiques (lumière visible, IR, etc.).

1.2 Évolution des chaînes de transmission d'informations

Les techniques de transmission d'informations se sont développées au milieu du XXe siècle avec l'avènement de l'électronique (**activité 1**).

Plusieurs évolutions techniques peuvent être soulignées :
– le passage de l'électricité à l'électronique a permis la miniaturisation des dispositifs ;
– le développement de l'informatique a permis de coder tous les types d'informations (sonore, vidéo, texte, etc.) et de les transmettre par les mêmes procédures et les mêmes réseaux ;
– le passage du fil de cuivre à la fibre optique a permis d'améliorer la qualité et le débit des transmissions ;
– la téléphonie mobile, le Wi-Fi, le Bluetooth ont permis de s'affranchir des liaisons filaires.

Voir exercices 1, p. 527, et 5 à 7, p. 529.

2 Qu'est-ce qu'un signal numérique ?

2.1 Signal analogique et signal numérique

Le monde qui nous entoure est décrit par des grandeurs analogiques. Ces grandeurs varient de manière continue en fonction du temps. L'intensité de la voix, la pression atmosphérique, la température en un lieu donné, etc. sont des grandeurs analogiques.

Ces grandeurs sont converties en signaux électriques par des capteurs (microphone, pressiomètre, thermomètre, etc.). Si le signal électrique observé varie de façon continue au cours du temps, il est dit analogique (doc. 2a). S'il varie par paliers, il est dit numérique (doc. 2b).

Un **signal analogique** varie de façon continue au cours du temps, tandis qu'un **signal numérique** varie de façon discrète, par paliers.

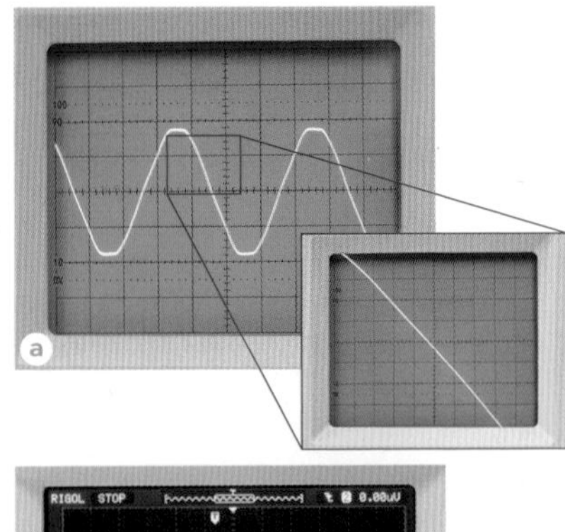

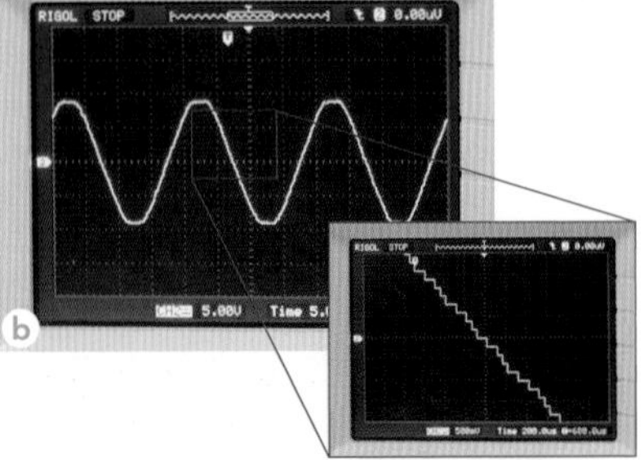

Doc. 2 a. Visualisation par un oscilloscope analogique de la tension aux bornes d'un microphone. b. Même signal visualisé avec un oscilloscope numérique.

Les systèmes de mesure analogique sont progressivement remplacés par des systèmes d'acquisition numérique. Le stockage, la duplication et le transport sont plus fiables si les signaux sont numériques.

Les ordinateurs ne traitent que des signaux numériques (doc. 3).

2.2 Le codage binaire

Un système numérique, comme un ordinateur, est composé de circuits électroniques. Chacun d'eux peut fournir deux niveaux de tension électrique : une tension basse codée 0 et une tension haute codée 1. On parle de langage binaire.

Un bit est la plus petite unité d'information numérique. Il ne peut prendre que deux valeurs : 0 ou 1.

Les informations numériques sont codées en **langage binaire.**

2.3 De l'analogique au numérique

Un signal analogique peut être numérisé par un convertisseur analogique-numérique (CAN) (doc. 4).

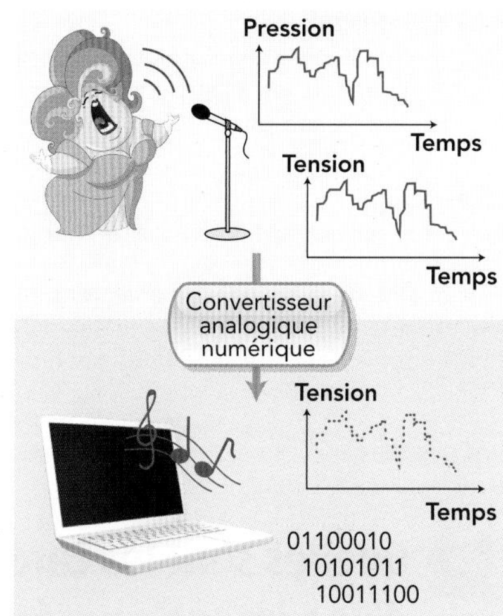

Doc. 3 Du signal analogique au signal numérique.

Monde analogique : son, pression, température, etc. — Grandeur analogique → Capteur → Grandeur analogique électrique → CAN → Grandeur numérique → **Monde numérique**

Doc. 4 Schématisation d'une conversion analogique-numérique.

La résolution du convertisseur

La plus petite variation de tension analogique que peut repérer un convertisseur est appelée la **résolution** ou le **pas** du convertisseur. Cette résolution dépend du nombre de bits du convertisseur, ainsi que de son calibre (doc. 5). Elle s'exprime en volt (V).

Le calibre définit l'intervalle des valeurs mesurables de la tension analogique à numériser. La largeur de cet intervalle est appelée plage de mesure.

Le pas p (en V) d'un convertisseur dépend de son nombre de bits n et de la plage de mesure :

$$p = \frac{\text{plage de mesure}}{2^n} \quad \text{(doc. 6)}$$

La résolution ou pas d'un convertisseur fixe les valeurs que pourra prendre la tension numérisée. Ces valeurs sont des multiples entiers du pas.

La numérisation du signal

Le procédé permettant de passer d'un signal analogique à un signal numérique est appelé la numérisation.

Les étapes principales de toute numérisation ou toute conversion analogique-numérique sont l'**échantillonnage**, la **quantification** et le **codage** (activité 2).

L'échantillonnage

Le convertisseur prélève des échantillons du signal analogique à intervalles de temps T_e égaux appelés période d'échantillonnage. La fréquence d'échantillonnage f_e est le nombre de prélèvements effectués par seconde. C'est l'inverse de la période d'échantillonnage :

$$f_e = \frac{1}{T_e}$$

La fréquence d'échantillonnage est réglable. Elle ne peut pas dépasser la valeur maximale indiquée par le constructeur (doc. 5).

Centrale d'acquisition multifonctions rapide

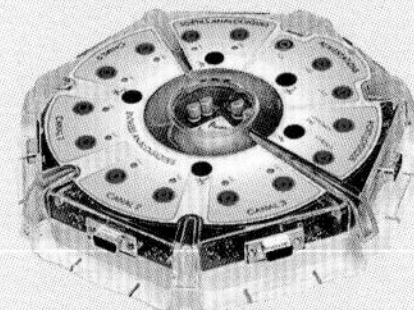

- Connexion sur l'ordinateur *via* bus USB 2.0 High Speed (480 Mbit/s).
- Étage d'entrée analogique à 4 convertisseurs 12 bits, 10 MHz.
- Calibres d'entrées ±10 V, ±5 V, ±1 V et ±0,2 V.

Doc. 5 Caractéristiques du CAN Sysam SP5®.

Calibre (V)	Plage de mesure (V)	Pas (mV)
–10 ; +10	20	≈ 4,9
–5 ; +5	10	≈ 2,4
–1 ; +1	2	≈ 0,49
–0,2 ; +0,2	0,4	≈ 0,098
0 ; +5	5	≈ 1,2

Doc. 6 Calibres et résolutions d'un convertisseur de système d'acquisition de 12 bits.

La quantification

La valeur de l'échantillon prélevé est comparée à l'ensemble des valeurs (multiples entiers du pas) permises par la résolution du convertisseur. Elle est remplacée par la valeur permise la plus proche (doc. 7). C'est une quantification.

Le codage

La valeur permise est codée par un nombre binaire.

> La qualité de la conversion analogique-numérique, ou **numérisation**, est d'autant plus grande que le pas du convertisseur est petit et que sa fréquence d'échantillonnage est élevée.

Voir exercices 2, p. 527, et 8 à 10, p. 529-530.

3 Quelles sont les caractéristiques d'une image numérique ?

Une image numérique peut être affichée sur un écran plat comme ceux des téléphones portables.

Comme il a été vu en classe de Première S, un tel écran est divisé en pixels. Chacun d'eux est composé de trois sous-pixels colorés en rouge, vert et bleu (doc. 8). On parle de pixellisation de l'image.

3.1 Le codage des pixels en couleur

Parmi les différents types de codages, le codage RVB 24 bits est le plus utilisé. Chaque sous-pixel est codé sur un octet, constitué par une séquence de huit bits. Un bit ne pouvant prendre que deux valeurs (0 ou 1), la plus petite valeur possible d'un octet est 00000000 et la plus grande 11111111. En numération décimale, un octet peut donc prendre toutes les valeurs entières possibles entre 0 et 255.

R								V								B							
0	1	0	0	1	1	1	0	0	1	0	1	1	1	0	1	1	1	1	0	1	1	0	1
1 octet								1 octet								1 octet							

24 bits

Pour réduire la longueur de l'écriture des codages, on utilise aussi l'écriture hexadécimale (en base 16). On peut aisément passer d'une écriture à une autre à l'aide de certains tableurs, calculatrices (doc. 9) ou applications en ligne (**activité 3**).

La couleur de la lumière colorée émise par chaque sous-pixel peut ainsi être décomposée en 256 nuances différentes.

On aura donc pour un pixel :

$$256 \times 256 \times 256 = 16\,777\,216 \text{ couleurs,}$$

soit environ 16 millions de couleurs.

Chaque pixel d'une image peut ainsi être codé.

Par exemple, dans le document 10 :
- les pixels noirs sont codés **R**0 **V**0 **B**0 ;
- les pixels rouges sont codés **R**255 **V**0 **B**0 (ils n'émettent que de la lumière rouge) ;
- les pixels jaunes sont codés **R**255 **V**255 **B**0 (rouge et vert) ;
- les pixels oranges sont codés **R**255 **V**171 **B**0 (rouge et vert) ;
- les pixels blancs sont codés **R**255 **V**255 **B**255 ;
- etc.

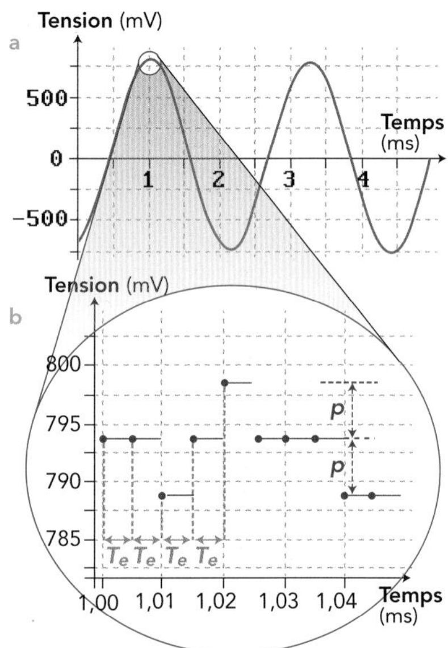

Doc. 7 Signal numérique (a) et zone zoomée (b) illustrant la période d'échantillonnage (T_e) et le pas (p).

Doc. 8 Les pixels d'un écran de téléphone portable.

Décimal	Binaire	Hexadécimal
0	00000000	00
128	10000000	80
255	11111111	FF

Doc. 9 Convertisseur de Microsoft® et équivalences entre les systèmes de numération décimal, binaire et hexadécimal.

Une image numérique est composée de pixels, eux-mêmes divisés en trois sous-pixels. En codage « RVB 24 bits » ou 3 octets, chaque sous-pixel peut prendre 256 nuances. On a donc pour un pixel 256 × 256 × 256 couleurs, soit environ 16 millions.
Une image numérique est codée par un tableau de nombres.

3.2 Le codage en niveaux de gris

En codage RVB 24 bits, il est possible de réaliser 256 nuances de gris en affectant la même valeur à chaque sous-pixel (doc. 11).
Par exemple, dans le document 11 :
- un pixel noir est codé **R0 V0 B0** ;
- un pixel blanc est codé **R255 V255 B255** ;
- un pixel gris est codé **R64 V64 B64** (plus le gris est sombre, plus la valeur commune aux trois sous-pixels est faible).

3.3 Définition et taille d'une image numérique

On distingue la définition et la taille d'une image numérique.

La **définition** correspond au nombre de pixels qui la constituent. L'image du document 13 est constituée de 640 colonnes et de 480 lignes.

Sa définition est donc égale à 640 × 480 = 307 200 pixels.

La **taille** de cette image est la place qu'occupe le codage de tous les pixels qui constituent cette image. La taille s'exprime en octet, elle est donnée par la relation :

taille = nombre d'octets par pixel × définition

Par exemple, si le codage des couleurs de l'image du document 13 est de 24 bits (3 octets) par pixel, la taille de cette image est de :

$$3 \times 640 \times 480 = 921\,600 \text{ octets.}$$

En niveaux de gris, un pixel peut être codé par un seul octet. Dans ce cas, la taille de l'image précédente serait de :

$$1 \times 640 \times 480 = 307\,200 \text{ octets.}$$

En réalité, la taille du fichier correspondant est légèrement supérieure, car quelques octets supplémentaires sont utilisés pour coder ses caractéristiques (format, nombre de lignes, de colonnes, nom du fichier, etc.).

Les préfixes « kilo », « méga », « giga », etc. placés devant une unité multiplient cette dernière par une puissance de 10. En informatique, on utilise les puissances de 2. Ainsi, un kibioctet correspond à 2^{10} = 1 024 octets ; son symbole se note Kio. Le mébioctet (Mio) représente 2^{20} = 1 048 576 octets (doc. 12).

L'image couleur du document 13 a une taille égale à :

$$\frac{921\,600}{1\,024} = 900 \text{ Kio.}$$

Par abus de langage, le kibioctet est encore très souvent assimilé au kilo-octet. Pourtant ces deux quantités sont différentes, car 1 ko = 1 000 octets et 1 Kio = 1 024 octets.

Nom	kibioctet	mébioctet	gébioctet	tébioctet
Symbole	Kio	Mio	Gio	Tio
Valeur (en octet)	2^{10}	2^{20}	2^{30}	2^{40}

Doc. 12 Multiples d'octets.

Voir exercices 3, p. 527, et 11 à 13, p. 530.

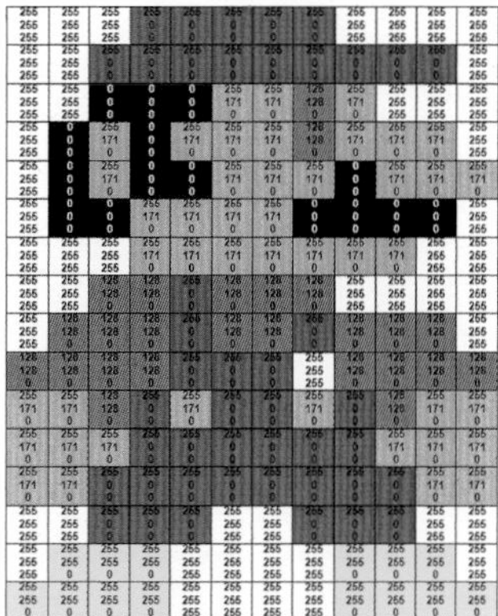

Doc. 10 Chaque pixel de l'image numérique est codé par 3 nombres :

R	0	255	128	255	255	255
V	0	0	128	171	255	255
B	0	0	0	0	0	255

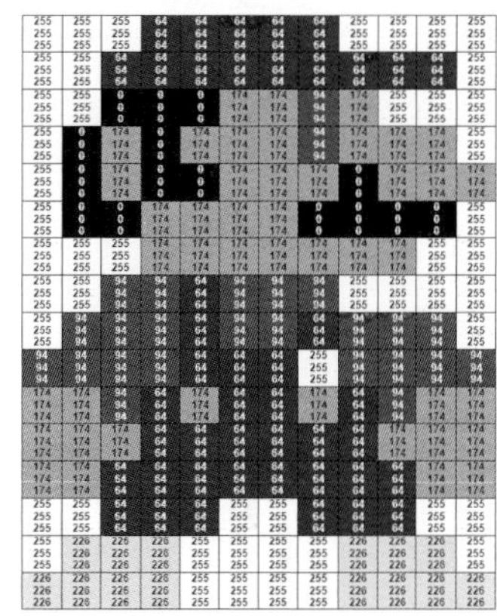

Doc. 11 Codage de l'image précédente en niveaux de gris :

R	0	64	94	174	226	255
V	0	64	94	174	226	255
B	0	64	94	174	226	255

Doc. 13 La définition de cette image est 640 × 480.

Essentiel

La chaîne de transmission d'informations

La chaîne de transmission d'informations est l'ensemble des éléments permettant de transférer de l'information d'un lieu à un autre.

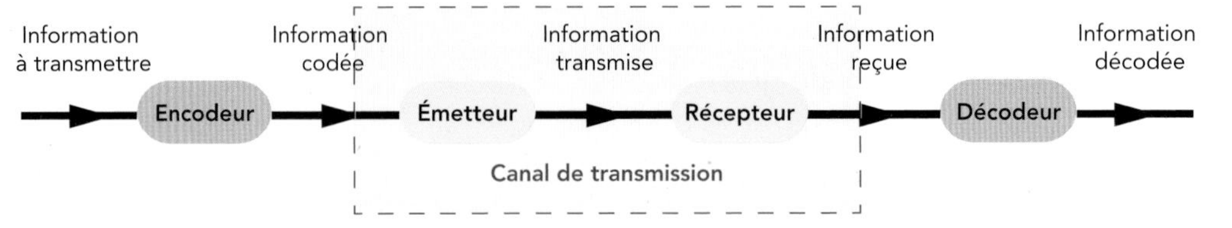

Signal analogique et signal numérique

▸ Un signal analogique varie de façon continue au cours du temps.

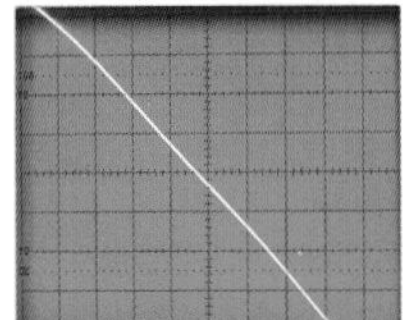

▸ Un signal numérique varie de façon discrète, par paliers.

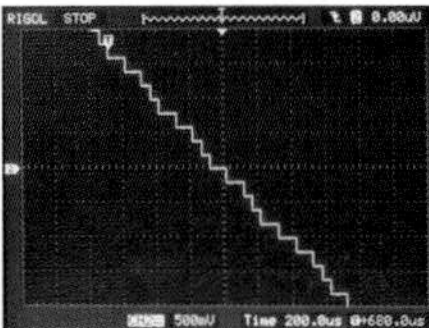

▸ Lors d'une conversion analogique-numérique, le signal analogique est échantillonné, quantifié et codé : c'est la numérisation.

▸ La transformation d'un signal électrique analogique en signal numérique est réalisée par un convertisseur analogique-numérique (CAN).

– La résolution ou le pas (p) d'un convertisseur est la plus petite variation de tension analogique qu'il peut repérer.

– La fréquence d'échantillonnage $f_e = \dfrac{1}{T_e}$ est le nombre de prélèvements effectués par seconde.

▸ La qualité d'une numérisation est d'autant plus grande que le pas du convertisseur est petit et que la fréquence d'échantillonnage est élevée.

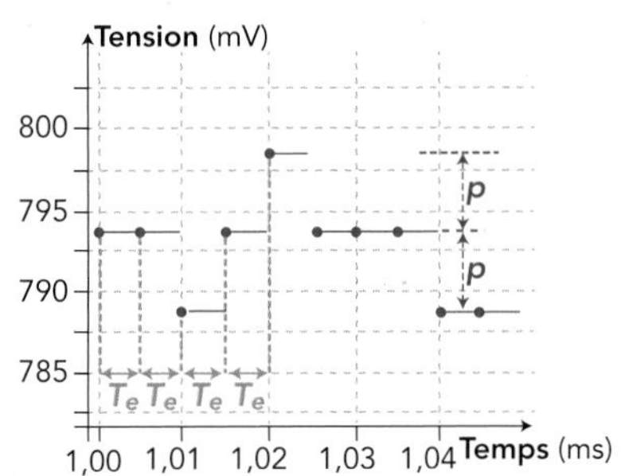

Les images numériques

▸ Une image numérique est composée de pixels, eux-mêmes divisés en trois sous-pixels.

▸ En codage « RVB 24 bits », chaque pixel est codé sur 3 octets.

Chaque sous-pixel peut prendre 256 nuances ; un pixel peut prendre 256 × 256 × 256 couleurs, soit environ 16 millions.

▸ Chaque couleur d'un sous-pixel est repérée par un nombre. Ainsi, chaque pixel d'une image numérique est codé. Une image numérique est donc codée par un tableau de nombres.

▸ Les images en niveaux de gris présentent 256 nuances de gris dans lesquelles les trois sous-pixels d'un pixel ont le même codage.

▸ La définition d'une image est un nombre sans unité correspondant au nombre de pixels qui la composent.

▸ La taille de cette image, exprimée en octet, est la place occupée par le codage de l'image. Elle est égale au produit de sa définition par le nombre d'octets qui codent un pixel.

255 0 0	255 255 255	255 255 255	255 255 255	255 255 255
255 0 0	255 0 0	255 0 0	255 0 0	255 255 255
128 128 0	255 171 0	255 255 255	255 255 255	255 255 255
128 128 0	255 171 0	255 171 0	255 171 0	255 255 255
255 171 0	0 0 0	255 171 0	255 171 0	255 171 0
0 0 0	0 0 0	0 0 0	0 0 0	255 255 255

Pour chaque question, indiquer la (ou les) bonne(s) réponse(s).

Voir corrigés, p. 606.

1 La chaîne de transmission d'informations

	A	B	C
1. Une chaîne de transmission d'informations comporte :	un décodeur.	un encodeur.	un canal de transmission.
2. Les fibres optiques placées au fond des océans relient les continents. Ces fibres constituent :	un convertisseur d'informations.	un récepteur d'informations.	un canal de transmission d'informations.

Si erreur, revoir § 1, p. 522.

2 Signal analogique et signal numérique

	A	B	C
1. Un signal numérique est un signal qui évolue de manière :	continue au cours du temps.	discontinue au cours du temps.	continue, puis discontinue au cours du temps.
2. La conversion d'un signal analogique en signal numérique dépend :	du volume du convertisseur.	de la résolution du convertisseur.	de la fréquence d'échantillonnage du convertisseur.
3. L'échantillonnage d'un signal consiste à :	prélever la valeur du signal à intervalles de temps réguliers.	convertir les nombres binaires en tensions.	convertir les valeurs du signal en nombres binaires.
4. La fréquence d'échantillonnage d'un signal est de 800 Hz. La durée entre deux prélèvements consécutifs est de :	$1{,}25 \times 10^{-2}$ s.	1,25 ms.	1,25 s.

Si erreur, revoir § 2, p. 522.

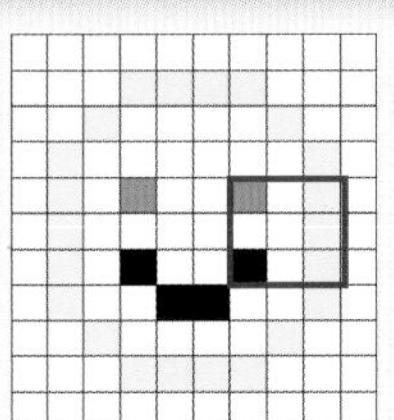

Figure 1 Schéma d'une image numérique. Cette image est codée en RVB 24 bits. Chaque carré du quadrillage représente un pixel.

3 Les images numériques

	A	B	C
1. Avec un codage RVB 24 bits, le nombre de couleurs différentes que peut prendre un pixel est de :	256.	256 + 256 + 256.	$256 \times 256 \times 256$.

2. Le codage de la zone entourée en rouge de la figure 1 correspond au tableau de nombres :

A

R	255	0	0
V	136	0	255
B	0	0	255
R	0	0	0
V	0	0	255
B	0	0	255
R	255	0	0
V	255	0	255
B	255	0	255

B

R	0	255	255
V	136	255	255
B	255	255	0
R	255	255	255
V	255	255	255
B	255	255	0
R	0	255	255
V	0	255	255
B	0	255	0

C

R	255	255	0
V	136	255	255
B	0	255	255
R	255	255	0
V	255	255	255
B	255	255	255
R	0	255	0
V	0	255	255
B	0	255	255

	A	B	C
3. La taille de l'image de la figure 1 est de :	110 pixels.	330 octets.	110 octets.
4. La définition de l'image est de :	110 pixels.	330 octets.	110 octets.

Si erreur, revoir § 3, p. 524.

Exercice résolu

COMPÉTENCES
- Extraire et exploiter des informations.
- Analyser.

4 Comprendre la numérisation d'un signal

Énoncé

Le document ci-contre est une illustration de la conversion d'un signal par un convertisseur 4 bits.
Par souci de simplification, les états 3 et 4 n'ont été schématisés que pour la date t_1.

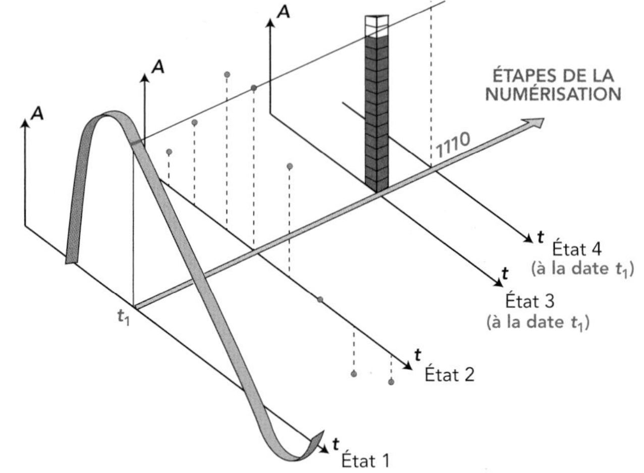

1. Identifier la nature numérique ou analogique des signaux correspondant aux états 1 et 2. Justifier.

2. a. Comment nomme-t-on le passage de l'état 1 à l'état 2 ?
b. Que représente la durée séparant deux points consécutifs du signal de l'état 2 ?

3. a. En quoi consistent les passages des états 2 à 3, puis des états 3 à 4 ? Comment les nomme-t-on ?
b. Quel langage est utilisé pour coder cette information numérique ?

4. Résumer en quelques mots les différentes étapes de la numérisation d'un signal analogique.

Conseils

1. Identifier si l'évolution des signaux au cours du temps est continue ou discrète.

2. a. Connaître les étapes de la numérisation.
b. Observer l'évolution de la durée séparant deux points consécutifs.

3. a. Connaître les étapes de la numérisation.
b. Observer la forme du signal dans l'état 4.

4. Synthétiser à partir du schéma et des réponses précédentes.

Solution rédigée

1. Le signal de l'état 1 varie de façon **continue** au cours du temps. Ce signal est donc analogique.
Le signal de l'état 2 varie de façon **discrète** au cours du temps. Ce signal est donc numérique.

2. a. Le convertisseur prélève des valeurs de la tension à intervalles de temps égaux. Cette étape se nomme l'**échantillonnage**.
b. La durée séparant deux points consécutifs est constante. C'est la **période d'échantillonnage**.

3. a. Le passage des états 2 à 3 permet d'affecter la valeur la plus proche de l'échantillon parmi un ensemble discret de $2^4 = 16$ valeurs pour cet exemple. Ce passage est appelé la **quantification**.
Lors du passage des états 3 à 4, la valeur numérique est remplacée par un nombre binaire de 4 bits sur cet exemple. Cette étape se nomme le **codage**.
b. Le codage comporte une suite de 0 et de 1. Cette information est codée en **langage binaire**.

4. Pour numériser un signal analogique, il faut l'échantillonner, puis le quantifier, c'est-à-dire affecter à chaque échantillon une valeur qui est ensuite codée par un nombre binaire.

Application immédiate

1. Comment serait modifié le schéma si la fréquence d'échantillonnage était doublée ?
2. Quelles seraient les conséquences sur le passage des états 2 à 3 si le codage s'effectuait sur 3 bits ?

Voir corrigés, p. 606.

Compétences exigibles au baccalauréat

- ✔ Identifier les éléments d'une chaîne de transmission d'informations. ➊ activité 1 ➊ exercices 5 et 6
- ✔ Recueillir et exploiter des informations concernant des éléments de chaînes de transmission d'informations et leur évolution récente. ➊ activité 1
- ✔ Associer un tableau de nombres à une image numérique. ➊ activité 3 ➊ exercices 13 et 29
- ✔ *Mettre en œuvre un protocole expérimental utilisant un capteur (caméra ou appareil photo numériques par exemple) pour étudier un phénomène optique.* ➊ activité 4
- ✔ Reconnaître des signaux de nature analogique et des signaux de nature numérique. ➊ activité 2 ➊ exercice résolu 4
- ✔ *Mettre en œuvre un protocole expérimental utilisant un échantillonneur-bloqueur et/ou un convertisseur analogique-numérique (CAN) pour étudier l'influence des différents paramètres sur la numérisation d'un signal (d'origine sonore par exemple).* ➊ activité 2

Pour commencer

Comment les informations sont-elles transmises ?

5 Identifier les éléments d'une chaîne de transmission d'informations

La norme PictBridge permet d'imprimer directement une photographie numérique en reliant l'appareil photo numérique à une imprimante à l'aide d'un câble USB.

1. Qu'appelle-t-on chaîne de transmission d'informations?
2. Identifier les différents éléments de la chaîne de transmission lors d'une impression avec la norme PictBridge.

6 Connaître les conditions de transmission 

C. Chappe, ingénieur français, réussit en 1791 à envoyer le premier message télégraphique sur une distance de 26 km, depuis Saint-Martin-du-Tertre, dans le Val d'Oise, jusqu'à Belleville, au Nord de Paris.
La transmission s'effectua grâce à des relais sémaphores placés sur des points hauts et distants d'une dizaine de kilomètres. Les signaux furent observés à la longue-vue et reproduits pour être observés par le relais suivant. Jusqu'en 1837, le télégraphe de Chappe resta le moyen le plus rapide de propagation de l'information.

1. Montrer que le télégraphe de Chappe contient tous les éléments d'une chaîne de transmission d'informations.
2. Indiquer quelques inconvénients de ce moyen de communication.

7 Citer les canaux de transmission

Citer un exemple de canal de transmission utilisé pour :
a. la téléphonie ;
b. la télévision ;
c. la radio.

Qu'est-ce qu'un signal numérique ?

8 Définir un signal numérique

La numérisation de vidéos permet notamment de limiter la dégradation des images et du son lors de leur transmission.

1. Préciser la différence entre un signal analogique et un signal numérique.
2. Rappeler les étapes de la numérisation d'un signal.

9 Calculer une fréquence d'échantillonnage

Un signal sonore converti en signal numérique est représenté sur le document ci-dessous :

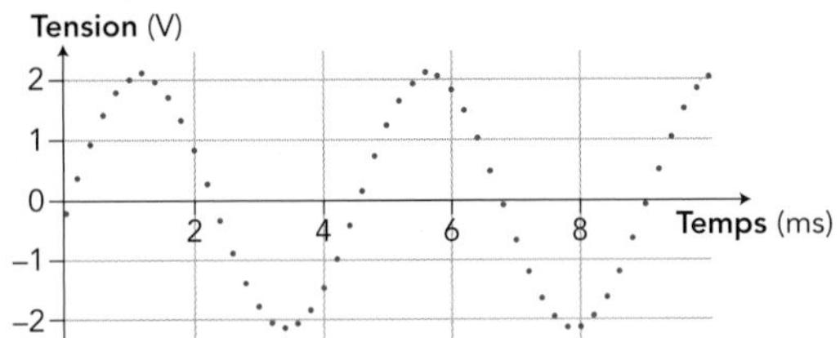

1. Déterminer la fréquence f du signal sonore étudié.

2. a. Définir la fréquence d'échantillonnage f_e.
b. Calculer sa valeur et la comparer à celle de f.
c. Dans quel sens faut-il faire évoluer le rapport $\frac{f_e}{f}$ pour que le signal numérisé soit le plus fidèle possible au signal réel ?

10 Calculer le pas d'un CAN

Le convertisseur analogique numérique d'une carte d'acquisition possède les caractéristiques suivantes :

calibre ± 4,5 V ; n = 12 bits.

1. Indiquer la plage de mesure de ce CAN.

2. a. À quoi correspond le pas d'un convertisseur ?
b. Quelle est sa valeur ?

Donnée : $p = \frac{\text{plage de mesure}}{2^n}$.

Quelles sont les caractéristiques d'une image numérique ?

11 Définir une image numérique

Les écrans de télévisions, d'ordinateurs, ainsi que de téléphones mobiles affichent des images numériques.

1. Qu'est-ce qu'une image numérique ?

2. Nommer la plus petite unité composant une image numérique.

12 Connaître la signification d'un tableau de nombres

Le tableau ci-dessous est le codage en 24 bits d'une partie d'une image numérique :

R	111	54	93	125
V	111	54	93	125
B	111	54	93	125
R	114	103	159	106
V	114	103	159	106
B	114	103	159	106
R	125	158	154	84
V	125	158	154	84
B	125	158	154	84

1. Que représentent les valeurs inscrites dans une case de ce tableau ?

2. Ce codage correspond-il à une image en couleur ou en niveaux de gris ? Justifier.

3. a. Quelle est la taille de cette partie d'image codée si chaque pixel est codé par 24 bits ?
b. Quelle est la taille de cette partie d'image si chaque pixel est codé par 8 bits ?

13 Associer un tableau de nombres à une image numérique

Le document ci-dessous correspond à l'image agrandie et pixellisée de la photographie située en haut à droite :

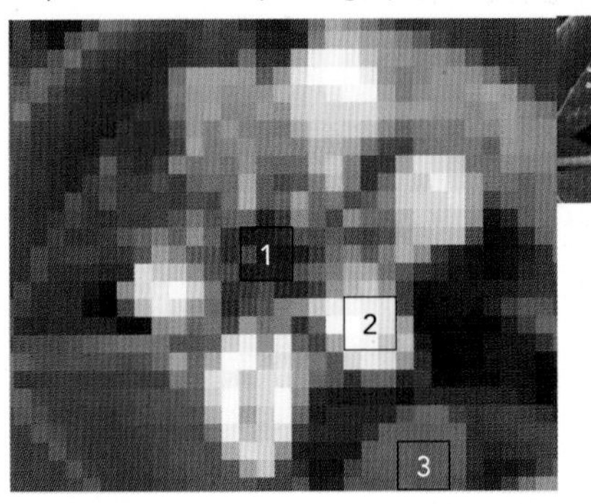

Les tableaux ci-dessous (A, B et C) correspondent au codage de trois zones (1, 2 et 3) repérées sur l'image :

R	78	71	75
V	103	97	101
B	45	36	38
R	74	70	74
V	99	95	99
B	42	37	44
R	76	68	75
V	101	91	93
B	44	35	48

(A)

R	247	243	237
V	243	236	228
B	242	233	219
R	251	246	236
V	251	243	227
B	251	238	222
R	249	244	214
V	249	243	197
B	249	241	190

(B)

R	133	141	143
V	6	7	17
B	17	14	18
R	165	137	133
V	70	1	1
B	40	13	12
R	138	143	131
V	6	8	6
B	17	22	12

(C)

1. a. Qu'est-ce qu'un pixel ?
b. Comment apparaît un pixel sur l'image ?
c. Qu'observerait-on si l'image était encore agrandie ?

2. Quelle est la couleur dominante des zones 1, 2 et 3 sélectionnées ?

3. Attribuer un tableau de nombres (A), (B) ou (C) à chacune des zones sélectionnées, en justifiant.

Pour s'entraîner

14 Jouer avec la Wiimote®

COMPÉTENCE Mobiliser ses connaissances.

La Wiimote® est le dispositif de contrôle de la console de jeux vidéo Wii® de Nintendo®. Elle dispose d'émetteurs-récepteurs infrarouges qui lui permettent de communiquer avec la console placée près de la télévision.

1. Quels éléments constituent le canal de transmission d'informations ?

2. a. À quel type d'ondes appartiennent les infrarouges ?
b. À quelle vitesse se propagent-ils ?

15 Échantillonnage et CD

COMPÉTENCES Calculer ; raisonner.

Afin de pouvoir restituer correctement un son, la fréquence d'échantillonnage doit être au moins le double de la fréquence de l'harmonique le plus haut de ce son (voir **chapitre 2**).

La fréquence d'un son audible par l'oreille humaine est comprise entre 20 Hz et 20 kHz.

1. Quelle fréquence d'échantillonnage minimale faut-il choisir pour numériser correctement un son ?

2. La fréquence d'échantillonnage standard pour les CD est de 44,1 kHz. Cette valeur est-elle en accord avec le résultat de la question précédente ?

3. Les standards d'enregistrement sur CD codent les sons sur 16 bits. Combien de niveaux d'intensité sonore différents peut-on coder ?

4. Quelle est la durée maximale d'enregistrement disponible sur un CD dont la capacité de stockage est de 700 Mio ? (1 Mio = 2^{20} octets.)

16 Acquisition... d'une carte d'acquisition

COMPÉTENCES Calculer ; raisonner.

Pour l'équipement des salles de physique du lycée, on a besoin de mesurer des tensions allant de 0 à 4,5 V, à 10 mV près. Une carte d'acquisition trouvée dans le commerce contient un CAN 8 bits et a pour calibre 0-5,0 V.

1. Déterminer le pas p du convertisseur de ce modèle.

2. Ce modèle correspond-il aux besoins du lycée ?

3. Quel doit être le nombre minimum de bits du CAN pour que sa précision soit suffisante ?

Donnée : $p = \dfrac{\text{plage de mesure}}{2^n}$, avec n le nombre de bits du convertisseur.

Coup de pouce : si $b^n = c$, alors $n = \dfrac{\ln c}{\ln b}$.

17 Un scanner à plat

COMPÉTENCES Extraire des informations ; raisonner.

Pour scanner un document, on le place sur la vitre d'un scanner à plat. Une fente lumineuse motorisée balaye le document. La lumière de grande intensité ainsi émise est diffusée par le document et renvoyée vers une série de capteurs grâce à un système de miroirs. Le document est parcouru ligne par ligne, puis chaque ligne est décomposée en « points élémentaires » correspondant à des pixels. La couleur de chaque pixel est décomposée selon trois composantes (rouge, vert, bleu). Chacune des composantes de couleur est mesurée et représentée par une valeur. Avec un codage de chaque pixel sur 24 bits, chacune des composantes aura une valeur comprise entre 0 et 255.

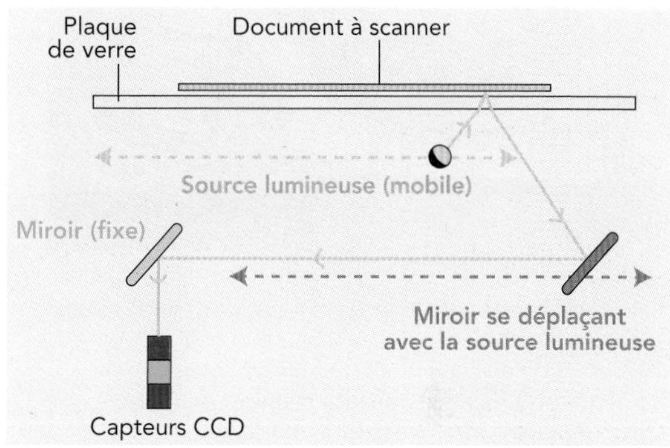

1. Qu'est-ce qu'un pixel ?

2. Comment le scanner code-t-il les couleurs des images ?

3. Pourquoi peut-on dire qu'un scanner numérise une image ?

4. Combien de couleurs peuvent être restituées par ce scanner ?

18 Mesures dans un ballon expérimental

COMPÉTENCES Identifier des paramètres ; calculer.

Des lycéens utilisent un émetteur spécialement conçu pour mettre en œuvre un système de télémesure à bord de ballons expérimentaux. La notice de l'émetteur indique :

Nombre de voies de mesure :
8.
Tensions d'entrées :
entre 0 V et 5V.
Résolution :
5 mV pour chaque voie.
Fréquence des mesures :
2 par seconde.

1. Quelle est la fréquence d'échantillonnage du convertisseur analogique-numérique ?

2. a. Définir le pas p d'un convertisseur.
b. Montrer que le convertisseur analogique-numérique de l'émetteur est de 10 bits.

Donnée : $p = \dfrac{\text{plage de mesure}}{2^n}$, avec n le nombre de bits du convertisseur.

19 *Botanicalls* : vos plantes vous appellent !

COMPÉTENCES **Extraire des informations ; schématiser.**

Le *Botanicalls Twitter Set* est une invention ingénieuse destinée à ceux qui ont tendance à négliger leurs plantes d'appartement.
Il comporte un capteur d'humidité à planter dans la terre dans laquelle se trouve la plante et une carte électronique à insérer dans son ordinateur.
Cette carte est reliée au capteur par un câble USB.
Elle collecte et transmet, à l'aide d'un câble Éthernet, les résultats de mesures hydriques réalisées régulièrement par le capteur. Si la plante est en danger, un message est déposé sur un compte Twitter créé par le propriétaire de la plante et celui-ci peut recevoir un SMS sur son téléphone portable.

1. Relever dans le texte les éléments constitutifs de la chaîne de transmission d'informations dans ce dispositif.

2. Représenter, à l'aide d'un schéma, les étapes de la transmission d'informations de la plante à son propriétaire.

3. Identifier les supports de transmission successifs mis en jeu et préciser la nature des signaux transmis.

20 Le réseau téléphonique

COMPÉTENCES **Identifier des paramètres ; raisonner.**

De nombreuses communications transitent par le réseau téléphonique. Ce dernier étant majoritairement numérisé, les centraux téléphoniques n'échangent plus un signal électrique engendré par la parole, mais des échantillons de ce signal prélevés 8 000 fois par seconde. Chaque échantillon est ensuite codé sur 8 bits.

1. Rappeler les principales étapes de la numérisation d'un signal.

2. Déterminer la fréquence d'échantillonnage utilisée par les centraux téléphoniques.

3. Combien de niveaux d'intensité sonore peut-on obtenir avec le codage proposé ?

4. Combien d'informations une ligne téléphonique doit-elle transporter par seconde pour transmettre la parole d'un usager ? Le résultat sera donné en kibibit par seconde ($Kibit \cdot s^{-1}$).

Donnée : 1 Kibit = 2^{10} bits.

21 À chacun son rythme 

COMPÉTENCES **Raisonner ; construire un graphique.**

Cet exercice est proposé à deux niveaux de difficulté. Dans un premier temps, essayer de résoudre l'exercice de niveau 2. En cas de difficultés, passer au niveau 1.

Le signal électrique correspondant à un son musical affiché sur l'écran d'un oscilloscope analogique est reproduit ci-dessous :

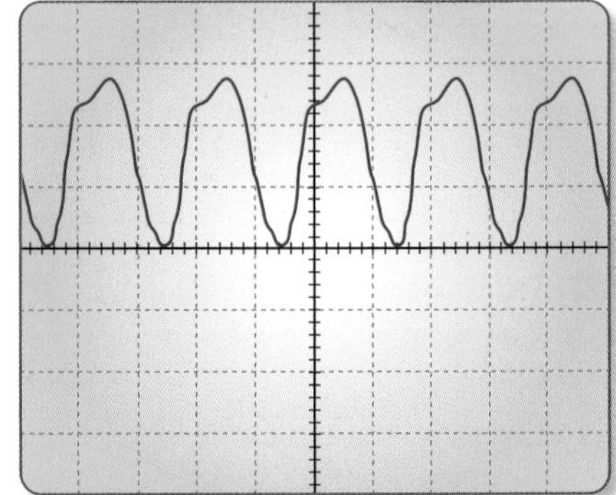

Sensibilité verticale : 1,0 V/div.
Sensibilité horizontale : 2,0 ms/div.

Donnée : pas $p = \dfrac{\text{plage de mesure}}{2^n}$, avec n le nombre de bits du convertisseur.

Niveau 2 (énoncé compact)

En utilisant les échelles de représentation 1 cm ⟶ 2 ms et 4 mm ⟶ pas de résolution, représenter l'allure de la courbe obtenue, échantillonnée à la fréquence f_e = 1,0 kHz avec un CAN de 6 bits ayant une plage de mesure de 0 V à 10 V.

Niveau 1 (énoncé détaillé)

1. La fréquence d'échantillonnage étant de 1,0 kHz, quelle est la durée séparant deux mesures consécutives ?

2. a. Le CAN étant de 6 bits avec une plage de mesure de 0 V à 10 V, calculer le pas du convertisseur.
b. Indiquer les huit premières valeurs que peut quantifier le convertisseur à partir de 0 V.

3. La date t = 0 correspond au bord gauche de l'écran de l'oscilloscope. Reproduire et compléter le tableau suivant :

t (ms)	0	1	2	3
$U_{analogique}$				
$U_{numérique}$				

4. En utilisant les échelles de représentation :

1 cm ⟶ 2 ms
et
4 mm ⟶ pas de résolution,

représenter le signal numérique.

Voir, si nécessaire, l'exercice résolu 4, p. 528.

22 Stockage de photos numériques

COMPÉTENCES Raisonner ; calculer.

Une image numérique possède une définition de 5 millions de pixels.
Chaque pixel de cette image est codé sur 16 bits.

1. Déterminer la taille de cette image.

2. Combien d'images de ce type peut-on stocker sur une carte mémoire de capacité de stockage de 2 Gio ?

Donnée : 1 Gio = 2^{30} octets.

23 Précision d'un multimètre

COMPÉTENCES Mobiliser ses connaissances ; calculer.

Un multimètre numérique possède les caractéristiques suivantes :

- CAN 16 bits ;
- calibres :

± 20 V ; ± 2 V ; ± 200 mV ; ± 20 mV.

1. Pour chaque calibre, indiquer le pas du CAN de ce multimètre.

2. Pour le calibre ± 200 mV, le multimètre affiche une tension de 176,02 mV.

a. Ce format d'affichage paraît-il approprié compte tenu de la résolution du CAN ?

b. Évaluer l'incertitude relative, due au pas du CAN, portant sur une mesure de 176,02 mV.

Donnée : $p = \frac{\text{plage de mesure}}{2^n}$, avec n le nombre de bits du convertisseur.

Pour aller plus loin

24 Critère de Shannon et théorie de l'échantillonnage

COMPÉTENCES Exploiter un graphique ; interpréter un résultat.

Un instrument de musique joue un La$_1$ de fréquence f_1 = 110 Hz. On en réalise quatre numérisations (A, B, C et D) en changeant uniquement la fréquence d'échantillonnage f_e. Les spectres en fréquences obtenus sont représentés ci-après.

Le dernier graphe montre le résultat de l'échantillonnage lors de la numérisation D.

D'après le critère de Shannon, la fréquence d'échantillonnage doit être au moins deux fois égale à la fréquence de l'harmonique de rang le plus élevé contenu dans le son à numériser pour ne pas altérer le signal.

On considère que la numérisation A est très fidèle au son émis par l'instrument.

1. Quelle est la fréquence d'échantillonnage utilisée lors de la numérisation D ?

2. Quel est la fréquence f de l'harmonique de rang le plus élevé contenu dans le La$_1$ joué par cet instrument ?

3. a. Comparer la fréquence d'échantillonnage à f pour chaque numérisation.

b. Le critère de Shannon est-il vérifié ?

4. Est-il nécessaire d'augmenter indéfiniment la fréquence d'échantillonnage pour améliorer la numérisation d'un son ?

Spectre en fréquences A

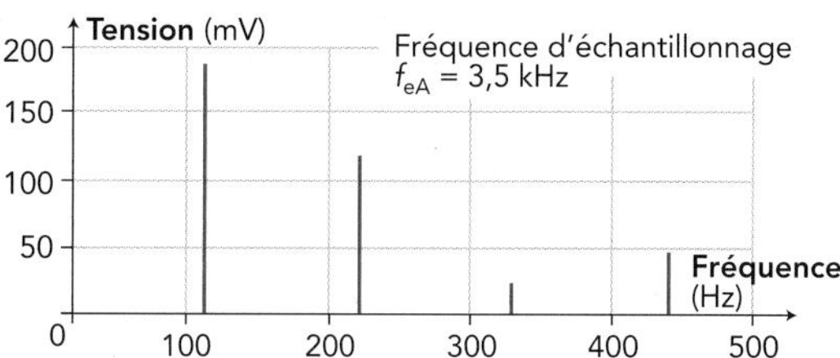

Spectre en fréquences B

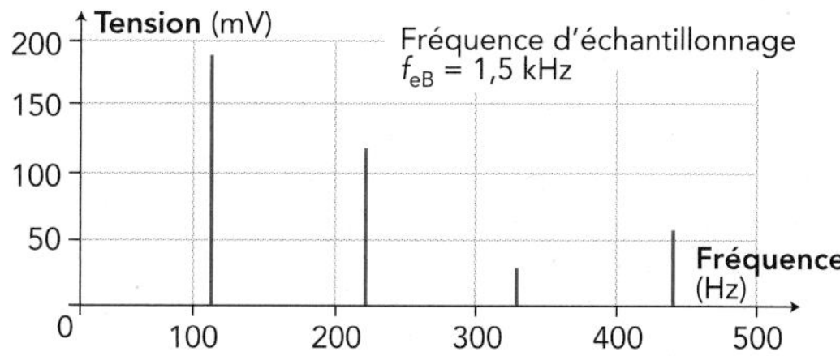

Spectre en fréquences C

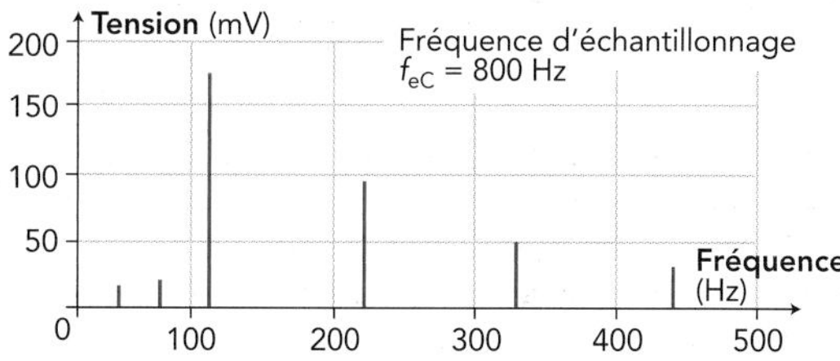

Spectre en fréquences D

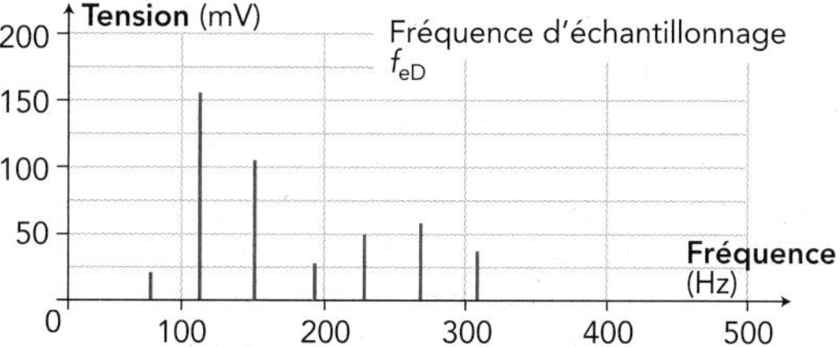

Résultat de l'échantillonnage lors de la numérisation D

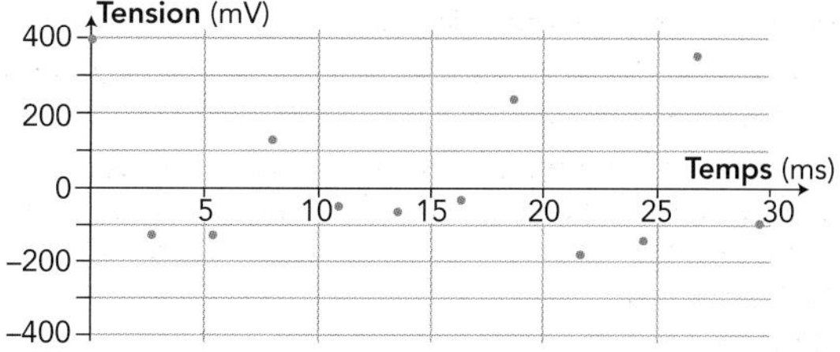

25 La téléphonie mobile

COMPÉTENCES **Extraire des informations ; raisonner.**

On peut communiquer grâce au réseau mobile (GSM) en téléphonant, en envoyant des SMS, mais aussi en surfant sur Internet. Un site radio composé d'une antenne et d'équipement électronique gère la communication avec le reste du réseau.

« En Europe, nous avons deux groupes de fréquences pour la téléphonie mobile : autour de 900 mégahertz et autour de 1 800 mégahertz (MHz). Le premier groupe se divise, en fait, en deux blocs de fréquences : l'un compris entre 890 et 915 MHz, l'autre entre 935 et 960 MHz. N'oublions pas que, en téléphonie, la communication est bilatérale : le premier bloc assure l'émission, le second la réception. Le deuxième groupe va de 1 710 à 1 785 MHz pour l'émission, et de 1 805 à 1 880 MHz pour la réception.

Chacun des blocs est ensuite divisé en canaux. [...]

En GSM (pour *Global Solution for Mobiles*), l'écart de fréquence entre deux canaux adjacents a été fixé à 200 kHz, soit 0,2 MHz. [...]

Le GSM utilise un système de transmission numérique qui permet d'accroître le nombre de communications par multiplexage temporel [...].

Dans le combiné, **la voix est numérisée**, et cette opération génère un flot continu de données qui vont tout d'abord être compressées. Or, le débit que peut assurer un canal d'une largeur de 200 kHz est très supérieur à celui que nécessite l'acheminement de ces données une fois compressées. Du coup, le téléphone ne les transmet pas toutes au fur et à mesure de leur production, mais les stocke temporairement dans une mémoire pour les émettre par "paquets" toutes les 20 millisecondes.

La durée de transmission d'un paquet de données étant loin d'occuper ce laps de temps, il reste encore du temps libre. Le réseau GSM le met à profit pour acheminer les communications issues d'autres correspondants.

En pratique, grâce à ce multiplexage temporel, chaque canal peut convoyer jusqu'à 8 émissions ainsi imbriquées (7 communications + 1 canal de contrôle). Chaque antenne relais dispose généralement de 16 canaux et peut donc traiter jusqu'à 112 communications en même temps. »

Extrait de G. Martin, « La démultiplication des fréquences », *La Recherche* n° 366, juillet-août 2003.

1. Décrire le canal de transmission dans la téléphonie mobile.

2. Quelle est la nature des informations transmises par le réseau GSM ?

3. a. Comment qualifier le signal associé à la voix ?
b. Que signifie l'expression en gras dans le texte ?

4. a. Combien de groupes de fréquences constituent le réseau GSM ?
b. Sans multiplexage temporel, un canal permet la transmission d'une communication. Déterminer le nombre de communications que peut convoyer chaque groupe de fréquences sans utiliser le multiplexage.

5. a. Combien de communications simultanées un émetteur peut-il traiter sans multiplexage temporel ?
b. Expliquer la technique du multiplexage temporel.
c. Combien de communications simultanées un émetteur peut-il traiter avec le multiplexage temporel ?

26 Un problème de résolution

COMPÉTENCES **Raisonner ; calculer.**

Paul souhaite faire des copies d'une ancienne photo argentique de 10 cm sur 10 cm. Pour cela, il la scanne en choisissant une résolution de 25 ppp (nombre de points par pouce) et l'imprime. Il obtient une image assez décevante codée en RVB 24 bits :

1. a. Une photo argentique est-elle numérique ?
b. Quel élément de la chaîne de transmission d'informations constitue le scanner ?

2. Pourquoi Paul est-il déçu par l'image obtenue ? Comment peut-on l'expliquer ?

3. Expliquer l'expression « codage RVB 24 bits ».

4. a. Sachant qu'un pouce mesure 2,54 cm, déterminer la définition de cette image.
b. Quelle est la taille de cette image ? On exprimera le résultat en Kio (1 Kio = 2^{10} octets).
c. Quelle serait la taille de l'image en choisissant une résolution de 180 ppp ? On exprimera le résultat en Mio (1 Mio = 2^{20} octets).

27 Resolution of Digital Images

Ap

COMPÉTENCES Extraire des informations; calculer.

Radiometric resolution refers to the smallest change in intensity level that can be detected by the sensing system. The intrinsic resolution of a *sensing system* depends on *the signal to noise ratio* of the detector.
In a digital image, the resolution is limited by the number of discrete *quantization* levels used to *digitize* the continuous intensity value.
The following images illustrate the effects of the number of quantization levels on the digital image. The first image is a SPOT image quantized at 8 bits (*ie* 256 levels) per pixel. The subsequent images show the effects of degrading the radiometric resolution by using fewer quantization levels.

8-bit quantization

6-bit quantization

4-bit quantization

3-bit quantization

2-bit quantization

1-bit quantization

Digitization using a small number of quantization levels does not affect very much the visual quality of the image. Even 4-bit quantization seems acceptable in the examples shown. However, if the image is to be subjected to numerical analysis, the accuracy of analysis will be compromised if few quantization levels are used.

D'après http://www.crisp.nus.edu.sg

Vocabulaire : *sensing system* : système de détection; *the signal to noise ratio* : le rapport signal sur bruit; *quantization* : quantification; *to digitize* : numériser.

1. Combien de niveaux de gris chaque image peut-elle comporter?

2. Jusqu'à quel niveau de quantification l'image est-elle acceptable? En quoi un faible niveau de quantification peut-il être gênant?

3. La définition des images obtenues est de 160 × 160.
a. Que représentent ces deux valeurs?
b. Quelle est la taille de chacune des six images obtenues?

28 Bac La télévision numérique et Internet

COMPÉTENCES Extraire des informations; raisonner.

La technologie *Asymmetric Digital Subscriber Line* (ADSL) permet d'amener au domicile des particuliers l'Internet et la télévision en haute définition par l'intermédiaire de la ligne téléphonique.
Cette technologie a néanmoins ses limites. En effet, il faut que l'installation ait la capacité de transmettre au minimum 20 Mbit par seconde. Ce nombre doit rester constant, ce qui n'est pas le cas dès qu'on s'éloigne de plus de 3 km des centres de traitement des données numériques.
D'autre part, il faut pouvoir assurer une connexion entre la box et le poste de télévision qui ne se situe pas toujours dans la même pièce. Des solutions sont proposées pour convoyer les données sur le réseau électrique de l'habitation par l'intermédiaire de boitiers CPL (courant porteur en ligne), avec des débits élevés et stables.
La résolution de l'écran est également essentielle, mais elle aussi a ses limites. La télévision haute-définition (TV HD) offre une définition de 1 366 × 768 pixels, tandis que la TV HD 1080p en offre une de 1 920 × 1 080.
Pour un téléviseur de même dimension, **la taille des pixels diffère selon la définition de l'écran**. Pour ne pas distinguer les différents pixels, il faut se situer à une distance supérieure à trois fois sa diagonale dans le cas d'un écran TV HD et seulement deux fois sa diagonale pour l'écran TV HD 1080p.

1. Dans quel langage l'image numérique reçue par une TV HD est-elle codée?

2. Que représentent les valeurs qui caractérisent la définition des écrans?

3. Quel est l'écran qui permet d'exploiter au mieux la finesse des détails?

4. On considère un écran de télévision dont les dimensions sont de 94 × 53 cm.
a. Vérifier l'affirmation écrite en gras dans le texte.
b. À quelle distance des écrans TV HD et TV HD 1080p devra-t-on se placer afin de bénéficier d'un confort de vision?

Exercices

Retour sur l'ouverture du chapitre

29 Des codages différents

COMPÉTENCES **Mobiliser ses connaissances ; raisonner.**

La photographie ci-dessous a été prise avec un appareil photo numérique ayant une définition de 3 110 × 1 944. Elle est codée en 24 bits RVB. La taille de cette photo est de 7,3 Mio.
Un logiciel de traitement a permis d'obtenir une image en niveaux de gris correspondant à cette photographie.

1. Peut-on qualifier l'appareil photo de convertisseur ?
2. Qu'appelle-t-on image numérique ?
3. a. Expliquer ce que signifie « ayant une définition de 3 110 × 1 944 ».
b. Retrouver la taille de cette photo.
4. a. Quelle est la taille d'un pixel pour une image codée en niveaux de gris sur 8 bits ?
b. Calculer la taille de cette image codée en niveaux de gris.
Quels sont les avantages et les inconvénients de ce codage ?
5. Un logiciel de capture de couleur a permis de déterminer les codes RVB correspondant à différentes zones de ces deux photographies.
Les résultats sont regroupés dans les tableaux ci-contre.
a. Quelle est la définition des zones correspondant aux tableaux ci-contre ?
b. En expliquant la démarche, attribuer chacun des tableaux ci-contre à une zone possible de couleur d'une des photographies.

R	214	216	214
V	59	58	59
B	45	45	44
R	214	214	214
V	59	59	60
B	45	45	44
R	217	218	214
V	61	60	60
B	43	46	45

(A)

R	40	44	51
V	40	44	51
B	40	44	51
R	36	36	37
V	36	36	37
B	36	36	37
R	44	39	45
V	44	39	45
B	44	39	45

(B)

R	222	222	189
V	224	222	189
B	226	226	189
R	187	214	187
V	187	214	187
B	187	214	187
R	169	159	137
V	169	159	137
B	169	159	137

(C)

R	122	124	126
V	161	162	170
B	152	150	152
R	120	122	120
V	166	168	171
B	153	150	153
R	122	129	129
V	161	170	170
B	152	155	154

(D)

Comprendre un énoncé

30 Bac Appareil photo numérique

La notice d'un appareil photographique numérique indique une « résolution » du capteur CCD de 3072 × 2048, soit 6,3 mégapixels (Mpx).
Une image est dite de qualité « photo » quand la taille du pixel est suffisamment petite pour qu'un œil normal n'en perçoive pas les détails. On considère qu'un œil normal peut percevoir des détails lorsque les rayons lumineux issus de ces détails arrivent dans l'œil avec un angle supérieur à une minute.

En codage normal, un pixel est codé en RVB 24 bits.

Données :

- 1 Mio = 1024 Kio et 1 Kio = 1024 octets.
- 1 pouce = 2,54 cm.
- 1 minute d'angle = $\frac{1}{60}$°.

Questions à se poser à la lecture de l'énoncé

- → Le terme résolution est-il approprié ici ?
- → Quelle est la définition de l'image numérique obtenue avec cet appareil ?
- → Qu'est-ce qu'un pixel ?
- → Comment convertir une minute d'angle en degré ?
- → Quelle est la signification d'un codage RVB 24 bits ?

Questions	Compétences à mobiliser	Si difficulté, revoir
1. a. Qu'appelle-t-on une image numérique ? b. Par abus de langage, les fabricants utilisent le terme « résolution ». Quel est celui qui convient en réalité ? c. Le constructeur affiche une « résolution » de 3072 × 2048. Que représentent ces valeurs ?	• Savoir qu'une image numérique est constituée par un tableau de points. • Connaître la signification de la définition d'une image.	Cours § 3, p. 524.
2. a. Combien d'octets sont utilisés pour coder un pixel ? b. Déterminer la taille d'une image correspondant à la « résolution » indiquée par le fabricant. Exprimer le résultat en Mio.	• Extraire et exploiter les informations de l'énoncé*. • Connaître le langage utilisé pour coder une image numérique. • Convertir des unités*.	Cours § 2.2, p. 523.
3. Calculer la taille du plus petit détail que l'on peut observer à l'œil nu sur un objet situé à 25 cm de l'œil.	• Extraire et exploiter les informations de l'énoncé*. • Schématiser une situation. • Appliquer les relations trigonométriques*.	Cours de mathématiques.
4. a. Quelle est la résolution minimale d'une image numérique de qualité photo située à une distance de 25 cm de l'œil ? On exprimera la résolution en ppp : pixels par pouce. b. On souhaite imprimer une photo prise avec cet appareil. Quelle est la taille maximale de l'impression qui permet d'avoir une qualité photo ? On l'exprimera en cm × cm.	• Extraire et exploiter les informations de l'énoncé*. • Raisonner*. • Calculer*.	Cours § 3, p 524.

* Compétence transversale.

Avoir les bons réflexes 

Si l'énoncé demande de...	il est nécessaire de...	Si difficulté	Pour réviser
Identifier les éléments d'une chaîne de transmission d'informations.	● Identifier l'encodeur. ● Savoir reconnaître les éléments qui constituent le canal de transmission. ● Identifier le décodeur.	Cours § 1, p. 522.	Exercice 6 p. 529.
Calculer la définition et la taille d'une image.	● Savoir que la définition d'une image correspond au nombre de pixels qui la constituent. ● Savoir que la taille d'une image est liée aux nombres de pixels qui constituent cette image et au nombre d'octets utilisés pour coder chaque pixels. ● Connaître la signification d'un codage RVB 24 bits. ● Savoir qu'un niveau de gris correspond à un pixel codé par un nombre unique.	Cours § 3.3, p. 525.	Exercice 29 p. 536.
Associer un tableau de nombres à une image numérique.	● Savoir définir une image numérique. ● Savoir que chaque case d'un tableau de nombres correspond au codage RVB d'un pixel. ● Savoir différencier un codage couleur d'un codage en niveaux de gris. ● Savoir associer une couleur à un codage RVB en utilisant la synthèse additive des couleurs.	Cours § 3.1, p. 524, et exercice 13, p. 530.	Exercice 12 p. 530.
Reconnaître des signaux de nature analogique et des signaux de nature numérique.	● Savoir qu'un signal analogique varie de façon continue au cours du temps. ● Savoir qu'un signal numérique varie de façon discontinue au cours du temps.	Cours § 2.1, p. 522.	Exercice 8 p. 529.
Définir les étapes principales de la numérisation.	● Connaître les différentes étapes de numérisation d'un signal. ● Savoir définir et déterminer une fréquence d'échantillonnage. ● Savoir définir le pas d'un convertisseur. ● Savoir qu'un signal numérique est codé en langage binaire.	Cours § 2.3, p. 523, et exercice résolu 4, p. 528.	Exercice 18 p. 531.

Dans les conditions du baccalauréat

- **Avec aide :** Exercice 30 p. 537.
- **Sans aide :** Exercice 28 p. 535.

Transmission et stockage de l'information

Chapitre 21

Transmettre et recevoir des informations, partout et instantanément, est une des plus spectaculaires évolutions technologiques de ces vingt dernières années.
Quel support permet de téléphoner, de surfer sur Internet et même de regarder la télévision ? (Voir exercice 30, p. 558.)

Sur quels principes reposent la transmission et le stockage d'informations ?

OBJECTIFS

- → Exploiter des informations pour comparer les différents types de transmission.
- → Expliquer le principe de lecture d'un disque optique par une approche interférentielle.
- → Relier la capacité de stockage d'un disque optique et son évolution au phénomène de diffraction.

Compétence exigible au baccalauréat

- Exploiter des informations pour comparer les différents types de transmission.

1 Communiquer, une question de réseau...

EN AUTONOMIE

Échanger des données à l'intérieur d'un bâtiment ou d'un bout à l'autre de la planète (doc. 1) nécessite des réseaux de communication adaptés. Les propriétés du canal de transmission dépendent de la nature du signal à transmettre et de la distance entre l'émetteur et le récepteur.
Quelles sont les caractéristiques des différents types de transmission ?

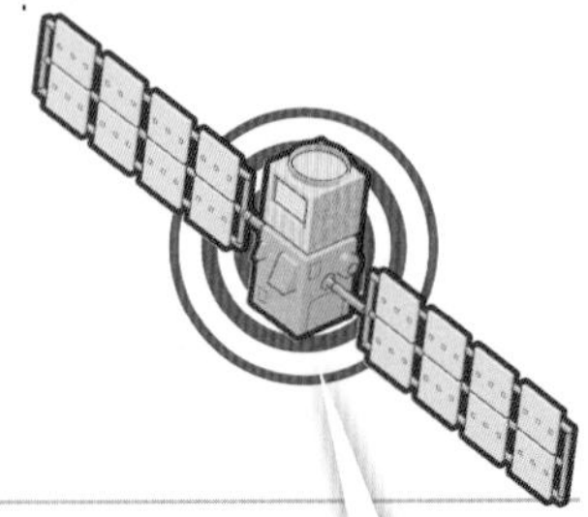

A Transmettre des informations ? Oui, mais comment ?

Satellite
Il reçoit et émet des ondes électromagnétiques.

Antenne-relais
Elle communique avec des satellites et les téléphones par des ondes électromagnétiques.

Téléphone mobile
Le télephone communique avec l'antenne-relais par des ondes électromagnétiques dont les fréquences sont comprises entre 900 MHz et 1 800 MHz.

Le système Bluetooth
permet de transmettre des données par des ondes électromagnétiques dont les fréquences sont de l'ordre de 2,4 GHz.

Ordinateur
En Wi-Fi, les données sont échangées avec le modem par des ondes électromagnétiques de fréquence 2,4 GHz. En CPL (courant porteur en ligne), les données sont échangées par signaux électriques grâce aux lignes électriques de la maison avec des fréquences comprises entre 1,6 MHz et 30 MHz.

Télévision numérique
Les signaux transmis par fibres optiques ont des fréquences de l'ordre de 10^{14} Hz.

Télécommande
Elle communique avec la télévision par des ondes électromagnétiques infrarouges.

Autoradio
Il capte des ondes électromagnétiques dont les fréquences sont comprises entre 87,5 MHz et 108 MHz.

Récepteur GPS
Il reçoit et émet des ondes électromagnétiques. Pour le positionnement GPS, les satellites émettent sur deux fréquences : 1 575,42 MHz et 1 227,60 MHz.

Téléphone fixe
Les signaux électriques transmis par des câbles électriques ont des fréquences de l'ordre de 25 Hz à 3 400 Hz. Ceux transmis par l'ADSL ont des fréquences supérieures.

Doc. 1 Quelques systèmes de communication de notre quotidien.

B Transmission d'un signal, un parcours semé d'embûches...

L'amplitude d'un signal diminue lors de sa propagation, car une partie de son énergie est absorbée par le milieu dans lequel il se déplace. De plus, des perturbations électromagnétiques aléatoires, causées par exemple par les appareils électriques eux-mêmes, viennent se superposer aux signaux à transmettre (bruit) (doc. 2). Le long du parcours, on dispose des amplificateurs qui évitent l'atténuation des signaux, mais qui amplifient aussi les perturbations .

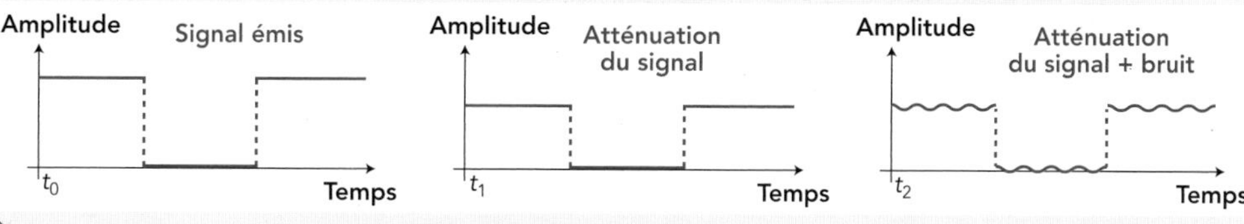

Doc. 2 Atténuation et dégradations d'un signal transmis.

Transmission par câbles électriques
Il existe plusieurs types de câbles dont les paires torsadées (doc. 3) ou les câbles coaxiaux (doc. 4).

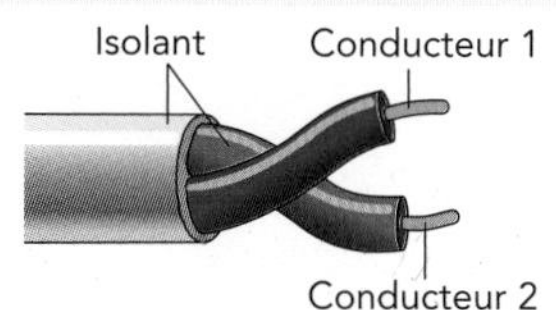

Doc. 3 Paire torsadée.

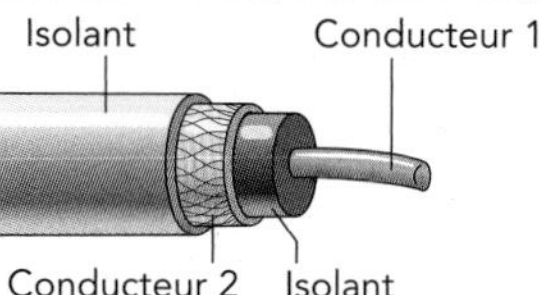

Doc. 4 Câble coaxial.

Les câbles torsadés sont assez sensibles au bruit, l'atténuation y est importante et les débits numériques (nombres de bits par seconde) faibles. Les câbles coaxiaux ont, en général, de meilleures performances que les torsadés.

Transmission par fibre optique
Une fibre optique est un cylindre en verre ou en matière plastique ayant un diamètre de l'ordre du dixième de millimètre. Les signaux transmis sont des ondes électromagnétiques (radiations) visibles ou infrarouges. Les fibres optiques peuvent être multimodales ou monomodales. Dans une fibre multimodale, les signaux peuvent emprunter des trajets différents et donc les durées de parcours seront différentes. La durée des signaux reçus sera supérieure à la durée des signaux émis. On distingue les fibres à saut d'indice et celles à gradient d'indice (doc. 5).
Le cœur d'une fibre monomodale est très fin, la lumière ne se propage qu'à proximité de l'axe.
Les fibres optiques protègent le signal du bruit et des distorsions. Elles provoquent peu d'atténuation et autorisent d'importants débits numériques. Mais, la fibre optique est plus chère et plus difficile à installer qu'un câble.

Transmission hertzienne
Des ondes électromagnétiques sont transmises dans l'air, d'un émetteur à un récepteur. Ces ondes sont soumises à de nombreuses perturbations par les champs électromagnétiques omniprésents dans l'environnement. Cependant, elles ne nécessitent aucun fil de transmission.

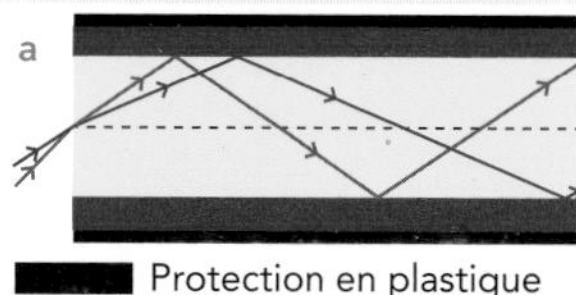
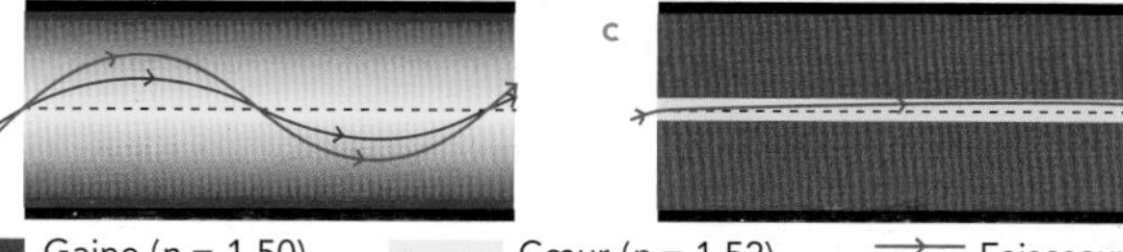

Doc. 5 Fibres multimodales à saut d'indice (a) et à gradient d'indice (b). Fibre mononomodale (c).

1 Classer les situations de communication du document 1 en fonction du support de transmission utilisé.
Préciser les bandes de fréquences des signaux associés.

2 Pourquoi utilise-t-on actuellement des fibres optiques plutôt que des câbles pour les communications longues distances ?

3 Comparer la propagation de la lumière dans une fibre multimodale à saut d'indice et dans une fibre multimodale à gradient d'indice (doc. 5).

Un pas vers le cours...

4 Citer des avantages et des inconvénients des trois types de transmission.

2 Transmettre des informations par ondes hertziennes

Compétence exigible au baccalauréat
- *Mettre en œuvre un dispositif de transmission de données.*

Les ondes hertziennes sont des ondes électromagnétiques. Elles permettent la transmission rapide de l'information. Des antennes émettent et reçoivent ces ondes, qui se propagent dans toutes les directions.
Quelles sont les propriétés de la transmission par ondes hertziennes ?

A Propagation des ondes hertziennes

On se propose de montrer l'influence de la fréquence des ondes hertziennes sur leur propagation.

Le montage du document 6 comprend :
- un dispositif d'émission d'ondes électromagnétiques constitué d'une antenne reliée à la sortie d'un générateur de signaux (GBF). Un oscilloscope numérique permet d'observer les signaux fournis par le générateur ;
- un dispositif de réception constitué d'une antenne de réception reliée à un deuxième oscilloscope.

▶ Réaliser le montage.

▶ Régler le GBF initialement sur une tension sinusoïdale de fréquence 150 kHz, avec une amplitude la plus grande possible.

▶ Placer les deux antennes à quelques dizaines de centimètres l'une de l'autre.

▶ Régler les oscilloscopes de façon à visualiser les deux signaux.

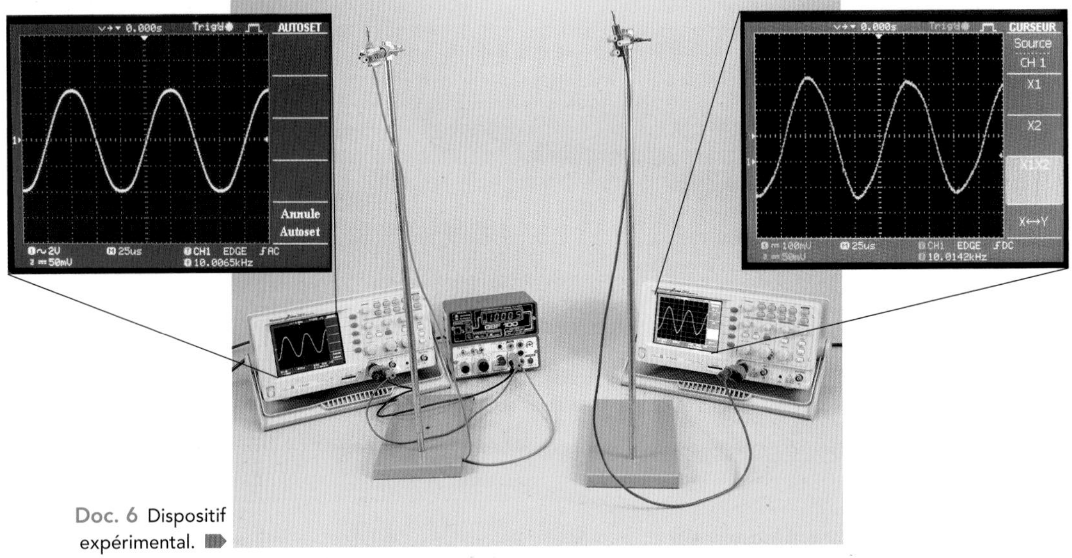

Doc. 6 Dispositif expérimental.

1 Quelle est l'amplitude :
a. du signal émis ?
b. du signal reçu ?

2 Quelle est la fréquence du signal reçu ?

3 Comparer les fréquences des signaux émis et reçus.

▶ Réaliser une série d'expériences montrant l'influence de la fréquence du signal émis sur les caractéristiques du signal reçu.

Pour cela, utiliser toutes les gammes de fréquences disponibles du GBF.
Penser à maintenir l'amplitude du signal du GBF constante pendant les expériences.

4 Noter les observations dans chacune des situations expérimentales.

Un pas vers le cours...

5 Rédiger une synthèse sur les propriétés de la propagation des ondes hertziennes.

B Transmission par ondes hertziennes

On se propose de former deux signaux pouvant être transmis par ondes hertziennes et écoutés à l'aide d'un récepteur radio.

Chaque émetteur est constitué par un générateur de mélodie, un générateur de signaux et un composant électronique appelé multiplieur.

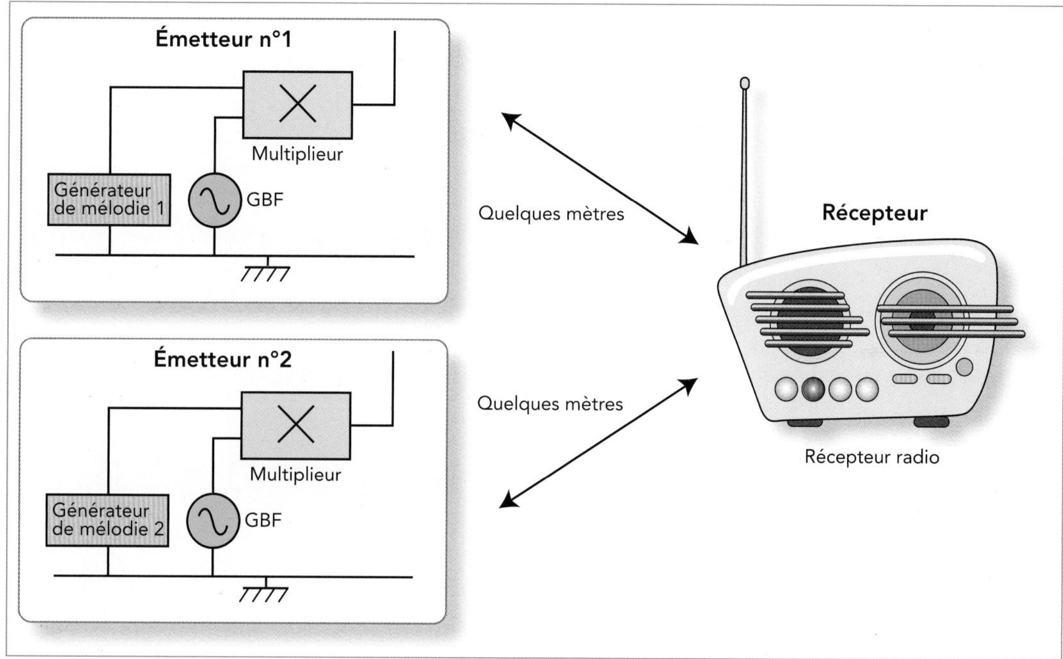

Doc. 7 Dispositif expérimental.

- Relier chacun des générateurs de mélodie à un haut-parleur et écouter les signaux sonores.
- Réaliser le montage émetteur n° 1 du document 7.
- Appliquer une tension sinusoïdale aux bornes du multiplieur à l'aide du GBF du montage émetteur n° 1. Pour cela, régler le GBF afin que le signal généré ait une fréquence proche de 150 kHz et une amplitude de 3 V environ.
- Procéder de même avec le montage émetteur n° 2. Ajuster le GBF pour que le signal généré ait une fréquence proche de 250 kHz et une amplitude de 3 V environ.

Les signaux émis sont captés par le poste récepteur radio réglé sur les grandes ondes (GO ou AM).

- Ajuster le sélecteur des stations afin d'écouter les signaux sonores l'un après l'autre.

Remarque : Si l'un ou l'autre des signaux sonores est perturbé par les signaux d'une station radio, modifier légèrement la fréquence du GBF correspondant.

- Relier le générateur de mélodie, le GBF et la sortie du multiplieur du montage émetteur n° 1 à un système d'acquisition.
- Effectuer une acquisition de chacun des signaux.

6 Quelle est la fréquence affichée par le récepteur radio lors de l'écoute de chacun des signaux sonores ?

7 Comparer chaque fréquence du récepteur radio avec celle des GBF des deux émetteurs.

8 Comparer les caractéristiques du signal de sortie du multiplieur avec celles du générateur de mélodie et du GBF.

Un pas vers le cours...

9 Justifier la nécessité d'utiliser des ondes électromagnétiques de hautes fréquences pour transmettre un signal sonore.

3 Transmettre des informations par fibre optique

Avec le développement des télécommunications, la transmission libre atteint ses limites. En effet, les bandes de fréquences allouées aux diverses utilisations ne sont pas infinies. On remplace progressivement la transmission libre par de la transmission guidée par des fibres optiques.
Comment transmettre un son à l'aide d'une fibre optique ?

Compétence exigible au baccalauréat
- *Mettre en œuvre un dispositif de transmission de données (câble, fibre optique).*

On se propose de transmettre un signal sonore à l'aide d'un dispositif comprenant un encodeur, une fibre optique et un décodeur (doc. 8).

- Diriger une extrémité de la fibre optique vers une source lumineuse tout en observant l'autre extrémité.
- Relier l'encodeur à la fibre optique et observer l'autre extrémité.
- Connecter le décodeur à la fibre optique.
- Émettre un son face au microphone tout en l'écoutant en sortie du haut-parleur du décodeur.
- Si l'écoute est satisfaisante, brancher un système d'acquisition à la sortie du décodeur. Refaire l'expérience en procédant à une acquisition avec une période d'échantillonnage T_e égale à 100 µs et une durée totale de 50 ms par exemple.

1 Qu'observe-t-on à l'extrémité de la fibre :
a. si elle est dirigée vers une source lumineuse ?
b. si elle est reliée à l'encodeur ?

2 Justifier la réponse de la question 1b à l'aide du document 9.

3 Quelles sont la période et la fréquence du signal à la sortie du décodeur ?

4 La fréquence de ce signal correspond-elle à la gamme de fréquences des ondes sonores ?

5 Quelle est la fréquence du signal transportant ce son dans la fibre ?
Donnée : $c = 3{,}00 \times 10^8 \text{ m} \cdot \text{s}^{-1}$.

6 Schématiser la chaîne de transmission d'informations (voir p. 522) en utilisant les mots *encodeur*, *émetteur*, *récepteur* et *décodeur*.

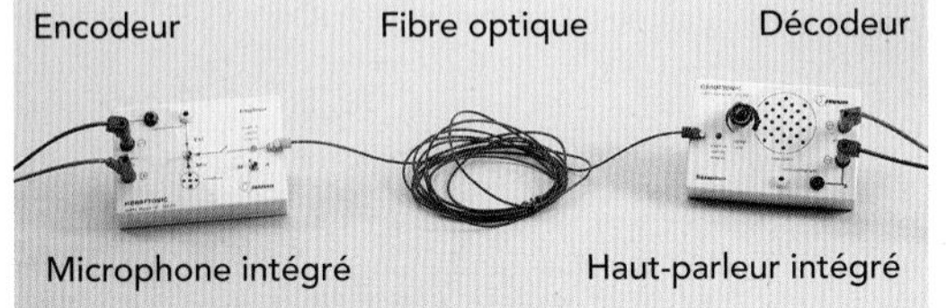

Doc. 8 Montage expérimental.

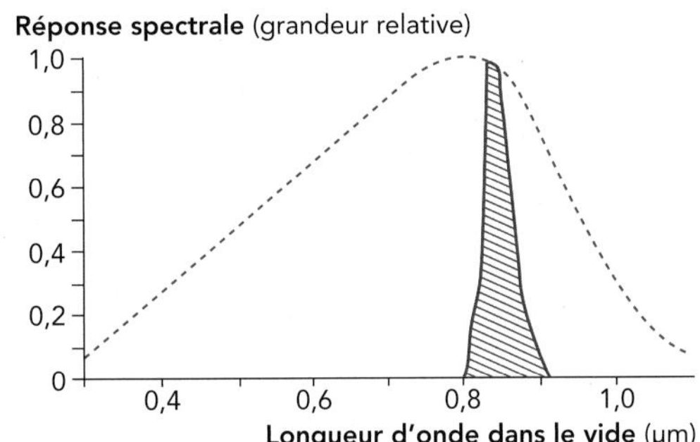

Doc. 9 Extrait de la notice technique du dispositif encodeur-émetteur.

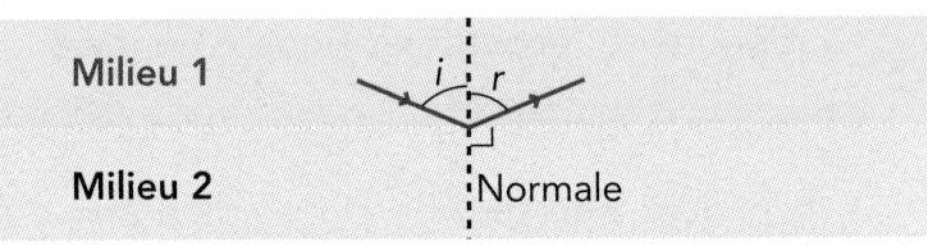

Doc. 10 Réflexion totale. Les milieux 1 et 2 sont homogènes et transparents. Le rayon lumineux représenté en rouge modélise le trajet de l'onde électromagnétique.

Un pas vers le cours...

7 On considère que les ondes électromagnétiques se propagent dans la fibre optique par le phénomène de réflexion totale (doc. 10). Rappeler la loi de Snell-Descartes relative à la réflexion totale. Proposer alors un mode de propagation des ondes électromagnétiques dans la fibre optique. Pour cela, recopier le schéma du document 11 et compléter le trajet des ondes électromagnétiques.

Gaine n_2

Cœur n_1

Doc. 11 Schématisation de la propagation des ondes électromagnétiques dans une fibre optique. n_1 est l'indice de réfraction du cœur et n_2 celui de la gaine ($n_1 > n_2$).

4 La lecture d'un disque optique

EN AUTONOMIE

Les disques optiques CD, DVD et Blu-ray Disc (BD) sont des supports permettant d'écouter de la musique, de regarder un film ou de lire des fichiers de données informatiques.
Quel est le principe de lecture de ces disques ?

L'observation au microscope électronique de la surface d'un CD contenant des informations numériques montre un alignement de creux et de plats de différentes longueurs (doc. 12). Ces creux (*pits*) sont séparés par des plats (*lands*).
Les creux et les plats sont disposés sur une piste en forme de spirale de plusieurs kilomètres de long.

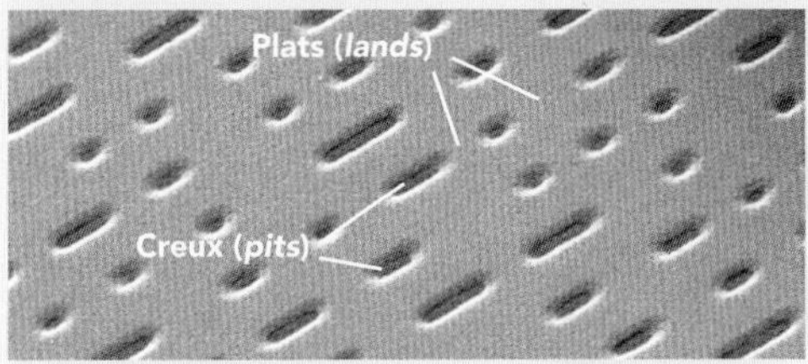

Doc. 12 Surface d'un disque optique vu au microscope électronique.

À la lecture, le disque tourne devant un système comprenant notamment une diode laser et une photodiode servant de capteur.
L'information correspondant à 1 bit occupe 0,278 µm sur le CD. À intervalles de temps égaux, correspondant à un déplacement du faisceau laser de 0,278 µm sur le CD, le système de lecture mesure l'intensité lumineuse réfléchie par le disque et restitue le codage binaire associé. C'est donc la réflexion de la lumière laser sur les creux et les plats qui permet de transcrire les données binaires.

Le principe de la lecture repose sur des interférences entre les différentes parties du faisceau réfléchi qui convergent sur le capteur.

Lorsque le faisceau laser est réfléchi par un plat et la surface du disque, l'intensité lumineuse reçue par le capteur est maximale (doc. 13a). Lorsque le faisceau atteint un creux, une partie est réfléchie par le creux et une partie est réfléchie par la surface du disque (doc. 13b).

La fraction du faisceau réfléchie par le creux parcourt une distance supérieure à la distance parcourue par celle réfléchie par la surface du disque. L'écart entre les deux trajets correspond exactement à la moitié de la longueur d'onde de la radiation laser. Il s'établit au niveau du capteur des interférences destructives entre la fraction de faisceau réfléchie sur la surface du disque et celle réfléchie dans le creux. L'intensité de la lumière réfléchie est alors plus faible que si toute la réflexion se faisait sur un plat et la surface du disque.

C'est la variation d'intensité lumineuse au cours de la lecture qui permet de repérer les creux et les plats et de décoder l'information numérique.

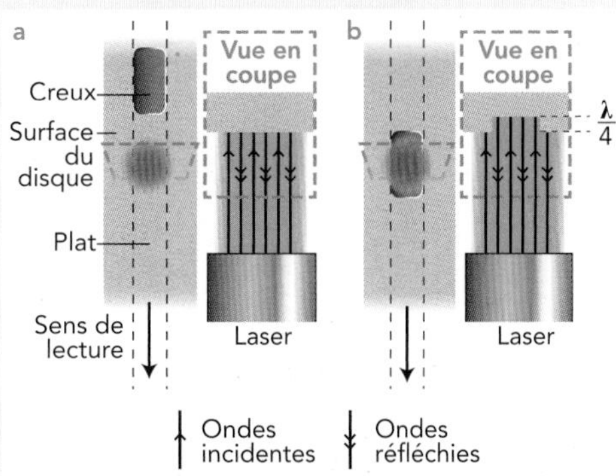

Doc. 13 Lecture d'un plat (a) et d'un creux (b).
Les pointillés verts correspondent à la vue en coupe. Pour la clarté du schéma, la couche de polycarbonate n'est pas représentée.

1 Rappeler les conditions d'interférences destructives vues au chapitre 3.
Quelle est la plus petite valeur de la différence de marche qui permet de les observer ?

2 La longueur d'onde dans le vide de la radiation laser est λ = 780 nm. Les creux et les plats sont protégés par une couche protectrice de polycarbonate d'indice de réfraction n = 1,55 pour la radiation considérée. Calculer la longueur d'onde de la radiation laser dans le polycarbonate.

3 Vérifier que la profondeur du creux, égale à 0,125 µm, est bien compatible avec cette valeur.

Un pas vers le cours...

4 Rappeler quel phénomène ondulatoire permet la lecture d'un CD, d'un DVD ou d'un BD.

Info

L'indice de réfraction n d'un milieu s'exprime par :

$$n = \frac{c}{v}$$

v est la célérité de la lumière dans le milieu traversé et c est la célérité de la lumière dans le vide ou l'air :

$$c = 3{,}00 \times 10^8 \text{ m} \cdot \text{s}^{-1}.$$

Activités *Étude documentaire*

5 Stockage optique

EN AUTONOMIE

Depuis quelques années, les disques Blu-ray (BD) concurrencent les disques DVD et CD, car leur capacité de stockage de données est plus importante.
Quel est le principe de stockage de ces disques ?

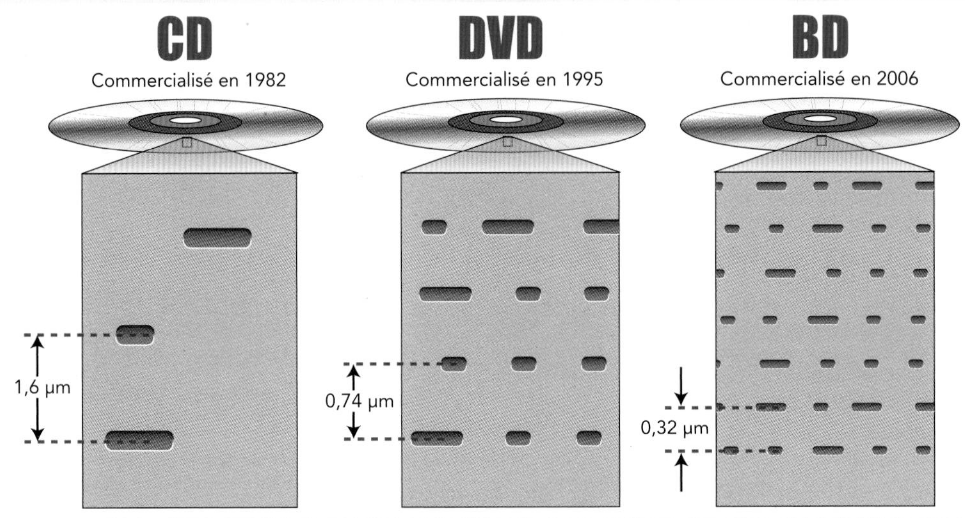

Doc. 14 Schématisation de la surface de trois types de disques optiques : CD, DVD et BD.

Pour augmenter la capacité des disques optiques sans en augmenter la taille, la dimension des creux gravés et l'espacement entre les lignes a diminué (doc. 14). Pour lire et décoder convenablement les informations gravées, il est alors nécessaire de réduire le diamètre du faisceau laser de lecture.
Cependant on ne peut pas diminuer indéfiniment le diamètre d'un faisceau laser, car le phénomène de diffraction entre en jeu si le diamètre de l'ouverture du laser atteint l'ordre de grandeur de la longueur d'onde de la radiation.

Le diamètre d du spot laser sur le disque optique est proportionnel à la longueur d'onde λ de la radiation et inversement proportionnel à une grandeur appelée ouverture numérique (NA) qui dépend de l'émetteur laser.
On admet que d est donné par la relation :

$$d = 1{,}22\,\frac{\lambda}{\text{NA}}$$

Caractéristiques de différents disques optiques

Format	CD	DVD	BD
Longueur d'onde (nm)	780	650	405
Ouverture numérique NA	0,45	0,60	0,85
Écartement des lignes (µm)	1,6	0,74	0,32
Taille minimale d'un creux (µm)	0,83	0,40	0,14
Capacité de stockage (Gio)	0,75	4,4	23

Remarque :
La capacité est exprimée en gibioctets (Gio) :
1 Gio = 2^{30} octets.

1 Calculer le diamètre du faisceau laser correspondant à chaque format.

2 Montrer que, pour chaque format, le faisceau n'éclaire qu'une ligne à la fois.

Un pas vers le cours...

3 Quels moyens utilise-t-on pour stocker davantage de données sur un disque optique ?

La transmission d'informations peut être libre, c'est-à-dire assurée par des ondes électromagnétiques émises dans toutes les directions de l'espace (Wi-Fi, radio, etc.), ou guidée dans des câbles électriques ou des fibres optiques.

1 Quels sont les procédés physiques de transmission d'informations ?

1.1 La propagation libre

Les ondes électromagnétiques émises par des antennes se propagent dans toutes les directions de l'espace. C'est la propagation libre.

Ces ondes, appelées ondes hertziennes (**activité 2**), peuvent être reçues par des récepteurs mobiles. C'est l'un des principaux avantages de ce mode de propagation. Une bande de fréquences spécifiques (doc. 1) doit être allouée à chaque dispositif.

Les possibilités d'utilisation des bandes de fréquences hertziennes arrivant à saturation, la France est passée en 2011 à la télévision numérique terrestre (TNT) qui utilise des bandes de fréquences plus étroites.

1.2 La propagation guidée

Transmission par câble électrique

Les câbles électriques sont utilisés pour transmettre des informations sous forme de signaux électriques (doc. 2 et **activité 1**). Ils peuvent être torsadés ou coaxiaux. La transmission par câbles est privilégiée pour de courtes distances, car :
– l'amortissement des signaux augmente avec la longueur du câble ;
– les champs électromagnétiques environnant les câbles déforment les signaux qui se propagent dans ces mêmes câbles.

Transmission par fibre optique

Les informations sont transmises dans les fibres optiques sous forme d'ondes électromagnétiques (radiations) visibles ou proches du visible (**activité 3**). Les radiations se propagent sur de très longues distances avec très peu d'atténuation. Elles sont insensibles aux perturbations électromagnétiques (**activité 1**). Une fibre optique se compose de trois parties : la protection en plastique, la gaine et le cœur.

L'indice de réfraction du cœur est supérieur à celui de la gaine.

On distingue plusieurs types de fibres :

• **Les fibres multimodales** (doc. 3a et 3b)
Les radiations subissent des réflexions successives dans la fibre. Le trajet de la radiation est donc supérieur à la longueur de la fibre. Des radiations émises simultanément peuvent avoir des trajets (modes) différents et donc des durées de parcours différentes. Le signal en sortie est dégradé par rapport au signal d'entrée, car il s'étale dans le temps.
Les fibres multimodales à saut d'indice ne sont plus utilisées aujourd'hui.
Les fibres multimodales à gradient d'indice sont utilisées sur de courtes distances.

• **Les fibres monomodales** (doc. 3c)
Le signal subit peu de réflexions successives. L'étalement dans le temps du signal de sortie par rapport au signal d'entrée est plus faible que dans le cas d'une fibre multimodale.

Les fibres monomodales, difficiles à mettre en œuvre, sont utilisées sur des longues distances (réseaux sous-marins).

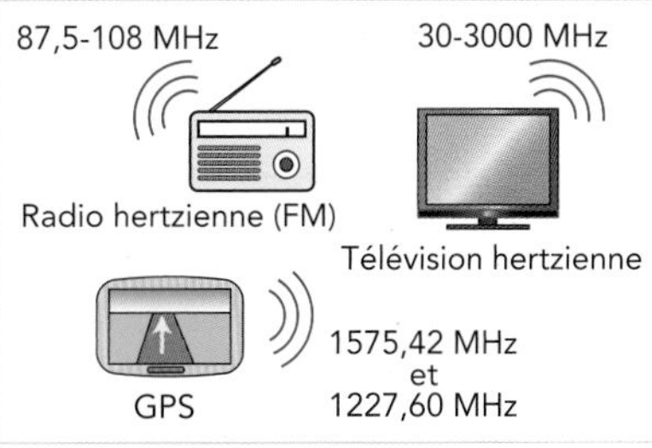

Doc. 1 Bandes de fréquences d'ondes électromagnétiques de quelques dispositifs de propagation libre.

Doc. 2 Câbles de transmission.

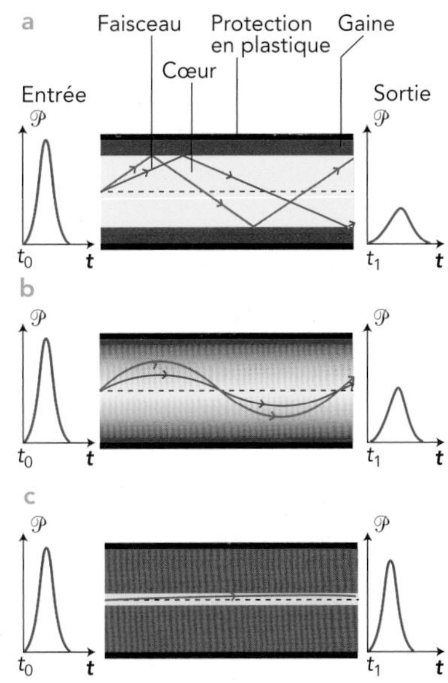

Doc. 3 a. **Fibre multimodale à saut d'indice :** l'indice de réfraction varie brusquement entre le cœur et la gaine.
b. **Fibre multimodale à gradient d'indice :** l'indice de réfraction varie progressivement entre le cœur et la gaine.
c. **Fibre monomodale :** le diamètre du cœur est de l'ordre de grandeur des longueurs d'onde des radiations.

1.3 Atténuation d'un signal

La puissance lumineuse d'un signal à la sortie d'une fibre optique ou la puissance électrique à la sortie d'un câble est inférieure à la puissance du signal à l'entrée. Cette observation est généralisable à toute propagation de signal.

Lors de sa propagation, tout signal est atténué.

L'atténuation ou l'affaiblissement A d'un signal est lié au rapport $\frac{\mathcal{P}_e}{\mathcal{P}_s}$.

$\mathcal{P}_e$ est la puissance du signal à l'entrée et $\mathcal{P}_s$ sa puissance à la sortie.
En pratique, on utilise une échelle logarithmique pour le mesurer :

$$A = 10 \log \left(\frac{\mathcal{P}_e}{\mathcal{P}_s}\right)$$

A s'exprime en décibel (dB).

L'atténuation A d'un signal se propageant dans un câble ou une fibre optique dépend notamment de la longueur L du câble ou de la fibre.
Le coefficient α d'atténuation linéique est défini par :

$$\alpha = \frac{A}{L} = \frac{10}{L} \log \left(\frac{\mathcal{P}_e}{\mathcal{P}_s}\right)$$

Il s'exprime en $dB \cdot m^{-1}$.

Pour les télécommunications à longue distance par fibre optique, le signal est une radiation de longueur d'onde égale à 1,55 µm. Le coefficient α est alors proche de 2×10^{-4} $dB \cdot m^{-1}$.
Un câble coaxial utilisé pour l'installation des antennes satellites (doc. 4) peut avoir un coefficient α d'atténuation de 0,2 $dB \cdot m^{-1}$.

Point math

Le logarithme décimal (noté log) est la fonction réciproque de la fonction :
$f(x) = 10^x$

On retiendra que si $x = \log y$, alors $y = 10^x$. Dans ces relations, $y > 0$.

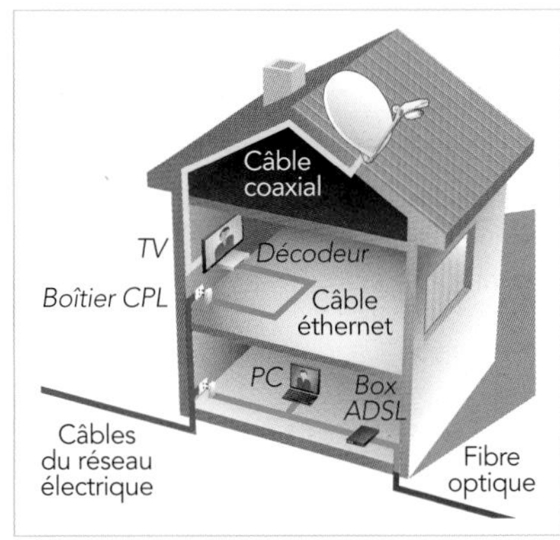

Doc. 4 La propagation par câble dans une maison.

1.4 Le débit binaire de données numériques

Le **débit binaire** mesure la quantité de données numériques transmises par unité de temps. Il est caractéristique des transmissions numériques.
Si l'information comporte n bits émis pendant la durée Δt, le débit binaire D est défini par la relation :

$$D = \frac{n}{\Delta t}$$

D s'exprime en bit par seconde ($bit \cdot s^{-1}$). La durée Δt est exprimée en seconde (s).

Le débit est limité par la cadence avec laquelle les signaux sont émis par l'encodeur et lus par le décodeur.

Voir exercices 1, p. 551, et 5 à 14, p. 553-554.

2 Comment stocker et lire des données sur un disque optique ?

2.1 Lecture d'un disque gravé industriellement

Sur les CD, DVD et BD gravés industriellement, les données sont codées sous la forme d'une succession de creux (*pits*) et de plats (*lands*) disposés sur une spirale à partir du centre du disque (**activité 4**).

Lorsque la lumière du laser arrive sur un plat, il se forme des interférences constructives entre les faisceaux réfléchis. L'intensité de la lumière reçue par le lecteur est maximale (**activité 4** et doc. 5a).

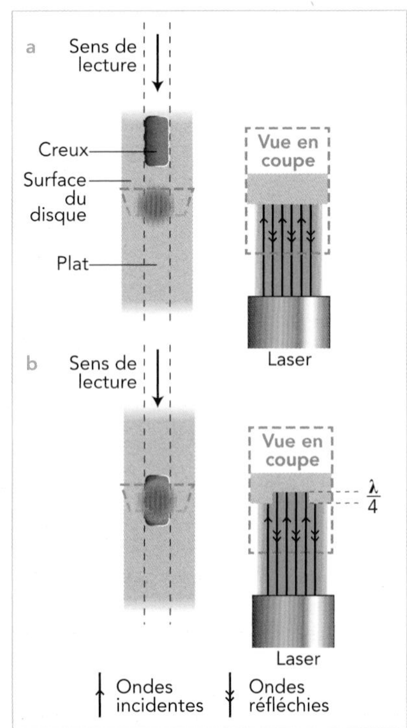

Doc. 5 Faisceau atteignant un plat (a) ou un creux (b).

Lorsque la lumière atteint un creux, une partie est réfléchie par le creux et une autre par la surface du disque. La profondeur du creux étant égale au quart de la longueur d'onde de la radiation utilisée, il se forme des interférences (**chapitre 3**) destructives entre les faisceaux réfléchis. L'intensité de la lumière reçue par le capteur diminue (**activité 4** et doc. 5b).

La variation d'intensité lumineuse permet de décoder l'information numérique.

Le principe de la lecture des disques optiques gravés industriellement repose sur des interférences entre les faisceaux du laser réfléchis par les différentes zones du disque.

2.2 Écriture et lecture d'un disque gravé « à la maison »

- Lors de l'écriture sur un disque acheté vierge, une couche de colorant organique est brulée par le faisceau laser d'écriture. La puissance du laser lors de l'écriture est plus importante que lors de la lecture.
- À la lecture, les zones brulées absorbent la lumière. Au contraire, les zones non brulées réfléchissent la lumière du laser. La mesure des différentes intensités de lumières réfléchies permet de décoder l'information numérique.

Voir exercices 2, p. 551, et 15, p. 554.

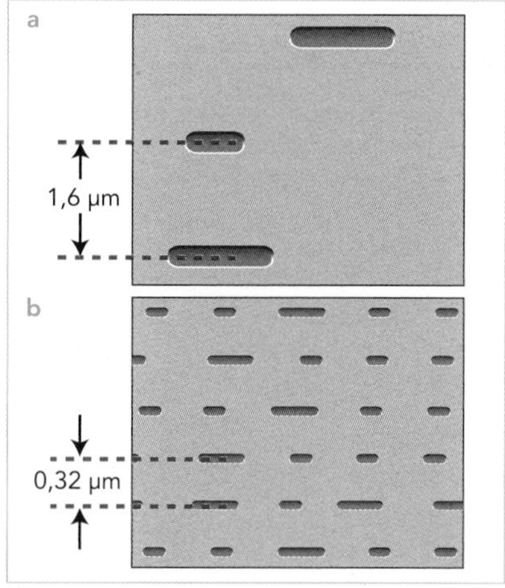

Doc. 6 Écartement des lignes contigües de creux et de plats d'un CD (a) et d'un BD (b).

3 Comment augmenter la capacité de stockage ?

- Allonger la piste permet d'augmenter la capacité de stockage. Sans modifier la taille du disque, cela revient à resserrer la spirale en diminuant la largeur des creux et des plats. Pour une lecture correcte, le faisceau laser doit être le plus étroit possible pour ne pas intercepter deux lignes contigües de creux et de plats (**activité 5** et doc. 6).
- Le diamètre d du faisceau laser dépend de la longueur d'onde de la radiation et de l'ouverture numérique (NA) qui dépend de l'émetteur laser (**activité 5** et doc. 7).

Pour un spot circulaire, le diamètre d est donné par la relation :

$$d = 1{,}22\frac{\lambda}{NA}$$

La diminution de la longueur d'onde de la radiation et l'augmentation de l'ouverture numérique de l'émetteur laser permettent de diminuer le diamètre du faisceau.

Le phénomène de diffraction impose, pour une radiation de longueur d'onde donnée, un diamètre minimal au faisceau. La capacité de stockage des disques optiques est donc limitée.

- La diminution de la longueur d'onde de la radiation du laser pour augmenter la capacité de stockage à la surface des disques optiques amènerait à l'utilisation de lasers ultraviolets ayant actuellement un coût élevé.
- La gravure de disques dans tout leur volume et non plus seulement en surface commence à être envisagée pour augmenter les capacités de stockage (doc. 8).

Voir exercices 3, p. 551, et 16 à 17, p. 554.

	Capacité	NA	λ (nm)
CD	750 Mio	0,45	780
DVD	4,4 Gio	0,60	650
BD	23 Gio	0,85	405

Doc. 7 Caractéristiques de disques optiques.
Rappels : 1 Kio = 2^{10} octets ; 1 Mio = 2^{20} octets ; 1 Gio = 2^{30} octets.

Doc. 8 Disque holographique, dans lequel les informations sont inscrites dans tout le volume du disque.

Essentiel

Procédés physiques de transmission

Propagation libre et propagation guidée

– **Propagation libre :** les ondes électromagnétiques se propagent dans toutes les directions de l'espace. C'est la transmission hertzienne. Les informations peuvent être transmises à des récepteurs mobiles.

– **Propagation guidée :** les informations sont transmises par des câbles électriques ou des fibres optiques. Dans les câbles électriques, les informations sont transmises sous forme de signaux électriques. Ces signaux s'amortissent rapidement et sont perturbés par les champs électromagnétiques environnants.

Dans les fibres optiques, les informations sont transmises sous forme de radiations visibles ou non. Les fibres assurent la transmission des informations sur de longues distances avec très peu d'atténuation.

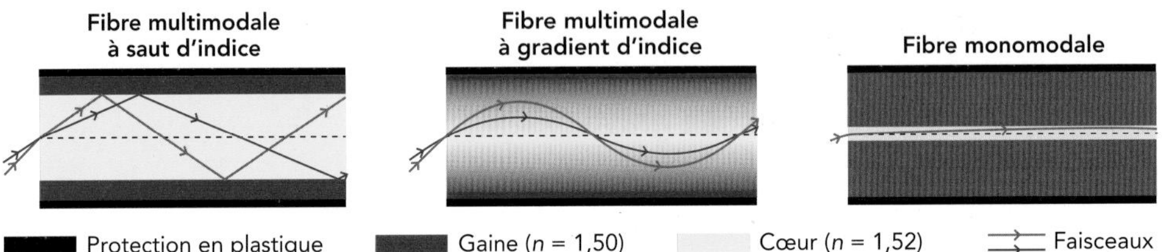

Une fibre monomodale limite l'étalement temporel du signal transmis par rapport au signal émis.

Atténuation ou affaiblissement d'un signal

Le coefficient α d'atténuation linéique caractérise l'atténuation du signal entre l'entrée et la sortie d'un guide de transmission (fibre optique ou câble électrique).

Il est défini par $\alpha = \frac{10}{L} \log\left(\frac{\mathcal{P}_e}{\mathcal{P}_s}\right)$.

α s'exprime en $dB \cdot m^{-1}$; L désigne la longueur du guide de transmission exprimée en m ; $\mathcal{P}_e$ et $\mathcal{P}_s$ sont respectivement les puissances mesurées à l'entrée et à la sortie du guide.

Débit binaire de données numériques

Le débit binaire mesure la quantité de données numériques transmises par unité de temps.

Si l'information comporte n bits émis pendant la durée Δt, le débit binaire est défini par $D = \frac{n}{\Delta t}$.

D s'exprime en bit par seconde ($bit \cdot s^{-1}$), la durée Δt en seconde (s).

Stockage et lecture des données sur un disque optique

Le principe de la lecture des disques optiques gravés industriellement repose sur des interférences entre les faisceaux du laser réfléchis par les différentes zones du disque.

L'intensité de la lumière réfléchie par un creux et par la surface du disque est inférieure à l'intensité de la lumière réfléchie par un plat et par la surface du disque. Lors de la rotation du disque, les variations de l'intensité permettent de décoder l'information numérique inscrite sur le disque.

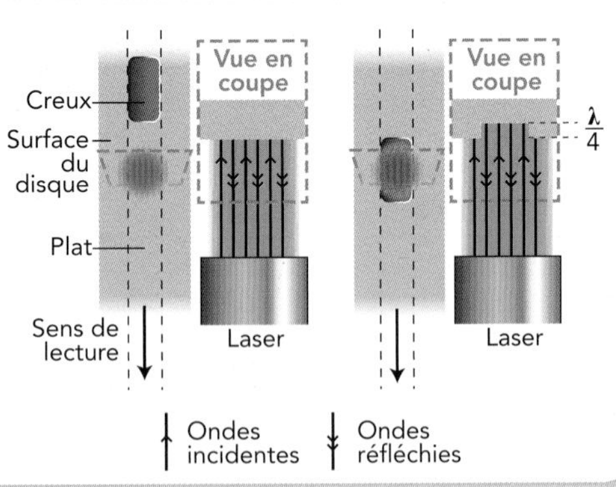

Augmentation de la capacité de stockage

Pour augmenter la capacité de stockage d'un disque, il faut augmenter le nombre de creux et de plats. Cela suppose la diminution du diamètre du faisceau laser de lecture. Or, le phénomène de diffraction impose, pour une radiation de longueur d'onde donnée, un diamètre minimal au faisceau.

Diminuer la longueur d'onde de la radiation du laser permet de diminuer le diamètre du faisceau de lecture. Le lecteur peut ainsi lire des disques de plus grande capacité (passage du CD au DVD, puis au BD).

Pour chaque question, indiquer la (ou les) bonne(s) réponse(s).

Voir corrigés, p. 606.

1 Procédés physiques de transmission

	A	B	C
1. La fibre optique représentée ci-dessous est une fibre :	monomodale.	multimodale à saut d'indice.	multimodale à gradient d'indice.
2. Le coefficient d'atténuation linéique dans un milieu donné s'exprime par : $\alpha = \frac{10}{L} \log\left(\frac{\mathcal{P}_e}{\mathcal{P}_s}\right)$ **Le rapport** $\left(\frac{\mathcal{P}_e}{\mathcal{P}_s}\right)$ **s'exprime alors par :**	$\frac{\alpha \cdot L}{10}$	$e^{\frac{\alpha \cdot L}{10}}$	$10^{\frac{\alpha \cdot L}{10}}$
3. Le coefficient d'atténuation linéique d'un signal dans une fibre optique est égal à 20 dB·km^{-1}. Sur un tronçon de ligne de 100 m, le rapport $\left(\frac{\mathcal{P}_e}{\mathcal{P}_s}\right)$ **des puissances des signaux d'entrée et de sortie est de :**	1,6.	2.	10^2.
4. ***Données :*** **1 Gio = 2^{30} octets ; 1 Mio = 2^{20} octets. Pour télécharger un fichier de 4,5 Gio au débit constant de 1,5 Mio·s^{-1}, il faut environ :**	$3{,}1 \times 10^3$ s.	3,0 s.	3,3 ms.

Si erreur, revoir § 1, p. 547.

2 Stockage et lecture des données sur un disque optique

	A	B	C
1. La lecture des disques optiques gravés industriellement :	repose sur des interférences optiques.	nécessite un faisceau laser.	se fait grâce à une succession de creux et de plats.
2. La lecture des disques optiques gravés à la maison :	repose sur des interférences optiques.	nécessite un faisceau laser.	se fait grâce à une succession de creux et de plats.

Si erreur, revoir § 2, p. 548.

3 Augmentation de la capacité de stockage

	A	B	C
1. La capacité de stockage des DVD est supérieure à celle des CD, car :	la piste d'écriture est plus longue.	la taille des DVD est supérieure à la taille des CD.	la longueur des creux et des plats d'un DVD est inférieure à celle d'un CD.
2. Du CD au DVD, puis au BD :	la capacité de stockage augmente.	la longueur d'onde de la radiation du laser augmente.	la longueur de la piste augmente.
3. Le phénomène physique qui limite la capacité de stockage des disques optiques est :	le phénomène de diffraction.	le phénomène d'interférences.	le phénomène de réfraction.

Si erreur, revoir § 3, p. 549.

Exercice résolu

COMPÉTENCES
- Exploiter un graphique.
- Exploiter une relation.

4 Évaluer l'atténuation du signal dans une fibre optique

Coefficient d'atténuation (dB·km⁻¹)
100
10
1
0,1
0,01
0,6 0,8 1,0 1,2 1,4 1,6
Longueur d'onde (µm)

Énoncé

La puissance lumineuse d'un signal transmis par une fibre optique décroît avec la distance qu'il parcourt. Le coefficient d'atténuation linéique α caractérise cette décroissance. Il est défini par la relation :

$$\alpha = \frac{10}{L} \log\left(\frac{\mathcal{P}_e}{\mathcal{P}_s}\right)$$

α est exprimé en décibel par unité de longueur, L est la longueur de la fibre, $\mathcal{P}_e$ et $\mathcal{P}_s$ sont respectivement les puissances d'entrée et de sortie du signal.

Ce coefficient d'atténuation α dépend du matériau et de la longueur d'onde λ de la radiation utilisée. Le graphique ci-dessus représente le coefficient d'atténuation linéique dans une fibre optique en fonction de la longueur d'onde de la radiation utilisée.

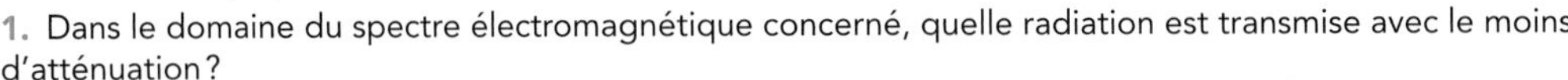

1. Dans le domaine du spectre électromagnétique concerné, quelle radiation est transmise avec le moins d'atténuation ?
2. Calculer alors pour cette radiation le rapport des puissances d'entrée et de sortie $\left(\frac{\mathcal{P}_e}{\mathcal{P}_s}\right)$ pour une fibre de 100 km de longueur.
3. Lequel des phénomènes suivants peut être à l'origine du pic observé pour $\lambda \approx 1{,}4$ µm ?

La diffraction ; la transmission ; l'absorption ; la réfraction ; la réflexion.

Conseils

1. Le minimum d'atténuation correspond au point de la courbe ayant l'ordonnée la plus petite. On cherche l'abscisse de ce point.

2. Il faut tout d'abord lire le coefficient α correspondant (attention à l'échelle logarithmique en ordonnée) puis extraire le rapport $\left(\frac{\mathcal{P}_e}{\mathcal{P}_s}\right)$ de la relation donnant l'expression du coefficient α.

3. Il faut connaître les conséquences des différents phénomènes cités sur l'atténuation d'un faisceau lumineux. La longueur d'onde $\lambda = 1{,}4$ µm correspond à une atténuation importante de la radiation (diminution de la puissance transmise).

Solution rédigée

1. On observe le minimum d'atténuation pour :

$\lambda \approx 1{,}6$ µm.

2. Pour $\lambda \approx 1{,}6$ µm, le coefficient d'atténuation α vaut 0,2 dB · km⁻¹.

$$\left(\frac{\mathcal{P}_e}{\mathcal{P}_s}\right) = 10^{\frac{\alpha \cdot L}{10}} = 10^{\frac{0{,}2 \times 100}{10}} = \mathbf{100}$$

La puissance du signal de sortie est 100 fois plus faible que celle du signal d'entrée.

3. L'atténuation est particulièrement importante pour $\lambda = 1{,}4$ µm. Une radiation ayant cette longueur d'onde n'est pas correctement transmise. Le phénomène qui peut provoquer une atténuation importante est l'**absorption** de la radiation par le matériau.

Application immédiate

Le coefficient d'atténuation d'une fibre optique en polyméthacrylate de méthyle (matière plastique) évolue en fonction de la longueur d'onde de la radiation transmise comme le montre le graphique ci-contre.

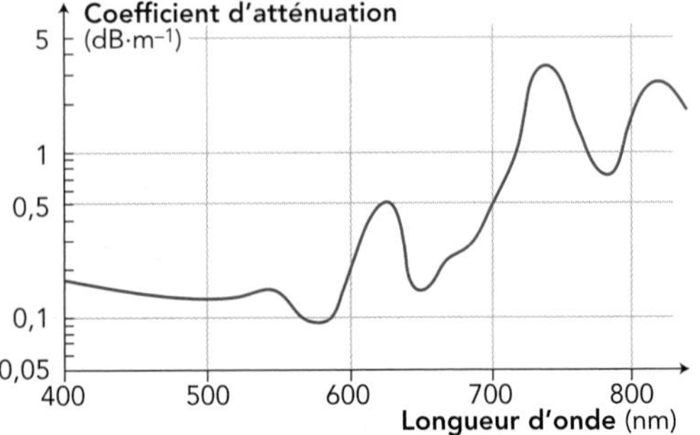

1. Pour une radiation de longueur d'onde égale à 700 nm, calculer le rapport des puissances d'entrée et de sortie $\frac{\mathcal{P}_e}{\mathcal{P}_s}$ pour 100 m de fibre.
2. Quelles sont les longueurs d'onde des radiations les plus absorbées ?

Voir corrigés, p. 606.

Compétences exigibles au baccalauréat

- ✔ Exploiter des informations pour comparer les différents types de transmission. ➲ activité 1
- ✔ Caractériser une transmission numérique par son débit binaire. ➲ exercices 13 et 14
- ✔ Évaluer l'affaiblissement d'un signal à l'aide du coefficient d'atténuation. ➲ exercices 10 et 11
- ✔ *Mettre en œuvre un dispositif de transmission de données (câble, fibre optique).* ➲ activités 2 et 3
- ✔ Expliquer le principe de la lecture par une approche interférentielle. ➲ activité 4 ➲ exercices 15 et 21
- ✔ Relier la capacité de stockage et son évolution au phénomène de diffraction. ➲ activité 5 ➲ exercices 16 et 23

Pour commencer

Quels sont les procédés physiques de transmission d'informations ?

5 Identifier des types de propagation

1. Dans les situations suivantes, identifier le support de transmission et préciser la nature du signal :
   - télégraphe filaire ;
   - radio FM ;
   - télévision dite « par câble » ;
   - interphone de surveillance d'un bébé.
2. Indiquer dans chaque cas si la propagation des ondes est libre ou guidée.

6 Connaître la propagation libre

1. Citer trois appareils qui reçoivent l'information par propagation libre.
2. Quel est le principal intérêt de ce mode de propagation ?

7 Connaître la propagation guidée par câble

1. Citer trois appareils qui reçoivent l'information par câble électrique.
2. Citer les deux principaux inconvénients de ce mode de propagation.

8 Décrire une fibre optique

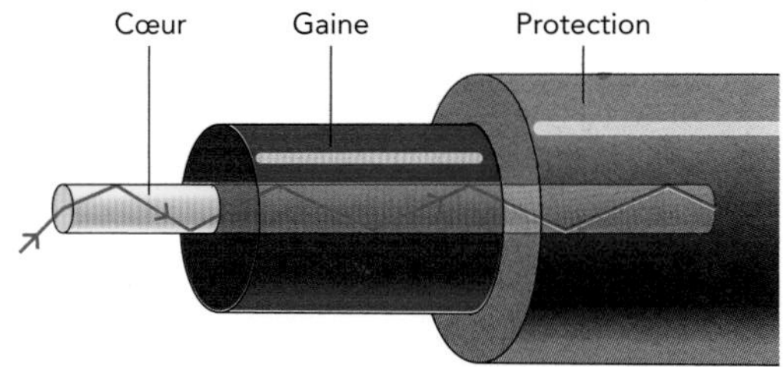

1. Que représente la ligne brisée bleue ?
2. Quel est le nom du phénomène physique qui permet la propagation du signal dans une fibre ?
3. Quel milieu (cœur ou gaine) doit avoir l'indice de réfraction le plus élevé pour que ce phénomène ait lieu ?

9 Décrire une fibre multimodale à gradient d'indice

Schématiser une fibre multimodale à gradient d'indice en faisant apparaître le trajet d'un rayon lumineux transportant l'information.

10 Exploiter un coefficient d'atténuation

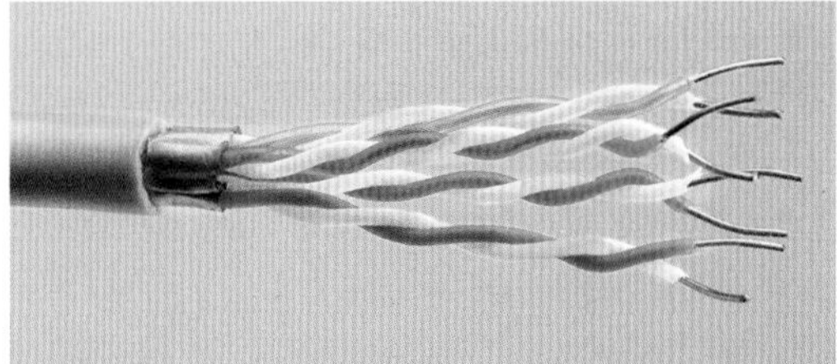

Le coefficient d'atténuation linéique d'un signal sur une ligne en câbles torsadés vaut 0,20 $\text{dB} \cdot \text{m}^{-1}$. Quelle est la puissance de sortie du signal si sa puissance d'entrée est égale à 5,0 mW sur un câble de 1,0 m ?

11 Évaluer l'affaiblissement d'un signal

Pour les télécommunications à longue distance, on utilise une radiation de longueur d'onde dans le vide égale à 1,55 µm se propageant dans une fibre optique. Le coefficient d'atténuation linéique α vaut $2{,}0 \times 10^{-4}$ $\text{dB} \cdot \text{m}^{-1}$.

Quel est le rapport $\left(\dfrac{\mathcal{P}_e}{\mathcal{P}_s}\right)$ des puissances d'entrée et de sortie pour une fibre optique de 32 km de longueur ?

12 Calculer un coefficient d'atténuation linéique

La maîtrise des procédés de fabrication des fibres optiques permet de limiter considérablement leur coefficient d'atténuation linéique.

Par exemple, il reste 1,00 % de la puissance d'entrée après une propagation sur une distance de 100 km de signaux de longueur d'onde dans le vide égale à 1550 nm. Cette puissance est suffisante pour que ces signaux soient détectés.

Quel est le coefficient d'atténuation linéique ?

➲ Voir, si nécessaire, l'exercice résolu 4, p. 552.

13 Calculer un débit binaire

Le signal suivant est codé par un 0 en l'absence de tension électrique et par un 1 pour une tension positive.

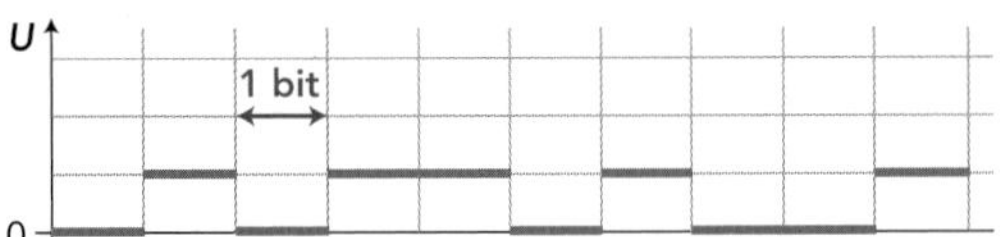

1. Quel est le nombre binaire codé sur cette figure ?

2. Quelle est la durée de transmission de ce signal numérique si le débit binaire est de 1 Mibit·s^{-1} ?

Rappel : 1 Mibit = 2^{20} bits.

14 Calculer le débit binaire d'une vidéo

La définition d'une image numérisée d'une vidéo est de 600 × 450 pixels. Chacun des pixels peut prendre 32 valeurs d'intensités lumineuses différentes. La vidéo est transmise à 30 images par seconde.

1. Combien de pixels comporte cette image ?

2. a. Quel est le nombre de bits permettant de coder une image ?
b. En déduire le débit binaire *D* de ce mode de transmission.

Comment stocker et lire des données sur un disque optique ?

15 Connaître le principe de lecture des disques gravés industriellement

1. Quel est le phénomène optique mis en jeu lors de la lecture de disques gravés industriellement ?

2. Schématiser le disque vu en coupe et représenter les rayons lumineux.

Comment augmenter la capacité de stockage ?

16 Connaître une conséquence de la diffraction

1. Décrire le phénomène de diffraction d'un faisceau laser.

2. Pourquoi ce phénomène limite-t-il les capacités de stockage des disques optiques ?

17 Connaître les caractéristiques du DVD et du BD

La longueur d'onde de la radiation du laser utilisée pour lire les DVD est de 650 nm et celle pour lire les BD est de 405 nm.
Expliquer pourquoi la capacité de stockage des BD est plus grande que celle des DVD.

Pour s'entraîner

18 Connaître le principe de la lecture des disques réinscriptibles

COMPÉTENCES Extraire des informations ; raisonner.

La surface d'un disque DVD-RW réinscriptible est constituée d'un composé polycristallin déposé sur une couche réfléchissante.
Le laser utilisé lors de l'enregistrement fonctionne à deux niveaux différents de puissance :
– un niveau élevé qui permet de chauffer le composé polycristallin pour le rendre opaque ;
– un niveau faible qui le chauffe plus légèrement et permet de le rendre transparent.
Lors de la lecture, quand le faisceau laser rencontre une partie opaque, il est absorbé ; sinon, il est réfléchi.

1. Quel est l'intérêt d'un disque réinscriptible ?

2. Quel est le principe de l'écriture sur un disque réinscriptible ?

3. Sur quels principes physiques repose la lecture d'un DVD-RW réinscriptible ?

19 Décodage d'un fragment binaire

COMPÉTENCES Exploiter un graphique ; raisonner.

L'information gravée sur un disque permet d'obtenir un signal électrique (courbe bleue). La courbe noire correspond au signal de l'horloge de lecture ; le code binaire est lu à chaque front montant du signal de l'horloge.

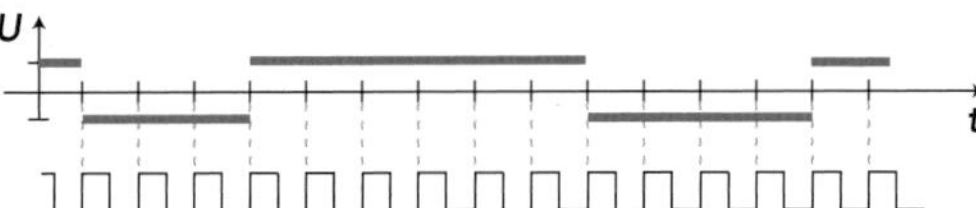

Un changement de tension est codé « 1 » et une tension constante est codée « 0 ». Quel est le nombre binaire codé sur cette partie de piste du disque ?

20 À chacun son rythme 

COMPÉTENCES Raisonner ; calculer.

Cet exercice est proposé à deux niveaux de difficulté. Dans un premier temps, essayer de résoudre l'exercice de niveau 2. En cas de difficultés, passer au niveau 1.

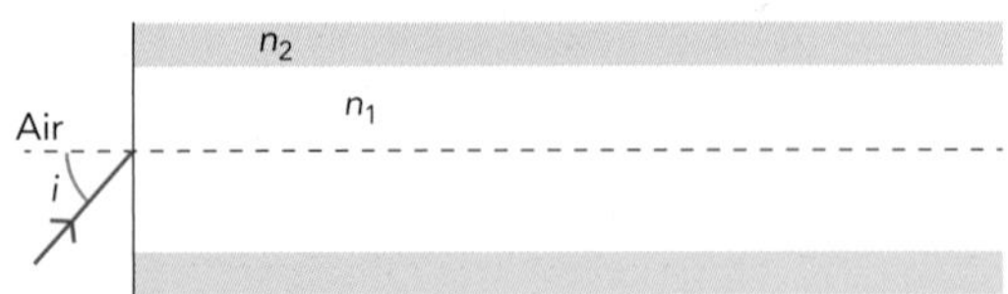

Une fibre optique à saut d'indice est constituée d'un cœur cylindrique transparent d'indice n_1 entouré d'une gaine transparente d'indice n_2 et d'une protection opaque.

Un faisceau laser modélisé sur le schéma par le rayon rouge pénètre dans le cœur de la fibre avec un angle d'incidence i. L'indice de réfraction de l'air est $n = 1{,}00$.

Données : pour la radiation rouge considérée, $n_1 = 1{,}50$ et $n_2 = 1{,}49$.

Niveau 2 (énoncé compact)

Donner un encadrement de l'angle d'incidence i pour que le rayon se propage dans la fibre.

Niveau 1 (énoncé détaillé)

1. On note r l'angle de réfraction à l'intérieur de la fibre et i' l'angle d'incidence avec lequel le rayon lumineux atteint la surface séparant le cœur de la gaine.

Rappeler la loi de Snell-Descartes lors de la réfraction du rayon entre l'air et le cœur de la fibre.

2. a. Reproduire le schéma et faire apparaître la marche du rayon réfracté, ainsi que les angles r et i'.

b. Quelle est la relation entre les angles i' et r ?

3. Calculer l'angle d'incidence limite de la surface séparant le cœur de la gaine.

4. En déduire un encadrement de l'angle i pour que le rayon lumineux se propage dans la fibre.

21 Principe de la lecture optique

COMPÉTENCE **Raisonner.**

On s'intéresse à la lecture d'un disque gravé industriellement.

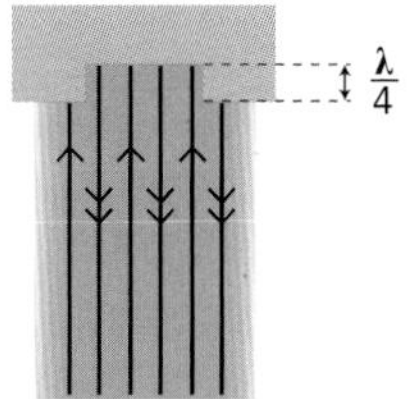

1. a. Exprimer la différence de marche δ entre le faisceau réfléchi par un creux et celui réfléchi par la surface du disque en fonction de la longueur d'onde λ de la lumière laser.

b. Quel type d'interférences obtient-on ?

2. Dans quel cas l'intensité lumineuse captée par le lecteur optique augmente-t-elle ?

22 Débit binaire d'un lecteur optique

COMPÉTENCE **Calculer.**

La qualité d'un lecteur de disque optique dépend de sa vitesse de lecture : 1× permet de transférer les données à 1,38 Mio par seconde pour un DVD contre 176 Kio par seconde pour un CD.

1. Calculer le débit binaire de lecture d'un lecteur de DVD de vitesse de lecture 16× qui est 16 fois plus rapide qu'un lecteur 1×.

2. Quelle est la durée nécessaire pour lire 4,4 Gio de données depuis un DVD à 16× ?

3. Quelle est la quantité d'informations transférées depuis un CD pendant la même durée à la vitesse 16× ? L'exprimer en Mio.

Données : 1 Gio = 2^{30} octets ; 1 Mio = 2^{20} octets ; 1 octet = 8 bits.

23 Bac Les CD, DVD et BD au banc d'essais

COMPÉTENCES **Exploiter un schéma ; rédiger.**

Depuis vingt-cinq ans sont apparus de nouveaux disques qui ont délogé les disques vinyles, les cassettes audio et vidéo.
Ces disques optiques, CD, DVD, puis BD, stockent plus de données, permettent une restitution audio et vidéo de meilleure qualité et sont moins fragiles que les anciens supports.
La lecture des données se fait par un phénomène d'interférences entre les faisceaux réfléchis de la radiation laser. Ces interférences sont possibles grâce à la succession de plats et de creux sur la surface du disque.

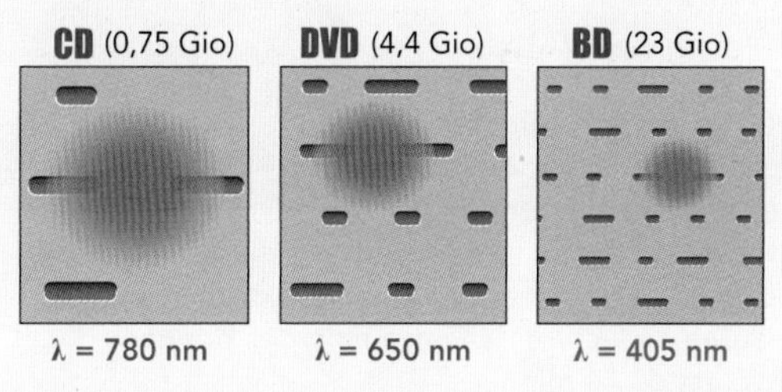

1. Quelles sont les capacités respectives de stockage d'un CD, d'un DVD et d'un BD ?

2. Comparer qualitativement, à l'aide du schéma, la distance séparant deux lignes consécutives d'écriture des données sur ces trois types de disques sachant que les échelles sont approximativement les mêmes.

3. Que dire du diamètre des faisceaux lasers utilisés ?

4. a. Quel phénomène limite la réduction du diamètre du faisceau laser ?

b. En quoi l'évolution de la longueur d'onde de la radiation du laser de lecture du CD au BD permet-elle de contourner ce problème ?

5. Le schéma de l'exercice 21 illustre les interférences destructives qui se produisent lors du passage d'un creux devant le faisceau laser.

a. Rappeler, dans ce cas, la relation entre la différence de marche δ et la longueur d'onde λ du faisceau laser.

b. En déduire la relation entre la longueur d'onde λ et la profondeur minimale des creux d'un disque optique.

6. a. Vérifier que la profondeur d'un creux de CD est égale à 0,13 µm.

Rappel : Les creux et les plats sont protégés par une couche protectrice de polycarbonate d'indice de réfraction $n = 1{,}55$ pour la radiation considérée.

b. La profondeur des creux de DVD ou de BD peut-elle être la même que celle des creux de CD ?

24 Films sur disque Blu-ray 

COMPÉTENCES Raisonner ; calculer.

Les disques Blu-ray (BD) sont de nouveaux supports de stockage de films. Un disque Blu-ray double couche peut contenir 46 Gio de données.
Lors de la lecture, le débit binaire d'une vidéo est de 0,023 $\text{Gibit} \cdot \text{s}^{-1}$.

Quelle durée de films lus à ce débit peut-on stocker sur ce BD ?

Données :
1 Gio = 2^{30} octets ; 1 octet = 8 bits.

25 CD audio

COMPÉTENCES Raisonner ; calculer.

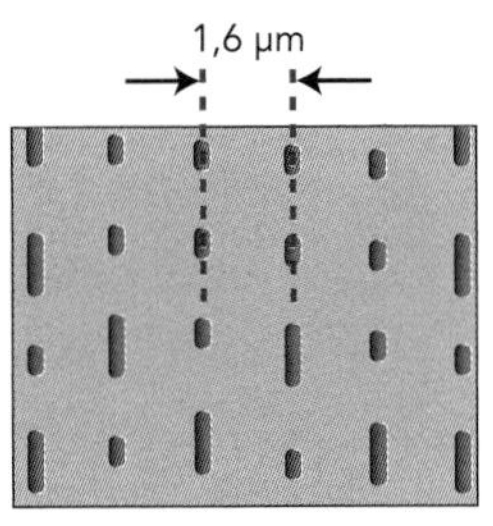

Les spécifications du disque compact recommandent une vitesse linéaire de lecture de valeur égale à 1,22 $\text{m} \cdot \text{s}^{-1}$.
Cela correspond à une vitesse de rotation de 500 tours par minute au passage de la diode laser près du bord intérieur du disque optique, et de 200 tours par minute près du bord extérieur.
La durée de lecture de l'ensemble des données d'un CD audio est de 74 min.
La distance séparant deux lignes côte à côte est égale à 1,6 µm.

1. Expliquer pourquoi la vitesse de rotation varie entre le bord intérieur et le bord extérieur du disque compact.
2. Calculer le rayon de la ligne la plus proche du centre et celui de la ligne la plus éloignée.
3. Combien y-a-t-il de lignes sur un CD audio ?
4. Évaluer la longueur de la piste.

26 Stockage sur un DVD

COMPÉTENCES Extraire des informations ; calculer.

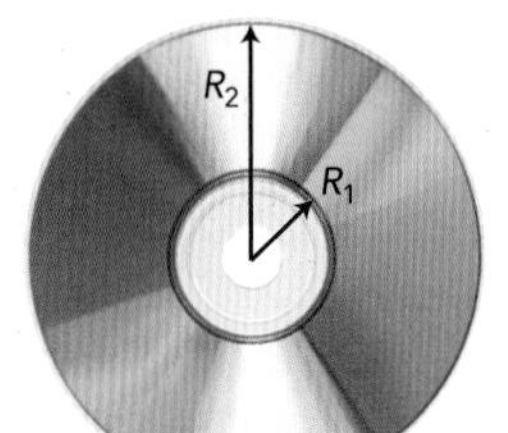

On détermine la largeur a séparant deux lignes consécutives d'un DVD en l'éclairant par un laser et en exploitant la figure d'interférences observée.
On obtient ainsi :

$$a = (0{,}74 \pm 0{,}05)\ \mu\text{m}$$

La plage de données du DVD est comprise entre les rayons $R_1 = (2{,}25 \pm 0{,}05)$ cm et $R_2 = (5{,}90 \pm 0{,}05)$ cm.

Sa capacité de stockage indiquée par le constructeur est de 4,38 Gio.

1. Calculer la surface S contenant des données.
Évaluer l'incertitude sur S à partir de son expression :

$$U(S) = 2\pi\sqrt{(R_1 \times U(R_1))^2 + (R_2 \times U(R_2))^2}$$

2. a. Calculer la longueur L de la piste sur laquelle sont inscrits les creux et les plats.
b. Estimer l'incertitude $U(L)$ associée sachant que :

$$U(L) = L \cdot \sqrt{\left(\frac{U(S)}{S}\right)^2 + \left(\frac{U(a)}{a}\right)^2}$$

3. Évaluer la longueur de piste utilisée pour le codage d'un bit.

Données :
1 Gio = 2^{30} octets ; 1 octet = 8 bits.

27 What are QR Codes ?  

COMPÉTENCES Extraire des informations ; calculer.

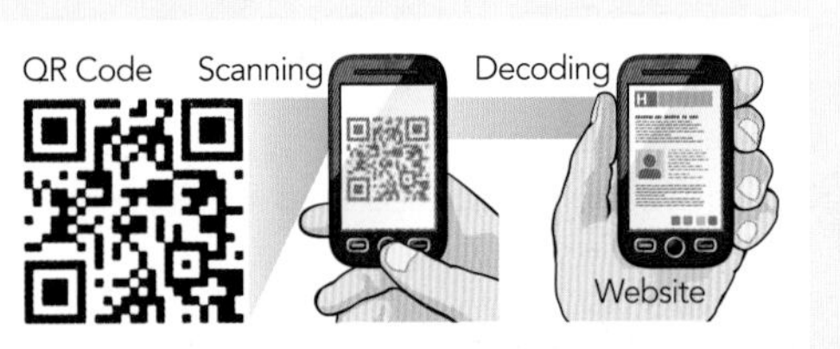

A QR Code (Quick Response) is the most popular among of two-dimensional (matrix) barcodes. It consists of a square area of black pixels on a white background
QR Codes can store up to 7 089 numeric characters, 4 296 alphanumeric, 2 953 bytes*.
A QR Code may contain: a short text containing numeric or alphanumeric characters (telephone number, calling card), or a link to a URL. A QR Code on a product packaging helps create a direct link between the product and a web site via a mobile phone (see diagram).
QR Code coding requires a program to transform alphanumeric characters into pixels following the standard defined by the inventor Denso Wave Incorporated.

*1 byte = 1 octet.

1. Qu'est-ce qui différencie le QR Code et le code barre ?
2. Quels types d'informations y sont codés ?
3. a. Sous quelle forme est transmise l'information ?
b. Est-ce une propagation libre ou guidée ?
4. Sachant que chaque pixel est codé par 2 bits et que l'image d'un QR Code a une définition de 400 pixels de côté, quelle est la taille en Kio du fichier transportant l'information ?
5. Le texte en anglais ci-dessus pourrait-il être codé sur un QR Code ?
6. Quel outil doit-on utiliser pour créer un QR Code ou pour le décoder ?

Données :
1 Kio = 2^{10} octets ; 1 octet = 8 bits.

Pour aller plus loin

28 Chemin optique dans une fibre multimodale

COMPÉTENCES **Exploiter un graphique ; rédiger.**

Dans certaines fibres multimodales, les chemins suivis par les différents rayons lumineux n'ont pas la même longueur. Les durées de propagation sont donc différentes. Ce phénomène est appelé dispersion modale. La dispersion modale pose un problème pour le débit des informations transmises, car une information ne doit pas se mélanger avec la précédente ou la suivante.

Dans le cas de la fibre à saut d'indice, tous les trajets se font à la même vitesse ; les durées de propagation sont directement proportionnelles aux distances parcourues, et dépendent donc uniquement de l'angle d'incidence à l'entrée de la fibre. Pour limiter la dispersion modale, il faut que l'angle d'incidence (air-fibre) des rayons soit le plus proche de la normale. Le meilleur moyen est de réduire le diamètre du cœur.

Dans le cas de la fibre à gradient d'indice, l'indice diminue à mesure que l'on s'éloigne de l'axe, ce qui veut dire que la célérité augmente. Un trajet plus long est parcouru plus rapidement, et cela permet de réduire la dispersion modale. Il existe deux types de fibre à gradient d'indice : la fibre à gradient constant et celle à gradient linéaire.
Pour la fibre à gradient constant, la variation d'indice est linéaire en fonction de la distance à l'axe.
Pour la fibre à gradient linéaire, la variation d'indice est une fonction du second degré de la distance à l'axe. Cette configuration permet d'obtenir à peu de chose près un chemin optique constant, et donc d'obtenir un très grand débit.

1. Définir la dispersion modale.

2. Justifier, en les commentant, les phrases écrites en *italique* dans le texte.

3. Geneviève Tulloué a réalisé une simulation de fibre optique.
Aller sur le site http://www.ac-grenoble.fr/disciplines/spc/genevieve_tulloue et rechercher l'animation « fibre optique ». Sur cette simulation, l'information transmise est représentée par des petits créneaux.

Rechercher, à l'aide de cette simulation, la fibre donnant le moins de dispersion modale pour les mêmes indices extrêmes.

Un pas vers l'enseignement supérieur

29 Ouverture numérique d'une fibre optique

COMPÉTENCES **Raisonner.**

Pour qu'un rayon soit guidé dans une fibre, il faut que sa direction à l'entrée se situe dans un cône appelé cône d'acceptance, d'angle au sommet i_{max}. Un rayon hors du cône d'acceptance sera réfracté à la surface séparant le cœur de la gaine et quittera la fibre. Il sera alors perdu.

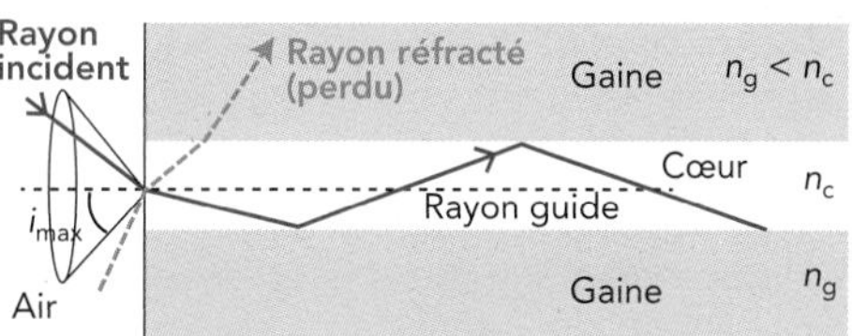

L'ouverture numérique (ON ou NA en anglais) d'une fibre optique est un paramètre important. Une forte ouverture numérique permet de transmettre une grande quantité de lumière, même à partir d'une source assez divergente.
L'ouverture numérique ON de la fibre est définie à partir de i_{max} par ON = sin i_{max}.

1. a. Établir la relation entre l'angle d'incidence i_{max} et l'angle de réfraction r (relation 1) lors de la réfraction entre l'air et le cœur.

b. Recopier le schéma de la fibre optique en faisant apparaître les angles i_{max} et r.

2. Pour que le rayon se propage dans la fibre, il doit subir une réflexion totale sur la surface séparant le cœur de la gaine. On note i'_{lim} l'angle d'incidence limite.
a. Représenter l'angle d'incidence limite i'_{lim} sur le schéma.
b. Que vaut l'angle de réfraction lorsque l'angle d'incidence est i'_{lim} ?

c. Démonter que $\sin i'_{lim} = \frac{n_g}{n_c}$ (relation 2).

n_c et n_g sont les indices de réfraction respectifs du cœur et de la gaine.

3. Exprimer l'angle r en fonction de i'_{lim}, puis $\sin r$ en fonction de i'_{lim} (relation 3).
On pourra utiliser le cercle trigonométrique ou la relation $\sin(a - b) = \sin a \cdot \cos b - \sin b \cdot \cos a$.

4. Déduire des relations 1, 2 et 3 l'égalité :

$$\sin i_{max} = \pm\sqrt{n_c^2 - n_g^2}$$

On considère que l'indice de l'air est égal à 1,00.

5. Faut-il que les indices du cœur et de la gaine soient proches ou très différents pour obtenir une grande ouverture numérique ?

Retour sur l'ouverture du chapitre

30 Bac Utiliser le réseau téléphonique pour surfer sur Internet

COMPÉTENCES Extraire et exploiter des informations ; calculer ; raisonner.

Affaiblissement des signaux

« Un courant électrique passant au travers d'un conducteur dissipe une partie de son énergie sous forme de chaleur (pertes par effet Joule). Il en résulte une diminution de la puissance de ce signal. Les pertes augmentent avec la résistance du câble. La résistance est elle-même fonction de la longueur du câble, de son diamètre et de sa résistivité* […] Les technologies xDSL** font passer des signaux électriques à haute fréquence dans les câbles téléphoniques, constitués de fils de cuivre. Compte tenu de ces hautes fréquences, un effet de peau*** apparaît ; il a pour conséquence d'augmenter fortement la résistance du câble, et donc d'atténuer d'autant plus le signal utile en raison du phénomène décrit précédemment. […] Il découle de ce phénomène que certaines habitations, proches des centraux téléphoniques […] bénéficient de débits élevés (jusqu'à 20 Mbit/s, permettant un grand confort d'usage et des services innovants tels que la télévision par ADSL), tandis que d'autres plus éloignés doivent se contenter de 512 kbit/s – et ce pour un prix d'abonnement identique. »

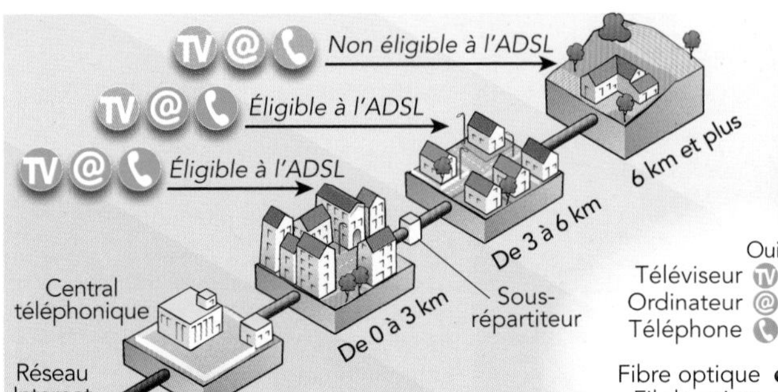

Extrait de www.ant.developpement-durable.gouv.fr

* La **résistivité** est la capacité d'un matériau à s'opposer à la circulation du courant électrique.
** Les technologies **xDSL** permettent la propagation d'informations numériques par les câbles téléphoniques. La transmission se fait par des hautes fréquences inutilisées par le téléphone. L'ADSL utilisée par les particuliers pour Internet fait partie de ces technologies.
*** Lorsque la fréquence est élevée, le courant électrique ne circule qu'en surface du conducteur électrique ; on parle d'**effet de peau**.

L'atténuation du signal sur une fibre optique qui se mesure en $dB \cdot km^{-1}$ est due à plusieurs phénomènes dont :
- la diffusion Rayleigh : c'est l'interaction entre la lumière et la matière. Elle est d'autant plus grande que la longueur d'onde λ est petite ;
- l'absorption : elle recouvre principalement trois causes : la présence d'impuretés dans la fibre, la vibration moléculaire, la transition électronique dans l'ultraviolet ;
- les connexions : la mise bout à bout des fibres nécessite un alignement des axes parfait, au risque de produire des pertes.

D'après www.telcite.fr

Amplification des signaux

« La portée sans amplification d'une liaison est d'environ 20 km avec les conducteurs de cuivre usuels, dont le diamètre mesure entre 0,4 et 0,8 mm. En pratique, la distance entre un terminal et son commutateur de rattachement est assez réduite pour qu'il n'y ait pas besoin d'amplifier le signal. Il n'en va pas de même pour les liaisons entre commutateurs. Dans ce cas, on regroupe plusieurs communications sur la même artère de transmission dans laquelle les signaux doivent être amplifiés à intervalles réguliers. Faute de quoi l'atténuation des signaux serait telle que les conversations deviendraient inaudibles. L'atténuation est due aux pertes par effet Joule (dégagement de chaleur dû à la résistance qu'offre le matériau conducteur au mouvement des électrons) et aux pertes par rayonnement électromagnétique. Sur les liaisons de transmission à câble coaxial, une amplification est nécessaire tous les 1,6 km ; les liaisons à fibre optique tolèrent des intervalles entre amplificateurs beaucoup plus grands, tous les 40 ou 50 km, voire 100 km. »

Extrait de H. Kempf, « Le téléphone », *La Recherche*, n° 291, octobre 1996.

1. Sous quelle forme le signal téléphonique est-il transmis dans un câble de cuivre ?
2. Quelles sont les causes de l'atténuation du signal dans un câble de cuivre ?
Que doit-on faire pour transmettre un signal sur une longue distance ?
3. L'atténuation dépend-elle de la fréquence du signal ? Quelles conséquences cela peut-il avoir sur les abonnements ADSL ?
4. Sous quelle forme le signal téléphonique est-il transmis dans une fibre optique ? S'agit-il d'une propagation libre ou guidée ?
5. Citer des causes de l'atténuation du signal dans une fibre optique. Quelle distance peut parcourir le signal sans être amplifié ?
6. On amplifie le signal dans une fibre quand il reste 1 % de la puissance initialement injectée. Évaluer le coefficient d'atténuation du signal dans une fibre optique.

Comprendre un énoncé 

31 Bac Chemins optiques de signaux dans une fibre

Un signal lumineux se propage dans une fibre multimodale à saut d'indice. Ce signal, composé de rayons ayant des angles d'incidences θ_i différents, se disperse dans la fibre. Du fait des lois de la réflexion des rayons sur la gaine, les rayons lumineux d'angles d'incidence différents ne parcourent pas la même distance dans la fibre. Comme la vitesse de propagation dans le cœur de la fibre a une valeur constante pour tous les rayons, les durées de propagation seront différentes : c'est la dispersion modale. La réception du signal s'étale alors dans le temps. Ce phénomène a des conséquences sur le débit des informations, car il peut conduire à la superposition de signaux consécutifs émis trop proches dans le temps.

Données :
- Indices de réfraction pour la radiation considérée :
  – de la gaine : $n_g = 1,42$; – du cœur : $n_c = 1,43$; – de l'air : n_{air} : 1,00.
- Célérité de la lumière dans la fibre : $v = 2,00 \times 10^5$ km·s^{-1}.
- Longueur de la fibre : $L = 100$ km.
- Diamètre du cœur de la fibre : $h = 200$ µm.

Questions à se poser à la lecture de l'énoncé

→ Qu'est-ce qu'une fibre à saut d'indice ?

→ Qu'est-ce que l'angle d'incidence d'un rayon dans une fibre ?

→ Quelles sont les lois de la réflexion ?

→ Quelle est la relation entre vitesse de propagation et indice de réfraction ?

→ Quelle est la relation entre vitesse de propagation, longueur du trajet et durée de propagation ?

Questions	Compétences à mobiliser	Si difficulté, revoir
1. Schématiser une fibre optique à saut d'indice et le cheminement de deux rayons ayant des angles d'incidence différents.	• Savoir ce qu'est une fibre à saut d'indice. • Connaître le mode de propagation d'un rayon dans une telle fibre. • Savoir définir l'angle d'incidence dans une fibre. • Connaître les lois de la réflexion.	Cours § 1, p. 547.
2. a. Calculer l'angle d'incidence limite i_{lim} à l'interface séparant le cœur de la gaine pour observer la réflexion totale. b. En déduire l'angle d'incidence maximal lors de la réfraction entre l'air et le cœur permettant la propagation du rayon dans le cœur de la fibre.	• Connaître les conditions d'observation du phénomène de réflexion totale. • Connaître les lois de Snell-Descartes pour la réfraction. • Savoir calculer un angle d'incidence limite pour obtenir la réflexion totale sur la gaine.	Cours § 1, p. 547.
3. Repérer sur le schéma les points d'incidence *A* et *B* de deux réflexions consécutives. Noter ℓ la longueur de la fibre entre ces points. Quelle est la distance *d* parcourue par un rayon entre ces deux points en fonction de la longueur ℓ et de l'angle *i* d'incidence ? 4. Évaluer un ordre de grandeur du nombre de réflexions totales sur la gaine d'une fibre de 100 km de long si l'angle *i* est égal à l'angle d'incidence i_{lim}.	• Connaître les relations trigonométriques dans un triangle rectangle*.	Cours de mathématiques.
5. En déduire le décalage temporel de réception entre un rayon se propageant parallèlement à l'axe de la fibre et un autre se propageant avec l'angle d'incidence i_{lim}.	• Connaître la relation entre vitesse de propagation, longueur et durée du trajet.	Cours de Seconde.

* Compétence transversale.

Avoir les bons réflexes 

Si l'énoncé demande de...	il est nécessaire de...	Si difficulté	Pour réviser
Tracer le trajet d'un rayon lumineux dans une fibre optique.	● Savoir que, dans une fibre monomodale, le trajet de la lumière est rectiligne. ● Savoir que, dans une fibre multimodale, la lumière subit des réflexions totales. ● Connaître et savoir exploiter la loi de Snell-Descartes pour la réflexion. ● Connaître la loi de Snell-Descartes pour la réfraction et savoir l'utiliser pour calculer l'angle d'incidence limite.	Exercice 8, p. 553.	Exercice 28 p. 557.
Calculer l'atténuation ou le rapport des puissances d'entrée et de sortie lors d'une transmission guidée.	● Connaître et savoir exploiter la relation qui relie l'atténuation et le rapport des puissances d'entrée et de sortie : $\alpha = \frac{10}{L} \log \left(\frac{\mathcal{P}_e}{\mathcal{P}_s}\right)$ ● Faire attention aux unités et au nombre de chiffres significatifs lors de l'application numérique.	Exercice résolu 4, p. 552.	Exercice 12 p. 553.
Calculer le débit binaire, la durée de transmission ou le nombre de bits transmis.	● Connaître et savoir exploiter la relation : $D = \frac{n}{\Delta t}$ ● Faire attention aux unités et au nombre de chiffres significatifs lors de l'application numérique.	Exercices 13 et 14, p. 554.	Exercice 22 p. 555.
Décrire le principe de la lecture d'un disque optique par une approche interférentielle.	● Savoir que les données sont stockées sur une spirale de *creux* et de *plats*. ● Connaître et savoir exploiter le phénomène de réflexion. ● Connaître et savoir exploiter le phénomène d'interférences lumineuses. ● Connaître les conditions d'interférences constructives et destructives et leurs conséquences sur l'intensité lumineuse transmise.	Exercice 15, p. 554, et chapitre 2, p. 68.	Exercice 21 p. 555.
Expliquer comment augmenter la capacité de stockage d'un disque optique.	● Connaître et savoir exploiter le phénomène de diffraction de la lumière.	Exercice 16, p. 554.	Exercice 17 p. 554.

Dans les conditions du baccalauréat

● **Avec aide :** Exercice 31 p. 559.

● **Sans aide :** Exercice 23 p. 555.

Chapitre 22

Science et société

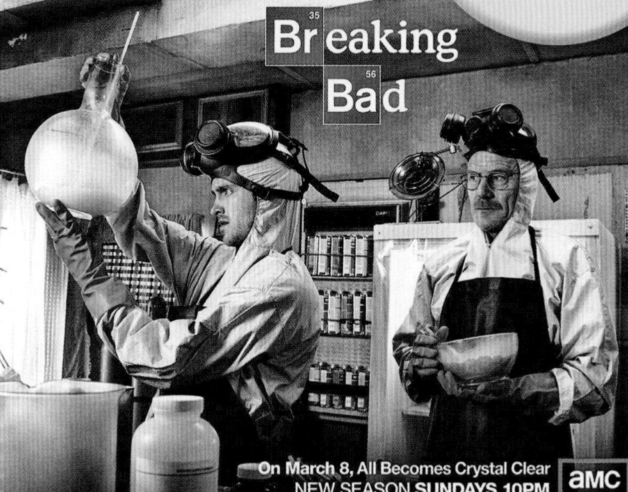

Dans la série télévisée *Breaking Bad*, Walter White utilise ses connaissances en chimie pour fabriquer et vendre une drogue de synthèse.

Dans la série *The Big Bang Theory*, Leonard Hofstadter et Sheldon Cooper sont deux physiciens surdoués, mais très maladroits dans leurs relations sociales.

Bien que mettant la chimie et la physique au cœur de l'intrigue, ces séries donnent des chimistes et des physiciens une image qui n'est pas toujours flatteuse.

• Quel regard les médias, les citoyens, les responsables politiques, les acteurs de l'économie portent-ils sur les sciences ?
• Quels sont les enjeux et la place des sciences fondamentales et appliquées dans le monde actuel ?
• Quels sont les thèmes des recherches actuelles ?

OBJECTIF → Rédiger une synthèse de documents pouvant porter sur l'actualité scientifique et technologique ; les métiers ou des formations scientifiques et techniques ; les interactions entre la science et la société.

1 Regards sur la science

SCIENCE & SOCIÉTÉ

Pourtant indispensables pour relever les défis planétaires, les sciences sont souvent décriées.
Quelle image la physique et la chimie ont-elles dans notre société ? Quels sont les enjeux de ces disciplines?

À qui s'adressent les critiques ?

« Pour une bonne part, les critiques usuelles […] ne s'adressent guère à la science […], mais bien plutôt à ses applications techniques […]. Dans la mesure où les effets dangereux ou néfastes de ces applications, des bombes atomiques à la pollution, semblent inéluctablement découler des découvertes fondamentales dont ils procèdent, la critique remonte naturellement des effets à la cause présumée, du cancer technologique à la connaissance scientifique. »

Extrait de J.-M. Lévy-Leblond* et A. Jaubert, *(Auto)critique de la science*, Seuil, 1973.
*Jean-Marc Lévy-Leblond, physicien et essayiste français

Culture scientifique : impossible objectif ?

« Par certains côtés [la science] nous fascine, par d'autres elle nous effraie, mais sans que cela nous dissuade jamais de nous ruer sur le dernier gadget gorgé de haute technologie. […] Nous pourrions être tentés de mettre ses bienfaits dans la colonne de gauche et ses nuisances dans celle de droite. […] Mais comment calculer le résultat d'une soustraction du type "vaccins moins armes biologiques" ? […] Nous ne vivons pas dans une "société de la connaissance" mais dans une société de l'usage de technologies : nous utilisons avec aisance les appareils issus des nouvelles technologies mais sans presque rien savoir des principes scientifiques dont elles découlent […]. [Cette] inculture scientifique est devenue intellectuellement et socialement dangereuse […] et rend délicate l'organisation de débats sérieux sur l'usage que nous voulons faire des technologies. […] [Pourtant] il est devenu difficile de se faire une bonne culture à la fois sur la physique des particules et le boson de Higgs, les mini-trous noirs, les OGM, la génétique, le nucléaire, le changement climatique ou la virologie. […] De fait, si l'on voulait que les citoyens participent aux affaires publiques en étant vraiment éclairés sur tous les sujets concernés, il faudrait que chacun ait le cerveau de mille Démosthène, de mille Aristote, de mille Einstein… »

Extrait de J.-M. Besnier, É. Klein*, H. Le Guyader et H. Wismann, *La Science en jeu*, coll. Questions vives, Actes Sud/IHEST, 2010.
*Étienne Klein, directeur du laboratoire de recherche sur les sciences de la matière (CEA)

Revenir aux fondamentaux

« La culture scientifique met en scène les aspects les plus spectaculaires de l'activité scientifique et oublie sa fonction la plus évidente, celle de transmettre des connaissances au plus grand nombre. »

Extrait de B. Jurdant*, communication personnelle.
* Baudouin Jurdant, professeur en sciences de la communication et de l'information.

De l'inculture scientifique

« Dans la brèche d'une inculture scientifique, s'engouffrent aisément de nouveaux obscurantismes, une montée des idéologies et des croyances, voire de ces sciences dites occultes. »

Extrait de V. Péan, Introduction au débat « La science est-elle culturelle ? », Mission Agrobiosciences, 18 mai 2005.

Les dirigeants face à la science

« Nos dirigeants ne comprennent pas le fond de la science ! Ils négligent l'importance de la recherche fondamentale et se mettent à la merci des groupes de pression. Cela creuse le fossé qui les sépare d'une société mise chaque jour davantage au défi de sciences ou de techniques pouvant poser problème. »

Extrait de M. Broué*, « Maths : les secrets de l'excellence française », *Sciences et Avenir* n° 764, octobre 2010.
*Michel Broué, professeur de mathématiques (Paris)

Un manque d'attrait chez les étudiants

Les étudiants sont de moins en moins mis en contact avec la science au sens où elle a de plus en plus de mal à les atteindre. L'angoisse de l'avenir ou le statut social motivent leur décision d'abandonner les cursus scientifiques, mais aussi l'idée qu'ils sont dépassés par les recherches actuelles et qu'ils ne pourront pas y apporter leur pierre. Peut-être aussi que la science est victime d'une crise de la patience. On va vers ce qui est immédiatement rentable, productif. Nous voulons profiter de ce que la science permet tout en nous débarrassant des théories et des résultats compliqués qu'elle met en avant.

D'après J.-M. Besnier, É. Klein, H. Le Guyader et H. Wismann, *La Science en jeu*, coll. Questions vives, Actes Sud/IHEST, 2010.

L'angoisse de la chimie au quotidien

« Le téléphone sonne et une dame me demande, la voix angoissée, si le fait d'avoir bu régulièrement de l'eau en bouteille a compromis sa santé. Elle vient d'apprendre par les médias que ces bouteilles sont contaminées par de l'antimoine, une substance "dont la toxicité est semblable à celle de l'arsenic"... Nous recevons régulièrement des appels de ce genre à l'Organisation pour la science et la société de l'Université McGill. Car il est vrai que les manchettes nous bombardent d'informations inquiétantes... bisphénol A dans les boîtes de conserve, mercure dans le poisson, aluminium dans les anti-sudorifiques. Il n'est pas étonnant que pour plusieurs, l'adjectif normalement associé avec "produit chimique" soit "toxique". »

Extrait de A. Fenster*, « Faut-il avoir peur de la chimie ? », www.sciencepresse.qc.ca, 9 février 2011.
*Ariel Fenster, professeur à l'Université McGill (Montréal, Canada), fondateur de l'Organisation pour la science et la société

Rôle des médias

Lorsqu'ils participent à des débats publics, les citoyens « écoutent, et très souvent s'étonnent d'entendre une information pondérée, différente de celle dont certains médias les abreuvent habituellement. Ces médias, plus soucieux de spectaculaire et de profit que d'information pertinente, relaient majoritairement contre la chimie des thèses extrémistes qui cultivent la peur ("manger tue !", "ma guerre contre les empoisonneurs", et j'en passe...). Croyez-vous que, dans nos sociétés démocratiques, les citoyens puissent "choisir leur avenir" en fonction de ces seules informations puisque le droit de réponse nous est si rarement accordé ? Lorsque nous discutons, mes interlocuteurs prennent soudainement conscience que leur information était partielle, voire – et c'est un euphémisme – orientée. »

Extrait de G. Férey*, « La "communication", sujet de débats », *L'actualité chimique*, n° 353-354, juin-juillet-août 2011.
*Gérard Férey, chimiste français, Médaille d'or 2010 du CNRS

À partir de la lecture de l'ensemble des documents, rédiger une synthèse afin de commenter les relations complexes, et parfois paradoxales, qui existent entre la science et la société.

2 Faut-il interdire le bisphénol A ? SCIENCE & SOCIÉTÉ

Le bisphénol A (BPA) entre dans la composition de polymères plastiques (résines époxydes, polycarbonates). Les matières plastiques obtenues, polyvalentes et durables, sont utilisées pour des produits de consommation courante : récipients, biberons, revêtements de boîtes de conserve, résines de soins dentaires, etc. Certaines études concluent à la nocivité du bisphénol A. Des organismes estiment que le risque n'est pas avéré pour l'homme. Quelle idée peut s'en faire le consommateur ?

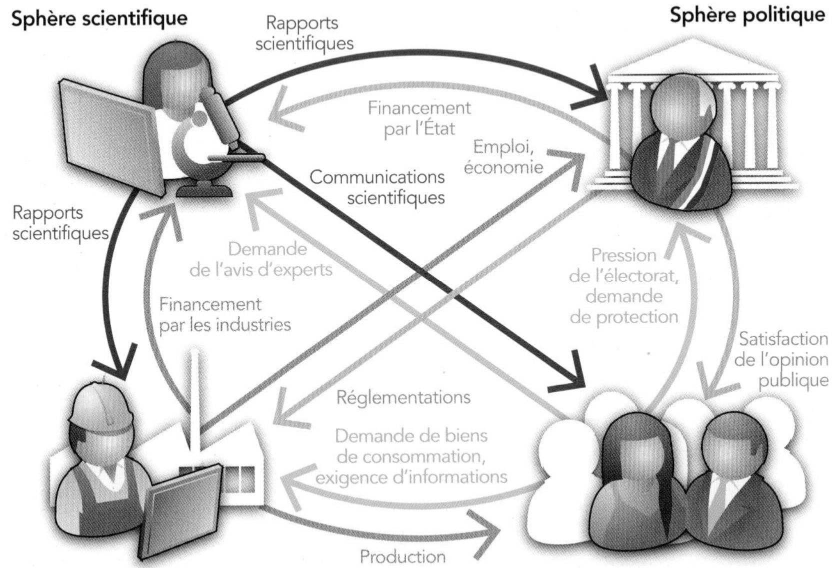

Europe 1

Le bisphénol A se cache partout

« Haro sur le bisphénol A. Un rapport de l'Agence sanitaire française […] a confirmé la nocivité de cette substance, y compris à faible dose. Considéré comme un perturbateur endocrinien, c'est-à-dire comme un produit pouvant nuire aux fonctions de reproduction, le bisphénol A peut induire des malformations génitales mais aussi des problèmes de stérilité. »

Extrait de Assiya Hamza, « Le bisphénol A se cache partout », site internet d'Europe 1, http://www.europe1.fr, le 27 septembre 2011.

Mythes sur le bisphénol A

« Le BPA est utilisé en toute sécurité depuis plus de 50 ans. […] Se basant sur un grand nombre de résultats scientifiques avérés, les autorités sanitaires du monde entier ont conclu que les objets et matériaux à base de BPA sont sans danger dans leurs usages prévus, à la fois pour les consommateurs et les applications industrielles. »

Extrait du site http://www.bisphenol-a-europe.org (consulté début 2012).

Liberté • Égalité • Fraternité
RÉPUBLIQUE FRANÇAISE
MINISTÈRE DU TRAVAIL, DE L'EMPLOI ET DE LA SANTÉ

Bisphénol A (BPA) : Recommandations de la Direction générale de la santé

« Par précaution, en France depuis le 30 juin 2010 et au niveau européen depuis juin 2011, la fabrication, l'importation, l'exportation et la mise sur le marché de biberons à base de bisphénol A, sont déjà suspendues. Ils sont remplacés par des biberons principalement en verre ou en polypropylène. Pour aller plus loin, les autorités sanitaires se sont engagées, à la demande du gouvernement et du Parlement, à interdire progressivement l'utilisation du bisphénol A pour la fabrication du polycarbonate et des résines à usage alimentaire (à partir de 2013, pour les enfants jusqu'à 3 ans ; en 2014 pour l'ensemble de la population) tout en s'assurant de l'utilisation de produits de substitution sûrs et adaptés. »

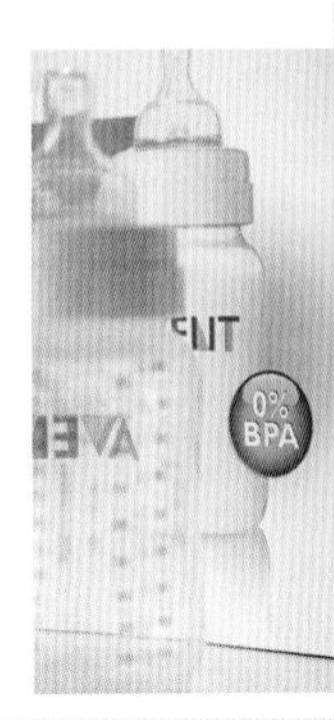

Extrait de la plaquette « Bisphénol A (BPA), Recommandations aux femmes enceintes et aux parents de jeunes enfants », Ministère en charge de la santé.

L'industrie chimique veut retarder le remplacement du bisphénol A

« La substitution du bisphénol A, utilisé pour la fabrication de très nombreux plastiques et omniprésent dans l'environnement quotidien, n'est pas envisageable pour le moment, a affirmé jeudi l'Union des industries chimiques (UIC). Les industriels demandent des études complémentaires sur ses effets chez l'homme. L'Agence de sécurité sanitaire de l'alimentation (Anses) a jugé [...] nécessaire de remplacer "*sans tarder*" le bisphénol A (BPA), en priorité dans les matériaux au contact des aliments, à cause d'effets sanitaires "*avérés chez l'animal et suspectés chez l'homme, et ce, même à de faibles niveaux d'exposition*". "*La substitution du BPA n'est pas une démarche simple dans la mesure où son remplacement par une seule substance n'est techniquement pas envisageable aujourd'hui, en particulier dans les résines au contact des aliments*", explique l'UIC dans un communiqué. »

Extrait du site www.lemonde.fr, 29 septembre 2011.

Autorité européenne de sécurité des aliments

« À la demande de la Commission européenne, en novembre 2011, l'EFSA a publié une déclaration sur le BPA, à la suite de rapports publiés en septembre 2011 par l'Agence française de sécurité sanitaire de l'alimentation, de l'environnement et du travail (Anses). Les experts du groupe CEF de l'EFSA ont [...] expliqué que le travail de l'Anses s'était limité à une identification du danger tandis que l'EFSA avait pour sa part réalisé une évaluation complète des risques associés au BPA. Le groupe CEF a confirmé, à l'instar de 2010, que des incertitudes subsistaient quant à la pertinence éventuelle pour la santé humaine de certains effets associés au BPA à faibles doses observés chez des rongeurs. »

Extrait du site www.efsa.europa.eu/fr/ (consulté début 2012).

Agence nationale de sécurité sanitaire de l'alimentation, de l'environnement et du travail.

Effets sanitaires du BPA

« Le groupe de travail considère qu'en l'absence de données chez l'homme, les effets observés chez l'animal sont jugés transposables à l'homme excepté lorsqu'il a été démontré que ces effets observés chez l'animal sont spécifiques à cette espèce. [...] Le groupe de travail prendra donc en considération, pour l'évaluation des risques, les effets jugés avérés chez l'animal. »

Extrait du rapport d'expertise collective « Effets sanitaires du bisphénol A », p. 219, Anses, septembre 2011.

La ligue contre le cancer : 11 000 signatures pour dire stop au bisphénol A

30 ans d'exposition à ce produit chimique

« Le Bisphénol A [...] présente un risque avéré pour la santé ! Ce produit, intégré dans les contenants de notre alimentation, empoisonne-t-il quotidiennement nos familles, nos enfants à notre insu et en toute impunité ? D'après les résultats des premières études expérimentales sur les animaux, le Bisphénol A aurait un impact sur les hormones sexuelles et thyroïdiennes et engendrerait l'apparition de cancers, l'obésité et le diabète. [...] En application du principe de précaution [...], la Ligue contre le cancer demande sans délai un étiquetage systématique immédiat de tout produit contenant du Bisphénol A et son interdiction définitive dès début 2011. D'autant plus que des produits de remplacement existent comme le verre et d'autres plastiques.
[...] Un geste simple pour arrêter notre intoxication et l'empoisonnement de nos enfants : signons la pétition. »

Extrait de la pétition « 11 000 signatures pour dire stop au bisphénol A », mise en ligne par la Ligue contre le cancer le 22 juin 2010.

Info

DJA : dose journalière admissible

La **dose journalière admissible (DJA)** est la quantité d'une substance qu'un individu peut absorber quotidiennement, par voie orale ou cutanée, sans risque pour la santé. Elle s'exprime en µg de substance par kg de masse corporelle et par jour.
Des études ont établi une dose journalière admissible de 50 $\mu g \cdot kg^{-1} \cdot j^{-1}$ pour le bisphénol A. L'exposition au BPA étant inférieure à la DJA (0,033 $\mu g \cdot kg^{-1} \cdot j^{-1}$ pour un adulte), les risques de toxicité devraient donc être inexistants mais des chercheurs affirment qu'une absorption régulière à faible dose a une forte incidence sur l'organisme.

Rédiger une synthèse afin d'exposer les enjeux de la controverse liée à l'usage ou à l'interdiction du bisphénol A, en termes économiques, scientifiques, technologiques, sanitaires et politiques.

3 À quoi sert la recherche fondamentale ?

Au sein d'organismes scientifiques, plusieurs pays s'associent pour mettre en œuvre des projets de grande envergure. Leur but, mieux comprendre le monde, tester les théories actuelles en améliorant les instruments d'observation. Pourquoi ces installations de recherche doivent-elles être de plus en plus gigantesques ? Ces objectifs justifient-ils de telles dépenses ?

A Traquer des ondes pour voir naître des planètes

■ Télescope : « Alma » le chantier de la démesure

« Alma (*Atacama Large Millimeter / SubmillimeterArray*) [sera] le plus grand radiotélescope au monde : un réseau de 66 antennes de 7 m et 12 m de diamètre qui pourront être déployées sur 200 km^2.
Un projet pharaonique d'un milliard d'euros rassemblant les treize pays de l'Observatoire austral européen (Eso), les États-Unis, le Canada, le Japon et Taïwan. Alma étudiera les rayonnements provenant des objets les plus "froids" de l'Univers, dans des régions obscures de gaz et de poussières, opaques à la lumière visible mais transparentes dans la partie millimétrique et submillimétrique du spectre électromagnétique (entre le rayonnement infrarouge et les ondes radio). [...]
Dans cette région, où le désert d'Atacama flirte avec la cordillère des Andes, le taux d'humidité est inférieur à 10 %, et le ciel toujours limpide. De plus, l'atmosphère est 5 km plus fine qu'au niveau de la mer. Un environnement idéal pour étudier les ondes millimétriques et submillimétriques qui sont, sinon, absorbées par la vapeur d'eau de l'atmosphère. [...]
"*Alma permettra d'observer des images de systèmes planétaires en formation contenant 1 000 fois plus de pixels qu'avant*". Alma pourra aussi détecter la formation de galaxies dans l'Univers lointain, alors qu'aujourd'hui les astronomes ne repèrent que celles où se produisent des évènements tels que des explosions. [...] »

Extrait de M. Grousson, « Télescope "Alma" Le chantier de la démesure », *Ça m'intéresse*, n° 365, juillet 2011.

■ Voir naître des planètes

Orion ou le Taureau ?
« C'est dans l'une de ces deux constellations que, dans les prochains mois, les astronomes observeront la naissance d'un système planétaire en direct. [...] [Alma] aura un pouvoir de résolution (une capacité à détecter des détails à la surface des astres) équivalent à celui qu'aurait un seul télescope dont l'antenne serait aussi grande que la distance maximale séparant les antennes d'Alma soit 16 km ! [...] Le supertélescope va ainsi permettre de faire des observations dix fois plus précises qu'avec les meilleurs instruments actuels.
[...] Une première riche d'enseignements pour notre propre histoire : les astronomes pensent que le système solaire est né dans une région dense du ciel, à l'instar du nuage d'Orion. Et ils espèrent trouver comment, balayés par l'intense rayonnement des étoiles supergéantes, certains systèmes planétaires en formation sont détruits dans l'œuf, quand d'autres résistent. [...] Puis l'équipe compte bien observer des étoiles de type solaire en tout début d'évolution. [...] Car il s'agit de données essentielles pour comprendre comment se forment les planètes géantes gazeuses comme Jupiter, un mystère, encore, dans notre système solaire. »

Extrait de S. Brunier, « Voir naître des planètes », *Science & Vie*, n° 1132, janvier 2012.

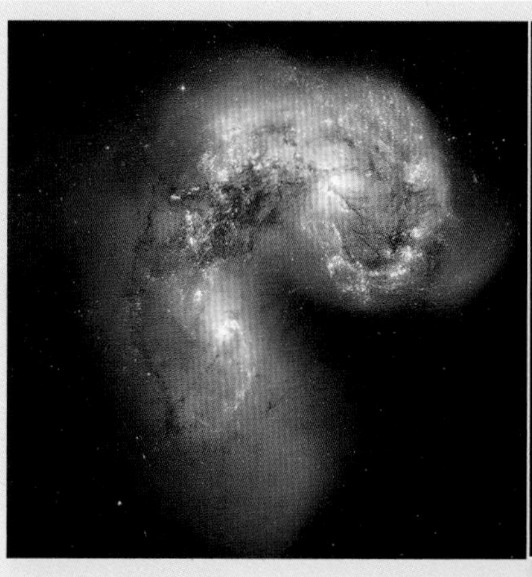

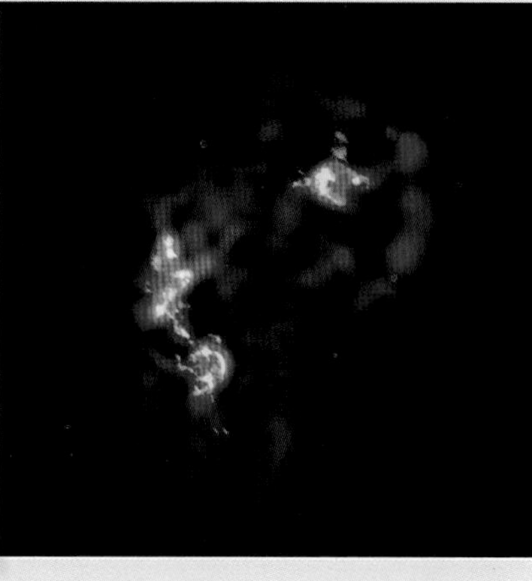

Collision des galaxies NCG 4038-39 observée par le télescope Hubble (à gauche) et par Alma (à droite), qui dévoile des nuages de gaz froid, lieu de naissance des étoiles.

B Traquer des particules pour sonder la matière

« Le détecteur de particules AMS [a décollé] à bord de la navette spatiale Endeavour [...]. AMS, le Spectromètre magnétique alpha, [a ensuite été] arrimé à la Station spatiale internationale (ISS), d'où il explorera l'Univers pendant plus de 10 ans. [...] »

Percer le mystère de l'antimatière et de la matière noire

« Dans des laboratoires comme le CERN, les physiciens ont observé que matière et antimatière se comportent de façon quasi identique. Chaque particule de matière possède sa propre antiparticule, qui est équivalente, mais dont la charge est opposée. Au contact l'une de l'autre, matière et antimatière s'annihilent. Lors du Big Bang, elles auraient été produites en quantité égale ; pourtant, notre Univers semble aujourd'hui entièrement constitué de matière. La nature préfèrerait-elle la matière à l'antimatière ? L'une des principales missions d'AMS sera de répondre à cette question en recherchant des noyaux d'antimatière [qui signaleraient l'existence de grandes quantités d'antimatière] ailleurs dans l'Univers. [...]

"*Le cosmos est le laboratoire ultime,* explique Samuel Ting, prix Nobel de physique et porte-parole de l'expérience AMS. *De sa position dans l'espace, AMS étudiera des questions comme l'antimatière, la matière noire et l'origine des rayons cosmiques. Toutefois, son objectif le plus stimulant sera d'explorer l'inconnu, car, chaque fois que l'on explore des territoires vierges avec une sensibilité inégalée, on peut s'attendre à faire des découvertes passionnantes et inimaginables.*"

[...] AMS sera suffisamment sensible pour détecter un seul antinoyau parmi un milliard d'autres particules. [...]

AMS pourrait également apporter une contribution importante à la quête de la mystérieuse matière noire, qui représenterait environ 25 % du bilan masse-énergie de l'Univers [en détectant des antiprotons, des antiélectrons et des photons résultant de l'annihilation de deux particules de matière noire.]

[Le projet AMS,] dirigé par [...] Samuel Ting, mobilise environ 600 chercheurs d'États membres du CERN (Allemagne, Danemark, Espagne, Finlande, France, Italie, Pays-Bas, Portugal et Suisse), ainsi que de Chine, de Corée, des États-Unis d'Amérique, du Mexique et de Taiwan. »

Extrait du communiqué de presse « Le détecteur AMS en route pour la Station spatiale internationale », Cern, 27/04/2011.

À partir d'une analyse des documents, expliquer en quoi la détection de rayonnements et de particules nous éclaire dans la compréhension de notre monde.

Développer une argumentation sur les intérêts de telles recherches.

4 La science pour répondre aux besoins de l'homme

Un des défis de ce siècle sera de permettre l'alimentation en eau douce de tous les êtres humains. Georges Mougin, un ingénieur français a eu l'idée originale de modifier le déplacement naturel des icebergs pour les diriger vers des zones où l'eau douce fait défaut. Comment mener à bien une telle entreprise ? Est-elle réaliste ?

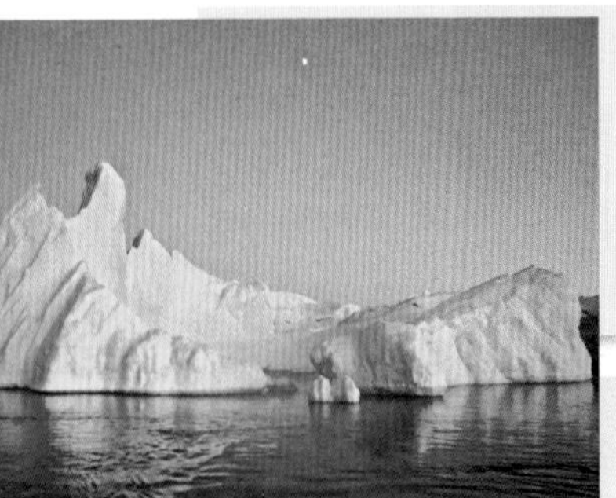

En 2009 des spécialistes de Dassault Systèmes ont conçu un logiciel pour modéliser ce projet : « *"Nous avons fait tourner nos logiciels, qui ont déjà fait leurs preuves dans l'étude du comportement thermique des matériaux aéronautiques."*, indique le chef du projet Cédric Sismard. D'après les résultats, un seul remorqueur suffirait à acheminer l'iceberg du Canada aux Canaries en 141 jours. Bien calfeutré, l'iceberg perdrait moins de 40 % de sa masse, et cette proportion décroît pour les icebergs plus imposants. »

Extrait de V. Nouyrigat, « Récupérer toute l'eau des icebergs », *Science & Vie*, n° 1132, janvier 2012.

« **Le prélèvement d'icebergs ne présente-t-il pas un risque écologique : montée des eaux des océans ? recul de la banquise ?**
C'est le vêlage* de la banquise qui peut avoir un impact sur la montée des eaux [...]. La fonte des icebergs flottants ne change pas le niveau de l'eau. La banquise est de l'eau de mer sans rapport avec les icebergs.

Pourquoi ne pas exploiter les icebergs sur place, construire une usine à cet effet, plutôt que de les tracter ?
Il n'y a pas d'énergie disponible sur les sites naturels des icebergs. Le transfert d'iceberg est beaucoup moins cher que d'envoyer l'eau par bateaux-citernes : un petit iceberg de 10 millions de tonnes nécessiterait 50 à 100 bateaux-citernes de grande capacité.

Quelles sont les différentes destinations envisageables ?
En fonction des vents et des courants, ainsi que de la rotation de la Terre, les destinations envisageables pour le transfert d'icebergs sont les côtes ouest des continents. Par exemple, Maroc ou Namibie [...] Chili, Pérou [...], ou Californie en Amérique du Nord.

Quelles sont les conséquences de l'apport d'un iceberg dans une zone géographique qui n'en reçoit normalement pas ? [...]
Les conséquences sur la faune et le climat alentour, compte tenu de sa taille infime par rapport à l'ensemble de l'océan, sont considérées comme négligeables.

Comment comptez-vous exploiter l'iceberg sur le site d'exploitation ?
Une utilisation complète de l'iceberg viserait à utiliser sa glace pour produire de l'énergie, des sources de froid pour des systèmes d'air conditionné et récupérer l'eau douce pour des besoins en consommation. [On peut produire de l'énergie sur le principe des usines ETM (**é**nergie **t**hermique des **m**ers). Au contact de l'eau chaude de la mer, la glace va fondre et se vaporiser. La vapeur, obtenue sous très faible pression, pourra mettre un alternateur en mouvement pour produire de l'électricité.] L'eau à basse température alimente alors l'échangeur du système d'air conditionné, l'eau rejetée étant acheminée par tuyau jusqu'à l'endroit de consommation. Dans le cas où l'on cherche uniquement à récupérer l'eau de la glace, sans produire en même temps de l'énergie, l'iceberg est débité en tranches – grâce à un système de découpe qui utilise l'eau de mer – ces tranches étant ensuite enveloppées dans des sacs étanches.

Comment peut-on être sûr de la totale pureté de l'eau récupérée (virus, pollution, etc.) ?
La glace des icebergs a été formée par l'accumulation de neige il y a des milliers d'années. De fait, la pollution du monde contemporain n'est pas présente dans cette glace. S'il devait néanmoins y en avoir quelques traces, elles se situeraient simplement en surface de l'iceberg. Ces traces seraient alors éliminées lors du processus de fonte [lors du transport].

À quelle consommation d'eau douce correspond un iceberg de 7 millions de tonnes ?
Un iceberg de 7 millions de tonnes représente la consommation moyenne annuelle domestique de 35 000 personnes.

Ne pensez-vous pas jouer aux apprentis sorciers en déplaçant les icebergs ?
À l'état naturel les icebergs fondent. Leur transfert vers une destination prédéfinie ne change donc pas leur fonte, mais simplement le lieu où ils fondent et où l'eau douce va être exploitée plutôt que d'être simplement rejetée dans les océans. »

* Le vêlage de la banquise est la perte de fragments sous forme d'icebergs.

Extrait de « Vingt questions posées à Georges Mougin et François Mauviel », FAQ du site www.3ds.com/fr/icedream

Développer une argumentation contradictoire sur l'utilisation des icebergs comme source d'eau douce et d'énergie en s'appuyant sur des lois et des phénomènes physiques.

5 La recherche et développement (R&D)

De la recherche fondamentale à l'application industrielle, en passant par l'expérimentation en laboratoire, la R&D est la clé de voute de l'innovation scientifique.
Quels sont les principaux métiers en lien avec cette activité?

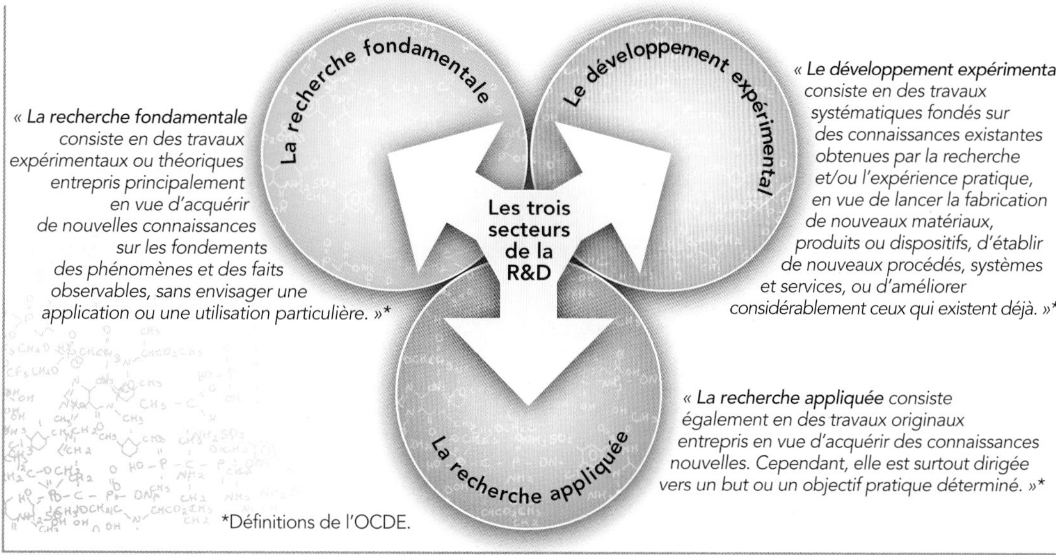

RECHERCHE
- Réalisation des travaux de recherche.

CONCEPTION ET DÉVELOPPEMENT
- Suivi des évolutions techniques et scientifiques.
- Conception et coordination des travaux de conception et de développement de nouveaux produits ou de procédés, nouveaux ou existants, en milieu industriel.
- Évaluation de la faisabilité technique, économique, juridique, etc.

DOCUMENTATION SCIENTIFIQUE ET TECHNIQUE
- Réalisation de synthèses documentaires.
- Accompagnement des chercheurs dans la réussite des projets.

DÉVELOPPEMENT / APPLICATION
- Conduite et mise en œuvre de travaux de recherche pouvant déboucher sur des applications à court, voire à très court terme.

RECHERCHE ET DÉVELOPPEMENT

PROPRIÉTÉ INDUSTRIELLE
- Protection des innovations par dépôts de brevets.

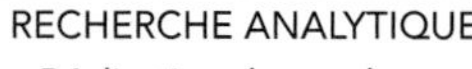

RECHERCHE ANALYTIQUE
- Réalisation des analyses nécessaires, notamment pour une meilleure prise en compte des problèmes environnementaux.
- Analyse des produits concurrents.
- Élaboration de nouvelles méthodes d'analyse.

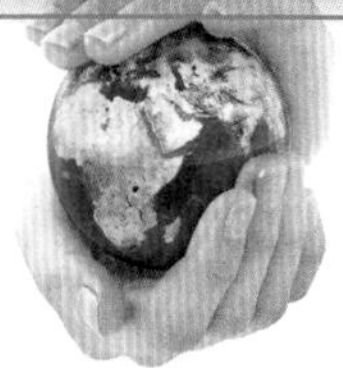

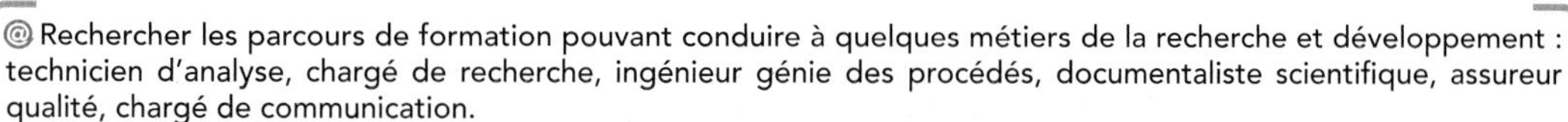
@ Rechercher les parcours de formation pouvant conduire à quelques métiers de la recherche et développement : technicien d'analyse, chargé de recherche, ingénieur génie des procédés, documentaliste scientifique, assureur qualité, chargé de communication.

Un bac S : et après ?

◗ Les inscriptions en première année post-bac se font au deuxième trimestre de l'année de terminale, sur le site www.admission-postbac.fr , exception faite des écoles spécialisées paramédicales.

◗ **Je choisis des études courtes ou longues ? → Je peux choisir entre 2 et 11 ans.**

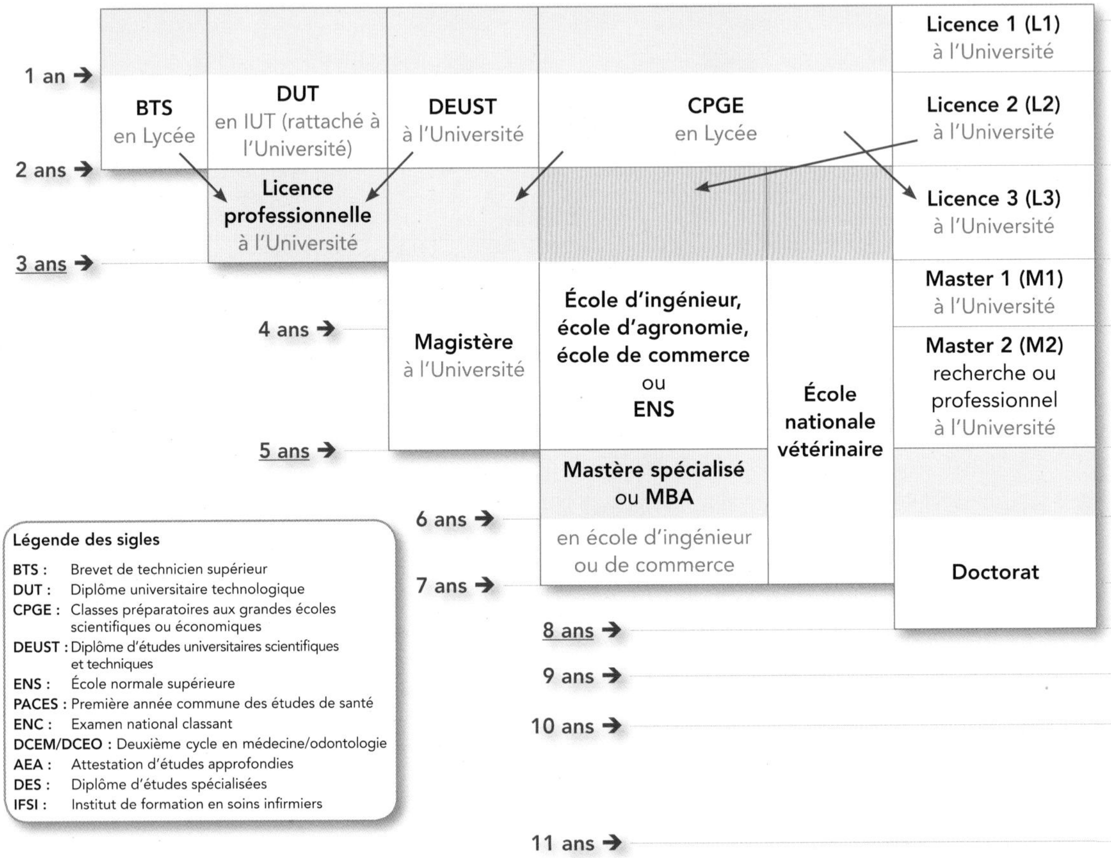

1 an →
2 ans →
3 ans →
4 ans →
5 ans →
6 ans →
7 ans →
8 ans →
9 ans →
10 ans →
11 ans →

BTS en Lycée
DUT en IUT (rattaché à l'Université)
DEUST à l'Université
CPGE en Lycée
Licence 1 (L1) à l'Université
Licence 2 (L2) à l'Université
Licence professionnelle à l'Université
Licence 3 (L3) à l'Université
Magistère à l'Université
École d'ingénieur, école d'agronomie, école de commerce ou ENS
École nationale vétérinaire
Master 1 (M1) à l'Université
Master 2 (M2) recherche ou professionnel à l'Université
Mastère spécialisé ou MBA en école d'ingénieur ou de commerce
Doctorat

Légende des sigles

BTS : Brevet de technicien supérieur
DUT : Diplôme universitaire technologique
CPGE : Classes préparatoires aux grandes écoles scientifiques ou économiques
DEUST : Diplôme d'études universitaires scientifiques et techniques
ENS : École normale supérieure
PACES : Première année commune des études de santé
ENC : Examen national classant
DCEM/DCEO : Deuxième cycle en médecine/odontologie
AEA : Attestation d'études approfondies
DES : Diplôme d'études spécialisées
IFSI : Institut de formation en soins infirmiers

◗ Comment préparer mes études post-bac ?

Pour intégrer une première année d'études supérieures, je dois m'inscrire sur le site www.admission-postbac.fr

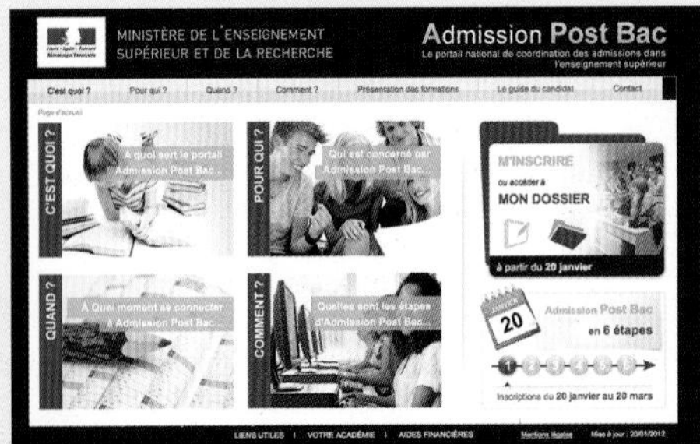

◗ Quand dois-je m'inscrire ?

Les dates sont précisées sur le site admission-postbac chaque année (environ de mi-janvier à mi-mars, mais le site est consultable à partir du mois de décembre).

◗ Comment préparer mon inscription ?

→ Je m'informe sur les différentes formations qui me sont offertes et qui m'intéressent.

→ Je dois avoir une adresse électronique valide ou je dois en créer une.

→ Je rassemble les documents nécessaires :
– numéro INE / BEA (10 chiffres + 1 lettre) apparaissant sur le relevé de notes des épreuves anticipées du baccalauréat ;
– numéro d'inscription au baccalauréat dit n° OCEAN ;
– relevé de notes des épreuves anticipées.

◗ Comment dois-je procéder ?

→ Je lis attentivement la description de la procédure et relève le calendrier proposé.

→ J'ouvre un dossier électronique avec mon numéro INE / BEA et ma date de naissance : **je note soigneusement le numéro de dossier APB (admission post-bac) et le code confidentiel alors attribués.**

Je peux choisir de me former en alternance, c'est-à-dire alterner, lors de ma formation, les périodes de formation théorique avec les périodes de travail en entreprise.

J'ai la possibilité de candidater pour une CPES (classe préparatoire aux études supérieures) en 1 an (pour les CPGE) ou en 2 ans.

Et si je change d'avis ? → Des passerelles de plus en plus nombreuses sont possibles (les flèches rouges ——→ sur le diagramme ci-dessous en présentent quelques exemples).

PACES semestre 1
PACES semestre 2

Médecine : DCEM ; ENC ; Généraliste ; Spécialiste ; Chirurgien, anesthésiste réanimateur, gynécologue

Odontologie : DCEO ; 3e cycle court ; Inter-nat ; Ortho-don-tiste ; AEA

Pharmacie : 2e cycle ; 3e cycle court ; Inter-nat ; DES

Sage-femme : Sage-femme, maïeu-ticien

IFSI

Classe préparatoire aux études paramédicales : Écoles paramédicales — Masso-kinésithérapie, podologie, ergothérapie, etc.

Diplôme d'étude en archi-tecture ; Diplôme d'état d'archi-tecte ; Doctorat d'archi-tecture

← 1 an
← 2 ans
← 3 ans
← 4 ans
← 5 ans
← 6 ans
← 7 ans
← 8 ans
← 9 ans
← 10 ans
← 11 ans

Légende du code couleur
Admission sur dossier
Admission sur concours

→ Je saisis l'ensemble de mes candidatures (36 au maximum à raison de 12 par filière).

→ Je classe l'ensemble de mes candidatures selon mes vœux (je peux modifier ce classement jusqu'au mois de mai).

→ Je valide mes candidatures, imprime chacune des fiches correspondantes, constitue les dossiers papier demandés et les fais parvenir aux établissements concernés.

→ Je vérifie que mes dossiers sont effectivement parvenus aux établissements.

→ Je me connecte au mois de juin à mon espace APB pour répondre aux propositions d'admission.

Où puis-je trouver des informations ?

Visites

→ Les lycées organisent des journées d'information sur les différents métiers et secteurs d'activités.

→ Les centres d'information et d'orientation (CIO) donnent des informations sur les études, les formations professionnelles, les qualifications et les professions et dispensent des conseils individuels.

→ Les journées portes ouvertes donnent de nombreuses informations et permettent de trouver des réponses à de nombreuses questions.

→ Il existe également différents salons d'information : *Métierama, salon de l'Étudiant, salon de l'éducation, salon des métiers, salon Studyrama*, etc.

Internet

Quelques adresses utiles :
www.admission-postbac.fr
www.studyrama.com
www.onisep.fr
www.letudiant.fr
www.lecanaldesmetiers.tv

Magazines et publications

→ *Onisep : Après le bac*, distribué aux lycéens en terminale
→ *L'étudiant*
→ *Phosphore*
→ Hors Série *La Recherche* février 2011 : Guide de l'emploi scientifique

1 Algue et caliche : des ressources naturelles

■ L'extraction de l'iode

L'iode est un élément peu abondant sur Terre. Présent dans le corps humain, il est indispensable à la fabrication des hormones thyroïdiennes. On le trouve sous forme d'ions iodure I^- (aq) et iodate IO_3^- (aq) dans l'eau de mer, les saumures des gisements de gaz et de pétrole, les algues, mais aussi dans certaines roches comme les caliches du Chili. Le caliche est une roche sédimentaire dont on extrait principalement le nitrate de sodium, $NaNO_3$, utilisé comme engrais azoté. L'iodate de sodium, $NaIO_3$, et l'iodure de sodium, NaI, sont des coproduits de cette extraction.
En 2010, les réserves mondiales d'iode sont estimées à 15 millions de tonnes, dont 9 millions au Chili et 5 millions au Japon. Le Chili est, en 2010, le premier producteur mondial d'iode avec environ 18 000 tonnes (soit environ 62 % de la production mondiale).
L'iode est utilisé dans les lampes halogène mais aussi comme complément alimentaire destiné au bétail.
En France, la production industrielle d'iode par extraction des algues marines s'est maintenue jusqu'au milieu de XXe siècle, mais a cessé en raison de la concurrence de l'iode chilien.
On peut reproduire l'extraction en laboratoire selon le protocole expérimental suivant :

▶ **Étape 1**
• Prélever une masse m d'environ 10 g d'algues séchées.
• Les placer dans un creuset sur une plaque métallique, sous la hotte, et chauffer fortement.

▶ **Étape 2**
• Rassembler les cendres obtenues dans un mortier et y verser un volume $V = 150$ mL de soude de concentration $C = 0,1$ mol·L^{-1}. Filtrer.

▶ **Étape 3**
• Tout en agitant, verser dans le filtrat quelques millilitres d'une solution d'acide sulfurique concentrée (2 à 3 mol·L^{-1}). Observer l'effervescence qui se produit.
• Vérifier que la solution est acide sinon, rajouter de l'acide.

▶ **Étape 4**
• Introduire environ 10 mL d'eau oxygénée H_2O_2 (aq) à 1 mol·L^{-1}.

▶ **Étape 5**
• Extraire la solution aqueuse par le cyclohexane. Observer la couleur violette prise par celui-ci.

D'après les Olympiades de la Chimie.

Le varech est un mélange d'algues récoltées sur les côtes maritimes, notamment en Bretagne.

Une découverte fortuite

En 1811, alors qu'il extrayait du salpêtre d'un mélange de terres, Bernard Courtois, salpêtrier parisien, « avait par mégarde employé de l'acide plus concentré que d'habitude : il constata avec stupéfaction que sa cuve s'emplit de magnifiques fumées colorées en violet et, très étrangement, ces fumées se transformaient en superbes cristaux violacés au contact des parois froides de la cuve. Cette substance, en provenance du varech, n'avait jamais été décrite auparavant. [...] En raison de sa couleur, [ce nouvel élément] fut appelé iode (du grec *iôdes*, signifiant violet) ».

Extrait de P. Depovere, *La classification périodique des éléments, la merveille fondamentale de l'Univers*, De Boeck Supérieur, 2002

■ Un impact environnemental

Le nitrate du Chili « a été utilisé en Europe dès le milieu du XIXe siècle comme fertilisant azoté. [...] Lorsqu'il est extrait du sous-sol, le nitrate du Chili constitue bel et bien un produit naturel. Cependant les réserves sud-américaines ne sont pas inépuisables. [Sans] l'avènement des engrais azotés de synthèse, les réserves de nitrate du Chili seraient probablement épuisées aujourd'hui lorsqu'on considère les énormes besoins mondiaux en azote [pour l'agriculture]. [...] C'est donc une ressource non renouvelable et son utilisation n'est pas vraiment acceptable d'un point de vue d'agriculture durable. Pour nuancer ce propos, on pourrait toutefois dire que le nitrate de sodium est extrait des déserts chiliens qui ne sont de toute façon pas cultivables. [...] Dans ces conditions, l'exploitation de ce minerai semble être un moindre mal ».

Extrait de J. Duval, « Le nitrate du Chili », projet pour une agriculture écologique, 1992 (http://eap.mcgill.ca)

■ **Observation du gouvernement de Norvège**

« Le nitrate de sodium (nitrate chilien) provenant de gisements naturels a une teneur élevée en azote minéral et le nitrate est absorbé facilement par la plante. Cela n'est pas conforme aux principes de l'agriculture biologique et, par conséquent, le nitrate chilien ne devrait pas être autorisé dans cette agriculture. Le nitrate de sodium de synthèse est considéré comme un engrais facilement absorbable et n'est pas autorisé en agriculture biologique. La distinction entre le nitrate de sodium de synthèse et le nitrate chilien étant difficile à faire, on comprend mal pourquoi le nitrate chilien devrait être autorisé en agriculture biologique. Nous souhaitons également mentionner que le nitrate peut facilement atteindre l'eau souterraine par lessivage, ce qui risque d'avoir un effet négatif sur l'environnement. »

Organisation mondiale de la Santé (OMS).

■ **Observation du gouvernement du Costa Rica**

« Le nitrate de sodium naturel du Chili est l'une des rares sources disponibles d'azote naturel et offre un bon choix pour répondre au besoin de cet élément comme engrais en agriculture biologique. Toutefois, nous pensons que des informations additionnelles concernant la non-contamination des eaux souterraines et superficielles renforceraient son utilisation comme ingrédient important dans ce secteur d'activité. »

Organisations des Nations Unies pour l'alimentation et l'agriculture (FAO).

Extraits de Organisation mondiale de la Santé (OMS) et Organisation des Nations Unies pour l'alimentation et l'agriculture (FAO). « Directives concernant la production, la transformation, l'étiquetage et la commercialisation des aliments biologiques », 30 avril- 4 mai 2007.

Compréhension du texte

1. Sous quelle(s) forme(s) trouve-t-on l'élément iode dans la nature?

2. a. L'algue est une agro-ressource. Qu'est-ce qu'une agro-ressource?
b. Pourquoi l'usage d'agro-ressources entre-t-il dans le cadre d'une chimie verte?

3. L'extraction de l'iode du caliche est réalisée en même temps que la synthèse d'un engrais. Donner le nom et la formule de l'engrais. Pourquoi le qualifie-t-on d'engrais azoté?

4. a. Le caliche est-il une ressource renouvelable? Justifier la réponse.
b. Évaluer la durée pendant laquelle il sera possible d'extraire cette ressource au Chili, si le rythme d'extraction actuel demeure inchangé. Commenter.

5. Rédiger une courte synthèse analysant si la production et l'utilisation d'engrais naturel s'inscrivent ou non dans une perspective de développement durable.

6. Commenter la position du gouvernement du Costa Rica.

Analyse scientifique

7. Au terme de l'étape 2 du protocole d'extraction de l'iode à partir des algues, des ions carbonate $CO_3^{2-}(aq)$ sont présents dans le filtrat recueilli. Justifier l'effervescence observée lors de l'étape 3.

8. Dans l'étape 4, l'élément iode est initialement sous forme d'ions iodure $I^-(aq)$.
Écrire l'équation de la réaction des ions iodure avec l'eau oxygénée.

9. Le diiode I_2 est très peu soluble dans l'eau. Il est, en revanche, très soluble dans le cyclohexane. Ce dernier a une densité $d = 0{,}78$ à 20 °C.
a. Pourquoi le diiode est-il très peu soluble dans l'eau et soluble dans le cyclohexane?
b. Rédiger le protocole expérimental de l'étape 5, accompagné de schémas légendés. Préciser la position des phases dans la verrerie utilisée.
c. Quels sont les composants majoritaires contenus dans la phase organique? Justifier.

10. Lors de la préparation des engrais à partir du caliche, les eaux de rinçage contenant des ions iodate $IO_3^-(aq)$ sont recueillies et traitées par des ions hydrogénosulfite $HSO_3^-(aq)$ ou par injection directe de $SO_2(g)$. Justifier ce traitement.
Écrire les équations de ces deux réactions.

Données :

- Couples acide/base : $H_3O^+(aq)/H_2O(\ell)$; $CO_2, H_2O(aq)/HCO_3^-(aq)$; $HCO_3^-(aq)/CO_3^{2-}(aq)$.
- L'acide sulfurique est un diacide fort.
- Couples oxydant / réducteur : $I_2(aq)/I^-(aq)$; $IO_3^-(aq)/I_2(aq)$; $SO_4^{2-}(aq)/HSO_3^-(aq)$; $HSO_4^-(aq)/SO_2(aq)$; $H_2O_2(aq)/H_2O(\ell)$.
- La solubilité dans l'eau du dioxyde de carbone gazeux est limitée.

2 Les autoroutes de l'information

Les documents ci-dessous ont été trouvés sur divers sites Internet :

■ État des lieux et perspectives

Aujourd'hui la plupart des informations sont échangées à travers le monde grâce à Internet.
La majorité des connexions se fait avec la technologie ADSL qui utilise le réseau téléphonique en fils de cuivre. Le haut-débit, de « 512 kilo » à « 20 méga », est aujourd'hui accessible presque partout. Les zones non couvertes ne représentent, en France métropolitaine, que moins de 2 % des lignes.
Avec le très haut débit, on peut envisager des applications nouvelles, multimédia et interactives.
La principale technologie permettant une connexion en très haut débit est la fibre optique. Un des grands enjeux de l'évolution du réseau pour la décennie à venir est donc le déploiement du réseau de fibres optiques jusqu'au domicile de l'utilisateur.

■ Les supports de transmission des informations

Les données circulent à travers des fils de cuivre, des fibres optiques ou des ondes radios. Elles sont transportées sous forme de paquets qui contiennent l'information codée. Ces derniers se déplacent indépendamment les uns des autres et sont orientés sur le réseau, grâce à des routeurs, sorte d'aiguilleurs, selon le trafic et leur destination.

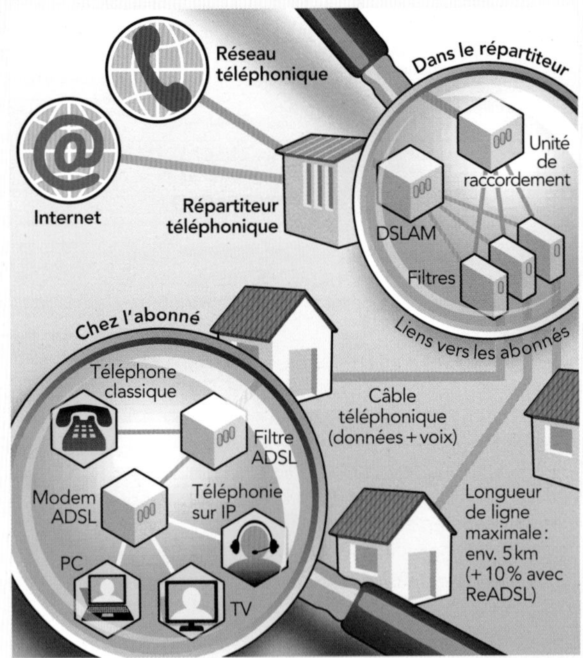

En fait, une multitude de sous-réseaux, connectés les uns aux autres, permettent le transport de quantités impressionnantes d'informations.
Des fibres optiques assurent les interconnexions. Ce sont de véritables autoroutes de l'information entre les différents grands centres de communications du monde. Elles forment une toile autour de la planète et assurent le transfert de données à très haut débit binaire jusqu'à 100 Mibit/s.
Au niveau local, les fournisseurs d'accès à Internet assurent la liaison vers chaque abonné grâce à un réseau qui emploie majoritairement la technologie ADSL.
Cette technique se sert des lignes téléphoniques classiques, en fils de cuivre, pour transmettre et recevoir les données numériques.
La téléphonie utilise une bande de basses fréquences qui s'étend de 25 Hz à 3 400 Hz. Les données numériques sont échangées, dans les mêmes câbles, sur une bande de hautes fréquences. Cette technologie permet un débit binaire maximal d'une vingtaine de Mibit par seconde qui décroît avec la longueur de la ligne. Des centres gèrent ensuite séparément le transfert de données transportées par les fréquences hautes et les appels téléphoniques transportés par les fréquences basses.

■ **Les câbles en cuivre et les fibres optiques**
Les fibres optiques sont des fils de verre dans lesquels les informations sont transportées sous forme de lumière, guidée au sein d'une zone d'une dizaine de micromètres de diamètre appelée le cœur. Elles offrent la possibilité de transmettre des données, de la voix, des images, etc., à de très hauts débits binaires avec un très faible niveau d'atténuation.
Typiquement, un signal électrique transporté par des câbles de cuivre s'affaiblit assez rapidement du fait du coefficient d'atténuation des câbles qui est de l'ordre de 20 dB · km^{-1} pour une fréquence d'environ 300 kHz. Ce coefficient augmente avec la fréquence.
Une fibre optique possède, quant à elle, un coefficient d'atténuation de l'ordre de 0,20 dB · km^{-1} pour un signal lumineux dont la longueur d'onde dans le vide est d'environ 1 550 nm.
Par ailleurs, plus la fréquence d'un signal est élevée, plus il peut transporter d'informations par unité de temps. La fréquence des ondes lumineuses utilisées dans les fibres optiques est plus élevée que celle des signaux électriques utilisés dans les câbles en cuivre. Les débits permis dans ces fibres sont donc plus importants que ceux dans les câbles en cuivre.

Ce sujet comporte trois parties indépendantes ayant pour but d'identifier les éléments de la chaîne de transmission d'informations du réseau Internet, d'étudier la vitesse de transmission et de dégager les avantages de la fibre optique.

À propos de la chaîne de transmission d'informations

1. a. À partir de vos connaissances, rappeler le nom des différents éléments qui constituent une chaîne de transmission d'informations.
b. Identifier ces éléments dans le cas de données envoyées par l'ordinateur d'un abonné ADSL.

2. a. Sous quelle forme sont transférés les signaux à travers une fibre optique?
b. Quels autres supports peuvent être utilisés pour transporter des données?

3. a. Quelle est la nature des données qui circulent dans une ligne téléphonique avec la technologie ADSL?
b. Comment peuvent-elles être transportées en même temps que la parole?

Débit binaire et transmission d'informations

4. a. Rappeler la définition du débit binaire. Quelle est son unité?
b. Après avoir lu le premier document, expliquer ce que représente un débit binaire de « 20 méga ».

5. D'après les documents, expliquer pourquoi un abonné ADSL qui réside à quelques kilomètres du répartiteur auquel il est rattaché aura, avec un matériel identique, un débit binaire plus faible que celui qui réside à proximité de ce répartiteur.

6. Un abonné dispose d'une offre ADSL et souhaite télécharger une image numérique non compressée dont la définition est de 2 048 × 1 536, codée en RVB 24 bit.
a. Quelle est la taille en bit de chaque pixel de cette image?
b. En déduire la taille de l'image.
c. Quelle sera la durée du téléchargement si le débit binaire de sa ligne est de 10 Mibit · s^{-1}?

À propos de la fibre optique

7. Expliquer ce que signifie la phrase « son coefficient d'atténuation est de 0,20 dB · km^{-1} ».

8. Quels sont les avantages des liaisons par fibre optique par rapport à celles par câbles en cuivre ?

9. À l'aide des données des documents, vérifier l'affirmation : « La fréquence des ondes lumineuses utilisées dans les fibres optiques est plus élevée que celle des signaux électriques utilisés dans les câbles en cuivre ».

10. Un technicien effectue des mesures de puissance lumineuse à l'entrée et à la sortie d'une fibre optique de longueur L = 5,0 km. Il relève les valeurs suivantes : $\mathcal{P}_e$ = 5,0 mW et $\mathcal{P}_s$ = 1,84 mW.
Le coefficient d'atténuation linéique α qui caractérise cette décroissance est défini par la relation :

$$\alpha = \frac{10}{L} \times \log\left(\frac{\mathcal{P}_e}{\mathcal{P}_s}\right)$$

où α est exprimé en décibel par unité de longueur.
a. Calculer le coefficient d'atténuation de cette fibre optique.
b. Cette valeur est-elle en accord avec celle donnée dans les documents? Expliquer l'écart éventuel.
c. Pour un signal électrique de même puissance d'entrée, quelle serait la puissance de sortie pour un câble de cuivre long de 5,0 km pour lequel α = 20 dB · km^{-1}?

11. « Un des grands enjeux de l'évolution du réseau pour la décennie à venir est donc le déploiement du réseau de fibres optiques jusqu'au domicile de l'utilisateur. » À travers l'ensemble des réponses justifier cette phrase.

Données : 1 Ki = 2^{10}; 1Mi = 2^{20}; c = 3,00 × 10^8 m · s^{-1}.

1 Dosage pH-métrique de la vitamine C contenue dans un comprimé

A Contexte du sujet

• La vitamine C, ou acide ascorbique, de formule brute $C_6H_8O_6$, joue un rôle très important dans le métabolisme des êtres humains. Il est recommandé d'en consommer environ 100 mg/jour. De nombreux aliments contiennent de la vitamine C. Des comprimés de vitamine C apportent un complément si nécessaire.

• Le but de cette épreuve est de déterminer la masse de vitamine C contenue dans un comprimé grâce au titrage pH-métrique d'une solution d'acide ascorbique par une solution de d'hydroxyde de sodium et de comparer le résultat obtenu à l'indication du fabricant.

B Document mis à la disposition

■ **Propriétés de la vitamine C**

• L'étiquette de la boite de vitamine C indique : « Vitamine C 500 » : cela signifie qu'un comprimé de vitamine C contient 500 mg d'acide ascorbique.

• La vitamine C est une vitamine hydrosoluble. La solubilité de la vitamine C dans l'eau est telle qu'on peut considérer que la totalité de la vitamine C contenue dans le comprimé est dissoute dans quelques millilitres d'eau. En revanche, cela peut ne pas être le cas pour les autres espèces chimiques présentes dans le comprimé.

• Masse molaire de l'acide ascorbique : $M = 176{,}0\ g \cdot mol^{-1}$.

• Le titrage est réalisé avec une solution aqueuse d'hydroxyde de sodium.

La réaction de support du titrage réalisé est :

$$C_6H_8O_6(aq) + HO^-(aq) \longrightarrow C_6H_7O_6^-(aq) + H_2O(\ell)$$

Matériel et solutions disponibles

- Burette graduée de 25,0 mL, potence et supports de fixation ;
- fiole jaugée de 50,0 mL ;
- éprouvettes graduées de 50 mL et 100 mL
- béchers de 50 mL et 150 mL ;
- pipette jaugée de 10,0 mL ;
- pipette graduée de 10,0 mL ;
- poire à pipeter ou pipeteur ;
- mortier et pilon ;
- entonnoir ;
- pH-mètre muni d'une sonde pH et sa notice ;
- agitateur magnétique et barreau aimanté ;
- comprimé de « vitamine C 500 » ;
- feuille de papier millimétré ou tableur ;
- eau distillée ;
- solutions étalon pour le pH-mètre ;
- solution aqueuse S_B d'hydroxyde de sodium de concentration $C_B = 4{,}00 \times 10^{-2}\ mol \cdot L^{-1}$.

C Travail à effectuer

1. **Élaborer un protocole de dissolution du comprimé et le mettre en œuvre.** (10 min*)

ANALYSER; RÉALISER Proposer un protocole expérimental permettant de réaliser la préparation d'un volume $V_A = 50{,}0$ mL d'une solution aqueuse S_A d'acide ascorbique à partir d'un comprimé de vitamine C finement broyé.

....
....
....
....
....
....
....
....
....
....
....

Appel n° 1 **Appeler le professeur pour lui présenter le protocole de dissolution.** COMMUNIQUER

Réaliser le protocole validé par le professeur.

2. **Proposer un protocole expérimental permettant de déterminer, par titrage pH-métrique, la quantité d'acide ascorbique dans un volume V_A = 10,0 mL de la solution S_A. Faire un schéma légendé du montage utilisé.** (15 min)

ANALYSER ; RÉALISER *Remarque :* le protocole expérimental doit expliciter la méthode permettant de déterminer le volume d'hydroxyde de sodium versé à l'équivalence V_E avec l'incertitude la plus faible possible.

Appel n° 2 Appeler le professeur pour lui présenter le schéma et le protocole proposés. Réaliser le montage correspondant. COMMUNIQUER

3. **Mettre en œuvre le protocole expérimental validé par le professeur lors de l'appel n° 2.** (20 min)

4. **Comparer le résultat obtenu avec l'indication de l'étiquette.** (15 min)

VALIDER Calculer la quantité n(vitC) de vitamine C contenue dans le comprimé.
En déduire la masse m(vitC) de vitamine C contenue dans le comprimé.

Calculer l'incertitude relative entre la masse m(vitC) de vitamine C déterminée expérimentalement et la masse m'(vitC) indiquée par le fabricant : $\left|\frac{m(\text{vitC}) - m'(\text{vitC})}{m'(\text{vitC})}\right|$ et l'exprimer en pourcentage.

Appel n° 3 Appeler le professeur pour lui présenter vos conclusions. COMMUNIQUER

Rincer le matériel utilisé et ranger la paillasse avant de quitter la salle.

* Toutes les durées indiquées sont des durées conseillées.

2 Enregistrer une séquence musicale pour créer un CD

A Contexte du sujet

Enregistrer un son consiste à transformer une onde mécanique en un signal électrique afin de pouvoir en garder la mémoire sur un support pour pouvoir le diffuser ultérieurement.

Le signal issu du microphone est analogique. Dans le cas d'un enregistrement numérique, le signal doit être converti en signal numérique avant d'être enregistré ou gravé.

Le but de cette épreuve est d'analyser et d'expérimenter pour comprendre comment on peut numériser un son sur un nombre limité de bits sans perdre trop d'informations.

B Documents mis à la disposition

1. Fréquence d'échantillonnage
Pour numériser un signal, il faut commencer par l'échantillonner, c'est-à-dire prélever des valeurs de l'amplitude du signal analogique à intervalles de temps T_e égaux appelés période d'échantillonnage.
Le théorème de Nyquist-Shannon précise que pour convertir un signal analogique et le reproduire le plus fidèlement possible, il faut que la fréquence d'échantillonnage soit égale ou supérieure au double de la fréquence maximale des harmoniques de ce signal.
En laissant inchangés les autres réglages, plus la fréquence d'échantillonnage est grande et plus l'enregistrement sera fidèle, mais plus le nombre d'informations à stocker sera important.

2. Convertisseur analogique-numérique et résolution
La résolution p d'un convertisseur analogique-numérique, aussi appelée le pas de ce convertisseur, est la plus petite variation de tension analogique que peut repérer ce convertisseur.
Elle fixe les valeurs que pourra prendre une tension numérisée. Ces valeurs sont des multiples entiers du pas.
Cette résolution dépend du nombre n de bits du convertisseur et de l'étendue de la plage de mesure sur laquelle le convertisseur peut réaliser la conversion.
La résolution se calcule en divisant l'étendue de la plage de mesure par 2^n :

$$p = \frac{\text{plage de mesure}}{2^n}.$$

En laissant inchangés les autres réglages, plus la résolution du convertisseur analogique-numérique sera faible et plus l'enregistrement sera fidèle, mais plus le nombre d'informations à stocker sera important.

3. La qualité CD
La norme qui définit la qualité d'enregistrement d'un son sur un CD précise que l'échantillonnage est fait à une fréquence de 44,1 kHz et la conversion sur 16 bits. Cela permet d'enregistrer 74 minutes de musique stéréo sur un disque de 650 Mio.

4. L'analyse de Fourier
Un signal périodique peut être décomposé en une somme de signaux de fréquences et d'amplitudes donnés.
La représentation de l'amplitude de ces signaux en fonction de leur fréquence constitue le spectre en fréquences du signal analysé (exemple ci-dessous).
Deux signaux parfaitement identiques possèdent donc le même spectre.

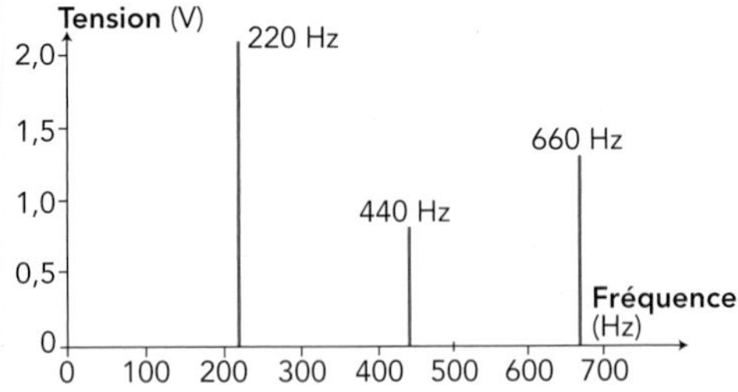

Matériel disponible
- Une interface d'acquisition ;
- un ordinateur muni d'un logiciel d'acquisition de données ;
- un générateur d'harmoniques qui délivre un signal dont le spectre est représenté dans le document ci-dessus. **Ne pas modifier ses réglages** ;
- des fils de connexion.

C Travail à effectuer

1. **Exploiter des informations.** (10 min*)

a. ANALYSER À partir des documents, identifier les paramètres qui doivent être pris en compte pour convertir le plus fidèlement possible un signal sonore en signal numérique.

Rassembler les réponses dans le tableau ci-dessous.

	Paramètre pris en compte	**Conséquence si la valeur est trop faible**	**Conséquence si la valeur est trop élevée**
Document 1			
Document 2			

b. ANALYSER Quelle est la fréquence du son produit par le générateur d'harmoniques (voir son spectre) ?

....

....

....

....

....

....

....

Appel n° 1 Appeler le professeur pour lui présenter les résultats ou en cas de difficulté.

2. **Formuler et mettre en œuvre un protocole expérimental.** (30 min)

ANALYSER À partir du matériel mis à disposition, proposer un protocole expérimental permettant de vérifier l'influence du paramètre pris en compte dans le **document 1**.

Le protocole doit expliciter clairement les mesures qui seront réalisées, notamment la période (ou la fréquence) d'échantillonnage et la durée de l'enregistrement.

....

....

....

....

....

....

....

Appel n° 2 Appeler le professeur pour lui présenter le protocole ou en cas de difficulté.

RÉALISER Mettre en œuvre ce protocole.

3. **Communiquer sur le travail réalisé et sur les résultats obtenus.** (20 min)

VALIDER ; COMMUNIQUER Avec un traitement de texte, réaliser un compte rendu de votre travail. Vous devrez :
- indiquer votre nom et prénom ;
- coller des copies d'écran légendées d'acquisitions permettant d'illustrer vos propos ;
- formuler une conclusion cohérente avec le but de l'épreuve, utilisant un vocabulaire scientifique adapté.

Le fichier devra être enregistré dans le dossier ECE disponible sur le bureau de l'ordinateur, en lui donnant comme nom de fichier, votre nom.

Appel n° 2 Appeler le professeur pour lui présenter le fichier enregistré ou en cas de difficulté.

Défaire le montage et ranger la paillasse avant de quitter la salle.

* Toutes les durées indiquées sont des durées conseillées.

1 Extraire et exploiter des informations

Un document peut se présenter sous diverses formes : texte, image, graphique, fichier audio ou vidéo, etc.
Il faut savoir en **extraire les informations** qui seront ensuite **exploitées** pour répondre à des questions.
Les trois pages de cette fiche illustrent cela sur un exemple.

DOCUMENT 1 ■ Récupérer l'énergie du quotidien

« En 2010, deux scientifiques coréens ont eu l'idée d'utiliser la vibration engendrée par un son pour faire bouger un matériau piézoélectrique et produire de l'électricité. [...] Certes, la puissance reste très limitée, mais les chercheurs espèrent un jour alimenter des portables grâce aux conversations des utilisateurs... ou réutiliser le bruit du trafic routier. »

« Profiter de l'eau qui coule autour de nous pour produire de l'électricité, l'idée a déjà fait son chemin avec les barrages. Mais redéployer ce système à petite échelle, au niveau des conduites d'eau elles-mêmes, il fallait y penser... »

« 37,5 °C. Le corps humain est un miniradiateur ambulant qui chauffe tout autour de lui... À lui seul, il fournit une puissance de 50 à 100 watts en permanence. À partir de cette idée, Jernhusen, une entreprise suédoise, s'est mis en tête, en 2007, de récupérer cette source thermique inédite pour chauffer un immeuble de 13 étages.
[...] Pour disposer d'une énergie suffisante, un seul individu ne suffit évidemment pas. Mais à 200 m du lieu de construction dudit immeuble, un "radiateur" semble tout trouvé : la gare de Stockholm où plus de 200 000 visiteurs circulent tous les jours ! [...] Pour y parvenir, l'astuce fut d'installer un système de ventilation qui récupère la chaleur humaine pour chauffer un circuit d'eau *via* un échangeur thermique. »

D'après M. VALIN, « Objectif : Récupérer l'énergie du quotidien », *Science&Vie*, n° 1122, mars 2011.

DOCUMENT 2 ■ Recharger son portable en se baladant ?

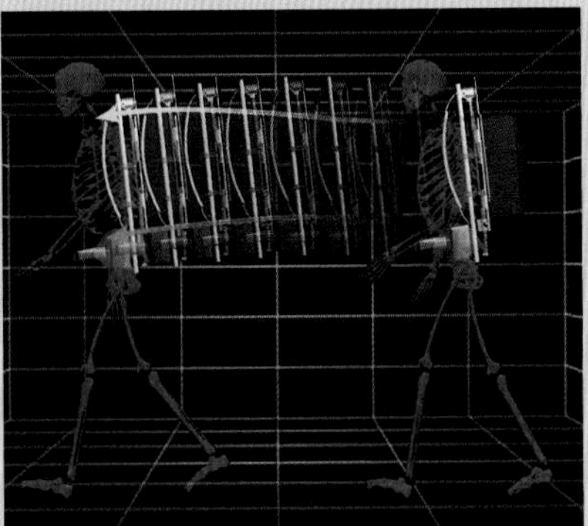

Alternateur
Accumulateur
Ressorts
Système à crémaillère
Partie coulissante
Mouvements du sac

Le sac à dos énergétique de Larry ROME (*University of Pennsylvania*) produit de l'électricité grâce au mouvement du sac à chaque pas du marcheur.

DOCUMENT 3 ■ Une expérience de piézoélectricité

Évolution temporelle de la tension aux bornes d'un cristal de quartz subissant des contraintes mécaniques

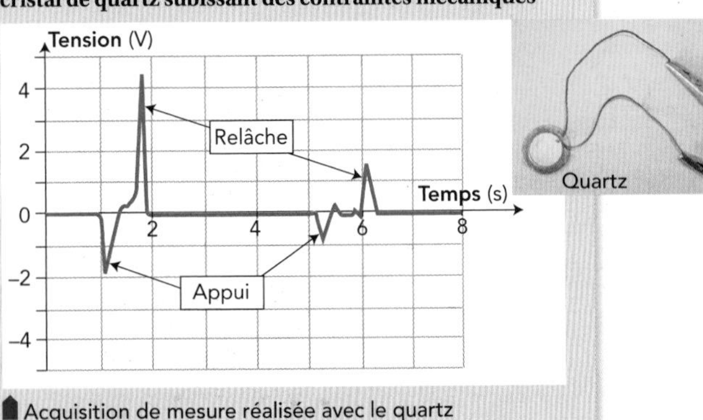

Acquisition de mesure réalisée avec le quartz d'un haut-parleur.

DOCUMENT 4 ■ Production mondiale d'énergie

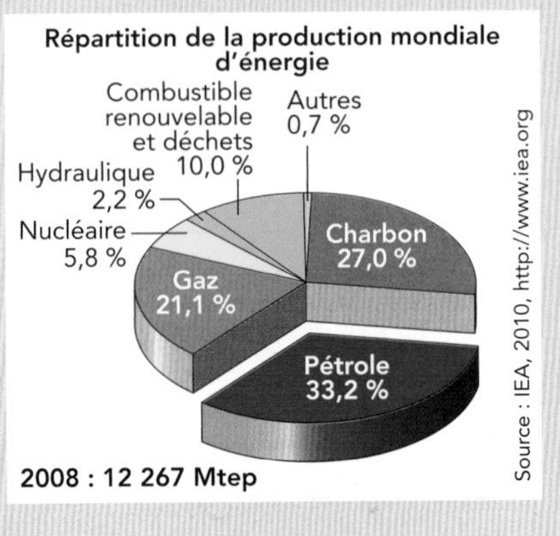

A Extraire les informations

➔ À partir d'un texte **(document 1)**
- Lire le titre et la source du texte (origine, auteur, date, etc.).
- Lire le texte entièrement.
- Extraire les mots-clés et les organiser, par exemple, dans une carte mentale. Certains mots-clés peuvent être reformulés, d'autres mots peuvent être rajoutés. La lecture de la carte permet de reconstituer l'essentiel du texte.

Une carte possible :

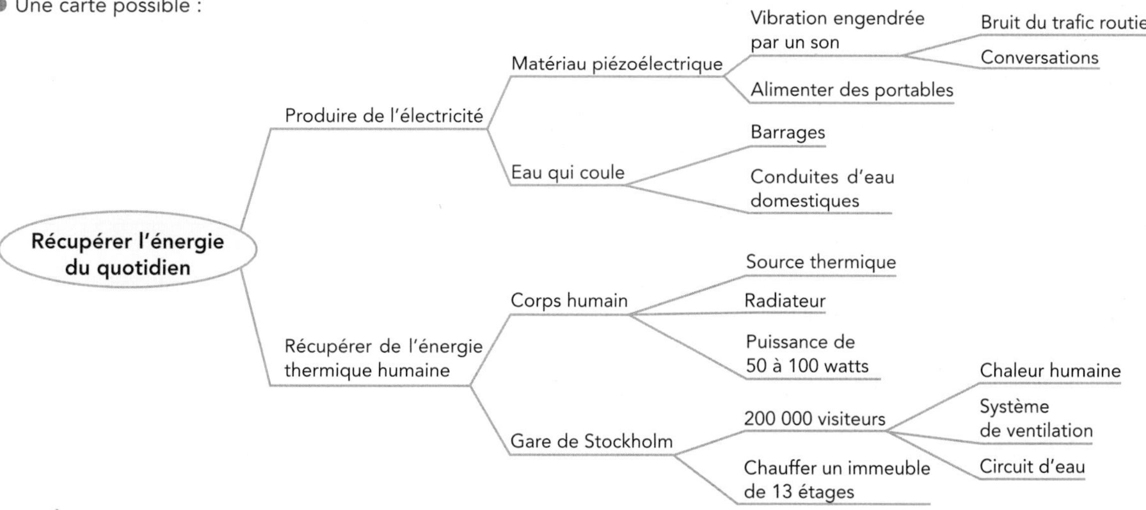

➔ À partir d'un schéma **(document 2)**
- Lire le titre, la légende et la source du document.
- Observer le schéma dans son ensemble pour en comprendre l'organisation.
- Entrer dans les détails en lisant les légendes et les symboles.
- S'interroger sur les relations entre les éléments.

➔ À partir d'un graphique **(documents 3 et 4)**
- Lire le titre et tous les éléments informatifs (résumé, légendes, sources, etc.).
- Repérer la nature du graphique, les échelles choisies.
- Repérer les grandeurs portées sur les axes ainsi que leurs unités.
- Noter l'évolution générale, les éventuels codes de couleurs.
- Identifier les points caractéristiques.

B S'interroger sur les informations

Le destinataire d'une information doit s'interroger sur la qualité de cette information, notamment sur sa fiabilité (valeur de la source, etc.). Les questions suivantes contribuent à l'examen critique du document :

Analyser, décrire un document

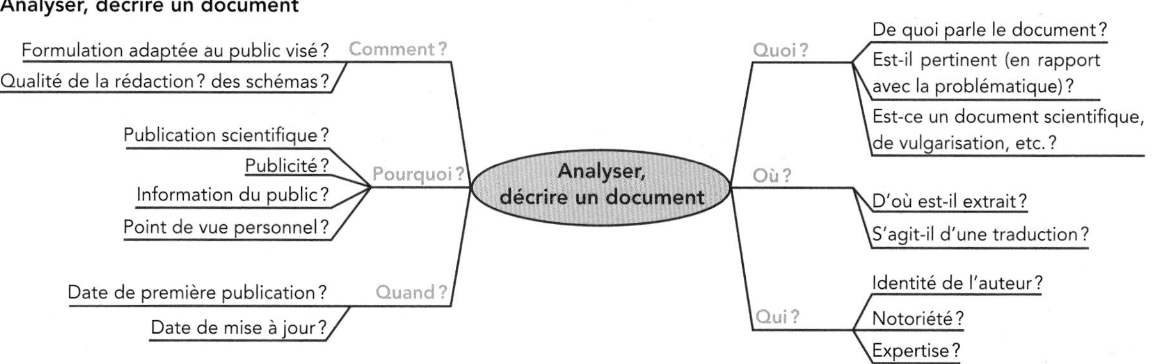

C Exploiter les informations

→ Énoncé

1. Résumer l'ensemble des documents en quelques lignes.
2. Expliquer ce qu'est la piézoélectricité.
3. Établir un tableau de synthèse montrant les différentes techniques évoquées pour récupérer de l'énergie du quotidien. Associer à chaque technique le ou les principe(s) physique(s) ainsi que les formes d'énergie mises en jeu.
4. Quelles sont les ressources énergétiques les plus utilisées actuellement ? Justifier l'importance de développer d'autres moyens de production d'énergie.

→ Solution possible

	Origine de l'information
1. Des systèmes aussi différents qu'un quartz, un sac à dos, les canalisations d'eau d'un immeuble et même une foule de personnes permettent de récupérer de l'énergie.	→ Tous les documents
Ainsi, il est possible de produire de l'électricité à partir d'ondes sonores qui viennent frapper un matériau piézoélectrique. Les vibrations permettent de créer une tension électrique. Les chercheurs envisagent de recharger un téléphone portable grâce à ce dispositif.	→ Doc. 1
Tout comme les barrages hydrauliques permettent de produire de l'électricité, de petites turbines installées dans les canalisations d'immeubles pourraient à moindre échelle, jouer le même rôle.	→ Doc. 1
Le corps humain est source d'énergie thermique. Dans un lieu public où se rassemblent beaucoup d'humains, la récupération de cette énergie permettrait de chauffer un bâtiment de 13 étages.	→ Doc. 1
L'image du **document 2** évoque la possibilité de produire de l'électricité en sautillant. Sur le schéma du sac à dos, les flèches rouges signalent que le sac oscille verticalement. Le mouvement de la masse, donc le travail mécanique qu'il effectue, est converti en énergie électrique par un alternateur. Cette énergie est stockée sous forme chimique dans un accumulateur.	→ Doc. 2
La représentation graphique du **document 3** montre que, lorsque l'utilisateur appuie sur le cristal de quartz, la tension à ses bornes passe par une valeur négative et revient à zéro. Lorsqu'il relâche, la tension passe par une valeur positive. La tension ne s'écarte de zéro que lors du mouvement de la surface du quartz.	→ Doc. 3

2. Lorsqu'on exerce une force sur le quartz, on observe l'apparition d'une tension. Ainsi, le travail mécanique peut être transformé en énergie électrique. C'est le principe de la piézoélectricité. Des oscillations périodiques de la surface d'un quartz permettent d'obtenir une tension alternative périodique.

3.

Objet	Principe	Source énergétique	Production	Origine
Conduite d'eau + alternateur	Induction électromagnétique	Énergie cinétique	Énergie électrique	**Doc. 1**
Quartz	Piézoélectricité	Énergie acoustique	Énergie électrique	**Doc. 1 et 3**
Sac à dos + alternateur	Induction électromagnétique	Énergie cinétique + énergie potentielle de pesanteur	Énergie électrique	**Doc. 2**
Personnes	Métabolisme	Énergie thermique	Énergie thermique	**Doc. 1**

4. Le graphique **(document 4)** représente la répartition mondiale, en pourcentage, des principales sources d'énergie en 2008. Les ressources fossiles ou fissiles (pétrole, charbon, gaz ou nucléaire) constituent l'essentiel des ressources (plus de 87 %), alors que les ressources renouvelables en représentent moins de 13 %. Les 0,7 % d'énergies étiquetés « autres » peuvent correspondre aux différentes productions de très faibles puissances présentées dans ce document.

Les ressources fossiles ou fissiles s'épuisent petit à petit. C'est pourquoi il est nécessaire de mettre en œuvre des solutions alternatives.

2 Mesures et erreurs de mesures

La mesure de grandeurs physiques (température, masse, vitesse, tension, longueur, etc.) est une étape essentielle de l'activité scientifique. Elle intervient aussi dans de nombreuses activités quotidiennes comme le pesage dans le commerce, la mesure de vitesse avec un radar, l'analyse biologique, etc. Cependant, toute mesure, aussi soigneuse soit-elle, est toujours imprécise. L'évaluation de l'incertitude associée à une mesure est donc indissociable de la mesure elle-même.

Mesurer une grandeur, c'est rechercher une valeur de cette grandeur et lui associer une incertitude afin d'évaluer la qualité de la mesure.

A Définitions

- Le **mesurage** est l'ensemble des opérations permettant de déterminer expérimentalement l'intervalle de valeurs que l'on peut raisonnablement attribuer à une grandeur. Le terme mesurage est préféré à celui de mesure, car le mot mesure a de nombreux sens dans la langue française.
- Le **résultat d'un mesurage** est un ensemble de valeurs attribuées à la grandeur mesurée. C'est un intervalle de valeurs à l'intérieur duquel se trouve la **valeur mesurée**.
- La **valeur vraie** d'une grandeur est la valeur que l'on obtiendrait si le mesurage était parfait. Un mesurage n'étant jamais parfait, cette valeur est toujours inconnue.

L'**erreur de mesure** est l'écart entre la valeur mesurée et la valeur vraie.
Par définition, cette erreur est inconnue puisque la valeur vraie est elle-même inconnue.

B Erreurs et notions associées

Les erreurs de mesures peuvent être dues à l'instrument de mesure, à l'opérateur ou à la variabilité de la grandeur mesurée. On les classe en deux catégories.

→ L'erreur de mesure aléatoire

Lorsqu'un même opérateur répète plusieurs fois le mesurage d'une même grandeur, les valeurs mesurées peuvent être différentes. On parle alors d'**erreur de mesure aléatoire**.

Cette dispersion des valeurs mesurées est due à la qualité du mesurage réalisé par l'opérateur et à la qualité de l'instrument de mesure.

→ L'erreur de mesure systématique

Un appareil défectueux, mal étalonné ou utilisé incorrectement conduit à des valeurs mesurées proches les unes des autres, mais éloignées de la valeur vraie. On parle alors d'**erreur de mesure systématique**.

Si la valeur vraie est au centre de la cible et si les flèches représentent des valeurs mesurées :

Tous les impacts sont proches du centre de la cible : les erreurs aléatoires et systématiques sont faibles.

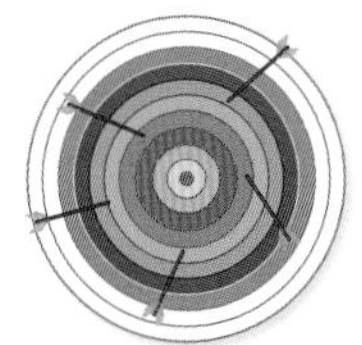

Les impacts sont éloignés du centre de la cible, mais centrés, en moyenne, sur le centre de la cible : les erreurs aléatoires sont importantes, mais les erreurs systématiques sont faibles.

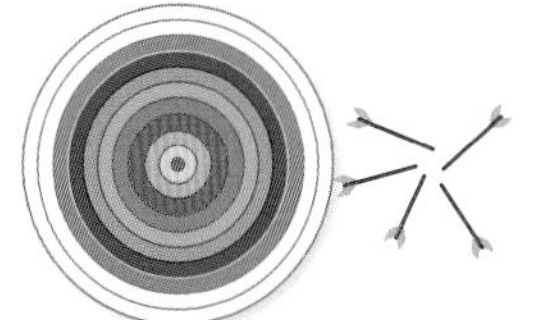

Les impacts sont groupés, mais loin du centre : les erreurs aléatoires sont faibles, mais les erreurs systématiques sont importantes.

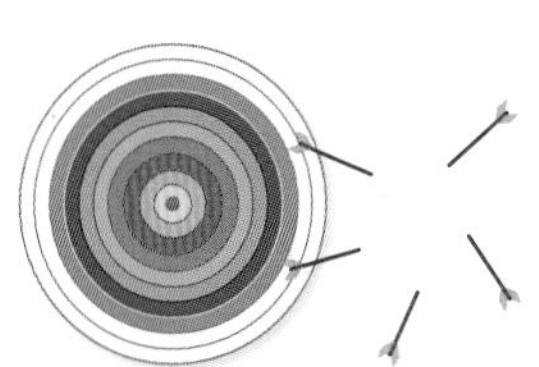

Les impacts sont étalés et loin du centre : les erreurs aléatoires et systématiques sont importantes.

3 Évaluation des incertitudes de mesure

L'incertitude de mesure est une estimation de l'erreur de mesure.

▸ L'incertitude de mesure sera notée U (de l'anglais « *uncertainty* »).

Elle permet de définir un intervalle dans lequel la valeur vraie a de grandes chances de se trouver. Cet intervalle est centré sur la valeur mesurée, notée m.

On parle **d'intervalle de confiance.**

▸ En général, la largeur de cet intervalle est choisie pour avoir 95 % ou 99 % de chance de trouver la valeur vraie à l'intérieur. Pour un même mesurage, le second intervalle (correspondant à un niveau de confiance de 99 %, en vert sur le schéma ci-contre) sera plus large que le premier (correspondant à un niveau de confiance de 95 %, en rouge sur le schéma ci-contre).

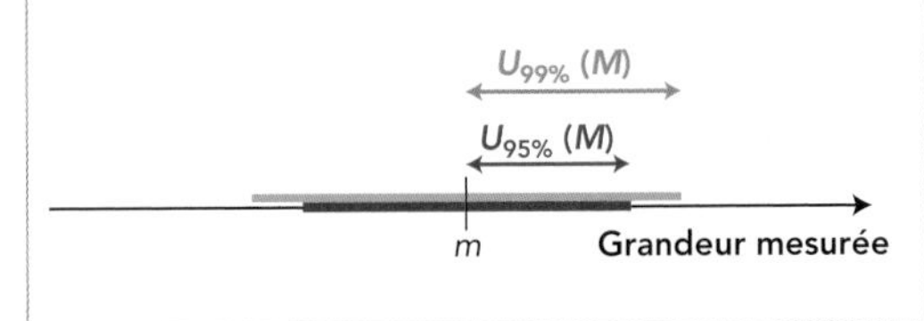

▸ La qualité de la mesure est d'autant meilleure que l'incertitude associée est petite.

A Évaluer une incertitude de répétabilité

▸ Lorsqu'un même opérateur répète plusieurs fois le mesurage de la même grandeur, dans les mêmes conditions expérimentales, il peut trouver des résultats différents.

▸ Il en est de même pour des opérateurs différents réalisant simultanément le mesurage de la même grandeur avec du matériel similaire.

▸ Dans de tels cas, on utilise des notions de statistiques (moyenne et écart type) pour analyser les résultats.

L'incertitude de mesure correspondant à des mesures répétées d'une même grandeur est appelée **incertitude de répétabilité**. Elle est liée à l'écart type de la série de mesures.

▸ Pour une série de n mesures indépendantes donnant des valeurs mesurées m_k, l'**écart type de la série de mesures** est :

$$\sigma_{n-1} = \sqrt{\frac{\sum_{k=1}^{n}(m_k - \overline{m})^2}{n-1}}$$

où $\overline{m}$ est la **valeur moyenne de la série** de mesures, que l'on notera aussi m_{moy}.

L'écart type est obtenu en utilisant les fonctions statistiques d'une calculatrice ou d'un tableur.

▸ L'**incertitude de répétabilité** associée à la mesure est $U(M) = k \times \frac{\sigma_{n-1}}{\sqrt{n}}$.

Elle dépend du nombre n de mesures indépendantes réalisées, de l'écart type de la série de mesures et d'un coefficient k appelé **facteur d'élargissement**.

▸ Le **facteur d'élargissement *k*** dépend du nombre de mesures réalisées et du niveau de confiance choisi.

Sa valeur figure dans un tableau issu de la loi statistique dite « loi de Student ».

Un extrait de ce tableau est donné ci-dessous pour un nombre de mesures compris entre 2 et 16, et pour des niveaux de confiance de 95 % et de 99 % :

n	2	3	4	5	6	7	8	9	10	11	12	13	14	15	16
$k_{95\%}$	12,7	4,30	3,18	2,78	2,57	2,45	2,37	2,31	2,26	2,23	2,20	2,18	2,16	2,15	2,13
$k_{99\%}$	63,7	9,93	5,84	4,60	4,03	3,71	3,50	3,36	3,25	3,17	3,11	3,06	3,01	2,98	2,95

Ce tableau montre que :

– Pour un même nombre de mesures, plus le niveau de confiance est grand et plus k est grand.

– Pour un même niveau de confiance, plus le nombre n de mesures indépendantes est grand et plus k est petit.

***Remarque :* en Terminale S, l'expression de l'incertitude de répétabilité et l'extrait de la table de Student correspondant à un(aux) niveau(x) de confiance choisi(s) seront donnés.**

▸ Exemple : la mesure Δt de la durée de chute d'un objet depuis une fenêtre a été répétée 16 fois avec un chronomètre de qualité. Les résultats obtenus, exprimés en seconde, sont les suivants :

1,38	1,45	1,41	1,45	1,43	1,41	1,46	1,39
1,43	1,48	1,38	1,44	1,40	1,42	1,39	1,44

La série des valeurs mesurées des durées précédentes conduit à un écart type $\sigma_{n-1} = 0{,}029\,65$ s.

Avec un niveau de confiance de 95 %, l'incertitude de répétabilité est :

$$U_{\text{répétabilité}}(\Delta t) = 2{,}13 \times \frac{\sigma_{n-1}}{\sqrt{n}} = 2{,}13 \times \frac{0{,}029\,65}{\sqrt{16}} = 0{,}016 \text{ s.}$$

Avec un niveau de confiance de 99 %, l'incertitude de répétabilité est :

$$U_{\text{répétabilité}}(\Delta t) = 2{,}95 \times \frac{\sigma_{n-1}}{\sqrt{n}} = 2{,}95 \times \frac{0{,}029\,65}{\sqrt{16}} = 0{,}022 \text{ s.}$$

B Évaluer une incertitude sur une mesure unique

Lorsqu'une mesure ne peut pas être reproduite plusieurs fois, il est impossible d'estimer une incertitude de répétabilité.

Il est alors nécessaire d'analyser les différentes sources d'erreurs liées à l'instrument de mesure. Les valeurs des exemples suivants correspondent à un niveau de confiance de 95 %.

En Terminale S, les relations à utiliser seront données.

Le thermomètre est gradué ▸ en degré Celsius. L'incertitude sur une mesure unique de la température θ est :

$$U_{\text{lecture}}(\theta) = \frac{2 \times 1}{\sqrt{12}} = 0{,}58 \text{ °C.}$$

→ Cas d'une lecture simple sur une échelle graduée

Lorsque la mesure est obtenue par lecture sur une échelle ou un cadran, pour un niveau de confiance de 95 %, l'incertitude de la mesure liée à la lecture est estimée à :

$$U_{\text{lecture}} = \frac{2 \text{ graduations}}{\sqrt{12}}$$

→ Cas d'une double lecture sur une échelle graduée

Lorsque la mesure nécessite une double lecture, les incertitudes liées à la lecture peuvent se cumuler ou se compenser, totalement ou partiellement. Pour un niveau de confiance de 95 %, l'incertitude liée à la lecture est estimée à :

$$U_{\text{double lecture}} = \sqrt{2\left(\frac{2 \text{ graduations}}{\sqrt{12}}\right)^2} = \sqrt{2}\, U_{\text{lecture}}$$

La mesure de la distance d entre la lentille et le plan de formation de l'image ▸ nécessite de repérer les positions de ces deux instruments sur le banc d'optique. Celui-ci étant gradué en mm, l'incertitude liée à la double-lecture est :

$$U_{\text{double lecture}}(d) = \sqrt{2} \times \frac{2 \times 1}{\sqrt{12}} = 0{,}82 \text{ mm.}$$

En pratique, cette incertitude est souvent arrondie à 1 mm.

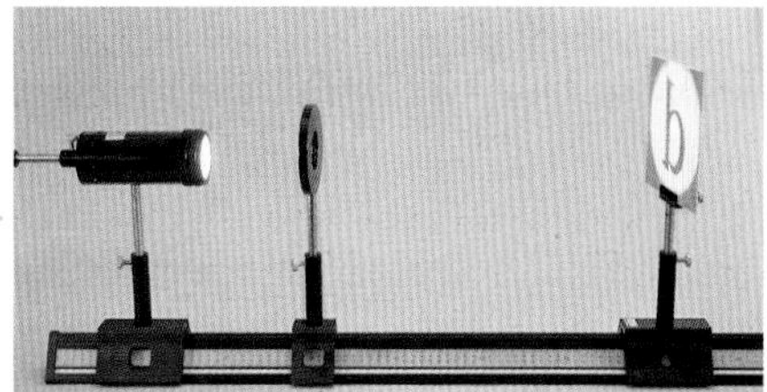

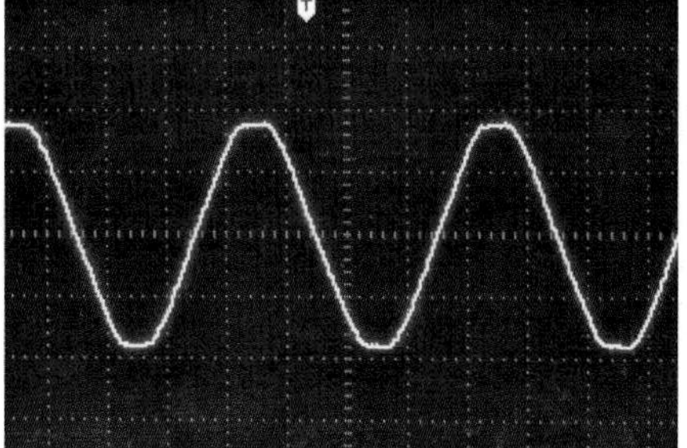

◂ La mesure de la période T d'un signal périodique affiché sur l'écran d'un oscilloscope nécessite de repérer deux points de la courbe et de lire leurs abscisses. Celui-ci étant gradué en cinquièmes de division, l'incertitude liée à la double lecture est :

$$U_{\text{double lecture}}(T) = \sqrt{2} \times \frac{2 \times 0{,}2}{\sqrt{12}} = 0{,}163 \text{ DIV.}$$

Si la base de temps est réglée sur 5,0 ms/DIV, l'incertitude de lecture sur la valeur mesurée de la période est :

$$U_{\text{double lecture}}(T) = 5{,}0 \times 0{,}163 = 0{,}82 \text{ ms.}$$

En pratique, cette incertitude est souvent arrondie à 1 ms.

→ Cas d'une mesure obtenue avec un appareil de tolérance connue

> Lorsque la mesure est obtenue avec un appareil pour lequel le constructeur indique la tolérance t (notée $\pm t$), l'incertitude liée à la tolérance de cet appareil est estimée à $\dfrac{2\,t}{\sqrt{3}}$.

Par exemple, pour une pipette jaugée de 10,0 mL de classe A, la tolérance est $\pm 0{,}02$ mL.

L'incertitude sur la mesure de volume V liée à la tolérance de la pipette est :

$$U_{\text{tolérance}}(V) = \frac{2 \times 0{,}02}{\sqrt{3}} = 0{,}023 \text{ mL}.$$

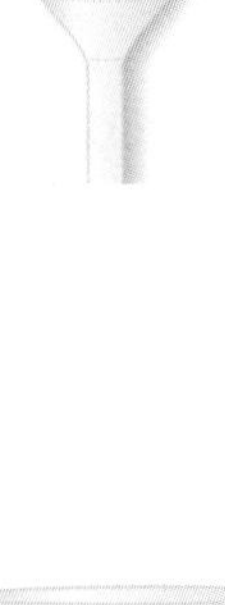

Sur la verrerie jaugée utilisée en chimie, le fabricant indique toujours sa tolérance.

C Évaluer une incertitude sur une mesure dans laquelle interviennent plusieurs sources d'erreurs

Lors d'un mesurage, il est fréquent d'avoir plusieurs sources d'erreurs à prendre en compte.
C'est notamment le cas lorsque :
– le mesurage fait intervenir une ou plusieurs lectures avec un appareil de tolérance donnée ;
– le mesurage fait intervenir un calcul avec des valeurs dont les incertitudes sont connues.
En Terminale S, les relations à utiliser seront données.

→ Exemple de l'incertitude sur la valeur d'un volume V versé, mesurée avec une burette graduée

- Une burette graduée de tolérance $t = \pm 0{,}05$ mL est graduée en dixième de millilitre.

On suppose que l'opérateur utilise une méthode de lecture du volume correcte. On ne prendra donc en compte que l'incertitude de lecture sur l'échelle graduée de la burette.

- Pour faire une mesure de volume versé, il faut faire deux lectures de volume successives (le zéro et le volume versé) et l'incertitude associée à chaque lecture est :

$$U_{\text{lecture}}(V) = \frac{2 \times 0{,}1}{\sqrt{12}} \text{ mL}.$$

- D'autre part, l'incertitude liée à la tolérance indiquée par le constructeur est :

$$U_{\text{tolérance}}(V) = \frac{2 \times 0{,}05}{\sqrt{3}} \text{ mL}.$$

- En prenant en compte les deux sources d'erreur, l'incertitude (formule fournie) sur le volume versé avec cette burette est :

$$U(V) = \sqrt{2\,(U_{\text{lecture}})^2 + (U_{\text{tolérance}})^2} = \sqrt{2 \times \left(\frac{2 \times 0{,}1}{\sqrt{12}}\right)^2 + \left(\frac{2 \times 0{,}05}{\sqrt{3}}\right)^2} = 0{,}1 \text{ mL}.$$

Sur cette burette graduée, le fabricant a indiqué :
– le volume maximal mesurable : 25 mL ;
– la graduation la plus petite : 0,1 mL ;
– la classe de l'instrument : A ;
– la température pour laquelle l'indication du volume est la plus précise : 20 °C ;
– la tolérance : ±0,05 mL.

→ Exemple de l'incertitude sur la valeur calculée d'une vitesse obtenue par une mesure de distance et une mesure de durée

- Une moto parcourt une distance $d = 125{,}35$ m en une durée $\Delta t = 2{,}164$ s.

La valeur de la vitesse moyenne calculée à partir de ces mesures est $v = \dfrac{d}{\Delta t} = \dfrac{125{,}35}{2{,}164} = 57{,}93 \text{ m}\cdot\text{s}^{-1}$.

Cependant, une incertitude est associée à cette valeur de la vitesse. Cette incertitude est liée aux incertitudes sur les mesures des grandeurs intervenant dans le calcul.

Les incertitudes liées aux instruments de mesures utilisés sont telles que :

– l'incertitude sur la mesure de la distance est $U(d) = 0{,}15$ m ;

– l'incertitude sur la mesure de la durée est $U(\Delta t) = 0{,}002$ s.

- L'incertitude (formule fournie) sur la valeur de la vitesse moyenne de la moto est alors, dans ce cas :

$$U(v) = v \cdot \sqrt{\left(\frac{U(d)}{d}\right)^2 + \left(\frac{U(\Delta t)}{\Delta t}\right)^2} = 57{,}93 \times \sqrt{\left(\frac{0{,}15}{125{,}35}\right)^2 + \left(\frac{0{,}002}{2{,}164}\right)^2} = 0{,}088 \text{ m}\cdot\text{s}^{-1}.$$

4 Expression et acceptabilité du résultat

A Convention d'écriture pour l'expression du résultat

Le résultat du mesurage d'une grandeur M est un intervalle de confiance associé à un niveau de confiance. L'intervalle de confiance est centré sur la valeur m (valeur mesurée lors d'une mesure unique ou valeur moyenne des mesures lors d'une série de mesures) et a pour demi-largeur l'incertitude de mesure $U(M)$.

Le résultat du mesurage s'écrit $M = m \pm U(M)$ ou $M \in [m - U(M)\,;\, m + U(M)]$. Si elle existe, l'unité est précisée.
Par convention, l'incertitude sera arrondie à la valeur supérieure avec au plus deux chiffres significatifs et les derniers chiffres significatifs conservés pour la valeur mesurée m sont ceux sur lesquels porte l'incertitude $U(M)$.

Ainsi, le dernier chiffre significatif de la valeur mesurée doit être à la même position décimale que le dernier chiffre significatif de l'incertitude.

Dans le résultat de la forme $M = m \pm U(M)$	
Pour la valeur mesurée m, on garde :	Pour l'incertitude U, on garde :
– les chiffres « exacts » (ceux sans incertitude) ; – le 1er chiffre entaché d'erreur ; – le 2e chiffre entaché d'erreur que l'on arrondit.	– le 1er chiffre non nul ; – le chiffre suivant majoré.

Dans certains cas, il est utile d'écrire le résultat de la mesure au format scientifique, la puissance de 10 utilisée doit alors être la même pour la valeur mesurée m et pour l'incertitude associée $U(M)$.

Par exemple :

	Valeur mesurée m	Incertitude $U(M)$	Résultat du mesurage M
Vitesse de la moto (p. 586)	57,925 $m \cdot s^{-1}$	0,088 $m \cdot s^{-1}$	$V = (57{,}925 \pm 0{,}088)\ m \cdot s^{-1}$
Charge électrique	$1{,}6042 \times 10^{-19}$ C	$0{,}0523 \times 10^{-19}$ C	$q = (1{,}604 \pm 0{,}053) \times 10^{-19}$ C

Lorsque le niveau de confiance est connu, il est précisé dans l'écriture du résultat.

B Incertitude relative d'une mesure

L'**incertitude relative** d'une mesure est le quotient de l'incertitude de mesure U par la valeur mesurée m, soit $\frac{U}{m}$.

L'incertitude (ou la précision) relative d'une mesure s'exprime en pourcentage : $(\frac{U}{m} \times 100)$ %. C'est un indicateur de la qualité de la mesure : plus elle est petite et plus la mesure est précise. Généralement, on considère que :

Si $\frac{U}{m} \leqslant 0{,}01$, alors la mesure est de bonne qualité.

C Comparaison du résultat d'une mesure à une valeur de référence

Dans certains cas, la grandeur mesurée a une valeur déjà connue précisément, considérée comme une valeur de référence. La qualité du résultat de la mesure est obtenue par un calcul d'incertitude relative.

Si la grandeur mesurée a une valeur de référence $m_{\text{référence}}$ et une valeur mesurée $m_{\text{mesurée}}$, alors l'incertitude relative est :

$$r = \frac{|m_{\text{mesurée}} - m_{\text{référence}}|}{m_{\text{référence}}}$$

D Amélioration de la qualité d'une mesure

Quand l'incertitude relative est supérieure à 1 %, il faut chercher comment améliorer la qualité de la mesure effectuée :
– le matériel choisi doit présenter une tolérance suffisamment faible ;
– le matériel doit être utilisé correctement (lecture du niveau de liquide dans une burette, par exemple) ;
– le nombre de mesures indépendantes doit être suffisant ;
– lors de calculs successifs, il faut garder les résultats intermédiaires dans la mémoire de la calculatrice.

5 Analyse dimensionnelle

Les unités sont nécessaires pour comparer les valeurs d'une même grandeur physique et pour vérifier l'homogénéité d'expressions littérales.

A Le système international (SI)

Le système international d'unités est construit autour de sept unités qui correspondent à sept grandeurs fondamentales différentes.

Il comporte également des unités supplémentaires (le newton pour la valeur de la force, le volt pour la tension, etc.) appelées *unités dérivées*. Les unités dérivées peuvent être exprimées en fonction des *unités de base*.

Grandeur	Unité SI
longueur	mètre (m)
masse	kilogramme (kg)
temps	seconde (s)
intensité électrique	ampère (A)
température	kelvin (K)
intensité lumineuse	candela (cd)
quantité de matière	mole (mol)

Les sept unités du système international.

B L'analyse dimensionnelle

L'analyse dimensionnelle permet :
- de déterminer l'unité du système international d'une grandeur ;
- d'établir qu'une expression littérale est homogène.

→ Comment exprimer la valeur d'une force avec les unités du système international ?

D'après la deuxième loi de Newton, $\Sigma\vec{F} = \dfrac{d\vec{p}}{dt}$ avec $\vec{p} = m \cdot \vec{v}$.

La valeur de la quantité de mouvement a la même unité que le produit des unités de la masse m et de la valeur v de la vitesse. La valeur p de la quantité de mouvement s'exprime donc en $\text{kg} \cdot \dfrac{\text{m}}{\text{s}} = \text{kg} \cdot \text{m} \cdot \text{s}^{-1}$.

De plus, $\dfrac{d\vec{p}}{dt} = \lim\limits_{\Delta t \to 0} \dfrac{\Delta\vec{p}}{\Delta t}$ donc $\dfrac{dp}{dt}$ et $\dfrac{\Delta p}{\Delta t}$ ont la même unité.

$\dfrac{\Delta p}{\Delta t}$ est la variation de la valeur de la quantité de mouvement pendant la durée Δt.

La valeur de $\dfrac{d\vec{p}}{dt}$ s'exprime donc en $\dfrac{\text{kg} \cdot \text{m} \cdot \text{s}^{-1}}{\text{s}} = \text{kg} \cdot \text{m} \cdot \text{s}^{-2}$.

Dans les unités du système international, la valeur d'une force s'exprime donc en $\text{kg} \cdot \text{m} \cdot \text{s}^{-2}$.
On peut écrire que $1\ \text{N} = 1\ \text{kg} \cdot \text{m} \cdot \text{s}^{-2}$.

→ Comment vérifier l'homogénéité d'une expression littérale ?

L'expression littérale de la période de révolution T d'un satellite à une distance d du centre de la Terre s'écrit :

$$T = 2\pi\sqrt{\frac{d^3}{G \cdot M_T}}$$

G, la constante universelle de gravitation, s'exprime en $\text{m}^3 \cdot \text{kg}^{-1} \cdot \text{s}^{-2}$.
M_T, la masse de la Terre, s'exprime en kilogramme (kg) et d en mètre (m).

Vérifier l'homogénéité de cette égalité, c'est montrer que T et $2\pi\sqrt{\dfrac{d^3}{G \cdot M_T}}$ ont la même unité.

Le tableau ci-contre permet d'établir progressivement les unités des formules littérales.

2π est un nombre sans dimension, donc $2\pi\sqrt{\dfrac{d^3}{G \cdot M_T}}$ s'exprime en seconde.

L'expression $T = 2\pi\sqrt{\dfrac{d^3}{G \cdot M_T}}$ est bien homogène.

Grandeur	Unité
T	s
M_T	kg
G	$\text{m}^3 \cdot \text{kg}^{-1} \cdot \text{s}^{-2}$
d	m
$\dfrac{d^3}{G \cdot M_T}$	$\dfrac{\text{m}^3}{\text{m}^3 \cdot \text{kg}^{-1} \cdot \text{s}^{-2} \cdot \text{kg}} = \dfrac{1}{\text{s}^{-2}} = \text{s}^2$
$\sqrt{\dfrac{d^3}{G \cdot M_T}}$	s

Tableau de présentation d'une analyse dimensionnelle.

Une égalité qui n'est pas homogène est fausse.

Remarques :

On exprime souvent la constante universelle de gravitation G en $\text{N} \cdot \text{m}^2 \cdot \text{kg}^{-2}$. Le newton est homogène à des $\text{kg} \cdot \text{m} \cdot \text{s}^{-2}$.
Donc $\text{N} \cdot \text{m}^2 \cdot \text{kg}^{-2}$ est équivalent à $\text{kg} \cdot \text{m} \cdot \text{s}^{-2} \cdot \text{m}^2 \cdot \text{kg}^{-2}$ et $\text{kg} \cdot \text{m} \cdot \text{s}^{-2} \cdot \text{m}^2 \cdot \text{kg}^{-2}$ est équivalent à $\text{m}^3 \cdot \text{kg}^{-1} \cdot \text{s}^{-2}$.
On retrouve bien l'unité de G exprimée avec des unités de base du système international.

6 La sécurité au laboratoire de chimie

1. Avant la séance de travaux pratiques

- Porter des chaussures fermées et un vêtement couvrant les jambes.
- Maintenir les cheveux attachés lorsqu'ils sont longs.

2. Avant la manipulation

- Se munir d'une blouse et de lunettes de protection. Le port de lentilles est déconseillé.
- Lire entièrement l'étiquette des flacons et respecter les consignes de sécurité correspondantes.
- Lire les fiches de données de sécurité fournies.
- Porter des gants lorsque le risque chimique l'impose.

ACÉTONE

DANGER

Liquide et vapeurs très inflammables.
Provoque une sévère irritation des yeux.
Peut provoquer somnolence ou vertiges.
Tenir hors de portée des enfants.
Tenir à l'écart de la chaleur/des étincelles/des flammes nues/des surfaces chaudes.
Ne pas fumer.
En cas de contact avec les yeux : rincer avec précaution à l'eau pendant plusieurs minutes.
Enlever les lentilles de contact si la victime en porte et si elles peuvent être facilement enlevées.
Continuer à rincer.
Stocker dans un endroit bien ventilé.
Maintenir le récipient fermé de manière étanche.
L'exposition répétée peut provoquer dessèchement ou gerçures de la peau.

3. Pendant la manipulation

- Manipuler la verrerie avec précaution.
- Ne jamais pipeter un liquide avec la bouche, mais employer une propipette ou une poire d'aspiration.
- Ne pas trop enfoncer une pipette dans la poire à pipeter pour éviter de la casser au montage ou au démontage.
- Utiliser des spatules pour prélever des solides.
- Toujours reboucher un flacon après usage.
- Manipuler sous la hotte lorsque le produit utilisé présente des risques par inhalation.
- Assurer la stabilité des montages avec des pinces et des noix.
- Chauffer un tube en l'agitant et en évitant de diriger son extrémité vers une autre personne.
- Plonger progressivement les récipients dans les bains chauds ou froids.
- Laisser refroidir un récipient avant de le poser sur la paillasse.
- Ne jamais sentir un produit quel qu'il soit.
- Ne pas boire, ne pas manger et ne jamais rien porter à la bouche.
- Garder un plan de travail propre et dégagé.

4. Après la manipulation

- Verser les résidus dans les bacs de récupération prévus à cet effet.
- Toujours diluer les solutions rejetées à l'évier en laissant couler l'eau quelques instants (attendre l'accord du professeur pour ces rejets).
- Se laver les mains en fin de séance.

7 Matériel de laboratoire de chimie

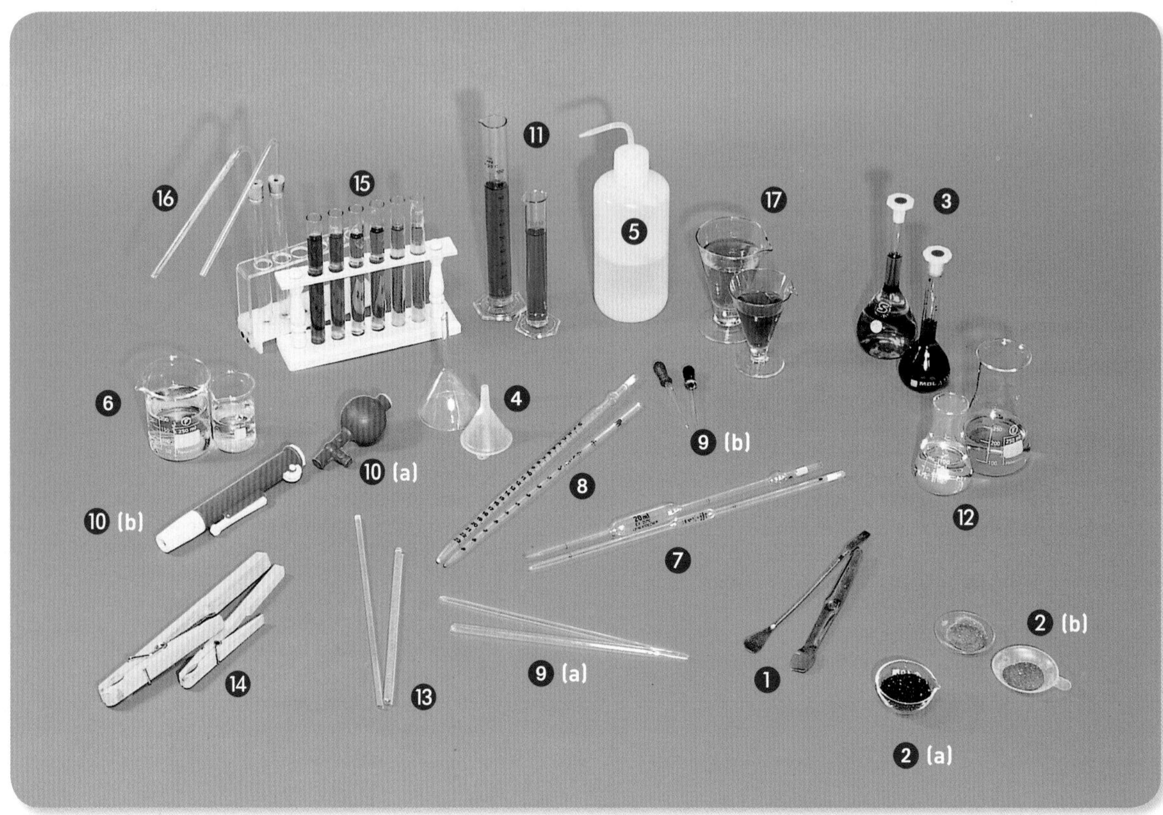

❶ **Spatules :** pour prendre un solide dans un flacon.

❷ **Capsule (a) et verres de montre (b) :** pour contenir les solides à peser.

❸ **Fioles jaugées avec bouchons :** pour préparer un volume bien déterminé (25,0 mL, 50,0 mL, 100,0 mL, 200,0 mL, 250,0 mL, 500,0 mL, 1,00 L, etc.) de solution.

❹ **Entonnoirs à solide et à liquide :** Pour transvaser un solide ou un liquide.

❺ **Pissette d'eau distillée :** pour dissoudre les solides, diluer les liquides, rincer les capsules et les entonnoirs, etc.

❻ **Béchers :** pour placer le liquide à pipeter pour un prélèvement.

❼ **Pipettes jaugées à un trait ou à deux traits :** pour prélever un volume précis (1,00 mL, 2,00 mL, 10,0 mL, 20,0 mL, 25,0 mL, 50,0 mL, etc.) de solution.

❽ **Pipettes graduées :** pour prélever des volumes précis qui ne peuvent l'être avec des pipettes jaugées (6,7 mL par exemple).

❾ **Pipettes simples (a) et pipettes Pasteur (b) :** pour finir de compléter une fiole jaugée jusqu'au trait de jauge.

❿ **Propipette (a) ou pipeteur (b) :** pour pipeter un liquide en toute sécurité.

⓫ **Éprouvettes graduées :** pour mesurer approximativement un volume de liquide.

⓬ **Erlenmeyers :** pour placer les solutions à doser ou agiter pour une dissolution.

⓭ **Agitateurs en verre :** pour agiter des solutions contenues dans des béchers ou des tubes à essais.

⓮ **Pinces en bois :** pour tenir un tube à essais lors de son chauffage.

⓯ **Tubes à essais :** pour réaliser des tests.

⓰ **Tubes à dégagement :** pour faire barboter un gaz dans une solution.

⓱ **Verres à pied :** pour réaliser des expériences sur des volumes plus importants qu'avec des tubes à essais.

8 Préparer une solution par dissolution d'un solide

Comment préparer une solution de volume V_{sol}, de concentration molaire C, par dissolution d'un solide de masse m ?

La masse m de solide à peser est : $m = C \times V_{sol} \times M$

avec m en g ; C en mol·L^{-1} ; V_{sol} en L ; M en g·mol^{-1}.

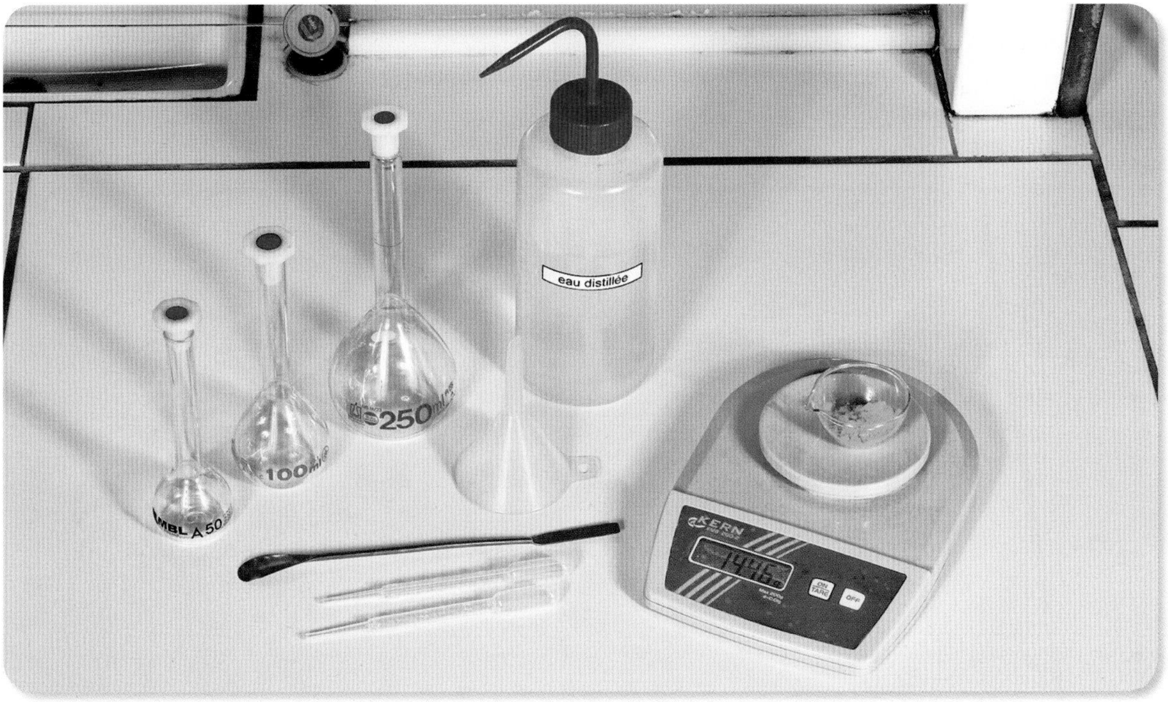

Doc. 1 Matériel à utiliser pour la préparation d'une solution par dissolution.

En utilisant le matériel du **document 1**, il faut suivre dans l'ordre les quatre étapes schématisées ci-dessous :

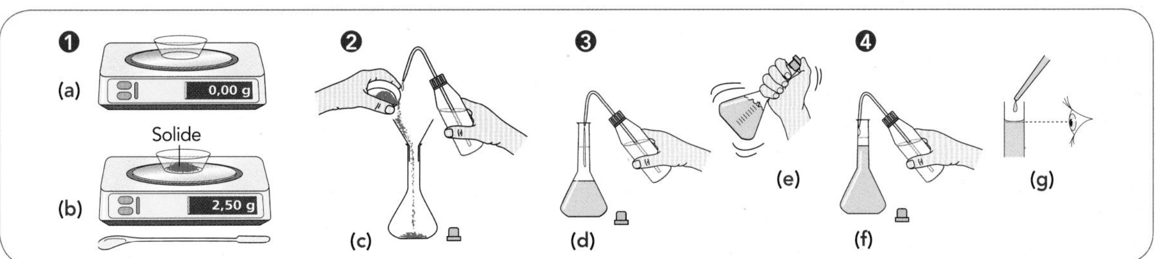

Doc. 2 Étapes à suivre pour la dissolution.

❶ On place une capsule de pesée sur une balance électronique précise à 0,01 g près, puis on tare la balance (**a**). On pèse ensuite précisément la masse de solide ***m*** (**b**) prélevé à l'aide d'une spatule propre et sèche.

❷ On introduit le solide dans une fiole jaugée de volume $\boldsymbol{V_{sol}}$ à l'aide d'un entonnoir à solide (**c**). (Attention à bien rincer la capsule de pesée avec de l'eau distillée en versant l'eau de rinçage dans la fiole jaugée.)

❸ On remplit la fiole jaugée aux trois quarts avec de l'eau distillée (**d**). Après l'avoir bouchée, on agite la fiole jaugée pour bien dissoudre le solide (**e**).

❹ Une fois la dissolution terminée, on ajoute de l'eau distillée d'abord à la pissette (**f**) puis au compte-goutte (**g**) jusqu'au trait de jauge. Le bas du ménisque doit être au niveau du trait de jauge. On rebouche la fiole jaugée et on agite pour homogénéiser la solution.

9 Préparer une solution par dilution d'une solution mère

Comment diluer précisément une solution mère S_0 de concentration molaire C_0 pour préparer une solution fille S_f de volume V_f et de concentration molaire $C_f = \frac{C_0}{F}$ (où F est le facteur de dilution) ?

Le volume V_0 de solution mère à prélever se déduit du facteur de dilution : $F = \frac{V_f}{V_0}$, soit : $V_0 = \frac{V_f}{F}$ ou $V_0 = \frac{V_f \times C_f}{C_0}$.

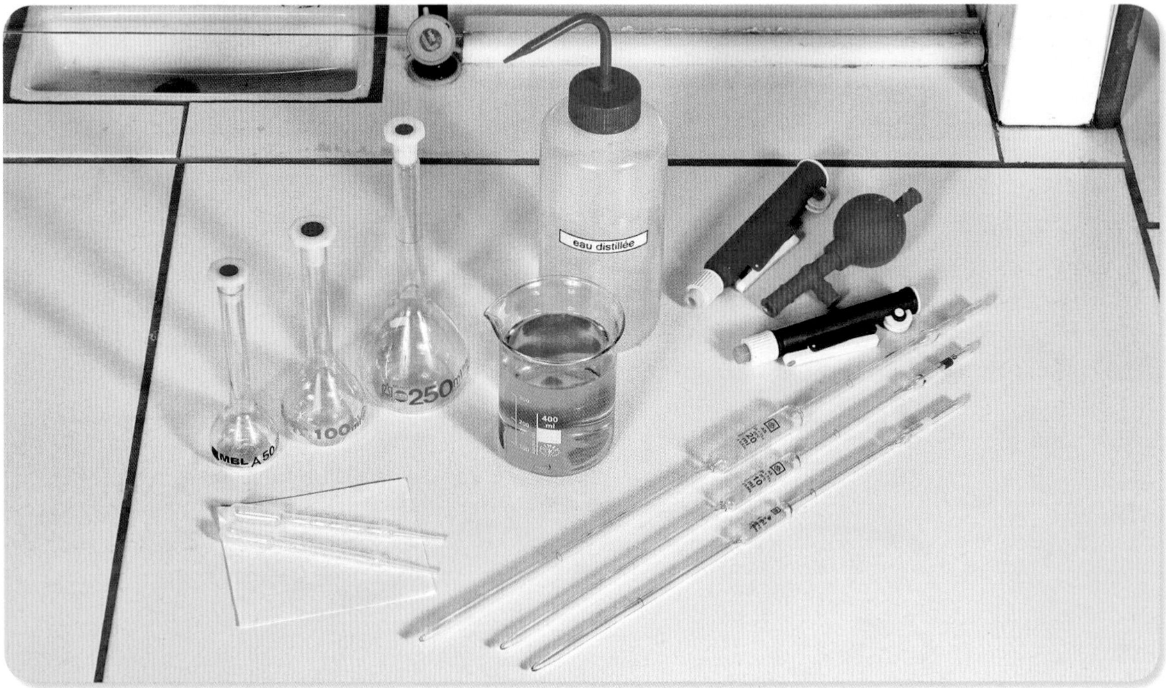

Doc. 1 Matériel à utiliser pour une dilution.

En utilisant le matériel du **document 1**, il faut suivre dans l'ordre les quatre étapes schématisées ci-dessous :

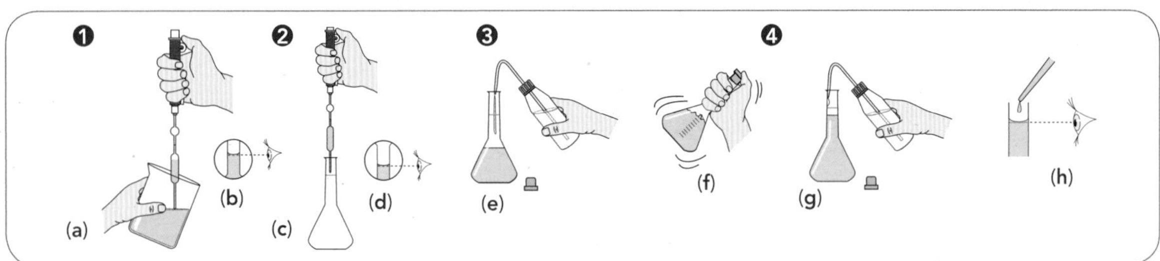

Doc. 2 Étapes à suivre pour la dilution.

❶ Dans un bécher, on verse suffisamment de la solution mère S_0 pour en prélever le volume V_0. En tenant le bécher incliné, on prélève un volume V_0 de solution mère à l'aide d'une pipette jaugée munie d'une pipeteur (**a**). Le bas du ménisque doit être au niveau du trait de jauge du haut de la pipette jaugée (**b**).

❷ On verse le prélèvement dans une fiole jaugée de volume V_f (**c**) jusqu'à ce que le bas du ménisque soit au niveau du trait de jauge du bas de la pipette jaugée (lorsqu'il existe) (**d**).

❸ On remplit la fiole jaugée aux trois-quarts avec de l'eau distillée (**e**). Après l'avoir bouchée, on agite la fiole jaugée (**f**).

❹ On débouche la fiole, puis on la complète avec de l'eau distillée d'abord à la pissette (**g**) puis au compte-goutte (**h**) jusqu'au trait de jauge. On rebouche la fiole jaugée, puis on agite pour homogénéiser la solution fille S_f.

10 Montages de chimie organique

A Chauffage à reflux

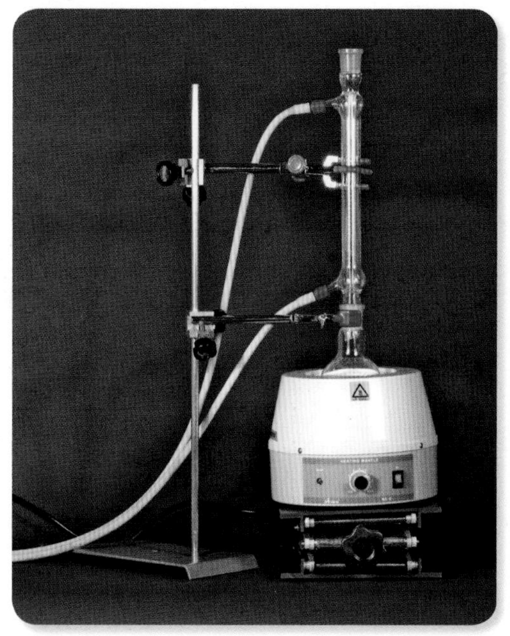

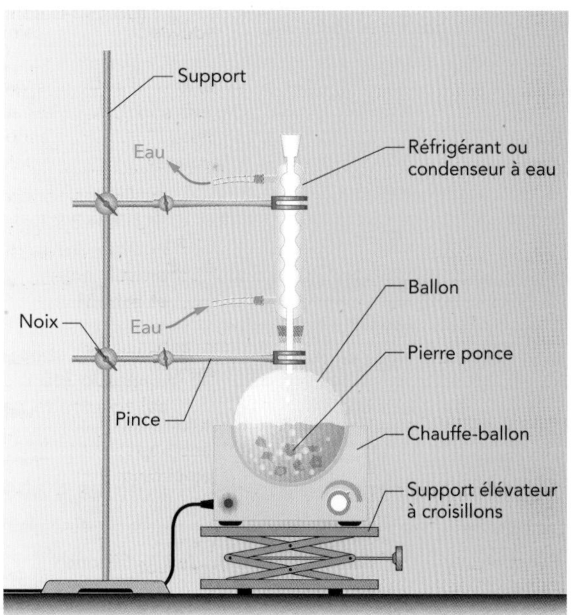

B Distillation fractionnée

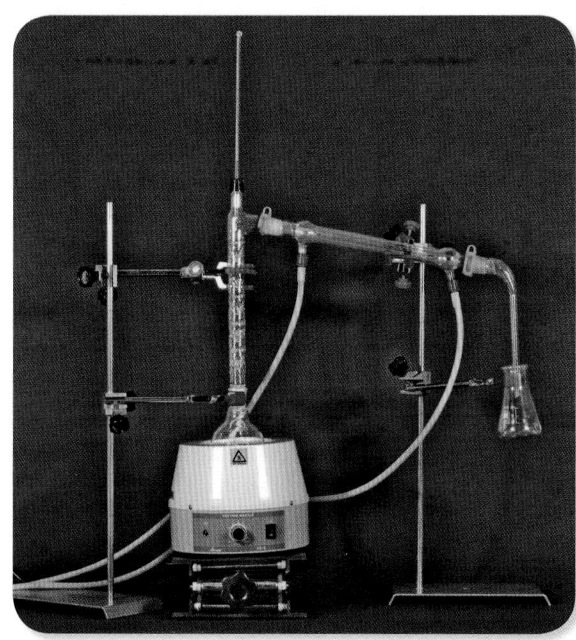

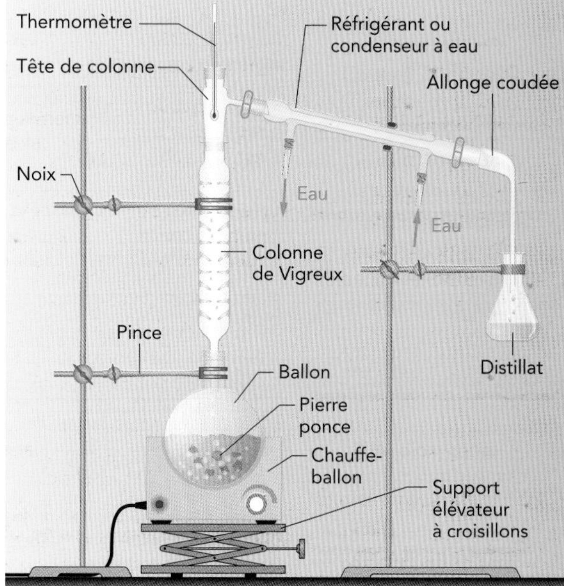

11 Tables de données en IR et RMN

A Longueur d'onde visible et couleur

Longueur d'onde de la radiation absorbée (nm)	Couleur perçue	Couleur de la radiation absorbée
400-435	jaune-vert	violet
435-480	jaune	bleu
480-490	orangé	vert-bleu
490-500	rouge	bleu-vert
500-560	pourpre	vert
560-580	violet	jaune-vert
580-595	bleu	jaune
595-625	vert-bleu	orangé
625-800	bleu-vert	rouge

B Groupes caractéristiques et bandes d'absorption en infrarouge (IR)

Fonction	Alcool	Aldéhyde	Cétone	Acide carboxylique	Alcène	Ester	Amine	Amide
Groupe caractéristique	$-O-H$ Hydroxyle	$-C(=O)-H$ Carbonyle	$C-C(=O)-C$ Carbonyle	$-C(=O)-OH$ Carboxyle	$>C=C<$ Alcène	$-C(=O)-O-C$ Ester	$>N-$ Amine	$-C(=O)-N<$ Amide

Liaison	Nombre d'ondes σ (cm^{-1})	Intensité[1]
$O-H_{libre}$[2]	3 580-3 650	F ; fine
$O-H_{lié}$[2]	3 200-3 400	F ; large
$N-H$	3 100-3 500	M
$C_{tri}-H$[3]	3 000-3 100	M
$C_{tri}-H_{aromat.}$[4]	3 030-3 080	M
$C_{tét}-H$[5]	2 800-3 000	F
$C_{tri}-H_{aldéhyde}$	2 750-2 900	M
$O-H_{acide\ carb.}$	2 500-3 200	F ; large

Liaison	Nombre d'ondes σ (cm^{-1})	Intensité[1]
$C=O_{ester}$	1 700-1 740	F
$C=O_{aldéh.\ cétone}$	1 650-1 730	F
$C=O_{acide}$	1 680-1 710	F
$C=C$	1 625-1 685	M
$C=C_{aromat.}$	1 450-1 600	M
$C_{tét}-H$	1 415-1 470	F
$C_{tét}-O$	1 050-1 450	F
$C_{tét}-C_{tét}$	1 000-1 250	F

(1) L'intensité traduit l'importance de l'absorption : **F** : forte ; **M** : moyenne.

(2) **$O–H_{libre}$** : sans liaison hydrogène ; **$O–H_{lié}$** : avec liaison hydrogène.

(3) **C_{tri}** : correspond à un carbone **trigonal** (engagé dans une double liaison).

(4) **aromat.** : désigne un composé avec un cycle aromatique comme le benzène ⬡ ou ses dérivés.

(5) **$C_{tét}$** : correspond à un carbone **tétragonal** (engagé dans quatre liaisons simples).

C Déplacements chimiques δ des protons en RMN

Méthyle $-CH_3$	
Proton	δ (ppm)
CH_3-C	0,9
CH_3-C-O	1,4
$CH_3-C=C$	1,6
CH_3-Ar(1)	2,3
CH_3-CO-R(2)(3)	2,2
$CH_3-CO-Ar$	2,6
$CH_3-CO-O-R$	2,0
$CH_3-CO-O-Ar$	2,4
$CH_3-CO-N-R$	2 ,0
CH_3-O-R	3,3
CH_3-OH	3,4
CH_3-O-Ar	3,8
$CH_3-O-CO-R$	3,7
CH_3-N	2,3
$CH_3-C=C-CO$	2,0
CH_3-Cl	3,0
CH_3-C-Cl	1,5
CH_3-Br	2,7
CH_3-C-Br	1,7
CH_3-I	2,2
CH_3-C-I	1,9
$CH_3-C\equiv N$	2,0

Méthylène $-CH_2-$	
Proton	δ (ppm)
$C-CH_2-C$	1,3
$C-CH_2-C$ (cycle)	1,5
$C-CH_2-C-O$	1,9
$C-CH_2-C=C$	2,3
$C-CH_2-Ar$	2,7
$C-CH_2-CO-R$	2,4
$C-CH_2-CO-O-R$	2,2
$C-CH_2-O-R$	3,4
$C-CH_2-O-H$	3,6
$C-CH_2-O-Ar$	4,3
$C-CH_2-O-CO-R$	4,1
$C-CH_2-N$	2,5
$C-CH_2-C=C-CO$	2,4
$C-CH_2-Cl$	3,4
$C-CH_2-C-Cl$	1,7
$C-CH_2-Br$	3,3
$C-CH_2-C-Br$	1,7
$C-CH_2-I$	3,1
$C-CH_2-C-I$	1,8
$-CH_2-C\equiv N$	2,3
$C-CH_2-C-C=C$	1,5
$-CO-CH_2-Ar$	3,8

Méthyne $-\overset{\vert}{\underset{\vert}{CH}}$	
Proton	δ (ppm)
$C-CH-C$	1,5
$C-CH-C-O$	2,0
$C-CH-Ar$	3,0
$C-CH-CO-R$	2,7
$C-CH-O-R$	3,7
$C-CH-O-H$	3,9
$C-CH-O-CO-R$	4,8
$C-CH-N$	2,8
$C-CH-Cl$	4,0
$C-CH-C-Cl$	1,6
$C-CH-Br$	3,6
$C-CH-C-Br$	1,7
$C-CH-I$	4,2
$C-CH-C-I$	1,9
$C-CH-C\equiv N$	2,7

Proton	δ (ppm)
$-C=CH_2$	5,3
$-C=CH-$	5,1
C_6H_6	7,2
$Ar-H$	7,0-9,0
$R-C\equiv C-H$	3,1

Proton	δ (ppm)
$R-CO-H$	9,9
$Ar-CO-H$	9,9
$H-CO-O$	8,0
$H-CO-N$	8,0
$-CO-OH$	8,5-13

Proton	δ (ppm)
$-C=C-OH$	11-17
$R-OH$	0,5-5,5
$Ar-OH$	4,2-7,1
$R-NH-$	0,6-5
$R-CO-NH-$	5-8,5

(1) **Ar :** désigne un composé avec un cycle aromatique comme le benzène ⬡ ou ses dérivés.

(2) **R :** désigne un radical alkyle comme les radicaux méthyle $-CH_3$, éthyle $-C_2H_5$, etc.

(3) $-$**CO**$-$: désigne le groupe $C=O$, présent dans les aldéhydes, les cétones, les acides carboxyliques, les esters, les amides, les anhydrides d'acides, etc.

12 Méthodes physiques et chimiques utilisées en chimie

A Conductimétrie

Un **conductimètre**, relié à une sonde conductimétrique, est un appareil qui permet de mesurer **la conductivité σ** d'une solution ionique (**doc. 1** et **doc. 2**). Avant d'être utilisé, un conductimètre doit être généralement **étalonné** avec une solution étalon dont la conductivité est connue (**doc. 3**).

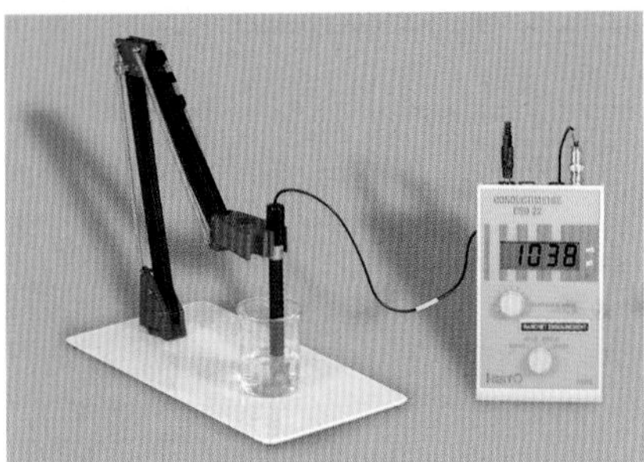

Doc. 1 Conductimètre et sonde conductimétrique.

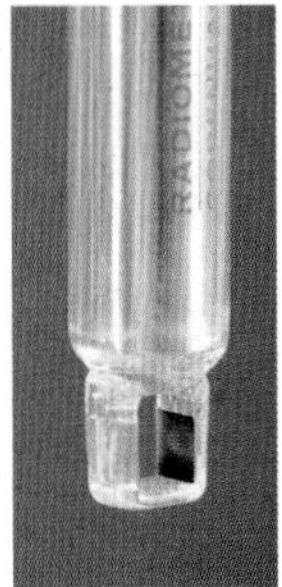

Doc. 2 Cellule conductimétrique.

Température (°C)	KCl 0,100 mol·L^{-1} Conductivité (mS·cm^{-1})
18	11,190
19	11,430
20	11,700
21	11,960
22	12,220
23	12,470
24	12,730
25	12,970

Doc. 3 Conductivité d'une solution étalon.

Étalonnage d'un conductimètre
- Remplir un petit bécher avec la solution étalon.
- En tenant compte de la température de la solution, ajuster la valeur de la conductivité de la solution étalon.
- Ne plus toucher au bouton d'étalonnage du conductimètre.

Conductivité : Une solution ionique diluée, contenant des ions X_i de concentration $[X_i]$ et de conductivité molaire ionique λ_{X_i}, a une conductivité σ :

$$\sigma = \sum_i \lambda_{X_i} \cdot [X_i]$$

σ en S·m^{-1} ; λ_{X_i} en S·m^2·mol^{-1} ; $[X_i]$ en mol·m^{-3}

B pH-métrie

Un **pH-mètre**, relié à une sonde pH-métrique, est un appareil qui permet de mesurer **le pH** d'une solution aqueuse (**doc. 4** et **doc. 5**). Avant d'être utilisé, un pH-mètre doit être **étalonné**, généralement avec deux solutions étalon de pH connu (**doc. 6**).

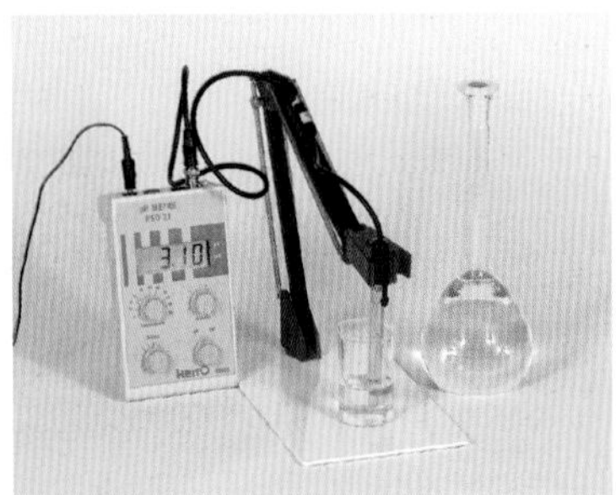

Doc. 4 pH-mètre et sonde pH-métrique.

Doc. 5 Sonde pH-métrique.

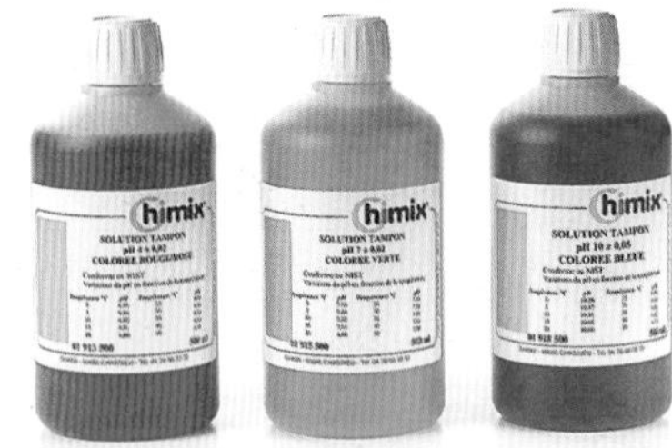

Doc. 6 Solutions étalon de pH connu.

Étalonnage d'un pH-mètre
- Régler la température.
- Rincer la sonde pH-métrique à l'eau distillée, puis la plonger dans un bécher contenant la première solution étalon et régler le pH-mètre sur la valeur de pH de cette solution.
- Recommencer le réglage du pH-mètre avec la seconde solution étalon après avoir rincé la sonde.
- Ne plus toucher aux boutons d'étalonnage du pH-mètre.

pH et concentration $[H_3O^+]$: pour une solution aqueuse diluée :

$$pH = -\log[H_3O^+] \quad \text{et} \quad [H_3O^+] = 10^{-pH}$$

Indicateur coloré

Un indicateur coloré acido-basique est un couple acide/base, noté HInd/Ind⁻, dont les espèces conjuguées HInd et Ind⁻ ont des teintes différentes.

Un papier pH est un papier imbibé d'un mélange d'indicateurs colorés qui permet une évaluation rapide et approchée du pH d'une solution.

Le pK_A du couple HInd/Ind⁻ est noté pK_{Ai}.

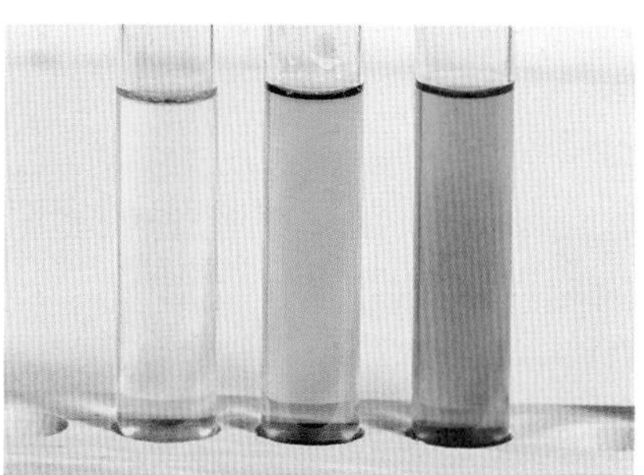

Doc. 7 Teinte acide, teinte sensible et teinte basique du **b**leu de **b**romo**t**hymol (BBT).

Indicateur	Teinte acide	Zone de virage Teinte sensible	Teinte basique
Hélianthine	Rouge	3,1 4,4 Orange	Jaune
Rouge de méthyle	Rouge	4,2 6,2 Orange	Jaune
Bleu de bromothymol	Jaune	6,0 7,6 Vert	Bleu
Rouge de crésol	Jaune	7,2 8,8 Orange	Rouge
Phénolphtaléine	Incolore	8,2 10 Rose	Rouge violacé

C Spectrophotométrie

Un spectrophotomètre **(doc. 8)** est un appareil qui permet de mesurer **l'absorbance *A*** d'une espèce chimique en solution diluée. L'absorbance *A* est une grandeur sans unité qui mesure la proportion de lumière absorbée par une solution pour une longueur d'onde λ donnée. Le graphe $A = f(\lambda)$ est appelé **spectre d'absorption**.

Loi de Beer-Lambert

L'absorbance *A* d'une espèce chimique en solution est proportionnelle à la concentration molaire *C* de cette espèce et à l'épaisseur ℓ de solution traversée :

$$A = \varepsilon \cdot \ell \cdot C$$

Sans unité (A) ; $\mathrm{L \cdot mol^{-1} \cdot cm^{-1}}$ (ε) ; cm (ℓ) ; $\mathrm{mol \cdot L^{-1}}$ (C)

Doc. 8 Spectrophotomètre.

Avant toute mesure, il faut régler le **zéro d'absorbance** du spectrophotomètre en utilisant une cuve ne contenant que **le solvant** dans lequel est dissoute l'espèce colorée.

Mesure de l'absorbance d'une solution

❶ Régler le spectrophotomètre sur la longueur d'onde λ choisie.

❷ Remplir une cuve avec le solvant, la placer dans le spectrophotomètre et régler le zéro d'absorbance.

❸ Placer dans le spectrophotomètre une deuxième cuve contenant la solution colorée et mesurer la valeur de l'absorbance *A*.

D Manométrie

Un **manomètre** ou **pressiomètre** est un appareil qui permet de mesurer la pression *P* des gaz contenus dans un flacon **(doc. 9)**.

Dans le modèle du gaz parfait, la pression *P*, le volume *V*, la température *T* et la quantité *n* de gaz parfait sont reliés par :

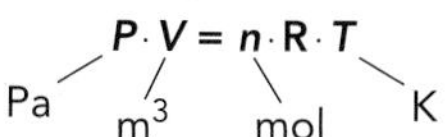

$1 \text{ hPa} = 100 \text{ Pa}$; $1 \text{ bar} = 10^5 \text{ Pa}$; $1 \text{ m}^3 = 10^3 \text{ L} = 10^6 \text{ mL}$;

R est la constante des gaz parfaits : $R = 8{,}314 \text{ J} \cdot \text{mol}^{-1} \cdot \text{K}^{-1}$; $T(\text{K}) = \theta(°\text{C}) + 273$.

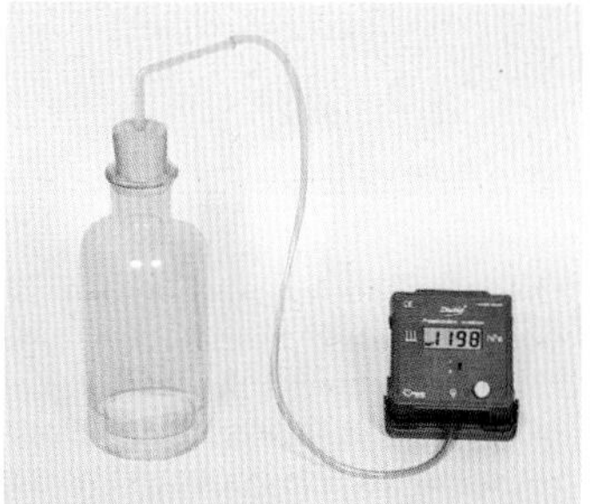

Doc. 9 Manomètre mesurant la pression $P = P(CO_2) + P(\text{air})$, en hPa, dans le flacon.

13 Séparer et identifier des espèces chimiques

A Filtration sous pression réduite avec entonnoir Büchner

La filtration sous pression réduite permet de séparer rapidement un solide et un liquide; de plus, elle essore le solide, le séchant partiellement.
Elle s'effectue sur Büchner, entonnoir à fond plat perforé que l'on recouvre d'un filtre en papier.
Le protocole est le suivant :

❶ On réalise le montage représenté ci-contre.
❷ On humidifie le filtre en papier avec le solvant du mélange.
❸ On verse le mélange à filtrer dans l'entonnoir Büchner en le faisant couler le long d'un agitateur en verre.
❹ On ouvre le robinet de sécurité R, puis le robinet d'eau ; l'eau, en coulant, crée un vide partiel dans la fiole, ce qui accélère le passage du liquide.
❺ Une fois le liquide écoulé, on ferme le robinet R, puis le robinet d'eau.
❻ On ouvre le robinet R, puis on recueille le solide à l'aide d'une spatule.

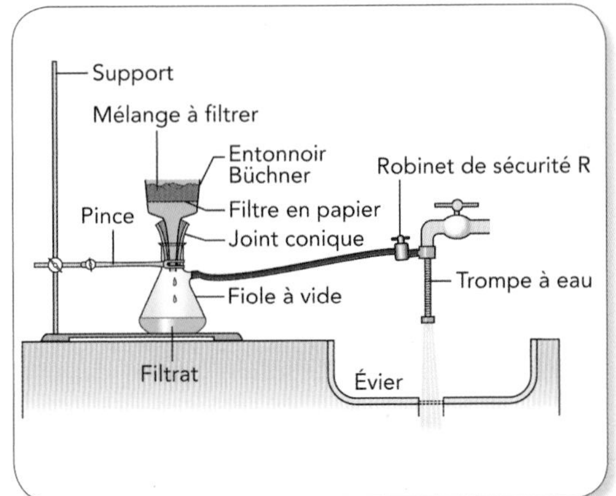

B Chromatographie sur couche mince

❶

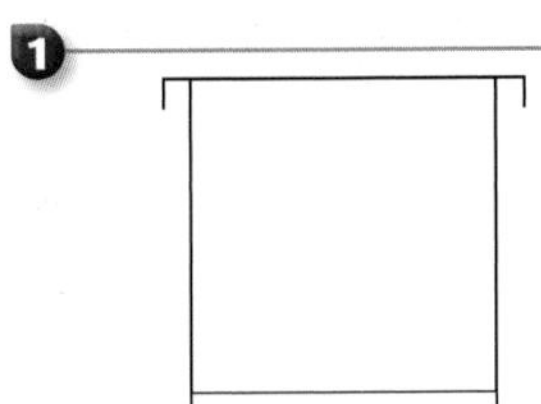

On prépare la cuve à chromatographie en introduisant l'éluant dans un bécher jusqu'à une hauteur de 0,5 cm et en le couvrant avec une boîte de Pétri.

❷

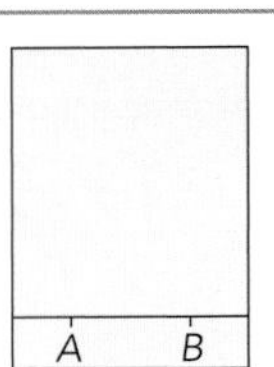

On prépare la plaque à chromatographie en traçant au crayon à papier, à 1 cm du bas, un trait horizontal et en y repérant les points de dépôt.

❸

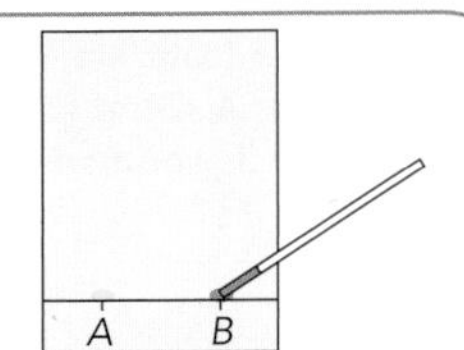

À l'aide d'un tube capillaire, on dépose une petite goutte de chacune des solutions contenant les substances étudiées, puis on laisse sécher.

❹

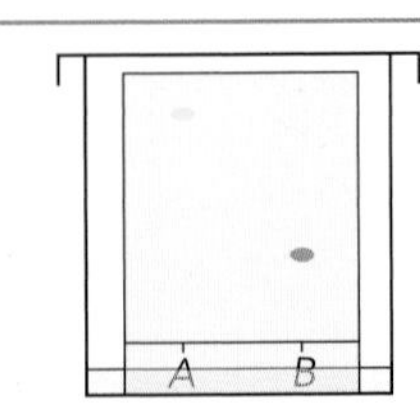

On introduit très rapidement la plaque dans le bécher sans que celle-ci ne touche les bords, on referme la cuve, puis on laisse migrer l'éluant jusqu'à 0,5 cm du bord supérieur.

❺

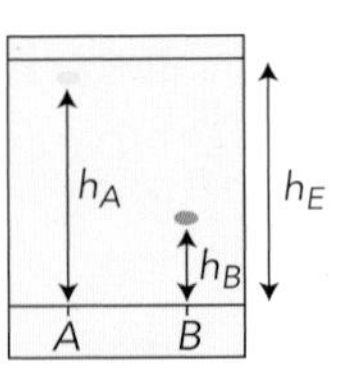

On sort la plaque, puis on repère au crayon à papier le front de l'éluant et on détermine les rapports frontaux R_f :

$$R_f(A) = \frac{h_A}{h_E} \quad \text{et} \quad R_f(B) = \frac{h_B}{h_E}$$

❻

En cas d'espèces chimiques incolores, on révèle le chromatogramme en :
– exposant la plaque au rayonnement d'une lampe à UV et en repérant les taches qui apparaissent à l'aide d'un crayon à papier ;
– introduisant la plaque soit dans un flacon fermé contenant des cristaux de diiode dispersés dans du sable et en l'agitant, soit dans une solution acidifiée de permanganate de potassium ; les taches apparaissent alors après séchage de la plaque.

14 Paramétrer un logiciel d'acquisition

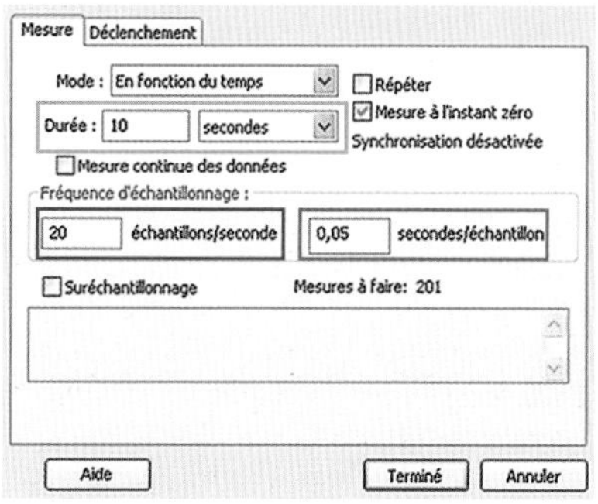

Exemple d'écran de paramétrage d'un logiciel d'acquisition.

▸ Les systèmes d'acquisition informatisés utilisés au lycée peuvent être différents. Cependant, certains paramétrages sont communs à tous.

▸ Lors d'une acquisition informatisée, on peut définir :

– **la durée totale Δt de l'acquisition** ;

– le nombre de mesures *n* à effectuer durant l'acquisition ;

– **la période d'échantillonnage T_e**, c'est-à-dire la durée séparant deux mesures consécutives ;

– **la fréquence d'échantillonnage f_e**, c'est-à-dire le nombre de mesures effectuées par seconde.

▸ Ces valeurs sont liées par la relation :

$$\Delta t = n \times T_e \quad \text{ou} \quad \Delta t = \frac{n}{f_e}$$

A Durée totale de l'acquisition

▸ Il est important d'avoir une idée de la durée totale du phénomène que l'on souhaite étudier.
De même, il est intéressant d'avoir un ordre de grandeur de la fréquence ou de la période s'il s'agit d'un phénomène périodique.

▸ Par exemple, un son grave dont la fréquence est environ 10^2 Hz a une période proche de 10 ms.
Une durée totale d'acquisition égale à 50 ms permettra d'afficher cinq périodes de ce son.

B Nombre de mesures et fréquence d'échantillonnage

▸ Effectuer une acquisition comportant un nombre de mesures trop restreint ou une fréquence d'échantillonnage trop faible par rapport à la fréquence du signal peut modifier l'allure du signal.

▸ Afin d'obtenir un affichage correct d'un signal périodique, on admet qu'il faut au minimum 20 points de mesure par période. Cela revient à choisir une fréquence d'échantillonnage au moins 20 fois supérieure à la fréquence du signal périodique.

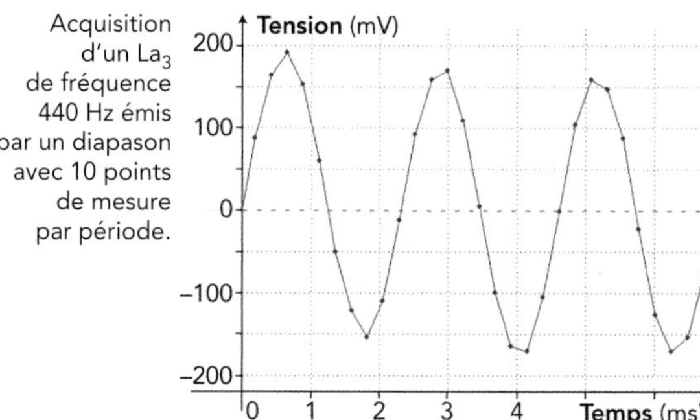

Acquisition d'un La_3 de fréquence 440 Hz émis par un diapason avec 10 points de mesure par période.

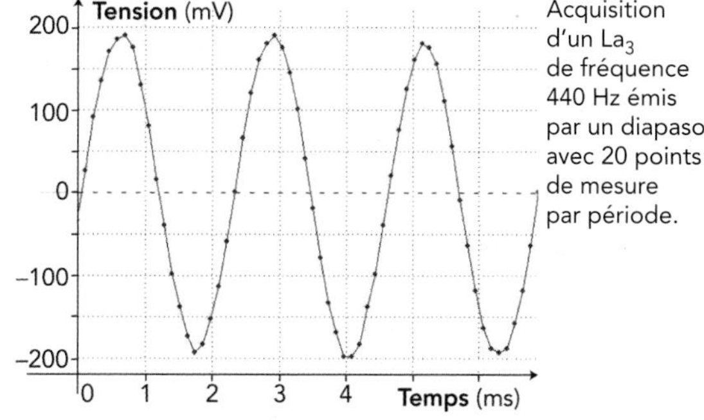

Acquisition d'un La_3 de fréquence 440 Hz émis par un diapason avec 20 points de mesure par période.

Des signaux plus complexes peuvent nécessiter un nombre plus important de points par période :

Acquisition d'un La_1 de fréquence 110 Hz émis par une guitare avec 20 points de mesure par période.

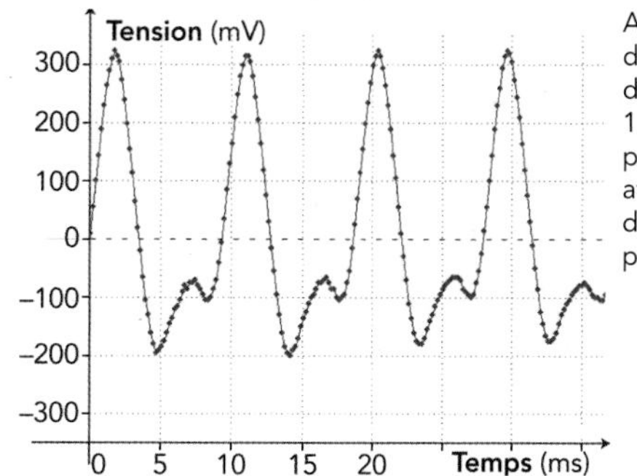

Acquisition d'un La_1 de fréquence 110 Hz émis par une guitare avec 50 points de mesure par période.

15 Tracer des vecteurs vitesses et accélérations à partir d'une chronophotographie

On a réalisé la chronophotographie du mouvement d'une balle. L'intervalle de temps entre deux images consécutives est $\tau = 40$ ms (**doc. 1**).

A Construction de vecteurs vitesses

On souhaite tracer le vecteur vitesse $\vec{v}_G(t_4)$ du centre de gravité G de la balle à la date t_4.

Pour cela, on admet que le vecteur $\vec{v}_G(t_4)$ peut être assimilé au vecteur $\dfrac{\overrightarrow{M_3M_5}}{t_5 - t_3}$.

Ce vecteur vitesse est donc colinéaire et de même sens que $\overrightarrow{M_3M_5}$ et a pour valeur $\dfrac{M_3M_5}{t_5 - t_3}$.

- Mesurer sur le schéma la longueur de la corde $[M_3M_5]$ (**doc. 1**).

Cette longueur est égale à 2,7 cm.

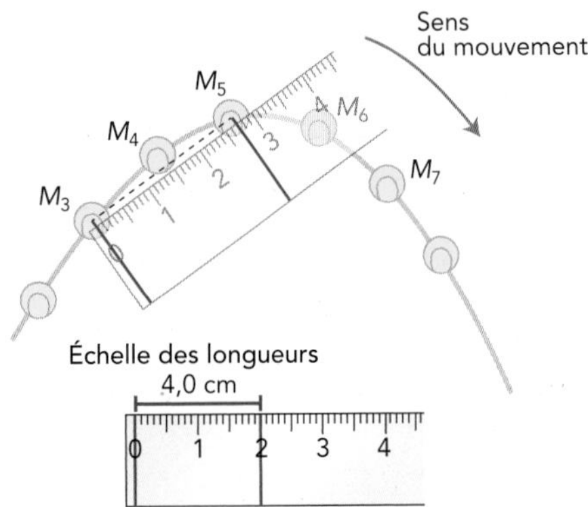

Doc. 1 Mesure des longueurs.

- Mesurer, sur le **document 1**, la longueur de l'échelle.

On obtient $\ell_{\text{échelle}} = 2{,}0$ cm.

La longueur réelle M_3M_5 peut alors être obtenue à l'aide du tableau de proportionnalité suivant :

Longueur réelle (cm)	M_3M_5	4,0
Longueur mesurée (cm)	2,7	2,0

On obtient :

$$\frac{M_3M_5}{2{,}7} = \frac{4{,}0}{2{,}0}, \quad \text{soit } M_3M_5 = 5{,}4 \text{ cm.}$$

- La balle parcourt 5,4 cm pendant la durée :

$$\Delta t = t_5 - t_3 = 2\tau = 80 \text{ ms.}$$

- La valeur de la vitesse est donc :

$$v_G(t_4) = \frac{M_3M_5}{t_5 - t_3} = \frac{M_3M_5}{2\tau}$$

$$v_G(t_4) = \frac{5{,}4 \times 10^{-2}}{80 \times 10^{-3}} = 0{,}68 \text{ m}\cdot\text{s}^{-1}.$$

À la date t_4, le centre de gravité de la balle a une vitesse de valeur égale à 0,68 $\text{m}\cdot\text{s}^{-1}$.

Une échelle adaptée permet de représenter le vecteur vitesse $\vec{v}_G(t_4)$.

- Mesurer, sur le **document 2**, la longueur de l'échelle des valeurs des vitesses.

On obtient $\ell_{\text{échelle}} = 1{,}0$ cm.

- La longueur du segment fléché du vecteur vitesse $\vec{v}_G(t_4)$ est obtenue à l'aide du tableau de proportionnalité suivant :

Longueur du segment fléché (cm)	ℓ	1,0
Valeur de la vitesse ($\text{m}\cdot\text{s}^{-1}$)	0,68	0,20

On obtient :

$$\frac{\ell}{0{,}68} = \frac{1{,}0}{0{,}20}, \quad \text{soit } \ell = 3{,}4 \text{ cm.}$$

- Pour représenter le vecteur $\vec{v}_G(t_4)$, tracer, à partir du point M_4, le segment parallèle à $[M_3M_5]$ et de longueur 3,4 cm (**doc. 2**).

L'orienter dans le sens du mouvement.

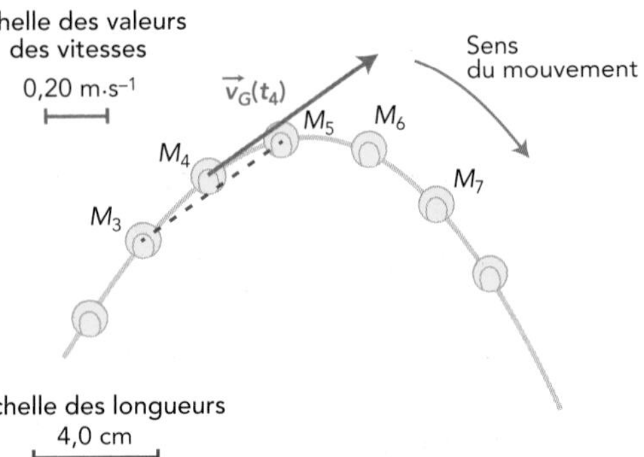

Doc. 2 Tracé du vecteur vitesse $\vec{v}_G(t_4)$.

B Construction de vecteurs accélérations

On souhaite tracer le vecteur accélération $\vec{a}_G(t_5)$ du centre de gravité G de la balle à la date t_5.
On détermine graphiquement ce vecteur accélération pour une durée $t_6 - t_4$ faible en écrivant :

$$\vec{a}_G(t_5) = \frac{\vec{v}_G(t_6) - \vec{v}_G(t_4)}{t_6 - t_4} = \frac{\Delta\vec{v}_G(t_5)}{t_6 - t_4}$$

Ce vecteur accélération est donc colinéaire et de même sens que $\Delta\vec{v}_G(t_5)$ et a pour valeur $\dfrac{\Delta v_G(t_5)}{t_6 - t_4}$.

▸ Représenter les vecteurs vitesses $\vec{v}_G(t_4)$ et $\vec{v}_G(t_6)$ du centre de gravité de la balle aux dates t_4 et t_6 **(doc. 3)**.

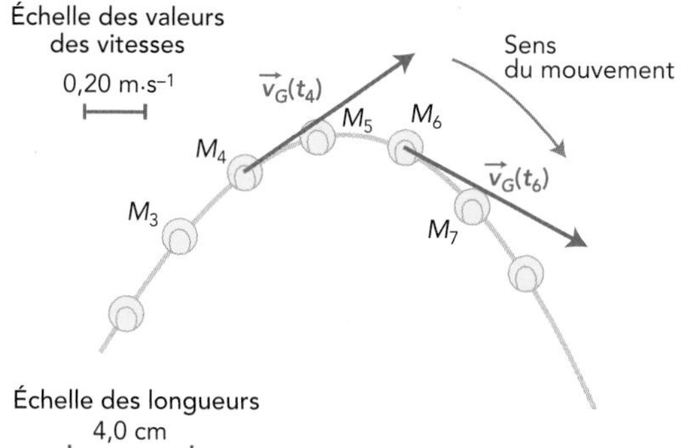

Doc. 3 Tracés des deux vecteurs vitesses.

▸ Représenter le vecteur $\vec{v}_G(t_6)$ au point M_5.

▸ Représenter ensuite le vecteur $-\vec{v}_G(t_4)$ à partir de l'extrémité du vecteur $\vec{v}_G(t_6)$.

▸ Construire $\Delta\vec{v}_G(t_5) = \vec{v}_G(t_6) - \vec{v}_G(t_4)$ **(doc. 4)**.

▸ Mesurer, sur le **document 4**, la longueur du segment fléché représentant le vecteur $\Delta\vec{v}_G(t_5)$.
Sa valeur est 3,2 cm.

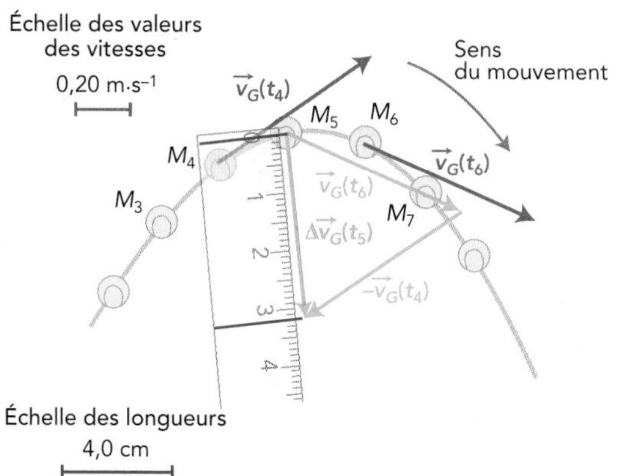

Doc. 4 Mesure de la longueur du segment fléché représentant $\Delta\vec{v}_G(t_5)$.

▸ La valeur du vecteur $\Delta\vec{v}_G(t_5)$ est obtenue à l'aide du tableau de proportionnalité suivant :

Valeur de la vitesse ($m \cdot s^{-1}$)	$\Delta v_G(t_5)$	0,20
Longueur du segment (cm)	3,2	1,0

On obtient :

$$\frac{\Delta v_G(t_5)}{3,2} = \frac{0,2}{1,0}, \quad \text{soit } \Delta v_G(t_5) = 0,64 \text{ m} \cdot \text{s}^{-1}.$$

La variation du vecteur vitesse du centre de gravité de la balle a pour valeur 0,64 $m \cdot s^{-1}$.

▸ Le vecteur accélération $\vec{a}_G(t_5)$ du centre d'inertie de la balle à la date t_5 a pour valeur :

$$a_G(t_5) = \frac{\Delta v_G(t_5)}{t_6 - t_4} = \frac{0,64}{80 \times 10^{-3}} = 8,0 \text{ m} \cdot \text{s}^{-2}.$$

Le vecteur accélération $\vec{a}_G(t_5)$ a même direction et même sens que le vecteur $\Delta\vec{v}_G(t_5)$.

▸ Mesurer, sur le **document 5**, la longueur de l'échelle des valeurs des accélérations.
On obtient $\ell_{\text{échelle}} = 1,5$ cm.
La longueur du segment fléché du vecteur accélération $\vec{a}_G(t_5)$ est obtenue à l'aide du tableau de proportionnalité suivant :

Longueur du segment fléché (cm)	ℓ	1,5
Valeur de l'accélération ($m \cdot s^{-2}$)	8,0	2,0

On obtient :

$$\frac{\ell}{8,0} = \frac{1,5}{2,0}, \quad \text{soit } \ell = 6,0 \text{ cm}.$$

▸ Pour représenter le vecteur $\vec{a}_G(t_5)$, tracer, à partir du point M_5, un segment fléché de 6,0 cm comme indiqué sur le **document 5**.

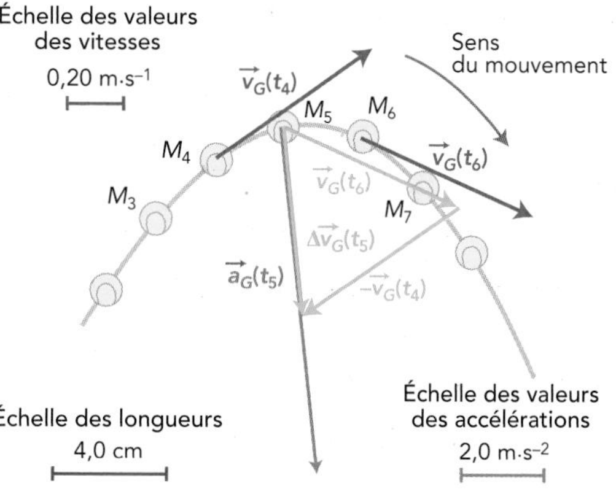

Doc. 5 Tracé du vecteur accélération $\vec{a}_G(t_5)$.

16 Calculer des valeurs de vitesses et d'accélérations à l'aide d'un tableur

Ces calculs s'effectuent après avoir transféré dans un tableur les coordonnées au cours du temps, obtenues à partir d'un pointage vidéo, d'un point P d'un solide en mouvement (**doc. 1**).

A Calcul de la valeur de la vitesse

→ Détermination de la valeur de la vitesse

▸ À la date t_i, les coordonnées horizontale v_{x_i} et verticale v_{y_i} de la vitesse sont données respectivement par les relations :

$$v_{x_i} = \frac{x_{i+1} - x_{i-1}}{t_{i+1} - t_{i-1}} \text{ et } v_{y_i} = \frac{y_{i+1} - y_{i-1}}{t_{i+1} - t_{i-1}}$$

▸ La valeur v_i de la vitesse se calcule alors grâce à la relation :

$$v_i = \sqrt{{v_{x_i}}^2 + {v_{y_i}}^2}$$

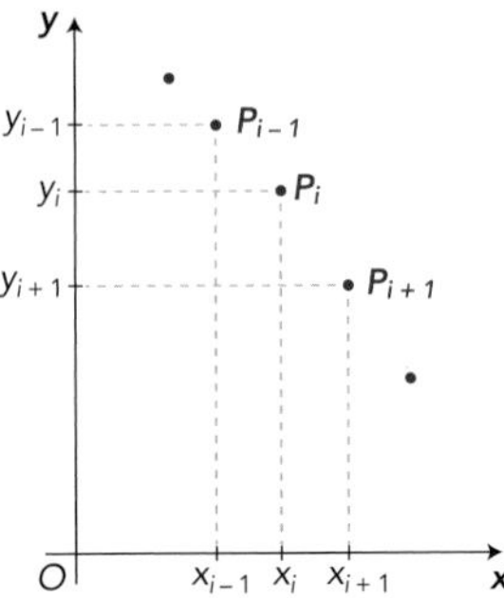

Doc. 1 Positions du point P.

→ Introduction des relations dans le tableur

▸ À partir de la feuille de tableur ci-dessous (**doc. 2**), dans laquelle les dates t sont dans la colonne A et les coordonnées x et y sont dans les colonnes B et C, il est possible de calculer les coordonnées horizontales v_x de la vitesse.

▸ Pour commencer, écrire la relation dans la cellule D3 en commençant par un signe « = » et en cliquant sur les cellules intervenant dans le calcul :

$$\text{B4} - \text{B2} \Leftrightarrow x_{i+1} - x_{i-1} \quad \text{et} \quad \text{A4} - \text{A2} \Leftrightarrow t_{i+1} - t_{i-1}$$

▸ Pour le calcul des coordonnées verticales v_y de la vitesse, écrire la formule dans la cellule E3 (**doc. 2**) :

$$\text{C4} - \text{C2} \Leftrightarrow y_{i+1} - y_{i-1} \quad \text{et} \quad \text{A4} - \text{A2} \Leftrightarrow t_{i+1} - t_{i-1}$$

	A	B	C	D	E
1	t (s)	x (m)	y (m)	v_x (m·s^{-1})	v_y (m·s^{-1})
2	0,2	0,31	0,53		
3	0,24	0,39	0,67	=(B4-B2)/(A4-A2)	
4	0,28	0,47	0,79		
5	0,32	0,55	0,91		
6	0,36	0,63	0,99		
7	0,4	0,70	1,06		
8	0,44	0,79	1,13		

	A	B	C	D	E
1	t (s)	x (m)	y (m)	v_x (m·s^{-1})	v_y (m·s^{-1})
2	0,2	0,31	0,53		
3	0,24	0,39	0,67	1,98	=(C4-C2)/(A4-A2)
4	0,28	0,47	0,79		
5	0,32	0,55	0,91		
6	0,36	0,63	0,99		
7	0,4	0,70	1,06		
8	0,44	0,79	1,13		

Doc. 2 Écritures des relations dans les cellules D3 et E3.

▸ Les valeurs de la vitesse sont calculées dans la colonne F (**doc. 3**). Pour cela, écrire la relation dans la cellule F3 :

	A	B	C	D	E	F
1	t (s)	x (m)	y (m)	v_x (m·s^{-1})	v_y (m·s^{-1})	v (m·s^{-1})
2	0,2	0,31	0,53			
3	0,24	0,39	0,67	1,98	3,33	=RACINE(D3^2+E3^2)
4	0,28	0,47	0,79	1,98	3,01	
5	0,32	0,55	0,91	2,06	2,53	
6	0,36	0,63	0,99	1,90	1,98	
7	0,4	0,70	1,06	1,90	1,66	
8	0,44	0,79	1,13	1,98	1,27	

Doc. 3 Calcul de la valeur de la vitesse dans la cellule F3.

Remarque :
Attention aux priorités opératoires, les parenthèses sont très importantes.

→ Calcul des valeurs des vitesses pour chaque point de la trajectoire

▸ Il suffit de « copier-glisser » le contenu de la cellule contenant la formule pour l'étendre à toute la colonne (**doc. 4**) :

	A	B	C	D	E	F	G
1	t (s)	x (m)	y (m)	v_x (m·s^{-1})	v_y (m·s^{-1})	v (m·s^{-1})	a_x (m·s^{-2})
2	0,2	0,31	0,53				
3	0,24	0,39	0,67	1,98	3,33	3,87	
4	0,28	0,47	0,79	1,98	3,01	3,60	
5	0,32	0,55	0,91	2,06	2,53		
6	0,36	0,63	0,99	1,90	1,98		
7	0,4	0,70	1,06	1,90	1,66		
8	0,44	0,79	1,13	1,98	1,27		

Doc. 4 Calcul des autres valeurs de vitesses.

Remarque :
La première (croix rouge) et la dernière valeur des vitesses ne peuvent pas être calculées, car il manque des données pour effectuer les calculs.

B Calcul de la valeur de l'accélération.

➔ Détermination de la valeur de l'accélération

À la date t_i, les coordonnées horizontale a_{x_i} et verticale a_{y_i} de l'accélération sont données respectivement par les relations :

$$a_{x_i} = \frac{v_{x_{i+1}} - v_{x_{i-1}}}{t_{i+1} - t_{i-1}} \quad \text{et} \quad a_{y_i} = \frac{v_{y_{i+1}} - v_{y_{i-1}}}{t_{i+1} - t_{i-1}}$$

La valeur a_i de l'accélération se calcule alors grâce à la relation :

$$a_i = \sqrt{a_{x_i}^2 + a_{y_i}^2}$$

➔ Introduction des relations dans le tableur

À partir de la feuille de tableur ci-dessous **(doc. 5)**, il est possible de calculer les coordonnées horizontales a_x de l'accélération.

Pour commencer, écrire la relation dans la cellule G4 en commençant par un signe « = » et en cliquant sur les cellules intervenant dans le calcul :

$$\text{D5} - \text{D3} \Leftrightarrow v_{x_{i+1}} - v_{x_{i-1}} \quad \text{et} \quad \text{A5} - \text{A3} \Leftrightarrow t_{i+1} - t_{i-1}$$

Pour le calcul des coordonnées verticales a_y de l'accélération, écrire la formule dans la cellule H4 **(doc. 5)** :

$$\text{E5} - \text{E3} \Leftrightarrow v_{y_{i+1}} - v_{y_{i-1}} \quad \text{et} \quad \text{A5} - \text{A3} \Leftrightarrow t_{i+1} - t_{i-1}$$

	A	B	C	D	E	F	G	H	I
1	*t* (s)	*x* (m)	*y* (m)	v_x (m·s^{-1})	v_y (m·s^{-1})	*v* (m·s^{-1})	a_x (m·s^{-2})	a_y (m·s^{-2})	*a* (m·s^{-2})
2	0,2	0,31	0,53						
3	0,24	0,39	0,67	1,98	3,33	3,87			
4	0,28	0,47	0,79	1,98	3,01	3,60	=(D5-D3)/(A5-A3)		
5	0,32	0,55	0,91	2,06	2,53	3,26			
6	0,36	0,63	0,99	1,90	1,98	2,74			
7	0,4	0,70	1,06	1,90	1,66	2,52			
8	0,44	0,79	1,13	1,98	1,27	2,35			

Doc. 5 Écriture de la relation dans la cellule G4.

Les valeurs de l'accélération sont calculées dans la colonne I **(doc. 6)**. Pour cela, écrire la relation dans la cellule I4 :

	A	B	C	D	E	F	G	H	I
1	*t* (s)	*x* (m)	*y* (m)	v_x (m·s^{-1})	v_y (m·s^{-1})	*v* (m·s^{-1})	a_x (m·s^{-2})	a_y (m·s^{-2})	*a* (m·s^{-2})
2	0,2	0,31	0,53						
3	0,24	0,39	0,67	1,98	3,33	3,87			
4	0,28	0,47	0,79	1,98	3,01	3,60	0,99	-9,90	=RACINE(G4^2+H4^2)
5	0,32	0,55	0,91	2,06	2,53	3,26	-0,99	-12,86	
6	0,36	0,63	0,99	1,90	1,98	2,74	-1,98	-10,89	
7	0,4	0,70	1,06	1,90	1,66	2,52	0,99	-8,91	
8	0,44	0,79	1,13	1,98	1,27	2,35	0,00	-11,87	

Doc. 6 Calcul de la valeur de l'accélération dans la cellule I4.

➔ Calcul des valeurs des accélérations pour chaque point de la trajectoire

Il suffit de « copier-glisser » le contenu de la cellule contenant la formule pour l'étendre à toute la colonne **(doc. 7)** :

	A	B	C	D	E	F	G	H	I
1	*t* (s)	*x* (m)	*y* (m)	v_x (m·s^{-1})	v_y (m·s^{-1})	*v* (m·s^{-1})	a_x (m·s^{-2})	a_y (m·s^{-2})	*a* (m·s^{-2})
2	0,2	0,31	0,53						
3	0,24	0,39	0,67	1,98	3,33	3,87			
4	0,28	0,47	0,79	1,98	3,01	3,60	0,99	-9,90	9,95
5	0,32	0,55	0,91	2,06	2,53	3,26	-0,99	-12,86	12,90
6	0,36	0,63	0,99	1,90	1,98	2,74	-1,98	-10,89	
7	0,4	0,70	1,06	1,90	1,66	2,52	0,99	-8,91	
8	0,44	0,79	1,13	1,98	1,27	2,35	0,00	-11,87	

Doc. 7 Calcul des autres valeurs d'accélérations.

Remarque :
Les deux premières (croix rouges) et deux dernières valeurs des accélérations ne peuvent pas être calculées, car il manque des données pour effectuer les calculs.

17 Utiliser un logiciel de traitement d'images : Mesurim

A Effectuer une mesure

→ Mesurer une longueur

- Ouvrir le fichier image que l'on souhaite exploiter.
- Sélectionner l'outil Mesure, puis la mesure Courante **(doc. 1)**.
- En maintenant le clic gauche appuyé, délimiter, sur l'image, la longueur que l'on désire mesurer.

Cette longueur est indiquée en ***pixel*** *dans la partie inférieure de l'écran.*

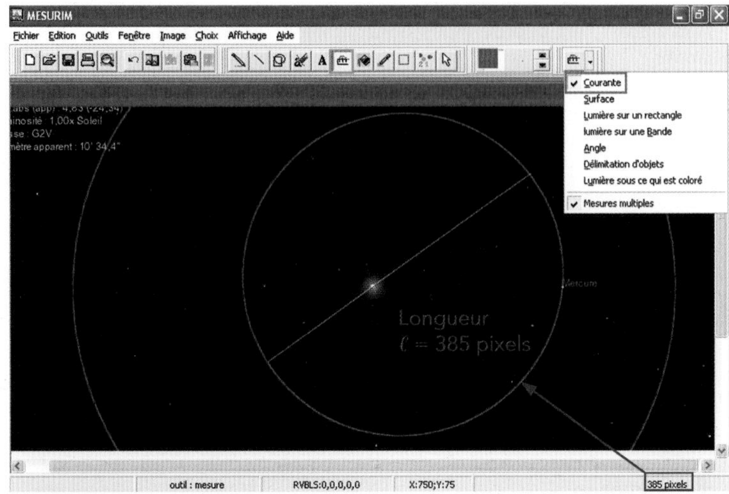

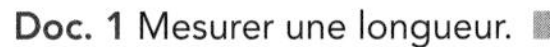
Doc. 1 Mesurer une longueur.

- On peut créer une échelle si une longueur de l'image est connue.
- Dans le menu ***Image***, sélectionner **Créer/modifier l'Échelle**.
- Valider ensuite Échelle à définir.
- Après avoir choisi une échelle de longueur à définir, tracer un segment de dimension connue. L'indiquer dans le cadre **valeur**, ainsi que son **unité**.
- Après validation de cette échelle, les mesures seront affichées non plus en pixel, mais dans l'unité définie.

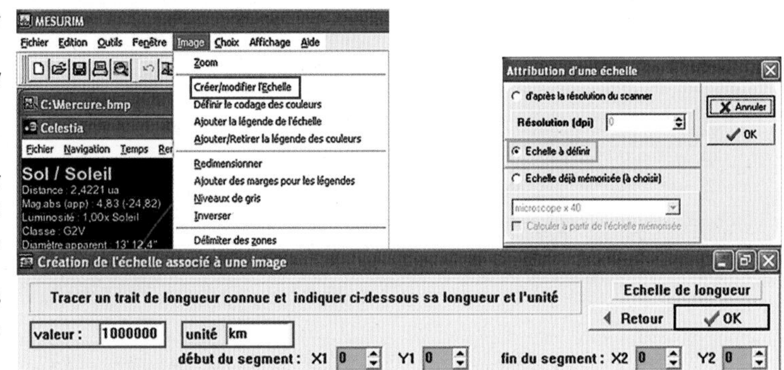

Doc. 2 Choisir une échelle de longueurs.

→ Mesurer l'aire d'une surface

- Ouvrir le fichier image que l'on souhaite exploiter. L'image doit être colorée avant ouverture.
- Sélectionner l'outil Mesure, puis la mesure d'une **Surface**.

Une fenêtre « Mesure de surface » s'ouvre.

- Cocher « Alignement sur la couleur de la zone cliquée » et « ... remplace les conditions ».
- Pour mesurer, par exemple, la surface rouge de l'image, cliquer sur la partie rouge, puis sur Mesurer **(doc. 3)**.

Pour visualiser la surface mesurée, il est préférable de choisir une Couleur de la surface mesurée dans le menu ***Choix*** *différente du rouge.*

Le résultat de la surface mesurée s'affiche en bas de la fenêtre « Mesure de surface » en pixel ou en pourcentage de la surface totale de l'image.

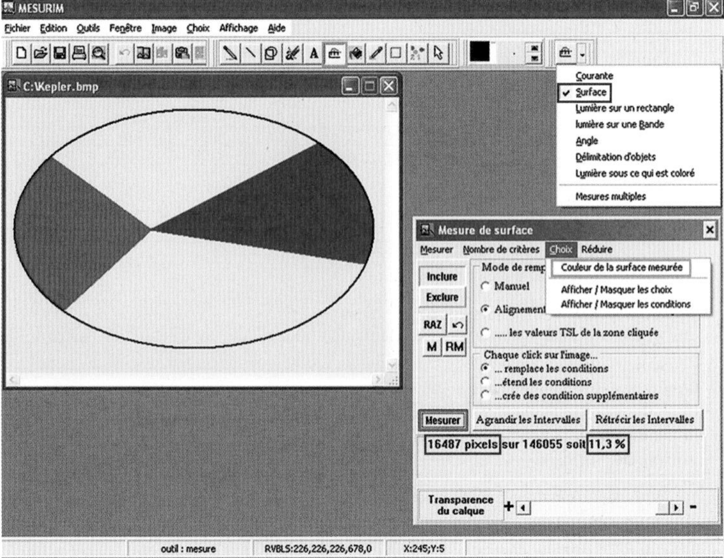

Doc. 3 Mesurer l'aire d'une surface.

→ Mesurer une intensité de couleur sur une partie d'image

▸ Ouvrir le fichier image que l'on souhaite exploiter.

▸ Sélectionner l'outil Mesure, puis la mesure d'une **lumière sur une bande**.

Une fenêtre « Mesure d'intensité de couleur sur une ligne » s'ouvre.

▸ Paramétrer la **Largeur en pixel de la bande de mesure** en choisissant la largeur en pixel. Sélectionner une **Mesure en émission** et une **Mesure des intensités dans Tout** le domaine des ondes électromagnétiques visibles.

▸ Sur l'image sélectionnée, tracer le **segment** que l'on souhaite étudier en maintenant le clic gauche appuyé.

▸ *En cliquant sur Mesurer, le logiciel affiche le spectre de l'intensité lumineuse de la bande étudiée en fonction de la position sur le segment étudié.*

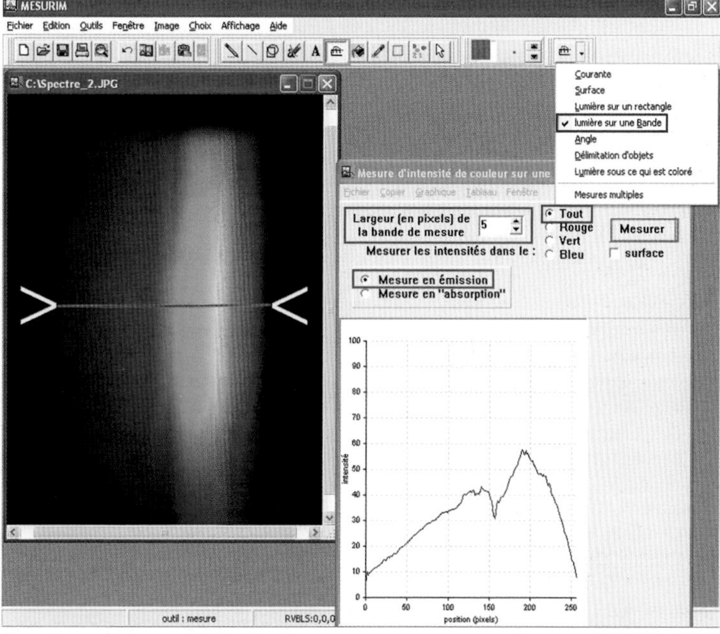

Doc. 4 Mesurer une intensité de couleur.

B Exploiter plusieurs images à l'aide d'un schéma

On souhaite repérer, par exemple, la position d'une planète du système solaire par rapport au Soleil à différentes dates. On a obtenu, sur plusieurs images, la position de cette planète à ces différentes dates.

▸ Ouvrir tous les fichiers images.

▸ À partir d'une image, par le menu **Outil**, sélectionner **Schéma**.

Une nouvelle fenêtre s'ouvre, centrer l'image, puis cliquer sur « Amorcer le schéma ».

Cela reproduit l'image située à gauche sous forme de schéma dans le cadre de droite **(doc. 5)**.

▸ Utiliser les outils de dessin tels que le **crayon**, le **segment** afin de repérer la planète ou relier le Soleil à cette planète.

▸ Pour exploiter l'image suivante, passer par le menu Fichier/Changer de document, puis Choisir l'image.

▸ Sur cette nouvelle image, repérer les informations nécessaires qui s'ajoutent sur le schéma de droite.

▸ Une fois l'exploitation des différentes images terminée, revenir au menu principal de Mesurim® par le menu Fichier/Transférer.

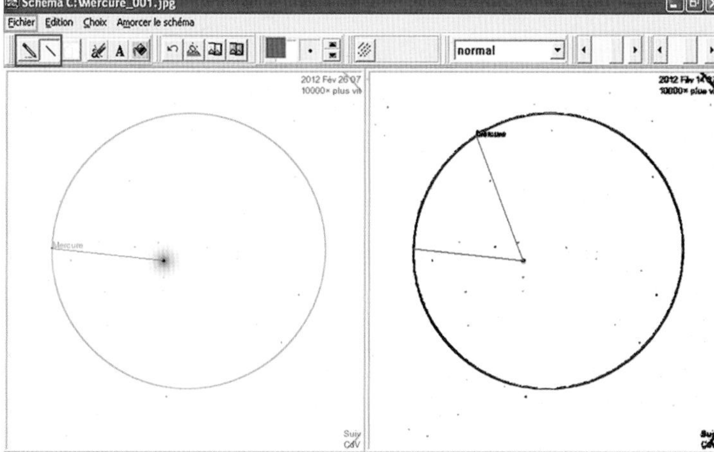

Doc. 5 Schématiser une image.

Corrigés

QCM

Chapitre 2
1.1. A et B ; **1.2.** A ; **2.1.** C ; **2.2.** A et B ; **2.3.** A ; **2.4.** C ; **3.1.** B ; **3.2.** A ; **3.3.** A ; **3.4.** C.

Chapitre 3
1.1. A, B et C ; **1.2.** A et B ; **1.3.** B ; **2.1.** C ; **2.2.** B ; **2.3.** A et C ; **3.1.** B ; **3.2.** B.

Chapitre 4
1.1. B et C ; **1.2.** B ; **2.1.** B ; **2.2.** A et C ; **3.1.** A et C ; **3.2.** A et C ; **3.3.** B et C ; **4.1.** C ; **4.2.** C ; **4.3.** B et C ; **4.4.** B ; **4.5.** A.

Chapitre 5
1.1. A ; **1.2.** B ; **1.3.** A ; **2.1.** B ; **2.2.** B et C ; **2.3.** C ; **2.4.** C ; **3.1.** B et C ; **3.2.** C ; **3.3.** C.

Chapitre 6
1.1. C ; **1.2.** B ; **1.3.** B ; **1.4.** A ; **1.5.** A ; **1.6.** A ; **1.7.** C ; **2.1.** B ; **2.2.** A ; **2.3.** B ; **2.4.** B et C.

Chapitre 7
1.1. C ; **1.2.** B ; **1.3.** A ; **1.4.** A et C ; **2.1.a.** A ; **2.1.b.** A et C ; **2.1.c.** A ; **2.1.d.** C ; **2.2.** C ; **2.3.** C.

Chapitre 8
1.1. A ; **1.2.** C ; **2.1.** B ; **2.2.** C ; **2.3.** C ; **2.4.** A ; **2.5.** B ; **3.1.** A et C ; **3.2.** B.

Chapitre 9
1.1. B et C ; **1.2.** A et C ; **2. 1.** C ; **2.2.** A et C ; **2.3.** B ; **3.1.** A et C ; **3.2.** A et C ; **3.3.** A ; **4.1.** A et B ; **4.2.** A ; **4.3.** B

Chapitre 10
1.1. B ; **1.2.** C ; **2.1.** A, B et C ; **2.2.** B ; **3.1.** B ; **3.2.** B ; **3.3.** B ; **3.4.** A ; **3.5.** A ; **3.6.** B et C.

Chapitre 11
1.1. A et C ; **1.2.** C ; **1.3.** B ; **1.4.** A et C ; **1.5.** A et C ; **1.6.** C ; **1.7.** A, B et C ; **2.1.** B et C ; **2.2.** C ; **2.3.** B ; **2.4.** B ; **2. 5.** A.

Chapitre 12
1.1. B et C ; **1.2.** C ; **1.3.** B ; **2.1.** A et C ; **2.2.** B ; **2.3.** A ; **3.1.** A et B ; **3.2.** : B ; **3.3.** C.

Chapitre 13
1.1. A. et C ; **1.2.** A et C ; **2.** B ; **3.1.** A et C ; **3.2.** B ; **4.1.** B ; **4.2.** A. ; **4.3.** A, B et C ; **5.1.** C ; **5.2.** A et B.

Chapitre 14
1.1. B ; **2.1.** A ; **2.2.** A, B et C ; **2.3.** C ; **3.1.** B ; **3.2.** A et C ; **3.3.** B et C ; **3.4.** A ; **4.1.** B ; **4.2.** A.

Chapitre 15
1.1. A ; **1.2.** A et B ; **1.3.** B ; **1.4.** C ; **1.5.** A, B et C ; **2.1.** C, **2.2.** A ; **2.3.** A et C ; **3.1.** A ; **3.2.** C.

Chapitre 16
1.1. B et C ; **1.2.** A et C ; **1.3.** A ; **1.4.** A et C ; **2.1.** A et B ; **2.2.** B ; **2.3.** B et C ; **2.4.** A et C ; **3.1.** A et C ; **3.2.** A et C.

Chapitre 17
1.1. A, B et C ; **1.2.** A et C ; **1.3.** C ; **1.4.** A, B et C ; **1.5.** A et C ; **1.6.** A et C ; **1.7.** A et B ; **1.8.** B et C ; **1.9.** A et B ; **1.10.** B et C ; **1.11.** A et C ; **2.1.** A et B ; **2.2.** A et C.

Chapitre 18
1.1. A et B ; **1.2.** C ; **1.3.** C ; **2.1.** A et C ; **2.2.** B ; **2.3.** C ; **2.4.** C ; **3.1.** A ; **3.2.** A et C ; **3.3.** A et C.

Chapitre 19
1.1. C ; **1.2.** B et C ; **1.3.** A et C ; **1.4.** B ; **1.5.** A et C ; **1.6.** C. **2.1.** C ; **2.2.** A ; **2.3.** A.

Chapitre 20
1.1. A, B et C ; **1.2.** C ; **2.1.** B ; **2.2.** B et C ; **2.3.** A ; **2.4.** B ; **3.1.** C ; **3.2.** B ; **3.3.** B ; **3.4.** A.

Chapitre 21
1.1. C ; **1.2.** C ; **1.3.** A ; **1.4.** A ; **2.1.** A, B et C ; **2.2.** B ; **3.1.** A et C ; **3.2.** A et C ; **3.3.** A.

Chapitre 1

2 1. L'échelle de Richter n'est pas limitée, ni d'un côté ni de l'autre, d'où le terme d'échelle ouverte.
2. Le texte du document 1 indique qu'une augmentation d'une unité de magnitude correspond à la multiplication par 30 de l'énergie.
Sur le graphique du document 4, on observe qu'entre le séisme de Haïti (énergie proche de 8×10^{15} J) et le séisme de Sumatra (énergie proche de 7×10^{18} J) il y a un facteur proche de 900 $\left(\frac{7 \times 10^{18}}{8 \times 10^{15}} = 875\right)$. Or, entre ces deux séismes la magnitude augmente de deux unités ; l'énergie est donc multipliée par $30^2 = 900$. On retrouve l'ordre de grandeur du facteur obtenu à partir du graphique.
Une augmentation d'une unité de magnitude correspond donc bien à la multiplication par 30 de l'énergie libérée au niveau du foyer.
3. Le document 3 indique à tort qu'une augmentation d'une unité de la magnitude correspond à une multiplication par 10 de l'énergie. En fait, il s'agit d'une multiplication par 30.
4. L'échelle logarithmique est graduée en puissances de 10. Le passage d'une graduation à la suivante correspond à une multiplication par 10.
5. Ce séisme a entraîné un tsunami ravageant une partie des côtes japonaises.
6. L'intensité d'un séisme mesure les effets et les dégâts de ce séisme. Elle dépend de l'énergie libérée, de la topologie des lieux et de l'éloignement par rapport à l'épicentre du séisme.

5 1. Voir diagramme en fin des corrigés, p. 622.
2. a. $\lambda = \frac{c}{\nu}$ avec λ en m, c en $m \cdot s^{-1}$ et ν en Hz.
b. Le rayonnement de plus grande fréquence est celui de plus petite longueur d'onde. Parmi les rayonnements cités, celui de plus grande fréquence est le rayonnement gamma.
3. a. $\mathscr{E} = h \cdot \nu$ avec $\mathscr{E}$ en J, h en $J \cdot s$ et ν en Hz.
b. Le rayonnement de plus grande énergie est celui dont la fréquence est maximale ; c'est donc celui dont la longueur d'onde est minimale. Parmi les rayonnements cités, le plus énergétique est le rayonnement gamma.
4. Les divers « objets » de l'Univers n'émettent pas dans les mêmes domaines de longueur d'onde. Les diverses observations sont donc complémentaires. Par exemple,

l'observation dans les rayons X permet de détecter les nuages de gaz chauds.

Chapitre 2

4 $\lambda = 0{,}212$ m,
donc $f = \frac{v}{\lambda} = \frac{340}{0{,}212} = 1{,}60 \times 10^3$ Hz.

5 $1{,}21 \times 10^{-3}$ s $< T < 1{,}27 \times 10^{-3}$ s,
donc $7{,}87 \times 10^2$ Hz $< f < 8{,}26 \times 10^2$ Hz
et $2{,}36 \times 10^3$ Hz $< 3f < 2{,}48 \times 10^3$ Hz,
donc la fréquence du 3e harmonique ne peut pas être $2{,}31 \times 10^3$ Hz.

6 1. Une onde progressive est la propagation d'une perturbation dans un milieu.
2. Une onde transporte de l'énergie.
3. Cette durée est appelée le retard.

7 1. La perturbation atteint le point A à la date $t_A = 0{,}20$ s.
2. Le point A est en mouvement pendant $\Delta t = 0{,}05$ s.
3. $v = \frac{d}{t_A} = \frac{1{,}50}{0{,}20} = 7{,}5\ \text{m}\cdot\text{s}^{-1}$.

9 1. $\Delta t_{acier} = \frac{d}{v_{acier}} = \frac{1\,000}{5\,000} = 0{,}200\,0$ s.
2. $\Delta t_{air} = \frac{d}{v_{air}} = \frac{1\,000}{340} = 2{,}94$ s.
3. $\Delta t = \Delta t_{air} - \Delta t_{acier}$
$\Delta t = 2{,}94 - 0{,}200\,0 = 2{,}74$ s.

10 1. $T = 2{,}0\ \text{div} \times 10\ \mu\text{s/div} = 20\ \mu\text{s}$.
$f = \frac{1}{T} = \frac{1}{20 \times 10^{-6}} = 50 \times 10^3$ Hz.
2. $\lambda = \frac{v}{f} = \frac{333}{50 \times 10^3} = 0{,}006\,66$ m $= 6{,}66$ mm.

12 1. a. $\lambda = v \cdot T$
b. λ s'exprime en mètre, v en mètre par seconde, T en seconde.
2.

v	T	λ
$335\ \text{m}\cdot\text{s}^{-1}$	$3{,}6 \times 10^{-5}$ s	1,2 cm
$225\ \text{m}\cdot\text{s}^{-1}$	1,14 ms	25,7 cm
$1{,}48\ \text{km}\cdot\text{s}^{-1}$	25 µs	3,7 cm

14 1. a. $T = 2{,}0$ ms ; b. $U_{max} = 200$ mV.
2. C'est l'équation 3 ; il faut avoir $u(0) = 0$ d'après le graphique.

16 1. La fréquence du fondamental, $f_1 = 440$ Hz, étant la même pour les deux notes, elles ont la même hauteur.
2. Le timbre est caractérisé par les harmoniques. Or les harmoniques sont différents, donc les timbres seront différents.

17 1. $I = I_0 \cdot 10^{\frac{L}{10}} = 10^{-12} \times 10^{\frac{100}{10}}$
$I = 1{,}0 \times 10^{-2}\ \text{W}\cdot\text{m}^{-2}$
2. $I_{total} = 2 \times I = 2{,}0 \times 10^{-2}\ \text{W}\cdot\text{m}^{-2}$
$L = 10 \times \log\left(\frac{I}{I_0}\right)$
$L = 10 \times \log\left(\frac{2{,}0 \times 10^{-2}}{1{,}0 \times 10^{-12}}\right) = 103$ dB

34 1. La hauteur du son est la sensation liée à la fréquence du fondamental de ce son.
2. $T = 2{,}0$ ms, donc $f = 500$ Hz.
3. L'amplitude de la tension a doublé. L'ingénieur a modifié l'intensité sonore du son. Le son a toujours la même période, donc la même fréquence.
4. Le fondamental sur l'enregistrement 3 a une fréquence de 500 Hz, donc la même fréquence que les sons des enregistrements 1 et 2.
5. C'est le timbre du son qui a été modifié. En effet, il s'agit sur l'enregistrement 3 d'un son ayant des harmoniques, alors que les signaux des enregistrements 1 et 2 sont des sinusoïdes, donc ne possèdent pas d'harmonique.
La fréquence d'un son est celle du fondamental.
6. À 16 mètres,
$I = I_0 \cdot 10^{\frac{L}{10}} = 10^{-12} \times 10^{\frac{98}{10}} = 6{,}3 \times 10^{-3}\ \text{W}\cdot\text{m}^{-2}$
7. $I_2 = 10 \times I = 6{,}3 \times 10^{-2}\ \text{W}\cdot\text{m}^{-2}$
$L_2 = 10 \times \log\left(\frac{I_2}{I_0}\right)$
$L_2 = 10 \times \log\left(\frac{6{,}3 \times 10^{-2}}{10^{-12}}\right) = 108$ dB
8. À 16 mètres, $L = 10 \times \log\left(\frac{I}{I_0}\right)$
À 8 mètres, $I' = 4 \times I$
$L' = 10 \times \log\left(\frac{4 \times I}{I_0}\right)$
$L' = 10 \times \log 4 + 10 \times \log\left(\frac{I}{I_0}\right) = 6 + L$
Donc le niveau d'intensité sonore augmente de 6 dB lorsque la distance est divisée par 2.
À partir de 120 dB, le son devient douloureux à écouter, c'est-à-dire à partir de 4 mètres.
En effet 120 dB = (108 + 6 + 6) dB, la distance a été divisée par 4.
9. Près des enceintes, le niveau sonore peut donc dépasser le seuil de risques. Cette exposition à un niveau sonore trop élevé peut provoquer des acouphènes, voire engendrer une perte d'audition.

Chapitre 3

4 1. $\lambda = 635$ nm
2. $U(\lambda) = 9$ nm, donc 626 nm $< \lambda <$ 644 nm.
3. La valeur fournie par le constructeur est compatible avec l'encadrement obtenu.

5 1. La représentation graphique de θ en fonction de $\frac{1}{a}$ est une droite passant par l'origine dont le coefficient directeur est 605×10^{-9} m.
2. $\lambda = 605$ nm

8

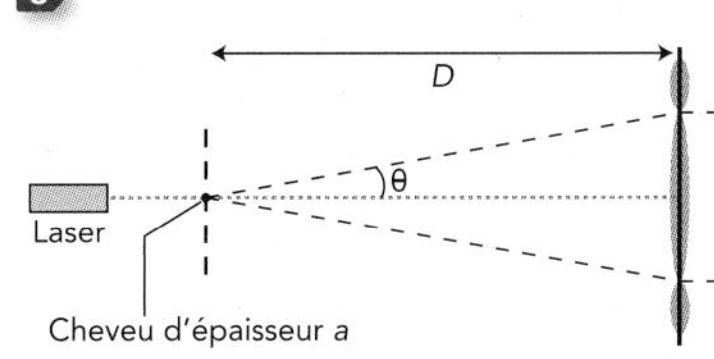

2. $\theta = \frac{\lambda}{a} = \frac{632{,}8 \times 10^{-9}}{50 \times 10^{-6}} = 1{,}3 \times 10^{-2}$ rad

9 On observe des franges d'interférences, alternativement sombres et brillantes sur l'écran. Ces franges sont parallèles entre elles et parallèles aux deux fentes d'Young.

10 1. Les sources doivent être cohérentes.
2. a. $\delta = k \cdot \lambda$, avec k un nombre entier relatif.
b. $\delta = \left(k + \frac{1}{2}\right) \cdot \lambda$, avec k un nombre entier relatif.

13 1.

Grandeur	Unité SI
f_E	s^{-1}
c et v_E	$\text{m}\cdot\text{s}^{-1}$
$\frac{c \cdot f_E}{c + v_E}$	$\frac{\text{m}\cdot\text{s}^{-1}\cdot\text{s}^{-1}}{\text{m}\cdot\text{s}^{-1}} = \text{s}^{-1}$

L'analyse dimensionnelle montre l'homogénéité de l'expression.
2. $\frac{c}{c + v_E}$ est inférieur à 1, donc la fréquence f_B est inférieure à la fréquence f_E.

15 1.

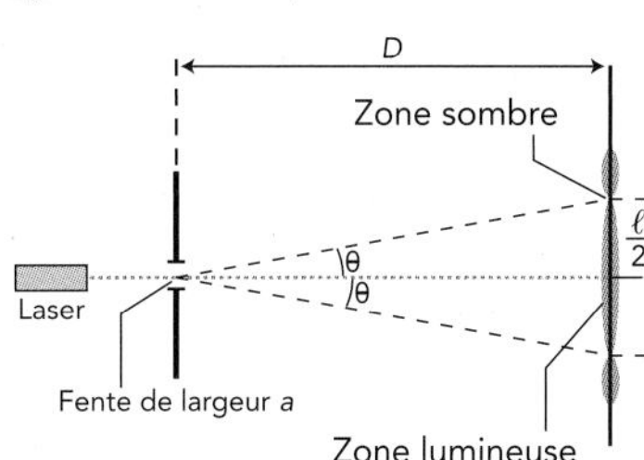

2. $\theta = \frac{\lambda}{a}$
3. a. $\tan\theta = \frac{\ell}{2D}$
b. $\frac{\ell}{2D} \approx \frac{\lambda}{a}$, soit $\ell \approx \frac{2 \cdot \lambda \cdot D}{a}$
4. a. Si la largeur de la fente double, la largeur de la tache centrale est deux fois plus petite.
Si la largeur de la fente est divisée par deux, la largeur de la tache centrale double.
b. Si la distance entre la fente et l'écran double, la largeur de la tache centrale double.

17 1. Ce sont les interférences constructives.
2. i est l'interfrange.
3. $a = (281{,}3 \pm 6{,}5)$ µm

19 1. Le phénomène de diffraction sera d'autant plus important que $\frac{\lambda}{a}$ sera grand : elle sera donc plus importante pour $\lambda_1 = 1\,850$ m.
2. C'est un phénomène d'interférences destructives, les ondes émises par le casque étant en opposition de phase avec celles du bruit.
3. C'est le phénomène de diffraction de la houle par l'ouverture du port.
4. Elle a une longueur d'onde inférieure à λ_1.

27 1. $t_1 = \frac{d}{V}$

2. a. $d_E = V_E \cdot T_E$
b. $EA = d - V_E \cdot T_E$
c. $t_2 = T_E + \frac{d - V_E \cdot T_E}{V}$

3. $T_A = t_2 - t_1 = T_E + \frac{d - V_E \cdot T_E}{V} - \frac{d}{V}$

$T_A = T_E - \frac{V_E \cdot T_E}{V} = T_E \cdot \left(1 - \frac{V_E}{V}\right)$

T_A est la durée entre deux signaux consécutifs captés par le récepteur, c'est donc la période de l'onde captée par le récepteur.

4. a. $f_A = \frac{1}{T_A} = \frac{1}{T_E \cdot \left(1 - \frac{V_E}{V}\right)} = f_E \cdot \frac{V}{V - V_E}$

b. $V_E = V \cdot \frac{f_A - f_E}{f_A}$

33 1. $\theta \approx \tan \theta = \frac{L}{2D}$

2. $\theta = \frac{\lambda}{a}$ avec θ en radian et λ et a en mètre.

3. La courbe $\theta = f\left(\frac{1}{a}\right)$ est une droite passant par l'origine. Or, l'expression précédente montre que θ et $\frac{1}{a}$ sont proportionnels (coefficient de proportionnalité λ). La figure 2 est donc bien en accord avec la relation.

4. Le coefficient directeur de la droite représentative de $\theta = f\left(\frac{1}{a}\right)$ est égal à la longueur d'onde λ.

5. Soit le point de la droite de coordonnées ($5{,}0 \times 10^4$ m^{-1} ; $2{,}8 \times 10^{-2}$ rad).

Le coefficient directeur de la droite est :

$$\lambda = \frac{2{,}8 \times 10^{-2}}{5{,}0 \times 10^4} = 5{,}6 \times 10^{-7} \text{ m.}$$

La valeur à retenir est $\lambda = 560$ nm.

6. La lumière blanche est polychromatique, donc elle contient des radiations de longueurs d'onde différentes qui donneront des taches de largeurs et de positions différentes sur l'écran.

Au centre de l'écran, juste en face du fil, toutes les radiations colorées se superposent ; on obtient du blanc.

À l'extérieur de cette tache blanche, seules certaines radiations se superposent ; cela crée des zones colorées : des irisations.

Chapitre 4

5 1. Le spectre IR présente une bande d'absorption vers 3400 cm^{-1} (liaison O – H) et une vers 1700 cm^{-1} (liaison C = O). B peut avoir la formule a.

2. La bande large vers 3400 cm^{-1} est caractéristique de la présence de liaisons hydrogène.

6 Le 1,1-dichloroéthane a pour formule Cl_2CH-CH_3.

Son spectre de RMN présente deux signaux : un doublet pour CH_3 et un quadruplet pour CH, ce qui est le cas de celui proposé.

Les hauteurs d'intégration sont telles que $h(CH_3) = 3\,h(CH)$, ce qui est compatible.

Les valeurs des déplacements chimiques du spectre sont supérieures à celles lues dans la table : (δ (CH_3-C-Cl) = 2 ppm au lieu de 1,5 ppm et δ ($CH-Cl$) = 6 ppm au lieu de 4). Cela provient de la présence de deux atomes de chlore et non d'un seul.

9 Le vert de bromocrésol absorbe dans le bleu (λ = 450 nm), couleur complémentaire du jaune, et dans l'orangé (λ = 610 nm), couleur complémentaire du vert-bleu, d'où sa couleur à pH = 4,6.

10 a. Groupes amine $-NH_2$ et carboxyle $-COOH$ (fonctions amine et acide carboxylique).

b. Groupe hydroxyle $-OH$, groupes amine $-NH_2$ et carboxyle $-COOH$ (fonctions alcool, amine et acide carboxylique).

c. Groupes amine $-NH_2$, carboxyle $-COOH$, amide $-CO-NH_2$ (fonctions amine, acide carboxylique et amide).

d. Groupes carbonyle C = O, alcène C = C et carboxyle $-COOH$ (fonctions cétone, alcène et acide carboxylique).

e. Groupes carbonyle C = O et alcène C = C (fonctions aldéhyde et alcène).

11 1. a. Groupe alcène C = C (alcène).
b. Groupe hydroxyle $-OH$ (alcool).
c. Groupe amine $-NH_2$ (amine).
d. Groupe carbonyle C = O (cétone).
e. Groupe carbonyle C = O (aldéhyde).
f. Groupe amine $-NH-$ (amine).
g. Groupe ester $-CO-O-C$ (ester).
h. Groupe amide $-CO-NH-$ (amide).

2. a. 2-méthylbut-2-ène ;
b. 5-méthylhexan-2-ol ; c. Pentan-2-amine ;
d. 4-éthylhexan-2-one ; e. Butanal ;
f. N-éthylbutan-2-amine ;
g. 2-méthylbutanoate d'éthyle ;
h. N-méthylbutanamide.

13 1. a. $CH_3(H)C=C(H)-CH(CH_3)-CH_3$

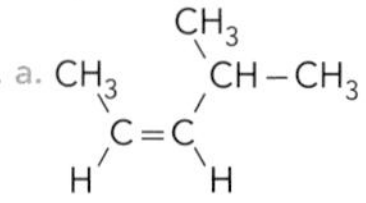

b. $CH_3-CH_2-CH(CH_3)-CH_2-OH$

c. $CH_3-CH_2-CH(C_2H_5)-CH_2-C(=O)H$

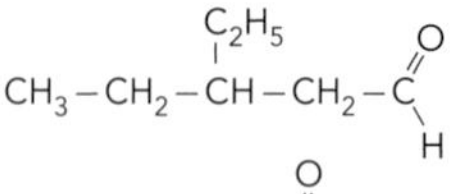

d. $CH_3-CH_2-CH(CH_3)-C(=O)-CH_3$

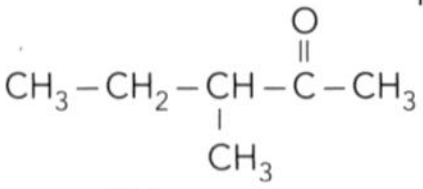

e. $CH_3-CH(CH_3)-CH_2-C(=O)OH$

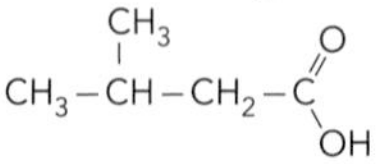

f. $CH_3-CH(CH_3)-C(=O)-O-C_2H_5$

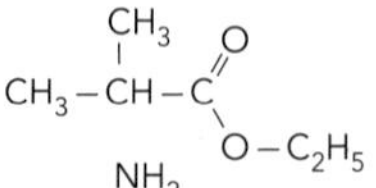

g. $CH_3-CH(NH_2)-CH_3$

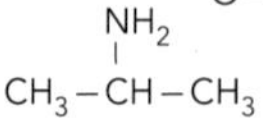

h. $CH_3-CH_2-CH_2-CH_2-NH-C_2H_5$

i. $CH_3-CH_2-C(=O)NH_2$ j. $CH_3-C(=O)NH-CH_3$

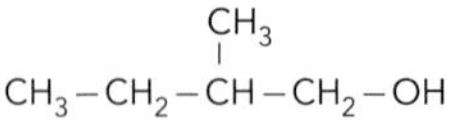

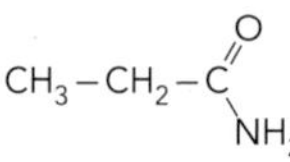

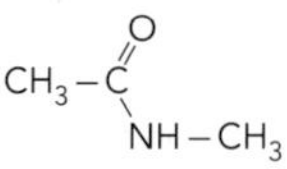

2. a. Groupe alcène (alcène) ; b. groupe hydroxyle (alcool) ; c. groupe carbonyle (aldéhyde) ; d. groupe carbonyle (cétone) ; e. groupe carboxyle (acide carboxylique) ; f. groupe ester (ester) ; g. et h. groupe amine (amine) ; i. et j. groupe amide (amide).

16 1. $CH_3-CH(OH)-CH_2-CH_2-CH_2-CH_3$;

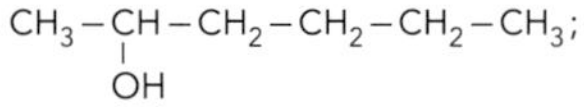

groupe hydroxyle (alcool).

2. (a) liaison O – H ; (b) liaison C – H ; (c) liaison C – H ; (d) liaison C – O.

20 1. a. 1,4 ppm ; b. 3,0 ; c. 2,3 ; d. 3,3 ; e. 2,2 ; f. 2,0.

2. a. 1,3 ; b. 3,6 ; c. 3,3 ; d. 1,7 ; e. 4,1 ; f. 4,3. g. 2,5.

3. a. 1,5 ; b. 3,9 ; c. 1,6 ; d. 2,7.

22 1. Les protons équivalents sont de la même couleur :

a. $HO-CH_2-CH_2-OH$
b. $CH_3-CH(OH)-CH_3$
c. $Br-CH_2-CH_2-CH_2-CH_2-OH$
d. $CH_3-CH_2-CO-O-CO-CH_2-CH_3$
e. $CH_3-CH_2-CO-O-CH_2-CH_3$
f. $H_3C-C_6H_4-CH_3$ (cycle benzénique portant 4 H)
g. $H_3C-C_6H_4-Br$ (cycle benzénique portant 4 H)

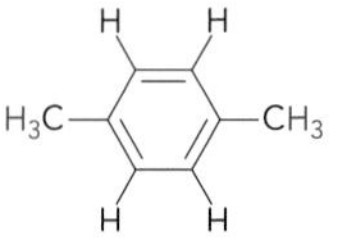

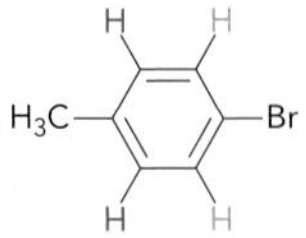

2. a. 3 signaux ; b. 2 signaux ; c. 2 signaux ; d. 1 signal ; e. 4 signaux ; f. 3 signaux ; g. 3 signaux ; h. 4 signaux ; i. 6 signaux.

24 (I) est le spectre de c (2 protons voisins de 3, et réciproquement).

(II) est le spectre de a (1 proton voisin de 6, et réciproquement).

26 La solution de sulfate de nickel absorbe dans le violet (λ = 400 nm), couleur complémentaire du jaune-vert, et dans le rouge (λ = 730 nm), couleur complémentaire du bleu-vert ; elle est donc verte.

La solution contenant le complexe absorbe dans le jaune-vert (570 nm) ; elle est donc violette.

31 En phase vapeur, les molécules d'acide butanoïque ne sont pas liées et sont toutes identiques, d'où une bande très étroite. En revanche, à l'état liquide, des liaisons hydrogène relient les molécules, les liaisons O – H sont plus ou moins affaiblies, le nombre d'ondes d'absorption est alors diminué et les bandes sont plus larges.

39 1. $n(C) = 136{,}0 \times \frac{0{,}706}{12} = 8$;

$n(H) = 136{,}0 \times \frac{0{,}059}{1} = 8$;

$n(O) = 136{,}0 \times \frac{0{,}235}{16} = 2.$

Soit A : $C_8H_8O_2$.

2. Vu δ = 12 ppm, A peut présenter une fonction acide carboxylique $-CO-OH$, ce que confirme le spectre infrarouge avec

une bande d'absorption vers 3 500 cm^{-1} (liaison O – H) et une vers 1 800 cm^{-1} (liaison C = O).

3. Les hauteurs d'intégration donnent 2, 5 et 1 protons. La multiplicité des signaux (singulet) et les valeurs de δ permettent de proposer pour A :

$$C_6H_5-CH_2-CO_2H$$

4. En phase vapeur, les molécules de A ne sont pas liées et sont toutes identiques, d'où une bande très étroite.

Chapitre 5

4 Voir schéma en fin des corrigés, p. 622.

$v_6 = \dfrac{P_5P_7}{2\tau} = \dfrac{1,5 \times 10^{-1}}{2 \times 60 \times 10^{-3}} = 1,3 \text{ m}\cdot\text{s}^{-1}$.

$v_4 = \dfrac{P_3P_7}{2\tau} = 1,2 \text{ m}\cdot\text{s}^{-1}$.

La longueur du vecteur $\overrightarrow{\Delta v_5}$ représente :

$$5,5 \times 10^{-1} \text{ m}\cdot\text{s}^{-1}.$$

La valeur de l'accélération $\vec{a_5}$ vaut :

$$a_5 = \frac{\Delta v_5}{2\tau} = \frac{5,5 \times 10^{-1}}{2 \times 60 \times 10^{-3}} = 4,6 \text{ m}\cdot\text{s}^{-2}.$$

5 Voir correction exercice 24.

6 Héliocentrique : d.
Géocentrique : c.
Terrestre : a, b, e.

9 a. Pas correct : le mouvement est uniforme, donc la valeur de la vitesse est constante, les vecteurs vitesses doivent avoir même longueur.
b. Pas correct : le vecteur vitesse n'est pas dans le bon sens.
c. Pas correct : le vecteur n'est pas tangent à la trajectoire au point considéré.
d. Pas correct : les vecteurs vitesses doivent avoir la même longueur.
e. Correct.

11 1.

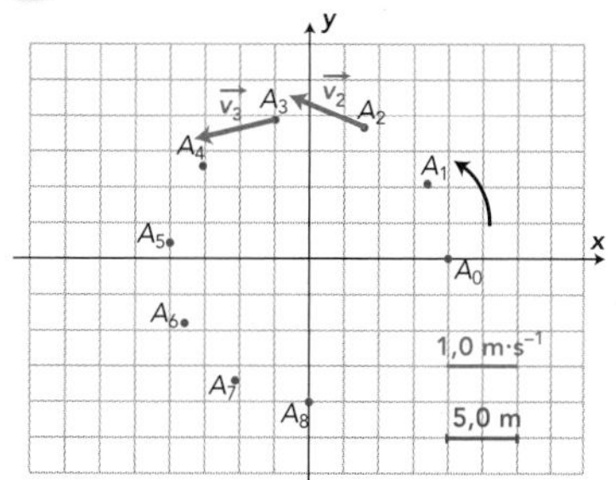

$v_2 = v_3 = \dfrac{11,6}{2 \times 5,0} = 1,2 \text{ m}\cdot\text{s}^{-1}$.

2. Le mouvement de A est circulaire et uniforme.

13 1. Le vecteur quantité de mouvement $\vec{p}$ d'un point matériel de masse m se déplaçant à la vitesse $\vec{v}$ est défini par $\vec{p} = m \cdot \vec{v}$.
Sa valeur p s'exprime en kg·m·s^{-1} si la masse est en kg et la valeur de la vitesse en m·s^{-1}.

2. $p = 0,0035 \times 75 = 0,263 \text{ kg}\cdot\text{m}\cdot\text{s}^{-1}$, ou 0,26 kg·m·$s^{-1}$ si on ne garde que 2 chiffres significatifs.

3. a. $U(p) = 0,263 \times \sqrt{\left(\dfrac{0,1}{3,5}\right)^2 + \left(\dfrac{1}{75}\right)^2}$

$U(p) = 0,008 \text{ kg}\cdot\text{m}\cdot\text{s}^{-1}$.

$p = (0,263 \pm 0,008) \text{ kg}\cdot\text{m}\cdot\text{s}^{-1}$,
soit $0,255 \text{ kg}\cdot\text{m}\cdot\text{s}^{-1} \leqslant p \leqslant 0,271 \text{ kg}\cdot\text{m}\cdot\text{s}^{-1}$.

b. L'incertitude est de 0,008 kg·m·s^{-1}, soit 8 g·m·s^{-1}. Le dernier chiffre du résultat doit être du même ordre de grandeur que l'incertitude, le résultat est donc écrit avec 3 chiffres significatifs.

14 1. La représentation f correspond à un système constamment immobile.
2. Les représentations graphiques correspondant à un mouvement uniforme sont la a, la c et la e.
Les représentations graphiques correspondant à un mouvement uniformément varié sont la b et la d.

19 a. Faux : dans un référentiel terrestre pouvant être considéré galiléen pour ce mouvement, d'après la première loi de Newton, le mouvement est obligatoirement rectiligne et uniforme.
b. Faux : c'est la variation de la quantité de mouvement qui est égale à la résultante des forces extérieures.
c. Faux : d'après la troisième loi de Newton, ces deux forces sont toujours strictement opposées, elles ont donc même valeur.
d. Vrai.

24 1. Le mouvement est rectiligne selon l'axe (Ox).
Phase 1 : de $t = 0$ à 5 min, la valeur de la vitesse diminue. Le mouvement est rectiligne décéléré.
Phase 2 : de $t = 5$ à 10 min, la valeur de la vitesse est constante. Le mouvement est rectiligne uniforme.
Phase 3 : de $t = 10$ à 13 min, la valeur de la vitesse diminue. Le mouvement est rectiligne décéléré.
Phase 4 : pour $t > 13$ min, la valeur de la vitesse est nulle, le TGV est immobile.
2. Entre 5 et 10 min, puis à partir de 13 min, la coordonnée selon (Ox) de la vitesse est constante, donc celle de l'accélération est nulle.
3. À $t_2 = 2$ min :

$$a_2 = \frac{-140}{\frac{5}{60}} = -1,7 \times 10^3 \text{ km}\cdot\text{h}^{-2}.$$

À $t_{11} = 11$ min :

$$a_{11} = \frac{-260}{\frac{12}{60}} = -1,3 \times 10^3 \text{ km}\cdot\text{h}^{-2}.$$

30 1. $P = M \cdot g = 7,3 \times 10^6$ N ;
$F = 1,16 \times 10^7$ N.
À l'échelle 1 cm pour 5×10^6 N, P est représenté par un vecteur de longueur 1,5 cm et F par un vecteur de longueur 2,3 cm.

$\vec{F}$
G
$\vec{P}$
5×10^6 N

2. D'après la 2ᵉ loi de Newton :

$$\Sigma\vec{F} = \frac{d\vec{p}}{dt} = M\vec{a}$$

Le mouvement étant rectiligne sur l'axe vertical (Oy) (orienté vers le haut), l'accélération est exclusivement verticale. Donc sa valeur est :

$$a = \frac{F - P}{M} = \frac{1,16 \times 10^7 - 7,3 \times 10^6}{7,3 \times 10^5}$$

$$a = 5,9 \text{ m}\cdot\text{s}^{-2}.$$

3. L'expression de la coordonnée verticale de la vitesse de la fusée est $v = a \cdot t$.
4. L'expression de la coordonnée verticale de la position de la fusée est $y = \dfrac{a}{2} \cdot t^2$.
5. Jusqu'à la date $t_1 = 6,0$ s, la fusée a parcouru $y(6,0) = \dfrac{1}{2} \times 5,9 \times 6^2 = 106$ m.

6. La propulsion de la fusée est assurée par réaction : les gaz éjectés vers le bas par la fusée exercent une poussée vers le haut sur la fusée.
Si le système constitué par les gaz et la fusée est considéré isolé, la quantité de mouvement du système se conserve et on peut illustrer la propulsion par le schéma suivant :

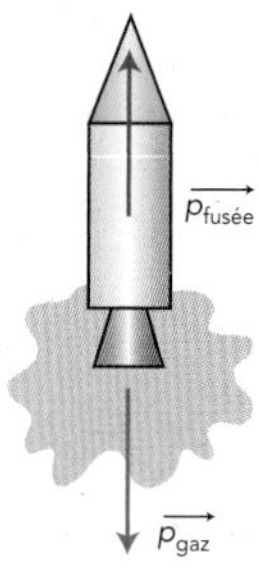

Chapitre 6

3 1. $\vec{a} \begin{cases} a_x = 0 \\ a_y = -\dfrac{e \cdot E}{m_p} \end{cases}$

$\vec{v_0} \begin{cases} v_{x0} = v_0 \cdot \cos\alpha \\ v_{y0} = v_0 \cdot \sin\alpha \end{cases}$

$\vec{v} \begin{cases} v_x = v_0 \cdot \cos\alpha \\ v_y = -\dfrac{e \cdot E}{m_p} \cdot t + v_0 \cdot \sin\alpha \end{cases}$

$\overrightarrow{OG} \begin{cases} x = v_0 \cdot \cos\alpha \cdot t \\ y = -\dfrac{1}{2}\dfrac{e \cdot E}{m_p} \cdot t^2 + v_0 \cdot \sin\alpha \cdot t \end{cases}$

2. $y = -\dfrac{1}{2}\dfrac{e \cdot E}{m_p} \cdot \dfrac{x^2}{v_0{}^2 \cdot \cos \alpha^2} + x \cdot \tan \alpha$

La trajectoire est une portion de parabole.

3. Le point S a pour coordonnées :
$x_S = 10{,}0 \times 10^{-2}$ m ; $y_S = 1{,}47 \times 10^{-2}$ m.

4 $v = \sqrt{\dfrac{G \cdot M_L}{r + z}}$, soit $v = 1{,}68 \times 10^3 \text{ m} \cdot \text{s}^{-1}$;

$T = \dfrac{2\pi \cdot (r + z)}{v} = 6{,}50 \times 10^3$ s.

6 1. On étudie le mouvement de la bille dans un référentiel terrestre considéré galiléen.

2. $m\vec{g} = m\vec{a}$, soit $\vec{a} = \vec{g}$.

3. Les coordonnées du vecteur $\vec{a}$ sont $\vec{a}\begin{pmatrix} 0 \\ -g \end{pmatrix}$.

8 1. On a choisi un référentiel terrestre.

2. Voir cours, doc. 4a, p. 164.

3. À $t = 0$, $\overrightarrow{OG_0}\begin{pmatrix} 0 \\ 0 \end{pmatrix}$.

4. $\vec{v} = \dfrac{d\overrightarrow{OG}}{dt}$

$\overrightarrow{OG}\begin{pmatrix} x = v_0 \cdot \cos \alpha \cdot t \\ y = -\dfrac{1}{2} g \cdot t^2 + v_0 \cdot \sin \alpha \cdot t \end{pmatrix}$

9 1. a. La trajectoire est l'ensemble des positions successives. Son équation est du type $y = f(x)$.

b. La relation (C) doit être éliminée, car elle est du type $y = f(t)$.

2. a. À $t = 0$, le poids P est à une hauteur $y = h$:

$$\overrightarrow{OP_0}\begin{pmatrix} 0 \\ h \end{pmatrix}$$

b. On élimine l'équation (A).

(B) est l'équation de la trajectoire.

11 1. Dans le référentiel géocentrique, la trajectoire du centre du satellite est une ellipse dont le centre de la Terre est l'un des foyers.

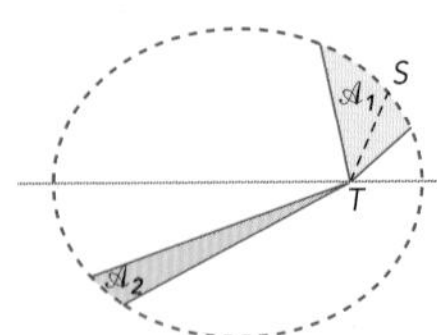

2. Le segment de droite $[TS]$ reliant la Terre au satellite balaie des aires égales pendant des durées égales. $\mathscr{A}_1$ et $\mathscr{A}_2$ ont les mêmes surfaces.

13 1. Système : {Phobos} et référentiel marsocentrique (schéma p. 171).

2. $\overrightarrow{F_{M/Ph}} = G \cdot \dfrac{M_M \cdot M_{Ph}}{r^2} \cdot \vec{n}$

$\vec{a} = \dfrac{G \cdot M_M}{r^2} \cdot \vec{n}$

3. En identifiant cette expression à :

$$\vec{a} = \frac{dv}{dt} \cdot \vec{t} + \frac{v^2}{r} \cdot \vec{n}$$

on en déduit :

$$\begin{cases} \dfrac{dv}{dt} = 0 \\ \dfrac{v^2}{r} = \dfrac{G \cdot M_M}{r^2} \end{cases}$$

L'égalité $\dfrac{dv}{dt} = 0$ entraîne que la valeur de la vitesse v est constante. Ce mouvement circulaire est donc uniforme.

18 1. a. $Q = 5{,}79 \times 10^{-15} \text{ s}^2 \cdot \text{m}^{-3}$

b. $\dfrac{U(Q)}{Q} = 6{,}72 \times 10^{-3}$

$U(Q) = 4 \times 10^{-17} \text{ s}^2 \cdot \text{m}^{-3}$.

c. $5{,}75 \times 10^{-15} < Q < 5{,}83 \times 10^{-15}$

2. a. $Q' = 5{,}80 \times 10^{-15} \text{ s}^2 \cdot \text{m}^{-3}$.

b. $U(Q') = 6 \times 10^{-17} \text{ s}^2 \cdot \text{m}^{-3}$.

c. $5{,}74 \times 10^{-15} < Q' < 5{,}86 \times 10^{-15}$

3. Les intervalles calculés pour Q et Q' se recoupent. La troisième loi de Kepler est bien vérifiée.

21 1. $\vec{a}\begin{pmatrix} 0 \\ -\dfrac{e \cdot E}{m} \end{pmatrix}$

$\vec{v}\begin{pmatrix} v_1 \cdot \sin i_1 \\ -\dfrac{e \cdot E}{m} \cdot t + v_1 \cdot \cos i_1 \end{pmatrix}$

$\overrightarrow{OM}\begin{pmatrix} v_1 \cdot \sin i_1 \cdot t \\ -\dfrac{e \cdot E}{2m} \cdot t^2 + v_1 \cdot \cos i_1 \cdot t \end{pmatrix}$

2. De la 1re équation, on obtient t :

$$t = \frac{x}{v_1 \cdot \sin i_1}$$

La seconde devient :

$$z(x) = -\frac{e \cdot E}{2m \cdot (v_1 \cdot \sin i_1)^2} \cdot x^2 + \frac{1}{\tan i_1} \cdot x$$

3. a. La trajectoire de l'électron est parabolique.

b. Au sommet S, le vecteur vitesse est tangent à la trajectoire ; sa composante verticale est nulle.

c. $\overrightarrow{v_S}\begin{pmatrix} v_{S_x} = v_1 \cdot \sin i_1 \\ v_{S_z} = -\dfrac{e \cdot E}{m} \cdot t_S + v_1 \cdot \cos i_1 = 0 \end{pmatrix}$

d. $v_{S_z} = -\dfrac{e \cdot E}{m} \cdot t_S + v_1 \cdot \cos i_1 = 0$,

soit $t_S = \dfrac{m \cdot v_1 \cdot \cos i_1}{e \cdot E}$

e. $z_S = -\dfrac{e \cdot E}{2m} \cdot \left(\dfrac{m \cdot v_1 \cdot \cos i_1}{e \cdot E}\right)^2 + v_1 \cdot \cos i_1 \cdot \dfrac{m \cdot v_1 \cdot \cos i_1}{e \cdot E}$

$z_S = \dfrac{m \cdot (v_1 \cdot \cos i_1)^2}{2\, e \cdot E}$

4. L'électron atteint la zone supérieure à condition que z_S soit supérieure ou égale à d ce qui entraîne :

$$E \leqslant \frac{m \cdot (v_1 \cdot \cos i_1)^2}{2\, e \cdot d}$$

5. a. L'électron est en mouvement rectiligne uniforme.

b. $\sin i_2 = \dfrac{v_1 \cdot \sin i_1}{v_2}$

c. Les angles d'incidence et d'émergence vérifient la relation $v_1 \cdot \sin i_1 = v_2 \cdot \sin i_2$.
On peut donc dire que le faisceau d'électrons est réfracté par ce dispositif.

24 1. À $t = 0$, $\overrightarrow{v_B}\begin{pmatrix} v_{Bx} = v_B \cdot \cos \alpha \\ v_{Bz} = v_B \cdot \sin \alpha \end{pmatrix}$

2. $\overrightarrow{OB}\begin{pmatrix} x_B = 0 \\ z_B = h \end{pmatrix}$

3. La balle n'est soumise qu'à son poids, donc d'après la deuxième loi de Newton :

$$\vec{a} = \vec{g}$$

$\overrightarrow{a_G}\begin{pmatrix} a_x = 0 \\ a_z = -g \end{pmatrix}$ et $\vec{v}\begin{pmatrix} v_x = v_B \cdot \cos \alpha \\ v_z = -g \cdot t + v_B \cdot \sin \alpha \end{pmatrix}$

4. Au sommet S de la trajectoire, le vecteur vitesse de la balle est horizontal, donc $v_{S_z} = 0$. La valeur du vecteur vitesse au point S est alors :

$$v_S = \sqrt{v_{xs}^2 + v_{ys}^2} = v_B \cdot \cos \alpha$$

$$v_S = 12{,}1 \text{ m} \cdot \text{s}^{-1}.$$

5. $\vec{v} = \dfrac{d\overrightarrow{OG}}{dt}$

$\overrightarrow{OG}\begin{pmatrix} x = v_B \cdot \cos \alpha \cdot t + x_B(0) \\ z = -\dfrac{1}{2} g \cdot t^2 + v_B \cdot \sin \alpha \cdot t + z_B(0) \end{pmatrix}$,

soit $\overrightarrow{OG}\begin{pmatrix} x = v_B \cdot \cos \alpha \cdot t \\ z = -\dfrac{1}{2} g \cdot t^2 + v_B \cdot \sin \alpha \cdot t + h \end{pmatrix}$,

6. $z = -\dfrac{1}{2} g \cdot \left(\dfrac{x}{v_B \cdot \cos \alpha}\right)^2 + \tan \alpha \cdot x + h$

7. Pour que le but soit marqué, il faut, pour $x = d$, que $0 \leqslant z(d) \leqslant L$. Or, $z(d) = 1{,}6$ m. Donc le but est marqué.

25 1. $\dfrac{T^2}{a^3} = \text{cste}$ (énoncé complet p. 167).

2. Appliquons la troisième loi de Kepler à Pluton et Éris évoluant autour du Soleil :

$\dfrac{T_E^2}{a_E^3} = \dfrac{T_P^2}{a_P^3}$, soit $\dfrac{T_E^2}{T_P^2} = \dfrac{a_E^3}{a_P^3}$

Or T_E (= 557 ans) > T_P (= 248 ans).

On en déduit que $\dfrac{T_E^2}{T_P^2} > 1$.

Donc $\dfrac{a_E^3}{a_P^3} > 1$, soit $a_E^3 > a_P^3$.

$a_E > a_P$: l'orbite d'Éris se situe au-delà de celle de Pluton.

3. On utilisera un référentiel dont le centre est confondu avec le centre de gravité d'Éris et dont les axes sont dirigés vers trois étoiles lointaines.

4. a. Le satellite Dysnomia est soumis, en première approximation, à une unique force d'attraction gravitationnelle exercée par Éris, $\overrightarrow{F_{E/D}}$.

$$\overrightarrow{F_{E/D}} = M_D \cdot \vec{a}$$

$$M_D \cdot \vec{a} = -G \cdot \frac{M_E \cdot M_D}{R_D^2} \cdot \overrightarrow{u_{ED}}$$

$$\vec{a} = -G \cdot \frac{M_E}{R_D^2} \cdot \overrightarrow{u_{ED}}$$

b. Le vecteur accélération est porté par le rayon de la trajectoire et est orienté vers le centre de la trajectoire.

5. a. $T_D = \dfrac{2\pi \cdot R_D}{v}$

Le mouvement de Dysnomia est circulaire et uniforme ; l'accélération est centripète, de valeur $a = \dfrac{v^2}{R_D}$.

En comparant avec l'expression de la question 4a, on obtient $T_D = 2\pi\sqrt{\frac{R_D^3}{G \cdot M_E}}$

En élevant cette relation au carré, on retrouve la troisième loi de Kepler :

$$\frac{T_D^2}{4\pi^2} = \frac{R_D^3}{G \cdot M_E}$$

b. D'après la troisième loi de Kepler, on a :

$$M_E = \frac{4\pi^2 \cdot R_D^3}{G \cdot T_D^2}$$

$$M_E = 1{,}63 \times 10^{22} \text{ kg}$$

6. $\frac{M_E}{M_P} = \frac{1{,}63 \times 10^{22}}{1{,}3 \times 10^{22}} = 1{,}24$

La masse d'Éris est un peu plus grande que celle de Pluton. Si Éris n'est pas considérée comme une planète, alors Pluton qui a une masse moins importante que celle d'Éris ne l'est pas non plus.

27 1. La valeur de l'accélération est constante, celle de la vitesse est une fonction linéaire du temps.

2. a. Voir cours, doc. 4b, p. 164.

b. D'après la deuxième loi de Newton :

$$\vec{a} = \vec{g}$$

$$\vec{a}\begin{pmatrix} 0 \\ -g \end{pmatrix}$$

$$\vec{v}\begin{pmatrix} v_0 \cdot \cos\alpha \\ -g \cdot t + v_0 \cdot \sin\alpha \end{pmatrix}$$

$$\overrightarrow{OG}\begin{pmatrix} x = v_0 \cdot \cos\alpha \cdot t \\ y = -\frac{1}{2} g \cdot t^2 + v_0 \cdot \sin\alpha \cdot t + h \end{pmatrix}$$

$$y = -\frac{1}{2}\frac{g}{(v_0 \cdot \cos\alpha)^2} \cdot x^2 + \tan\alpha \cdot x + h$$

3. a. $0 = -\frac{1}{2}\frac{g}{(v_0 \cdot \cos\alpha)^2} \cdot x^2 + \tan\alpha \cdot x + h$

b. La seule solution possible est $\ell = 12{,}5$ m.

c. Les forces de frottement de l'air ne peuvent être négligées; le sauteur ne peut pas tout à fait être modélisé par son centre de gravité.

4. On exploite une vidéo prise de côté, dans le plan de la trajectoire.

Chapitre 7

3 1. L'énergie mécanique ne se conserve pas.

2. La vitesse sera plus importante en *D* en l'absence de frottement.

4 $V_A = -\frac{1}{2e} \cdot m \cdot v_B^2 = -3{,}69 \times 10^3$ V.

7 1. $W_{HE}(\vec{P}) = \vec{P} \cdot \overrightarrow{HE} = P \cdot HE \cdot \cos\alpha$

$\vec{P}$ et $\overrightarrow{HE}$ sont colinéaires, donc $\cos\alpha = 1$.

2. $W_{HE}(\vec{P}) = -m \cdot g \cdot (z_E - z_H)$

$W_{HE}(\vec{P}) = m \cdot g \cdot (z_H - z_E)$

10 1. Le travail de la force électrique s'écrit :

$W_{AB}(\vec{F}) = \vec{F} \cdot \overrightarrow{AB}$, avec $\vec{F} = q \cdot \vec{E}$,

soit $W_{AB}(\vec{F}) = q \cdot \vec{E} \cdot \overrightarrow{AB}$.

2. $W_{AB}(\vec{F}) = q \cdot E \cdot AB \cdot \cos\alpha$

Soit *d* la distance séparant les deux armatures. On a alors :

$$E = \frac{U_{AB}}{d}, \text{ avec } d = AB \cdot \cos\alpha.$$

Il vient $W_{AB}(\vec{F}) = q \cdot \frac{U_{AB}}{d} \cdot d = q \cdot U_{AB}$.

3. La charge du noyau d'hélium est de 2e.

$W_{AB}(\vec{F}) = 2\,e \cdot U_{AB} = 1{,}28 \times 10^{-16}$ J.

12 1. Le solide possède de l'énergie cinétique et de l'énergie potentielle de pesanteur. Il possède par conséquent de l'énergie mécanique, somme de son énergie cinétique et de son énergie potentielle.

2. Initialement, le solide est lâché sans vitesse initiale; son énergie cinétique est donc nulle. Cela correspond à la courbe ②. Lorsqu'il est écarté de sa position d'équilibre, son énergie potentielle de pesanteur est maximale. Cela correspond à la courbe ①.

L'énergie mécanique est la somme des deux autres énergies : c'est la courbe ③.

3. Il y a transfert partiel de l'énergie potentielle de pesanteur en énergie cinétique, puis inversement.

14 1. L'électron est soumis à la force électrostatique qui est une force conservative. Son énergie mécanique se conserve :

$$\mathscr{E}_m(A) = \mathscr{E}_m(B)$$

2. Puisque l'énergie mécanique se conserve :

$\mathscr{E}_c(A) + \mathscr{E}_{pé}(A) = \mathscr{E}_c(B) + \mathscr{E}_{pé}(B)$,

soit $\mathscr{E}_{pé}(B) - \mathscr{E}_{pé}(A) = -(\mathscr{E}_c(B) - \mathscr{E}_c(A))$

ou $\Delta\mathscr{E}_{pé} = -\Delta\mathscr{E}_c$

La variation d'énergie potentielle électrique est l'opposée de la variation d'énergie cinétique.

L'électron est accéléré entre A et B, la variation d'énergie cinétique est donc positive et la variation d'énergie potentielle électrique négative.

3. Sur l'électrode A, l'énergie potentielle électrique est $\mathscr{E}_{pé}(A) = q \cdot V_A = -e \cdot V_A$

Sur l'électrode B : $\mathscr{E}_{pé}(B) = q \cdot V_B = -e \cdot V_B$

La variation d'énergie potentielle électrique s'écrit :

$$\Delta\mathscr{E}_{pé} = \mathscr{E}_{pé}(B) - \mathscr{E}_{pé}(A) = -e \cdot (V_B - V_A)$$

Elle doit être négative donc $(V_B - V_A)$ doit être positive.

16 1. Un oscillateur peut servir à construire une horloge si son évolution est périodique.

2. Le temps universel est basé sur la rotation de la Terre autour de son axe et le temps des éphémérides est basé sur le mouvement de la Terre autour du Soleil.

3. Le temps atomique est une échelle de temps plus précise et plus stable.

18 1. a. La balle est soumise à son poids, $\vec{P}$, à la réaction verticale du green, $\vec{R}$, et aux forces de frottements, $\vec{f}$.

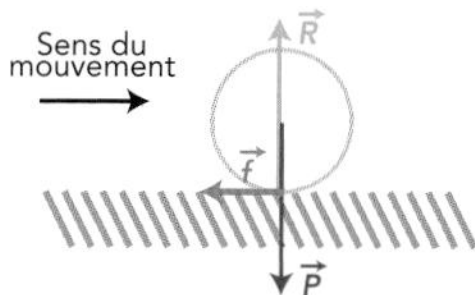

b. Le poids et la réaction verticale du green sont des forces dont la direction est perpendiculaire à celle du mouvement; elles ne travaillent pas.

$W(\vec{P}) = W(\vec{R}) = 0$

$W(\vec{f}) = \vec{f} \cdot \vec{\ell} = -f \cdot \ell$

2. La balle est soumise à une force non conservative qui travaille; son énergie mécanique ne se conserve pas et sa variation au cours du déplacement est égale au travail de cette force.

3. $\Delta\mathscr{E}_m = -\frac{1}{2} m \cdot v_0^2 = -f \cdot \ell$

$v_0 = \sqrt{\frac{2 f \cdot \ell}{m}} = 3{,}3 \text{ m} \cdot \text{s}^{-1}$.

27 1. La sphère est soumise à son poids $\vec{P}$ et à la tension du fil $\vec{T}$.

2. a. Son énergie mécanique reste constante au cours du temps.

b. Transfert complet de l'énergie potentielle de pesanteur en énergie cinétique, puis inversement.

3. a. $\mathscr{E}_m(A) = \mathscr{E}_c(A) + \mathscr{E}_{pp}(A) = \mathscr{E}_{pp}(A)$

$\mathscr{E}_m(A) = m \cdot g \cdot L\ (1 - \cos\alpha)$

b. $\mathscr{E}_m(O) = \mathscr{E}_c(O) + \mathscr{E}_{pp}(O) = \mathscr{E}_c(O) = \frac{1}{2} m \cdot v_0^2$

4. $m \cdot g \cdot L\,(1 - \cos\alpha) = \frac{1}{2} m \cdot v_0^2$

soit $\cos\alpha = 1 - \frac{v_0^2}{2 g \cdot L} = 9{,}99 \times 10^{-1}$,

soit $\alpha = 2{,}56°$.

5. Avec son pendule, Foucault a mis en évidence la rotation de la Terre sur elle-même.

31 1. Voir représentation graphique en fin de corrigés, p. 622.

2. a. Énergie potentielle de pesanteur et énergie cinétique.

b. Entre *A* et *B*, $\mathscr{E}_c$ augmente et $\mathscr{E}_{pp}$ diminue. Entre *B* et *C*, $\mathscr{E}_c$ diminue et $\mathscr{E}_{pp}$ reste constante.

Entre *C* et *D*, $\mathscr{E}_c$ diminue et $\mathscr{E}_{pp}$ augmente.

3. a. $\mathscr{E}_m(A) = \mathscr{E}_c(A) + \mathscr{E}_{pp}(A)$

$\mathscr{E}_m(A) = m \cdot g \cdot (y_A - y_O)$, y_O étant l'altitude à Orcières.

b. $\mathscr{E}_m(A) = 6{,}8 \times 10^5$ J

4. a. La valeur de la vitesse de *S* est maximale en *B*.

b. $\mathscr{E}_m(B) - \mathscr{E}_m(A) = W_{AB}(\vec{f}) = -f \cdot AB$

$$\frac{1}{2} m \cdot v_{max}^2 + m \cdot g \cdot (y_B - y_O) - m \cdot g \cdot (y_A - y_O) = -f \cdot AB$$

$v_{max} = \sqrt{2 g \cdot (y_A - y_B) - \frac{2 f \cdot AB}{m}} = 37 \text{ m} \cdot \text{s}^{-1}$,

soit 130 km·h⁻¹.

c. La valeur annoncée par l'énoncé est de 140 km·h⁻¹. Cet écart peut être dû à une force de frottement non constante sur toute la trajectoire.

5. a. $\mathscr{E}_m(C) - \mathscr{E}_m(B) = \mathscr{E}_c(C) - \mathscr{E}_c(B)$

$\mathscr{E}_m(C) - \mathscr{E}_m(B) = W_{BC}(\vec{f}) = -f \cdot BC$

$\frac{1}{2} m \cdot v_C^2 - \frac{1}{2} m \cdot v_{max}^2 = -f \cdot BC$

$v_C = \sqrt{v_{max}^2 - 2\frac{f \cdot BC}{m}}$

b. $v_C = 26{,}0 \text{ m} \cdot \text{s}^{-1}$

6. a. $\mathscr{E}_m(D) - \mathscr{E}_m(C) = \mathscr{E}_{pp}(D) - \mathscr{E}_{pp}(C) - \mathscr{E}_c(C)$

$\mathscr{E}_m(D) - \mathscr{E}_m(C) = W_{CD}(\vec{f}) = -f \cdot CD$

$m \cdot g \cdot (y_D - y_C) - \frac{1}{2} m \cdot v_C^2 = -f \cdot CD$

Or, $y_D - y_C = 0{,}06 \times CD$, car il est alors sur un trajet de pente de 6 %.

Il vient :

$$CD \cdot (0{,}06\, m \cdot g + f) = \frac{1}{2} m \cdot v_C^2$$

$$CD = 2{,}7 \times 10^2 \text{ m.}$$

b. Damien parcourt 270 m avant de s'arrêter. Le câble faisant 400 m, le résultat est cohérent.

Chapitre 8

4 $\Delta T' = \gamma \cdot \Delta T_0 = \dfrac{\Delta T_0}{\sqrt{1 - \frac{v^2}{c^2}}} = \dfrac{2{,}51 \times 10^{-6}}{\sqrt{1 - \left(\frac{0{,}95c}{c}\right)^2}}$

$\Delta T' = 8{,}0 \times 10^{-6} = 8{,}0$ µs

La durée de vie mesurée de cette particule dans le référentiel (R) est de 8,0 µs.

7 a. En mécanique classique, le temps est *absolu* et la valeur de la vitesse de la lumière dans le vide est *relative*. C'est la mécanique d'*Isaac* NEWTON.

b. En relativité restreinte, le temps est *relatif* et la valeur de la vitesse de la lumière dans le vide est *absolue*. C'est la mécanique d'*Albert* EINSTEIN.

9 1. $v = c \cdot \sqrt{1 - \frac{1}{\gamma^2}}$

2. $v = 2{,}997\,924\,58 \times 10^8 \times \sqrt{1 - \frac{1}{1{,}05^2}}$

$v = 9{,}14 \times 10^7 \text{ m} \cdot \text{s}^{-1}$.

13 Les touristes ne doivent pas utiliser la relativité restreinte pour l'étude du vol d'un pigeon, car ce dernier se déplace avec une vitesse de valeur très faible comparée à celle de la lumière dans le vide.

15 1. Les deux événements à considérer pour étudier la période du signal lumineux sont les émissions consécutives de deux signaux lumineux.

2. La période propre de ce signal lumineux est celle mesurée à bord de la fusée.

$\Delta T_0 = \frac{1}{f} = \frac{1}{5{,}0} = 0{,}20$ s.

3. La période mesurée par l'ami resté sur Terre est $\Delta T' = \gamma \cdot \Delta T_0$ avec $\gamma = \dfrac{1}{\sqrt{1 - \frac{v^2}{c^2}}}$.

$$\Delta T' = \frac{0{,}20}{\sqrt{1 - \left(\frac{250\,000 \times 10^3}{3{,}00 \times 10^8}\right)^2}} = 0{,}36 \text{ s.}$$

19 1. $\Delta T' - \Delta T_0 = (\gamma - 1) \cdot \Delta T_0$.

2. a. $U(\Delta T_0) = 0{,}0001\ \% \times 5{,}593\,568 + 0{,}0014 \times 10^{-3} = 7 \times 10^{-6}$ s.

b.

ΔT_0 — $t_{\text{affiché}}$

5,593561 — 5,593575

c. L'écart minimal entre ΔT_0 et $\Delta T'$ doit être $(\Delta T' - \Delta T_0)_{min} = 7 + 7 + 1 = 15$ µs.

3. $(\gamma - 1) \cdot \Delta T_0 = (\Delta T' - \Delta T_0)_{min}$, d'où :

$$\gamma = \frac{(\Delta T' - \Delta T_0)_{min}}{\Delta T_0} + 1.$$

$$\gamma = \frac{15 \times 10^{-6}}{5{,}593\,568} + 1 = 1{,}000\,002\,68.$$

4. a. $\gamma = \dfrac{1}{\sqrt{1 - \frac{v^2}{c^2}}}$, donc $v = c \cdot \sqrt{1 - \frac{1}{\gamma^2}}$

$$v = 3{,}00 \times 10^8 \times \sqrt{1 - \frac{1}{1{,}000\,002\,68^2}}$$

$v = 6{,}95 \times 10^5 \text{ m} \cdot \text{s}^{-1}$.

Un tel type de chronomètre est capable de repérer la dilatation des durées en relativité restreinte si les deux chronomètres se déplacent l'un par rapport à l'autre dans des référentiels galiléens avec une vitesse de valeur au moins égale à $6{,}95 \times 10^5 \text{ m} \cdot \text{s}^{-1}$.

b. Un avion se déplace à une vitesse très inférieure à $6{,}95 \times 10^5 \text{ m} \cdot \text{s}^{-1}$. Deux amis, l'un immobile sur Terre et l'autre dans l'avion, ne peuvent pas mettre en évidence la dilatation du temps avec ce type de chronomètre.

5. La précision d'une horloge atomique permet de mettre en évidence la dilatation du temps pour des valeurs de vitesses relatives entre les deux horloges beaucoup plus faibles que $6{,}95 \times 10^5 \text{ m} \cdot \text{s}^{-1}$.

20 1. Pour mesurer la durée propre, l'observateur muni d'un chronomètre doit être proche des deux évènements dont il mesure la durée qui les sépare. L'observateur O_1 est proche du départ de la lumière du miroir inférieur et de son retour. Il mesure donc la durée propre.

2. a. Pour O_1 fixe par rapport à l'horloge de lumière, la lumière parcourt la distance $2L$ lors d'un aller-retour.

b. La valeur c de la vitesse de la lumière dans le vide étant constante, on a :

$c = \dfrac{2L}{\Delta T_0}$, soit $L = \dfrac{c \cdot \Delta T_0}{2}$.

3. a. Pendant un aller simple de la lumière, l'astronef parcourt la distance $d = \dfrac{v \cdot \Delta T'}{2}$.

b.

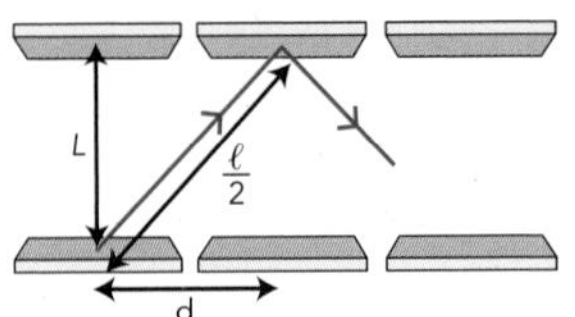

c. $\left(\frac{\ell}{2}\right)^2 = d^2 + L^2$, donc $\ell = 2\sqrt{d^2 + L^2}$.

4. a. $\ell = c \cdot \Delta T'$

b. On a $\ell = c \cdot \Delta T'$ (1),

$\ell = 2\sqrt{d^2 + L^2}$ (2),

$L = \dfrac{c \cdot \Delta T_0}{2}$ (3) et $d = \dfrac{v \cdot \Delta T'}{2}$ (4).

Avec (1) et (2), on peut écrire :

$$c \cdot \Delta T' = 2\sqrt{d^2 + L^2}$$

En remplaçant L et d par leurs expressions, il vient :

$$c \cdot \Delta T' = 2\sqrt{\left(\frac{v \cdot \Delta T'}{2}\right)^2 + \left(\frac{c \cdot \Delta T_0}{2}\right)^2}$$

En élevant au carré :

$$c^2 \cdot \Delta T' = v^2 \cdot \Delta T'^2 + c^2 \cdot \Delta T_0^2$$

$$\Delta T' = \sqrt{\frac{c^2}{c^2 - v^2}} \cdot \Delta T_0 = \sqrt{\frac{1}{1 - \frac{v^2}{c^2}}} \cdot \Delta T_0$$

$$\Delta T' = \frac{1}{\sqrt{1 - \frac{v^2}{c^2}}} \cdot \Delta T_0 = \gamma \cdot \Delta T_0,$$

avec $\gamma = \dfrac{1}{\sqrt{1 - \frac{v^2}{c^2}}}$.

5. $0 < v < c$, donc $0 < \frac{v^2}{c^2} < 1$ et $0 < 1 - \frac{v^2}{c^2} < 1$

d'où $\dfrac{1}{\sqrt{1 - \frac{v^2}{c^2}}} > 1$

$\Delta T'$ est donc toujours supérieure à ΔT_0, d'où le titre « Quand les durées se dilatent ».

Chapitre 9

5 1. $t_f = 250$ min.

2. $t_{1/2} \approx 30$ min ; $t_f \approx 8\ t_{1/2}$.

3. $m = [Cu^{2+}] \times V \times M(Cu) = 0{,}95$ g.

6 1. Facteurs cinétiques mis en évidence : température et catalyseur.

2. (a) : β ; (b) : γ et (c) : α.

7 (1) : rapide ; (2) : instantanée ; (3) : lente ; (4) : évolution ; (5) : inerte ; (6) : rapide ; (7) : instantanée.

8 1. Au cours du temps la concentration des réactifs diminue, pour chacun des mélanges on constate que :

$\Delta n_1 > \Delta n_2 > \Delta n_3$, soit $\Delta C_1 > \Delta C_2 > \Delta C_3$

La rapidité d'évolution des systèmes diminue lorsque la concentration des réactifs diminue.

2. $\theta(\text{II}) > \theta(\text{I})$ or $\Delta n(\text{II})_i > \Delta n(\text{I})_i$,

soit : $\Delta C(\text{II})_i > \Delta C(\text{I})_i$

La rapidité d'évolution d'un système et d'autant plus élevée que sa température est élevée.

12 1. $C_2H_5OH(g) \longrightarrow CH_3-CHO(g) + H_2(g)$: (a)

$C_2H_5OH(g) \longrightarrow C_2H_4(g) + H_2O(g)$: (b)

$2\ C_2H_5OH(g) \longrightarrow (C_2H_5)_2O(g) + H_2O(g)$: (c)

Le cuivre, l'alumine et l'acide sulfurique favorisent les réactions sans participer aux équations des réactions : ce sont des catalyseurs.

2. (a) et (b) : catalyse hétérogène ; (c) : catalyse homogène.

3. Sélectivité des catalyseurs.

13 1. Le chloroéthane est le réactif limitant.

2. a. $t_f \approx 40$ min.

b. $t_{1/2} \approx 7{,}5$ min.

17 1. $2\ H_2O_2(aq) \longrightarrow 2\ H_2O(\ell) + O_2(g)$

2. a. $x(t) = n(O_2)(t) = V(O_2)(t)/V_m$

b. À l'aide d'un tableau d'avancement, il vient $n(H_2O_2)(t) = n(H_2O_2)(0) - 2\,x(t)$, d'où :

t(min)	0	5	10	15	20	30
V(t) (mL)	0	6,2	10,9	14,6	17,7	21,0
$x(t) = n(O_2)(t)$ (mmol)	0	0,26	0,45	0,61	0,74	0,88
$n(H_2O_2)(t)$ (mmol)	2,00	1,48	1,10	0,78	0,52	0,24

3. $t_{1/2} \approx 12$ min.

23 1. a.

$$[\text{acide malique}](t) = \frac{n(\text{acide malique})(t)}{V} = \frac{m(\text{ac.mal.})(t)}{(V \times M(\text{ac.mal.}))} = \frac{C_m(t)}{M(\text{ac.mal.})}$$

Or $M(\text{ac.mal.}) = 4 \times M(C) + 5 \times M(O) + 6 \times M(H) = 134\ g \cdot mol^{-1}$

d'où $[\text{acide malique}](t) = \frac{C_m(t)}{134}$.

b. $n_{ac.mal.}(0) = 2{,}6 \times 10^{-2}$ mol.

2. a. Avec un tableau d'avancement, il vient :

$n_{ac.mal.}(t) = n_{ac.mal.}(0) - x(t)$

soit : $x(t) = n_{ac.mal.}(0) - n_{ac.mal.}(t)$

c'est-à-dire : $x(t) = 2{,}6 \times 10^{-2} - n_{ac.mal.}(t)$

b. Voir le tableau d'avancement, en fin de corrigés, p. 622.

3. b. $x_{1/2} = 1{,}3 \times 10^{-2}$ mol, d'où $t_{1/2} \approx 7$ jours.

24 1. $n(CaCO_3) = 20$ mmol;
$n(H_3O^+) = 10$ mmol.

2. $x_{max} = 5{,}0$ mmol ; les ions H_3O^+ constituent le réactif limitant.

3. a. $x(t) = \frac{P_{atm.} \cdot V(CO_2)}{R \cdot T}$

t(s)	0	20	40	60	80	100
V_{CO_2}(mL)	0	29	49	63	72	79
x(t) (mmol)	0	1,2	2,0	2,6	3,0	3,3

t(s)	120	140	160	180	200	220
V_{CO_2}(mL)	84	89	93	97	100	103
x(t) (mmol)	3,5	3,7	3,8	4,0	4,1	4,2

t(s)	240	260	280	300	320	340
V_{CO_2}(mL)	106	109	111	113	115	117
x(t) (mmol)	4,4	4,5	4,6	4,7	4,7	4,8

t(s)	360	380	400	420	440
V_{CO_2}(mL)	118	119	121	121	121
x(t) (mmol)	4,9	4,9	5,0	5,0	5,0

b. Il est alors possible de tracer le graphe $x(t) = f(t)$.

c. $V(CO_2)\,\max = x_{max} \cdot \frac{RT}{P_{atm.}} = 121$ mL, d'où $t_f = 400$ s.

d. Pour $x_{1/2} = \frac{x_{max}}{2} = 2{,}5$ mmol ; $t = t_{1/2} = 55$ s.

4. a. Si la température diminue, le système évolue moins rapidement et $t_{1/2}$ augmente.

b. Le graphe $x(t) = f(t)$ pour une température inférieure à 25 °C se situe en dessous du graphe tracé en 3b.

Chapitre 10

4 1. Butan-2-ol : $C_4H_{10}O$

$$CH_3-CH_2-CH(OH)-CH_3$$

2. Cette molécule est chirale car elle possède un atome de carbone asymétrique.

5 1:

Énantiomère Diastéréoisomère

2. Deux énantiomères ont mêmes propriétés physiques et chimiques, mais des propriétés biochimiques différentes.

7 Les molécules A et D sont chirales, car elles ne sont pas superposables à leur image dans un miroir plan.

8 1. Représentations topologiques :

A B C

2. Formules brutes et semi-développées :

$H_3C-(CH_2)_7-C(=O)-OH$

A : $C_9O_2H_{18}$ B : C_7H_{14}

$(H_3C-CH_2)(H_3C)C=C(CH_3)_2$

C : C_7H_{14}

9

12

13 1. A_2. 2. B_2.

3. C et C_3 sont identiques, car on passe de l'une à l'autre par simple rotation autour de la liaison C – C.

C et C_2 sont des énantiomères, alors que C et C_1 sont des diastéréoisomères.

16 Les conformations décalées dans lesquelles les groupements encombrants sont les plus éloignés, sont les plus stables :

A B C

Les conformations éclipsées dans lesquelles les groupements encombrants sont les uns en face des autres, sont les moins stables :

A B C

25 1. Les groupes caractéristiques présents dans la molécule d'asparagine sont : amide, amine et carboxyle.

2. La molécule d'asparagine possède un atome de carbone asymétrique. Elle existe donc sous la forme de configurations différentes :

3. Un mélange racémique est un mélange équimolaire des deux énantiomères.

4. Deux énantiomères ont, en général, des propriétés biologiques différentes. Par exemple, la dopa est soit toxique vis-à-vis de l'organisme, soit un médicament anti-Parkinson selon sa configuration. La commercialisation d'un médicament sous forme racémique pourrait être possible si les deux énantiomères avaient des propriétés biologiques similaires ou si l'un des deux était inactif. Cependant on commercialise de

Corrigés

moins en moins un médicament sous forme racémique pour éviter le cas où un des deux énantiomères est toxique (dopa) ou possède un effet antagoniste à l'autre.

Chapitre 11

3 1. Pour les trois : groupes amine et acide carboxylique et en plus groupe hydroxyle pour C.
2. Acide 2-aminoéthanoïque : B; acide 2-amino-4-méthylpentanoïque : A; acide 2-amino-3-hydroxypropanoïque : C.

4 (1) et (2) : addition; (3) : élimination.

5 1. B : éthane C_2H_6; A : pentane C_5H_{12}.
2. $C_5H_{12} \longrightarrow C_3H_6 + C_2H_6$ (1)
$C_5H_{12} \longrightarrow C_5H_{10} + H_2$ (2)
3. La chaîne carbonée est modifiée dans (1) et non modifiée dans (2).

8 a. $CH_3-(CH_2)_7-CH_3 \longrightarrow CH_3-CH_2-CH=CH_2 + C_5H_{12}$
Raccourcissement de la chaîne carbonée.
b. $CH_3-(CH_2)_5-CH_3 \longrightarrow C_6H_5-CH_3 + 4\ H_2$
Cyclisation.
c. $CH_3-(CH_2)_5-CH_3 \longrightarrow CH_3-CH(CH_3)-CH_2-CH(CH_3)-CH_3$
Isomérisation.
d. ... + $F_2C=CF_2 + F_2C=CF_2 + F_2C=CF_2 + ... \longrightarrow -(F_2C-CF_2)_n-$
Allongement de la chaîne carbonée.

9 a. Groupe amine : fonction amine; groupe carboxyle : fonction acide carboxylique.
b. Groupe hydroxyle : fonction alcool; groupe amine : fonction amine.
c. Groupe amine : fonction amine; groupe carboxyle : fonction acide carboxylique.
d. Groupe hydroxyle : fonction phénol; groupe amide : fonction amide.
e. Deux groupes ester : fonction ester; groupe hydroxyle : fonction alcool.

10 1. Le groupe alcène et le groupe ester.
2. La formule topologique est A.

13 1. et 2. (1) : modification de chaîne.
(2) : modification de groupe caractéristique : passage du groupe hydroxyle au groupe carboxyle.
(3) : modification de groupe caractéristique : passage du groupe alcène au groupe halogène.

15 1. et 2. $C_2H_5-OH + HCl \longrightarrow C_2H_5-Cl + H_2O$, réaction de substitution.
$H_2C=CH_2 + HCl \longrightarrow C_2H_5-Cl$, réaction d'addition.

18 (1) : élimination; (2) : addition; (3) : élimination.

22 1. a. $C_4H_9-OH + HI \longrightarrow C_4H_9-I + H_2O$
b. Réaction de substitution.
2. a. $n(I^-) = C \cdot V = 0{,}375$ mol;
$n(\text{ol}) = \dfrac{m}{M} = 0{,}35$ mol.
b. Réactif limitant : butan-2-ol.
c. $n(\text{P})_{\text{obt}} = \dfrac{m(\text{P})}{M(\text{P})} = 0{,}217$ mol.
$\rho = \dfrac{n(\text{P})_{\text{obt}}}{n(\text{P})_{\text{att}}} = \dfrac{n(\text{P})}{n(\text{ol})} = 0{,}62$, soit 62 %.

31 1. Travailler sous la hotte, porter des gants et des lunettes de protection.
2. $C_6H_6 + HNO_3 \longrightarrow C_6H_5-NO_2 + H_2O$, réaction de substitution
3. L'aniline appartient à la famille des amines.
4. a. $Fe^{2+}(aq) + 2\ e^- \longrightarrow Fe(s)$
$C_6H_5-NO_2(\ell) + 7\,H^+(aq) + 6\,e^- \longrightarrow C_6H_5-NH_3^+(aq) + 2\,H_2O(\ell)$
b. $C_6H_5-NO_2(\ell) + 7\,H^+(aq) + 3\ Fe(s) \longrightarrow C_6H_5-NH_3^+(aq) + 2\ H_2O(\ell) + 3\ Fe^{2+}(aq)$
5. $n(\text{Fe}) = \dfrac{m(\text{Fe})}{M(\text{Fe})} = 0{,}538$ mol,
$n(\text{NB}) = \dfrac{m(\text{NB})}{M(\text{NB})} = 0{,}122$ mol
$\dfrac{n(\text{Fe})}{3} = 0{,}179 \text{ mol} < n(\text{NB})$: le nitrobenzène est le réactif limitant.
6. $n(\text{A}) = \dfrac{m(\text{A})}{M(\text{A})} = 8{,}09 \times 10^{-2}$ mol,
$\rho = \dfrac{n(\text{A})_{\text{obt}}}{n(\text{A})_{\text{att}}} = \dfrac{n(\text{A})}{n(\text{NB})} = 0{,}663$, soit 66 %.

Chapitre 12

4 (1) *Site donneur :* atome d'oxygène porteur de doublets non liants.
Site accepteur de doublet d'électrons : atome d'hydrogène lié à l'atome de brome plus électronégatif.

$CH_3-CH_2-\overline{O}-H + H-\overline{Br}| \longrightarrow CH_3-CH_2-\overset{\oplus}{\overline{O}}(H)-H + |\overline{Br}|^{\ominus}$

(2) *Site donneur :* ion bromure porteur de doublets non liants.
Site accepteur de doublet d'électrons : atome de carbone lié à l'atome d'oxygène plus électronégatif.

$CH_3-CH_2-\overset{\oplus}{\overline{O}}(H)-H + |\overline{Br}|^{\ominus} \longrightarrow CH_3-CH_2-\overline{Br}| + H-\overline{O}-H$

6 1. Les liaisons H – Li et H – S sont polarisées, car les électronégativités des atomes liés sont différentes.
2. $^{\delta\oplus}Li-H^{\delta\ominus}$ $\quad ^{\delta\oplus}H-\overset{2\delta\ominus}{S}-H^{\delta\oplus}$
3. La liaison la plus polarisée est la liaison lithium – hydrogène, car la différence d'électronégativité entre les deux atomes liés est la plus importante.

7 1. Les liaisons C – H sont considérées comme non polarisées.
2. Les liaisons carbone oxygène et oxygène hydrogène sont polarisées, car les électronégativités des atomes liés sont différentes.
3. $CH_3-\underset{\delta''\oplus}{C}(=\overset{\delta\ominus}{O})-\underset{\delta'\ominus}{O}-\underset{\delta'''\oplus}{H}$

10 *Iodoéthane :*
1. Liaison C – I polarisée.
2. $^{\delta\oplus}C-I^{\delta\ominus}$
3. Le site accepteur C lié à I; le site donneur I.
Méthanol :
1. Liaison C – O et O – H polarisées.
2. $^{\delta\oplus}C-O^{\delta\ominus}$ et $\overset{\delta\ominus}{O}-H^{\delta\oplus}$
3. Les sites accepteurs C et H liés à O; le site donneur O.

11 La proposition correcte est la proposition III. En effet, la flèche tracée part d'un doublet d'électrons et arrive vers le site accepteur. Elle traduit la liaison formée entre le site donneur O et le site accepteur $C^{\oplus}$.

12 $H_3C-\overline{O}|^{\ominus} + H_3C-\overset{\delta\oplus}{C}H_2-\overline{Cl}|^{\delta\ominus} \longrightarrow H_3C-CH_2-\overline{O}-CH_3 + |\overline{Cl}|^{\ominus}$

14 1. Les liaisons C – O, O – H et Zn – Cl sont polarisées, car les électronégativités des atomes liés sont différentes.
2. $^{\delta\oplus}C-O^{\delta\ominus}$; $\overset{\delta\ominus}{O}-H^{\delta\oplus}$; $^{\delta\oplus}Zn-Cl^{\delta\ominus}$
3. Le site donneur de doublet d'électrons mis en jeu est l'atome d'oxygène de l'éthanol, et le site accepteur de doublet d'électrons est l'atome de zinc.
4. $CH_3-CH_2-\overline{O}-H + |\overline{Cl}-Zn-\overline{Cl}| \longrightarrow CH_3-CH_2-\overset{\oplus}{\overline{O}}(-\overset{\ominus}{Zn}(-Cl)-\overline{Cl}|)-H$

15 1. et 2. Équation (1) : le site donneur de doublet d'électrons mis en jeu est l'atome d'oxygène, et le site accepteur de doublet d'électrons est l'ion H^+.

$H_3C-C(=\overline{O})-H + H^{\oplus} \longrightarrow H_3C-C(=\overset{\oplus}{O}-H)-H$

Équation (2) : le site donneur de doublet d'électrons mis en jeu est l'atome d'azote, et le site accepteur de doublet d'électrons est l'atome de carbone lié à l'atome d'oxygène.

$R-\underline{N}H-\underline{N}H-H + H_3C-C(=\overset{\oplus}{O}-H)-H \longrightarrow H_3C-C(-\overline{O}|-H)(H)-\overset{\oplus}{N}H_2-\underline{N}H-R$

17 1. a. Étape (1) : site donneur O et site accepteur H^+.
Étape (2) : site donneur O du méthanol et site accepteur C du cation $H_3C-OH_2^+$.
b.
$H_3C-\overline{O}-H + H^{\oplus} \longrightarrow H_3C-\overset{\oplus}{\underline{O}}H-H$ (1)

$H_3C-\overset{\oplus}{\underline{O}}H-H + H_3C-\overline{O}-H \longrightarrow H_3C-\overset{\oplus}{\underline{O}}H-CH_3 + H-\overline{O}-H$ (2)

2. Il se forme du méthoxyméthane CH_3OCH_3 et des ions hydrogène H^+.

$$H_3C-\overset{H}{\underset{\oplus}{O}}-CH_3 \longrightarrow H_3C-\bar{O}-CH_3 + H^{\oplus} \quad (3)$$

3. La biomasse désigne toute matière organique végétale ou animale.
Un biocarburant est un carburant produit à partir de matériaux organiques non fossiles, provenant de la biomasse.
La synthèse de biocarburant constitue une voie de synthèse supplémentaire de carburant dont le bilan carbone est neutre, car le dioxyde de carbone émis lors de la combustion du biocarburant a été préalablement utilisé lors de la croissance du végétal.

22 1. a. Une fonction ester.
b. $C_3H_7-CH_2-OH + CH_3-CO_2H \longrightarrow CH_3-CO_2-CH_2-C_3H_7 + H_2O$
c. La réaction est une réaction de substitution.

2. $n(E) = d\cdot\mu(\text{eau})\cdot\dfrac{V(E)}{M(E)} = 0{,}075$ mol ;

$$\rho = \frac{n(E)_{obt}}{n(E)_{att}} = \frac{n(E)}{n_0(\text{ol})} = 0{,}75,\text{ soit } 75\ \%.$$

3. a. Le spectre IR permet de justifier que le produit obtenu est un ester puisqu'il ne présente plus la bande d'absorption du groupe hydroxyle de l'alcool ou du groupe carboxyle de l'acide carboxylique, mais présente la bande d'absorption du groupe C=O du groupe ester.
b. $CH_3-CO_2-CH_2-CH_2-CH_2-CH_3$
Dans le spectre de RMN :
– le signal singulet à 2 ppm peut être attribué au groupe méthyle CH_3 ;
– le signal triplet à 4 ppm peut être attribué au groupe CH_2 ;
– le signal diffus vers 1,5 ppm intégrant pour 4 H est attribué à CH_2-CH_2- ;
– le signal intégrant pour 3 H vers 1 ppm est attribué au groupe méthyle.
4. a. Étape (1) : le site donneur de doublet d'électrons O de C=O et le site accepteur de doublet d'électrons H^+.
Étape (2) : le site donneur de doublet d'électrons O du butan-1-ol et le site accepteur de doublet d'électrons C lié aux atomes d'oxygène du cation $H_3C-CO_2H_2^+$.
b.

$$H_3C-\overset{\overset{\|}{O}}{C}-\bar{O}-H + H^{\oplus} \longrightarrow H_3C-\overset{\overset{\|}{O^{\oplus}-H}}{C}-\bar{O}-H \quad (1)$$

$$H_3C-\overset{\overset{\|}{O^{\oplus}-H}}{C}-\bar{O}-H + C_3H_7-CH_2-\bar{O}-H$$

$$\longrightarrow H_3C-\overset{|\bar{O}|-H}{\underset{|\overset{\oplus}{O}-CH_2-C_3H_7,\ H}{C}}-\bar{O}-H \quad (2)$$

Chapitre 13

6 1. Quantité n_a d'acide perchlorique dissous : $n_a = C_a\cdot V_a = 7{,}94\times10^{-3}\times20{,}0\times10^{-3}$
$= 1{,}59\times10^{-4}$ mol $= 0{,}159$ mmol.
$x_f = [H_3O^+]_f\cdot V_a$ et $[H_3O^+]_f = 10^{-pH}$
soit $x_f = 10^{-pH}\cdot V_a = 10^{-2{,}1}\times20{,}0\cdot10^{-3}$
$x_f = 1{,}6\times10^{-4}$ mol $= 0{,}16$ mmol.
2. L'avancement maximal est atteint lorsque le réactif limitant, l'acide perchlorique, est entièrement consommé. On en déduit :
$0{,}159 - x_{max} = 0$, soit $x_{max} = 0{,}159$ mmol.
Comme $x_f = x_{max}$ la réaction entre l'acide perchlorique et l'eau est totale. L'acide perchlorique est donc un acide fort dans l'eau.
L'écriture de l'équation de la réaction s'écrit avec une flèche simple dans le sens direct :

$$HClO_4(aq) + H_2O(\ell) \longrightarrow ClO_4^-(aq) + H_3O^+(aq)$$

7 1. $C_6H_5CO_2^-(aq) + H_2O(\ell) \rightleftharpoons C_6H_5CO_2H(aq) + HO^-(aq)$

2. $K_A = \dfrac{[C_6H_5CO_2^-]_{éq}\cdot[H_3O^+]_{éq}}{[C_6H_5CO_2H]_{éq}} = 10^{-pK_A}$

donc $K_A = 10^{-4{,}2} = 6{,}3\times10^{-5}$
3. a. Comme pH < pK_A, l'espèce prédominante dans la solution S est l'acide benzoïque $C_6H_5CO_2H(aq)$.

b. $\dfrac{[C_6H_5CO_2^-]_{éq}}{[C_6H_5CO_2H]_{éq}} = \dfrac{10^{-pK_A}}{[H_3O^+]_{éq}} = \dfrac{10^{-pK_A}}{10^{-pH}}$

soit $\dfrac{[C_6H_5CO_2^-]_{éq}}{[C_6H_5CO_2H]_{éq}} = \dfrac{10^{-4{,}2}}{10^{-3{,}6}} = 2{,}5\times10^{-1} < 1.$

L'espèce prédominante dans la solution S est $C_6H_5CO_2H(aq)$.

8 1. pH $= -\log[H_3O^+]_{éq}$ et $[H_3O^+]_{éq} = 10^{-pH}$
2.

Solution	A	B	C	D
$[H_3O^+]_{éq}$ (mol·L^{-1})	1,0 × 10^{-3}	4,0 × 10^{-4}	4,8 × 10^{-5}	1,6 × 10^{-10}
pH	3,0	3,4	4,3	9,8

3. La concentration $[H_3O^+]_{éq}$ diminue lorsque le pH augmente.

10 1. Quantité n_0 d'acide méthanoïque dissous :
$n_0 = C\cdot V = 1{,}0\times10^{-3}\times50{,}0\times10^{-3}$
$= 5{,}0\times10^{-5}$ mol $= 50$ µmol.
Voir le tableau d'avancement, en µmol, en fin de corrigés, p. 622.
2. L'eau étant le solvant, le réactif limitant, l'acide méthanoïque, est entièrement consommé :
$50 - x_{max} = 0$, soit $x_{max} = 50$ µmol.
3. $x_f = [H_3O^+]_f\cdot V_a$ et $[H_3O^+]_f = 10^{-pH}$, donc :
$x_f = 10^{-pH}\cdot V_a = 10^{-3{,}5}\times50{,}0\cdot10^{-3}$
$= 1{,}6\times10^{-5}$ mol $= 16$ µmol.
4. Comme $x_f < x_{max}$ la réaction entre l'acide méthanoïque et l'eau est limitée et conduit à un équilibre. L'acide méthanoïque est donc un acide faible dans l'eau.

5. $n_f(HCO_2H) = 50 - 16 = 34$ µmol ;
$n_f(HCO_2^-) = n_f(H_3O^+) = x_f = 16$ µmol.

12 1. Un acide est une espèce chimique capable de céder au moins un proton H^+.
Une base est une espèce chimique capable de capter au moins un proton H^+.
2. $C_6H_5CO_2H/C_6H_5CO_2^-$; HCO_2H/HCO_2^- ; H_2O/HO^- ; NH_4^+/NH_3.
3. $C_6H_5CO_2H \rightleftharpoons C_6H_5CO_2^- + H^+$
$HCO_2H \rightleftharpoons HCO_2^- + H^+$
$H_2O \rightleftharpoons HO^- + H^+$
$NH_4^+ \rightleftharpoons NH_3 + H^+$
4. a. L'eau appartient aussi au couple : H_3O^+/H_2O
b. Une espèce qui, comme l'eau, est l'acide d'un couple et la base d'un autre couple, est un ampholyte.

16 1. Voir le tableau d'avancement, en mol, en fin de corrigés, p. 622.
2. $n_0 = \dfrac{m_{eau}}{M_{eau}} = \dfrac{\mu_{eau}\cdot V_{eau}}{M_{eau}} = \dfrac{1\,000\times1{,}0}{18{,}0}$
$n_0 = 56$ mol.
3. L'avancement maximal est atteint si l'eau est entièrement consommée :
$56 - 2\,x_{max} = 0$, soit $x_{max} = 56/2 = 28$ mol.
4. $[H_3O^+]_f = 10^{-pH} = 1{,}0\times10^{-7}$ mol·L^{-1} ;
d'où $x_f = n_f(H_3O^+) = [H_3O^+]_f\cdot V$
$= 1{,}0\times10^{-7}\times1{,}0 = 1{,}0\times10^{-7}$ mol.
5. $x_f < x_{max}$ la réaction d'autoprotolyse de l'eau est très limitée et conduit à un équilibre.

17 1. $C_7H_6O_3(aq) + H_2O(\ell) \rightleftharpoons C_7H_5O_3^-(aq) + H_3O^+(aq)$

2. $K_A = \dfrac{[C_7H_5O_3^-]_{éq}\cdot[H_3O^+]_{éq}}{[C_7H_6O_3]_{éq}}$

3. $K_A = \dfrac{1{,}8\times10^{-3}\times1{,}8\times10^{-3}}{3{,}2\times10^{-3}} = 1{,}0\times10^{-3}$

4. p$K_A = -\log K_A = -\log(1{,}0\times10^{-3}) = 3{,}0$

18 1. p$K_A = -\log K_A = -\log(6{,}3\times10^{-10})$
p$K_A = 9{,}2$
2. Diagramme de prédominance du couple NH_4^+/NH_3 :

$[NH_4^+]_{éq} > [NH_3]_{éq}$; $[NH_3]_{éq} > [NH_4^+]_{éq}$
$[NH_4^+]_{éq} = [NH_3]_{éq}$
9,2 — pH

3. a. Si le pH vaut 10,6 c'est l'espèce basique qui prédomine, c'est-à-dire l'ammoniac NH_3.
b. De l'expression de K_A, on déduit :

$$\frac{[NH_3]_{éq}}{[NH_4^+]_{éq}} = \frac{10^{-pK_A}}{10^{-pH}} = 25$$

c. $[NH_3]_{éq} > [NH_4^+]_{éq}$: le résultat est en accord avec la réponse à la question 3.a.

20 1. Un acide fort dans l'eau est un acide qui réagit totalement avec l'eau.
2. $HNO_3(\ell) + H_2O(\ell) \longrightarrow NO_3^-(aq) + H_3O^+(aq)$
3. Comme l'acide nitrique réagit totalement avec l'eau, à l'état final, on a :
$[H_3O^+]_f = C = 2{,}5\times10^{-3}$ mol·L^{-1}.
On en déduit pH $= -\log[H_3O^+]_f = -\log C$
$= -\log(2{,}5\times10^{-3}) = 2{,}6.$

4. On dilue dix fois la solution S, donc $[H_3O^+]'_f = 2{,}5 \times 10^{-4}\ mol \cdot L^{-1}$; d'où : $pH = -\log [H_3O^+]'_f = -\log(2{,}5 \times 10^{-4}) = 3{,}6$

22 1. Les deux couples de l'eau sont : H_3O^+/H_2O et H_2O/HO^-.
Leurs demi-équations associées sont :
$H_3O^+ \rightleftharpoons H_2O + H^+$ et $H_2O \rightleftharpoons HO^- + H^+$
2. Entre la solution d'acide fort et la solution de base forte, la réaction qui a lieu a pour équation :
$$HO^-(aq) + H_3O^+(aq) \longrightarrow 2\,H_2O(\ell)$$
3. La réaction entre un acide fort et une base forte libère de l'énergie thermique et s'accompagne donc d'une élévation de température.

25 1. a. Voir le tableau d'avancement en fin de corrigés, p. 622.
b. $x_{éq}/V = [H_3O^+]_{éq} = [C_3H_5O_2^-]_{éq}$.
c. $\sigma = \lambda_1 \cdot [H_3O^+]_{éq} + \lambda_2 \cdot [CH_3CO_2^-]_{éq}$
$= (\lambda_1 + \lambda_2) \cdot [H_3O^+]_{éq}$
d. $[H_3O^+]_{éq} = \dfrac{\sigma}{\lambda_1 + \lambda_2} = 1{,}61 \times 10^{-1}\ mol \cdot m^{-3}$
$[H_3O^+]_{éq} = 1{,}61 \times 10^{-4}\ mol \cdot L^{-1}$
2. a. $K_A = \dfrac{[C_3H_5O_2^-]_{éq} \cdot [H_3O^+]_{éq}}{[C_3H_6O_2]_{éq}}$
b. $n_{éq}(C_3H_6O_2) = [C_3H_6O_2]_{éq.} V = C \cdot V - x_{éq}$
$n_{éq}(C_3H_6O_2) = C \cdot V - [H_3O^+]_{éq} \cdot V$
d'où $[C_3H_6O_2]_{éq} = C - [H_3O^+]_{éq}$.
c. $K_A = \dfrac{[H_3O^+]^2_{éq}}{C - [H_3O^+]_{éq}}$
$K_A = \dfrac{(1{,}61 \times 10^{-4})^2}{2{,}0 \times 10^{-3} - 1{,}61 \times 10^{-4}} = 1{,}41 \times 10^{-5}$.

28 1. $H_2SO_4(\ell) + 2\,H_2O(\ell) \longrightarrow SO_4^{2-}(aq) + 2\,H_3O^+(aq)$.
2. Chaque mole de $H_2SO_4(\ell)$ produit deux moles de $H_3O^+(aq)$, donc :
$[H_3O^+]_{éq} = 2 \cdot C$.
3. $pH = -\log(2 \cdot C) = -\log(2 \times 5{,}0 \times 10^{-2}) = 1{,}0$.
4. Dans le cas de l'acide chlorhydrique, on a : $[H_3O^+]_{éq} = C$, et donc :
$pH = -\log(5{,}0 \times 10^{-2}) = 1{,}3$.
Le pH obtenu est supérieur à celui obtenu avec de l'acide sulfurique de même concentration molaire en soluté apporté.

Chapitre 14

5 Le flux thermique est défini par :
$$\varphi = \frac{|\Delta T|}{R_{th\_bois}} = \frac{|\Delta T|}{16 \times e}$$
Donc $e = \dfrac{|\Delta T|}{16 \times \varphi} = \dfrac{30}{16 \times 12} = 0{,}16$ m, soit 16 cm.
Il faudrait un panneau de bois de 16 cm d'épaisseur pour obtenir un flux thermique de 12 W.

6 1. Après la coupure électrique, le système, dont fait partie le radiateur, ne reçoit plus de travail électrique.
Il y a deux transferts thermiques à faire intervenir : un transfert vers l'air extérieur et un transfert vers l'occupant.
Ces deux transferts sont négatifs pour le système.

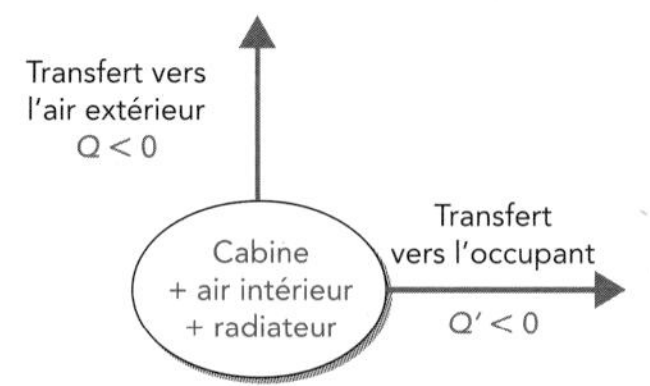

2. Par ailleurs, pour le système $\Delta U = Q + Q'$
Q et Q' sont deux grandeurs négatives, donc la variation d'énergie interne l'est aussi.
La température du système diminue puisque son énergie interne diminue.

8 1. Dans 60 millions de m^3 de sable, il y a
$$N = \frac{60 \times 10^6}{0{,}05 \times 10^{-9}} = 1 \times 10^{18} \text{ grains de sable.}$$
2. $n_{grains} = \dfrac{N}{N_A} = \dfrac{60 \times 10^6}{0{,}05 \times 10^{-9} \times 6 \times 10^{23}}$
$n_{grains} = \dfrac{6 \times 10^7}{5 \times 10^{-11} \times 6 \times 10^{23}}$
$n_{grains} = \dfrac{1}{5 \times 10^5} = 0{,}2 \times 10^{-5}$
$n_{grains} = 2 \times 10^{-6}$ mol.
3. Il faudrait $\dfrac{1}{2 \times 10^{-6}} = 5 \times 10^5$ dunes du Pyla pour rassembler 1 mole de grains de sable.

9 L'énergie interne d'un système est la somme de ses énergies potentielle et cinétique microscopiques. L'énergie interne résulte donc de propriétés microscopiques.

12 La variation d'énergie interne de la masse m_{eau} d'eau est liée à sa variation de température par :
$$\Delta U = m_{eau} \cdot c_{eau} \cdot (T_2 - T_1)$$
La masse m_{eau} se calcule à partir de la masse volumique $m_{eau} = V_{eau} \cdot \rho_{eau}$
donc $\Delta U = V_{eau} \cdot \rho_{eau} \cdot c_{eau} \cdot (T_2 - T_1)$
AN : $\Delta U = 1{,}7 \times 1{,}00 \times 4{,}18 \times 10^3 \times (64 - 20)$
$\Delta U = 3{,}1 \times 10^5$ J.
L'énergie interne de ce volume d'eau a augmenté de $3{,}1 \times 10^5$ J.

14 a. Le transfert thermique du Soleil vers le sac se fait par rayonnement.
b. Le transfert thermique du sac vers l'eau se fait par conduction.
c. Le transfert thermique dans l'eau se fait principalement par convection.

17 1. a. Le flux thermique qui traverse la plaque de cuivre est :
$$\varphi_{Cu} = \frac{Q_{CU}}{\Delta t} = \frac{4{,}4 \times 10^6}{15 \times 60} = 4{,}9 \times 10^3 \text{ W.}$$
b. Le flux thermique qui traverse la plaque d'aluminium est :
$$\varphi_{Al} = \frac{|\Delta T|}{R_{th\_Al}} = \frac{5{,}0}{1{,}7 \times 10^{-2}} = 2{,}9 \times 10^2 \text{ W.}$$
2. Pour des dimensions identiques, le flux thermique qui traverse une plaque d'aluminium est moins important que celui qui traverse une plaque de cuivre. Un flux thermique est l'énergie transférée à travers une surface par unité de temps. Le cuivre est donc le métal qui transfère le plus rapidement l'énergie thermique.

19 1. Le système étudié est l'eau contenue dans le cumulus.
2. Lorsqu'il est traversé par un courant électrique, le conducteur ohmique transfère à l'eau de l'énergie $W_{élec.}$ par travail électrique.
La température de l'eau diminue, donc elle perd de l'énergie Q par transfert thermique.
3. L'eau reçoit de l'énergie par travail, donc $W_{élec.} > 0$, et en perd par transfert thermique, donc $Q < 0$.
L'énergie échangée par rayonnement est négligeable.
4.

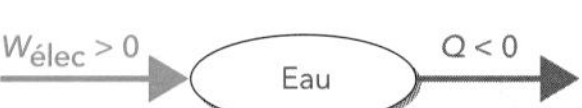

22 1. La variation d'énergie interne de l'huile qui se refroidit est négative.
2. $\Delta U = V_{huile} \cdot d_{huile} \cdot \rho_{eau} \cdot c_{huile} \cdot (T_f - T_i) = Q$
On en déduit :
$$T_f = \frac{\Delta U}{V_{huile} \cdot d_{huile} \cdot \rho_{eau} \cdot c_{huile}} + T_i$$
$$T_f = \frac{-2{,}2 \times 10^5}{5{,}0 \times 0{,}81 \times 1{,}00 \times 2000} + 50 = 23\ °C$$

28 1. Le processeur étant en contact avec les ailettes, il leur transfère de l'énergie par conduction thermique. Son énergie interne et sa température diminuent (celles des ailettes augmentent). À leur tour, les ailettes transfèrent de l'énergie par conduction à l'air qui est en contact avec elles.
2. Le flux thermique est d'autant plus élevé que la surface de contact entre les deux corps est grande, d'où un refroidissement plus efficace.
Associer un ventilateur au radiateur permet de transférer l'énergie des ailettes à l'air par conduction et améliore sensiblement la convection (en renouvelant l'air), d'où un refroidissement plus efficace.
3. L'eau est un meilleur conducteur thermique que l'air. De plus, on peut refroidir le processeur par l'intérieur et non juste par les surfaces externes.

30 1. Le système {canette et boisson} reçoit de l'énergie sous forme de transfert thermique par rayonnement et par conduction.
2. Si la température ne varie plus, on peut seulement affirmer que la variation d'énergie interne du système est nulle.

La température du système est plus grande que celle de l'extérieur, il y a donc un transfert thermique du système vers l'extérieur ; ce transfert thermique est compensé par rayonnement.

3. La masse de boisson contenue dans la canette est $m_e = \rho_{eau} \cdot V_{eau}$.
La variation d'énergie interne du système canette et boisson s'écrit :
$\Delta U = Q = m_{Al} \cdot c_{Al} \cdot \Delta T_{Al} + m_{eau} \cdot c_{eau} \cdot \Delta T_{eau}$
$\Delta U = 39$ kJ.

35 1. Le système {centrale} échange avec l'extérieur :
– un travail électrique W, compté négativement, car fourni à l'extérieur par la centrale ;
– un transfert thermique Q, compté positivement, car fourni à la centrale par l'extérieur (cœur du réacteur) ;
– un transfert thermique Q', compté négativement, car fourni à l'extérieur (circuit de refroidissement) par la centrale.

2. $Q = -W - Q'$

3. $\rho = \dfrac{|W|}{|Q|} = \dfrac{-W}{Q}$

4. $Q' = -W - Q = -W + \dfrac{W}{\rho}$

$Q' = W \cdot \left(\dfrac{1}{\rho} - 1\right) = W \cdot \left(\dfrac{1-\rho}{\rho}\right)$

qui est bien négatif, car $W < 0$ et $0 < \rho < 1$.

5. L'eau du circuit de refroidissement reçoit le transfert thermique $(-Q') > 0$, donc son énergie interne et sa température vont augmenter.

6. a. $m = 4{,}2 \times 10^4 \times 600 = 2{,}5 \times 10^7$ kg.

b. $\Delta T = \dfrac{-Q'}{m \cdot c} = -\dfrac{W \cdot \left(\dfrac{1-\rho}{\rho}\right)}{m \cdot c}$

$\Delta T = -\dfrac{5{,}4 \times 10^{11} \times \left(\dfrac{1-0{,}33}{0{,}33}\right)}{2{,}52 \times 10^7 \times 4{,}18 \times 10^3} = 10{,}4$ K

La température de l'eau s'élève d'environ 10 °C lors du fonctionnement de la centrale.

7. Plus le débit de l'eau est important, moins la variation de température est élevée.

Chapitre 15

4 La valeur de la quantité de mouvement de cet électron (non relativiste, $v \ll c$) est $p = m_e \cdot v$.
La relation de de Broglie permet de calculer la longueur d'onde de l'onde de matière associée :

$\lambda = \dfrac{h}{m_e \cdot v}$, soit $\lambda = \dfrac{6{,}63 \times 10^{-34}}{9{,}11 \times 10^{-31} \times 2{,}4 \times 10^6}$

$\lambda = 3{,}0 \times 10^{-10}$ m.

5 1. Ce laser émet dans le domaine des infrarouges ($\lambda > 800$ nm).

2. L'écart énergétique se calcule par :

$\mathscr{E}_p - \mathscr{E}_n = h \cdot \nu = \dfrac{h \cdot c}{\lambda}$

$\mathscr{E}_p - \mathscr{E}_n = \dfrac{6{,}63 \times 10^{-34} \times 3{,}00 \times 10^8}{1{,}06 \times 10^{-6}}$

$\mathscr{E}_p - \mathscr{E}_n = 1{,}9 \times 10^{-19}$ J, soit environ 1,2 eV.
D'où le diagramme énergétique et la schématisation de l'émission stimulée :

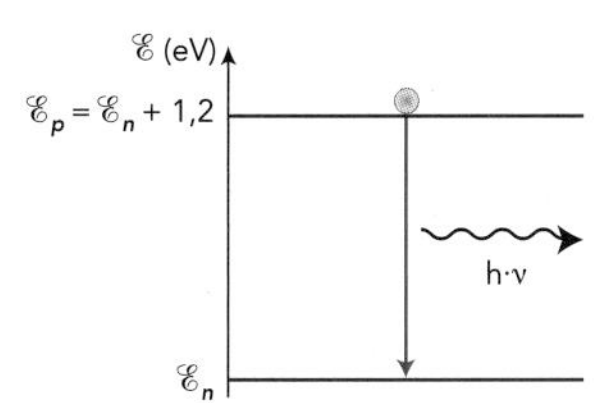

6 La lumière a les aspects d'onde et de particule.

9 1. Pour cet électron non relativiste :
$p = m_e \cdot v = 9{,}11 \times 10^{-31} \times 3{,}00 \times 10^4$
$p \approx 9{,}00 \times 3{,}00 \times 10^{-27}$,
soit environ $2{,}7 \times 10^{-26}$ kg·m·s^{-1}.

2. D'après la relation de De Broglie, on a :

$\lambda = \dfrac{h}{p} = \dfrac{6{,}63 \times 10^{-34}}{2{,}7 \times 10^{-26}} \approx \dfrac{7}{3} \times 10^{-8}$

$\lambda \approx 2{,}3 \times 10^{-8}$ m.

10 1. D'après la figure 1, il est impossible de prévoir le lieu de l'impact du photon sur la cellule photosensible, ils sont répartis aléatoirement sur l'écran.

2. L'impact d'un photon a le plus de chances de se produire sur des bandes verticales parallèles aux fentes.

3. Cette expérience illustre l'aspect probabiliste des phénomènes quantiques.

12 1. On parle d'émission stimulée lorsqu'une entité dans un état excité émet un photon d'énergie $\mathscr{E}$ sous l'action d'un photon incident de même énergie $\mathscr{E}$ (les deux photons ont mêmes énergie, direction, sens de propagation et ils sont en phase).

2.

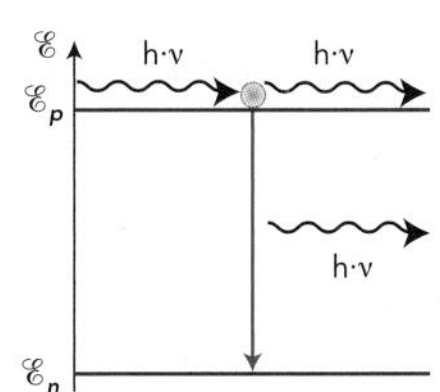

13 Un laser est une source *monochromatique, cohérente* dont *l'énergie est concentrée dans l'espace* et *dans le temps*. Ce type de source émet un *faisceau peu divergent*.

15 1. a. L'énergie du photon a pour expression :

$$\mathscr{E} = \frac{h \cdot c}{\lambda}$$

soit $\lambda = \dfrac{h \cdot c}{\mathscr{E}} = \dfrac{6{,}63 \times 10^{-34} \times 3{,}00 \times 10^8}{10{,}0 \times 1{,}60 \times 10^{-19}}$

$\lambda = 1{,}24 \times 10^{-7}$ m $= 1{,}24 \times 10^2$ nm.

b. Cette radiation appartient au domaine des ultraviolets (dans l'air, $\lambda < 400$ nm).

2. Il s'agit d'une transition entre niveaux d'énergie électronique.

16 1.

	p (kg·m·s^{-1})	λ (m)
Boule de bowling	51	$1{,}3 \times 10^{-35}$
Moustique	$1{,}3 \times 10^{-6}$	$5{,}0 \times 10^{-28}$
Électron	$5{,}6 \times 10^{-28}$	$1{,}2 \times 10^{-6}$

2. a. D'après les longueurs d'onde calculées, l'aspect ondulatoire sera observable seulement dans le cas de l'électron. Pour les deux autres systèmes (macroscopiques), λ est trop faible : il n'existe pas d'ouvertures ou d'obstacles suffisamment petits pour diffracter ces deux systèmes.

b. La masse d'une particule ne doit pas être trop élevée pour que son caractère ondulatoire soit observable.

29 1. $\lambda = \dfrac{h \cdot c}{\mathscr{E}}$. Plus $\mathscr{E}$ est élevée, plus la longueur d'onde est faible. En partant d'une radiation IR ou visible, la couleur tend vers le violet, voire l'ultraviolet.

2. a. $\dfrac{h \cdot c}{\lambda} = |\mathscr{E}_p - \mathscr{E}_n|$ avec $\mathscr{E}_p$ et $\mathscr{E}_n$ les énergies des niveaux d'énergie de l'atome.

b. Il s'agit de la propriété de monochromaticité.

c. Les six lasers doivent atteindre l'atome cible. Cela est possible grâce à la directivité d'un faisceau laser.

3. L'aspect ondulatoire de la lumière est mis en évidence par l'observation de figures d'interférences ou de diffraction.
L'aspect particulaire de la lumière est mis en évidence par la quantification de l'énergie ou par l'observation de l'effet photoélectrique.

4. a. $\mathscr{E} = \dfrac{h \cdot c}{\lambda} = \dfrac{6{,}63 \times 10^{-34} \times 3{,}00 \times 10^8}{589 \times 10^{-9}}$

$\mathscr{E} = 3{,}38 \times 10^{-19}$ J, soit 2,11 eV.
Cette énergie correspond à l'écart énergétique entre l'état fondamental de l'atome de sodium et le premier état excité. Un tel photon peut être absorbé par cet atome. Après absorption, l'énergie de l'atome est :

$$\mathscr{E}_2 = -3{,}03 \text{ eV.}$$

Ces photons sont donc « au goût de l'atome ».

b. h s'exprime en J·s, c'est-à-dire en kg·m^2·s^{-1}, λ en m et m en kg.
Ainsi, $\dfrac{h}{\lambda \cdot m}$ s'exprime en m·s^{-1} ; cette expression a la dimension d'une vitesse.

c. $N = \dfrac{v \cdot \lambda \cdot m}{h}$

$N = \dfrac{3{,}0 \times 10^3 \times 589 \times 10^{-9} \times 3{,}82 \times 10^{-26}}{6{,}63 \times 10^{-34}}$

$N \approx 1{,}0 \times 10^5$
L'atome devra subir environ 100 000 collisions pour être stoppé.

d. Un photon émis par un laser bleu (488 nm) transporte un quantum d'énergie :

$$\mathscr{E}' = \frac{h \cdot c}{\lambda'} = 2{,}55 \text{ eV.}$$

Il n'est pas « au goût de l'atome ».

Cette valeur ne correspond à aucun écart énergétique pouvant être lu sur le diagramme énergétique de l'atome de sodium. Un tel photon ne pourra pas être absorbé par l'atome de sodium.

Chapitre 16

4 1. Le concept d'énergie concentrée. Source : École normale supérieure de Lyon.

2. $\mathcal{P} = \frac{\Delta\mathscr{E}_{pp}}{\Delta t} = \frac{m \cdot g \cdot h}{\Delta t}$

$\mathcal{P} = \frac{1\,200 \times 10^3 \times 9{,}81 \times 100}{1}$

$\mathcal{P} = 1 \times 10^9$ W, soit 1 000 MW.

3. Uranium
> fuel et charbon
> eau en mouvement
> énergies solaire et éolienne

7 1. Des photons arrachent des électrons aux atomes de silicium. Ces électrons sont mis en mouvement dans un circuit, générant un courant électrique.

2. Les stations qui exploitent l'énergie solaire se trouvent dans les zones de fort ensoleillement.
Les stations qui exploitent la biomasse se trouvent dans les zones boisées.
L'hydroélectricité est exploitée dans les zones montagneuses.
Les stations éoliennes se trouvent sur les façades ouest du continent, là où les vents sont importants.

3. Il s'agit de produire de l'énergie à partir de centrales solaires pour dessaler l'eau de mer, puis de vendre le surplus d'énergie en Europe en s'intégrant dans un vaste réseau de production d'électricité à partir de ressources renouvelables.

4.

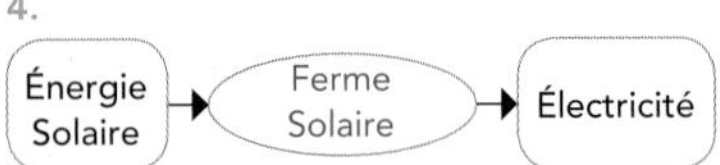

5. Le lieu de production de l'électricité se trouve très éloigné du lieu de consommation.
Il faudra donc transporter l'électricité en CCHT, technologie qui est très coûteuse.

6. L'électricité en surplus provenant des fermes solaires pourrait permettre de remonter de l'eau dans le bassin supérieur d'un barrage, ce qui permet de produire de l'électricité hydraulique lorsque la demande est importante.

10 1. L'eau et l'énergie ne sont pas gaspillées, les déchets sont triés, il y a peu de rejet de GES. Les matériaux sont recyclables.

2. La production des éoliennes et leur démantèlement doivent être pris en compte dans le bilan. De plus, le lycée utilise un générateur à gaz qui dégage des GES.

3. Les terrasses végétalisées épurent l'eau de pluie, isolent les parois et rafraichissent, durant l'été, l'air par évapotranspiration.

a.

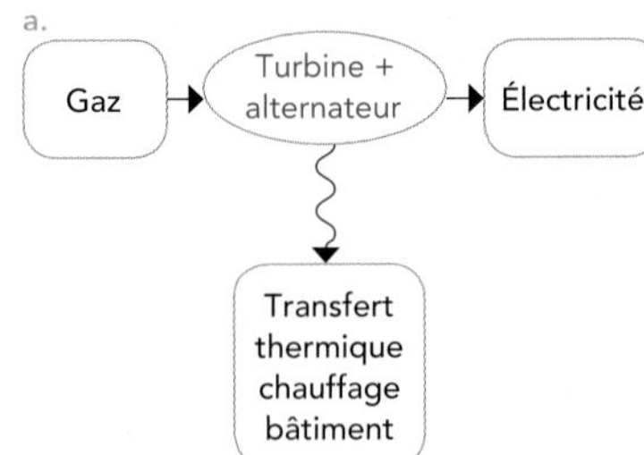

b. Production maximale (370 kW)
> consommation (330 kW).

Lorsque sa production est maximale, ce lycée est autonome et peut revendre son excédent de production.

Chapitre 17

3 Oui, car $EA_1 = \frac{360}{860} = 0{,}42$ est inférieur à $EA_2 = \frac{240}{276} = 0{,}87$.

4 1. $E = 0$: le procédé ne semble pas avoir d'impact environnemental.

2. Le tétrachlorométhane est un solvant présentant des dangers. Il faut s'en protéger et le recycler. Le facteur environnemental n'est donc pas nul. Il faudrait calculer le facteur environnemental réel.

5 1. *Bio-inspirées* : inspirées de celles contenues dans les êtres vivants (animaux, végétaux).

2. Nourriture, eau potable, pollution, médicaments.

3. Fabriquer les produits à grande échelle, mais aussi proposer des procédés alternatifs plus efficaces et moins polluants.

4. *Environnement :* privilégier les ressources naturelles, améliorer les procédés pour diminuer les pollutions.
Social : permettre l'accès aux soins à des populations.
Économique : permettre l'essor de nouvelles technologies économiquement rentables.

7 1. a. MeTHF est issu d'agro-ressources.
b. Un pétrosolvant est issu du pétrole.

2. Le MeTHF n'irrite pas les voies respiratoires, mais présente néanmoins des risques.

3. Les principes n° 4 et n° 12 (la sécurité est légèrement améliorée puisque le MeTHF n'irrite pas les voies respiratoires; les étapes d'extraction étant réduites, on limite les risques d'accident); les principes n° 5, n° 7 et n° 8 (le volume de solvant utilisé est réduit).

10 1. Le dioxyde de carbone contribue à l'effet de serre.

2. Cette réutilisation respecte les principes n° 1 et n° 8.

3. Ce procédé consiste à traiter les effluents gazeux après la combustion des combustibles.

15 1. Le propène est trop cher et il est issu de matière première épuisable.

2. a. Le procédé utilise du glycérol renouvelable à la place de propène d'origine fossile (principe n° 7). Il contribue donc à l'économie de ressources fossiles. Le procédé présente une meilleure économie du nombre de molécules utilisées (principe n° 2) et la production de sous-produits et résidus est réduite (principe n° 8). Il économise l'énergie (n° 6).
b. Le principe n° 4 n'est pas respecté : l'*épichlorhydrine* est toxique.

3. Addition.

16 1. *Chauffage à reflux :* chauffage à ébullition sans perte de matière, augmentation de la vitesse.
Mélange intime : augmentation de la vitesse de la réaction.

2. a. Protocole 1 : acide nitrique; protocole 2 : dioxyde de manganèse
b. $C_{14}H_{12}O_2 \rightleftharpoons C_{14}H_{10}O_2 + 2\,H^+ + 2\,e^-$

3. Les réactifs utilisés dans le protocole 1 sont plus dangereux que ceux utilisés dans le protocole 2.

4. *Protocole 1 :*

$n(\text{oïne}) = \frac{6{,}0}{212} = 2{,}8 \times 10^{-2}$ mol;

$n(\text{ile}) = \frac{4{,}5}{210} = 2{,}1 \times 10^{-2}$ mol;

R = 0,75 = 75 %.

Protocole 2 :

$n(\text{oïne}) = \frac{1{,}0}{212} = 4{,}7 \times 10^{-3}$ mol;

$n(\text{ile}) = \frac{0{,}7}{210} = 3{,}3 \times 10^{-3}$ mol;

R = 0,7 = 70 %.

5. Gain d'énergie pour un rendement équivalent, réactifs moins dangereux, pas de solvant.

21 1. a. $E = \frac{92}{(3 \times 304)} = 0{,}1$.
b. *E* grand : *impact environnemental néfaste.*

2. a. Non.
b. Soude : $6{,}5 \times 10^{-1} - 3 \times 1{,}6 \times 10^{-2}$ = 0,60 mol, soit 24 g.
Glycérol : $1{,}6 \times 10^{-2}$ mol, soit 1,5 g.
c. Un solvant : il favorise le contact entre les réactifs
d. Le relargage.
e. Il n'est pas tenu compte des déchets générés par l'excès des réactifs, le solvant, etc.

3. a. Déchet : glycérol : 1,5 g; éthanol : 16 g; soude restante : 24 g; sel : 40 g.
b. $E = \frac{(1{,}5 + 16 + 24 + 40)}{14{,}5} = 5{,}6$.
c. Le facteur *E* réel est plus grand et s'est éloigné de 0.
d. La soude est corrosive et l'éthanol inflammable. Le facteur *E* ne tient pas compte du recyclage des effluents.

4. Le facteur *E* diminue.

5. L'énergie consommée par kg ou t de savon produit doit être prise en compte.

Chapitre 18

4 1. $V_E = 6{,}8$ mL.
2. $C_A = 6{,}8 \times 10^{-3}$ mol·L^{-1}.
$m_A = n_A \cdot M_A = C_A \cdot V_A \cdot M_A$
$= 6{,}8 \times 10^{-3} \times 100{,}0 \times 10^{-3} \times 180$
$= 1{,}2 \times 10^{-1}$ g.

5 1. $HCO_3^-(aq) + H_3O^-(aq) \longrightarrow CO_2 + 2\,H_2O(\ell)$
2. $V_E = 14{,}5$ mL.
3. $C_B = 5{,}8 \times 10^{-3}$ mol·L^{-1}.

7 1. Voir $\sigma = f(C)$ ci-dessous.

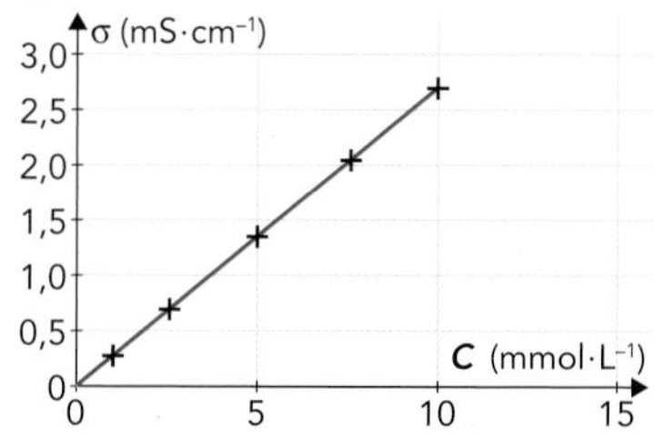

2. La loi de Kohlrausch est vérifiée, car on obtient une droite passant par l'origine.
3. k = 0,27 mS·L·mmol^{-1}·cm^{-1}, d'où :
$\sigma = 0{,}27\,C$.
4. On en déduit que :
$$C_S = \frac{1{,}23}{0{,}27} = 4{,}6 \text{ mmol·L}^{-1}$$
$$C_0 = 100 \times C_S = 4{,}6 \times 10^2 \text{ mmol·L}^{-1} = 4{,}6 \times 10^{-1} \text{mol·L}^{-1}.$$

9 1. Voir le document 6, p. 468. L'erlenmeyer contient la solution S_1 de Lugol® à titrer, de volume $V_1 = 10{,}0$ mL et la burette graduée contient la solution titrante S_2 de thiosulfate de sodium à la concentration $C_2 = 1{,}00 \times 10^{-1}$mol·L^{-1}.
2. Voir le tableau d'avancement à l'équivalence du titrage, en fin de corrigés, p. 622.
3. Du tableau d'avancement, on déduit :
$$x_{max} = C_1 \cdot V_1 = \frac{C_2 \cdot V_E}{2}$$
4. D'où $C_1 = 3{,}9 \times 10^{-2}$ mol·L^{-1}.

10 1. Voir le document 4, p. 466.
Solution titrante S_B d'hydroxyde de sodium dans la burette graduée.
Solution titrée S_A d'acide chlorhydrique dans le bécher.
2. $V_E = 11$ mL.
3. a. Avant l'équivalence, le réactif limitant est l'ion hydroxyde.
b. La concentration en ions chlorure ne varie pas au cours du dosage, car c'est un ion spectateur et on néglige l'effet de dilution.
c. Lors des ajouts successifs de solution d'hydroxyde de sodium, les ions H_3O^+(aq) sont consommés et remplacés par des ions Na^+(aq) moins conducteurs, apportés par le réactif titrant. La conductivité globale de solution diminue.
4. a. Après l'équivalence, le réactif limitant est l'ion H_3O^+(aq). En effet, celui-ci a été totalement consommé à l'équivalence.
b. La conductivité σ s'écrit donc :
$$\sigma = \lambda(HO^-)\cdot[HO^-] + \lambda(Na^+)\cdot[Na^+] + \lambda(Cl^-)\cdot[Cl^-]$$
c. Comme on ajoute des ions HO^-(aq) et Na^+(aq), après l'équivalence, la conductivité σ augmente.

11 1. Voir le document 5, p. 467.
Solution S_B d'hydroxyde de sodium, de concentration $C_B = 2{,}50 \times 10^{-2}$ mol·L^{-1} dans la burette graduée.
Solution S_A d'acide méthanoïque, de concentration C_A à déterminer et de volume $V_A = 20{,}0$ mL dans le bécher.
2. $HCOOH(aq) + HO^-(aq) \longrightarrow HCOO^-(aq) + H_2O\,(\ell)$
3. $V_E = 9{,}0$ mL.
4. À l'équivalence :
$n_0(HCOOH)_{\text{titrée dans SA}} = n(HO^-)_{\text{versée à l'équivalence}}$
soit : $C_A \cdot V_A = C_B \cdot V_E$.
5. $C_A = 1{,}125 \times 10^{-2} = 1{,}1 \times 10^{-2}$ mol·L^{-1}.

13 1. Voir document 6, p. 468.
Solution titrante S_2 de diiode, de concentration $C_2 = 2{,}0 \times 10^{-3}$ mol·L^{-1} dans la burette graduée.
Solution titrée S_1 d'acide ascorbique, de volume $V_1 = 10{,}0$ mL dans l'erlenmeyer.
2. L'indicateur de fin de réaction permet de mieux repérer l'équivalence. Sans thiodène, le changement de couleur à l'équivalence est jaune clair à incolore, donc difficile à visualiser.
3. Avec le thiodène, le changement est bleu-noir à incolore, donc facile à visualiser.
4. À l'équivalence du titrage on a :
$n_1(C_6H_8O_6)_{\text{titrée}} = n(I_2)_{\text{versée à l'équivalence}}$
soit : $n_1 = C_2 \cdot V_E = 2{,}0 \times 10^{-3} \times 15{,}1 \times 10^{-3}$
$= 3{,}02 \times 10^{-5}$ mol $= 3{,}0 \times 10^{-5}$ mol.
5. Masse de vitamine C dosée :
$m_1 = n_1 \cdot M = 3{,}02 \times 10^{-5} \times 176$
$m_1 = 5{,}31 \times 10^{-3}$ g $= 5{,}3 \times 10^{-3}$ g $= 5{,}3$ mg.
Le résultat est en accord avec l'indication de l'ampoule (5 mg).

16 1. $5\,H_2O_2(aq) + 2\,MnO_4^-(aq) + 6\,H^+(aq) \longrightarrow 5\,O_2(g) + 2\,Mn^{2+}(aq) + 8\,H_2O(\ell)$
2. L'ion permanganate étant violet et la seule espèce colorée, l'équivalence sera atteinte lorsque la première goutte de permanganate sera introduite en excès dans le mélange réactionnelle. Celle-ci ne se décolorera pas et le mélange réactionnel prendra une teinte rose.
3. À l'équivalence du titrage : $\frac{n_1}{5} = \frac{n_2}{2}$;
soit $n_1 = \frac{5 \cdot n_2}{2}$
donc $C_1 \cdot V_1 = \frac{5 \cdot C_2 \cdot V_E}{2}$ d'où $C_1 = \frac{5 \cdot C_2 \cdot V_E}{2 \cdot V_1}$
4. $C_1 = 8{,}8 \times 10^{-2}$ mol·L^{-1}, d'où :
$C_0 = 10 \cdot C_1 = 10 \times 8{,}8 \times 10^{-2}$
$= 8{,}8 \times 10^{-1}$ mol·L^{-1}.
5. Un litre de solution commerciale contient donc une quantité :
$n_0(H_2O_2) = 8{,}8 \times 10^{-1}$ mol.
6. On a $n_{max}(O_2) = x_{max} = \frac{n_0(H_2O_2)}{2}$
$n_{max}(O_2) = 4{,}4 \times 10^{-1}$ mol.
7. $V_{max}(O_2) = 4{,}4 \times 10^{-1} \times 22{,}4$
$= 9{,}856 = 9{,}9$ L.
8. L'incertitude relative est égale à $1{,}44 \times 10^{-2}$, soit 1,5 %.

21 1. Voir document 5, p. 467.
Solution titrante S_A d'acide chlorhydrique, de concentration $C_A = 2{,}0 \times 10^{-1}$ mol·L^{-1} dans la burette graduée.
Solution titrée S_1 d'éthanoate de sodium, de concentration C_1 à déterminer et de volume $V_1 = 25{,}0$ mL.
2. À l'équivalence du titrage, on a :
$n_i(CH_3CO_2^-) = n_E(H_3O^+)$
3. La courbe dérivée présente un maximum pour un volume $V_E = 8{,}8$ mL.
4. Valeur aberrante : $V_E = 6{,}3$ mL, qui doit être écartée de l'étude.
Valeur moyenne des volumes équivalents : $V_{Emoy} = 8{,}84$ mL, écart type de la série 0,17 mL.
Pour 7 mesures et avec un intervalle de confiance de 95 %, k = 2,45.
D'où l'encadrement suivant :
$$8{,}68 \text{ mL} < V_{E\text{ moy}} < 9{,}00 \text{ mL}$$
5. On a $C_1 = \frac{C_A \cdot V_{Emoy}}{V_1} = \frac{2{,}0 \times 10^{-1} \times 8{,}84}{25{,}0}$
$C_1 = 7{,}07 \times 10^{-2} = 7{,}1 \times 10^{-2}$ mol·L^{-1}.
6. On en déduit :
$C_0 = 100 \times C_1 = 7{,}1$ mol·L^{-1}.
7. Dans la chaufferette, dont le volume est de $V_0 = 100$ mL, on a donc une quantité $n_0 = C_0 \cdot V_0 = 0{,}71$ mol d'éthanoate de sodium, soit une masse :
$m_0 = n_0 \cdot M = 0{,}71 \times 82{,}0 = 58$ g.
8. La masse de la solution S_0 est de 130 g, soit une teneur en éthanoate de sodium de 45 %. Cette valeur est supérieure à la valeur 20 % minimale citée dans le texte.

Chapitre 19

3 1. *Séparation :* extraction liquide-liquide avec relargage, puis séchage et évaporation du solvant.
Purification : distillation.
Caractérisation : CCM.
2. $n_A = n_B = 0{,}20$ mol. Le mélange réactionnel de départ est un mélange stœchiométrique. Alors $n_{max} = 0{,}20$ mol.
On obtient une quantité $n_P = 0{,}178$ mol. Le rendement vaut ρ = 0,89, soit 89 %.

4 1. Le dipeptide contient, de gauche à droite, une fonction amine, une fonction amide et une fonction acide.
2. La réaction entre l'isoleucine activée et l'alanine n'est pas sélective, car, par exemple, la fonction acide carboxylique de l'alanine peut aussi réagir avec la fonction amine de l'isoleucine. Il convient donc de protéger la fonction amine de l'isoleucine activée ainsi que la fonction acide carboxylique de l'alanine afin d'obtenir sélectivement le dipeptide D.

5 1. Port de la blouse, de lunettes de protection et de gants pour l'acide acétique. Manipuler l'éthanol et l'ester loin de toute source de chaleur ou de flamme.
2. L'acide sulfurique joue le rôle de catalyseur dans cette synthèse.
3. Le distillat contient l'ester E, car c'est l'espèce chimique du mélange réactionnel qui a la température d'ébullition la plus basse.

4. Le sulfate de sodium anhydre est un desséchant. Il permet d'éliminer les traces d'eau qui auraient été entraînées avec le distillat.
5. La température en tête de colonne de distillation permet de savoir si on a bien le bon produit.
6. La quantité d'ester obtenu vaut :

$$n_E = 9{,}39 \times 10^{-2}\ \text{mol.}$$

Les quantités de réactifs valent :

$$n_A = 0{,}20\ \text{mol} \quad \text{et} \quad n_B = 0{,}25\ \text{mol.}$$

D'après la stœchiométrie de la réaction, l'acide méthanoïque est le réactif limitant, et donc, la quantité maximale que l'on puisse obtenir pour E est $n_{max} = 0{,}20$ mol.
D'où $\rho = 0{,}47$, soit 47 %.

6 1. On chauffe le milieu réactionnel pour augmenter la vitesse de réaction.
2. L'acide phosphorique joue le rôle de catalyseur.
3. On refroidit le mélange réactionnel une fois la synthèse terminée afin de pouvoir démonter le dispositif en toute sécurité et ne pas inhaler de substances volatiles, ici corrosives. De plus, le refroidissement permet la cristallisation du produit dont la solubilité diminue avec la température.
4. Pour isoler le produit, on procèdera à une filtration du mélange réactionnel sur un filtre Büchner. On lavera le produit solide avec de l'eau glacée.
5. Pour vérifier la pureté du solide obtenu, on peut relever sa température de fusion à l'aide d'un banc Kofler. On peut aussi réaliser une CCM en comparant le produit obtenu avec de l'aspirine commercial.

7 Afin d'extraire la curcumine présente dans la poudre de curcuma on utilise l'éthanol pour des raisons de solubilité et de sécurité. On pèse une masse m de poudre de curcuma (utilisation de la balance, de la spatule et de la coupelle) que l'on introduit dans un bécher de 150 mL.
On ajoute alors à l'éprouvette un volume d'éthanol inférieur à 50,0 mL. On agite. On filtre sur papier-filtre à l'aide d'un entonnoir à liquide dans une fiole jaugée de 50,0 mL. On rince le papier-filtre avec quelques portions d'éthanol. On homogénéise le contenu, on complète jusqu'au trait de jauge.

11 1. Les groupes caractéristiques sont :
- pour la carvone : un groupe carbonyle et deux groupes alcène ;
- pour A : un groupe carbonyle et un groupe alcène ;
- pour B : un groupe carbonyle ;
- pour C : un groupe hydroxyle.

2. La réaction (1) est sélective, car seul l'un des groupes alcène est concerné par la réaction.
La réaction (2) est aussi sélective, car seuls les groupes alcènes sont concernés par la réaction.
La réaction (3) n'est pas sélective, car les groupes alcène et cétone sont modifiés.
3. On voit ici que le catalyseur entraîne une sélectivité : la comparaison des réactions (1) et (2) montre qu'on peut choisir de faire réagir l'un seulement ou deux des groupes alcènes présents dans la carvone.
4. La sélectivité peut être provoquée par le facteur pression, comme le montre la comparaison des réactions (2) et (3) : à haute pression on perd la sélectivité.

13 1. a. Les groupes caractéristiques sont :
- pour le paracétamol : un groupe amide et un groupe hydroxyle ;
- pour l'aspirine : un groupe ester et un groupe carboxyle ;
- pour le bénorilate : deux groupes ester et un groupe amide.

b. La réaction de synthèse du bénorilate est sélective, car le groupe hydroxyle du paracétamol réagit avec le groupe carboxyle de l'aspirine. Les fonctions amide et ester de ces deux réactifs ne sont pas affectés par cette réaction.
2. a. Parmi les deux schémas proposés, seul le schéma A est celui d'un montage à reflux. Dans le réfrigérant à boules, l'eau circule du bas vers le haut.
b. Le deuxième montage est un montage de distillation fractionnée.
c. On chauffe pour dissoudre les solides et augmenter la vitesse de la réaction. On chauffe à reflux pour travailler à volume constant.
d. Pour isoler le bénorilate, on doit filtrer le mélange réactionnel sous pression réduite.
e. Pour le purifier, on peut procéder à une recristallisation.
f. Le séchage du produit obtenu peut se faire à l'aide d'une étuve.
g. $n_1 = n_2 = 0{,}100$ mol.
La réaction, comme toute réaction d'estérification, est une réaction qui se fait mole à mole de réactifs. Le mélange réactionnel de départ est donc stœchiométrique.
On obtient $n_{\text{bénorilate}} = 6{,}01 \times 10^{-2}$ mol.
Le rendement de la réaction vaut donc : $\rho = 0{,}60$, soit 60 %.
3. a. La réaction inverse de celle de sa synthèse est la réaction d'hydrolyse de l'ester. On obtient de l'aspirine et du paracétamol.
b. On appelle ce médicament di-antalgique, car il libère deux molécules antalgiques après son ingestion.

15 1. a. La leucine et la sérine possèdent toutes deux un carbone asymétrique :

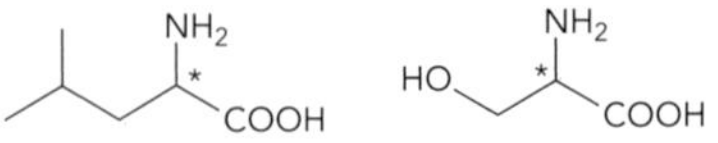

Leucine — Sérine

b. Ces molécules sont chirales et possèdent chacune un énantiomère :

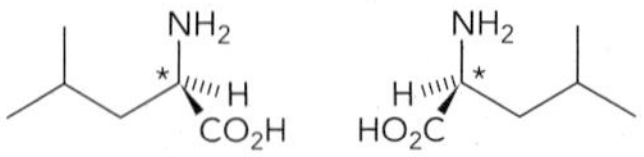

Énantiomères de la leucine

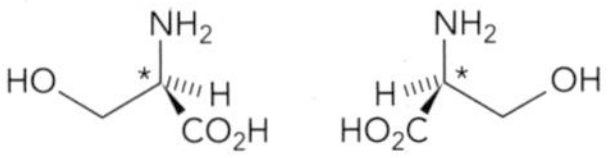

Énantiomères de la sérine

c. La leucine possède un groupe amine et un groupe carboxyle.
La sérine possède, en plus, un groupe hydroxyle.
d La sérine est plus soluble dans l'eau que la leucine, car la présence du groupe hydroxyle permet un plus grand nombre de liaisons hydrogène avec les molécules d'eau.
2. a. Les sites donneurs et récepteurs de doublet d'électrons sont représentés respectivement en rouge et en bleu ci-dessous :

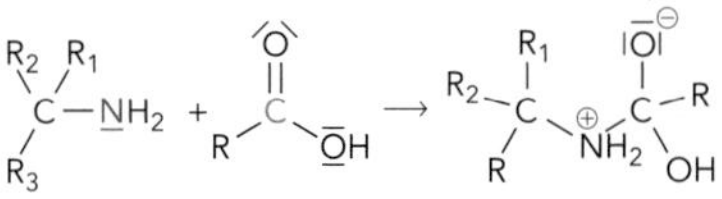

b. Les mouvements des doublets d'électrons sont :

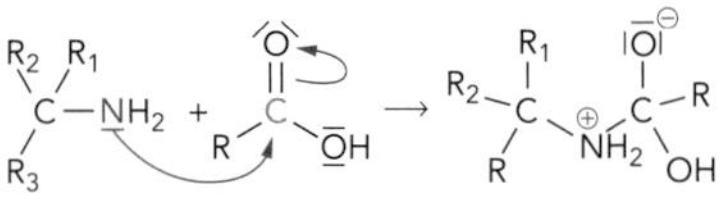

3. a. Les formules topologiques des 6 produits possibles sont :

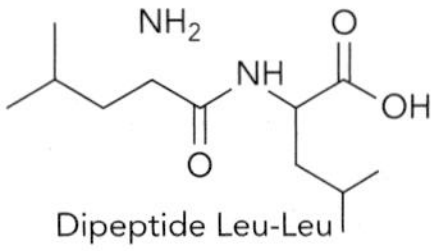

Dipeptide Leu-Leu

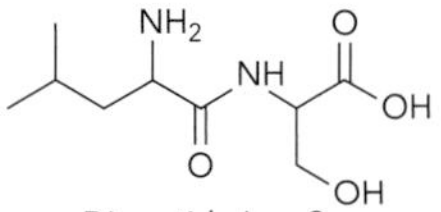

Dipeptide Leu-Ser

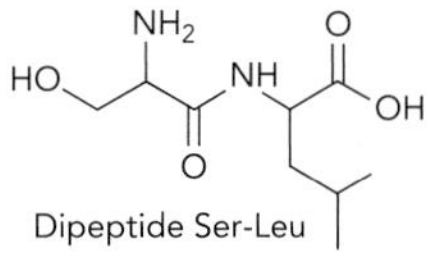

Dipeptide Ser-Leu

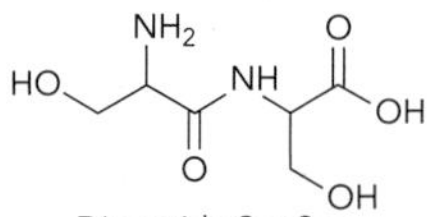

Dipeptide Ser-Ser

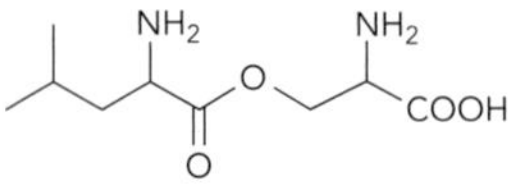

Ester mixte leucine-sérine

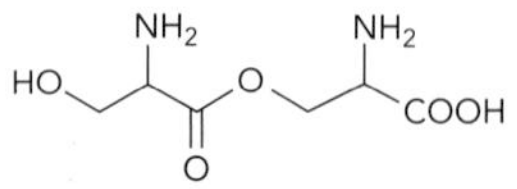

Ester sérine-sérine

b. Il faudra activer la fonction acide carboxylique de la leucine.
c. Il faudra protéger la fonction amine de la leucine et la fonction acide carboxylique de la sérine.

Chapitre 20

4 1. Si on double la fréquence d'échantillonnage, il y a deux fois plus de mesures pendant la même durée. On verrait une différence dans état 2 avec deux fois plus d'échantillons.
2. Avec une quantification sur 3 bits, on affecterait la valeur numérique de l'échantillon parmi un ensemble discret de 8 (2^3) valeurs.

5 1. Une chaîne de transmission est l'ensemble des éléments qui permettent de transporter une information d'un lieu à un autre.
2. Le thème photographié constitue l'information à transmettre ; l'appareil photo a joué le rôle d'encodeur lors de la prise de vue ; le câble USB joue le rôle de canal de transmission, l'imprimante celui de décodeur.

9 1. Deux périodes ont une durée de 9,0 ms, donc la période du signal est :

$$T = 4{,}5 \text{ ms}, \quad \text{soit } f = \frac{1}{T}$$

$$f = \frac{1}{4{,}5 \times 10^{-3}} = 2{,}2 \times 10^2 \text{ Hz.}$$

2. a. f_e représente le nombre d'échantillons prélevés par seconde.
b. $f_e = 5{,}0 \times 10^3$ Hz.
La fréquence d'échantillonnage est 23 fois plus élevée que la fréquence du signal.
c. Il faut que le rapport $\frac{f_e}{f}$ augmente.

10 1. La plage est de 9,0 V.
2. a. Le pas d'un convertisseur représente la plus petite variation de tension analogique qu'il peut repérer.
b. $p = 2{,}2 \times 10^{-3}$ V.

13 1. a. Un pixel correspond au plus petit détail de cette image.
b. Un pixel est représenté par un carré de couleur uniforme sur cette image.
c. Si l'image était encore plus agrandie, les pixels seraient représentés par des carrés encore plus grands.
2. Les zones 1, 2 et 3 sont respectivement rouge, blanche et verte.
3. Les tableaux correspondent au codage RVB de chaque pixel.
Le blanc est obtenu par synthèse additive de rouge, de vert et de bleu. Il faut donc que les trois sous-pixels aient la même intensité et une valeur proche de 256. Ceci apparaît dans le tableau (B).
Le rouge correspond a une intensité dominante pour le sous-pixel rouge, ce qui apparaît dans le tableau (C).
Le vert correspond a une intensité dominante pour le sous-pixel vert, ce qui apparaît dans le tableau (A).

16 1. $p = 20 \times 10^{-3}$ V = 20 mV.
2. On a besoin d'une précision de 10 mV, ce CAN a une résolution trop grande (20 mV).
3. Le pas p doit avoir une valeur au maximum égale à 10 mV.

$$n = \frac{\ln \frac{\text{plage de mesure}}{p}}{\ln 2} = \frac{\ln \frac{5{,}0}{10 \times 10^{-3}}}{\ln 2} = 9{,}0$$

Le CAN doit être de 9 bits.

22 1. La taille de cette image est de $1{,}0 \times 10^7$ octets, soit 9,5 Mio.
2. On peut stocker 214 images sur cette carte mémoire.

28 1. L'image est codée en langage binaire.
2. Les valeurs qui caractérisent la définition des écrans représentent le nombre de colonnes et le nombre de lignes qui constituent l'image. Le produit du nombre de colonnes par le nombre de lignes représente le nombre de pixels qui constituent l'image, c'est-à-dire sa définition.
3. TVHD : $1\,366 \times 768 = 1\,049\,088$ pixels
TVHD 1080p : $1920 \times 1080 = 2\,073\,600$ pixels
La TVHD 1080p possède une définition pratiquement deux fois plus grande.
4. a. Pour la TVHD, la taille d'un pixel est :

$$\frac{94}{1\,366} \text{ ou } \frac{53}{768} = 0{,}069 \text{ cm.}$$

Pour la TVHD 1080p, la taille d'un pixel est :

$$\frac{94}{1\,920} \text{ ou } \frac{53}{1\,080} = 0{,}049 \text{ cm.}$$

La taille des pixels varie bien selon la définition des écrans comme l'indique le document.
b. Dans le cas de la TVHD, il faut se placer à une distance égale à 3 fois la longueur de la diagonale, soit :

$$3 \times \sqrt{0{,}94^2 + 0{,}53^2} = 3{,}2 \text{ m.}$$

Dans le cas de la TVHD 1080p, il faut se placer à une distance égale à 2 fois la longueur de la diagonale soit :

$$2 \times \sqrt{0{,}94^2 + 0{,}53^2} = 2{,}2 \text{ m.}$$

Chapitre 21

4 1. $\frac{\mathcal{P}_e}{\mathcal{P}_s} = 10^{\frac{\alpha L}{10}} = 10^{\frac{0{,}5 \times 100}{10}} = 10^5$
2. L'absorption est maximale pour des radiations de longueur d'onde proches de 730 nm.

5 1. *Télégraphe :* câble électrique, signal électrique.
Radio FM : air, ondes électromagnétiques hertziennes.
Télévision dite « par câble » : fibre optique, onde lumineuse.
Interphones de surveillance d'un bébé : air, ondes hertziennes.
2. *Propagation libre :* radio, interphone.
Propagation guidée : télévision par câble, télégraphe filaire.

8 1. La ligne représente le trajet d'un rayon lumineux.
2. Ce phénomène physique est la réflexion totale sur la gaine.
3. L'indice du cœur doit être supérieur à celui de la gaine pour qu'il puisse y avoir réflexion totale.

11 $\alpha = \frac{10}{L} \cdot \log\left(\frac{\mathcal{P}_e}{\mathcal{P}_s}\right)$

$$\frac{\mathcal{P}_e}{\mathcal{P}_s} = 10^{\frac{2{,}0 \times 10^{-4} \times 32 \times 10^3}{10}} = 10^{64 \times 10^{-2}}$$

$$\frac{\mathcal{P}_e}{\mathcal{P}_s} = 10^{0{,}64} = 4{,}4$$

13 1. 0101101001
2. Le nombre comporte 10 bits.
$D = \frac{n}{\Delta t}$, d'où $\Delta t = \frac{n}{D} = \frac{10}{2^{20}} = 9{,}5$ µs.

15 1. Le phénomène mis en jeu lors de la lecture de disques gravés industriellement est le phénomène d'interférences lumineuses.
2. Voir doc. 5, p. 548.

16 1. Le phénomène de diffraction provoque l'étalement d'un faisceau laser. Voir la description de ce phénomène, chapitre 3.
2. Ce phénomène limite les capacités de stockage des disques optiques, car, en voulant réduire la taille du faisceau laser de lecture, on étale sa trace sur le disque. Cet étalement sur plusieurs pistes rendrait impossible la lecture.

23 1. Capacité de stockage du CD : 0,75 Gio.
Capacité de stockage du DVD : 4,4 Gio.
Capacité de stockage du BD : 23 Gio.
2. La distance séparant deux lignes consécutives diminue depuis le CD jusqu'au BD.
3. Largeur faisceau CD > largeur faisceau DVD > largeur faisceau BD.
4. a. Le phénomène de diffraction empêche la réduction d'un faisceau laser. Lorsque l'ouverture du laser se rapproche de la longueur d'onde de la radiation, la tache centrale s'élargit.
b. Le fait de diminuer la longueur d'onde du laser de lecture permet de réduire l'ouverture du faisceau en limitant la diffraction.
5. a. $\delta = (2k + 1) \cdot \frac{\lambda}{2}$ avec δ la différence de marche.
b. Plus petite valeur : $k = 0$, donc $\delta = \frac{\lambda}{2}$.
Profondeur minimale du creux : $\frac{\lambda}{4}$.
6. a. $\lambda_{air} = \frac{c}{\nu}$. De même, $\lambda_{polycarbonate} = \frac{V}{\nu}$

et $n = \frac{c}{V}$, donc $\frac{\lambda_{air}}{\lambda_{polycarbonate}} = \frac{\frac{c}{\nu}}{\frac{V}{\nu}} = n$.

$$\lambda_{polycarbonate} = \frac{\lambda_{air}}{n} = \frac{780}{1{,}55}$$

$$\lambda_{polycarbonate} = 503 \text{ nm}$$

b. $\frac{\lambda_{polycarbonate}}{4} = 125 \text{ nm} = 0{,}125$ µm

Les profondeurs des creux d'un BD et d'un DVD ne peuvent pas être les mêmes que celles d'un CD, car elles sont égales au quart de la longueur d'onde de la radiation utilisée.

Corrigés

Chapitre 1 – Exercice 5, question 1.

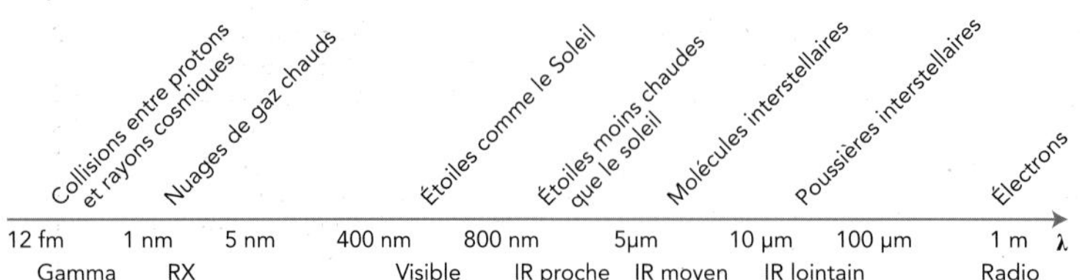

Chapitre 5 – Exercice 4.

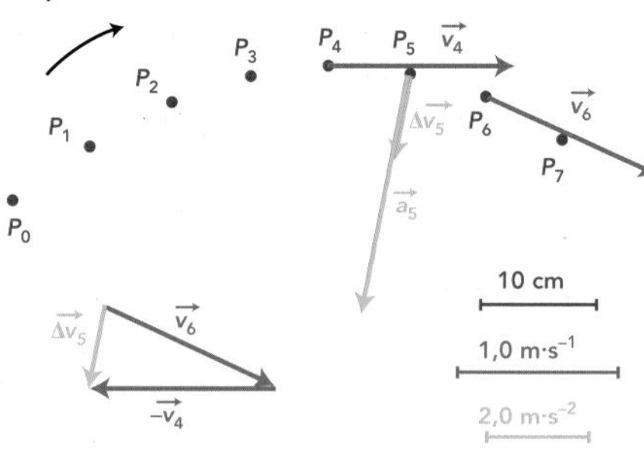

Chapitre 7 – Exercice 31, question 1.

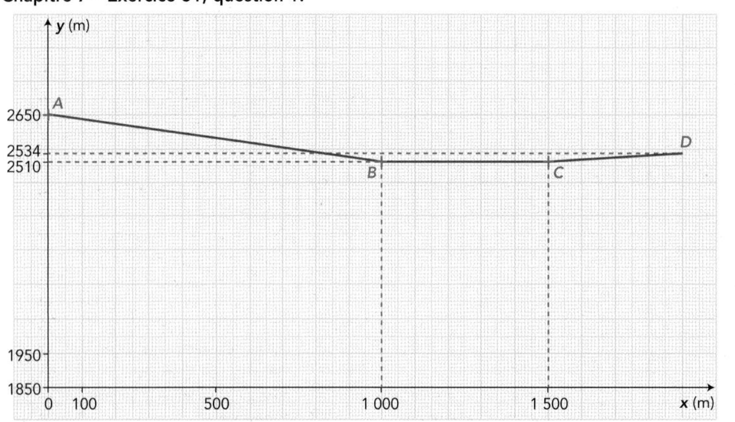

Chapitre 9 – Exercice 23, question 2.

t(jours)	0	4	8	12	16	20	28
C_m (g·L^{-1})	3,5	2,3	1,6	0,8	0,5	0,27	0
[acide malique](t) (mol·L^{-1})	$2,6 \times 10^{-2}$	$1,7 \times 10^{-2}$	$1,2 \times 10^{-2}$	$6,0 \times 10^{-3}$	$3,7 \times 10^{-3}$	$2,0 \times 10^{-3}$	0
$x(t)$ (mol)	0	$9,0 \times 10^{-3}$	$1,4 \times 10^{-2}$	$2,0 \times 10^{-2}$	$2,2 \times 0^{-2}$	$2,4 \times 10^{-2}$	$2,6 \times 10^{-2}$

Chapitre 13 – Exercice 10, question 1.

Équation chimique	HCO_2H(aq) +	$H_2O(\ell)$ ⇌	HCO_2^-(aq) +	H_3O^+(aq)
État initial (x = 0)	50	Solvant	0	0
État intermédiaire (x)	$50 - x$	Solvant	x	x
État final (x_f)	$50 - x_f$	Solvant	x_f	x_f

Chapitre 13 – Exercice 16, question 1.

Équation chimique	$2\,H_2O(\ell)$ ⇌	HO^-(aq) +	H_3O^+(aq)
État initial (x = 0)	n_0	0	0
État intermédiaire (x)	$n_0 - 2x$	x	x
État final (x_f)	$n_0 - 2x_f$	x_f	x_f

Chapitre 13 – Exercice 25, question 1.

Équation chimique	$C_3H_6O_2$(aq) +	$H_2O(\ell)$ ⇌	$C_3H_5O_2^-$(aq) +	H_3O^+(aq)
État initial (x = 0)	$C \cdot V$	Solvant	0	0
État intermédiaire (x)	$C \cdot V - x$	Solvant	x	x
État final ($x_f = x_{éq}$)	$C \cdot V - x_{éq}$	Solvant	$x_{éq}$	$x_{éq}$

Chapitre 18 – Exercice 9, question 2.

Équation	I_2(aq) +	$2\,S_2O_3^{2-}$(aq) ⟶	$2\,I^-$(aq) +	$S_4O_6^{2-}$(aq)
État initial (x = 0)	$C_1 \cdot V_1$	$C_2 \cdot V_E$	0	0
État intermédiaire (x)	$C_1 \cdot V_1 - x$	$C_2 \cdot V_E - 2x$	$2\,x$	x
État final (x_{max})	$C_1 \cdot V_1 - x_{max} = 0$	$C_2 \cdot V_E - 2\,x_{max} = 0$	$2\,x_{max}$	x_{max}

Index

Crédits photographiques

Couverture : h : Neil John Smith/Getty ; bg : Markus Gann** ; bm : ESA-Cnes-Arianespace/Optique Vidéo du CSG ; bd : A. Gautier.
Gardes : II Texas Instruments (TI). **III** Casio.
Intérieur : 14 A.H. Abofath/B.A. Tafreshi/Novapix. **15** g : Olix Wirtinger/Corbis ; d : Pascal Cotte/Sipa ; m : Cavallini James/BSIP ; md Ruediger Rau*. **19** hg : Ciel et Espace/Nasa/SDO ; mg : Nasa/ESA/Ciel et Espace ; bg : NRAO/Ciel et Espace ; d : Nasa/NAOJ/ISAS/Ciel et Espace. **20** g : Nasa/ESA/SOTTO/Eit/Novapix ; d : G. Hüdepohl/Ciel et Espace. **26** h : Ocean/Corbis. **27** h : Fotosearch/Getty ; mh : SevenseaS33/ Thomas Vavasseur ; mb : Iwasa/Sipa ; b : AFP/Pascal Pavini. **28** h : voir p. 27 (mh). **29** hg : Meteo-France/Taburet Pascal. **30** md : Slavoljub Pantelic** ; hd : A.S. Zain**. **32** b : Cosmos. **34** Nasa/Novapix. **35** xpixel**. **37** Christophe Raynaud/WikiSpectacle. **41** Baziz Chibana/Sipa. **42** bg : Roblan** ; bm : voir p. 27 (mb) ; bd : Nightman1965** ; md : worradirek**. **50** Lucky Comics 2012. **52** Christopher Swann/SPL/Cosmos. **53** hg : Tatiana Popova**. **54** g : Sophie Bengtsson**. **57** Collection Christophel. **58** Voir p. 37. **61** Nilsjorgensen/Rexfe/REX/Sipa. **62** hg : CollectionCL/Kharbine-Tapabor ; hd : SPL/Cosmos ; mhg : DR ; mbg : MP/Leemage ; bg : Bianchetti/Leemage ; md : MP/Leemage ; bd : DR. **70** h : kedrov** ; b : Anne et Jacques SIX. **71** galam*. **79** g : voir p. 71 ; d : Collection Christophel. **82** hg : Giovanni Benintende** ; hd : Joanne Weston**. **84** hg : lightpoet** ; md : voir p. 61. **87** Voir p. 15 (d). **92** Voir p. 15 (m). **94** hd : Collection privée ; bd : Yasonya** ; md : Anna Kucherova**. **95** hd : OlegD** ; md : DR. **99** bd : Laguna Design/Science Photo Library Biosphoto. **113** Voir p. 15 (d). **116** h, m : Sylvie Zanier ; bg et bd : Paul Smigielski ; bd : Techniques de l'Ingénieur n° R6330, *Traité Mesures et Contrôle*/Paul Smigielski/doc. Holo3. **117** : Serge Bertorello, http://serge.bertorello.free.fr/. **120** ED Reschke/BSIP. **124** David Parker/SPL/Cosmos. **125** g : tapnewpix** ; d : L. Weyers/ Arco/BSIP ; bd : mex999**. **129** g : Novespace ; d : Cnes, 2010/G. Tavernier. **130** De Agostini/Leemage. **140** AP/Sipa. **141** Cnes/ESA/ Arianespace/Optiquevidéo/1Hl-smite.CSG/JM.Guillon.2011. **149** h : Dan Brechwoldt** ; b : B Brown**. **150** g : Collection Christophel ; bd : voir p. 141. **151** Rue des Archives. **152** Voir p. 129 (d). **155** m : J. Lodriguss/J. Martinez/Novapix ; d : Anglo-Australian Observatory/David Malin/Novapix. **161** ESA/Novapix. **167** La Collection/Interfoto. **169** fotum**. **173** Walter B. Myers/Novapix. **174** Collection Christophel. **175** Voir p. 167. **177** d : Marc Champerret/PresseSports. **178** Nasa/ESA/M. Brown. **179** AKG/Science Photo Library. **180** md : voir p. 155 (d) ; bd : Selva/Leemage ; hg : Pichon Rochard/PresseSports. **181** Nasa/Novapix. **183** Bertrand Bodin. **184** h : AKG/De Agostini Pict.Lib. **186** g : Foto Scala, Firenze 2012 ; d : Leemage. **189** h : Gomtar** ; b : SYRTE-laboratoire Système de référence Temps-Espace-CNES/Sébastien GODEFROY, 2009. **190** J.C.Marmara&F.Bouchon/Figarophoto.com. **191** Corentin **. **193** Nat.Phys.Lab/SPL/Cosmos. **198** d : Christian Aslund/LonelyPlanet/Photononstop. **199** hg : Thomas Samsom/GAMMA. **200** g : Ruth Eastham&maxPaopli/LonelyPlanet/Photononstop ; d : PBNJProductions/Corbis. **201** m : Nicku** ; b : Mophart**. **203** g : Gary Saxe** ; d : Marco Cannizzaro**. **204** Voir p. 125 (bd). **205** jabiru**. **206** Voir p. 183. **211** CPPM/CNRS/IN2P3, « Cosmos à l'École ». **214** h : imagno/La Collection. **218** Voir p. 124. **219** Nasa. **221** g : J.Misti/R. Gendler/Novabix ; d : Jeremy Davey/SSC Programme Ltd. **222** DR. **224** hd : J. Schedler/Ciel et Espace ; g : Albert Barr**. **227** Mophart**. **229** g : ESA-Cnes-Arianespace/Optique Vidéo du CSG ; d : voir p. 125 (d). **231** DR. **234** b : Patrick Johns/Corbis. **235** h : Soleil Noir/ Photononstop ; b : Shirley Hirst*. **236** m : Robbert Koene/Getty Images. **237** h : P. Chevrolat/Photo France ; b : ColorBlind Images/Blend Images/Corbis. **247** d : Elenathewise*. **249** g : Jacques Rebieff* ; d : Jean-Michel Coureau/Explorer/Gamma-rapho. **252** hd : voir p. 229 (g). **255** Institut Pasteur. **256** bd : Institut Pasteur. **260** Vibrant Image Studio**. **261** h : Institut de chimie moléculaire et des matériaux d'Orsay – Équipe de catalyse moléculaire Université Paris Sud 1. **268** Guido Vrola**. **269** efka**. **270** g : Cigdem Sean Cooper**. **272** Wutthidai**. **273** Sarsmis**. **274** yosef*. **275** Collection priveé. **276** Voir p. 255. **279** Pierre Andrieu/AFP. **285** h : United States Army Central. **286** KidStock/Blend Images/Corbis. **287** hd : ellypo* ; bd : Gustavo Miguel Fernandes**. **290** Biosphoto/Carol Sharp/Flowerphotos. **291** corepics**. **292** DLPohl**. **293** Biosphoto/John-R. MacGregor/Peter Arnold. **294** hg : DR ; bg : AFP ; bd : John Kropewnicki**. **295** Voir p. 125 (g). **297** Arrow generique. **298** Voir p. 279. **301** hg, bg, mb, hd et fond : Ian Hanning/REA ; mh : Anne Christine Poujalat/AFP. **306** hd : Roger Ressmeyer/Corbis. **308** Furgolle/BSIP. **312** Tompet**. **315** md : Sergey DV**. **317** bd : UCLA ; mg : Florian Andronache**. **320** Voir p. 301 (hg et mb). **323** Fenton**. **327** mg : Koshy Johnson/Biosphoto. **329** hd : Carlsberg laboratory Denmark. **331 :** h : Khalid Tanveer/Sipa ; b : Ian Murray/age fotostock. **338** h : George Dolgikh**. **340** Stana**. **341** g : Shyrokova* ; d : Gerisch*. **342** Hansjuerg Hutzli*. **345** h : Labo modern. **346** Voir p. 323. **349** Ulana Switucha/Getty. **350** Henri Martinio/Roger-viollet. **356** SPL/Cosmos. **358** Liaurinko*. **359** h : LianeM** ; m : Trevor Allen**. **362** Tylor Olson**. **363** ep-stock**. **364** g : photo-aerienne-France. f Patrice BLOT. **365** b : OlegD**. **366** Voir p. 14. **368** md : John Kasawa**. **369** Ademe. **370** h : Danilo Rizzuti*. **371** Nunuk/AllCanadaPhotos/Corbis. **372** hd : voir p. 349 ; md : Graphies.thèque*. **375** Burger/Phanie. **380** d : François Janin/CNRS Photothèque ; g : RajeshKumarSingh/SIPA. **382** Archives Charmet/Birgman Giraudon. **389** DR. **393** mg : Amélie Benoist/BSIP ; bg : Janez Habjanic** ; hd : Roger Ressmeyer/Corbis. **397** h : voir p. 375 ; m : BURGER/Phanie. **398** Institut de physique et de chimie des matériaux de Strasbourg. **412** Rich Carey**. **413** fond : violetkaipa** ; bd : Nicolas Piroux. **415** g : Leungchopan** ; d : Jean-Luc Manaud/Rapho. **416** Franck Boston**. **418** Paul Taylor/Getty. **424** g : ShastaDan©Andy* ; d : F. Enot**. **426** Sipa. **428** bd : Zurijeta**. **429** hg : Frederic B**. **430** hd : Dianne Maire**. **432** bd : Leroy Merlin. **433** Aérographie par cerf volant ©Wallois José Calais 2006. **434** Voir p. 415. **435** b : Milosz Aniol** ; h : Mona Makela**. **437** Voir p. 412. **439** m : Patrick Lacroix-Desmazes/CNRS. **440** m : DR. **441** Maurice Loir. **442** Gabriel Nardelli Araujo**. **444** Daniel Yordanov**. **445** Paul Orr**. **451** Anita Patterson Peppers**. **452** g : Ritu Jethani* ; d : Stocksnapper**. **453** d : Driving South*. **454** Cicero Dias Viegas/ Tips/Photononstop. **455** hg : Doug Sokell/Visuals Unlimited/Getty Images. **456** Lanamarina*. **458** Shawn Hempel**. **459** Reckitt Benckiser. **460** Voir p. 412. **463** m : Analytical ; g : Gerald Bernard* ; d : Dim154**. **464** hd : Jennifer Jane*. **471** Leksele**. **472** Voir p. 463 (m). **473** Muellek Josef**. **481** g : Garo/Phanie. **482** Jean-Claude Drillon*. **483** Charles D. Winters/BSIP. **484** hd : voir p. 463 (md). **488** PAOJoke*. **490** Tropper**. **494** Wolna**. **506** Mikhail hoboton Popov**. **509** Shchipkova Elena**. **510** Brzostowska**. **516** d : Graja**. **517** de g à d : Gelpi** ; Lisa S.** ; bluehand** ; Elnur** ; Withgod** ; Anna Chelnokova** ; BonD80** ; mkabakov**. **520** hd : MishAl**. **523** hd : voyager624** ; md : yayayoyo**. **525** bd : Jason Vandeley**. **529** mg : Khomulo Anna**. **530** V. Monnet. **531** David Hay Jones/SPL/Phanie. **534** hg : 3DStock** ; md : V. Monnet. **535** Spot/Eyedea. **537** Masksym Protsenko**. **545** g : Power and Syred/SPL/Cosmos. **546** hd : Yuri Arcus**. **549** General Electric. **556** bg : voir p. 546. **557** asharkyu**. **561** fond : Bukhavets Mikhail** ; g : Prod DB © AMC – Sony Pictures TV/ DR ; d : Prod DB © CBS – Warner Bros. Television – Chuck Lorre Productions/DR. **563** de hg à bd : Éditions La Découverte ; Science & Vie ; www.muhleberg-illimite-non.ch.© Ed. responsable : Benjamin Leroy – Beaulieu – Lausanne ; Terre vivante ; Terra Eco ; DR ; Science & Vie ; Casterman ; campagne de communication WWF-Belgique (url : www.wwf.be), 2007 ; Prod DB © Warner Bros – Participant Media – Regency Enterprises/DR ; Ludovic/Rea ; Prod DB © J+B Séquences/DR. **564** mg : Europe 1 ; bg : Bisphenol ; md : République Française ; bd : Garo/ Phanie. **565** hg : Le Monde ; hd : Etsa ; mg : Anses ; md : La Ligue contre le cancer. **566** g et d : Martin Bernetti/AFP. **567** hg : Nasa ; hd : Eso. **568** Volodymyr Goinyk**. **569** mg : Jock Fistick/Reporters/Rea ; md : csp** ; bg : Pierre Bessard/Rea ; bd : LoopAll**. **570** admission-postbac. **571** M.Castro/Urba Images Server. **572** Harald Biebel*. **573** hg : OMS ; hd : FAO. **574** h : iDesign**. **580** g : Pr. L. Rome/illustration by Dr. E. Goldmann.

*** = fotolia.com ; ** = shutterstock.com**

Achevé d'imprimer en Espagne par Macrolibros
Dépôt légal : juin 2018 - Édition 09 - Collection n° 53 - 13/5574/2